G000016018

MÉMOIRES D'OUTRE-TOMBE

CHATEAUBRIAND

Mémoires d'outre-tombe

Tome I

Texte de l'édition originale
(1849)

PRÉFACE, NOTES ET COMMENTAIRES
DE PIERRE CLARAC

LE LIVRE DE POCHE

Pierre Clarac, né à Bordeaux, le 21 novembre 1894. Elève de l'Ecole Normale Supérieure (promotion 1914). Agrégé ès lettres (1920).

Inspecteur général de l'Instruction publique (Lettres) de 1940 à 1966, membre du Conseil supérieur de l'Instruction publique, membre de l'Institut depuis 1964 (Académie des Sciences morales et politiques). Depuis 1970, secrétaire perpétuel de cette Académie, président de la Société Chateaubriand.

ŒUVRES : *Colette*, 1934 ; *La Fontaine* (« Connaissance des Lettres »), 1947 ; *Chateaubriand pamphlétaire et journaliste*, 1949 ; *La Fontaine par lui-même* (« Ecrivains de toujours »), 1961 ; *L'Enseignement du français*, 1963 ; *Boileau* (Connaissance des Lettres), 1964 ; *Album Proust* (Bibliothèque de la Pléiade), 1965 ; *L'Age classique*, 1969. — Nombreux ouvrages pédagogiques.

© *Librairie Générale Française*, 1973.

PRÉFACE

I. — Genèse des Mémoires d'outre-tombe

C'est en novembre 1803, à Rome, que Chateaubriand a « conçu pour la première fois » l'idée de composer ses *Mémoires*. En décembre de cette année il écrivait à Joubert : « Mon seul bonheur est d'attraper quelques heures pendant lesquelles je m'occupe d'un ouvrage qui peut seul apporter de l'adoucissement à mes peines : ce sont les *Mémoires de ma vie*. Rome y entrera. » Rome, mais non pas, nous apprend-il, sa famille, son enfance, sa jeunesse, ses voyages, son exil. Voilà qui peut sembler étrange : il se demandera lui-même plus tard pourquoi il avait exclu de son plan primitif les récits auxquels il devait, dans la suite, se plaire davantage. Mais en novembre 1803 la raison de son choix est assez claire. Il est à l'une des heures les plus sombres de sa vie. Pauline de Beaumont vient de mourir dans ses bras : à la douleur d'avoir perdu celle dont il était l'idole, se mêle le remords des peines qu'il lui a causées. De la pauvre Lucile les nouvelles qu'il reçoit font craindre le pire. A Rome, comme diplomate, après les premières semaines d'émerveillement, il n'a connu que des disgrâces. Son ambassadeur, le cardinal Fesch, et le secrétaire d'Etat de Pie VII, Consalvi, s'accordent à le détester. Toutes ses initiatives se retournent contre lui. Au Vatican, on se moque de l'auteur du *Génie,* théologien improvisé. En France,

9

malgré Fontanes, ses affaires ne vont pas mieux. Les bureaux lui sont hostiles ; un mémoire où il s'en prenait à Fesch, a mis Bonaparte hors de lui. Sensible comme il l'est, et prompt au désespoir, c'est quand il est frappé dans ses affections les plus chères qu'il voit compromises sa situation littéraire et ses chances politiques.

D'instinct son imagination cherche un refuge dans le passé. Non pas dans celui de son enfance et de sa jeunesse, hantées de rêves impuissants. Ce qu'il revit avec ivresse, ce sont les trois années, toutes récentes encore et pourtant si lointaines, qui se sont déroulées entre son retour en France et les premières désillusions romaines. C'était un bien mince personnage qui, au printemps de 1800, avait débarqué clandestinement à Calais. Or, un an ne s'était pas écoulé qu'*Atala* lui apportait la gloire ; un an encore, et le *Génie* fait de lui l'écrivain le plus en vue de son temps. Son triomphe littéraire est aussi soudain que l'a été celui de Bonaparte sur les champs de bataille. Il est fier d'unir ses efforts aux siens. C'est avec une entière sincérité que, lorsqu'il dédie au Premier Consul la deuxième édition du *Génie,* il salue en lui l'homme de la Providence. Jusqu'à l'exécution du duc d'Enghien, il admirera en Bonaparte le seul chef qui puisse ménager entre l'ancien et le nouveau régime les transitions nécessaires. Pour sa part, il se refuse et se refusera toujours à être un homme du passé.

« Les feux de l'amour, écrit Vauvenargues, ne sont pas si doux que les premiers regards de la gloire. » Mais pour Chateaubriand, au début du siècle, ces feux et ces regards se confondent. Sa gloire, il la voit surtout briller dans les yeux passionnés de Pauline, dans la tendre expression dont s'anime le visage de Delphine de Custine, dans le sourire sans pareil de celle qui, un matin d'avril 1801, lui est apparue auprès de Germaine de Staël : c'est à peine s'il a osé lever la vue sur elle, et pendant des années il ne la reverra plus ; mais, dès cette première rencontre, Juliette Récamier a fait pâlir même la Sylphide de Combourg. « Je me demandais si je voyais un portrait de la candeur ou de la volupté. Je n'avais jamais inventé rien de pareil. »

De ce projet initial subsistent à peine quelques lignes.

Peu à peu le cadre de l'ouvrage s'élargit. Chateaubriand se plaît à y faire entrer toutes ses années d'enfance et de jeunesse. La tristesse même prend de la douceur dans le souvenir. Dès 1806 l'ébauche doit être assez poussée puisque, en juillet, partant pour l'Orient, il confie à Molé, alors son ami, le soin de la publier dans le cas où il ne reviendrait pas. *Les Martyrs* paraissent en mars 1809. Peu après, semble-t-il, Chateaubriand reprend le manuscrit où il a fixé ses souvenirs, pour en mettre au point la rédaction, en tête de laquelle il écrit : « Mémoires de ma vie commencés en 1809. » Plus qu'au détail des événements, c'est à ses « songes » qu'il s'intéresse. Aux autres et à lui-même il tente d'expliquer son « inexplicable cœur ».

Ces derniers mots doivent nous retenir. Ils annoncent un nouveau dessein, bien différent du précédent, et qui, dans la retraite où le condamne son opposition à l'Empire, va pour Chateaubriand passer au premier plan. On lit aujourd'hui, au début des *Mémoires* : « Ce 4 Octobre 1811 », quoique, dans leur rédaction définitive, ils soient bien postérieurs à cette date. Elle correspond sans doute à la décision qu'il a prise de faire connaître « entièrement le fond de son cœur », de se peindre enfin lui-même, et non sous le masque d'un héros imaginaire. Quelques semaines auparavant, le 21 août, il écrivait à Claire de Duras : « J'ai beaucoup de sentiments renfermés que je veux exprimer pour m'en délivrer, et je suis convaincu que je montrerai un intérieur d'âme assez extraordinaire. Je suis assez curieux de voir ce que je pourrai dire quand je m'abandonnerai à toutes mes pensées, sans garder aucune convenance et sans me faire aucune restriction. Mais je ne voudrais pas pousser ces mémoires jusqu'au temps où ma vie est devenue publique. »

Il se limitera donc à ses souvenirs de jeunesse et mettra l'accent sur la crise dont s'est accompagné pour lui l'éveil du cœur et des sens. Mais il ne suffit pas d'un effort de volonté ou d'intelligence pour faire renaître dans leur fraîcheur et leur intégrité, avec leur résonance et leur coloration propres, des sensations et des émotions disparues. Six années passent où les grands événements de l'histoire détournent Chateaubriand de lui-même. Mais, une fois encore, l'art, où il excelle, de déplaire aux puissances, le ramène à sa vie profonde. En 1816, le post-scriptum de la *Monarchie selon la Charte* a irrité Louis XVIII. Chateaubriand perd sa pension de ministre d'Etat. Il doit vendre ses livres à l'encan, mettre en loterie la Vallée-aux-Loups. Il songe à s'expatrier et passe à la campagne, dans des familles amies, ses « orageuses vacances » de 1817. C'est là, aux bords du Loir, à deux ou trois lieues du Combray de Marcel Proust, au château de Montboissier, « sur les confins de la Beauce et du Perche », qu'un soir de juillet, comme il se promène seul par un vent froid sous un ciel de nuages, le retour fortuit d'une sensation familière à son enfance, le sifflement d'une grive, ressuscite en lui les êtres et les choses de Combourg, ses langueurs et ses désespoirs d'enfant, la lande semée de pierres druidiques, ses rêveries, sa Sylphide. Les chapitres les plus magiques, les confidences les plus audacieuses des *Mémoires* sont sortis de l'ébranlement causé dans son être par l'invasion soudaine d'impressions qu'il pouvait croire à demi oubliées. Proust sur ce point s'est reconnu son disciple.

En 1822, au moment de partir pour Londres comme ambassadeur, il confie à Juliette Récamier les demi-feuillets rectangulaires, écrits dans le sens de la largeur, sur lesquels il a mis au net les trois premiers livres de ses *Mémoires,* ceux qui vont jusqu'au départ pour le régiment de Navarre, et où, selon son projet de 1811, en retraçant les exaltations de son adolescence, il a tenté d'« expliquer son inexplicable cœur ». En 1826, Juliette, aidée de sa nièce Amélie et du mari de cette nièce, le jeune archéologue Charles Lenormant, établit une copie de ces trois livres. Comme ils ne sont connus aujourd'hui, dans leur première rédaction et en leur ensemble, que par cette copie, on se sert abusivement pour les désigner de l'expression « manuscrit de 1826 ».

Cependant, à Londres, le « magnifique ambassadeur » se plaît à décrire les jours qu'il y a vécus, « pauvre émigré », moins de trente ans plus tôt, ceux où il suçait, pour tromper sa faim, des morceaux de linge mouillés. Bientôt ces premiers *Mémoires* se trouvèrent conduits jusque vers 1800. Peut-être Chateaubriand pensait-il alors s'arrêter là. Selon le conseil que lui avait donné Mme de Duras, il s'était promis de ne faire connaître ces pages toutes personnelles qu'à un petit nombre d'amis sûrs et d'exiger qu'elles fussent publiées seulement cinquante ans après sa mort.

C'est dans la solitude et l'amertume de la vieillesse, sous le règne exécré de « Philippe », vers 1832, qu'à la suite d'un nouveau changement d'orientation le projet des *Mémoires* semble prendre sa figure définitive. Sans doute, en évoquant sa vie glorieuse et tourmentée, Chateaubriand cherche-t-il toujours à oublier le présent et ses tristesses. Sans doute amplifie-t-il encore, pour les rendre plus pathétiques, les chapitres qu'il a déjà consacrés aux rêveries de Combourg et à la mystérieuse Sylphide. Mais ces confidences ne seront désormais que l'un des motifs de la symphonie. Il ne lui suffit même plus, en effet, de retracer sa vie presque tout entière : ce qu'il se propose maintenant, pour reprendre ses propres termes, c'est d'écrire « l'épopée de son temps ». Qui mieux que lui peut brosser pareille fresque ? Et quelle époque égale en grandeur épique celle dont il a été le témoin et l'acteur ? Combien a-t-il vu se succéder de révolutions et de régimes ! Historiquement, géographiquement, il a parcouru l'Ancien et le Nouveau Monde. Il a été mêlé à toutes les affaires de son temps et en a approché tous les grands hommes. Lié au passé par la fidélité et l'honneur, il observe l'avenir avec lucidité, sans se laisser effrayer par ses menaces ni éblouir par ses promesses.

Mais une vue ainsi élargie impose à l'écrivain un renouvellement de son art. Le style harmonieux et discret qui convenait à l'évocation des souvenirs personnels, n'a pas la force et l'éclat qu'exige l'épopée. A Genève, semble-t-il, au début de 1832, et à Paris au début de l'année suivante, Chateaubriand recompose entièrement tout ce qu'il avait déjà rédigé. Cette fois, enfin, il tient l'engagement qu'il avait pris de rejeter toute contrainte et de ne « se faire aucune restriction ». Puisque son ouvrage ne paraîtra que longtemps après sa mort, il n'a plus à se soumettre, comme il l'a fait jusqu'ici, au goût timide de ses amis, ni à brider son imagination, ni à éteindre son style. Il cédera à l'amour, si vif chez lui, des mots rares et archaïques, des ellipses, des dissonances, des coupes hardies, de tout ce qui rompt la symétrie des tours académiques. Il montrera à ces jeunes romantiques, si fiers d'arborer des bannières révolutionnaires, que, même en fait d'audace, ils ont encore des leçons à recevoir de leur vieux maître.

Du milieu de mai au début d'octobre, l'année 1833 est remplie par les deux « ambassades » à Prague et par le séjour à Venise. A peine rentré à Paris, dans la langue qu'il s'est créée, Chateaubriand fixe sur le vif les impressions de ses derniers voyages. On a peine à garder son sang-froid quand on pense que, treize ans plus tard, abusant de sa vieillesse, ses conseillers de l'Abbaye-aux-Bois l'amèneront à retrancher des *Mémoires* les deux tiers des pages enchanteresses que Venise lui avait inspirées. Il faudra attendre près d'un siècle pour que Maurice Levaillant les rétablisse d'après le manuscrit Champion. Notons que la narration de Chateaubriand n'ira pas au-delà de ce voyage : le récit de sa vie dans les *Mémoires* s'arrête à l'automne de 1833.

En dehors des impressions de Bohême et de Venise consignées avec une rapidité dont on s'émerveille, seuls se présentent alors en une rédaction nouvelle et continue les douze livres de la première partie qui s'arrêtent en 1800. Pour l'entre-deux, les notes, les ébauches sont abondantes, de nombreux documents ont été rassemblés ; mais la mise au point demandera encore bien du temps. Chateaubriand est dans sa soixante-sixième année. Eprouve-t-il le besoin de recueillir des approbations qui l'encouragent ? Espère-t-il trouver un éditeur qui lui paierait ses droits par avance et mettrait enfin un terme à ses tracas d'argent ? La chose sera difficile, car il est toujours décidé à ne laisser paraître ses *Mémoires* que longtemps après sa mort. Quoi qu'il en soit, à la fin de février 1834 commencent à l'Abbaye, dans le grand salon de Mme Récamier et devant une quinzaine de ses amis, des lectures suivies des chapitres des *Mémoires* qui sont alors achevés.

Elles se prolongèrent pendant plus de trois semaines. Les compliments furent chaleureux comme l'exigeaient les convenances. Aucun des invités de Mme Récamier n'eût voulu la contrister. Mais elle-même, dans le secret de son cœur, il est sûr qu'elle préférait aux hardiesses de cette rédaction nouvelle le style tempéré des pages qu'elle avait recopiées huit ans plus tôt. Tel était aussi certainement l'avis de ses neveux Lenormant, de son frileux adorateur Jean-Jacques

Ampère et de la roucoulante Mme Amable Tastu. De grands seigneurs comme Sosthène de La Rochefoucauld ou Adrien de Montmorency-Laval, légitimistes et classiques par tradition, avaient renoncé depuis 1815 à suivre Chateaubriand dans ses caprices politiques et littéraires. Quant à Sainte-Beuve, que Mme Récamier voulait gagner à la cause du grand homme, tout dans ce style sans cesse inventé déplaisait à la timidité de son goût, mais le moment n'était pas encore venu pour lui d'être sincère, et il approuvait de la tête en prenant des airs pénétrés.

Une petite campagne de presse adroitement menée accompagna ces lectures. La *Revue de Paris* prit les devants, dès le 1er mars, avec un article de Jules Janin. Buloz se rattrapa bientôt : la *Revue des Deux Mondes* donne à ses lecteurs, le 15 mars, la primeur de la « préface testamentaire » datée du 1er décembre 1833 ; c'est la première ébauche de l'*Avant-propos* de 1846. Le 15 avril 1834, elle publie un article de Sainte-Beuve consacré aux lectures de l'Abbaye et les pages prophétiques de l'*Avenir du Monde,* esquisse d'une conclusion des *Mémoires.* Pour excuser les hardiesses de la rédaction nouvelle, Sainte-Beuve assure que Chateaubriand reste « sobre dans son audace » ; il apparaît, dit-il, « comme un de ces écrivains qui maintiennent une langue en osant la remuer et la rajeunir 1 ».

En octobre enfin paraît le volume *Lectures des Mémoires de M. de Chateaubriand :* il n'est pas mis en vente, mais distribué gratuitement aux souscripteurs des *Œuvres Complètes.* Il comprend les articles inspirés par les lectures, des « fragments originaux » empruntés seulement à la première partie de l'ouvrage, la « préface testamentaire » et l'*Avenir du Monde.* Désiré Nisard a été chargé de l'avant-propos. Choix singulier et significatif. Chateaubriand, fier de ses audaces, est sévère à celles de ses disciples romantiques. Il les sermonnera rudement en 1836, dans l'*Essai sur la littérature anglaise.* C'est déjà prendre parti contre eux que de confier

1. Sous l'éloge imposé on sent les résistances du critique : « Le vocabulaire de M. de Chateaubriand, dans ces *Mémoires,* comprend toute la langue française imaginable, et ne la dépasse guère que parfois en quelque demi-douzaine de petits mots que je voudrais retrancher. »

à un critique qui les déteste [1] ; le soin de présenter les *Mémoires*.

D'un point de vue pratique ces efforts ne furent pas vains. Le 21 août 1836 une « Société propriétaire des *Mémoires d'Outre-Tombe* » est constituée. Le versement immédiat d'une somme de 156 000 francs et la promesse d'une rente annuelle de 12 000 francs assurent à Chateaubriand une aisance matérielle qu'il n'avait jamais connue. Il reste libre de modifier l'ouvrage jusqu'à son dernier jour. Mais il lui faut d'abord l'achever. Pendant trois ans, septuagénaire, il ne se donne aucun répit. Le 4 mai 1839, il écrit à son fidèle Hyde de Neuville : « Les *Mémoires* sont finis. » L'Avant-propos et la conclusion sont datés de 1841. En tête de bien des chapitres il a maintenu la date de la première ébauche. Ainsi a-t-il voulu marquer que la composition de l'œuvre s'est étendue sur presque toute sa vie. Le texte que nous lisons aujourd'hui n'en a pas moins été écrit, d'un bout à l'autre, par un homme qui avait largement dépassé la soixantaine.

Il y a bien quelques ombres au tableau. Celle-ci d'abord : pressée de rentrer dans ses avances, la « Société propriétaire » a exigé que l'ouvrage parût aussitôt après la mort de l'auteur. Nombre de ceux dont il a parlé avec une rude franchise seront sans doute encore vivants. Il va lui falloir mettre une sourdine à des jugements trop cavaliers. Et voici qui est peut-être plus grave : en octobre 1844, la « Société » vend au directeur de *La Presse,* Emile de Girardin, le droit de publier les *Mémoires* dans son journal, en feuilleton, avant même qu'ils ne paraissent en volumes. Contre pareille manœuvre Chateaubriand est sans recours. Mais dans l'entourage de Mme Récamier, l'occasion paraît bonne aussitôt pour amener le vieillard désemparé à affadir son texte, à en retrancher tout ce qui pourrait paraître trop hardi ou trop passionné. Peut-il confier ses secrets à une feuille qui traînera partout et que n'importe qui pourra lire ? C'est en 1846, deux ans avant sa mort, que les sacrifices les plus cruels lui sont arrachés. Plus des deux tiers du livre consacré

1. C'est précisément en 1834 que Nisard publie ses *Etudes sur les poètes latins de la décadence :* la « littérature facile » (entendez : romantique) y est visée et raillée à chaque page.

à Venise, nous l'avons vu, disparurent de la sorte. L'opération fut menée rondement et sans la moindre précaution. Que l'on ouvre le tome XI de l'édition originale à la page 193 : un chapitre est interrompu au milieu de son développement. On n'a même pas pris la peine de supprimer dans le titre de ce chapitre les mots « Anciennes et nouvelles courtisanes. Rousseau et Byron nés malheureux » qui, après cette coupure, ne correspondent plus à rien. Et dans le détail que de coups de ciseaux, de retouches, d'adoucissements ! Le goût timoré de l'Abbaye l'emportait. Après avoir publié *Le Congrès de Vérone* en 1838, Chateaubriand en avait rédigé un résumé destiné aux *Mémoires*. Ce résumé disparut, lui aussi, si bien que la guerre d'Espagne, « le grand événement politique de [sa] vie », est à peine dans les *Mémoires* mentionnée en quelques lignes.

Chateaubriand avait établi avec beaucoup de soin l'architecture de son œuvre. Il l'avait divisée en quatre parties. Dans la première, qui prenait fin avec le siècle où il était né, il retraçait son enfance et son adolescence, ses aventures de voyageur et de soldat ; dans la seconde, sa carrière littéraire ; dans la troisième, sa carrière politique. Enfin la révolution de Juillet l'avait « libéré des galères du monde et de la Cour » : il pouvait finir sa vie comme il l'avait commencée, dans l'indépendance et les songes. En 1846, on ne sait pourquoi, cette division en quatre parties disparut. Du moins la division en une quarantaine de livres subsistait-elle. Elle disparut à son tour, lorsque les *Mémoires* furent publiés dans *La Presse*. L'œuvre, naguère si fortement liée, se présentait désormais comme une suite sans fin de chapitres incoordonnés, fort courts pour la plupart.

Chateaubriand meurt le 4 juillet 1848 dans son rez-de-chaussée de la rue du Bac. Les journées violentes de juin ont laissé Paris « comme abruti », écrit Hugo. Les obsèques se déroulent le 8 dans une demi-indifférence. Il est vrai que, le 19, lors de l'inhumation au Grand-Bé, la Bretagne accueille avec piété le retour de son enfant. L'Académie, pour lui donner un successeur, aura le choix entre le duc de Noailles et Balzac ; presque unanime, c'est Noailles qu'elle élira.

La publication des *Mémoires* dans *La Presse* commence le 21 octobre 1848 ; elle se poursuivra pendant près de deux ans.

Pour présenter l'œuvre au public, Girardin n'a trouvé que Monselet. Les exécuteurs testamentaires avaient mission de s'assurer que le texte du dernier manuscrit serait reproduit fidèlement. En fait, presque tout le soin de cette surveillance incomba à Charles Lenormant et à sa femme. Par piété ils procèdent à un nouveau travail d'affadissement.

Solitude de Chateaubriand. Ceux qui croient l'admirer ne le comprennent guère. Ceux qui pourraient le comprendre, parce qu'ils ont un peu d'avenir dans l'esprit, se font de lui une image conventionnelle. Les compagnons de sa jeunesse, ceux de son « groupe », comme dira Sainte-Beuve, un Pasquier, un Molé, le jalousent et le haïssent. Légitimistes et orléanistes se réconcilient contre lui, tandis que les républicains, comme Pierre Leroux qui pourtant l'admire, voient en lui un « homme du passé ».

II. — LES SECRETS DE L'ARTISTE. LE « MANUSCRIT DE GENÈVE ».

Chateaubriand voulait dérober aux profanes les secrets de sa création. Il avait donné à Hyacinthe Pilorge, qui fut son secrétaire pendant vingt-sept ans, la consigne de détruire ses brouillons, en particulier ceux des *Mémoires*. Hyacinthe ne put se résoudre à un tel sacrilège. Il garda en cachette quelque six cents pages raturées : une centaine d'entre elles étaient entièrement de la main de Chateaubriand ; les autres, recopiées par lui, Pilorge, portaient de nombreuses corrections de l'auteur. En 1843, quand il fut congédié dans des circonstances restées mystérieuses, le secrétaire emporta ces brouillons, non certes pour en tirer profit, mais comme le témoignage que, dans sa vie sans éclat, il avait du moins été associé à l'élaboration d'une grande œuvre.

Pilorge meurt en 1861 sans avoir, semble-t-il, rien dit à personne de ces brouillons et de sa désobéissance. A la veille de la deuxième guerre mondiale, en 1938, à Bellerive, au bord du lac de Genève, dans une chambre d'une villa dont il était le locataire, un ingénieur a la surprise de découvrir une masse de feuillets raturés. C'étaient les papiers sauvés cent ans avant par Pilorge. Comment avaient-ils été portés, puis oubliés en Suisse ? La chose reste obscure. Une fois les manuscrits identifiés, s'engagent des discussions confuses entre ceux qui ont découvert le trésor et les propriétaires de la villa où il a été trouvé. Quinze années passent, au terme desquelles la pire solution intervient : les deux parties s'entendent pour disperser les manuscrits afin de les vendre plus cher. M. Jean Dupin, qui en possède aujourd'hui le lot le plus important, M. Maurice Chalvet, qui mieux que personne est informé de tout ce qui les concerne, m'ont permis d'en étudier bien des pages et de faire à leur sujet quelques remarques que je présente brièvement.

Ces manuscrits se rapportent surtout aux années d'émigration, au retour en France sous le Consulat, aux premiers succès littéraires, à la vie de Napoléon, aux lendemains de la révolution de Juillet, aux voyages à Prague et au séjour à Venise. Ils ne forment pas un ensemble suivi et ne représentent qu'une faible partie, la trentième peut-être, de ce qu'ont dû être les brouillons de l'ensemble des *Mémoires*; mais parfois ils nous donnent, sur des feuillets différents, cinq ou six états successifs d'un même passage.

Le premier jet pour chaque page est, en général, entièrement autographe : l'écriture en est hâtive, irrégulière, presque indéchiffrable ; les ratures y abondent. On comprend que Chateaubriand finissait par ne plus s'y reconnaître lui-même. Il confiait alors ses hiéroglyphes à Pilorge qui en calligraphiait des copies parfaitement exactes. Sur ces copies Chateaubriand se corrigeait à nouveau, biffant ce qui lui déplaisait de larges traits noirs qui nous désespèrent quand nous cherchons à retrouver ce qu'il y avait sous la rature, et écrivant dans les interlignes des mots nouveaux, plus illisibles encore que ceux du premier jet. Cette copie, devenue elle-même indéchiffrable, revenait entre les mains de Pilorge qui en établissait une mise au net, et l'opération pouvait recommencer plusieurs fois encore.

Les pages retrouvées à Bellerive sont donc des brouillons trop raturés qui ont dû être remplacés dans le manuscrit par des copies d'une lecture plus facile. Elles forment un ensemble bigarré, discontinu, avec de nombreuses répétitions. L'expression «manuscrit de Genève», couramment employée aujourd'hui, est impropre à tous égards. Il n'y a pas lieu d'ailleurs de distinguer plusieurs manuscrits des *Mémoires,* au moins à partir de 1834. Maurice Levaillant, qui n'a pu connaître l'existence des papiers conservés par Pilorge, a fait preuve d'une grande justesse d'intuition lorsqu'il a écrit (*Séjour à Venise,* p. 81) : « De 1834 à 1848 il n'a existé, à vrai dire, qu'un seul manuscrit authentique…, manuscrit sans cesse corrigé par l'auteur, sans cesse refait par les soins de Pilorge. »

Il est sûr que presque toutes les pages des *Mémoires* sont le résultat de tâtonnements et de corrections sans nombre. N'allons pas croire pourtant que Chateaubriand fût incapable d'improviser. Dans les expressions qui se présentent d'abord à son esprit, il y a des négligences sans doute, mais souvent aussi une vivacité, une vigueur singulières. Voici la première version, entièrement autographe, d'un passage célèbre entre tous. C'est le 7 juillet 1815, vers onze heures du soir. Talleyrand et Fouché entrent, à l'abbaye de Saint-Denis, dans le cabinet de Louis XVIII. Pour éclairer une allusion du texte, rappelons que les restes de Louis XVI et de Marie-Antoinette avaient été transportés à Saint-Denis le 21 janvier 1815 :

J'étais là. Le long des murs de la vieille abbaye de Dagobert, à quelques pas du squelette décapité nouvellement rendu aux caveaux solitaires, je vis, un soir, passer dans l'ombre le Vice appuyé sur le bras du Crime : Talleyrand accroché à Fouché menait celui-ci jurer foi et hommage à son seigneur. Le féal régicide à genoux mit les mains qui avaient fait tomber la tête de Louis XVI entre les mains du frère du roi martyr ; l'évêque apostat et félon fut caution du serment.

Les grandes beautés du texte de l'édition se trouvent déjà dans cette rédaction initiale ; et je me demande même si, au moins dans le début (« Le long des murs… je vis, un soir, passer dans l'ombre… »), le premier jet n'a pas plus de force tragique que la version définitive.

En comparant les feuilles conservées par Pilorge aux pages de l'édition originale qui leur correspondent, on croit suivre l'écrivain dans son travail, à la recherche des mots et des tours rares, pittoresques, archaïques. Les exemples qui suivent sont empruntés aux impressions de Venise.

Chateaubriand avait écrit d'abord : « en faisant un détour à travers les lagunes du Nord » ; les quatre premiers mots de ce membre de phrase sont remplacés par un gérondif italien : « girando ».

« Près du fort San Nicolo » devient « à l'orée du fort... ». Souvenir peut-être de Rabelais (*Gargantua* XXVII) : « l'orée des murs ».

« Je me résolus à faire une visite à Mme Brollo. » Pour éviter la répétition de la préposition, il recourra à une construction un peu vieillie, mais familière à tous nos classiques : « je me résolus de faire ».

« Des mouettes reposaient en troupe sur la plage mouillée. » Cette notation banale est renouvelée par un mot qui fait image : « Des mouettes posées marquetaient en troupe la plage mouillée. »

Le manuscrit de Genève donne : « Çà et là quelques chardonnerets voletaient sur des joncs marins avec de petits cris. » Chateaubriand se corrige : « voletaient avec de petits cris sur des buissons de joncs marins » ; l'octosyllabe final fait mieux ressortir par sa carrure l'impression d'agitation et de dispersion que donnent au début de la phrase quatre groupes de syllabes plus courts.

On remarque aussi avec quel soin Chateaubriand fait la chasse aux alexandrins qui s'étaient d'eux-mêmes présentés sous sa plume : « [Un vent faible] sifflait aridement dans ces plantes rigides ». L'adverbe « aridement » avait beaucoup de force. Il le supprime cependant pour rompre la mesure du vers.

Puis-je le dire en passant ? La lecture de ces notes sur Venise, si belles et cruellement sacrifiées, m'a valu l'émotion de retrouver, sur la page même où Sainte-Beuve l'avait lu en 1834, le passage qu'il publia dès 1836 et qu'on lui a longtemps reproché d'avoir inventé ou falsifié. Chateaubriand évoque son voyage d'il y a près de trente ans à

Jérusalem. Quelle hâte il avait d'aborder aux côtes d'Espagne où l'attendait Natalie de Noailles ! Ce souvenir réveillé le transporte encore de fièvre et d'impatience. Mais que de douleur aussi, et de remords ! En 1834, il y a dix-sept ans que Natalie a perdu la raison ; elle mourra l'année suivante. Dans le manuscrit de Genève le passage, recopié par Pilorge, porte deux corrections autographes : « comme » (dans « comme j'avais traversé ») a été remplacé par « ainsi que » ; plus bas Chateaubriand avait d'abord écrit : « Si j'ai un jour de bonheur, il est troublé par la mémoire de ces jours de séduction... » ; il a corrigé la répétition de « jour » et remplacé « j'ai un jour » par une expression plus étoffée. Voici donc le passage tel que le donne le manuscrit de Genève, tel que Sainte-Beuve l'a publié :

[Allais-je au tombeau du Christ dans les dispositions du repentir ? Une seule pensée m'absorbait ; je comptais avec impatience les moments. Du bord de mon navire, les regards attachés sur l'étoile du soir, je lui demandais des vents pour cingler plus vite, de la gloire pour me faire aimer : j'espérais en trouver à Sparte, à Sion, à Memphis, à Carthage, et l'apporter à l'Alhambra. Comme le cœur me battait en abordant les côtes d'Espagne ! Aurait-on gardé mon souvenir, ainsi que j'avais traversé mes épreuves ? Que de malheurs ont suivi ce mystère ! Le soleil les éclaire encore ; la raison que je conserve me les rappelle. Si je cueille à la dérobée un instant de bonheur, il est troublé par la mémoire de ces jours de séduction, d'enchantement et de délire [1]

III. — LA SINCÉRITÉ DE CHATEAUBRIAND

Les brouillons de Genève nous renseignent aussi, il me semble, sur le problème si complexe de la sincérité de

1. C'est en 1834 sur la copie de Pilorge que Sainte-Beuve a relevé le passage. La rédaction autographe a disparu. Vers 1840, Chateaubriand a cru devoir substituer à cet aveu audacieux et déchirant un texte plus bref et moins explicite : c'est celui du manuscrit Champion. Enfin, sans doute en 1846, lorsque le livre consacré à Venise a été amputé des deux tiers, cette version adoucie elle-même a été sacrifiée.

Chateaubriand. Qu'un détail semble inexact dans ses *Mémoires,* le voici aussitôt traité de hâbleur, de menteur, comparé à Gaudissart et à Tartarin. Ces gros mots n'éclaircissent rien. Prenons d'abord un exemple. Nous sommes en 1792, en automne. L'armée des Princes a été licenciée. Blessé, malade, Chateaubriand veut gagner Bruxelles pour y retrouver son frère aîné Jean-Baptiste. Il se traîne, mourant, à travers la forêt des Ardennes. Dans le brouillon de Genève on lit : «Quelques alouettes courant ou volant parmi des herbes parfumées, c'étaient mes dernières compagnes». Phrase remplacée dans l'édition par celle-ci : «Quelques gelinottes, fourvoyées dans le gîte des lièvres sous des troënes, faisaient seules, avec des insectes, quelques murmures autour de moi ; vies aussi légères, aussi ignorées que ma vie. » La première version de ce passage remonte à 1822 ; elle est donc elle-même postérieure de trente ans aux événements qu'elle rapporte. Chateaubriand avait-il alors un souvenir précis des oiseaux qui dans la forêt des Ardennes avaient tenu compagnie à son accablement ? Il a d'abord pensé à des alouettes parce que leur nom même évoque une idée de vivacité et de joie, et pour obtenir un effet de contraste. Quand il s'est relu, après dix ou quinze ans, il a cherché des mots plus rares, des correspondances et des oppositions plus subtiles. En tout cela, sans doute, l'exactitude lui importait peu. Artiste, il composait un tableau, et son imagination collaborait avec sa mémoire pour donner à ce tableau son unité et sa richesse. Il joue avec les faits, modifie le décor, mais toujours pour rendre plus sensible l'impression, l'émotion qu'il porte en lui.

Il croit parfois très sincèrement avoir vu ou entendu ce qu'il ne fait que se figurer. Au début de 1823, ministre des Affaires étrangères, il va engager la France dans la guerre d'Espagne. D'après les *Mémoires,* Talleyrand, hostile à cette intervention, l'aurait combattue devant les Pairs dans un discours prononcé le 3 février. Il aurait déclaré de sa voix profonde que, dès 1807, il avait instamment dissuadé Napoléon d'envahir l'Espagne et que la disgrâce avait été le fruit de sa sincérité. Chateaubriand assure que ces paroles effrontées produisirent un effet de stupeur. Que Talleyrand eût conseillé à Napoléon la guerre d'Espagne, qu'il lui eût adressé plusieurs rapports où il démontrait qu'elle «était aussi nécessaire que politique», personne ne l'ignorait à la Chambre des pairs. Talleyrand mentait avec son assurance, son impassibilité coutumières, convaincu qu'il supprimait les faits en les niant.

Mais Chateaubriand comment ne pas l'accuser lui aussi de mensonge ? Ce discours que Chateaubriand dit avoir entendu, il est certain que Talleyrand ne l'a jamais prononcé. La discussion traînant en longueur, les Pairs votèrent la clôture avant qu'il n'eût pris la parole. Talleyrand dut se contenter de publier son «opinion» dont Chateaubriand cite le début, d'ailleurs très exactement. Prenons garde toutefois que ces deux mensonges ne sont pas de même nature. Talleyrand a un intérêt évident à jouer «l'inutile Cassandre»; Chateaubriand n'en a aucun à faire croire qu'il a entendu Talleyrand. Dans le premier cas, l'homme politique travestit les faits à son profit; dans le second, l'artiste en vient inconsciemment à peindre comme réelle une scène que son imagination lui représente.

Il faudrait parler aussi des silences que lui impose sa délicatesse. On a osé lui reprocher de n'avoir pas dit que son père s'était enrichi par la traite, de n'avoir pas fait allusion aux mauvais procédés dont put user envers lui son frère, mort sur l'échafaud, de n'avoir parlé qu'en termes voilés du suicide de Lucile, de n'avoir soufflé mot de ses amours et de ses bonnes fortunes. Nous persistons à penser que de tels silences sont à son honneur.

IV. — Un homme nouveau au-delà de la soixantaine.

La déception avec laquelle les *Mémoires* furent d'abord accueillis tient surtout à ce que les admirateurs des premières œuvres de Chateaubriand eurent de la peine à reconnaître dans cette publication posthume l'écrivain qu'ils aimaient. Ils n'y retrouvaient ni son style ni les idées qu'ils croyaient être les siennes. Les *Mémoires,* dans leur rédaction actuelle, sont postérieurs, en effet, à 1830 ; or, au-delà de la soixantaine, Chateaubriand est devenu un homme nouveau.

Sur ce Chateaubriand des vingt dernières années — le plus grand —, sur son évolution littéraire, politique et religieuse, quelques indications ne seront peut-être pas inutiles.

Quand Chateaubriand murmure à Cynthie : « Va aux défaillances de ton repos » ou quand il parle de « l'exorbitance de [ses] années », ceux de ses lecteurs qui sont restés fidèles à *Atala* et à l'*Abencérage,* proclament que son goût s'est gâté. C'était le temps où l'on enseignait dans les collèges que la carrière d'un écrivain se divise nécessairement en trois périodes : il se cherche, il se trouve, il se perd. Les *Mémoires* attestent la décadence de Chateaubriand : telle était l'opinion de ce que Sainte-Beuve appelle « la belle société ». Mais plus que son évolution littéraire, ce sont les apparentes contradictions de ses idées politiques et religieuses qui déconcertent ses anciens admirateurs.

Pour ce qui est de la politique, ils ne se lassent pas d'opposer les articles des *Débats* à ceux du *Conservateur,* l'ami de Béranger et d'Armand Carrel à celui de Fontanes et de Clausel de Coussergues. A relire pourtant dans leur succession chronologique ses écrits de combat, sa pensée politique apparaît profondément une ; mais encore faut-il bien voir où réside cette unité.

Il ne s'agit pas de l'unité d'une doctrine. Chateaubriand est le contraire d'un doctrinaire. Telle est la raison véritable du désaccord qui le séparait d'un Bonald, même lorsqu'ils luttaient côte à côte. Pour Bonald il y a une vérité politique absolue, éternelle, de même essence que la vérité religieuse. Pour Chateaubriand, au contraire, le changement est la loi du monde : hommes et nations sont dans un perpétuel devenir. Les idées, les croyances, les mœurs, les rapports sociaux se modifient sans cesse : comment les formes politiques pourraient-elles ne pas se modifier aussi ? Tel régime qui convient à tel peuple, à tel moment de son histoire, ne saurait convenir à un autre, et demain ne lui conviendra plus à lui-même. C'est là une conviction liée à sa nature profonde, qui a toujours commandé sa pensée, et que sont venus renforcer encore les bouleversements dont il a été le témoin et les travaux d'histoire où il trouvait un délassement dans les pauses du combat. Il a lu Vico, Hegel, Herder qu'il mentionne dans les *Etudes historiques,* ou du moins leurs modernes disciples, Michelet, Quinet, Ballanche. Montesquieu a mis en lumière la relativité des lois, et Chateaubriand ne parle jamais de lui qu'avec respect. Mais il n'avait besoin de personne pour sentir que tout passe ici-bas.

Aussi répudie-t-il en termes exprès la théocratie de Maistre comme celle de Lamennais. Le premier divinise le pouvoir des rois, le second celui des peuples. Or il n'y a rien que de contingent et d'éphémère dans les formes politiques à travers lesquelles se poursuit l'évolution indéfinie de l'humanité.

Au lieu de légiférer dans l'abstrait pour un homme idéal, il faut observer les faits, essayer de comprendre les âmes et voir quelles solutions moyennes et pratiques peuvent être apportées dans le présent à des problèmes dont les données sont mouvantes et pleines de contradictions. Il est vain de restaurer des institutions mortes sous le prétexte qu'elles ont été utiles dans le passé. Il ne l'est pas moins de vouloir devancer l'avenir et de plier à ses rêves les réalités du présent. Cela, Chateaubriand a passé sa vie à le dire et à le redire, sans arriver à se faire comprendre des gens à systèmes qui le traitaient de sceptique ou de renégat.

Émigré à Londres, en 1797, il écrivait au début de son premier ouvrage, cet *Essai sur les Révolutions* qu'on lui a tant reproché : « Le mal, le grand mal, c'est que nous ne sommes point de notre siècle... Le danger de l'imitation est terrible. Ce qui est bon pour un peuple est rarement bon pour un autre... »

Aux premières heures de la Restauration, s'il admire la monarchie avec la Charte, c'est comme un régime d'attente, imposé par les faits et mieux adapté qu'aucun autre aux circonstances du moment : « Les nations, comme les fleuves, ne remontent point vers leurs sources... Pour être l'homme de son pays, il faut être l'homme de son temps. »

Le 25 mars 1820, au lendemain de l'assassinat du duc de Berry, Chateaubriand, alors chef des ultras, croit devoir rappeler, à la surprise et peut-être au scandale de ses amis, les principes permanents de son opportunisme politique : « En matière de gouvernement, les vérités sont relatives, et non pas absolues... Prenons garde de trop attaquer, par nos frayeurs, ce gouvernement représentatif qui sans doute a ses inconvénients comme tous les autres, mais qui est la transition naturelle des anciennes idées aux idées nouvelles, le point d'arrêt entre la monarchie et la république... »

La même intention le guide dans ses campagnes libérales du *Journal des Débats :* « La monarchie constitutionnelle n'est point née parmi nous d'un système écrit... Elle est fille du temps et des événements, comme l'ancienne monarchie... »

Les pairs se scandalisèrent du langage qu'il leur tint après la révolution de Juillet, le 7 août 1830 : c'est que depuis quinze ans ils n'avaient jamais essayé de le comprendre. La retraite du roi ne laisse la voie libre qu'à son successeur légitime ou à la république. « La république est peut-être l'état futur du monde, mais son temps n'est pas encore arrivé. » Reste la monarchie : la couronne revenait naturellement au duc de Bordeaux sous la tutelle du duc d'Orléans. Les circonstances nous offraient une chance inespérée que nous avons laissé perdre. Les vieux rois boudaient aux temps nouveaux. Au contraire « cet orphelin élevé aux écoles de la patrie dans l'amour du gouvernement constitutionnel et dans les idées de son siècle, aurait pu devenir un roi en rapport avec les besoins de l'avenir... Je ne crois pas au droit divin de la royauté, et je crois à la puissance des révolutions et des faits... La monarchie n'est plus une religion : c'est une forme politique préférable dans ce moment à toute autre, parce qu'elle fait mieux entrer l'ordre dans la liberté. »

Ainsi, avec ses ressources inépuisables d'éloquence et de lucidité, Chateaubriand s'est appliqué pendant quinze ans à parer de quelque prestige des solutions de fortune, des compromis, des expédients. D'un certain point de vue, en effet, la politique n'est que l'art de s'adapter à des situations éphémères. On comprend alors qu'elle ne puisse remplir toute une âme et que Chateaubriand ait écrit dans ses *Mémoires :* « En politique, la chaleur de mes opinions n'a jamais excédé la longueur de mon discours ou de ma brochure. »

Prenons garde toutefois qu'en décembre 1818 il avait déclaré dans *Le Conservateur :* « Si la politique n'est pas une religion, elle n'est rien. »

La contradiction n'est qu'apparente. Si la politique est

essentiellement l'art de deviner les besoins d'un peuple à chaque moment de son histoire, les plus impérieux de ces besoins, comme la gloire, comme la liberté surtout, sont d'une nature spirituelle. La chute de l'Empire a laissé au cœur des Français une « blessure secrète ». Napoléon a pu les asservir, mais pendant quinze ans, il leur a versé sans compter le vin qui les enivre : il les a soûlés de gloire. Déjà le souvenir s'efface des dernières défaites, des rigueurs du Blocus et de la conscription. Quelle figure peut faire à leurs yeux, auprès du géant qui leur soumettait l'Europe, le vieux roi impotent que leur a ramené l'envahisseur ? D'où le double devoir qui s'impose à la monarchie : d'abord, montrer qu'en dépit des circonstances de son retour, elle est un gouvernement national, le vrai gouvernement de la France ; travailler à l'affranchir de la tutelle étrangère ; se rattacher à tout ce qu'il y a dans le passé de la patrie, même le plus récent, d'héroïque et de fier ; bien plus, essayer, à son tour, dès qu'elle le pourra, d'acquérir une gloire qui lui soit propre (et ce sera tout le secret de la guerre d'Espagne) ; — mais, d'autre part, puisqu'il est trop clair que les belles folies ne nous sont plus permises, puisque le Trocadéro ne sera jamais Austerlitz, ni le duc d'Angoulême un foudre de guerre, il appartient à la Restauration de rendre aux Français ce que Napoléon leur avait confisqué. Il les traitait en esclaves ; qu'elle proclame et respecte leur liberté. Clairement conçu dès 1814, ce programme inspire tous les combats que Chateaubriand mènera pendant quinze ans pour le roi — et contre le roi.

Toute âme humaine est d'essence divine. La liberté est le premier de ses droits et de ses besoins. Mais ici politique et religion se confondent : « Il n'y a point de véritable religion sans liberté, ni de véritable liberté sans religion. »

Sur les sentiments religieux de Chateaubriand, j'entends sur la place que tenait la religion dans sa vie intérieure, nous ne savons presque rien. Il était le plus secret des hommes. Ce qu'il dit des circonstances de sa conversion vers 1798 est confus et, sur un point au moins, certainement inexact. Dans la préface du *Génie du Christianisme* il assure avoir appris la mort de sa mère par une lettre de sa sœur Julie qui ne lui serait parvenue que lorsque Julie elle-même était morte. « Ces deux voix sorties du tombeau, cette mort qui servait d'interprète à la mort, m'ont frappé. Je suis devenu chrétien. »

Sa mère était morte le 31 mai 1798 ; Chateaubriand, alors en Angleterre, fait allusion à cette mort dans une lettre qu'il adresse moins d'un mois plus tard, le 29 juin, à son oncle Bédée. Or, Julie ne mourra que le 25 juillet 1799. Comme il le fera à bien des pages des *Mémoires,* Chateaubriand a ici arrangé la réalité. Il substitue à la vérité des faits, une vérité d'impression et de sentiment. Car il est vrai que le désir de croire s'éveillait surtout en lui aux heures de douleur et de désespoir. C'est ce besoin de son âme que traduit la phrase fameuse : « J'ai pleuré et j'ai cru. »

Mais Chateaubriand, si discret sur ses sentiments religieux, a exposé avec beaucoup de précision, au contraire, ses idées religieuses. En vingt-cinq ans elles ont beaucoup évolué, et ce changement a contribué, lui aussi, à déconcerter ses lecteurs.

Dans le *Génie* il s'était appliqué à réfuter l'idée du christianisme qu'avaient accréditée les « philosophes des lumières ». Ils avaient dénoncé en lui l'ennemi de l'homme, l'ennemi de sa raison, de ses sentiments les plus naturels, de ses facultés créatrices, de son bonheur. En le présentant, au contraire, comme un agent de civilisation, Chateaubriand répondait au goût et aux besoins de son temps.

Dans les *Mémoires* il signale « les défauts » de son ouvrage : « *Le Génie du Christianisme* étant encore à faire, je le composerais tout différemment : au lieu de rappeler les bienfaits et les institutions de notre religion au passé, je ferais voir que le christianisme est la pensée de l'avenir et de la liberté humaine. » Christianisme, liberté, avenir, tels sont les trois principes indissociables qui, dans les dernières années de la Restauration, commandent la pensée et l'action de Chateaubriand. La religion, telle qu'il la conçoit alors, n'a plus rien de commun avec les aspirations romantiques d'un René indifférent aux choses de la terre. Tandis qu'en 1801, prenant le contre-pied des idées de Mme de Staël,

Chateaubriand niait et raillait la perfectibilité, au-delà de 1825 c'est sa foi en Dieu qui anime sa volonté de confiance dans le progrès moral de l'humanité.

Ses articles du *Journal des Débats,* la préface générale de l'édition Ladvocat, les notes qu'il ajoute à son *Essai sur les Révolutions,* l'«exposition» de ses *Etudes historiques,* tout ce qu'il écrit dans les cinq dernières années de la Restauration procède de cette idée maîtresse que Dieu a donné la liberté à l'homme pour qu'elle soit l'instrument de son progrès : ce progrès de l'homme ne sera lui-même que l'accomplissement du dessein providentiel. En 1827 Chateaubriand prend la tête d'une croisade en faveur de la liberté de la presse. Une confiance de nature religieuse l'anime dans son combat : «Le christianisme est la raison universelle... Sa vie est l'espérance... Il sait tout, il comprend tout.» On sent que Chateaubriand s'inspire ici de Ballanche et de ses rêves de palingénésie : «L'homme tend à une perfection indéfinie ; il est encore loin d'être remonté aux sublimes hauteurs dont les traditions religieuses et primitives de tous les peuples nous apprennent qu'il est descendu ; mais il ne cesse de gravir la pente escarpée de ce Sinaï inconnu au sommet duquel il reverra Dieu...»

Or, de cette ascension le christianisme ne sera le guide que s'il évolue lui-même. Sans doute, la vérité divine est immuable et absolue ; il n'en est pas moins vrai que, selon le mot de Ballanche, «elle se manifeste successivement».Les formes, sinon la doctrine, en changent avec le temps. Dès 1825, critiquant à la Chambre des pairs la loi sur le sacrilège, Chateaubriand déclarait : «La religion que je me fais gloire d'avoir défendue est une religion... simple avec les peuples barbares, éclairée avec les peuples civilisés, invariable dans sa morale et dans ses dogmes..., mais toujours appropriée au siècle, et dirigeant les mœurs sans les heurter.» Et, en tête des *Etudes historiques :* «Le christianisme... s'épurant après avoir passé à travers les siècles de superstition et de force, devient chez les nations nouvelles le perfectionnement même de la société.»

Bien plus, dans ces mêmes *Etudes historiques,* Chateaubriand se rallie à l'œcuménisme : «Les antipathies entre les diverses communions n'existent plus ; les enfants du Christ, de quelque lignée qu'ils proviennent, se sont serrés au pied du Calvaire, souche maternelle de la famille. Les désordres et l'ambition de la cour romaine ont cessé... Avec quelques concessions de part et d'autre, l'accord serait bientôt fait. » Ambassadeur à Rome, le 2 janvier 1829, Chateaubriand est reçu par Léon XII qui mourra en février. Il ose lui demander si le moment n'est pas favorable à « la réconciliation des sectes dissidentes par de légères concessions sur la discipline ». Le pape répond prudemment qu'il doit « attendre le moment fixé par la Providence ». Dans son discours au conclave du 10 mars, à la stupeur des cardinaux, Chateaubriand se fait l'apôtre de l'esprit « rénovateur » qui doit animer la religion. Le christianisme « croît avec la civilisation et marche avec le temps ».

Sous le règne de « Philippe » sa confiance dans l'avenir du monde ne tarde pas à fléchir. La jeunesse de France à laquelle il s'était senti uni de tout son cœur pendant les journées de Juillet, se rallie à la « monarchie ventrue ». « O mes fils, combien vous êtes dégénérés ! »

La conclusion des *Mémoires* juxtapose des fragments de dates différentes. Comme une vieille église où chaque siècle a laissé son empreinte, elle atteste l'écoulement du temps et les changements de la vie.

Sans doute a-t-elle dans l'ensemble ces couleurs sombres, cet accent d'amertume qu'on retrouve dans toutes les œuvres de vieillesse de Chateaubriand. Avec l'âge les infirmités sont venues, et la solitude, et la hantise de la mort et du néant. Le sentiment de la vanité universelle, qui ne l'avait jamais quitté, a fini par le dominer presque entièrement. La foi qu'il conserve en Dieu, à laquelle il se cramponne désespérément comme à son seul appui, n'est plus fondée que sur la ruine de ses illusions, sur sa défiance de tout et de tous : « Ma conviction religieuse, en grandissant, a dévoré mes autres convictions ; il n'est ici-bas chrétien plus croyant et homme plus incrédule que moi. » Mais dans les lignes qui suivent immédiatement cette profession de scepticisme, voici que reparaît, formulée aussi fermement qu'autrefois, la confiance qui, aux dernières années de la Restauration, animait l'auteur des *Etudes historiques* : « Le christianisme, stable dans ses dogmes, est mobile dans ses lumières ; sa transformation enveloppe la transformation universelle. Quand il aura atteint son plus haut point, les ténèbres achèveront de s'éclaircir.» Le vieillard qui, tout à l'heure, refusait de rien attendre de l'homme ni des choses de la terre, se laisse reprendre à ses rêves de palingénésie. L'humanité remontera à ses origines divines. Malgré l'apparence, les faits se conformeront au plan providentiel. Toutes les âmes, un jour, seront libérées.

Chateaubriand a bien senti que ces deux passages consécutifs se contredisent et, comme en 1834 dans *L'Avenir du monde*, comme en 1836 à la fin de l'*Essai sur la littérature anglaise*, il essaie de concilier le pyrrhonisme qui est lié à sa nature profonde et sa volonté d'optimisme. Dieu, maître de l'éternité, doit juger bien vaines nos impatiences. «Quand viendra ce jour désiré ? Quand la société se recomposera-t-elle d'après les moyens secrets du principe générateur ? Nul ne le peut dire ; on ne saurait calculer les résistances des passions.» Des passions, entendez de ces forces mauvaises, haine, cupidité, désir de possession et de domination, dont l'énergie est la preuve que nous sommes libres, mais qui font obstacle, dans le monde et en nous-mêmes, à la victoire de la liberté.

V. — UN GÉNIE PROPHÉTIQUE

Toute la conclusion des *Mémoires* est zébrée d'éclairs prophétiques. L'année même où nous célébrions le deuxième centenaire de la naissance de Chateaubriand, la France et le monde étaient secoués de mouvements confus. Quel accent prenaient alors certaines phrases de ce testament spirituel !

«Les illusions surabondent, et plus on est près de sa fin et plus on croit vivre. On aperçoit des monarques qui se figurent être des monarques, des ministres qui pensent être des ministres, des députés qui prennent au sérieux leurs discours, des propriétaires qui, possédant ce matin, sont persuadés qu'ils posséderont ce soir...»

«Si l'on arrête les yeux sur le monde actuel, on le voit...

s'ébranler depuis l'Orient jusqu'à la Chine qui semblait à jamais fermée... »

« Il n'existe plus rien : autorité de l'expérience et de l'âge, naissance ou génie, talent ou vertu, tout est nié... Des multitudes sans nom s'agitent sans savoir pourquoi... troupeaux affamés qui ne reconnaissent point de berger, qui courent de la plaine à la montagne et de la montagne à la plaine, dédaignant l'expérience des pâtres durcis au vent et au soleil. Dans la vie de la cité tout est transitoire : la religion et la morale cessent d'être admises, ou chacun les interprète à sa façon. »

L'art a perdu le sens de la mesure et celui de la pureté ; ses thèmes d'inspiration ne sont plus que le sang et le stupre. « A présent les talents se nourrissent de la Régence et de la Terreur. »

La machine donnera à l'homme des loisirs toujours croissants. Mais quel ennui guette cette société incapable de bien user de sa liberté ! « Que ferez-vous du genre humain désoccupé ? »

Dans un monde sans frontières, uniformisé et mécanisé, la vie serait lugubre. « Il ne resterait qu'à demander à la science le moyen de changer de planète. »

Que d'hommes en Chateaubriand ! Comme la mer, « son berceau et son image », il change sans cesse, passant du désespoir à la confiance, de la solennité à l'espièglerie. Tout le lasse, et un rien l'amuse. A cet égard surtout, ses *Mémoires* sont fidèles. Ils sont faits de contrastes, comme son âme et comme sa vie. Que de surprises réservées, lorsqu'il s'y replonge, à celui qui croit les bien connaître ! Après avoir épuisé contre eux ses ressources d'ironie et de malveillance, Sainte-Beuve doit rendre les armes : « Tel quel, conclut-il, ce livre est quelque chose d'unique [1]. »

---

1. Nous avons dû reproduire, en le corrigeant là où il était manifestement fautif, le texte de l'édition originale. Toute tentative pour établir un texte plus conforme aux intentions de Chateaubriand eût exigé un commentaire critique qui débordait le cadre de cette publication.

MÉMOIRES [1]

AVANT-PROPOS

Paris, 14 avril 1846.

Revu le 28 juillet 1846.

> *Sicut nubes... quasi naves... velut umbra.*
>
> JOB [2]

COMME il m'est impossible de prévoir le moment de ma fin, comme à mon âge les jours accordés à l'homme ne sont que des jours de grâce ou plutôt de rigueur, je vais m'expliquer.

Le 4 septembre prochain, j'aurai atteint ma soixante-dix-huitième année : il est bien temps que je quitte un monde qui me quitte et que je ne regrette pas.

---

1. Les notes précédées d'un astérisque sont de Chateaubriand ; celles qui sont numérotées sont propres à cette édition. Les lettres O.C. renvoient à l'édition Ladvocat des *Œuvres complètes*.
2. XXX, 15 ; IX, 26 ; XIV, 2 : « Comme un nuage... comme des vaisseaux... comme l'ombre. »

Les *Mémoires* à la tête desquels on lira cet avant-propos, suivent, dans leurs divisions [1], les divisions naturelles de mes carrières.

La triste nécessité qui m'a toujours tenu le pied sur la gorge, m'a forcé de vendre mes *Mémoires*. Personne ne peut savoir ce que j'ai souffert d'avoir été obligé d'hypothéquer ma tombe ; mais je devais ce dernier sacrifice à mes serments et à l'unité de ma conduite. Par un attachement peut-être pusillanime, je regardais ces *Mémoires* comme des confidents dont je ne m'aurais pas voulu séparer ; mon dessein était de les laisser à madame de Chateaubriand : elle les eût fait connaître à sa volonté, ou les aurait supprimés, ce que je désirerais plus que jamais aujourd'hui.

Ah ! si, avant de quitter la terre, j'avais pu trouver quelqu'un d'assez riche, d'assez confiant pour racheter les actions de la *Société* [2], et n'étant pas, comme cette Société, dans la nécessité de mettre l'ouvrage sous presse sitôt que tintera mon glas ! Quelques-uns des actionnaires sont mes amis ; plusieurs sont des personnes obligeantes qui ont cherché à m'être utiles ; mais enfin les actions se seront peut-être vendues ; elles auront été transmises à des tiers que je ne connais pas et dont les affaires de famille doivent passer en première ligne ; à ceux-ci, il est naturel que mes jours, en se prolongeant, deviennent sinon une importunité, du moins un dommage. Enfin, si j'étais encore maître de ces *Mémoires,* ou je les garderais en manuscrit ou j'en retarderais l'apparition de cinquante années.

Ces *Mémoires* ont été composés à différentes dates et en différents pays. De là, des prologues obligés qui peignent les lieux que j'avais sous les yeux, les sentiments qui m'occupaient au moment où se renoue le fil de ma narration. Les formes changeantes de ma vie sont ainsi entrées les unes dans les autres : il m'est arrivé que, dans mes instants de prospérité, j'ai eu à parler de mes temps de misère ; dans mes jours de tribulation, à retracer mes jours de bonheur. Ma jeunesse pénétrant dans ma vieillesse, la gravité de mes années d'expérience attristant mes années légères, les rayons

---

1. Ces divisions ont disparu dans *La Presse* et dans l'édition originale.
2. La société propriétaire (voir notre Introduction, p. 16).

de mon soleil, depuis son aurore jusqu'à son couchant, se croisant et se confondant, ont produit dans mes récits une sorte de confusion, ou, si l'on veut, une sorte d'unité indéfinissable ; mon berceau a de ma tombe, ma tombe a de mon berceau : mes souffrances deviennent des plaisirs, mes plaisirs des douleurs, et je ne sais plus, en achevant de lire ces *Mémoires,* s'ils sont d'une tête brune ou chenue.

J'ignore si ce mélange, auquel je ne puis apporter remède, plaira ou déplaira ; il est le fruit des inconstances de mon sort : les tempêtes ne m'ont laissé souvent de table pour écrire que l'écueil de mon naufrage.

On m'a pressé de faire paraître de mon vivant quelques morceaux de ces *Mémoires,* je préfère parler du fond de mon cercueil ; ma narration sera alors accompagnée de ces voix qui ont quelque chose de sacré, parce qu'elles sortent du sépulcre. Si j'ai assez souffert en ce monde pour être dans l'autre une ombre heureuse, un rayon échappé des Champs-Elysées répandra sur mes derniers tableaux une lumière protectrice : la vie me sied mal ; la mort m'ira peut-être mieux.

Ces *Mémoires* ont été l'objet de ma prédilection : saint Bonaventure obtint du ciel la permission de continuer les siens après sa mort ; je n'espère pas une telle faveur, mais je désirerais ressusciter à l'heure des fantômes, pour corriger au moins les épreuves. Au surplus, quand l'Eternité m'aura de ses deux mains bouché les oreilles, dans la poudreuse famille des sourds, je n'entendrai plus personne.

Si telle partie de ce travail m'a plus attaché que telle autre, c'est ce qui regarde ma jeunesse, le coin le plus ignoré de ma vie. Là, j'ai eu à réveiller un monde qui n'était connu que de moi ; je n'ai rencontré, en errant dans cette société évanouie, que des souvenirs et le silence ; de toutes les personnes que j'ai connues, combien en existe-t-il aujourd'hui ?

Les habitants de Saint-Malo s'adressèrent à moi le 25 août 1828, par l'entremise de leur maire, au sujet d'un bassin à flot qu'ils désiraient établir. Je m'empressai de répondre, sollicitant, en échange de bienveillance, une concession de quelques pieds de terre, pour mon tombeau, sur *le Grand-Bé**. Cela souffrit des difficultés, à cause de l'opposition du génie militaire. Je reçus enfin, le 27 octobre 1831, une lettre du maire, M. Hovius. Il me disait : « Le lieu « de repos que vous désirez au bord de la mer, à quelques « pas de votre berceau, sera préparé par la piété filiale des « Malouins. Une pensée triste se mêle pourtant à ce soin. « Ah ! puisse le monument rester longtemps vide ! mais « l'honneur et la gloire survivent à tout ce qui passe sur la « terre. » Je cite avec reconnaissance ces belles paroles de M. Hovius : il n'y a de trop que le mot *gloire*.

Je reposerai donc au bord de la mer que j'ai tant aimée. Si je décède hors de France, je souhaite que mon corps ne soit rapporté dans ma patrie qu'après cinquante ans révolus d'une première inhumation. Qu'on sauve mes restes d'une sacrilége autopsie ; qu'on s'épargne le soin de chercher dans mon cerveau glacé et dans mon cœur éteint le mystère de mon être. La mort ne révèle point les secrets de la vie. Un cadavre courant la poste me fait horreur ; des os blanchis et légers se transportent facilement : ils seront moins fatigués dans ce dernier voyage que quand je les traînais çà et là chargés de mes ennuis.

---

* Ilot situé dans la rade de Saint-Malo.

Sicut nubes... quasi naves... velut umbra.
                                           JOB[1]

La Vallée-aux-Loups, près d'Aulnay, ce 4 octobre 1811.

IL y a quatre ans qu'à mon retour de la Terre-Sainte, j'achetai près du hameau d'Aulnay, dans le voisinage de Sceaux et de Chatenay, une maison de jardinier, cachée parmi des collines couvertes de bois. Le terrain inégal et sablonneux dépendant de cette maison, n'était qu'un verger sauvage au bout duquel se trouvait une ravine et un taillis de châtaigniers. Cet étroit espace me parut propre à renfermer mes longues espérances ; *spatio brevi spem longam reseces* [2]. Les arbres que j'y ai plantés prospèrent, ils sont encore si petits que je leur donne de l'ombre quand je me place entre eux et le soleil. Un jour, en me rendant cette ombre, ils protégeront mes vieux ans comme j'ai protégé

---

1. Voir p. 35.
2. Cette phrase d'Horace (*Odes* I, XI) signifie : « Nous durons si peu ; retranche les longs espoirs ». Chateaubriand, dans sa *Lettre à Fontanes sur la campagne romaine*, a déjà traduit le passage comme il le fait ici : « Renferme dans un espace étroit tes longues espérances » (O.C. VII, 252). Mais il donne au verbe latin *resecare* un sens qu'il ne peut avoir.

leur jeunesse. Je les ai choisis autant que je l'ai pu des divers climats où j'ai erré ; ils rappellent mes voyages et nourrissent au fond de mon cœur d'autres illusions.

Si jamais les Bourbons remontent sur le trône, je ne leur demanderai, en récompense de ma fidélité, que de me rendre assez riche pour joindre à mon héritage la lisière des bois qui l'environnent : l'ambition m'est venue ; je voudrais accroître ma promenade de quelques arpents : tout chevalier errant que je suis, j'ai les goûts sédentaires d'un moine : depuis que j'habite cette retraite, je ne crois pas avoir mis trois fois les pieds hors de mon enclos. Mes pins, mes sapins, mes mélèzes, mes cèdres tenant jamais ce qu'ils promettent, la Vallée-aux-Loups deviendra une véritable chartreuse. Lorsque Voltaire naquit à Chatenay, le 20 février 1694[1], quel était l'aspect du coteau où se devait retirer, en 1807, l'auteurs du *Génie du Christianisme?*

Ce lieu me plaît ; il a remplacé pour moi les champs paternels ; je l'ai payé du produit de mes rêves et de mes veilles ; c'est au grand désert d'Atala que je dois le petit désert d'Aulnay ; et pour me créer ce refuge, je n'ai pas, comme le colon américain, dépouillé l'Indien des Florides. Je suis attaché à mes arbres ; je leur ai adressé des élégies, des sonnets, des odes. Il n'y a pas un seul d'entre eux que je n'aie soigné de mes propres mains, que je n'aie délivré du ver attaché à sa racine, de la chenille collée à sa feuille ; je les connais tous par leurs noms comme mes enfants : c'est ma famille, je n'en ai pas d'autre, j'espère mourir auprès d'elle.

Ici, j'ai écrit les *Martyrs,* les *Abencerages,* l'*Itinéraire* et *Moïse;* que ferai-je maintenant dans les soirées de cet automne ? Ce 4 octobre 1811, anniversaire de ma fête et de mon entrée à Jérusalem [2], me tente à commencer l'histoire de ma vie. L'homme qui ne donne aujourd'hui l'empire du monde à la France que pour la fouler à ses pieds, cet homme, dont j'admire le génie et dont j'abhorre le despotisme, cet homme m'enveloppe de sa tyrannie comme d'une autre solitude ; mais s'il écrase le présent, le passé le

1. Il est né à Paris, le 21 novembre 1694.
2. Il s'appelait François-René. La fête de saint François d'Assise se célèbre le 4 octobre. Chateaubriand est entré à Jérusalem le 4 octobre 1806.

brave, et je reste libre dans tout ce qui a précédé sa gloire.

La plupart de mes sentiments sont demeurés au fond de mon âme, ou ne se sont montrés dans mes ouvrages que comme appliqués à des êtres imaginaires. Aujourd'hui que je regrette encore mes chimères sans les poursuivre, je veux remonter le penchant de mes belles années : ces *Mémoires* seront un temple de la mort élevé à la clarté de mes souvenirs.

De la naissance de mon père et des épreuves de sa première position, se forma en lui un des caractères les plus sombres qui aient été. Or, ce caractère a influé sur mes idées en effrayant mon enfance, contristant ma jeunesse et décidant du genre de mon éducation.

Je suis né gentilhomme. Selon moi, j'ai profité du hasard de mon berceau, j'ai gardé cet amour plus ferme de la liberté qui appartient principalement à l'aristocratie dont la dernière heure est sonnée. L'aristocratie a trois âges successifs ; l'âge des supériorités, l'âge des priviléges, l'âge des vanités : sortie du premier, elle dégénère dans le second et s'éteint dans le dernier.

On peut s'enquérir de ma famille, si l'envie en prend, dans le dictionnaire de Moréri, dans les diverses histoires de Bretagne de d'Argentré, de dom Lobineau, de dom Morice, dans l'*Histoire généalogique de plusieurs maisons illustres de Bretagne* du P. Dupaz, dans Toussaint Saint-Luc, Le Borgne, et enfin dans l'*Histoire des grands officiers de la Couronne* du P. Anselme *.

Les preuves de ma descendance furent faites entre les mains de Chérin, pour l'admission de ma sœur Lucile comme chanoinesse au chapitre de l'Argentière, d'où elle devait passer à celui de Remiremont : elles furent reproduites pour ma présentation à Louis XVI, reproduites pour mon affiliation à l'ordre de Malte et reproduites, une dernière fois, quand mon frère fut présenté au même infortuné Louis XVI.

Mon nom s'est d'abord écrit *Brien*, ensuite *Briant* et *Briand*, par l'invasion de l'orthographe française. Guil-

---

* Cette généalogie est résumée dans l'*Histoire généalogique et héraldique des Pairs de France*, etc., par M. le chevalier de Courcelles.

laume le Breton dit *Castrum-Briani.* Il n'y a pas un nom en France qui ne présente ces variations de lettres. Quelle est l'orthographe de du Guesclin ?

Les *Brien* vers le commencement du onzième siècle communiquèrent leur nom à un château considérable de Bretagne, et ce château devint le chef-lieu de la baronnie de Chateaubriand. Les armes de Chateaubriand étaient d'abord des pommes de pin avec la devise : *Je sème l'or.* Geoffroy, baron de Chateaubriand, passa avec saint Louis en Terre-Sainte. Fait prisonnier à la bataille de la Massoure, il revint, et sa femme Sybille mourut de joie et de surprise en le revoyant. Saint Louis, pour récompenser ses services, lui concéda à lui et à ses héritiers, en échange de ses anciennes armoiries, un écu de gueules, semé de fleurs de lys d'or : *Cui et ejus hæredibus,* atteste un cartulaire du prieuré de Bérée, *sanctus Ludovicus tum Francorum rex, propter ejus probitatem in armis, flores lilii auri, loco pomorum pini auri, contulit* [1].

Les Chateaubriand se partagèrent dès leur origine en trois branches : la première, dite *barons de Chateaubriand,* souche des deux autres et qui commença l'an 1000 dans la personne de Thiern, fils de Brien, petit-fils d'Alain III, comte ou chef de Bretagne ; la seconde, surnommée *seigneurs des Roches Baritaut,* ou du *Lion d'Angers ;* la troisième paraissant sous le titre de *sires de Beaufort.*

Lorsque la lignée des sires de Beaufort vint à s'éteindre dans la personne de Dame Renée, un Christophe II, branche collatérale de cette lignée, eut en partage la terre de la Guérande en Morbihan. A cette époque, vers le milieu du dix-septième siècle, une grande confusion s'était répandue dans l'ordre de la noblesse, des titres et des noms avaient été usurpés. Louis XIV prescrivit une enquête, afin de remettre chacun dans son droit. Christophe fut maintenu, sur preuve de sa noblesse d'ancienne extraction, dans son titre et dans la possession de ses armes, par arrêt de la Chambre établie à Rennes pour la réformation de la noblesse de Bretagne. Cet arrêt fut rendu le 16 septembre 1669 ; en voici le texte :

1. « A lui et à ses héritiers saint Louis, alors roi des Français, en raison de sa vaillance dans les armes, a conféré les fleurs de lys d'or, à la place des pommes de pin d'or. »

« Arrêt de la Chambre établie par le Roi
« (Louis XIV) pour la reformation de la noblesse en la
« province de Bretagne, rendu le 16 septembre 1669 : Entre
« le procureur général du roi, et M. Christophe de Chateau-
« briand, sieur de la Guérande ; lequel déclare ledit Christo-
« phe issu d'ancienne extraction noble, lui permet de pren-
« dre la qualité de chevalier, et le maintient dans le droit de
« porter pour armes de gueules semé de fleurs de lys d'or
« sans nombre, et ce après production par lui faite de ses
« titres authentiques, desquels il appert, etc. etc., ledit Arrêt
« signé Malescot. »

Cet arrêt constate que Christophe de Chateaubriand de la Guérande descendait directement des Chateaubriand, sires de Beaufort ; les sires de Beaufort se rattachaient par documents historiques aux premiers barons de Chateaubriand. Les Chateaubriand de Villeneuve, du Plessis et de Combourg étaient cadets des Chateaubriand de la Guérande, comme il est prouvé par la descendance d'Amaury, frère de Michel, lequel Michel était fils de ce Christophe de la Guérande maintenu dans son extraction par l'arrêt ci-dessus rapporté de la reformation de la noblesse, du 16 septembre 1669.

Après ma présentation à Louis XVI, mon frère songea à augmenter ma fortune de cadet en me nantissant de quelques-uns de ces bénéfices appelés *bénéfices simples*. Il n'y avait qu'un seul moyen praticable à cet effet, puisque j'étais laïque et militaire, c'était de m'agréger à l'ordre de Malte. Mon frère envoya mes preuves à Malte, et bientôt après il présenta requête en mon nom, au chapitre du grand-prieuré d'Aquitaine, tenu à Poitiers, aux fins qu'il fût nommé des commissaires pour prononcer d'urgence. M. Pontois était alors archiviste, vice-chancelier et généalogiste de l'ordre de Malte, au Prieuré.

Le président du chapitre était Louis-Joseph des Escotais, bailli, grand-prieur d'Aquitaine, ayant avec lui le bailli de Freslon, le chevalier de la Laurencie, le chevalier de Murat, le chevalier de Lanjamet, le chevalier de la Bourdonnaye-Montluc et le chevalier du Bouëtiez. La requête fut admise les 9, 10 et 11 septembre 1789. Il est dit, dans les termes d'admission du *Mémorial,* que je méritais *à plus d'un titre* la grâce que je sollicitais, et que des *considérations du plus grand poids* me rendaient digne de la satisfaction que je réclamais.

Et tout cela avait lieu après la prise de la Bastille, à la veille des scènes du 6 octobre 1789 et de la translation de la famille royale à Paris! Et dans la séance du 7 août de cette année 1789, l'Assemblée nationale avait aboli les titres de noblesse! Comment les chevaliers et les examinateurs de mes preuves trouvaient-ils aussi que je méritais *à plus d'un titre la grâce que je sollicitais,* etc., moi qui n'étais qu'un chétif sous-lieutenant d'infanterie, inconnu, sans crédit, sans faveur et sans fortune?

Le fils aîné de mon frère [1] (j'ajoute ceci en 1831 à mon texte primitif écrit en 1811), le comte Louis de Chateaubriand, a épousé mademoiselle d'Orglandes, dont il a eu cinq filles et un garçon, celui-ci nommé Geoffroy. Christian, frère cadet de Louis, arrière-petit-fils et filleul de M. de Malesherbes, et lui ressemblant d'une manière frappante, servit avec distinction en Espagne comme capitaine dans les dragons de la garde, en 1823. Il s'est fait jésuite à Rome. Les jésuites suppléent à la solitude à mesure que celle-ci s'efface de la terre. Christian vient de mourir à Chieri, près Turin : vieux et malade, je le devais devancer ; mais ses vertus l'appelaient au ciel avant moi, qui ai encore bien des fautes à pleurer.

Dans la division du patrimoine de la famille, Christian avait eu la terre de Malesherbes, et Louis la terre de Combourg. Christian ne regardant pas le partage égal comme légitime, voulut, en quittant le monde, se dépouiller des biens qui ne lui appartenaient pas et les rendre à son frère aîné.

A la vue de mes parchemins, il ne tiendrait qu'à moi, si j'héritais de l'infatuation de mon père et de mon frère, de me croire cadet des ducs de Bretagne, venant de Thiern, petit-fils d'Alain III.

Cesdits Chateaubriand auraient mêlé deux fois leur sang

---

1. Le frère aîné de Chateaubriand, Jean-Baptiste, est mort sur l'échafaud en 1794. Il laissait deux fils, Geoffroy-Louis (1790-1873), officier, héritier du nom, et Christian-Antoine (1791-1843).

au sang des souverains d'Angleterre, Geoffroy IV de Chateaubriand ayant épousé en secondes noces Agnès de Laval, petite-fille du comte d'Anjou et de Mathilde, fille de Henri Ier ; Marguerite de Lusignan, veuve du roi d'Angleterre et petite-fille de Louis-le-Gros, s'étant mariée à Geoffroy V, douzième baron de Chateaubriand. Sur la race royale d'Espagne, on trouverait Brien, frère puîné du neuvième baron de Chateaubriand, qui se serait uni à Jeanne, fille d'Alphonse, roi d'Aragon. Il faudrait croire encore, quant aux grandes familles de France, qu'Edouard de Rohan prit à femme Marguerite de Chateaubriand ; il faudrait croire encore qu'un Croï épousa Charlotte de Chateaubriand. Tinteniac, vainqueur au combat des Trente, du Guesclin le connétable, auraient eu des alliances avec nous dans les trois branches. Tiphaine du Guesclin, petite-fille du frère de Bertrand, céda à Brien de Chateaubriand, son cousin et son héritier, la propriété du Plessis-Bertrand. Dans les traités, des Chateaubriand sont donnés pour caution de la paix aux rois de France, à Clisson, au baron de Vitré. Les ducs de Bretagne envoient à des Chateaubriand copie de leurs assises. Les Chateaubriand deviennent grands officiers de la couronne, et des *illustres* dans la cour de Nantes ; ils reçoivent des commissions pour veiller à la sûreté de leur province contre les Anglais. Brien Ier se trouve à la bataille d'Hastings : il était fils d'Eudon, comte de Penthièvre. Guy de Chateaubriand est du nombre des seigneurs qu'Arthur de Bretagne donna à son fils pour l'accompagner son ambassade auprès du Pape, en 1309.

Je ne finirais pas si j'achevais ce dont je n'ai voulu faire qu'un court résumé : la note à laquelle je me suis enfin résolu, en considération de mes deux neveux, qui ne font pas sans doute aussi bon marché que moi de ces vieilles misères, remplacera ce que j'omets dans ce texte. Toutefois, on passe aujourd'hui un peu la borne ; il devient d'usage de déclarer que l'on est de race corvéable, qu'on a l'honneur d'être fils d'un homme attaché à la glèbe. Ces déclarations sont-elles aussi fières que philosophiques ? N'est-ce pas se ranger du parti du plus fort ? Les marquis, les comtes, les barons de maintenant, n'ayant ni priviléges ni sillons, les trois quarts mourant de faim, se dénigrant les uns les autres, ne voulant pas se reconnaître, se contestant mutuellement leur naissance ; ces nobles, à qui l'on nie leur propre nom, ou à qui on ne l'accorde que sous bénéfice d'inventaire, peuvent-ils inspirer quelque crainte ? Au reste, qu'on me pardonne d'avoir été contraint de m'abaisser à ces puériles récitations, afin de rendre compte de la passion dominante de mon père, passion qui fit le nœud du drame de ma jeunesse. Quant à moi, je ne me glorifie ni ne me plains de l'ancienne ou de la nouvelle société. Si, dans la première, j'étais le chevalier ou le vicomte de Chateaubriand, dans la seconde je suis François de Chateaubriand ; je préfère mon nom à mon titre.

Monsieur mon père aurait volontiers, comme un grand terrier [1] du moyen âge, appelé Dieu *le Gentilhomme de là-haut*, et surnommé Nicodème [2] (le Nicodème de l'Evangile) un *saint gentilhomme*. Maintenant, en passant par mon géniteur, arrivons à Christophe, seigneur suzerain de la Guérande, et descendant en ligne directe des barons de Chateaubriand, jusqu'à moi, François, seigneur sans vassaux et sans argent de la Vallée-aux-Loups.

En remontant la lignée des Chateaubriand, composée de trois branches, les deux premières étant faillies, la troisième, celle des sires de Beaufort, prolongée par un rameau (les Chateaubriand de la Guérande), s'appauvrit, effet inévitable de la loi du pays : les aînés nobles emportaient les deux tiers des biens, en vertu de la coutume de Bretagne ; les cadets divisaient entre eux tous un seul tiers de l'héritage paternel. La décomposition du chétif estoc [3] de ceux-ci s'opérait avec d'autant plus de rapidité, qu'ils se mariaient ; et comme la même distribu-

1. Archaïsme, au sens de « seigneur de vastes terres », comme dira Vigny.
2. Ev. selon saint Jean, III, 1 : « Nicodème, l'un des principaux parmi les Juifs ».
3. Au sens de : part qui leur était revenue de l'héritage familial. Le sens propre du mot est : souche.

tion des deux tiers au tiers existait aussi pour leurs enfants, ces cadets des cadets arrivaient promptement au partage d'un pigeon, d'un lapin, d'une canardière et d'un chien de chasse, bien qu'ils fussent toujours *chevaliers hauts et puissants seigneurs* d'un colombier, d'une crapaudière et d'une garenne. On voit dans les anciennes familles nobles une quantité de cadets ; on les suit pendant deux ou trois générations, puis ils disparaissent, redescendus peu à peu à la charrue ou absorbés par les classes ouvrières, sans qu'on sache ce qu'ils sont devenus.

Le chef de nom et d'armes de ma famille, était, vers le commencement du dix-huitième siècle, Alexis de Chateaubriand, seigneur de la Guérande, fils de Michel, lequel Michel avait un frère, Amaury. Michel était le fils de ce Christophe, maintenu dans son extraction des sires de Beaufort et des barons de Chateaubriand, par l'arrêt ci-dessus rapporté. Alexis de la Guérande était veuf ; ivrogne décidé, il passait ses jours à boire, vivait dans le désordre avec ses servantes, et mettait les plus beaux titres de sa maison à couvrir des pots de beurre.

En même temps que ce chef de nom et d'armes, existait son cousin François, fils d'Amaury, puîné de Michel. François, né le 19 février 1683, possédait les petites seigneuries des Touches et de la Villeneuve. Il avait épousé, le 27 août 1713, Pétronille-Claude Lamour, dame de Lanjegu, dont il eut quatre fils : François-Henri, René (mon père), Pierre, seigneur du Plessis, et Joseph, seigneur du Parc. Mon grand-père, François, mourut le 28 mars 1729 ; ma grand-mère, je l'ai connue dans mon enfance, avait encore un beau regard qui souriait dans l'ombre de ses années. Elle habitait, au décès de son mari, le manoir de la Villeneuve, dans les environs de Dinan. Toute la fortune de mon aïeule ne dépassait pas 5,000 livres de rente, dont l'aîné de ses fils emportait les deux tiers, 3,333 livres ; restaient 1,666 livres de rente pour les trois cadets, sur laquelle somme l'aîné prélevait encore le préciput.

Pour comble de malheur, ma grand'mère fut contrariée dans ses desseins par le caractère de ses fils : l'aîné, François-Henri, à qui le magnifique héritage de la seigneurie de la Villeneuve était dévolu, refusa de se marier et se fit prêtre ; mais au lieu de quêter les bénéfices que son nom lui aurait pu procurer et avec lesquels il aurait soutenu ses frères, il ne sollicita rien par fierté et par insouciance. Il s'ensevelit dans une cure de campagne et fut successivement recteur de Saint-Launeuc et de Merdrignac, dans le diocèse de Saint-Malo. Il avait la passion de la poésie ; j'ai vu bon nombre de ses vers. Le caractère joyeux de cette espèce de noble Rabelais, le culte que ce prêtre chrétien avait voué aux Muses dans un presbytère excitaient la curiosité. Il donnait tout ce qu'il avait et mourut insolvable.

Le quatrième frère de mon père [1], Joseph, se rendit à Paris et s'enferma dans une bibliothèque : on lui envoyait tous les ans les 416 livres, son lopin de cadet. Il passa inconnu au milieu des livres ; il s'occupait de recherches historiques. Pendant sa vie qui fut courte, il écrivait chaque premier de janvier à sa mère, seul signe d'existence qu'il ait jamais donné. Singulière destinée ! Voilà mes deux oncles, l'un érudit et l'autre poëte ; mon frère aîné faisait agréablement des vers ; une de mes sœurs, madame de Farcy, avait un vrai talent pour la poésie ; une autre de mes sœurs, la comtesse Lucile, chanoinesse, pourrait être connue par quelques pages admirables ; moi, j'ai barbouillé force papier. Mon frère a péri sur l'échafaud, mes deux sœurs ont quitté une vie de douleur après avoir langui dans les prisons ; mes deux oncles ne laissèrent pas de quoi payer les quatre planches de leur cercueil ; les lettres ont causé mes joies et mes peines, et je ne désespère pas, Dieu aidant, de mourir à l'hôpital.

Ma grand'mère s'étant épuisée pour faire quelque chose de son fils aîné et de son fils cadet, ne pouvait plus rien pour les deux autres, René, mon père, et Pierre, mon oncle. Cette famille, qui avait *semé l'or*, selon sa devise, voyait de sa gentilhommière les riches abbayes qu'elle avait fondées et qui entombaient [2] ses aïeux. Elle avait prési-

---

1. Il était le quatrième fils du grand-père de Chateaubriand, et le troisième frère de son père.
2. Où étaient enterrés (néologisme).

dé les états de Bretagne, comme possédant une des neuf baronies ; elle avait signé au traité des souverains, servi de caution à Clisson, et elle n'aurait pas eu le crédit d'obtenir une sous-lieutenance pour l'héritier de son nom.

Il restait à la pauvre noblesse bretonne une ressource, la marine royale : on essaya d'en profiter pour mon père ; mais il fallait d'abord se rendre à Brest, y vivre, payer les maîtres, acheter l'uniforme, les armes, les livres, les instruments de mathématiques : comment subvenir à tous ces frais ? Le brevet demandé au ministre de la marine n'arriva point, faute de protecteur pour en solliciter l'expédition : la châtelaine de Villeneuve tomba malade de chagrin.

Alors mon père donna la première marque du caractère décidé que je lui ai connu. Il avait environ quinze ans : s'étant aperçu des inquiétudes de sa mère, il s'approcha du lit où elle était couchée et lui dit : « Je ne veux plus être un « fardeau pour vous. » Sur ce, ma grand'mère se prit à pleurer (j'ai vingt fois entendu mon père raconter cette scène). « René, répondit-elle, que veux-tu faire ? Laboure « ton champ. — Il ne peut pas nous nourrir ; laissez-moi « partir. — Eh bien, dit la mère, va donc où Dieu veut que « tu ailles. » Elle embrassa l'enfant en sanglotant. Le soir même, mon père quitta la ferme maternelle, arriva à Dinan, où une de nos parentes lui donna une lettre de recommandation pour un habitant de Saint-Malo. L'aventurier orphelin fut embarqué, comme volontaire, sur une goëlette armée, qui mit à la voile quelques jours après.

La petite république malouine soutenait seule alors sur la mer l'honneur du pavillon français. La goëlette rejoignit la flotte que le cardinal de Fleury envoyait au secours de Stanislas, assiégé dans Dantzick par les Russes. Mon père mit pied à terre et se trouva au mémorable combat que quinze cents Français, commandés par le brave Breton, de Bréhan comte de Plélo, livrèrent, le 29 mai 1734, à quarante mille Moscovites, commandés par Munich. De Bréhan, diplomate, guerrier et poëte, fut tué, et mon père blessé deux fois. Il revint en France et se rembarqua. Naufragé sur les côtes de l'Espagne, des voleurs l'attaquèrent et le dépouillèrent dans la Galice ; il prit passage à Bayonne sur un vaisseau et surgit encore au toit paternel. Son courage et son esprit d'ordre l'avaient fait connaître. Il passa aux Iles ; il s'enrichit dans les colonies et jeta les fondements de la nouvelle fortune de sa famille.

Ma grand'mère confia à son fils René, son fils Pierre, M. de Chateaubriand du Plessis [1], dont le fils, Armand de Chateaubriand, fut fusillé, par ordre de Bonaparte, le Vendredi-Saint de l'année 1810 [2]. Ce fut un des derniers gentilshommes français morts pour la cause de la monarchie *. Mon père se chargea du sort de son frère, quoiqu'il eût contracté, par l'habitude de souffrir, une rigueur de caractère qu'il conserva toute sa vie ; le *Non ignara mali* [3] n'est pas toujours vrai : le malheur a ses duretés comme ses tendresses.

M. de Chateaubriand était grand et sec ; il avait le nez aquilin, les lèvres minces et pâles, les yeux enfoncés, petits et pers ou glauques, comme ceux des lions ou des anciens barbares. Je n'ai jamais vu un pareil regard : quand la colère y montait, la prunelle étincelante semblait se détacher et venir vous frapper comme une balle.

Une seule passion dominait mon père, celle de son nom. Son état habituel était une tristesse profonde que l'âge augmenta et un silence dont il ne sortait que par des emportements. Avare dans l'espoir de rendre à sa famille son premier éclat, hautain aux états de Bretagne avec les gentilshommes, dur avec ses vassaux à Combourg, taciturne, despotique et menaçant dans son intérieur, ce qu'on sentait en le voyant, c'était la crainte. S'il eût vécu jusqu'à la Révolution et s'il eût été plus jeune, il aurait joué un rôle important, ou se serait fait massacrer dans son château. Il

1. Pierre Chateaubriand du Plessis (1727-1794), très aimé de son frère aîné, le père de Chateaubriand. Après avoir mené une vie de marin, il est mort sur l'échafaud.
2. En réalité le 31 mars 1809.
3. Virgile, *Enéide* I, 630 : Didon aura pitié d'Enée parce qu'elle-même « n'ignore pas le malheur ».
* Ceci était écrit en 1811 (Note de 1831, Genève).

avait certainement du génie : je ne doute pas qu'à la tête des administrations ou des armées, il n'eût été un homme extraordinaire.

Ce fut en revenant d'Amérique qu'il songea à se marier. Né le 23 septembre 1718, il épousa à trente-cinq ans, le 3 juillet 1753, Apoline-Jeanne-Suzanne de Bedée, née le 7 avril 1726, et fille de messire Ange-Annibal, comte de Bedée, seigneur de la Bouëtardais. Il s'établit avec elle à Saint-Malo [1], dont ils étaient nés l'un et l'autre à sept ou huit lieues, de sorte qu'ils apercevaient de leur demeure l'horizon sous lequel ils étaient venus au monde. Mon aïeule maternelle, Marie-Anne de Ravenel de Boisteilleul, dame de Bedée, née à Rennes, le 16 octobre 1698, avait été élevée à Saint-Cyr dans les dernières années de madame de Maintenon : son éducation s'était répandue sur ses filles.

Ma mère, douée de beaucoup d'esprit et d'une imagination prodigieuse, avait été formée à la lecture de Fénelon, de Racine, de madame de Sévigné, et nourrie des anecdotes de la cour de Louis XIV ; elle savait tout Cyrus par cœur. Apolline de Bedée, avec de grands traits, était noire, petite et laide ; l'élégance de ses manières, l'allure vive de son humeur contrastaient avec la rigidité et le calme de mon père. Aimant la société autant qu'il aimait la solitude, aussi pétulante et animée qu'il était immobile et froid, elle n'avait pas un goût qui ne fût opposé à ceux de son mari. La contrariété qu'elle éprouva la rendit mélancolique, de légère et gaie qu'elle était. Obligée de se taire quand elle eût voulu parler, elle s'en dédommageait par une espèce de tristesse bruyante entrecoupée de soupirs, qui interrompaient seuls la tristesse muette de mon père. Pour la piété, ma mère était un ange.

---

1. En 1757, après avoir passé trois ans chez les Bedée, à La Bouëtardais.

NAISSANCE DE MES FRÈRES ET SŒURS. — JE VIENS AU MONDE.

MA mère accoucha à Saint-Malo d'un premier garçon qui mourut au berceau, et qui fut nommé Geoffroy, comme presque tous les aînés de ma famille. Ce fils fut suivi d'un autre et de deux filles qui ne vécurent que quelques mois.

Ces quatre enfants périrent d'un épanchement de sang au cerveau. Enfin, ma mère mit au monde un troisième garçon qu'on appela Jean-Baptiste : c'est lui qui, dans la suite, devint le petit-gendre de M. de Malesherbes. Après Jean-Baptiste, naquirent quatre filles : Marie-Anne, Bénigne, Julie et Lucile, toutes quatre d'une rare beauté et dont les deux aînées ont seules survécu aux orages de la Révolution. La beauté, frivolité sérieuse, reste quand toutes les autres sont passées. Je fus le dernier de ces dix enfants. Il est probable que mes quatre sœurs durent leur existence au désir de mon père d'avoir son nom assuré par l'arrivée d'un second garçon ; je résistais, j'avais aversion pour la vie.

Voici mon extrait de baptême :

« Extrait des registres de l'état civil de la commune de
« Saint-Malo pour l'année 1768.
« François-René de Chataubriand, fils de René de Cha-
« teaubriand et de Pauline-Jeanne Suzanne de Bedée, son
« épouse, né le 4 septembre 1768, baptisé le jour suivant
« par nous, Pierre-Henry Nouail, grand-vicaire de l'évêque
« de Saint-Malo. A été parrain Jean-Baptiste de Chateau-
« briand, son frère, et marraine Françoise-Gertrude de
« Contades, qui signent et le père. Ainsi signé au registre :
« Contades de Plouër, Jean-Baptiste de Chateaubriand,
« Brignon de Chateaubriand, de Chateaubriand et Nouail,
« vicaire-général. »

On voit que je m'étais trompé dans mes ouvrages : je me fais naître le 4 octobre et non le 4 septembre ; mes prénoms sont : François-René, et non pas François-*Auguste**.

La maison qu'habitaient alors mes parents est située dans une rue sombre et étroite de Saint-Malo, appelée la rue des Juifs : cette maison est aujourd'hui transformée en auberge. La chambre où ma mère accoucha domine une partie déserte des murs de la ville, et à travers les fenêtres de cette chambre on aperçoit une mer qui s'étend à perte de vue, en se brisant sur des écueils. J'eus pour parrain, comme on le voit dans mon extrait de baptême, mon frère, et pour marraine la comtesse de Plouër, fille du maréchal de Contades. J'étais presque mort quand je vins au jour. Le mugissement des vagues, soulevées par une bourrasque annonçant l'équinoxe d'automne, empêchait d'entendre mes cris : on m'a souvent conté ces détails ; leur tristesse ne s'est jamais effacée de ma mémoire. Il n'y a pas de jour où, rêvant à ce que j'ai été, je ne revoie en pensée le rocher sur lequel je suis né, la chambre où ma mère m'infligea la vie, la tempête dont le bruit berça mon premier sommeil, le frère infortuné qui me donna un nom que j'ai presque toujours traîné dans le malheur. Le Ciel sembla réunir ces diverses circonstances pour placer dans mon berceau une image de mes destinées.

Vallée-aux-Loups, janvier 1812.

PLANCOUËT. — Vœu. — COMBOURG. — PLAN DE MON PÈRE POUR MON ÉDUCATION. — LA VILLENEUVE. — LUCILE. — MESDEMOISELLES COUPPART. — MAUVAIS ÉCOLIER QUE JE SUIS.

EN sortant du sein de ma mère, je subis mon premier exil ; on me relégua à Plancouët, joli village situé entre Dinan, Saint-Malo et Lambelle. L'unique frère de ma mère, le

---

* Vingt jours avant moi, le 15 août 1768, naissait dans une autre île, à l'autre extrémité de la France, l'homme qui a mis fin à l'ancienne société, Bonaparte. (Voir tome II, p. 46 *sq.*)

comte de Bedée [1], avait bâti près de ce village le château de *Monchoix*. Les biens de mon aïeule maternelle s'étendaient dans les environs jusqu'au bourg de Corseul, les *Curiosolites* des Commentaires de César. Ma grand'mère, veuve depuis longtemps, habitait avec sa sœur, mademoiselle de Boisteilleul, un hameau séparé de Plancouët par un pont, et qu'on appelait l'Abbaye, à cause d'une abbaye de Bénédictins, consacrée à Notre-Dame de Nazareth.

Ma nourrice se trouva stérile; une autre pauvre chrétienne me prit à son sein. Elle me voua à la patronne du hameau, Notre-Dame de Nazareth, et lui promit que je porterais en son honneur, le bleu et blanc jusqu'à l'âge de sept ans. Je n'avais vécu que quelques heures, et la pesanteur du temps était déjà marquée sur mon front. Que ne me laissait-on mourir? Il entrait dans les conseils de Dieu d'accorder au vœu de l'obscurité et de l'innocence la conservation des jours qu'une vaine renommée menaçait d'atteindre.

Ce vœu de la paysanne bretonne n'est plus de ce siècle : c'était toutefois une chose touchante que l'intervention d'une Mère divine placée entre l'enfant et le ciel, et partageant les sollicitudes de la mère terrestre.

Au bout de trois ans on me ramena à Saint-Malo; il y en avait déjà sept que mon père avait recouvré la terre de Combourg. Il désirait rentrer dans les biens où ses ancêtres avaient passé [2]; ne pouvant traiter ni pour la seigneurie de Beaufort, échue à la famille de Goyon, ni pour la baronie de Chateaubriand, tombée dans la maison de Condé, il tourna les yeux sur Combourg que Froissart écrit *Combour :* plusieurs branches de ma famille l'avaient possédé par des mariages avec les Coëtquen. Combourg défendait la Bretagne dans les marches normande et anglaise : Junken, évêque de Dol, le bâtit en 1016; la grande tour date de 1100. Le maréchal de Duras, qui tenait Combourg de sa femme, Maclovie de Coëtquen, née d'une Chateaubriand, s'arrangea

1. Né en 1727, il avait un an de moins que la mère de Chateaubriand. Il devait mourir à Dinan en 1808.
2. Il est douteux que Combourg ait jamais appartenu à un ancêtre de Chateaubriand. Son père l'acquit en 1761.

avec mon père. Le marquis du Hallay, officier aux grenadiers à cheval de la garde royale, peut-être trop connu par sa bravoure, est le dernier des Coëtquen-Chateaubriand : M. du Hallay a un frère. Le même maréchal de Duras, en qualité de notre allié, nous présenta dans la suite à Louis XVI, mon frère et moi.

Je fus destiné à la marine royale : l'éloignement pour la cour était naturel à tout Breton, et particulièrement à mon père. L'aristocratie de nos Etats fortifiait en lui ce sentiment.

Quand je fus rapporté à Saint-Malo, mon père était à Combourg, mon frère au collége de Saint-Brieuc ; mes quatre sœurs vivaient auprès de ma mère.

Toutes les affections de celle-ci s'étaient concentrées dans son fils aîné ; non qu'elle ne chérît ses autres enfants, mais elle témoignait une préférence aveugle au jeune comte de Combourg. J'avais bien, il est vrai, comme garçon, comme le dernier venu, comme *le chevalier* (ainsi m'appelait-on), quelques priviléges sur mes sœurs ; mais en définitive, j'étais abandonné aux mains des gens. Ma mère d'ailleurs, pleine d'esprit et de vertu, était préoccupée par les soins de la société et les devoirs de la religion. La comtesse de Plouër, ma marraine, était son intime amie ; elle voyait aussi les parents de Maupertuis et de l'abbé Trublet 1. Elle aimait la politique, le bruit, le monde : car on faisait de la politique à Saint-Malo, comme les moines de Saba dans le ravin du Cédron 2 ; elle se jeta avec ardeur dans l'affaire La Chalotais. Elle rapportait chez elle une humeur grondeuse, une imagination distraite, un esprit de parcimonie, qui nous empêchèrent d'abord de reconnaître ses admirables qualités. Avec de l'ordre, ses enfants étaient tenus sans ordre ; avec de la générosité, elle avait l'apparence de l'avarice ; avec de la douceur d'âme, elle grondait toujours : mon père était la terreur des domestiques, ma mère le fléau.

De ce caractère de mes parents sont nés les premiers sentiments de ma vie. Je m'attachai à la femme qui prit soin

1. Maupertuis, le mathématicien (1698-1759) ; Trublet (1697-1770), l'adversaire de Voltaire. Ils étaient tous deux Malouins.
2. Cf. *Itinéraire* (O.C. IX, 146).

de moi, excellente créature appelée *la Villeneuve,* dont j'écris le nom avec un mouvement de reconnaissance et les larmes aux yeux. La Villeneuve était une espèce de surintendante de la maison, me portant dans ses bras, me donnant, à la dérobée, tout ce qu'elle pouvait trouver, essuyant mes pleurs, m'embrassant, me jetant dans un coin, me reprenant et marmottant toujours : « C'est celui-là, qui ne sera « pas fier ! qui a bon cœur ! qui ne rebute point les pauvres « gens ! Tiens, petit garçon », et elle me bourrait de vin et de sucre.

Mes sympathies d'enfant pour la Villeneuve furent bientôt dominées par une amitié plus digne.

Lucile, la quatrième de mes sœurs, avait deux ans [1] de plus que moi. Cadette délaissée, sa parure ne se composait que de la dépouille de ses sœurs. Qu'on se figure une petite fille maigre, trop grande pour son âge, bras dégingandés, air timide, parlant avec difficulté et ne pouvant rien apprendre ; qu'on lui mette une robe empruntée à une autre taille que la sienne ; renfermez sa poitrine dans un corps piqué dont les pointes lui faisaient des plaies aux côtés ; soutenez son cou par un collier de fer garni de velours brun ; retroussez ses cheveux sur le haut de sa tête, rattachez-les avec une toque d'étoffe noire ; et vous verrez la misérable créature qui me frappa en rentrant sous le toit paternel. Personne n'aurait soupçonné dans la chétive Lucile, les talents et la beauté qui devaient un jour briller en elle.

Elle me fut livrée comme un jouet ; je n'abusai point de mon pouvoir ; au lieu de la soumettre à mes volontés, je devins son défenseur. On me conduisait tous les matins avec elle chez les sœurs Couppart, deux vieilles bossues habillées de noir, qui montraient à lire aux enfants. Lucile lisait fort mal ; je lisais encore plus mal. On la grondait ; je griffais les sœurs : grandes plaintes portées à ma mère. Je commençais à passer pour un vaurien, un révolté, un paresseux, un âne enfin. Ces idées entraient dans la tête de mes parents : mon père disait que tous les chevaliers de Chateaubriand avaient été des fouetteurs de lièvres, des ivrognes et des querelleurs. Ma mère soupirait et grognait en voyant le désordre de ma

1. Quatre, en réalité. Elle était née le 7 août 1764.

jaquette. Tout enfant que j'étais, le propos de mon père me révoltait ; quand ma mère couronnait ses remontrances par l'éloge de mon frère qu'elle appelait un Caton, un héros, je me sentais disposé à faire tout le mal qu'on semblait attendre de moi.

Mon maître d'écriture, M. Després, à perruque de matelot, n'était pas plus content de moi que mes parents ; il me faisait copier éternellement, d'après un exemple de sa façon, ces deux vers que j'ai pris en horreur, non à cause de la faute de langue qui s'y trouve [1] :

> *C'est à vous mon esprit à qui je veux parler :*
> *Vous avez des défauts que je ne puis celer.*

Il accompagnait ses réprimandes de coups de poing qu'il me donnait dans le cou, en m'appelant tête d'achôcre ; voulait-il dire *achore* [*] ? Je ne sais pas ce que c'est qu'une tête d'*achôcre,* mais je la tiens pour effroyable [2].

Saint-Malo n'est qu'un rocher. S'élevant autrefois au milieu d'un marais salant, il devint une île par l'irruption de la mer qui, en 709, creusa le golfe et mit le mont Saint-Michel au milieu des flots. Aujourd'hui, le rocher de Saint-Malo ne tient à la terre ferme que par une chaussée appelée poétiquement le Sillon. Le Sillon est assailli d'un côté par la pleine mer, de l'autre est lavé par le flux qui tourne pour entrer dans le port. Une tempête le détruisit presque entièrement en 1730. Pendant les heures de reflux, le port reste à sec, et à la bordure est et nord de la mer, se découvre une grève du plus beau sable. On peut faire alors le tour de mon nid paternel. Auprès et au loin, sont semés des rochers, des forts, des îlots inhabités ; le Fort-Royal, la Conchée, Cézembre et le Grand-Bé, où sera mon tombeau ; j'avais bien choisi sans le savoir : *be,* en breton, signifie *tombe.*

Au bout du Sillon, planté d'un calvaire, on trouve une butte de sable au bord de la grande mer. Cette butte

---

1. Boileau, Satire IX, 1 *sq.* — Le tour critiqué est conforme à l'usage classique.

2. « Tête d'achocre », en pays normand, signifie : tête dure, propre à rien.

* Αχωρ, *gourme.*

s'appelle la Hoguette ; elle est surmontée d'un vieux gibet :
les piliers nous servaient à jouer aux quatre coins ; nous les
disputions aux oiseaux de rivage. Ce n'était cependant pas
sans une sorte de terreur que nous nous arrêtions dans ce
lieu.

Là, se rencontrent aussi les *Miels,* dunes où pâturaient les
moutons ; à droite sont des prairies au bas du Paramé, le
chemin de poste de Saint-Servan, le cimetière neuf, un
calvaire et des moulins sur des buttes, comme ceux qui
s'élèvent sur le tombeau d'Achille à l'entrée de l'Hellespont.

VIE DE MA GRAND'MÈRE MATERNELLE ET DE SA SŒUR, A PLANCOUËT. — MON ONCLE LE COMTE DE BEDÉE A MONCHOIX. — RELÈVEMENT DU VŒU DE MA NOURRICE.

JE touchais à ma septième année ; ma mère me conduisit à
Plancouët, afin d'être relevé du vœu de ma nourrice ; nous
descendîmes chez ma grand'mère. Si j'ai vu le bonheur,
c'était certainement dans cette maison.

Ma grand'mère occupait, dans la rue du Hameau de
l'Abbaye, une maison dont les jardins descendaient en
terrasse sur un vallon, au fond duquel on trouvait une
fontaine entourée de saules. Madame de Bedée ne marchait
plus, mais à cela près, elle n'avait aucun des inconvénients
de son âge [1] : c'était une agréable vieille, grasse, blanche,
propre, l'air grand, les manières belles et nobles, portant des
robes à plis à l'antique et une coiffe noire de dentelle, nouée
sous le menton. Elle avait l'esprit orné, la conversation
grave, l'humeur sérieuse. Elle était soignée par sa sœur,
mademoiselle de Boisteilleul, qui ne lui ressemblait que par
la bonté. Celle-ci était une petite personne maigre, enjouée,
causeuse, railleuse. Elle avait aimé un comte de Trémigon,
lequel comte ayant dû l'épouser, avait ensuite violé sa

1. Elle était née en 1698 et devait mourir en 1795.

promesse. Ma tante s'était consolée en célébrant ses amours, car elle était poëte. Je me souviens de l'avoir souvent entendue chantonner en nasillant, lunettes sur le nez, tandis qu'elle brodait pour sa sœur des manchettes à deux rangs, un apologue qui commençait ainsi :

> *Un épervier aimait une fauvette*
> *Et, ce dit-on, il en était aimé.*

ce qui m'a paru toujours singulier pour un épervier. La chanson finissait par ce refrain :

> *Ah! Trémigon, la fable est-elle obscure?*
> *Ture lure.*

Que de choses dans le monde finissent comme les amours de ma tante, ture lure !

Ma grand'mère se reposait sur sa sœur des soins de la maison. Elle dînait à onze heures du matin, faisait la sieste ; à une heure elle se réveillait ; on la portait au bas des terrasses du jardin, sous les saules de la fontaine, où elle tricotait, entourée de sa sœur, de ses enfants et petits-enfants. En ce temps-là, la vieillesse était une dignité ; aujourd'hui elle est une charge. A quatre heures, on reportait ma grand'mère dans son salon ; Pierre, le domestique, mettait une table de jeu ; mademoiselle de Boisteilleul frappait avec les pincettes contre la plaque de la cheminée, et quelques instants après, on voyait entrer trois autres vieilles filles qui sortaient de la maison voisine à l'appel de ma tante. Ces trois sœurs se nommaient les demoiselles Vildéneux ; filles d'un pauvre gentilhomme, au lieu de partager son mince héritage, elles en avaient joui en commun, ne s'étaient jamais quittées, n'étaient jamais sorties de leur village paternel. Liées depuis leur enfance avec ma grand'mère, elles logeaient à sa porte et venaient tous les jours, au signal convenu dans la cheminée, faire la partie de quadrille de leur amie. Le jeu commençait ; les bonnes dames se querellaient : c'était le seul événement de leur vie, le seul moment où l'égalité de leur humeur fût altérée. A huit heures, le souper ramenait la sérénité. Souvent mon oncle de Bedée, avec son fils et ses trois filles, assistait au souper de l'aïeule. Celle-ci faisait mille récits du vieux temps ; mon oncle, à son tour, racontait la bataille de Fontenoy, où il s'était trouvé, et couronnait ses vanteries par des histoires un peu franches qui faisaient pâmer de rire les honnêtes demoiselles. A neuf heures, le souper fini, les domestiques entraient ; on se mettait à genoux, et mademoiselle de Boisteilleul disait à haute voix la prière. A dix heures, tout dormait dans la maison, excepté ma grand'mère, qui se faisait faire la lecture par sa femme de chambre jusqu'à une heure du matin.

Cette société, que j'ai remarquée la première dans ma vie, est aussi la première qui ait disparu à mes yeux. J'ai vu la mort entrer sous ce toit de paix et de bénédiction, le rendre peu à peu solitaire, fermer une chambre et puis une autre qui ne se rouvrait plus. J'ai vu ma grand'mère forcée de renoncer à son quadrille, faute des partners accoutumés ; j'ai vu diminuer le nombre de ces constantes amies, jusqu'au jour où mon aïeule tomba la dernière. Elle et sa sœur s'étaient promis de s'entre-appeler aussitôt que l'une aurait devancé l'autre ; elles se tinrent parole, et madame de Bedée ne survécut que peu de mois à mademoiselle de Boisteilleul. Je suis peut-être le seul homme au monde qui sache que ces personnes ont existé. Vingt fois, depuis cette époque, j'ai fait la même observation ; vingt fois des sociétés se sont formées et dissoutes autour de moi. Cette impossibilité de durée et de longueur dans les liaisons humaines, cet oubli profond qui nous suit, cet invincible silence qui s'empare de notre tombe et s'étend de là sur notre maison, me ramènent sans cesse à la nécessité de l'isolement. Toute main est bonne pour nous donner le verre d'eau dont nous pouvons avoir besoin dans la fièvre de la mort. Ah ! qu'elle ne nous soit pas trop chère ! car comment abandonner sans désespoir la main que l'on a couverte de baisers et que l'on voudrait tenir éternellement sur son cœur ?

Le château du comte de Bedée était situé à une lieue de Plancouët, dans une position élevée et riante. Tout y respirait la joie ; l'hilarité de mon oncle était inépuisable. Il avait trois filles, Caroline[1], Marie et Flore, et un fils, le comte de la Bouëtardais, conseiller au Parlement, qui partageaient son épanouissement de cœur. Monchoix était rempli des cousins du voisinage ; on faisait de la musique, on dansait, on chassait, on était en liesse du matin au soir. Ma tante, madame de Bedée, qui voyait mon oncle manger gaiement son fonds et son revenu, se fâchait assez justement ; mais on ne l'écoutait pas, et sa mauvaise humeur augmentait la bonne humeur de sa famille ; d'autant que ma tante était elle-même sujette à bien des manies : elle avait toujours un grand chien de chasse hargneux couché dans son giron, et à sa suite un sanglier privé qui remplissait le château de ses grognements. Quand j'arrivais de la maison paternelle, si sombre et si silencieuse, à cette maison de fêtes et de bruit, je me trouvais dans un véritable paradis. Ce contraste devint plus frappant, lorsque ma famille fut fixée à la campagne : passer de Combourg à Monchoix, c'était passer du désert dans le monde, du donjon d'un baron du moyen âge à la villa d'un prince romain.

Le jour de l'Ascension de l'année 1775[2], je partis de chez ma grand'mère, avec ma mère, ma tante de Boisteilleul, mon oncle de Bedée et ses enfants, ma nourrice et mon frère de lait, pour Notre-Dame de Nazareth. J'avais une lévite blanche, des souliers, des gants, un chapeau blancs, et une ceinture de soie bleue. Nous montâmes à l'Abbaye à dix heures du matin. Le couvent, placé au bord du chemin, s'envieillissait d'un quinconce d'ormes du temps de Jean V de Bretagne. Du quinconce, on entrait dans le cimetière : le chrétien ne parvenait à l'église qu'à travers la région des sépulcres : c'est par la mort qu'on arrive à la présence de Dieu.

Déjà les religieux occupaient les stalles ; l'autel était illuminé d'une multitude de cierges ; des lampes descendaient des différentes voûtes : il y a dans les édifices gothiques des lointains et comme des horizons successifs.

1. Son vrai prénom était Charlotte. Née en 1762, elle survécut de près d'un an à Chateaubriand. Cf. p. 464 *sq.*

2. Date peu probable : en mai 1775 Chateaubriand n'avait pas tout à fait sept ans.

Les massiers me vinrent prendre à la porte, en cérémonie, et me conduisirent dans le chœur. On y avait préparé trois siéges : je me plaçai dans celui du milieu ; ma nourrice se mit à ma gauche ; mon frère de lait à ma droite.

La messe commença : à l'offertoire, le célébrant se tourna vers moi et lut des prières ; après quoi on m'ôta mes habits blancs, qui furent attachés en *ex-voto* au-dessous d'une image de la Vierge. On me revêtit d'un habit couleur violette. Le prieur prononça un discours sur l'efficacité des vœux ; il rappela l'histoire du baron de Chateaubriand, passé dans l'Orient avec saint Louis ; il me dit que je visiterais peut-être aussi, dans la Palestine, cette Vierge de Nazareth, à qui je devais la vie par l'intercession des prières du pauvre, toujours puissantes auprès de Dieu. Ce moine, qui me racontait l'histoire de ma famille, comme le grand-père de Dante lui faisait l'histoire de ses aïeux, aurait pu aussi, comme Cacciaguida, y joindre la prédiction de mon exil.

> *Tu proverai si come sà di sale*
> *Il pane altrui, e com'è duro calle*
> *Lo scendere e'l salir per l'altrui scale.*
> *E quel che più ti graverà le spalle,*
> *Sarà la compagnia malvagia e scempia,*
> *Con la qual tu cadrai in questa valle ;*
> *Che tutta ingrata, tutta matta ed empia*
> *Si farà contra te* . . . .
> . . . .
> *Di sua bestialitate il suo processo*
> *Sarà la pruova : sì ch'a te sia bello*
> *Averti fatta parte, per te stesso* [1].

« Tu sauras combien le pain d'autrui a le goût du sel,
« combien est dur le degré du monter et du descendre de
« l'escalier d'autrui. Et ce qui pèsera encore davantage sur
« tes épaules, sera la compagnie mauvaise et insensée avec
« laquelle tu tomberas et qui toute ingrate, toute folle, toute
« impie, se tournera contre toi . . . .

---

1. Dante, *Paradis*, XVII.

« . . . .
« De sa stupidité sa conduite fera preuve : quant à toi il
« sera beau de t'être fait un parti de toi-même. »

Depuis l'exhortation du bénédictin, j'ai toujours rêvé le
pèlerinage de Jérusalem, et j'ai fini par l'accomplir.

J'ai été consacré à la religion, la dépouille de mon
innocence a reposé sur ses autels : ce ne sont pas mes
vêtements qu'il faudrait suspendre aujourd'hui à ses temples, ce sont mes misères.

On me ramena à Saint-Malo. Saint-Malo n'est point
l'Aleth de la *notitia imperii* : Aleth était mieux placée par
les Romains dans le faubourg Saint-Servan, au port militaire appelé *Solidor,* à l'embouchure de la Rance. En face
d'Aleth, était un rocher, *est in conspectu Tenedos* [1], non le
refuge des perfides Grecs, mais la retraite de l'hermite
Aaron, qui, l'an 507, établit dans cette île sa demeure ; c'est
la date de la victoire de Clovis sur Alaric ; l'un fonda un
petit couvent, l'autre une grande monarchie, édifices également tombés.

Malo, en latin *Maclovius, Macutus, Machutes,* devenu en
541 évêque d'Aleth, attiré qu'il fut par la renommée
d'Aaron, le visita. Chapelain de l'oratoire de cet hermite,
après la mort du saint, il éleva une église cénobiale, *in
prædio Machutis.* Ce nom de Malo se communiqua à l'île,
et ensuite à la ville *Maclovium, Maclopolis.*

De saint Malo, premier évêque d'Aleth, au bienheureux Jean surnommé *de la Grille,* sacré en 1140 et qui fit
élever la cathédrale, on compte quarante-cinq évêques.
Aleth étant déjà presque entièrement abandonnée,
Jean de la Grille transféra le siège épiscopal de la ville
romaine dans la ville bretonne qui croissait sur le rocher
d'Aaron.

Saint-Malo eut beaucoup à souffrir dans les guerres qui
survinrent entre les rois de France et d'Angleterre.

Le comte de Richemont, depuis Henry VII d'Angleterre,
en qui se terminèrent les démêlés de la Rose blanche et de la
Rose rouge, fut conduit à Saint-Malo. Livré par le duc de
Bretagne aux ambassadeurs de Richard, ceux-ci l'emme-

---

1. « En face on voit Tenedos » (*Enéide,* II, 21).

naient à Londres pour le faire mourir. Echappé à ses gardes, il se réfugia dans la cathédrale, *Asylum quod in eâ urbe est inviolatissimum* [1] : ce droit d'asile remontait aux Druides, premiers prêtres de l'île d'Aaron.

Un évêque de Saint-Malo fut l'un des trois favoris (les deux autres étaient Arthur de Montauban et Jean Hingaut) qui perdirent l'infortuné Gilles de Bretagne : c'est ce qu'on voit dans l'*Histoire lamentable de Gilles, seigneur de Chateaubriand et de Chantocé, prince du sang de France et de Bretagne, étranglé en prison par les ministres du favori, le 24 avril* 1450.

Il y a une belle capitulation entre Henri IV et Saint-Malo : la ville traite de puissance à puissance, protège ceux qui se sont réfugiés dans ses murs, et demeure libre, par une ordonnance de Philibert de la Guiche, grand-maître de l'artillerie de France, de faire fondre cent pièces de canon. Rien ne ressemblait davantage à Venise (au soleil et aux arts près) que cette petite république malouine par sa religion, ses richesses et sa chevalerie de mer. Elle appuya l'expédition de Charles-Quint en Afrique et secourut Louis XIII devant La Rochelle. Elle promenait son pavillon sur tous les flots, entretenait des relations avec Moka, Surate, Pondichéry, et une compagnie formée dans son sein explorait la mer du Sud.

A compter du règne de Henri IV, ma ville natale se distingua par son dévouement et sa fidélité à la France. Les Anglais la bombardèrent en 1693 ; ils y lancèrent, le 29 novembre de cette année, une machine infernale, dans les débris de laquelle j'ai souvent joué avec mes camarades. Ils la bombardèrent de nouveau en 1758.

Les Malouins prêtèrent des sommes considérables à Louis XIV pendant la guerre de 1701 : en reconnaissance de ce service, il leur confirma le privilége de se garder eux-mêmes ; il voulut que l'équipage du premier vaisseau de la marine royale fût exclusivement composé de matelots de Saint-Malo et de son territoire.

En 1771, les Malouins renouvelèrent leur sacrifice et prêtèrent trente millions à Louis XV. Le fameux amiral

1. « L'asile le plus inviolable de la ville. »

Anson [1] descendit à Cancale, en 1758, et brûla Saint-Servan. Dans le château de Saint-Malo, La Chalotais écrivit sur du linge, avec un cure-dents, de l'eau et de la suie, les mémoires qui firent tant de bruit et dont personne ne se souvient. Les événements effacent les événements ; inscriptions gravées sur d'autres inscriptions, ils font des pages de l'histoire des palimpsestes.

Saint-Malo fournissait les meilleurs matelots de notre marine ; on peut en voir le rôle général dans le volume in-fol., publié en 1682, sous ce titre : *Rôle général des officiers, mariniers et matelots de Saint-Malo.* Il y a une *Coutume de Saint-Malo,* imprimée dans le recueil du Coutumier général. Les archives de la ville sont assez riches en chartes utiles à l'histoire et au droit maritime.

Saint-Malo est la patrie de Jacques Cartier, le Christophe Colomb de la France, qui découvrit le Canada. Les Malouins ont encore signalé à l'autre extrémité de l'Amérique les îles qui portent leur nom : *Iles Malouines.*

Saint-Malo est la ville natale de Duguay-Trouin, l'un des plus grands hommes de mer qui aient paru ; et de nos jours, elle a donné à la France Surcouf. Le célèbre Mahé de la Bourdonnais, gouverneur de l'Ile-de-France, naquit à Saint-Malo, de même que Lamettrie, Maupertuis, l'abbé Trublet, dont Voltaire a ri : tout cela n'est pas trop mal pour une enceinte qui n'égale pas celle du jardin des Tuileries.

L'abbé de Lamennais a laissé loin derrière lui ces petites illustrations littéraires de ma patrie : Broussais [2] est également né à Saint-Malo, ainsi que mon noble ami, le comte de La Ferronnays [3].

Enfin, pour ne rien omettre, je rappellerai les dogues qui formaient la garnison de Saint-Malo : ils descendaient de ces chiens fameux, enfants de régiment dans les Gaules, et qui, selon Strabon, livraient avec leurs maîtres des batailles rangées aux Romains. Albert le Grand, religieux de l'ordre

1. Amiral anglais (1697-1762).
2. Le célèbre médecin (1772-1838).
3. Auguste de La Ferronays (1772-1842). Ministre des Affaires étrangères en 1828 et 1829.

de saint Dominique, auteur aussi grave que le géographe grec, déclare qu'à Saint-Malo « la garde d'une place si « importante était commise toutes les nuits à la fidélité de « certains dogues qui faisaient bonne et sûre patrouille. » Ils furent condamnés à la peine capitale pour avoir eu le malheur de manger inconsidérément les jambes d'un gentilhomme ; ce qui a donné lieu de nos jours à la chanson : *Bon voyage.* On se moque de tout. On emprisonna les criminels ; l'un d'eux refusa de prendre la nourriture des mains de son gardien qui pleurait ; le noble animal se laissa mourir de faim : les chiens, comme les hommes, sont punis de leur fidélité. Au surplus, le Capitole était, de même que ma Délos, gardé par des chiens, lesquels n'aboyaient pas lorsque Scipion l'Africain venait à l'aube faire sa prière.

Enclos de murs de diverses époques qui se divisent en *grands* et *petits,* et sur lesquels on se promène, Saint-Malo est encore défendu par le château dont j'ai parlé, et qu'augmenta de tours, de bastions et de fossés, la duchesse Anne. Vue du dehors, la cité insulaire ressemble à une citadelle de granit.

C'est sur la grève de la pleine mer, entre le château et le Fort Royal, que se rassemblent les enfants ; c'est là que j'ai été élevé, compagnon des flots et des vents. Un des premiers plaisirs que j'aie goûtés était de lutter contre les orages, de me jouer avec les vagues qui se retiraient devant moi, ou couraient après moi sur la rive. Un autre divertissement était de construire avec l'arène [1] de la plage, des monuments que mes camarades appelaient des *fours.* Depuis cette époque, j'ai souvent vu bâtir pour l'éternité des châteaux plus vite écroulés que mes palais de sable.

Mon sort étant irrévocablement fixé, on me livra à une enfance oisive. Quelques notions de dessin, de langue anglaise, d'hydrographie et de mathématiques, parurent plus que suffisantes à l'éducation d'un garçonnet destiné d'avance à la rude vie d'un marin.

Je croissais sans étude dans ma famille ; nous n'habitions plus la maison où j'étais né : ma mère occupait un hôtel, place Saint-Vincent, presqu'en face de la porte qui commu-

1. Le sable (latinisme).

nique au Sillon. Les polissons de la ville étaient devenus mes plus chers amis : j'en remplissais la cour et les escaliers de la maison. Je leur ressemblais en tout ; je parlais leur langage ; j'avais leur façon et leur allure ; j'étais vêtu comme eux, déboutonné et débraillé comme eux ; mes chemises tombaient en loques ; je n'avais jamais une paire de bas qui ne fût largement trouée ; je traînais de méchants souliers éculés, qui sortaient à chaque pas de mes pieds ; je perdais souvent mon chapeau et quelquefois mon habit. J'avais le visage barbouillé, égratigné, meurtri, les mains noires. Ma figure était si étrange, que ma mère, au milieu de sa colère, ne se pouvait empêcher de rire et de s'écrier : « Qu'il est laid ! »

J'aimais pourtant et j'ai toujours aimé la propreté, même l'élégance. La nuit, j'essayais de raccommoder mes lambeaux ; la bonne Villeneuve et ma Lucile m'aidaient à réparer ma toilette, afin de m'épargner des pénitences et des gronderies ; mais leur rapiécetage ne servait qu'à rendre mon accoutrement plus bizarre. J'étais surtout désolé, quand je paraissais déguenillé au milieu des enfants, fiers de leurs habits neufs et de leur braverie [1].

Mes compatriotes avaient quelque chose d'étranger, qui rappelait l'Espagne. Des familles malouines étaient établies à Cadix ; des familles de Cadix résidaient à Saint-Malo. La position insulaire, la chaussée, l'architecture, les maisons, les citernes, les murailles de granit de Saint-Malo, lui donnent un air de ressemblance avec Cadix : quand j'ai vu la dernière ville, je me suis souvenu de la première.

Enfermés le soir sous la même clef dans leur cité, les Malouins ne composaient qu'une famille. Les mœurs étaient si candides que de jeunes femmes qui faisaient venir des rubans et des gazes de Paris, passaient pour des mondaines dont leurs compagnes effarouchées se séparaient. Une faiblesse était une chose inouïe : une comtesse d'Abbeville ayant été soupçonnée, il en résulta une complainte que l'on chantait en se signant. Cependant le poëte, fidèle, malgré lui, aux traditions des troubadours, prenait parti contre le mari qu'il appelait un *monstre barbare.*

1. Du luxe de leurs vêtements (archaïsme).

Certains jours de l'année, les habitants de la ville et de la campagne se rencontraient à des foires appelées *assemblées*, qui se tenaient dans les îles et sur des forts autour de Saint-Malo ; ils s'y rendaient à pied quand la mer était basse, en bateau lorsqu'elle était haute. La multitude de matelots et de paysans ; les charrettes entoilées ; les caravanes de chevaux, d'ânes et de mulets ; le concours des marchands ; les tentes plantées sur le rivage ; les processions de moines et de confréries qui serpentaient avec leurs bannières et leurs croix au milieu de la foule ; les chaloupes allant et venant à la rame ou à la voile ; les vaisseaux entrant au port, ou mouillant en rade ; les salves d'artillerie, le branle des cloches, tout contribuait à répandre dans ces réunions le bruit, le mouvement et la variété.

J'étais le seul témoin de ces fêtes qui n'en partageât pas la joie. J'y paraissais sans argent pour acheter des jouets et des gâteaux. Evitant le mépris qui s'attache à la mauvaise fortune, je m'asseyais loin de la foule, auprès de ces flaques d'eau que la mer entretient et renouvelle dans les concavités des rochers. Là, je m'amusais à voir voler les pingouins [1] et les mouettes, à béer aux lointains bleuâtres, à ramasser des coquillages, à écouter le refrain des vagues parmi les écueils. Le soir au logis, je n'étais guère plus heureux ; j'avais une répugnance pour certains mets : on me forçait d'en manger. J'implorais des yeux La France [2] qui m'enlevait adroitement mon assiette, quand mon père tournait la tête. Pour le feu, même rigueur : il ne m'était pas permis d'approcher de la cheminée. Il y a loin de ces parents sévères aux gâte-enfants d'aujourd'hui.

Mais si j'avais des peines qui sont inconnues de l'enfance nouvelle, j'avais aussi quelques plaisirs qu'elle ignore.

On ne sait plus ce que c'est que ces solennités de religion et de famille où la patrie entière et le Dieu de cette patrie avaient l'air de se réjouir ; Noël, le premier de l'an, les Rois, Pâques, la Pentecôte, la Saint-Jean étaient pour moi des jours de prospérité. Peut-être l'influence de mon rocher natal a-t-elle agi sur mes sentiments et sur mes études. Dès

1. Nom donné à différents oiseaux de mer.
2. Une servante.

l'année 1015, les Malouins firent vœu d'aller à bâtir de leurs *mains et de leurs moyens* les clochers de la cathédrale de Chartres : n'ai-je pas aussi travaillé de mes mains à relever la flèche abattue de la vieille basilique chrétienne ? « Le soleil, « dit le père Maunoir[1], n'a jamais éclairé canton où aurait « paru une plus constante et invariable fidélité dans la vraie « foi, que la Bretagne. Il y a treize siècles, qu'aucune infi-« délité n'a souillé la langue qui a servi d'organe pour « prêcher Jésus-Christ, et il est à naître qui ait vu Breton « bretonnant prêcher autre religion que la catholique. »

Durant les jours de fête que je viens de rappeler, j'étais conduit en station avec mes sœurs aux divers sanctuaires de la ville, à la chapelle de Saint-Aaron, au couvent de la Victoire ; mon oreille était frappée de la douce voix de quelques femmes invisibles : l'harmonie de leurs cantiques se mêlait aux mugissements des flots. Lorsque, dans l'hiver, à l'heure du salut, la cathédrale se remplissait de la foule ; que de vieux matelots à genoux, de jeunes femmes et des enfants lisaient, avec de petites bougies, dans leurs heures ; que la multitude, au moment de la bénédiction, répétait en chœur le *Tantum ergo;* que dans l'intervalle de ces chants, les rafales de Noël frôlaient les vitraux de la basilique, ébranlaient les voûtes de cette nef que fit résonner la mâle poitrine de Jacques Cartier et de Duguay-Trouin, j'éprouvais un sentiment extraordinaire de religion. Je n'avais pas besoin que la Villeneuve me dît de joindre les mains pour invoquer Dieu par tous les noms que ma mère m'avait appris ; je voyais les cieux ouverts, les anges offrant notre encens et nos vœux ; je courbais mon front : il n'était point encore chargé de ces ennuis qui pèsent si horriblement sur nous, qu'on est tenté de ne plus relever la tête lorsqu'on l'a inclinée au pied des autels.

Tel marin, au sortir de ces pompes, s'embarquait tout fortifié contre la nuit, tandis que tel autre rentrait au port en se dirigeant sur le dôme éclairé de l'église : ainsi la religion et les périls étaient continuellement en présence, et leurs images se présentaient inséparables à ma pensée. A peine étais-je né, que j'ouïs parler de mourir : le soir, un

1. Jésuite (1606-1683).

homme allait avec une sonnette de rue en rue, avertissant les chrétiens de prier pour un de leurs frères décédé. Presque tous les ans, des vaisseaux se perdaient sous mes yeux et, lorsque je m'ébattais le long des grèves, la mer roulait à mes pieds les cadavres d'hommes étrangers, expirés loin de leur patrie. Madame de Chateaubriand me disait comme sainte Monique disait à son fils : *Nihil longe est a Deo* : «Rien n'est loin de Dieu.» On avait confié mon éducation à la Providence : elle ne m'épargnait pas les leçons.

Voué à la Vierge, je connaissais et j'aimais ma protectrice que je confondais avec mon ange gardien : son image, qui avait coûté un demi-sou à la bonne Villeneuve, était attachée, avec quatre épingles, à la tête de mon lit. J'aurais dû vivre dans ces temps où l'on disait à Marie : « Doulce « Dame du ciel et de la terre, mère de pitié, fontaine de tous « biens, qui portastes Jésus-Christ en vos prétieulx flancz, « belle très-doulce Dame, je vous mercye et vous prye. »

La première chose que j'ai sue par cœur, est un cantique de matelot commençant ainsi :

> *Je mets ma confiance,*
> *Vierge, en votre secours ;*
> *Servez-moi de défense,*
> *Prenez soin de mes jours ;*
> *Et quand ma dernière heure*
> *Viendra finir mon sort,*
> *Obtenez que je meure*
> *De la plus sainte mort.*

J'ai entendu depuis chanter ce cantique dans un naufrage. Je répète encore aujourd'hui ces méchantes rimes avec autant de plaisir que des vers d'Homère ; une madone coiffée d'une couronne gothique, vêtue d'une robe de soie bleue, garnie d'une frange d'argent, m'inspire plus de dévotion qu'une vierge de Raphael.

Du moins, si cette pacifique *Etoile des mers* avait pu calmer les troubles de ma vie ! mais je devais être agité, même dans mon enfance ; comme le dattier de l'Arabe, à peine ma tige était sortie du rocher qu'elle fut battue du vent.

La Vallée-aux-Loups, juin 1812.

GESRIL. — HERVINE MAGON. — COMBAT CONTRE LES DEUX
MOUSSES.

J'AI dit que ma révolte prématurée contre les maîtresses de
Lucile commença ma mauvaise renommée ; un camarade
l'acheva.

Mon oncle, M. de Chateaubriand du Plessis [1], établi à
Saint-Malo comme son frère, avait, comme lui, quatre filles
et deux garçons. De mes deux cousins (Pierre et Armand),
qui formaient d'abord ma société, Pierre devint page de la
Reine, Armand fut envoyé au collège comme destiné à l'état
ecclésiastique. Pierre au sortir des pages, entra dans la
marine et se noya à la côte d'Afrique. Armand, longtemps
enfermé au collège, quitta la France en 1790, servit pendant
toute l'émigration, fit intrépidement dans une chaloupe
vingt voyages à la côte de Bretagne, et vint enfin mourir
pour le Roi à la plaine de Grenelle, le Vendredi-Saint de
l'année 1810, ainsi que je l'ai déjà dit, et que je le répéterai
encore en racontant sa catastrophe *.

Privé de la société de mes deux cousins, je la remplaçai
par une liaison nouvelle.

Au second étage de l'hôtel que nous habitions, demeurait
un gentilhomme nommé Gesril : il avait un fils et deux

1. Voir p. 50, note 1.

* Il a laissé un fils, Frédéric, que je plaçai d'abord dans les gardes de
Monsieur, et qui entra depuis dans un régiment de cuirassiers. Il a épousé,
à Nancy, mademoiselle de Gastaldi, dont il a deux fils, et s'est retiré du
service. La sœur aînée d'Armand, ma cousine, est, depuis longues années,
supérieure des religieuses Trappistes. (Note de 1831, Genève).

filles. Ce fils était élevé autrement que moi ; enfant gâté, ce qu'il faisait était trouvé charmant : il ne se plaisait qu'à se battre, et surtout qu'à exciter des querelles dont il s'établissait le juge. Jouant des tours perfides aux bonnes qui menaient promener les enfants, il n'était bruit que de ses espiègleries que l'on transformait en crimes noirs. Le père riait de tout, et *Joson* [1] n'en était que plus chéri. Gesril devint mon intime ami et prit sur moi un ascendant incroyable : je profitai sous un tel maître, quoique mon caractère fût entièrement l'opposé du sien. J'aimais les jeux solitaires, je ne cherchais querelle à personne : Gesril était fou des plaisirs de cohue, et jubilait au milieu des bagarres d'enfants. Quand quelque polisson me parlait, Gesril me disait : « Tu le souffres ? » A ce mot je croyais mon honneur compromis et je sautais aux yeux du téméraire ; la taille et l'âge n'y faisaient rien. Spectateur du combat, mon ami applaudissait à mon courage, mais ne faisait rien pour me servir. Quelquefois il levait une armée de tous les sautereaux qu'il rencontrait, divisait ses conscrits en deux bandes, et nous escarmouchions sur la plage à coups de pierres.

Un autre jeu, inventé par Gesril, paraissait encore plus dangereux : lorsque la mer était haute et qu'il y avait tempête, la vague, fouettée au pied du château, du côté de la grande grève, jaillissait jusqu'aux grandes tours. A vingt pieds d'élévation au-dessus de la base d'une de ces tours, régnait un parapet en granit, étroit, glissant, incliné, par lequel on communiquait au ravelin qui défendait le fossé : il s'agissait de saisir l'instant entre deux vagues, de franchir l'endroit périlleux avant que le flot se brisât et couvrît la tour. Voici venir une montagne d'eau qui s'avançait en mugissant, laquelle, si vous tardiez d'une minute, pouvait, ou vous entraîner, ou vous écraser contre le mur. Pas un de nous ne se refusait à l'aventure, mais j'ai vu des enfants pâlir avant de la tenter.

Ce penchant à pousser les autres à des rencontres, dont il restait spectateur, induirait à penser que Gesril ne montra pas dans la suite un caractère fort généreux : c'est lui

---

1. Déformation du prénom Joseph. Gesril était né à Saint-Malo en 1767. Il sera fusillé à Vannes en 1795.

néanmoins qui, sur un plus petit théâtre, a peut-être effacé l'héroïsme de Régulus ; il n'a manqué à sa gloire que Rome et Tite-Live. Devenu officier de marine, il fut pris à l'affaire de Quiberon ; l'action finie et les Anglais continuant de canonner l'armée républicaine, Gesril se jette à la nage, s'approche des vaisseaux, dit aux Anglais de cesser le feu, leur annonce le malheur et la capitulation des émigrés. On le voulut sauver, en lui filant une corde et le conjurant de monter à bord : « Je suis prisonnier sur parole, » s'écrie-t-il du milieu des flots et il retourne à terre à la nage : il fut fusillé avec Sombreuil et ses compagnons.

Gesril a été mon premier ami ; tous deux mal jugés dans notre enfance, nous nous liâmes par l'instinct de ce que nous pouvions valoir un jour.

Deux aventures mirent fin à cette première partie de mon histoire, et produisirent un changement notable dans le système de mon éducation.

Nous étions un dimanche sur la grève, à l'*éventail* de la porte Saint-Thomas et le long du *Sillon ;* de gros pieux enfoncés dans le sable protègent les murs contre la houle. Nous grimpions ordinairement au haut de ces pieux pour voir passer au-dessous de nous les premières ondulations du flux. Les places étaient prises comme de coutume ; plusieurs petites filles se mêlaient aux petits garçons. J'étais le plus en pointe vers la mer, n'ayant devant moi qu'une jolie mignonne, Hervine Magon, qui riait de plaisir et pleurait de peur. Gesril se trouvait à l'autre bout du côté de la terre. Le flot arrivait, il faisait du vent ; déjà les bonnes et les domestiques criaient : « Descendez, Mademoiselle ! descendez, Monsieur ! » Gesril attend une grosse lame : lorsqu'elle s'engouffre entre les pilotis, il pousse l'enfant assis auprès de lui ; celui-là se renverse sur un autre ; celui-ci sur un autre : toute la file s'abat comme des moines de cartes, mais chacun est retenu par son voisin ; il n'y eut que la petite fille de l'extrémité de la ligne sur laquelle je chavirai qui, n'étant appuyée par personne, tomba. Le jusant l'entraîne ; aussitôt mille cris, toutes les bonnes retroussant leurs robes et tripotant dans la mer, chacune saisissant son marmot et lui donnant une tape. Hervine fut repêchée ; mais elle déclara que François l'avait jetée bas. Les bonnes fondent sur moi ; je leur échappe ; je cours me barricader dans la cave de la maison : l'armée femelle me pourchasse. Ma mère et mon père étaient heureusement sortis. La Villeneuve défend vaillamment la porte et soufflette l'avant-garde ennemie. Le véritable auteur du mal, Gesril, me prête secours : il monte chez lui, et avec ses deux sœurs jette par les fenêtres des potées d'eau et des pommes cuites aux assaillantes. Elles levèrent le siège à l'entrée de la nuit ; mais cette nouvelle se répandit dans la ville, et le chevalier de Chateaubriand, âgé de neuf ans, passa pour un homme atroce, un reste de ces pirates dont saint Aaron avait purgé son rocher.

Voici l'autre aventure :

J'allais avec Gesril à Saint-Servan, faubourg séparé de Saint-Malo par le port marchand. Pour y arriver à basse mer, on franchit des courants d'eau sur des ponts étroits de pierres plates, que recouvre la marée montante. Les domestiques qui nous accompagnaient, étaient restés assez loin derrière nous. Nous apercevons à l'extrémité d'un de ces ponts deux mousses qui venaient à notre rencontre ; Gesril me dit : « Laisserons-nous passer ces gueux-là ? » et aussitôt il leur crie : « A l'eau, canards ! » Ceux-ci, en qualité de mousses, n'entendant pas raillerie, avancent ; Gesril recule ; nous nous plaçons au bout du pont, et saisissant des galets, nous les jetons à la tête des mousses. Ils fondent sur nous, nous obligent à lâcher pied, s'arment eux-mêmes de cailloux, et nous mènent battant jusqu'à notre corps de réserve, c'est-à-dire jusqu'à nos domestiques. Je ne fus pas comme Horatius frappé à l'œil : une pierre m'atteignit si rudement que mon oreille gauche, à moitié détachée, tombait sur mon épaule.

Je ne pensai point à mon mal, mais à mon retour. Quand mon ami rapportait de ses courses un œil poché, un habit déchiré, il était plaint, caressé, choyé, rhabillé : en pareil cas, j'étais mis en pénitence. Le coup que j'avais reçu était dangereux, mais jamais La France ne me put persuader de rentrer, tant j'étais effrayé. Je m'allai cacher au second étage de la maison, chez Gesril, qui m'entortilla la tête d'une serviette. Cette serviette le mit en train : elle lui représenta une mitre ; il me transforma en évêque, et me fit chanter la grand'messe avec lui et ses sœurs jusqu'à l'heure du souper. Le pontife fut alors obligé de descendre : le cœur me battait. Surpris de ma figure débiffée [1] et barbouillée de sang, mon père ne dit pas un mot ; ma mère poussa un cri ; La France conta mon cas piteux, en m'excusant ; je n'en fus pas moins rabroué. On pansa mon oreille, et monsieur et madame de Chateaubriand résolurent de me séparer de Gesril le plus tôt possible*.

Je ne sais si ce ne fut point cette année que le comte d'Artois vint à Saint-Malo [2] : on lui donna le spectacle d'un combat naval. Du haut du bastion de la poudrière, je vis le jeune prince dans la foule au bord de la mer : dans son éclat et dans mon obscurité, que de destinées inconnues ! Ainsi, sauf erreur de mémoire, Saint-Malo n'aurait vu que deux rois de France, Charles IX et Charles X.

Voilà le tableau de ma première enfance. J'ignore si la dure éducation que je reçus est bonne en principe, mais elle fut adoptée de mes proches sans dessein et par une suite naturelle de leur humeur. Ce qu'il y a de sûr, c'est qu'elle a rendu mes idées moins semblables à celles des autres hommes ; ce qu'il y a de plus sûr encore, c'est qu'elle a imprimé à mes sentiments un caractère de mélancolie née chez moi de l'habitude de souffrir à l'âge de la faiblesse, de l'imprévoyance et de la joie.

Dira-t-on que cette manière de m'élever m'aurait pu conduire à détester les auteurs de mes jours ? Nullement ; le souvenir de leur rigueur m'est presque agréable ; j'estime et honore leurs grandes qualités. Quand mon père mourut, mes camarades au régiment de Navarre furent témoins de mes regrets. C'est de ma mère que je tiens la consolation de ma vie, puisque c'est d'elle que je tiens ma religion ; je recueillais les vérités chrétiennes qui sortaient de sa bouche, comme Pierre de Langres étudiait la nuit dans une église, à la lueur de la lampe qui brûlait devant le Saint Sacrement.

* J'avais déjà parlé de Gesril dans mes ouvrages. Une de ses sœurs, Angélique Gesril de la Trochardais, m'écrivit en 1818 pour me prier d'obtenir que le nom de Gesril fût joint à ceux de son mari et du mari de sa sœur : j'échouai dans ma négociation. (Note de 1831, Genève).

1. Changée, altérée.
2. En mai 1777.

Aurait-on mieux développé mon intelligence en me jetant plus tôt dans l'étude ? J'en doute : ces flots, ces vents, cette solitude qui furent mes premiers maîtres, convenaient peut-être mieux à mes dispositions natives ; peut-être dois-je à ces instituteurs sauvages quelques vertus que j'aurais ignorées. La vérité est qu'aucun système d'éducation n'est en soi préférable à un autre système : les enfants aiment-ils mieux leurs parents aujourd'hui qu'ils les tutoyent et ne les craignent plus ? Gesril était gâté dans la maison où j'étais gourmandé : nous avons été tous deux d'honnêtes gens et des fils tendres et respectueux. Telle chose que vous croyez mauvaise, met en valeur les talents de votre enfant ; telle chose qui vous semble bonne, étoufferait ces mêmes talents. Dieu fait bien ce qu'il fait : c'est la Providence qui nous dirige, lorsqu'elle nous destine à jouer un rôle sur la scène du monde.

Dieppe, septembre 1812.

BILLET DE M. PASQUIER. — DIEPPE. — CHANGEMENT DE MON ÉDUCATION. — PRINTEMPS EN BRETAGNE.— FORÊT HISTORIQUE. — CAMPAGNES PÉLAGIENNES. — COUCHER DE LA LUNE SUR LA MER.

LE 4 septembre 1812. J'ai reçu ce billet de M. Pasquier [1] préfet de police :

CABINET DU PREFET.

« M. le préfet de police invite M. de Chateaubriand à « prendre la peine de passer à son cabinet, soit aujourd'hui

1. Son ancien ami (voir Introduction, p. 18).

« sur les quatre heures de l'après-midi, soit demain à neuf
« heures du matin. »

C'était un ordre de m'éloigner de Paris que M. le préfet
de police voulait me signifier. Je me suis retiré à Dieppe, qui
porta d'abord le nom de *Bertheville,* et fut ensuite appelé
Dieppe, il y a déjà plus de quatre cents ans, du mot anglais
deep, profond (mouillage). En 1788, je tins garnison ici avec
le second bataillon de mon régiment : habiter cette ville, de
brique dans ses maisons, d'ivoire dans ses boutiques, cette
ville à rues propres et à belle lumière, c'était me réfugier
auprès de ma jeunesse. Quand je me promenais, je rencontrais les ruines du château d'Arques, que mille débris
accompagnent. On n'a point oublié que Dieppe fut la patrie
de Duquesne. Lorsque je restais chez moi, j'avais pour
spectacle la mer ; de la table où j'étais assis, je contemplais
cette mer qui m'a vu naître, et qui baigne les côtes de la
Grande-Bretagne, où j'ai subi un si long exil : mes regards
parcouraient les vagues qui me portèrent en Amérique, me
rejetèrent en Europe et me reportèrent aux rivages de
l'Afrique et de l'Asie. Salut, ô mer, mon berceau et mon
image ! Je te veux raconter la suite de mon histoire : si je
mens, tes flots, mêlés à tous mes jours, m'accuseront
d'imposture chez les hommes à venir.

Ma mère n'avait cessé de désirer qu'on me donnât une
éducation classique. L'état de marin auquel on me destinait
« ne serait peut-être pas de mon goût » disait-elle ; il lui
semblait bon à tout événement de me rendre capable de
suivre une autre carrière. Sa piété la portait à souhaiter que
je me décidasse pour l'Eglise. Elle proposa donc de me
mettre dans un collège où j'apprendrais les mathématiques,
le dessin, les armes et la langue anglaise ; elle ne parla point
du grec et du latin, de peur d'effaroucher mon père ; mais
elle me les comptait faire enseigner, d'abord en secret,
ensuite à découvert lorsque j'aurais fait des progrès. Mon
père agréa la proposition : il fut convenu que j'entrerais au
collège de Dol. Cette ville eut la préférence, parce qu'elle se
trouvait sur la route de Saint-Malo à Combourg.

Pendant l'hiver très-froid qui précéda ma réclusion sco-
laire, le feu prit à l'hôtel où nous demeurions : je fus sauvé
par ma sœur aînée, qui m'emporta à travers les flammes.

M. de Chateaubriand, retiré dans son château, appela sa femme auprès de lui : il le fallut rejoindre au printemps.

Le printemps, en Bretagne, est plus doux qu'aux environs de Paris, et fleurit trois semaines plus tôt. Les cinq oiseaux qui l'annoncent, l'hirondelle, le loriot, le coucou, la caille et le rossignol, arrivent avec des brises qui hébergent dans les golfes de la péninsule armoricaine. La terre se couvre de marguerites, de pensées, de jonquilles, de narcisses, d'hyacinthes, de renoncules, d'anémones, comme les espaces abandonnés qui environnent Saint-Jean-de-Latran et Sainte-Croix-de-Jérusalem, à Rome. Des clairières se panachent d'élégantes et hautes fougères ; des champs de genêts et d'ajoncs resplendissent de leurs fleurs qu'on prendrait pour des papillons d'or. Les haies, au long desquelles abondent la fraise, la framboise et la violette, sont décorées d'aubépines, de chèvrefeuille, de ronces dont les rejets bruns et courbés portent des feuilles et des fruits magnifiques. Tout fourmille d'abeilles et d'oiseaux ; les essaims et les nids arrêtent les enfants à chaque pas. Dans certains abris, le myrte et le laurier-rose croissent en pleine terre, comme en Grèce ; la figue mûrit comme en Provence ; chaque pommier, avec ses fleurs carminées, ressemble à un gros bouquet de fiancée de village.

Au douzième siècle, les cantons de Fougères, Rennes, Bécherel, Dinan, Saint-Malo et Dol, étaient occupés par la forêt de Brécheliant [1] ; elle avait servi de champ de bataille aux Francs et aux peuples de la Dommonée [2]. Wace [3] raconte qu'on y voyait l'homme sauvage, la fontaine de Berenton et un bassin d'or. Un document historique du quinzième siècle, *les Usements et coutumes de la forêt de Brécilien*, confirme le roman de *Rou :* elle est, disent les *Usements,* de grande et spacieuse étendue ; « il y a quatre « châteaux, fort grand nombre de beaux étangs, belles « chasses où n'habitent aucunes bêtes vénéneuses, ni nulles « mouches, deux cents futaies, autant de fontaines nommé-

1. Ou Brocéliande.
2. La côte de Bretagne, de la rivière de Morlaix à la Rance. Là s'établirent, au VIe siècle, les Bretons insulaires, chassés par les Angles et les Saxons.
3. Poète anglo-normand du XIIe siècle.

« ment la fontaine de *Belenton,* auprès de laquelle le
« chevalier Pontus fit ses armes. »

Aujourd'hui, le pays conserve des traits de son origine :
entrecoupé de fossés boisés, il a de loin l'air d'une forêt et
rappelle l'Angleterre : c'était le séjour des fées, et vous allez
voir qu'en effet j'y ai rencontré une sylphide. Des vallons
étroits sont arrosés par de petites rivières non navigables.
Ces vallons sont séparés par des landes et par des futaies à
cepées de houx. Sur les côtes, se succèdent phares, vigies,
dolmens, constructions romaines, ruines de châteaux du
moyen âge, clochers de la renaissance : la mer borde le tout.
Pline dit de la Bretagne : *Péninsule spectatrice de
l'Océan* [1].

Entre la mer et la terre s'étendent des campagnes pélagiennes [2], frontières indécises des deux éléments :
l'alouette de champ y vole avec l'alouette marine ; la charrue
et la barque à un jet de pierre l'une de l'autre, sillonnent la
terre et l'eau. Le navigateur et le berger s'empruntent
mutuellement leur langue : le matelot dit *les vagues mou-
tonnent,* le pâtre dit *des flottes de moutons.* Des sables de
diverses couleurs, des bancs variés de coquillages, des
varecs, des franges d'une écume argentée, dessinent la
lisière blonde ou verte des blés. Je ne sais plus dans quelle
île de la Méditerrannée, j'ai vu un bas-relief représentant
les Néréides attachant des festons au bas de la robe de
Cérès.

Mais ce qu'il faut admirer en Bretagne, c'est la lune se
levant sur la terre et se couchant sur la mer.

Etablie par Dieu gouvernante de l'abîme, la lune a ses
nuages, ses vapeurs, ses rayons, ses ombres portées comme
le soleil ; mais comme lui, elle ne se retire pas solitaire ; un
cortège d'étoiles l'accompagne. A mesure que sur mon
rivage natal elle descend au bout du ciel, elle accroît son
silence qu'elle communique à la mer ; bientôt elle tombe à
l'horizon, l'intersecte, ne montre plus que la moitié de son
front qui s'assoupit, s'incline et disparaît dans la molle

---

1. Le texte de Pline l'Ancien (*Hist. nat.* IV, 32) est : *paeninsulam
spectatiorem* : « péninsule assez remarquable ». Chateaubriand a-t-il confondu *spectatior* et *spectatrix* ?
2. Maritimes (forme rare calquée sur un adjectif grec).

intumescence des vagues. Les astres voisins de leur reine, avant de plonger à sa suite, semblent s'arrêter, suspendus à la cime des flots. La lune n'est pas plus tôt couchée, qu'un souffle venant du large brise l'image des constellations, comme on éteint les flambeaux après une solennité.

Départ pour Combourg. — Description du château.

Je devais suivre mes sœurs jusqu'à Combourg : nous nous mîmes en route dans la première quinzaine de mai. Nous sortîmes de Saint-Malo au lever du soleil, ma mère, mes quatre sœurs et moi, dans une énorme berline à l'antique, panneaux surdorés, marchepieds en dehors, glands de pourpre aux quatre coins de l'impériale. Huit chevaux parés comme les mulets en Espagne, sonnettes au cou, grelots aux brides, housses et franges de laine de diverses couleurs, nous traînaient. Tandis que ma mère soupirait, mes sœurs parlaient à perdre haleine, je regardais de mes deux yeux, j'écoutais de mes deux oreilles, je m'émerveillais à chaque tour de roue : premier pas d'un Juif errant qui ne se devait plus arrêter. Encore si l'homme ne faisait que changer de lieux ! mais ses jours et son cœur changent.

Nos chevaux reposèrent à un village de pêcheurs sur la grève de Cancale. Nous traversâmes ensuite les marais et la fiévreuse ville de Dol : passant devant la porte du collège où j'allais bientôt revenir, nous nous enfonçâmes dans l'intérieur du pays.

Durant quatre mortelles lieues, nous n'aperçûmes que des bruyères guirlandées de bois, des friches à peine écrêtées, des semailles de blé noir, court et pauvre, et d'indigentes avénières. Des charbonniers conduisaient des files de petits chevaux à crinière pendante et mêlée ; des paysans à sayons de peau de bique, à cheveux longs, pressaient des bœufs maigres avec des cris aigus et marchaient à la queue d'une lourde charrue, comme des faunes labourant. Enfin nous découvrîmes une vallée au fond de laquelle s'élevait, non loin d'un étang, la flèche de l'église d'une bourgade; les tours d'un château féodal montaient dans les arbres d'une futaie éclairée par le soleil couchant.

J'ai été obligé de m'arrêter : mon cœur battait au point de repousser la table sur laquelle j'écris. Les souvenirs qui se réveillent dans ma mémoire m'accablent de leur force et de leur multitude : et pourtant, que sont-ils pour le reste du monde ?

Descendus de la colline, nous guéâmes un ruisseau; après avoir cheminé une demi-heure, nous quittâmes la grande route, et la voiture roula au bord d'un quinconce, dans une allée de charmilles dont les cîmes s'entrelaçaient au-dessus de nos têtes : je me souviens encore du moment où j'entrai sous cet ombrage et de la joie effrayée que j'éprouvai.

En sortant de l'obscurité du bois, nous franchîmes une avant-cour plantée de noyers, attenante au jardin et à la maison du régisseur; de là nous débouchâmes par une porte bâtie dans une cour de gazon, appelée la *Cour verte*. A droite étaient de longues écuries et un bouquet de marronniers; à gauche, un autre bouquet de marronniers. Au fond de la cour, dont le terrain s'élevait insensiblement, le château se montrait entre deux groupes d'arbres. Sa triste et sévère façade présentait une courtine portant une galerie à mâchicoulis, denticulée et couverte. Cette courtine liait ensemble deux tours inégales en âge, en matériaux, en hauteur et en grosseur, lesquelles tours se terminaient par des créneaux surmontés d'un toit pointu, comme un bonnet posé sur une couronne gothique.

Quelques fenêtres grillées apparaissaient çà et là sur la nudité des murs. Un large perron, raide et droit, de vingt-deux marches, sans rampes, sans garde-fou, remplaçait sur les fossés comblés l'ancien pont-levis; il atteignait la porte du château, percée au milieu de la courtine. Au dessus de cette porte on voyait les armes des seigneurs de Combourg, et les taillades[1] à travers lesquelles sortaient jadis les bras et les chaînes du pont-levis.

La voiture s'arrêta au pied du perron ; mon père vint au devant de nous. La réunion de la famille adoucit si fort son humeur pour le moment, qu'il nous fit la mine la plus gracieuse. Nous montâmes le perron ; nous pénétrâmes dans un vestibule sonore, à voûte ogive, et de ce vestibule dans une petite cour intérieure.

De cette cour, nous entrâmes dans le bâtiment regardant au midi sur l'étang, et jointif des deux petites tours. Le château entier avait la figure d'un char à quatre roues. Nous nous trouvâmes de plain-pied dans une salle jadis appelée la *salle des Gardes*. Une fenêtre s'ouvrait à chacune de ses extrémités ; deux autres coupaient la ligne latérale. Pour agrandir ces quatre fenêtres, il avait fallu excaver des murs de huit à dix pieds d'épaisseur. Deux corridors à plan incliné, comme le corridor de la grande Pyramide, partaient des deux angles extérieurs de la salle et conduisaient aux petites tours. Un escalier, serpentant dans l'une de ces tours, établissait des relations entre la salle des Gardes et l'étage supérieur : tel était ce corps de logis.

Celui de la façade de la grande et de la grosse tour, dominant le nord, du côté de la Cour Verte, se composait d'une espèce de dortoir carré et sombre, qui servait de cuisine ; il s'accroissait du vestibule, du perron et d'une chapelle. Au-dessus de ces pièces, était le salon des *Archives*, ou des *Armoiries*, ou des *Oiseaux*, ou des *Chevaliers*, ainsi nommé d'un plafond semé d'écussons coloriés et d'oiseaux peints. Les embrasures des fenêtres étroites et tréflées, étaient si profondes, qu'elles formaient des cabinets autour desquels régnait un banc de granit. Mêlez à cela, dans les diverses parties de l'édifice, des passages et des escaliers secrets, des cachots et des donjons, un labyrinthe de galeries couvertes et découvertes, des souterrains murés dont les ramifications étaient inconnues ; partout silence, obscurité et visage de pierre : voilà le château de Combourg.

Un souper servi dans la salle des Gardes, et où je mangeai

1. Chateaubriand avait d'abord écrit : « les ouvertures ».

sans contrainte, termina pour moi la première journée heureuse de ma vie. Le vrai bonheur coûte peu ; s'il est cher, il n'est pas d'une bonne espèce.

A peine fus-je réveillé le lendemain que j'allai visiter les dehors du château, et célébrer mon avénement à la solitude. Le perron faisait face au nord-ouest. Quand on était assis sur le diazôme[1] de ce perron, on avait devant soi la Cour Verte, et au-delà de cette cour, un potager étendu entre deux futaies : l'une, à droite (le quinconce par lequel nous étions arrivés) s'appelait le *petit Mail;* l'autre, à gauche, le *grand Mail :* celle-ci était un bois de chênes, de hêtres, de sycomores, d'ormes et de châtaigniers. Madame de Sévigné vantait de son temps ces vieux ombrages[2]; depuis cette époque, cent quarante années avaient été ajoutées à leur beauté.

Du côté opposé, au midi et à l'est, le paysage offrait un tout autre tableau : par les fenêtres de la grand'salle, on apercevait les maisons de Combourg, un étang, la chaussée de cet étang sur laquelle passait le grand chemin de Rennes, un moulin à eau, une prairie couverte de troupeaux de vaches et séparée de l'étang par la chaussée. Au bord de cette prairie s'allongeait un hameau dépendant d'un prieuré fondé en 1149 par Rivallon, seigneur de Combourg, et où l'on voyait sa statue mortuaire couchée sur le dos en armure de chevalier. Depuis l'étang, le terrain s'élevant par degrés, formait un amphithéâtre d'arbres, d'où sortaient des campanilles de villages et des tourelles de gentilhommières. Sur un dernier plan de l'horizon, entre l'occident et le midi, se profilaient les hauteurs de Bécherel. Une terrasse bordée de grands buis taillés, circulait au pied du château de ce côté, passait derrière les écuries et allait, à diverses reprises, rejoindre le jardin des bains qui communiquait au grand Mail.

Si, d'après cette trop longue description, un peintre prenait son crayon, produirait-il une esquisse ressemblante au château ? Je ne le crois pas ; et cependant ma mémoire

1. Forme calquée sur un mot grec qui signifie : ceinture, corniche. Faut-il comprendre : le rebord du perron ?
2. Elle dit seulement (lettre du 2 septembre 1671) que « Combourg n'est pas si beau » que les Rochers.

voit l'objet comme s'il était sous mes yeux ; telle est dans les choses matérielles l'impuissance de la parole et la puissance du souvenir ! En commençant à parler de Combourg, je chante les premiers couplets d'une complainte qui ne charmera que moi ; demandez au pâtre du Tyrol pourquoi il se plaît aux trois ou quatre notes qu'il répète à ses chèvres, notes de montagne, jetées d'écho en écho pour retentir du bord d'un torrent au bord opposé ?

Ma première apparition à Combourg fut de courte durée. Quinze jours s'étaient à peine écoulés que je vis arriver l'abbé Porcher, principal du collège de Dol ; on me remit entre ses mains, et je le suivis malgré mes pleurs.

Dieppe, septembre 1812.

Revu en juin 1846.

COLLÉGE DE DOL. — MATHÉMATIQUES ET LANGUES. — TRAITS DE MA MÉMOIRE.

JE n'étais pas tout à fait étranger à Dol ; mon père en était *chanoine,* comme descendant et représentant de la maison de Guillaume de Chateaubriand, sire de Beaufort, fondateur en 1529 d'une première stalle, dans le chœur de la cathédrale. L'évêque de Dol était M. de Hercé, ami de ma famille, prélat d'une grande modération politique, qui, à genoux, le crucifix à la main, fut fusillé avec son frère l'abbé de Hercé, à Quiberon, dans le Champ du martyre. En arrivant au collège, je fus confié aux soins particuliers de M. l'abbé Leprince, qui professait la rhétorique et possédait à fond la géométrie : c'était un homme d'esprit, d'une belle figure, aimant les arts, peignant assez bien le portrait. Il se chargea de m'apprendre mon *Bezout* [1] ; l'abbé Egault, régent de troisième, devint mon maître de latin ; j'étudiais les mathématiques dans ma chambre, le latin dans la salle commune.

Il fallut quelque temps à un hibou de mon espèce pour s'accoutumer à la cage d'un collége et régler sa volée au son d'une cloche. Je ne pouvais avoir ces prompts amis que donne la fortune, car il n'y avait rien à gagner avec un pauvre polisson qui n'avait pas même d'argent de semaine ; je ne m'enrôlai point non plus dans une clientèle, car je hais les protecteurs. Dans les jeux, je ne prétendais mener personne, mais je ne voulais pas être mené : je n'étais bon ni pour tyran ni pour esclave, et tel je suis demeuré.

Il arriva pourtant que je devins assez vite un centre de réunion ; j'exerçai dans la suite, à mon régiment, la même puissance : simple sous-lieutenant que j'étais, les vieux officiers passaient leurs soirées chez moi et préféraient mon appartement au café. Je ne sais d'où cela venait, n'était peut-être ma facilité à entrer dans l'esprit et à prendre les mœurs des autres. J'aimais autant chasser et courir que lire et écrire. Il m'est encore indifférent de deviser des choses les plus communes, ou de causer des sujets les plus relevés. Très-peu sensible à l'esprit, il m'est presque antipathique, bien que je ne sois pas une bête. Aucun défaut ne me choque, excepté la moquerie et la suffisance que j'ai grand'peine à ne pas morguer ; je trouve que les autres ont toujours sur moi une supériorité quelconque, et si je me sens par hasard un avantage, j'en suis tout embarrassé.

Des qualités que ma première éducation avait laissé dormir s'éveillèrent au collége. Mon aptitude au travail était remarquable, ma mémoire extraordinaire. Je fis des progrès rapides en mathématiques où j'apportai une clarté de conception qui étonnait l'abbé Leprince. Je montrai en même temps un goût décidé pour les langues. Le rudiment, supplice des écoliers, ne me coûta rien à apprendre ; j'attendais l'heure des leçons de latin avec une sorte d'impatience, comme un délassement de mes chiffres et de mes figures de

---

1. Cours de mathématiques. Bezout (1730-1783) est surtout connu comme auteur de manuels scolaires.

géométrie. En moins d'un an, je devins fort cinquième. Par une singularité, ma phrase latine se transformait si naturellement en pentamètre que l'abbé Egault m'appelait l'*Elégiaque,* nom qui me pensa rester parmi mes camarades.

Quant à ma mémoire en voici deux traits. J'appris par cœur mes tables de logarithmes : c'est-à-dire qu'un nombre étant donné dans la proportion géométrique, je trouvais de mémoire son exposant dans la proportion arithmétique, et *vice versâ.*

Après la prière du soir que l'on disait en commun à la chapelle du collège, le principal faisait une lecture. Un des enfants, pris au hasard, était obligé d'en rendre compte. Nous arrivions fatigués de jouer et mourant de sommeil à la prière ; nous nous jetions sur les bancs, tâchant de nous enfoncer dans un coin obscur, pour n'être pas aperçus et conséquemment interrogés. Il y avait surtout un confessional que nous nous disputions comme une retraite assurée. Un soir, j'avais eu le bonheur de gagner ce port et je m'y croyais en sûreté contre le principal ; malheureusement, il signala ma manœuvre et résolut de faire un exemple. Il lut donc lentement et longuement le second point d'un sermon ; chacun s'endormit. Je ne sais par quel hasard je restai éveillé dans mon confessionnal. Le principal qui ne me voyait que le bout des pieds, crut que je dodinais comme les autres, et tout à coup m'apostrophant, il me demanda ce qu'il avait lu.

Le second point du sermon contenait une énumération des diverses manières dont on peut offenser Dieu. Non-seulement je dis le fond de la chose, mais je repris les divisions dans leur ordre, et répétai presque mot à mot plusieurs pages d'une prose mystique, inintelligible pour un enfant. Un murmure d'applaudissement s'éleva dans la chapelle : le principal m'appela, me donna un petit coup sur la joue et me permit, en récompense, de ne me lever le lendemain qu'à l'heure du déjeuner. Je me dérobai modestement à l'admiration de mes camarades et je profitai bien de la grâce accordée. Cette mémoire des mots, qui ne m'est pas entièrement restée, a fait place chez moi à une autre sorte de mémoire plus singulière, dont j'aurai peut-être occasion de parler.

Une chose m'humilie : la mémoire est souvent la qualité de la sottise ; elle appartient généralement aux esprits lourds, qu'elle rend plus pesants par le bagage dont elle les surcharge. Et néanmoins, sans la mémoire, que serions-nous ? Nous oublierions nos amitiés, nos amours, nos plaisirs, nos affaires ; le génie ne pourrait rassembler ses idées ; le cœur le plus affectueux perdrait sa tendresse, s'il ne s'en souvenait plus ; notre existence se réduirait aux moments successifs d'un présent qui s'écoule sans cesse ; il n'y aurait plus de passé. O misère de nous ! notre vie est si vaine qu'elle n'est qu'un reflet de notre mémoire.

Dieppe, octobre 1812.

VACANCES À COMBOURG. — VIE DE CHATEAU
EN PROVINCE. — MŒURS FÉODALES. — HABITANTS
DE COMBOURG.

J'ALLAI passer le temps des vacances à Combourg. La vie de château aux environs de Paris ne peut donner une idée de la vie de château dans une province reculée.

La terre de Combourg n'avait pour tout domaine que des landes, quelques moulins et les deux forêts, Bourgouët et Tanoërn, dans un pays où le bois est presque sans valeur. Mais Combourg était riche en droits féodaux ; ces droits étaient de diverses sortes : les uns déterminaient certaines redevances pour certaines concessions, ou fixaient des usages nés de l'ancien ordre politique ; les autres ne semblaient avoir été dans l'origine que des divertissements.

Mon père avait fait revivre quelques-uns de ces derniers droits, afin de prévenir la prescription. Lorsque toute la famille était réunie, nous prenions part à ces amusements gothiques : les trois principaux étaient le *Saut des poisson-niers,* la *Quintaine,* et une foire appelée l'*Angevine.* Des paysans en sabots et en braies, hommes d'une France qui n'est plus, regardaient ces jeux d'une France qui n'était plus. Il y avait prix pour le vainqueur, amende pour le vaincu.

La Quintaine conservait la tradition des tournois : elle avait sans doute quelque rapport avec l'ancien service militaire des fiefs. Elle est très bien décrite dans du Cange (*voce* QUINTANA) 1. On devait payer les amendes en ancienne monnaie de cuivre, jusqu'à la valeur de *deux moutons d'or à la couronne* de 25 *sols parisis* chacun.

La foire appelée l'*Angevine* se tenait dans la prairie de l'Etang, le 4 septembre de chaque année, jour de ma naissance. Les vassaux étaient obligés de prendre les armes, ils venaient au château lever la bannière du seigneur ; de là ils se rendaient à la foire pour établir l'ordre, et prêter force à la perception d'un péage dû aux comtes de Combourg par chaque tête de bétail, espèce de droit régalien. A cette époque, mon père tenait table ouverte. On ballait pendant trois jours : les maîtres, dans la grand' salle, au raclement d'un violon ; les vassaux, dans la Cour Verte, au nasillement d'une musette. On chantait, on poussait des huzzas, on tirait des arquebusades. Ces bruits se mêlaient aux mugisse-ments des troupeaux de la foire ; la foule vaguait dans les jardins et les bois, et du moins une fois l'an, on voyait à Combourg quelque chose qui ressemblait à de la joie.

Ainsi, j'ai été placé assez singulièrement dans la vie pour avoir assisté aux courses de la *Quintaine* et à la proclama-tion des *Droits de l'Homme;* pour avoir vu la milice bourgeoise d'un village de Bretagne et la garde nationale de France, la bannière des seigneurs de Combourg et le drapeau de la révolution. Je suis comme le dernier témoin des mœurs féodales.

Les visiteurs que l'on recevait au château se composaient des habitants de la bourgade et de la noblesse de la banlieue : ces honnêtes gens furent mes premiers amis.

1. C'est-à-dire : «Voyez au mot *quintaine*». — Du Cange, érudit français, auteur de glossaires latins (1610-1688).

Notre vanité met trop d'importance au rôle que nous jouons dans le monde. Le bourgeois de Paris rit du bourgeois d'une petite ville ; le noble de cour se moque du noble de province ; l'homme connu dédaigne l'homme ignoré, sans songer que le temps fait également justice de leurs prétentions, et qu'ils sont tous également ridicules ou indifférents aux yeux des générations qui se succèdent.

Le premier habitant du lieu [1] était un M. Potelet, ancien capitaine de vaisseau de la compagnie des Indes, qui redisait de grandes histoires de Pondichéry. Comme il les racontait les coudes appuyés sur la table, mon père avait toujours envie de lui jeter son assiette au visage. Venait ensuite l'entrepositaire des tabacs, M. Launay de La Billardière, père de famille qui comptait douze enfants, comme Jacob, neuf filles et trois garçons, dont le plus jeune, David, était mon camarade de jeux*. Le bonhomme s'avisa de vouloir être noble en 1789 : il prenait bien son temps ! Dans cette maison, il y avait force joie et beaucoup de dettes. Le sénéchal Gébert, le procureur-fiscal Petit, le receveur Corvaisier, le chapelain l'abbé Charmel, formaient la société de Combourg. Je n'ai pas rencontré à Athènes des personnages plus célèbres.

MM. du Petit-Bois, de Château-d'Assie, de Tinteniac, un ou deux autres gentilshommes, venaient, le dimanche, entendre la messe à la paroisse, et dîner ensuite chez le châtelain. Nous étions plus particulièrement liés avec la famille Trémaudan, composée du mari, de la femme extrêmement belle, d'une sœur naturelle et de plusieurs enfants. Cette famille habitait une métairie, qui n'attestait sa noblesse que par un colombier. Les Trémaudan vivent encore. Plus sages et plus heureux que moi, ils n'ont point perdu de vue les tours du château que j'ai quitté depuis trente ans ; ils font encore ce qu'ils faisaient lorsque j'allais manger le pain bis à leur table ; ils ne sont point sortis du port dans lequel je ne rentrerai plus. Peut-être parlent-ils de moi au moment même où j'écris cette page : je me reproche

1. Celui qui représentait les bourgeois auprès du seigneur.
* J'ai retrouvé mon ami David : je dirai quand et comment. (Note de Genève, 1832.) — Le nom de cet « ami » ne reparaît pas dans les *Mémoires*.

de tirer leur nom de sa protectrice obscurité. Ils ont douté longtemps que l'homme dont ils entendaient parler fût le *petit chevalier*. Le recteur ou curé de Combourg, l'abbé Sévin, celui-là même dont j'écoutais le prône, a montré la même incrédulité ; il ne se pouvait persuader que le polisson, camarade des paysans, fût le défenseur de la religion ; il a fini par le croire, et il me cite dans ses sermons, après m'avoir tenu sur ses genoux. Ces dignes gens, qui ne mêlent à mon image aucune idée étrangère, qui me voient tel que j'étais dans mon enfance et dans ma jeunesse, me reconnaîtraient-ils aujourd'hui sous les travestissements du temps ? Je serais obligé de leur dire mon nom, avant qu'ils me voulussent presser dans leurs bras.

Je porte malheur à mes amis. Un garde-chasse, appelé Raulx, qui s'était attaché à moi, fut tué par un braconnier. Ce meurtre me fit une impression extraordinaire. Quel étrange mystère dans le sacrifice humain ! Pourquoi faut-il que le plus grand crime et la plus grande gloire soient de verser le sang de l'homme ? Mon imagination me représentait Raulx tenant ses entrailles dans ses mains et se traînant à la chaumière où il expira. Je conçus l'idée de la vengeance ; je m'aurais voulu battre contre l'assassin. Sous ce rapport je suis singulièrement né : dans le premier moment d'une offense, je la sens à peine ; mais elle se grave dans ma mémoire ; son souvenir, au lieu de décroître, s'augmente avec le temps ; il dort dans mon cœur des mois, des années entières, puis il se réveille à la moindre circonstance avec une force nouvelle, et ma blessure devient plus vive que le premier jour. Mais si je ne pardonne point à mes ennemis, je ne leur fais aucun mal ; je suis rancunier et ne suis point vindicatif. Ai-je la puissance de me venger, j'en perds l'envie ; je ne serais dangereux que dans le malheur. Ceux qui m'ont cru faire céder en m'opprimant, se sont trompés ; l'adversité est pour moi, ce qu'était la terre pour Antée : je reprends des forces dans le sein de ma mère. Si jamais le bonheur m'avait enlevé dans ses bras, il m'eût étouffé.

SECONDES VACANCES À COMBOURG. — RÉGIMENT DE
CONTI. — CAMP À SAINT-MALO. — UNE ABBAYE.
— THÉÂTRE. — MARIAGE DE MES DEUX SŒURS AINÉES.
— RETOUR AU COLLÉGE. — RÉVOLUTION COMMENCÉE
DANS MES IDÉES.

JE retournai à Dol, à mon grand regret. L'année suivante, il
y eut un projet de descente à Jersey[1] , et un camp s'établit
auprès de Saint-Malo. Des troupes furent cantonnées à
Combourg ; M. de Chateaubriand donna, par courtoisie,
successivement, asile aux colonels des régiments de Tou-
raine et de Conti : l'un était le duc de Saint-Simon, et
l'autre le marquis de Causans*. Vingt officiers étaient tous
les jours invités à la table de mon père. Les plaisanteries de
ces étrangers me déplaisaient ; leurs promenades troublaient
la paix de mes bois. C'est pour avoir vu le colonel en second
du régiment de Conti, le marquis de Wignacourt, galoper
sous des arbres, que des idées de voyage me passèrent pour
la première fois par la tête.

Quand j'entendais nos hôtes parler de Paris et de la cour,
je devenais triste ; je cherchais à deviner ce que c'était que
la société : je découvrais quelque chose de confus et de
lointain ; mais bientôt je me troublais. Des tranquilles
régions de l'innocence, en jetant les yeux sur le monde,
j'avais des vertiges, comme lorsqu'on regarde la terre du
haut de ces tours qui se perdent dans le ciel.

Une chose me charmait pourtant, la parade. Tous les
jours, la garde montante défilait, tambour et musique en
tête, au pied du perron, dans la Cour Verte. M. de Causans

1. Dès 1778 la France soutenait les Etats d'Amérique dans leur
soulèvement contre l'Angleterre.
* J'ai éprouvé un sensible plaisir, en retrouvant, depuis la Restauration, ce galant homme, distingué par sa fidélité et ses vertus chrétiennes.
(Note de Genève, 1831).

proposa de me montrer le camp de la côte : mon père y consentit.

Je fus conduit à Saint-Malo par M. de La Morandais, très-bon gentilhomme, mais que la pauvreté avait réduit à être régisseur de la terre de Combourg. Il portait un habit de camelot gris, avec un petit galon d'argent au collet, une têtière ou morion de feutre gris à oreilles, à une seule corne en avant. Il me mit à califourchon derrière lui, sur la croupe de sa jument *Isabelle* [1]. Je me tenais au ceinturon de son couteau de chasse, attaché par-dessus son habit : j'étais enchanté. Lorsque Claude de Bullion et le père du président de Lamoignon, enfants, allaient en campagne, «on les « portait tous les deux sur un même âne, dans des paniers, « l'un d'un côté, l'autre de l'autre, et l'on mettait un pain du « côté de Lamoignon, parce qu'il était plus léger que son « camarade, pour faire le contre-poids. » *(Mémoires du président de Lamoignon.)*

M. de La Morandais prit des chemins de traverse :

> *Moult volontiers, de grand'manière,*
> *Alloit en bois et en rivière;*
> *Car nulles gens ne vont en bois*
> *Moult volontiers comme François.*

Nous nous arrêtâmes pour dîner à une abbaye de bénédictins, qui, faute d'un nombre suffisant de moines, venait d'être réunie à un chef-lieu de l'ordre. Nous n'y trouvâmes que le père procureur, chargé de la disposition des biens-meubles et de l'exploitation des futaies. Il nous fit servir un excellent dîner maigre, à l'ancienne bibliothèque du prieur : nous mangeâmes quantité d'œufs frais, avec des carpes et des brochets énormes. A travers l'arcade d'un cloître, je voyais de grands sycomores, qui bordaient un étang. La cognée les frappait au pied, leur cime tremblait dans l'air, et ils tombaient pour nous servir de spectacle. Des charpentiers, venus de Saint-Malo, sciaient à terre des branches

---

1. Malgré l'initiale majuscule, « Isabelle » semble être ici un adjectif : de couleur jaunâtre.

vertes, comme on coupe une jeune chevelure, ou équarrissaient des troncs abattus. Mon cœur saignait à la vue de ces forêts ébréchées et de ce monastère déshabité. Le sac général des maisons religieuses m'a rappelé depuis le dépouillement de l'abbaye qui en fut pour moi le pronostic.

Arrivé à Saint-Malo, j'y trouvai le marquis de Causans; je parcourus sous sa garde les rues du camp. Les tentes, les faisceaux d'armes, les chevaux au piquet, formaient une belle scène avec la mer, les vaisseaux, les murailles et les chochers lointains de la ville. Je vis passer, en habit de hussard, au grand galop sur un barbe, un de ces hommes en qui finissait un monde, le duc de Lauzun. Le prince de Carignan, venu au camp, épousa la fille de M. de Boisgarin, un peu boiteuse, mais charmante : cela fit grand bruit, et donna matière à un procès que plaide encore aujourd'hui M. Lacretelle l'aîné[1]. Mais quel rapport ces choses ont-elles avec ma vie ? « A mesure que la mémoire de mes privés « amis, dit Montaigne, leur fournit la chose entière, ils « reculent si arrière leur narration que, si le conte est bon, « ils en étouffent la bonté ; s'il ne l'est pas, vous êtes à « maudire, ou l'heur de leur mémoire ou le malheur de leur « jugement. J'ai vu des récits bien plaisants devenir très « ennuyeux en la bouche d'un seigneur. » J'ai peur d'être ce seigneur.

Mon frère était à Saint-Malo, lorsque M. de La Morandais m'y déposa. Il me dit un soir : « Je te mène au spectacle : prends ton chapeau. » Je perds la tête ; je descends droit à la cave pour chercher mon chapeau qui était au grenier. Une troupe de comédiens ambulants venait de débarquer. J'avais rencontré des marionnettes ; je supposais qu'on voyait au théâtre des polichinelles beaucoup plus beaux que ceux de la rue.

J'arrive, le cœur palpitant, à une salle bâtie en bois, dans une rue déserte de la ville. J'entre par des corridors noirs, non sans un certain mouvement de frayeur. On ouvre une petite porte, et me voilà avec mon frère dans une loge à moitié pleine.

Le rideau était levé, la pièce commencée : on jouait *le*

1. Avocat et académicien. Il était né en 1751.

Père de famille[1]. J'aperçois deux hommes qui se promenaient sur le théâtre en causant, et que tout le monde
regardait. Je les pris pour les directeurs des marionnettes,
qui devisaient devant la cahute de madame Gigogne, en
attendant l'arrivée du public : j'étais seulement étonné
qu'ils parlassent si haut de leurs affaires et qu'on les
écoutât en silence. Mon ébahissement redoubla, lorsque
d'autres personnages arrivant sur la scène se mirent à faire
de grands bras, à larmoyer, et lorsque chacun se prit à
pleurer par contagion. Le rideau tomba sans que j'eusse
rien compris à tout cela. Mon frère descendit au foyer entre
les deux pièces. Demeuré dans la loge au milieu des
étrangers dont ma timidité me faisait un supplice, j'aurais
voulu être au fond de mon collège. Telle fut la première
impression que je reçus de l'art de Sophocle et de Molière.

La troisième année de mon séjour à Dol fut marquée par
le mariage de mes deux sœurs aînées[2] : Marianne épousa le
comte de Marigny, et Bénigne le comte de Québriac. Elles
suivirent leurs maris à Fougères : signal de la dispersion
d'une famille dont les membres devaient bientôt se séparer.
Mes sœurs reçurent la bénédiction nuptiale à Combourg le
même jour, à la même heure, au même autel, dans la
chapelle du château. Elles pleuraient, ma mère pleurait ; je
fus étonné de cette douleur : je la comprends aujourd'hui.
Je n'assiste pas à un baptême ou à un mariage sans sourire
amèrement ou sans éprouver un serrement de cœur. Après
le malheur de naître, je n'en connais pas de plus grand que
celui de donner le jour à un homme.

Cette même année commença une révolution dans ma
personne comme dans ma famille. Le hasard fit tomber
entre mes mains deux livres bien divers, un *Horace* non
châtié[3] et une histoire des *Confessions mal faites*. Le
bouleversement d'idées que ces deux livres me causèrent est
incroyable : un monde étrange s'éleva autour de moi. D'un
côté, je soupçonnai des secrets incompréhensibles à mon
âge, une existence différente de la mienne, des plaisirs au
delà de mes jeux, des charmes d'une nature ignorée dans un

1. Drame de Diderot représenté en 1761.
2. Le même jour, le 11 janvier 1780.
3. Non expurgé.

sexe où je n'avais vu qu'une mère et des sœurs ; d'un autre côté, des spectres traînant des chaînes et vomissant des flammes m'annonçaient les supplices éternels pour un seul péché dissimulé. Je perdis le sommeil ; la nuit, je croyais voir tour à tour des mains noires et des mains blanches passer à travers mes rideaux : je vins à me figurer que ces dernières mains étaient maudites par la religion, et cette idée accrut mon épouvante des ombres infernales. Je cherchais en vain dans le ciel et dans l'enfer l'explication d'un double mystère. Frappé à la fois au moral et au physique, je luttais encore avec mon innocence contre les orages d'une passion prématurée et les terreurs de la superstition.

Dès lors je sentis s'échapper quelques étincelles de ce feu qui est la transmission de la vie. J'expliquais le quatrième livre de l'*Enéide* et lisais le *Télémaque :* tout à coup je découvris dans Didon et dans Eucharis [1] des beautés qui me ravirent ; je devins sensible à l'harmonie de ces vers admirables et de cette prose antique. Je traduisis un jour à livre ouvert l'*Æneadum genitrix, hominum divûmque voluptas* [2] de Lucrèce avec tant de vivacité, que M. Egault m'arracha le poëme et me jeta dans les racines grecques. Je dérobai un *Tibulle :* quand j'arrivai au *Quam juvat immites ventos audire cubantem* [3], ces sentiments de volupté et de mélancolie semblèrent me révéler ma propre nature. Les volumes de Massillon qui contenaient les sermons de la *Pécheresse* [4] et de l'*Enfant prodigue* ne me quittaient plus. On me les laissait feuilleter, car on ne se doutait guère de ce que j'y trouvais. Je volais de petits bouts de cierges dans la chapelle pour lire la nuit ces descriptions séduisantes des désordres de l'âme. Je m'endormais en balbutiant des phrases incohérentes, où je tâchais de mettre la douceur, le nombre et la grâce de l'écrivain qui a le mieux transporté dans la prose l'euphonie racinienne.

1. Une des nymphes de Calypso, dont Télémaque tombe amoureux.
2. C'est l'invocation à Vénus sur laquelle s'ouvre le *De natura* : « Mère des fils d'Enée, plaisir des hommes et des dieux. »
3. « Qu'il est doux d'entendre les vents furieux lorsqu'on est couché... » (Tibulle, I, 45 *sq.*). Mais c'est surtout le vers suivant qui troublait l'enfant : « ... et de presser tendrement sa maîtresse sur sa poitrine ».
4. Marie Madeleine.

Si j'ai, dans la suite, peint avec quelque vérité les entraînements du cœur mêlés aux syndérèses [1] chrétiennes, je suis persuadé que j'ai dû ce succès au hasard qui me fit connaître au même moment deux empires ennemis. Les ravages que porta dans mon imagination un mauvais livre, eurent leur correctif dans les frayeurs qu'un autre livre m'inspira, et celles-ci furent comme alanguies par les molles pensées que m'avaient laissées des tableaux sans voile.

Dieppe, fin d'octobre 1812.

AVENTURE DE LA PIE. — TROISIÈMES VACANCES À COMBOURG. — LE CHARLATAN. — RENTRÉE AU COLLÉGE.

CE qu'on dit d'un malheur, qu'il n'arrive jamais seul, on le peut dire des passions : elles viennent ensemble, comme les muses ou comme les furies. Avec le penchant qui commençait à me tourmenter, naquit en moi l'honneur ; exaltation de l'âme, qui maintient le cœur incorruptible au milieu de la corruption ; sorte de principe réparateur placé auprès d'un principe dévorant, comme la source inépuisable des prodiges que l'amour demande à la jeunesse et des sacrifices qu'il impose.

Lorsque le temps était beau, les pensionnaires du collége sortaient le jeudi et le dimanche. On nous menait souvent au Mont-Dol, au sommet duquel se trouvaient quelques ruines gallo-romaines : du haut de ce tertre isolé, l'œil plane sur la mer et sur des marais où voltigent pendant la nuit des feux follets, lumière des sorciers qui brûle aujourd'hui dans nos lampes. Un autre but de nos promena-

1. Remords.

96

des était les prés qui environnaient un séminaire d'*Eudistes,* d'Eudes, frère de l'historien Mézerai, fondateur de leur congrégation.

Un jour du mois de mai, l'abbé Egault, préfet de semaine, nous avait conduits à ce séminaire : on nous laissait une grande liberté de jeux, mais il était expressément défendu de monter sur les arbres. Le régent, après nous avoir établis dans un chemin herbu, s'éloigna pour dire son bréviaire.

Des ormes bordaient le chemin ; tout à la cime du plus grand, brillait un nid de pie : nous voilà en admiration, nous montrant mutuellement la mère assise sur ses œufs, et pressés du plus vif désir de saisir cette superbe proie. Mais qui oserait tenter l'aventure ? L'ordre était si sévère, le régent si près, l'arbre si haut ! Toutes les espérances se tournent vers moi ; je grimpais comme un chat. J'hésite, puis la gloire l'emporte : je me dépouille de mon habit, j'embrasse l'orme et je commence à monter. Le tronc était sans branches, excepté aux deux tiers de sa crue, où se formait une fourche dont une des pointes portait le nid.

Mes camarades, assemblés sous l'arbre, applaudissaient à mes efforts, me regardant, regardant l'endroit d'où pouvait venir le préfet, trépignant de joie dans l'espoir des œufs, mourant de peur dans l'attente du châtiment. J'aborde au nid ; la pie s'envole ; je ravis les œufs, je les mets dans ma chemise et redescends. Malheureusement, je me laisse glisser entre les tiges jumelles et j'y reste à califourchon. L'arbre étant élagué, je ne pouvais appuyer mes pieds ni à droite ni à gauche pour me soulever et reprendre le limbe extérieur : je demeure suspendu en l'air à cinquante pieds.

Tout à coup un cri : « Voici le préfet ! » et je me vois incontinent abandonné de mes amis, comme c'est l'usage. Un seul, appelé Le Gobbien, essaya de me porter secours, et fut tôt obligé de renoncer à sa généreuse entreprise. Il n'y avait qu'un moyen de sortir de ma fâcheuse position, c'était de me suspendre en dehors par les mains à l'une des deux dents de la fourche, et de tâcher de saisir avec mes pieds le tronc de l'arbre au-dessous de sa bifurcation. J'exécutai cette manœuvre au péril de ma vie. Au milieu de mes tribulations, je n'avais pas lâché mon trésor; j'aurais pourtant mieux fait de le jeter, comme depuis j'en ai jeté tant d'autres. En dévalant le tronc, je m'écorchai les mains, je m'éraillai les jambes et la poitrine, et j'écrasai les œufs : ce fut ce qui me perdit. Le préfet ne m'avait point vu sur l'orme; je lui cachai assez bien mon sang, mais il n'y eut pas moyen de lui dérober l'éclatante couleur d'or dont j'étais barbouillé. «Allons, me dit-il, monsieur, vous aurez le fouet.»

Si cet homme m'eût annoncé qu'il commuait cette peine en celle de mort, j'aurais éprouvé un mouvement de joie. L'idée de la honte n'avait point approché de mon éducation sauvage : à tous les âges de ma vie, il n'y a point de supplice que je n'eusse préféré à l'horreur d'avoir à rougir devant une créature vivante. L'indignation s'éleva dans mon cœur; je répondis à l'abbé Egault, avec l'accent non d'un enfant, mais d'un homme, que jamais ni lui ni personne ne lèverait la main sur moi. Cette réponse l'anima; il m'appela rebelle et promit de faire un exemple. «Nous verrons,» répliquai-je, et je me mis à jouer à la balle avec un sang-froid qui le confondit.

Nous retournâmes au collége; le régent me fit entrer chez lui et m'ordonna de me soumettre. Mes sentiments exaltés firent place à des torrents de larmes. Je représentai à l'abbé Egault qu'il m'avait appris le latin; que j'étais son écolier, son disciple, son enfant; qu'il ne voudrait pas déshonorer son élève, et me rendre la vue de mes compagnons insupportable; qu'il pouvait me mettre en prison, au pain et à l'eau, me priver de mes récréations, me charger de *pensums;* que je lui saurais gré de cette clémence et l'en aimerais davantage. Je tombai à ses genoux, je joignis les mains, je le suppliai par Jésus-Christ de m'épargner : il demeura sourd à mes prières. Je me levai plein de rage, et lui lançai dans les jambes un coup de pied si rude, qu'il en poussa un cri. Il court en clochant à la porte de sa chambre, la ferme à double tour et revient sur moi. Je me retranche derrière son lit; il m'allonge à travers le lit des coups de férule. Je m'entortille dans la couverture, et, m'animant au combat, je m'écrie :

Cette érudition de grimaud fit rire malgré lui mon ennemi ; il parla d'armistice : nous conclûmes un traité ; je convins de m'en rapporter à l'arbitrage du principal. Sans me donner gain de cause, le principal me voulut bien soustraire à la punition que j'avais repoussée. Quand l'excellent prêtre prononça mon acquittement, je baisai la manche de sa robe avec une telle effusion de cœur et de reconnaissance, qu'il ne se put empêcher de me donner sa bénédiction. Ainsi se termina le premier combat que me fit rendre cet honneur devenu l'idole de ma vie, et auquel j'ai tant de fois sacrifié repos, plaisir et fortune.

Les vacances où j'entrai dans ma douzième année furent tristes ; l'abbé Leprince m'accompagna à Combourg. Je ne sortais qu'avec mon précepteur ; nous faisions au hasard de longues promenades. Il se mourait de la poitrine ; il était mélancolique et silencieux ; je n'étais guère plus gai. Nous marchions des heures entières à la suite l'un de l'autre sans prononcer une parole. Un jour, nous nous égarâmes dans des bois ; M. Leprince se tourna vers moi et me dit : « Quel chemin faut-il prendre ? » je répondis sans hésiter : « Le soleil se couche ; il frappe à présent la fenêtre de la grosse tour : marchons par-là. » M. Leprince raconta le soir la chose à mon père : le futur voyageur se montra dans ce jugement. Maintes fois, en voyant le soleil se coucher dans les forêts de l'Amérique, je me suis rappelé les bois de Combourg : mes souvenirs se font écho.

L'abbé Leprince désirait que l'on me donnât un cheval ; mais dans les idées de mon père, un officier de marine ne devait savoir manier que son vaisseau. J'étais réduit à monter à la dérobée deux grosses juments de carrosse ou un grand cheval pie. La *Pie* n'était pas, comme celle de Turenne, un de ces destriers nommés par les Romains *desultorios equos* 2, et façonnés à secourir leur maître ; c'était un Pégase lunatique qui ferrait en trottant, et qui me

1. « Courage, enfant de bonne race ! » Déformation par Stace du *Macte nova virtute, puer* de Virgile (*Enéide*, IX, 641).

2. « Chevaux de voltige. »

mordait les jambes quand je le forçais à sauter des fossés. Je ne me suis jamais beaucoup soucié de chevaux, quoique j'aie mené la vie d'un Tartare, et contre l'effet que ma première éducation aurait dû produire, je monte à cheval avec plus d'élégance que de solidité.

La fièvre tierce, dont j'avais apporté le germe des marais de Dol, me débarrassa de M. Leprince. Un marchand d'orviétan passa dans le village ; mon père, qui ne croyait point aux médecins, croyait aux charlatans : il envoya chercher l'empirique, qui déclara me guérir en vingt-quatre heures. Il revint le lendemain, habit vert galonné d'or, large tignasse poudrée, grandes manchettes de mousseline sale, faux brillants aux doigts, culotte de satin noir usé, bas de soie d'un blanc bleuâtre, et souliers avec des boucles énormes.

Il ouvre mes rideaux, me tâte le pouls, me fait tirer la langue, baragouine avec un accent italien quelques mots sur la nécessité de me purger, et me donne à manger un petit morceau de caramel. Mon père approuvait l'affaire, car il prétendait que toute maladie venait d'indigestion, et que pour toute espèce de maux, il fallait purger son homme jusqu'au sang.

Une demi-heure après avoir avalé le caramel, je fus pris de vomissements effroyables ; on avertit M. de Chateaubriand, qui voulait faire sauter le pauvre diable par la fenêtre de la tour. Celui-ci, épouvanté, met habit bas, retrousse les manches de sa chemise en faisant les gestes les plus grotesques. A chaque mouvement, sa perruque tournait en tous sens ; il répétait mes cris et ajoutait après : *« Che? monsou Lavandier? »* Ce monsieur Lavandier était le pharmacien du village, qu'on avait appelé au secours. Je ne savais, au milieu de mes douleurs, si je mourrais des drogues de cet homme ou des éclats de rire qu'il m'arrachait.

On arrêta les effets de cette trop forte dose d'émétique, et je fus remis sur pied. Toute notre vie se passe à errer autour de notre tombe ; nos diverses maladies sont des souffles qui nous approchent plus ou moins du port. Le premier mort que j'aie vu, était un chanoine de Saint-Malo ; il gisait expiré sur son lit, le visage distors par les dernières convulsions. La mort est belle, elle est notre amie ; néanmoins, nous ne la reconnaissons pas, parce qu'elle se présente à nous masquée et que son masque nous épouvante.

On me renvoya au collége à la fin de l'automne.

Vallée-aux-Loups, décembre 1813.

INVASION DE LA FRANCE. — JEUX. — L'ABBÉ DE CHATEAU-BRIAND.

DE Dieppe où l'injonction de la police m'avait obligé de me réfugier, on m'a permis de revenir à la Vallée-aux-Loups, où je continue ma narration. La terre tremble sous les pas du soldat étranger, qui dans ce moment même envahit ma patrie ; j'écris comme les derniers Romains, au bruit de l'invasion des Barbares. Le jour je trace des pages aussi agitées que les événements de ce jour * ; la nuit, tandis que le roulement du canon lointain expire dans mes bois, je retourne au silence des années qui dorment dans la tombe, à la paix de mes plus jeunes souvenirs. Que le passé d'un homme est étroit et court, à côté du vaste présent des peuples et de leur avenir immense !

Les mathématiques, le grec et le latin occupèrent tout mon hiver au collége. Ce qui n'était pas consacré à l'étude était donné à ces jeux du commencement de la vie, pareils en tous lieux. Le petit Anglais, le petit Allemand, le petit Italien, le petit Espagnol, le petit Iroquois, le petit Bédouin roulent le cerceau et lancent la balle. Frères d'une grande famille, les enfants ne perdent leurs traits de ressemblance qu'en perdant l'innocence, la même partout. Alors les passions modifiées par les climats, les gouvernements et les mœurs font les nations diverses ; le genre humain cesse de

* *De Bonaparte et des Bourbons.* (Note de Genève, 1831).

s'entendre et de parler le même langage : c'est la société qui est la véritable tour de Babel.

Un matin, j'étais très-animé à une partie de barres dans la grande cour du collège ; on me vint dire qu'on me demandait. Je suivis le domestique à la porte extérieure. Je trouve un gros homme, rouge de visage, les manières brusques et impatientes, le ton farouche, ayant un bâton à la main, portant une perruque noire mal frisée, une soutane déchirée retroussée dans ses poches, des souliers poudreux, des bas percés au talon : « Petit polisson, me dit-il, n'êtes-« vous pas le chevalier de Chateaubriand de Combourg ? — « Oui, monsieur, » répondis-je tout étourdi de l'apostrophe. « — Et moi, reprit-il presque écumant, je suis le dernier « aîné de votre famille, je suis l'abbé de Chateaubriand de « la Guérande : regardez-moi bien. » Le fier abbé met la main dans le gousset d'une vieille culotte de panne, prend un écu de six francs moisi, enveloppé dans un papier crasseux, me le jette au nez et continue à pied son voyage en marmottant ses matines d'un air furibond. J'ai su depuis que le prince de Condé [1] avait fait offrir à ce hobereau-vicaire le préceptorat du duc de Bourbon. Le prêtre outre-cuidé répondit que le prince, possesseur de la baronie de Chateaubriand, devait savoir que les héritiers de cette baronie pouvaient avoir des précepteurs, mais n'étaient les précepteurs de personne. Cette hauteur était le défaut de ma famille ; elle était odieuse dans mon père ; mon frère la poussait jusqu'au ridicule ; elle a un peu passé à son fils aîné. — Je ne suis pas bien sûr, malgré mes inclinations républicaines, de m'en être complètement affranchi, bien que je l'aie soigneusement cachée.

1. Le père du duc de Bourbon et le grand-père du duc d'Enghien. C'est lui (1736-1818), qui, dès 1787, formera à Coblentz « l'armée de Condé » que Chateaubriand rejoint en 1792.

L'ÉPOQUE de ma première communion approchait [1], moment où l'on décidait dans la famille de l'état futur de l'enfant. Cette cérémonie religieuse remplaçait parmi les jeunes chrétiens la prise de la robe virile chez les Romains. Madame de Chateaubriand était venue assister à la première communion d'un fils qui, après s'être uni à son Dieu, allait se séparer de sa mère.

Ma piété paraissait sincère ; j'édifiais tout le collége : mes regards étaient ardents ; mes abstinences répétées allaient jusqu'à donner de l'inquiétude à mes maîtres. On craignait l'excès de ma dévotion ; une religion éclairée cherchait à tempérer ma ferveur.

J'avais pour confesseur le supérieur du séminaire des Eudistes, homme de cinquante ans, d'un aspect rigide. Toutes les fois que je me présentais au tribunal de la pénitence, il m'interrogeait avec anxiété. Surpris de la légèreté de mes fautes, il ne savait comment accorder mon trouble avec le peu d'importance des secrets que je déposais dans son sein. Plus le jour de Pâques s'avoisinait, plus les questions du religieux étaient pressantes. « Ne me cachez-vous rien ? » me disait-il. Je répondais : « Non, mon père. — « N'avez-vous pas fait telle faute ? — Non, mon père. » Et toujours : « Non, mon père. » Il me renvoyait en doutant, en soupirant, en me regardant jusqu'au fond de l'âme, et moi, je sortais de sa présence, pâle et défiguré comme un criminel.

Je devais recevoir l'absolution le mercredi saint. Je passai la nuit du mardi au mercredi en prières, et à lire avec terreur, le livre des *Confessions mal faites*. Le mercredi, à trois heures de l'après-midi, nous partîmes pour le sémi-

1. Il semble que Chateaubriand l'ait faite le jeudi saint 12 avril 1781.

naire ; nos parents nous accompagnaient. Tout le vain bruit qui s'est depuis attaché à mon nom, n'aurait pas donné à madame de Chateaubriand un seul instant de l'orgueil qu'elle éprouvait comme chrétienne et comme mère, en voyant son fils prêt à participer au grand mystère de la religion.

En arrivant à l'église, je me prosternai devant le sanctuaire et j'y restai comme anéanti. Lorsque je me levai pour me rendre à la sacristie, où m'attendait le supérieur, mes genoux tremblaient sous moi. Je me jetai aux pieds du prêtre, ce ne fut que de la voix la plus altérée que je parvins à prononcer mon *Confiteor.* « Eh bien, n'avez-vous rien oublié ? » me dit l'homme de Jésus-Christ. Je demeurai muet. Ses questions recommencèrent, et le fatal *non, mon père,* sortit de ma bouche. Il se recueillit, il demanda des conseils à Celui qui conféra aux apôtres le pouvoir de lier et de délier les âmes. Alors, faisant un effort, il se prépare à me donner l'absolution.

La foudre que le Ciel eût lancée sur moi, m'aurait causé moins d'épouvante, je m'écriai : « Je n'ai pas tout dit ! » Ce redoutable juge, ce délégué du souverain Arbitre, dont le visage m'inspirait tant de crainte, devient le pasteur le plus tendre ; il m'embrasse et fond en larmes : « Allons, me dit-il, « mon cher fils, du courage ! »

Je n'aurai jamais un tel moment dans ma vie. Si l'on m'avait débarrassé du poids d'une montagne, on ne m'eût pas plus soulagé : je sanglotais de bonheur. J'ose dire que c'est de ce jour que j'ai été créé honnête homme ; je sentis que je ne survivrais jamais a un remords : quel doit donc être celui du crime, si j'ai pu tant souffrir pour avoir tu les faiblesses d'un enfant ! Mais combien elle est divine cette religion qui se peut emparer ainsi de nos bonnes facultés ! Quels préceptes de morale suppléeront jamais à ces institutions chrétiennes ?

Le premier aveu fait, rien ne me coûta plus : mes puérilités cachées, et qui auraient fait rire le monde, furent pesées au poids de la religion. Le supérieur se trouva fort embarrassé ; il aurait voulu retarder ma communion, mais j'allais quitter le collège de Dol et bientôt entrer au service dans la marine. Il découvrit avec une grande sagacité, dans le caractère même de mes *juveniles* [1], tout insignifiantes qu'elles étaient, la nature de mes penchants ; c'est le premier homme qui ait pénétré le secret de ce que je pouvais être. Il devina mes futures passions ; il ne me cacha pas ce qu'il croyait voir de bon en moi, mais il me prédit aussi mes maux à venir. « Enfin, ajouta-t-il, le temps « manque à votre pénitence ; mais vous êtes lavé de vos « péchés par un aveu courageux, quoique tardif. » Il prononça, en levant la main, la formule de l'absolution. Cette seconde fois, ce bras foudroyant ne fit descendre sur ma tête que la rosée céleste ; j'inclinai mon front pour la recevoir ; ce que je sentais participait de la félicité des anges. Je m'allai précipiter dans le sein de ma mère qui m'attendait au pied de l'autel. Je ne parus plus le même à mes maîtres et à mes camarades ; je marchais d'un pas léger, la tête haute, l'air radieux, dans tout le triomphe du repentir.

Le lendemain, Jeudi-Saint, je fus admis à cette cérémonie touchante et sublime dont j'ai vainement essayé de tracer le tableau dans le *Génie du christianisme*. J'y aurais pu retrouver mes petites humiliations accoutumées : mon bouquet et mes habits étaient moins beaux que ceux de mes compagnons ; mais ce jour-là, tout fut à Dieu et pour Dieu. Je sais parfaitement ce que c'est que la Foi : la présence réelle de la victime dans le saint sacrement de l'autel m'était aussi sensible que la présence de ma mère à mes côtés. Quand l'hostie fut déposée sur mes lèvres, je me sentis comme tout éclairé en dedans. Je tremblais de respect, et la seule chose matérielle qui m'occupât était la crainte de profaner le pain sacré.

> *Le pain que je vous propose*
> *Sert aux anges d'aliment,*
> *Dieu lui-même le compose*
> *De la fleur de son forment.*

RACINE [2].

---

1. D'ordinaire, œuvres de jeunesse (en latin : *juvenilia*). Ici, péchés de jeunesse.
2. *Cantiques spirituels*, IV, 21 *sq*.

Je conçus encore le courage des martyrs ; j'aurais pu dans ce moment confesser le Christ sur le chevalet ou au milieu des lions.

J'aime à rappeler ces félicités qui précédèrent de peu d'instants dans mon âme les tribulations du monde. En comparant ces ardeurs aux transports que je vais peindre ; en voyant le même cœur éprouver dans l'intervalle de trois ou quatre années, tout ce que l'innocence et la religion ont de plus doux et de plus salutaire, et tout ce que les passions ont de plus séduisant et de plus funeste, on choisira des deux joies ; on verra de quel côté il faut chercher le bonheur et surtout le repos.

Trois semaines après ma première communion, je quittai le collège de Dol. Il me reste de cette maison un agréable souvenir : notre enfance laisse quelque chose d'elle-même aux lieux embellis par elle, comme une fleur communique un parfum aux objets qu'elle a touchés. Je m'attendris encore aujourd'hui en songeant à la dispersion de mes premiers camarades et de mes premiers maîtres. L'abbé Leprince, nommé à un bénéfice auprès de Rouen, vécut peu ; l'abbé Egault obtint une cure dans le diocèse de Rennes, et j'ai vu mourir le bon principal, l'abbé Porcher, au commencement de la Révolution : il était instruit, doux et simple de cœur. La mémoire de cet obscur Rollin me sera toujours chère et vénérable.

Vallée-aux-Loups, fin de décembre 1813.

MISSION À COMBOURG. — COLLÉGE DE RENNES. — JE RETROUVE GESRIL. — MOREAU. — LIMŒLAN. — MARIAGE DE MA TROISIÈME SŒUR.

JE trouvai à Combourg de quoi nourrir ma piété, une mission ; j'en suivis les exercices. Je reçus la confirmation sur le perron du manoir, avec les paysans et les paysannes, de la main de l'évêque de Saint-Malo. Après cela, on érigea une croix ; j'aidai à la soutenir, tandis qu'on la fixait sur sa base. Elle existe encore : elle s'élève devant la tour où est mort mon père [1]. Depuis trente années elle n'a vu paraître personne aux fenêtres de cette tour ; elle n'est plus saluée des enfants du château ; chaque printemps elle les attend en vain ; elle ne voit revenir que les hirondelles, compagnes de mon enfance, plus fidèles à leur nid que l'homme à sa maison. Heureux si ma vie s'était écoulée au pied de la croix de la mission, si mes cheveux n'eussent été blanchis que par le temps qui a couvert de mousse les branches de cette croix !

Je ne tardai pas à partir pour Rennes [2] : j'y devais continuer mes études et clore mon cours de mathématiques, afin de subir ensuite à Brest l'examen de garde-marine.

M. de Fayolle était principal du collége de Rennes. On comptait dans ce Juilly de la Bretagne [3] trois professeurs distingués, l'abbé de Chateaugiron pour la seconde, l'abbé Germé pour la rhétorique, l'abbé Marchand pour la physique. Le pensionnat et les externes étaient nombreux, les classes fortes. Dans les derniers temps, Geoffroy et Ginguené [4], sortis de ce collége, auraient fait honneur à Sainte-Barbe et au Plessis [5]. Le chevalier de Parny avait aussi étudié à Rennes ; j'héritai de son lit dans la chambre qui me fut assignée.

Rennes me semblait une Babylone, le collége un monde. La multitude des maîtres et des écoliers, la grandeur des bâtiments, du jardin et des cours, me paraissaient démesurées : je m'y habituai cependant. A la fête du Principal, nous avions des jours de congé ; nous chantions à tue-tête à

1. Cette croix, sans doute de bois, a disparu.
2. Chateaubriand est entré au collége de Rennes en octobre 1781.
3. Entendez : dans ce collége excellent. Allusion au collége fondé à Juilly par les Oratoriens.
4. Louis Geoffroy, critique littéraire et dramatique (1743-1814). Pierre-Louis Ginguené, historien et critique (1748-1816) ; il critiquera le *Génie du christianisme*.
5. Grands colléges parisiens.

sa louange de superbes couplets de notre façon, où nous disions :

> *O Terpsichore, ô Polymnie,*
> *Venez, venez remplir nos vœux ;*
> *La raison même vous convie !*

Je pris sur mes nouveaux camarades l'ascendant que j'avais eu à Dol sur mes anciens compagnons : il m'en coûta quelques horions. Les babouins [1] bretons sont d'une humeur hargneuse ; on s'envoyait des cartels pour les jours de promenade, dans les bosquets du jardin des Bénédictins, appelé *le Thabor :* nous nous servions de compas de mathématiques attachés au bout d'une canne, ou nous en venions à une lutte corps à corps plus ou moins félone ou courtoise, selon la gravité du défi. Il y avait des juges du camp qui décidaient s'il échéait gage, et de quelle manière les champions mèneraient des mains. Le combat ne cessait que quand une des deux parties s'avouait vaincue. Je retrouvai au collége mon ami Gesril, qui présidait comme à Saint-Malo, à ces engagements. Il voulait être mon second dans une affaire que j'eus avec Saint-Riveul, jeune gentilhomme qui devint la première victime de la révolution. Je tombai sous mon adversaire, refusai de me rendre et payai cher ma superbe. Je disais comme Jean Desmarest, allant à l'échafaud : « Je ne crie merci qu'à Dieu. »

Je rencontrai à ce collége deux hommes devenus depuis différemment célèbres : Moreau le général, et Limoëlan, auteur de la machine infernale, aujourd'hui prêtre en Amérique [2]. Il n'existe qu'un portrait de Lucile, et cette méchante miniature a été faite par Limoëlan, devenu peintre pendant les détresses révolutionnaires. Moreau était

---

1. Gamins.
2. Né à Morlaix, celui qui devint le général Moreau (1763-1813) s'enrôle en 1793. Après sa victoire de Hohenlinden, Napoléon lui reproche d'intriguer avec les royalistes et l'exile en 1804. Il sera tué à Dresde dans les rangs des alliés. — Limoëlan de Clorivière (1768-1826) complote avec Cadoudal et monte avec lui le complot de la machine infernale qui explose rue Saint-Nicaise (1799). Il se réfugie aux Etats-Unis où il se fait prêtre. Ils étaient tous deux Bretons.

externe, Limoëlan pensionnaire. On a rarement trouvé à la même époque, dans une même province, dans une même petite ville, dans une même maison d'éducation, des destinées aussi singulières. Je ne puis m'empêcher de raconter un tour d'écolier que joua au préfet de semaine mon camarade Limoëlan.

Le préfet avait coutume de faire sa ronde dans les corridors, après la retraite, pour voir si tout était bien : il regardait à cet effet par un trou pratiqué dans chaque porte. Limoëlan, Gesril, Saint-Riveul et moi nous couchions dans la même chambre :

D'animaux malfaisants c'était un fort bon plat [1].

Vainement avions-nous plusieurs fois bouché le trou avec du papier ; le préfet poussait le papier et nous surprenait sautant sur nos lits et cassant nos chaises.

Un soir Limoëlan, sans nous communiquer son projet, nous engage à nous coucher et à éteindre la lumière. Bientôt nous l'entendons se lever, aller à la porte, et puis se remettre au lit. Un quart-d'heure après, voici venir le préfet sur la pointe du pied. Comme avec raison nous lui étions suspects, il s'arrête à la porte, écoute, regarde, n'aperçoit point de lumière. . . . .

« Qui est-ce qui a fait cela ? » s'écrie-t-il en se précipitant dans la chambre. Limoëlan d'étouffer de rire et Gesril de dire en nasillant, avec son air moitié niais, moitié goguenard : « Qu'est-ce donc, monsieur le préfet ? » Voilà Saint-Riveul et moi à rire comme Limoëlan et à nous cacher sous nos couvertures.

On ne put rien tirer de nous : nous fûmes héroïques. Nous fûmes mis tous quatre en prison au *caveau* : Saint-Riveul fouilla la terre sous une porte qui communiquait à la basse-cour ; il engagea sa tête dans cette taupinière, un porc accourut et lui pensa manger la cervelle ; Gesril se glissa dans les caves du collége et mit couler un tonneau de vin ; Limoëlan démolit un mur, et moi, nouveau Perrin Dandin, grimpant dans un soupirail [2], j'ameutai la canaille de la rue

1. La Fontaine, *Le Singe et le Chat.*
2. Le Dandin des *Plaideurs* (II, VIII) veut juger du haut de ses gouttières.

par mes harangues. Le terrible auteur de la machine infernale, jouant cette niche de polisson à un préfet de collége, rappelle en petit Cromwell, barbouillant d'encre la figure d'un autre régicide, qui signait après lui l'arrêt de mort de Charles Ier.

Quoique l'éducation fût très-religieuse au collége de Rennes, ma ferveur se ralentit : le grand nombre de mes maîtres et de mes camarades multipliait les occasions de distraction. J'avançai dans l'étude des langues ; je devins fort en mathématiques, pour lesquelles j'ai toujours eu un penchant décidé : j'aurais fait un bon officier de marine ou de génie. En tout, j'étais né avec des dispositions faciles : sensible aux choses sérieuses comme aux choses agréables, j'ai commencé par la poésie, avant d'en venir à la prose ; les arts me transportaient ; j'ai passionnément aimé la musique et l'architecture. Quoique prompt à m'ennuyer de tout, j'étais capable des plus petits détails ; étant doué d'une patience à toute épreuve, quoique fatigué de l'objet qui m'occupait, mon obstination était plus forte que mon dégoût. Je n'ai jamais abandonné une affaire quand elle a valu la peine d'être achevée ; il y a telle chose que j'ai poursuivie quinze et vingt ans de ma vie, aussi plein d'ardeur le dernier jour que le premier.

Cette souplesse de mon intelligence se retrouvait dans les choses secondaires. J'étais habile aux échecs, adroit au billard, à la chasse, au maniement des armes ; je dessinais passablement ; j'aurais bien chanté, si l'on eût pris soin de ma voix. Tout cela, joint au genre de mon éducation, à une vie de soldat et de voyageur, fait que je n'ai point senti mon pédant, que je n'ai jamais eu l'air hébêté ou suffisant, la gaucherie, les habitudes crasseuses des hommes de lettres d'autrefois, encore moins la morgue et l'assurance, l'envie et la vanité fanfaronne des nouveaux auteurs.

Je passai deux ans au collége de Rennes ; Gesril le quitta dix-huit mois avant moi. Il entra dans la marine. Julie, ma troisième sœur, se maria dans le cours de ces deux années : elle épousa le comte de Farcy, capitaine au régiment de Condé, et s'établit avec son mari à Fougères, où déjà habitaient mes deux sœurs aînées, mesdames de Marigny et de Québriac. Le mariage de Julie eut lieu à Combourg, et j'assistai à la noce. J'y rencontrai cette comtesse de Tron-joli [1], qui se fit remarquer par son intrépidité à l'échafaud : cousine et intime amie du marquis de La Rouërie, elle fut mêlée à sa conspiration. Je n'avais encore vu la beauté qu'au milieu de ma famille ; je restai confondu en l'apercevant sur le visage d'une femme étrangère. Chaque pas dans la vie m'ouvrait une nouvelle perspective ; j'entendais la voix lointaine et séduisante des passions qui venaient à moi ; je me précipitais au devant de ces sirènes, attiré par une harmonie inconnue. Il se trouva que, comme le grand-prêtre d'Eleusis, j'avais des encens divers pour chaque divinité. Mais les hymnes que je chantais, en brûlant ces encens, pouvaient-ils s'appeler *baumes,* ainsi que les poésies de l'hiérophante [2] ?

La Vallée-aux-Loups, janvier 1814.

JE SUIS ENVOYÉ À BREST POUR SUBIR L'EXAMEN DE GARDE DE MARINE. — LE PORT DE BREST. — JE RETROUVE ENCORE GESRIL. — LA PÉROUSE. — JE REVIENS À COMBOURG.

APRÈS le mariage de Julie, je partis pour Brest. En quittant le grand collége de Rennes, je ne sentis point le regret que j'éprouvai en sortant du petit collége de Dol ; peut-être n'avais-je plus cette innocence qui nous fait un charme de tout ; le temps commençait à la déclore. J'eus pour mentor dans ma nouvelle position un de mes oncles maternels, le comte Ravenel de Boisteilleul [3], chef d'escadre, dont un des fils, officier très-distingué d'artillerie dans les armées de

1. En réalité Trojoliff. Elle fut guillotinée en 1793.
2. Le prêtre qui présidait aux mystères d'Eleusis.
3. Jean-Baptiste de Ravenel de Boisteilleul (1738-1815) était cousin germain de la mère de Chateaubriand.

Bonaparte, a épousé la fille unique de ma sœur la comtesse de Farcy.

Arrivé à Brest, je ne trouvai point mon brevet d'aspirant ; je ne sais quel accident l'avait retardé. Je restai ce qu'on appelait *soupirant,* et comme tel, exempt d'études régulières. Mon oncle me mit en pension dans la rue de Siam, à une table d'hôte d'aspirants, et me présenta au commandant de la marine, le comte Hector.

Abandonné à moi-même pour la première fois, au lieu de me lier avec mes futurs camarades, je me renfermai dans mon instinct solitaire. Ma société habituelle se réduisit à mes maîtres d'escrime, de dessin et de mathématiques.

Cette mer que je devais rencontrer sur tant de rivages, baignait à Brest l'extrémité de la péninsule Armoricaine : après ce cap avancé, il n'y avait plus rien qu'un océan sans bornes et des mondes inconnus ; mon imagination se jouait dans ces espaces. Souvent, assis sur quelque mât qui gisait le long du quai de Recouvrance, je regardais les mouvements de la foule : constructeurs, matelots, militaires, douaniers, forçats, passaient et repassaient devant moi. Des voyageurs débarquaient et s'embarquaient, des pilotes commandaient la manœuvre, des charpentiers équarrissaient des pièces de bois, des cordiers filaient des câbles, des mousses allumaient des feux sous des chaudières d'où sortaient une épaisse fumée et la saine odeur du goudron. On portait, on reportait, on roulait de la marine aux magasins, et des magasins à la marine des ballots de marchandises, des sacs de vivres, des trains d'artillerie. Ici des charrettes s'avançaient dans l'eau à reculons pour recevoir des chargements ; là, des palans enlevaient des fardeaux, tandis que des grues descendaient des pierres, et que des cure-môles creusaient des atterrissements. Des forts répétaient des signaux, des chaloupes allaient et venaient, des vaisseaux appareillaient ou rentraient dans les bassins.

Mon esprit se remplissait d'idées vagues sur la société, sur ses biens et ses maux. Je ne sais quelle tristesse me gagnait ; je quittais le mât sur lequel j'étais assis ; je remontais le Penfeld, qui se jette dans le port ; j'arrivais à un coude où ce port disparaissait. Là, ne voyant plus rien qu'une vallée tourbeuse, mais entendant encore le murmure confus de la mer et la voix des hommes, je me couchais au bord de la petite rivière. Tantôt regardant couler l'eau, tantôt suivant des yeux le vol de la corneille marine, jouissant du silence autour de moi, ou prêtant l'oreille aux coups de marteau du calfat, je tombais dans la plus profonde rêverie. Au milieu de cette rêverie, si le vent m'apportait le son du canon d'un vaisseau qui mettait à la voile, je tressaillais et des larmes mouillaient mes yeux.

Un jour, j'avais dirigé ma promenade vers l'extrémité extérieure du port, du côté de la mer : il faisait chaud, je m'étendis sur la grève et m'endormis. Tout-à-coup, je suis réveillé par un bruit magnifique ; j'ouvre les yeux, comme Auguste pour voir les trirèmes dans les mouillages de la Sicile, après la victoire sur Sextus Pompée ; les détonations de l'artillerie se succédaient ; la rade était semée de navires : la grande escadre française rentrait après la signature de la paix [1]. Les vaisseaux manœuvraient sous voile, se couvraient de feux, arboraient des pavillons, présentaient la poupe, la proue, le flanc, s'arrêtaient en jetant l'ancre au milieu de leur course, ou continuaient à voltiger sur les flots. Rien ne m'a jamais donné une plus haute idée de l'esprit humain ; l'homme semblait emprunter dans ce moment quelque chose de Celui qui a dit à la mer : « Tu n'iras pas plus loin. *Non procedes ampliùs* [2]. »

Tout Brest accourut. Des chaloupes se détachent de la flotte et abordent au Môle. Les officiers dont elles étaient remplies, le visage brûlé par le soleil, avaient cet air étranger qu'on apporte d'une autre hémisphère, et je ne sais quoi de gai, de fier, de hardi, comme des hommes qui venaient de rétablir l'honneur du pavillon national. Ce corps de la marine, si méritant, si illustre, ces compagnons des Suffren, des Lamothe-Piquet, des du Couëdic, des d'Estaing, échappés aux coups de l'ennemi, devaient tomber sous ceux des Français !

Je regardais défiler la valeureuse troupe, lorsqu'un des officiers se détache de ses camarades et me saute au cou : c'était Gesril. Il me parut grandi, mais faible et languissant

1. Avec l'Angleterre en 1783.
2. Job, XXXVIII, 11.

d'un coup d'épée qu'il avait reçu dans la poitrine. Il quitta Brest le soir même pour se rendre dans sa famille. Je ne l'ai vu qu'une fois depuis, peu de temps avant sa mort héroïque [1] ; je dirai plus tard en quelle occasion. L'apparition et le départ subit de Gesril, me firent prendre une résolution qui a changé le cours de ma vie : il était écrit que ce jeune homme aurait un empire absolu sur ma destinée.

On voit comment mon caractère se formait, quel tour prenaient mes idées, quelles furent les premières atteintes de mon génie, car j'en puis parler comme d'un mal, quel qu'ait été ce génie, rare ou vulgaire, méritant ou ne méritant pas le nom que je lui donne, faute d'un autre mot pour m'exprimer. Plus semblable au reste des hommes, j'eusse été plus heureux : celui qui, sans m'ôter l'esprit, fût parvenu à tuer ce qu'on appelle mon talent, m'aurait traité en ami.

Lorsque le comte de Boisteilleul me conduisait chez M. Hector, j'entendais les jeunes et les vieux marins raconter leurs campagnes, et causer des pays qu'ils avaient parcourus : l'un arrivait de l'Inde, l'autre de l'Amérique ; celui-là devait appareiller pour faire le tour du monde, celui-ci allait rejoindre la station de la Méditerranée, visiter les côtes de la Grèce. Mon oncle me montra La Pérouse dans la foule, nouveau Cook dont la mort est le secret des tempêtes [2]. J'écoutais tout, je regardais tout, sans dire une parole ; mais la nuit suivante, plus de sommeil : je la passais à livrer en imagination des combats, ou à découvrir des terres inconnues.

Quoi qu'il en soit, en voyant Gesril retourner chez ses parents, je pensai que rien ne m'empêchait d'aller rejoindre les miens. J'aurais beaucoup aimé le service de la marine, si mon esprit d'indépendance ne m'eût éloigné de tous les genres de service : j'ai en moi une impossibilité d'obéir. Les voyages me tentaient, mais je sentais que je ne les aimerais que seul, en suivant ma volonté. Enfin, donnant la première preuve de mon inconstance, sans en avertir mon oncle

1. Sur le bateau qui, en mai 1793, le porte de Jersey à Southampton : voir p. 407.
2. La Pérouse (1741-1788) est sans doute mort à Vanikoro. Les restes de ses vaisseaux ont été retrouvés en 1828 par Dumont d'Urville.

Ravenel, sans écrire à mes parents, sans en demander permission à personne, sans attendre mon brevet d'aspirant, je partis un matin pour Combourg où je tombai comme des nues.

Je m'étonne encore aujourd'hui qu'avec la frayeur que m'inspirait mon père, j'eusse osé prendre une pareille résolution, et ce qu'il y a d'aussi étonnant, c'est la manière dont je fus reçu. Je devais m'attendre aux transports de la plus vive colère, je fus accueilli doucement. Mon père se contenta de secouer la tête comme pour dire : « Voilà une belle équipée ! » Ma mère m'embrassa de tout son cœur en grognant, et ma Lucile, avec un ravissement de joie.

Montboissier, juillet 1817.

PROMENADE. — APPARITION DE COMBOURG.

DEPUIS la dernière date de ces Mémoires, Vallée-aux-Loups, janvier 1814, jusqu'à la date d'aujourd'hui, Montboissier, juillet 1817, trois ans et dix mois se sont passés. Avez-vous entendu tomber l'Empire ? Non : rien n'a troublé le repos de ces lieux. L'Empire s'est abîmé pourtant ; l'immense ruine s'est écroulée dans ma vie, comme ces débris romains renversés dans le cours d'un ruisseau ignoré. Mais à qui ne les compte pas, peu importent les événements : quelques années échappées des mains de l'Eternel feront justice de tous ces bruits par un silence sans fin.

Le livre précédent fut écrit sous la tyrannie expirante de Bonaparte et à la lueur des derniers éclairs de sa gloire : je commence le livre actuel sous le règne de Louis XVIII. J'ai vu de près les rois, et mes illusions politiques se sont évanouies, comme ces chimères plus douces dont je continue le récit. Disons d'abord ce qui me fait reprendre la plume :

le cœur humain est le jouet de tout, et l'on ne saurait prévoir quelle circonstance frivole cause ses joies et ses douleurs. Montaigne l'a remarqué : « Il ne faut point de « cause, dit-il, pour agiter notre âme : une resverie sans « cause [1] et sans subject la régente et l'agite. »

Je suis maintenant à Montboissier, sur les confins de la Beauce et du Perche. Le château de cette terre, appartenant à madame la comtesse de Colbert-Montboissier [2], a été vendu et démoli pendant la révolution ; il ne reste que deux pavillons, séparés par une grille et formant autrefois le logement du concierge. Le parc, maintenant à l'anglaise, conserve des traces de son ancienne régularité française : des allées droites, des taillis encadrés dans des charmilles, lui donnent un air sérieux ; il plaît comme une ruine.

Hier au soir je me promenais seul ; le ciel ressemblait à un ciel d'automne ; un vent froid soufflait par intervalles. A la percée d'un fourré, je m'arrêtai pour regarder le soleil : il s'enfonçait dans des nuages au-dessus de la tour d'Alluye, d'où Gabrielle [3], habitante de cette tour, avait vu comme moi le soleil se coucher il y a deux cents ans. Que sont devenus Henri et Gabrielle ? Ce que je serai devenu quand ces Mémoires seront publiés.

Je fus tiré de mes réflexions par le gazouillement d'une grive perchée sur la plus haute branche d'un bouleau. A l'instant, ce son magique fit reparaître à mes yeux le domaine paternel ; j'oubliai les catastrophes dont je venais d'être le témoin, et, transporté subitement dans le passé, je revis ces campagnes où j'entendis si souvent siffler la grive. Quand je l'écoutais alors, j'étais triste de même qu'aujourd'hui ; mais cette première tristesse était celle qui naît d'un désir vague de bonheur, lorsqu'on est sans expérience ; la tristesse que j'éprouve actuellement vient de la connaissance des choses appréciées et jugées. Le chant de l'oiseau dans les bois de Combourg m'entretenait d'une félicité que

1. Montaigne a écrit : « sans corps » (*Essais*, III, IV).
2. Charlotte-Pauline de Montboissier (1777-1837) était petite-fille de Malesherbes et cousine germaine d'Aline-Thérèse de Rosambo, belle-sœur de Chateaubriand.
3. Gabrielle d'Estrées, maîtresse d'Henri IV. Elle venait à Alluye chez sa tante, la marquise de Sourdis.

je croyais atteindre ; le même chant dans le parc de Mont-boissier me rappelait des jours perdus à la poursuite de cette félicité insaisissable. Je n'ai plus rien à apprendre ; j'ai marché plus vite qu'un autre, et j'ai fait le tour de la vie. Les heures fuient et m'entraînent ; je n'ai pas même la certitude de pouvoir achever ces Mémoires. Dans combien de lieux ai-je déjà commencé à les écrire, et dans quel lieu les finirai-je ? Combien de temps me promènerai-je au bord des bois ? Mettons à profit le peu d'instants qui me restent ; hâtons-nous de peindre ma jeunesse, tandis que j'y touche encore : le navigateur, abandonnant pour jamais un rivage enchanté, écrit son journal à la vue de la terre qui s'éloigne, et qui va bientôt disparaître.

COLLÉGE DE DINAN. — BROUSSAIS. — JE REVIENS CHEZ MES PARENTS.

J'AI dit mon retour à Combourg, et comment je fus accueilli par mon père, ma mère et ma sœur Lucile.

On n'a peut-être pas oublié que mes trois autres sœurs s'étaient mariées, et qu'elles vivaient dans les terres de leurs nouvelles familles, aux environs de Fougères. Mon frère, dont l'ambition commençait à se développer, était plus souvent à Paris qu'à Rennes. Il acheta d'abord une charge de maître des requêtes qu'il revendit afin d'entrer dans la carrière militaire. Il entra dans le régiment de Royal-Cavalerie ; il s'attacha au corps diplomatique et suivit le comte de La Luzerne à Londres, où il se rencontra avec André Chénier [1] : il était sur le point d'obtenir l'ambassade de

---

1. André Chénier a été entre 1787 et 1791 le secrétaire particulier du marquis (et non comte) de La Luzerne, ambassadeur à Londres. La Luzerne était par sa mère le neveu de Malesherbes.

Vienne, lorsque nos troubles éclatèrent; il sollicita celle de Constantinople; mais il eut un concurrent redoutable, Mirabeau, à qui cette ambassade fut promise pour prix de sa réunion au parti de la cour. Mon frère avait donc à peu près quitté Combourg au moment où je vins l'habiter.

Cantonné dans sa seigneurie, mon père n'en sortait plus, pas même pendant la tenue des Etats. Ma mère allait tous les ans passer six semaines à Saint-Malo, au temps de Pâques; elle attendait ce moment comme celui de sa délivrance, car elle détestait Combourg. Un mois avant ce voyage, on en parlait comme d'une entreprise hasardeuse; on faisait des préparatifs; on laissait reposer les chevaux. La veille du départ, on se couchait à sept heures du soir, pour se lever à deux heures du matin. Ma mère, à sa grande satisfaction, se mettait en route à trois heures, et employait toute la journée pour faire douze lieues.

Lucile, reçue chanoinesse au chapitre de l'Argentière, devait passer dans celui de Remiremont : en attendant ce changement, elle restait ensevelie à la campagne.

Pour moi, je déclarai, après mon escapade de Brest, ma volonté d'embrasser l'état ecclésiastique : la vérité est que je ne cherchais qu'à gagner du temps, car j'ignorais ce que je voulais. On m'envoya au collège de Dinan achever mes humanités. Je savais mieux le latin que mes maîtres; mais je commençai à apprendre l'hébreu. L'abbé de Rouillac était principal du collége, et l'abbé Duhamel mon professeur.

Dinan, orné de vieux arbres, remparé de vieilles tours, est bâti dans un site pittoresque, sur une haute colline au pied de laquelle coule la Rance, que remonte la mer; il domine des vallées à pentes agréablement boisées. Les eaux minérales de Dinan ont quelque renom. Cette ville, toute historique, et qui a donné le jour à Duclos, montrait parmi ses antiquités le cœur de du Guesclin : poussière héroïque qui, dérobée pendant la révolution, fut au moment d'être broyée par un vitrier pour servir à faire de la peinture; la destinait-on aux tableaux des victoires remportées sur les ennemis de la patrie ?

M. Broussais [1], mon compatriote, étudiait avec moi à Dinan ; on menait les écoliers baigner tous les jeudis, comme les clercs sous le pape Adrien Ier, ou tous les dimanches, comme les prisonniers sous l'empereur Honorius. Une fois, je pensai me noyer ; une autre fois, M. Broussais fut mordu par d'ingrates sangsues, imprévoyantes de l'avenir [2]. Dinan était à égale distance de Combourg et de Plancouët. J'allais tour à tour voir mon oncle de Bédée à Monchoix, et ma famille à Combourg. M. de Chateaubriand, qui trouvait économie à me garder, ma mère qui désirait ma persistance dans la vocation religieuse, mais qui se serait fait scrupule de me presser, n'insistèrent plus sur ma résidence au collége, et je me trouvai insensiblement fixé au foyer paternel.

Je me complairais encore à rappeler les mœurs de mes parents, ne me fussent-elles qu'un touchant souvenir ; mais j'en reproduirai d'autant plus volontiers le tableau qu'il semblera calqué sur les vignettes des manuscrits du moyen-âge : du temps présent au temps que je vais peindre, il y a des siècles.

Montboissier, juillet 1817.

Revu en décembre 1846.

VIE À COMBOURG. — JOURNÉES ET SOIRÉES.

A MON retour de Brest, quatre maîtres (mon père, ma mère, ma sœur et moi) habitaient le château de Combourg. Une cuisinière, une femme de chambre, deux laquais et un cocher composaient tout le domestique : un chien de chasse

1. Voir p. 65.
2. Broussais fera grand usage des sangsues dans sa thérapeutique.

et deux vieilles juments étaient retranchés dans un coin de l'écurie. Ces douze êtres vivants disparaissaient dans un manoir où l'on aurait à peine aperçu cent chevaliers, leurs dames, leurs écuyers, leurs varlets, les destriers et la meute du roi Dagobert.

Dans tout le cours de l'année aucun étranger ne se présentait au château, hormis quelques gentilshommes, le marquis de Monlouet, le comte de Goyon-Beaufort, qui demandaient l'hospitalité en allant plaider au Parlement. Ils arrivaient l'hiver, à cheval, pistolets aux arçons, couteau de chasse au côté, et suivis d'un valet également à cheval, ayant en croupe un gros porte-manteau de livrée.

Mon père, toujours très-cérémonieux, les recevait tête nue sur le perron, au milieu de la pluie et du vent. Les campagnards introduits racontaient leurs guerres de Hanôvre, les affaires de leur famille et l'histoire de leurs procès. Le soir, on les conduisait dans la tour du Nord, à l'appartement de la *reine Christine,* chambre d'honneur occupée par un lit de sept pieds en tout sens, à doubles rideaux de gaze verte et de soie cramoisie, et soutenu par quatre amours dorés. Le lendemain matin, lorsque je descendais dans la grand'salle, et qu'à travers les fenêtres je regardais la campagne inondée ou couverte de frimas, je n'apercevais que deux ou trois voyageurs sur la chaussée solitaire de l'étang : c'étaient nos hôtes chevauchant vers Rennes.

Ces étrangers ne connaissaient pas beaucoup les choses de la vie ; cependant notre vue s'étendait par eux à quelques lieues au-delà de l'horizon de nos bois. Aussitôt qu'ils étaient partis, nous étions réduits, les jours ouvrables au tête-à-tête de famille, le dimanche à la société des bourgeois du village et des gentilshommes voisins.

Le dimanche, quand il faisait beau, ma mère, Lucile et moi, nous nous rendions à la paroisse à travers le petit Mail, le long d'un chemin champêtre ; lorsqu'il pleuvait, nous suivions l'abominable rue de Combourg. Nous n'étions pas traînés, comme l'abbé de Marolles[1], dans un chariot léger

---

1. L'abbé de Marolles (1600-1681), infatigable traducteur, fait allusion, dans ses *Mémoires,* à ces cavales blanches, prises aux Turcs en Hongrie, dont sa mère se servait à l'église.

que menaient quatre chevaux blancs, pris sur les Turcs en Hongrie. Mon père ne descendait qu'une fois l'an à la paroisse pour faire ses Pâques; le reste de l'année, il entendait la messe à la chapelle du château. Placés dans le banc du seigneur, nous recevions l'encens et les prières en face du sépulcre de marbre noir de Renée de Rohan, attenant à l'autel : image des honneurs de l'homme; quelques grains d'encens devant un cercueil !

Les distractions du dimanche expiraient avec la journée; elles n'étaient pas même régulières. Pendant la mauvaise saison, des mois entiers s'écoulaient sans qu'aucune créature humaine frappât à la porte de notre forteresse. Si la tristesse était grande sur les bruyères de Combourg, elle était encore plus grande au château : on éprouvait, en pénétrant sous ses voûtes, la même sensation qu'en entrant à la chartreuse de Grenoble. Lorsque je visitai celle-ci en 1805, je traversai un désert, lequel allait toujours croissant; je crus qu'il se terminerait au monastère; mais on me montra dans les murs même du couvent, les jardins des Chartreux encore plus abandonnés que les bois. Enfin, au centre du monument, je trouvai enveloppé dans les replis de toutes ces solitudes, l'ancien cimetière des cénobites; sanctuaire d'où le silence éternel, divinité du lieu, étendait sa puissance sur les montagnes et dans les forêts d'alentour.

Le calme morne du château de Combourg était augmenté par l'humeur taciturne et insociable de mon père. Au lieu de resserrer sa famille et ses gens autour de lui, il les avait dispersés à toutes les aires de vent de l'édifice. Sa chambre à coucher était placée dans la petite tour de l'est, et son cabinet dans la petite tour de l'ouest. Les meubles de ce cabinet consistaient en trois chaises de cuir noir et une table couverte de titres et de parchemins. Un arbre généalogique de la famille des Chateaubriand tapissait le manteau de la cheminée, et dans l'embrasure d'une fenêtre on voyait toutes sortes d'armes depuis le pistolet jusqu'à l'espingole. L'appartement de ma mère régnait au-dessus de la grand'salle, entre les deux petites tours : il était parqueté et orné de glaces de Venise à facettes. Ma sœur habitait un cabinet dépendant de l'appartement de ma mère. La femme de chambre couchait loin de là, dans le corps de logis des grandes tours. Moi, j'étais niché dans une espèce de cellule isolée, au haut de la tourelle de l'escalier qui communiquait de la cour intérieure aux diverses parties du château. Au bas de cet escalier, le valet de chambre de mon père et le domestique gisaient dans des caveaux voûtés, et la cuisinière tenait garnison dans la grosse tour de l'ouest.

Mon père se levait à quatre heures du matin, hiver comme été : il venait dans la cour intérieure appeler et éveiller son valet de chambre, à l'entrée de l'escalier de la tourelle. On lui apportait un peu de café à cinq heures ; il travaillait ensuite dans son cabinet jusqu'à midi. Ma mère et ma sœur déjeunaient chacune dans leur chambre, à huit heures du matin. Je n'avais aucune heure fixe, ni pour me lever, ni pour déjeuner ; j'étais censé étudier jusqu'à midi : la plupart du temps je ne faisais rien.

À onze heures et demie, on sonnait le dîner que l'on servait à midi. La grand'salle était à la fois salle à manger et salon : on dînait et l'on soupait à l'une de ses extrémités du côté de l'est ; après les repas, on se venait placer à l'autre extrémité du côté de l'ouest, devant une énorme cheminée. La grand'salle était boisée, peinte en gris blanc et ornée de vieux portraits depuis le règne de François Ier jusqu'à celui de Louis XIV ; parmi ces portraits, on distinguait ceux de Condé et de Turenne : un tableau, représentant Hector tué par Achille sous les murs de Troie, était suspendu au-dessus de la cheminée.

Le dîner fait, on restait ensemble jusqu'à deux heures. Alors, si l'été, mon père prenait le divertissement de la pêche, visitait ses potagers, se promenait dans l'étendue du vol du chapon[1] ; si l'automne et l'hiver, il partait pour la chasse, ma mère se retirait dans la chapelle, où elle passait quelques heures en prières. Cette chapelle était un oratoire sombre, embelli de bons tableaux des plus grands maîtres, qu'on ne s'attendait guère à trouver dans un château féodal, au fond de la Bretagne. J'ai aujourd'hui, en ma possession, une sainte famille de l'Albane, peinte sur cuivre, tirée de cette chapelle : c'est tout ce qui me reste de Combourg.

Mon père parti et ma mère en prières, Lucile s'enfermait

1. Soit à une petite distance autour du château.

122

dans sa chambre ; je regagnais ma cellule, ou j'allais courir les champs.

A huit heures, la cloche annonçait le souper. Après le souper, dans les beaux jours, on s'asseyait sur le perron. Mon père, armé de son fusil, tirait les chouettes qui sortaient des créneaux à l'entrée de la nuit. Ma mère, Lucile et moi, nous regardions le ciel, les bois, les derniers rayons du soleil, les premières étoiles. A dix heures, on rentrait et l'on se couchait.

Les soirées d'automne et d'hiver étaient d'une autre nature. Le souper fini et les quatre convives revenus de la table à la cheminée, ma mère se jetait, en soupirant, sur un vieux lit de jour de siamoise flambée ; on mettait devant elle un guéridon avec une bougie. Je m'asseyais auprès du feu avec Lucile ; les domestiques enlevaient le couvert et se retiraient. Mon père commençait alors une promenade, qui ne cessait qu'à l'heure de son coucher. Il était vêtu d'une robe de ratine blanche, ou plutôt d'une espèce de manteau que je n'ai vu qu'à lui. Sa tête, demi-chauve, était couverte d'un grand bonnet blanc qui se tenait tout droit. Lorsqu'en se promenant, il s'éloignait du foyer, la vaste salle était si peu éclairée par une seule bougie qu'on ne le voyait plus ; on l'entendait seulement encore marcher dans les ténèbres : puis il revenait lentement vers la lumière et émergeait peu à peu de l'obscurité, comme un spectre, avec sa robe blanche, son bonnet blanc, sa figure longue et pâle. Lucile et moi, nous échangions quelques mots à voix basse, quand il était à l'autre bout de la salle ; nous nous taisions quand il se rapprochait de nous. Il nous disait, en passant : « De quoi parliez-vous ? » Saisis de terreur, nous ne répondions rien ; il continuait sa marche. Le reste de la soirée, l'oreille n'était plus frappée que du bruit mesuré de ses pas, des soupirs de ma mère et du murmure du vent.

Dix heures sonnaient à l'horloge du château : mon père s'arrêtait ; le même ressort, qui avait soulevé le marteau de l'horloge, semblait avoir suspendu ses pas. Il tirait sa montre, la montait, prenait un grand flambeau d'argent surmonté d'une grande bougie, entrait un moment dans la petite tour de l'ouest, puis revenait, son flambeau à la main, et s'avançait vers sa chambre à coucher, dépendante de la petite tour de l'est. Lucile et moi, nous nous tenions sur son passage ; nous l'embrassions, en lui souhaitant une bonne nuit. Il penchait vers nous sa joue sèche et creuse sans nous répondre, continuait sa route et se retirait au fond de la tour, dont nous entendions les portes se refermer sur lui.

Le talisman était brisé ; ma mère, ma sœur et moi, transformés en statues par la présence de mon père, nous recouvrions les fonctions de la vie. Le premier effet de notre désenchantement se manifestait par un débordement de paroles : si le silence nous avait opprimés, il nous le payait cher.

Ce torrent de paroles écoulé, j'appelais la femme de chambre, et je reconduisais ma mère et ma sœur à leur appartement. Avant de me retirer, elles me faisaient regarder sous les lits, dans les cheminées, derrière les portes, visiter les escaliers, les passages et les corridors voisins. Toutes les traditions du château, voleurs et spectres, leur revenaient en mémoire. Les gens étaient persuadés qu'un certain comte de Combourg, à jambe de bois, mort depuis trois siècles, apparaissait à certaines époques, et qu'on l'avait rencontré dans le grand escalier de la tourelle ; sa jambe de bois se promenait aussi quelquefois seule avec un chat noir.

Montboissier, août 1817.

MON DONJON.

CES récits occupaient tout le temps du coucher de ma mère et de ma sœur : elles se mettaient au lit mourantes de peur ; je me retirais au haut de ma tourelle ; la cuisinière rentrait dans la grosse tour, et les domestiques descendaient dans leur souterrain.

La fenêtre de mon donjon s'ouvrait sur la cour intérieure ; le jour, j'avais en perspective les créneaux de la courtine opposée, où végétaient des scolopendres et croissait un prunier sauvage. Quelques martinets qui, durant l'été, s'enfonçaient en criant dans les trous des murs, étaient mes seuls compagnons. La nuit, je n'apercevais qu'un petit morceau du ciel et quelques étoiles. Lorsque la lune brillait et qu'elle s'abaissait à l'occident, j'en étais averti par ses rayons, qui venaient à mon lit au travers des carreaux losangés de la fenêtre. Des chouettes, voletant d'une tour à l'autre, passant et repassant entre la lune et moi, dessinaient sur mes rideaux l'ombre mobile de leurs ailes. Relégué dans l'endroit le plus désert, à l'ouverture des galeries, je ne perdais pas un murmure des ténèbres. Quelquefois, le vent semblait courir à pas légers ; quelquefois il laissait échapper des plaintes : tout à coup, ma porte était ébranlée avec violence, les souterrains poussaient des mugissements, puis ces bruits expiraient pour recommencer encore. A quatre heures du matin, la voix du maître du château, appelant le valet de chambre à l'entrée des voûtes séculaires, se faisait entendre comme la voix du dernier fantôme de la nuit. Cette voix remplaçait pour moi la douce harmonie au son de laquelle le père de Montaigne éveillait son fils.

L'entêtement du comte de Chateaubriand à faire coucher un enfant seul au haut d'une tour, pouvait avoir quelque inconvénient ; mais il tourna à mon avantage. Cette manière violente de me traiter me laissa le courage d'un homme, sans m'ôter cette sensibilité d'imagination dont on voudrait aujourd'hui priver la jeunesse. Au lieu de chercher à me convaincre qu'il n'y avait point de revenants, on me força de les braver. Lorsque mon père me disait avec un sourire ironique : « Monsieur le chevalier aurait-il peur ? » il m'eût fait coucher avec un mort. Lorsque mon excellente mère me disait : « Mon enfant, tout n'arrive que par la permission de « Dieu : vous n'avez rien à craindre des mauvais esprits, « tant que vous serez bon chrétien », j'étais mieux rassuré que par tous les arguments de la philosophie. Mon succès fut si complet que les vents de la nuit, dans ma tour déshabitée, ne servaient que de jouets à mes caprices et d'ailes à mes songes. Mon imagination allumée, se propageant sur tous les objets, ne trouvait nulle part assez de nourriture et aurait dévoré la terre et le ciel. C'est cet état moral qu'il faut maintenant décrire. Replongé dans ma jeunesse, je vais essayer de me saisir dans le passé, de me montrer tel que j'étais, tel peut-être que je regrette de n'être plus, malgré les tourments que j'ai endurés.

PASSAGE DE L'ENFANT À L'HOMME.

A PEINE étais-je revenu de Brest à Combourg, qu'il se fit dans mon existence une révolution ; l'enfant disparut et l'homme se montra avec ses joies qui passent et ses chagrins qui restent.

D'abord tout devint passion chez moi, en attendant les passions même. Lorsque après un dîner silencieux où je n'avais osé ni parler, ni manger, je parvenais à m'échapper, mes transports étaient incroyables ; je ne pouvais descendre le perron d'une seule traite : je me serais précipité. J'étais obligé de m'asseoir sur une marche pour laisser se calmer mon agitation ; mais aussitôt que j'avais atteint la Cour Verte et les bois, je me mettais à courir, à sauter, à bondir, à fringuer, à m'éjouir jusqu'à ce que je tombasse épuisé de forces, palpitant, enivré de folâtreries et de liberté.

Mon père me menait quant à lui[1] à la chasse. Le goût de la chasse me saisit et je le portai jusqu'à la fureur ; je vois encore le champ où j'ai tué mon premier lièvre. Il m'est souvent arrivé en automne de demeurer quatre ou cinq heures dans l'eau jusqu'à la ceinture, pour attendre au bord d'un étang des canards sauvages ; même aujourd'hui, je ne

1. Avec luí (archaïsme).

suis pas de sang froid lorsqu'un chien tombe en arrêt. Toutefois, dans ma première ardeur pour la chasse, il entrait un fonds d'indépendance ; franchir les fossés, arpenter les champs, les marais, les bruyères, me trouver avec un fusil dans un lieu désert, ayant puissance et solitude, c'était ma façon d'être naturelle. Dans mes courses, je pointais si loin que, ne pouvant plus marcher, les gardes étaient obligés de me rapporter sur des branches entrelacées.

Cependant le plaisir de la chasse ne me suffisait plus ; j'étais agité d'un désir de bonheur que je ne pouvais ni régler, ni comprendre ; mon esprit et mon cœur s'achevaient de former comme deux temples vides, sans autels et sans sacrifices ; on ne savait encore quel Dieu y serait adoré. Je croissais auprès de ma sœur Lucile ; notre amitié était toute notre vie.

LUCILE

LUCILE était grande et d'une beauté remarquable, mais sérieuse. Son visage pâle était accompagné de longs cheveux noirs ; elle attachait souvent au ciel ou promenait autour d'elle des regards pleins de tristesse ou de feu. Sa démarche, sa voix, son sourire, sa physionomie avaient quelque chose de rêveur et de souffrant.

Lucile et moi nous nous étions inutiles. Quand nous parlions du monde, c'était de celui que nous portions au dedans de nous et qui ressemblait bien peu au monde véritable. Elle voyait en moi son protecteur, je voyais en elle mon amie. Il lui prenait des accès de pensées noires que j'avais peine à dissiper : à dix-sept ans, elle déplorait la perte de ses jeunes années ; elle se voulait ensevelir dans un cloître. Tout lui était souci, chagrin, blessure : une expression qu'elle cherchait, une chimère qu'elle s'était faite, la tourmentaient des mois entiers. Je l'ai souvent vue un bras jeté sur sa tête, rêver immobile et inanimée ; retirée vers son cœur, sa vie cessait de paraître au dehors ; son sein même ne se soulevait plus. Par son attitude, sa mélancolie, sa vénusté, elle ressemblait à un Génie funèbre. J'essayais alors de la consoler et l'instant d'après je m'abîmais dans des désespoirs inexplicables.

Lucile aimait à faire seule, vers le soir, quelque lecture pieuse : son oratoire de prédilection était l'embranchement de deux routes champêtres, marqué par une croix de pierre et par un peuplier dont le long style s'élevait dans le ciel comme un pinceau. Ma dévote mère toute charmée, disait que sa fille lui représentait une chrétienne de la primitive Église, priant à ces stations appelées *Laures*.

De la concentration de l'âme naissaient chez ma sœur des effets d'esprit extraordinaires : endormie, elle avait des songes prophétiques ; éveillée, elle semblait lire dans l'avenir. Sur un palier de l'escalier de la grande tour, battait une pendule qui sonnait le temps au silence ; Lucile, dans ses insomnies, s'allait asseoir sur une marche, en face de cette pendule : elle regardait le cadran à la lueur de sa lampe posée à terre. Lorsque les deux aiguilles unies à minuit, enfantaient dans leur conjonction formidable l'heure des désordres et des crimes, Lucile entendait des bruits qui lui révélaient des trépas lointains. Se trouvant à Paris quelques jours avant le 10 août, et demeurant avec mes autres sœurs dans le voisinage du couvent des Carmes, elle jette les yeux sur une glace, pousse un cri et dit : « Je viens de voir entrer la mort. » Dans les bruyères de la Calédonie, Lucile eût été une femme céleste de Walter-Scott, douée de la seconde vue ; dans les bruyères armoricaines, elle n'était qu'une solitaire avantagée de beauté, de génie et de malheur.

PREMIER SOUFFLE DE LA MUSE.

LA vie que nous menions à Combourg, ma sœur et moi, augmentait l'exaltation de notre âge et de notre caractère. Notre principal désennui consistait à nous promener côte à côte dans le grand Mail, au printemps sur un tapis de primevères, en automne sur un lit de feuilles séchées, en hiver sur une nappe de neige que brodait la trace des oiseaux, des écureuils et des hermines. Jeunes comme les primevères, tristes comme la feuille séchée, purs comme la neige nouvelle, il y avait harmonie entre nos récréations et nous.

Ce fut dans une de ces promenades, que Lucile, m'entendant parler avec ravissement de la solitude, me dit : « Tu devrais peindre tout cela. » Ce mot me révéla la Muse ; un souffle divin passa sur moi. Je me mis à bégayer des vers, comme si c'eût été ma langue naturelle ; jour et nuit je chantais mes plaisirs, c'est-à-dire mes bois et mes vallons ; je composais une foule de petites idylles ou tableaux de la nature *. J'ai écrit longtemps en vers avant d'écrire en prose : M. de Fontanes prétendait que j'avais reçu les deux instruments.

Ce talent que me promettait l'amitié, s'est-il jamais levé pour moi ? Que de choses j'ai vainement attendues ! Un esclave, dans l'*Agamemnon* d'Eschyle, est placé en sentinelle au haut du palais d'Argos ; ses yeux cherchent à découvrir le signal convenu du retour des vaisseaux ; il chante pour solacier[1] ses veilles, mais les heures s'envolent et les astres se couchent, et le flambeau ne brille pas. Lorsque, après maintes années, sa lumière tardive apparaît sur les flots, l'esclave est courbé sous le poids du temps ; il

1. Consoler. Mot archaïque, mais encore assez courant à l'époque classique.

* Voyez mes Œuvres complètes (Paris, note de 1837).

129

ne lui reste plus qu'à recueillir des malheurs, et le chœur lui dit : « qu'un vieillard est une ombre errante à la clarté du « jour. »

MANUSCRIT DE LUCILE.

DANS les premiers enchantements de l'inspiration, j'invitai Lucile à m'imiter. Nous passions des jours à nous consulter mutuellement, à nous communiquer ce que nous avions fait, ce que nous comptions faire. Nous entreprenions des ouvrages en commun : guidés par notre instinct, nous traduisîmes les plus beaux et les plus tristes passages de Job et de Lucrèce sur la vie : le *Taedet animam meam vitae meœ* [2] l'*Homo natus de muliere* [3], le *Tum porro puer, ut saevis projectus ab undis navita* [4], etc. Les pensées de Lucile n'étaient que des sentiments ; elles sortaient avec difficulté de son âme ; mais quand elle parvenait à les exprimer, il n'y avait rien au-dessus. Elle a laissé une trentaine de pages manuscrites ; il est impossible de les lire sans être profondément ému. L'élégance, la suavité, la rêverie, la sensibilité passionnée de ces pages offrent un mélange du génie grec et du génie germanique.

L'AURORE

« Quelle douce clarté vient éclairer l'Orient ! Est-ce la « jeune aurore qui entrouvre au monde ses beaux yeux « chargés des langueurs du sommeil ? Déesse charmante, « hâte-toi ! quitte la couche nuptiale, prends la robe de

1. *Agamemnon*, vers 82. Littéralement : « [Le vieillard] erre ainsi qu'un songe apparu en plein jour. »
2. « Mon âme est dégoûtée de la vie » (*Livre de Job*, X, 1).
3. « L'homme né d'une femme » (*Ibid.*, XIV, 1).
4. « L'enfant semblable au matelot rejeté par les vents furieux » (Lucrèce, V, 222 *sq.*).

« pourpre ; qu'une ceinture moëlleuse la retienne dans ses
« nœuds ; que nulle chaussure ne presse tes pieds délicats ;
« qu'aucun ornement ne profane tes belles mains faites
« pour entrouvrir les portes du jour. Mais tu te lèves déjà
« sur la colline ombreuse. Tes cheveux d'or tombent en
« boucles humides sur ton col de rose. De ta bouche
« s'exhale un souffle pur et parfumé. Tendre déité, toute la
« nature sourit à ta présence ; toi seule verses des larmes, et
« les fleurs naissent. »

A LA LUNE.

« Chaste déesse ! déesse si pure, que jamais même les
« roses de la pudeur ne se mêlent à tes tendres clartés, j'ose
« te prendre pour confidente de mes sentiments. Je n'ai
« point, non plus que toi, à rougir de mon propre cœur.
« Mais quelquefois le souvenir du jugement injuste et
« aveugle des hommes couvre mon front de nuages, ainsi
« que le tien. Comme toi, les erreurs et les misères de ce
« monde inspirent mes rêveries. Mais plus heureuse que
« moi, citoyenne des cieux, tu conserves toujours la séréni-
« té ; les tempêtes et les orages qui s'élèvent de notre globe,
« glissent sur ton disque paisible. Déesse aimable à ma
« tristesse, verse ton froid repos dans mon âme. »

L'INNOCENCE.

« Fille du ciel, aimable innocence, si j'osais de quel-
« ques-uns de tes traits essayer une faible peinture, je dirais
« que tu tiens lieu de vertu à l'enfance, de sagesse au
« printemps de la vie, de beauté à la vieillesse et de bonheur
« à l'infortune ; qu'étrangère à nos erreurs, tu ne verses que
« des larmes pures, et que ton sourire n'a rien que de
« céleste. Belle innocence ! mais quoi, les dangers t'environ-

« nent, l'envie t'adresse tous ses traits : trembleras-tu,
« modeste innocence ? chercheras-tu à te dérober aux périls
« qui te menacent ? Non, je te vois debout, endormie, la tête
« appuyée sur un autel. »

Mon frère accordait quelquefois de courts instants aux
hermites de Combourg : il avait coutume d'amener avec lui
un jeune conseiller au parlement de Bretagne, M. de
Malfilâtre 1, cousin de l'infortuné poëte de ce nom. Je crois
que Lucile, à son insu, avait ressenti une passion secrète
pour cet ami de mon frère, et que cette passion étouffée
était au fond de la mélancolie de ma sœur. Elle avait
d'ailleurs la manie de Rousseau sans en avoir l'orgueil : elle
croyait que tout le monde était conjuré contre elle. Elle vint
à Paris en 1789, accompagnée de cette sœur Julie dont elle a
déploré la perte avec une tendresse empreinte de sublime.
Quiconque la connut, l'admira, depuis M. de Malesherbes
jusqu'à Chamfort. Jetée dans les cryptes révolutionnaires à
Rennes, elle fut au moment d'être renfermée au château de
Combourg, devenu cachot pendant la Terreur. Délivrée de
prison, elle se maria à M. de Caud 2, qui la laissa veuve au
bout d'un an. Au retour de mon émigration, je revis l'amie
de mon enfance : je dirai comment elle disparut, quand il
plut à Dieu de m'affliger.

<hr />

1. Il devait émigrer, entrer dans les ordres et mourir en Angleterre à
46 ans. « L'infortuné poète » auquel Chateaubriand fait allusion passait
pour être mort de misère peu après la trentaine. Cf. *Génie du christianisme* : « Il est remarquable que la France a perdu, sur la fin du dernier
siècle, trois beaux talents à leur aurore : Malfilâtre, Gilbert et André
Chénier ; les deux premiers sont morts de misère, le troisième a péri sur
l'échafaud. » (O.C. XII, 372). Les noms des deux premiers sont cités dans
L'Esprit pur de Vigny.
2. Il avait soixante-neuf ans quand il épousa Lucile qui en avait
trente-deux. Il fut le dernier gouverneur du château de Fougères et mourut
le 15 mars 1797 après sept mois et demi de mariage.

Dernières lignes écrites à la Vallée-aux-Loups. — Révélation sur le mystère de ma vie.

Revenu de Montboissier, voici les dernières lignes que je trace dans mon ermitage ; il le faut abandonner tout rempli des beaux adolescents qui déjà dans leurs rangs pressés cachaient et couronnaient leur père. Je ne verrai plus le magnolia qui promettait sa rose à la tombe de ma Floridienne, le pin de Jérusalem et le cèdre du Liban consacrés à la mémoire de Jérôme, le laurier de Grenade, le platane de la Grèce, le chêne de l'Armorique, au pied desquels je peignis Blanca, chantai Cymodocée, inventai Velléda. Ces arbres naquirent et crûrent avec mes rêveries ; elles en étaient les Hamadryades. Ils vont passer sous un autre empire : leur nouveau maître les aimera-t-il comme je les aimais ? Il les laissera dépérir, il les abattra peut-être : je ne dois rien conserver sur la terre. C'est en disant adieu aux bois d'Aulnay que je vais rappeler l'adieu que je dis autrefois aux bois de Combourg : tous mes jours sont des adieux.

Le goût que Lucile m'avait inspiré pour la poésie, fut de l'huile jetée sur le feu. Mes sentiments prirent un nouveau degré de force ; il me passa par l'esprit des vanités de renommée ; je crus un moment à mon *talent,* mais bientôt, revenu à une juste défiance de moi-même, je me mis à douter de ce talent, ainsi que j'en ai toujours douté. Je regardai mon travail comme une mauvaise tentation ; j'en voulus à Lucile d'avoir fait naître en moi un penchant malheureux : je cessai d'écrire, et je me pris à pleurer ma gloire à venir, comme on pleurerait sa gloire passée.

Rentré dans ma première oisiveté, je sentis davantage ce qui manquait à ma jeunesse : je m'étais un mystère. Je ne pouvais voir une femme sans être troublé ; je rougissais si elle m'adressait la parole. Ma timidité déjà excessive avec tout le monde, était si grande avec une femme que j'aurais préféré je ne sais quel tourment à celui de demeurer seul avec cette femme : elle n'était pas plus tôt partie, que je la rappelais de tous mes vœux. Les peintures de Virgile, de Tibulle et de Massillon, se présentaient bien à ma mémoire ; mais l'image de ma mère et de ma sœur couvrant tout de sa pureté, épaississait les voiles que la nature cherchait à soulever ; la tendresse filiale et fraternelle me trompait sur une tendresse moins désintéressée. Quand on m'aurait livré les plus belles esclaves du sérail, je n'aurais su que leur demander : le hasard m'éclaira.

Un voisin de la terre de Combourg était venu passer quelques jours au château avec sa femme, fort jolie. Je ne sais ce qui advint dans le village ; on courut à l'une des fenêtres de la grand'salle pour regarder. J'y arrivai le premier, l'étrangère se précipitait sur mes pas, je voulus lui céder la place et je me tournai vers elle ; elle me barra involontairement le chemin, et je me sentis pressé entre elle et la fenêtre. Je ne sus plus ce qui se passa autour de moi.

Dès ce moment, j'entrevis que d'aimer et d'être aimé d'une manière qui m'était inconnue, devait être la félicité suprême. Si j'avais fait ce que font les autres hommes, j'aurais bientôt appris les peines et les plaisirs de la passion dont je portais le germe ; mais tout prenait en moi un caractère extraordinaire. L'ardeur de mon imagination, ma timidité, la solitude firent qu'au lieu de me jeter au dehors, je me repliai sur moi-même ; faute d'objet réel, j'évoquai par la puissance de mes vagues désirs un fantôme qui ne me quitta plus. Je ne sais si l'histoire du cœur humain offre un autre exemple de cette nature.

FANTÔME D'AMOUR.

JE me composai donc une femme de toutes les femmes que j'avais vues : elle avait la taille, les cheveux et le sourire de l'étrangère qui m'avait pressé contre son sein ; je lui donnai les yeux de telle jeune fille du village, la fraîcheur de telle autre. Les portraits des grandes dames du temps de François Ier, de Henri IV et de Louis XIV, dont le salon était orné, m'avaient fourni d'autres traits, et j'avais dérobé des grâces jusqu'aux tableaux des Vierges suspendues dans les églises.

Cette charmeresse me suivait partout invisible ; je m'entretenais avec elle, comme avec un être réel ; elle variait au gré de ma folie : Aphrodite sans voile, Diane vêtue d'azur et de rosée, Thalie au masque riant, Hébé à la coupe de la jeunesse, souvent elle devenait une fée qui me soumettait la nature. Sans cesse, je retouchais ma toile ; j'enlevais un appas à ma beauté pour le remplacer par un autre. Je changeais aussi ses parures ; j'en empruntais à tous les pays, à tous les siècles, à tous les arts, à toutes les religions. Puis, quand j'avais fait un chef-d'œuvre, j'éparpillais de nouveau mes dessins et mes couleurs ; ma femme unique se transformait en une multitude de femmes, dans lesquelles j'idolâtrais séparément les charmes que j'avais adorés réunis.

Pygmalion fut moins amoureux de sa statue : mon embarras était de plaire à la mienne. Ne me reconnaissant rien de ce qu'il fallait pour être aimé, je me prodiguais ce qui me manquait. Je montais à cheval comme Castor et Pollux ; je jouais de la lyre comme Apollon ; Mars maniait ses armes avec moins de force et d'adresse : héros de roman ou d'histoire, que d'aventures fictives j'entassais sur des fictions ! les ombres des filles de Morven [1], les sultanes de Bagdad et de Grenade, les châtelaines des vieux manoirs ;

1. Héroïnes d'Ossian. Morven est une montagne d'Ecosse.

bains, parfums, danses, délices de l'Asie, tout m'était approprié par une baguette magique.

Voici venir une jeune reine, ornée de diamants et de fleurs (c'était toujours ma sylphide) : elle me cherche à minuit, au travers des jardins d'orangers, dans les galeries d'un palais baigné des flots de la mer, au rivage embaumé de Naples ou de Messine, sous un ciel d'amour que l'astre d'Endymion pénètre de sa lumière ; elle s'avance, statue animée de Praxitèle, au milieu des statues immobiles, des pâles tableaux et des fresques silencieusement blanchies par les rayons de la lune : le bruit léger de sa course sur les mosaïques des marbres se mêle au murmure insensible de la vague. La jalousie royale nous environne. Je tombe aux genoux de la souveraine des campagnes d'Enna ; les ondes de soie de son diadème dénoué viennent caresser mon front, lorsqu'elle penche sur mon visage sa tête de seize années, et que ses mains s'appuyent sur mon sein palpitant de respect et de volupté.

Au sortir de ces rêves, quand je me retrouvais un pauvre petit breton obscur, sans gloire, sans beauté, sans talents, qui n'atttirerait les regards de personne, qui passerait ignoré, qu'aucune femme n'aimerait jamais, le désespoir s'emparait de moi : je n'osais plus lever les yeux sur l'image brillante que j'avais attachée à mes pas.

DEUX ANNÉES DE DÉLIRE. — OCCUPATIONS ET CHIMÈRES.

CE délire dura deux années entières, pendant lesquelles les facultés de mon âme arrivèrent au plus haut point d'exaltation. Je parlais peu, je ne parlai plus ; j'étudiais encore, je jetai là les livres ; mon goût pour la solitude redoubla. J'avais tous les symptômes d'une passion violente ; mes yeux se creusaient ; je maigrissais ; je ne dormais plus ; j'étais distrait, triste, ardent, farouche. Mes jours s'écoulaient d'une manière sauvage, bizarre, insensée, et pourtant pleine de délices.

Au nord du château s'étendait une lande semée de pierres druidiques ; j'allais m'asseoir sur une de ces pierres au soleil couchant. La cime dorée des bois, la splendeur de la terre, l'étoile du soir scintillant à travers les nuages de rose, me ramenaient à mes songes : j'aurais voulu jouir de ce spectacle avec l'idéal objet de mes désirs. Je suivais en pensée l'astre du jour ; je lui donnais ma beauté à conduire afin qu'il la présentât radieuse avec lui aux hommages de l'univers. Le vent du soir qui brisait les réseaux tendus par l'insecte sur la pointe des herbes, l'alouette de bruyère qui se posait sur un caillou, me rappelaient à la réalité : je reprenais le chemin du manoir, le cœur serré, le visage abattu.

Les jours d'orage en été, je montais au haut de la grosse tour de l'ouest. Le roulement du tonnerre sous les combles du château, les torrents de pluie qui tombaient en grondant sur le toit pyramidal des tours, l'éclair qui sillonnait la nue et marquait d'une flamme électrique les girouettes d'airain, excitaient mon enthousiasme : comme Ismen [1] sur les remparts de Jérusalem, j'appelais la foudre ; j'espérais qu'elle m'apporterait Armide.

Le ciel était-il serein ? je traversais le grand Mail, autour duquel étaient des prairies divisées par des haies plantées de saules. J'avais établi un siège, comme un nid, dans un de ces saules : là, isolé entre le ciel et la terre, je passais des heures avec les fauvettes ; ma nymphe était à mes côtés. J'associais également son image à la beauté de ces nuits de printemps toutes remplies de la fraîcheur de la rosée, des soupirs du rossignol et du murmure des brises.

D'autres fois, je suivais un chemin abandonné, une onde ornée de ses plantes rivulaires ; j'écoutais les bruits qui sortent des lieux infréquentés ; je prêtais l'oreille à chaque arbre ; je croyais entendre la clarté de la lune chanter dans les bois : je voulais redire ces plaisirs et les paroles expiraient sur mes lèvres. Je ne sais comment je retrouvais encore ma déesse dans les accents d'une voix, dans les frémissements d'une harpe, dans les sons veloutés ou liqui-

1. Magicien infernal dans la *Jérusalem délivrée* du Tasse.

des d'un cor ou d'un harmonica. Il serait trop long de raconter les beaux voyages que je faisais avec ma fleur d'amour ; comment main en main nous visitions les ruines célèbres, Venise, Rome, Athènes, Jérusalem, Memphis, Carthage ; comment nous franchissions les mers ; comment nous demandions le bonheur aux palmiers d'Otahiti, aux bosquets embaumés d'Amboine et de Tidor[1] ; comment au sommet de l'Himalaya nous allions réveiller l'aurore ; comment nous descendions les *fleuves saints* dont les vagues épandues entourent les pagodes aux boules d'or ; comment nous dormions aux rives du Gange, tandis que le bengali, perché sur le mât d'une nacelle de bambou, chantait sa barcarole indienne.

La terre et le ciel ne m'étaient plus rien ; j'oubliais surtout le dernier : mais si je ne lui adressais plus mes vœux, il écoutait la voix de ma secrète misère car je souffrais, et les souffrances prient.

MES JOIES DE L'AUTOMNE.

PLUS la saison était triste, plus elle était en rapport avec moi : le temps des frimas, en rendant les communications moins faciles, isole les habitants des campagnes : on se sent mieux à l'abri des hommes.

Un caractère moral s'attache aux scènes de l'automne : ces feuilles qui tombent comme nos ans, ces fleurs qui se fanent comme nos heures, ces nuages qui fuient comme nos illusions, cette lumière qui s'affaiblit comme notre intelligence, ce soleil qui se refroidit comme nos amours, ces

1. Petites îles d'Indonésie.

fleuves qui se glacent comme notre vie, ont des rapports secrets avec nos destinées.

Je voyais avec un plaisir indicible le retour de la saison des tempêtes, le passage des cygnes et des ramiers, le rassemblement des corneilles dans la prairie de l'étang, et leur perchée à l'entrée de la nuit sur les plus hauts chênes du grand Mail. Lorsque le soir élevait une vapeur bleuâtre au carrefour des forêts, que les complaintes ou les lais du vent gémissaient dans les mousses flétries, j'entrais en pleine possession des sympathies de ma nature. Rencontrais-je quelque laboureur au bout d'un guéret? je m'arrêtais pour regarder cet homme germé à l'ombre des épis parmi lesquels il devait être moissonné, et qui retournant la terre de sa tombe avec le soc de la charrue, mêlait ses sueurs brûlantes aux pluies glacées de l'automne : le sillon qu'il creusait était le monument destiné à lui survivre. Que faisait à cela mon élégante démone? Par sa magie, elle me transportait au bord du Nil, me montrait la pyramide égyptienne noyée dans le sable, comme un jour le sillon armoricain caché sous la bruyère : je m'applaudissais d'avoir placé les fables de ma félicité hors du cercle des réalités humaines.

Le soir je m'embarquais sur l'étang, conduisant seul mon bateau, au milieu des joncs et des larges feuilles flottantes du nénuphar. Là, se réunissaient les hirondelles prêtes à quitter nos climats. Je ne perdais pas un seul de leur gazouillis : Tavernier [1] enfant était moins attentif au récit d'un voyageur. Elles se jouaient sur l'eau au tomber du soleil, poursuivaient les insectes, s'élançaient ensemble dans les airs, comme pour éprouver leurs ailes, se rabattaient à la surface du lac, puis se venaient suspendre aux roseaux que leur poids courbait à peine, et qu'elles remplissaient de leur ramage confus.

1. Grand voyageur (1605 ?-1689).

INCANTATION.

LA nuit descendait ; les roseaux agitaient leurs champs de quenouilles et de glaives, parmi lesquels la caravane emplumée, poules d'eau, sarcelles, martins-pêcheurs, bécassines, se taisait ; le lac battait ses bords ; les grandes voix de l'automne sortaient des marais et des bois : j'échouais mon bateau au rivage et retournais au château. Dix heures sonnaient. A peine retiré dans ma chambre, ouvrant mes fenêtres, fixant mes regards au ciel, je commençais une incantation. Je montais avec ma magicienne sur les nuages : roulé dans ses cheveux et dans ses voiles, j'allais, au gré des tempêtes, agiter la cime des forêts, ébranler le sommet des montagnes, ou tourbillonner sur les mers. Plongeant dans l'espace, descendant du trône de Dieu aux portes de l'abîme, les mondes étaient livrés à la puissance de mes amours. Au milieu du désordre des éléments, je mariais avec ivresse la pensée du danger à celle du plaisir. Les souffles de l'aquilon ne m'apportaient que les soupirs de la volupté ; le murmure de la pluie m'invitait au sommeil sur le sein d'une femme. Les paroles que j'adressais à cette femme auraient rendu des sens à la vieillesse, et réchauffé le marbre des tombeaux. Ignorant tout, sachant tout, à la fois vierge et amante, Eve innocente, Eve tombée, l'enchanteresse par qui me venait ma folie était un mélange de mystères et de passions : je la plaçais sur un autel et je l'adorais. L'orgueil d'être aimé d'elle augmentait encore mon amour. Marchait-elle ? je me prosternais pour être foulé sous ses pieds, ou pour en baiser la trace. Je me troublais à son sourire ; je tremblais au son de sa voix ; je frémissais de désir, si je touchais ce qu'elle avait touché. L'air exhalé de sa bouche humide pénétrait dans la moelle de mes os, coulait dans mes veines au lieu de sang. Un seul de ses regards m'eût fait voler au bout de la terre ; quel désert ne m'eût suffi avec elle ! A ses côtés, l'antre des lions se fût changé en palais, et des millions de siècles eussent été trop courts pour épuiser les feux dont je me sentais embrasé.

A cette fureur se joignait une idolâtrie morale : par un autre jeu de mon imagination, cette Phryné qui m'enlaçait dans ses bras, était aussi pour moi la gloire et surtout l'honneur ; la vertu lorsqu'elle accomplit ses plus nobles sacrifices, le génie lorsqu'il enfante la pensée la plus rare, donneraient à peine une idée de cette autre sorte de bonheur. Je trouvais à la fois dans ma création merveilleuse toutes les jouissances de l'âme. Accablé et comme submergé de ces doubles délices, je ne savais plus quelle était ma véritable existence ; j'étais homme et n'étais pas homme ; je devenais le nuage, le vent, le bruit ; j'étais un pur esprit, un être aérien, chantant la souveraine félicité. Je me dépouillais de ma nature pour me fondre avec la fille de mes désirs, pour me transformer en elle, pour toucher plus intimement la beauté, pour être à la fois la passion reçue et donnée, l'amour et l'objet de l'amour.

Tout à coup, frappé de ma folie, je me précipitais sur ma couche ; je me roulais dans ma douleur ; j'arrosais mon lit de larmes cuisantes que personne ne voyait et qui coulaient misérables, pour un néant.

TENTATION.

BIENTÔT, ne pouvant plus rester dans ma tour, je descendais à travers les ténèbres, j'ouvrais furtivement la porte du perron comme un meurtrier, et j'allais errer dans le grand bois.

Après avoir marché à l'aventure, agitant mes mains, embrassant les vents qui m'échappaient ainsi que l'ombre, objet de mes poursuites, je m'appuyais contre le tronc d'un hêtre ; je regardais les corbeaux que je faisais envoler d'un arbre pour se poser sur un autre, ou la lune se traînant sur la cime dépouillée de la futaie : j'aurais voulu habiter ce monde mort, qui réfléchissait la pâleur du sépulcre. Je ne sentais ni le froid, ni l'humidité de la nuit : l'haleine glaciale de l'aube ne m'aurait pas même tiré du fond de mes pensées, si à cette heure la cloche du village ne s'était fait entendre.

Dans la plupart des villages de la Bretagne, c'est ordinairement à la pointe du jour que l'on sonne pour les trépassés. Cette sonnerie compose, de trois notes répétées, un petit air monotone, mélancolique et champêtre. Rien ne convenait mieux à mon âme malade et blessée, que d'être rendue aux tribulations de l'existence par la cloche qui en annonçait la fin. Je me représentais le pâtre expiré dans sa cabane inconnue, ensuite déposé dans un cimetière non moins ignoré. Qu'était-il venu faire sur la terre ? moi-même, que faisais-je dans ce monde ? Puisqu'enfin je devais passer, ne valait-il pas mieux partir à la fraîcheur du matin, arriver de bonne heure, que d'achever le voyage sous le poids et pendant la chaleur du jour ? Le rouge du désir me montait au visage ; l'idée de n'être plus me saisissait le cœur à la façon d'une joie subite. Au temps des erreurs de ma jeunesse, j'ai souvent souhaité ne pas survivre au bonheur : il y avait dans le premier succès un degré de félicité qui me faisait aspirer à la destruction.

De plus en plus garrotté à mon fantôme, ne pouvant jouir de ce qui n'existait pas, j'étais comme ces hommes mutilés qui rêvent des béatitudes pour eux insaisissables, et qui se créent un songe dont les plaisirs égalent les tortures de l'enfer. J'avais en outre le pressentiment des misères de mes futures destinées : ingénieux à me forger des souffrances, je m'étais placé entre deux désespoirs ; quelquefois je ne me croyais qu'un être nul, incapable de s'élever au-dessus du vulgaire ; quelquefois il me semblait sentir en moi des qualités qui ne seraient jamais appréciées. Un secret instinct m'avertissait qu'en avançant dans le monde, je ne trouverais rien de ce que je cherchais.

Tout nourrissait l'amertume de mes dégoûts : Lucile était malheureuse ; ma mère ne me consolait pas ; mon père me faisait éprouver les affres de la vie. Sa morosité augmentait avec l'âge ; la vieillesse raidissait son âme comme son corps ; il m'épiait sans cesse pour me gourmander. Lorsque je revenais de mes courses sauvages et que je l'apercevais assis sur le perron, on m'aurait plutôt tué que de me faire rentrer au château. Ce n'était néanmoins que différer mon supplice : obligé de paraître au souper, je m'asseyais tout interdit sur le coin de ma chaise, mes joues battues de la pluie, ma chevelure en désordre. Sous les regards de mon père, je demeurais immobile et la sueur couvrait mon front : la dernière lueur de la raison m'échappa.

Me voici arrivé à un moment où j'ai besoin de quelque force pour confesser ma faiblesse. L'homme qui attente à ses jours montre moins la vigueur de son âme que la défaillance de sa nature.

Je possédais un fusil de chasse dont la détente usée partait souvent au repos. Je chargeai ce fusil de trois balles, et je me rendis dans un endroit écarté du grand Mail. J'armai le fusil, j'introduisis le bout du canon dans ma bouche, je frappai la crosse contre terre ; je réitérai plusieurs fois l'épreuve : le coup ne partit pas ; l'apparition d'un garde suspendit ma résolution. Fataliste sans le vouloir et sans le savoir, je supposai que mon heure n'était pas arrivée, et je remis à un autre jour l'exécution de mon projet. Si je m'étais tué, tout ce que j'ai été s'ensevelissait avec moi ; on ne saurait rien de l'histoire qui m'aurait conduit à ma catastrophe ; j'aurais grossi la foule des infortunés sans nom, je ne me serais pas fait suivre à la trace de mes chagrins comme un blessé à la trace de son sang.

Ceux qui seraient troublés par ces peintures et tentés d'imiter ces folies, ceux qui s'attacheraient à ma mémoire par mes chimères, se doivent souvenir qu'ils n'entendent que la voix d'un mort. Lecteur, que je ne connaîtrai jamais ; rien n'est demeuré : il ne reste de moi que ce que je suis entre les mains du Dieu vivant qui m'a jugé.

MALADIE. — JE CRAINS ET REFUSE DE M'ENGAGER DANS L'ÉTAT ECCLÉSIASTIQUE. — PROJET DE PASSAGE AUX INDES.

UNE maladie, fruit de cette vie désordonnée, mit fin aux tourments par qui m'arrivèrent les premières inspirations de la muse et les premières attaques des passions. Ces passions dont mon âme était surmenée, ces passions vagues encore, ressemblaient aux tempêtes de mer qui affluent de tous les points de l'horizon : pilote sans expérience, je ne savais de quel côté présenter la voile à des vents indécis. Ma poitrine se gonfla, la fièvre me saisit ; on envoya chercher à Bazouches, petite ville éloignée de Combourg de cinq ou six lieues, un excellent médecin nommé Cheftel*, dont le fils a joué un rôle dans l'affaire du marquis de la Rouërie[1]. Il m'examina attentivement, ordonna des remèdes et déclara qu'il était surtout nécessaire de m'arracher à mon genre de vie.

Je fus six semaines en péril. Ma mère vint un matin s'asseoir au bord de mon lit, et me dit : « Il est « temps de vous décider ; votre frère est à même de « vous obtenir un bénéfice ; mais avant d'entrer au sémi- « naire, il faut vous bien consulter, car si je désire que « vous embrassiez l'état ecclésiastique, j'aime encore « mieux vous voir homme du monde que prêtre scanda- « leux. »

---

1. Charles-Armand de La Rouërie (1751-1793) s'était illustré dans la guerre de l'Indépendance ; on l'appelait « le colonel Armand ». En 1791 il avait pris la tête d'une conjuration royaliste.

* A mesure que j'avance dans la vie, je retrouve des personnages de mes *Mémoires* : la veuve du fils du médecin Cheftel vient d'être reçue à l'infirmerie de *Marie-Thérèse* : c'est un témoin de plus de ma véracité. (Note de Paris, 1834).

D'après ce qu'on vient de lire, on peut juger si la proposition de ma pieuse mère tombait à propos. Dans les événements majeurs de ma vie, j'ai toujours su promptement ce que je devais éviter ; un mouvement d'honneur me pousse. Abbé ? je me parus ridicule. Evêque ? la majesté du sacerdoce m'imposait et je reculais avec respect devant l'autel. Ferais-je comme évêque des efforts afin d'acquérir des vertus, ou me contenterais-je de cacher mes vices ? Je me sentais trop faible pour le premier parti, trop franc pour le second. Ceux qui me traitent d'hypocrite et d'ambitieux me connaissent peu : je ne réussirai jamais dans le monde, précisément parce qu'il me manque une passion et un vice, l'ambition et l'hypocrisie. La première serait tout au plus chez moi de l'amour-propre piqué ; je pourrais désirer quelquefois être ministre ou roi pour me rire de mes ennemis ; mais au bout de vingt-quatre heures je jetterais mon portefeuille et ma couronne par la fenêtre.

Je dis donc à ma mère que je n'étais pas assez fortement appelé à l'état ecclésiastique. Je variais pour la seconde fois dans mes projets : je n'avais point voulu me faire marin, je ne voulais plus être prêtre. Restait la carrière militaire ; je l'aimais : mais comment supporter la perte de mon indépendance et la contrainte de la discipline européenne ? Je m'avisai d'une chose saugrenue : je déclarai que j'irais au Canada défricher des forêts, ou aux Indes chercher du service dans les armées des princes de ce pays.

Par un de ces contrastes qu'on remarque chez tous les hommes, mon père, si raisonnable d'ailleurs, n'était jamais trop choqué d'un projet aventureux. Il gronda ma mère de mes tergiversations, mais il se décida à me faire passer aux Indes. On m'envoya à Saint-Malo ; on y préparait un armement pour Pondichéry.

UN MOMENT DANS MA VILLE NATALE. — SOUVENIR DE LA VILLENEUVE ET DES TRIBULATIONS DE MON ENFANCE. — JE SUIS RAPPELÉ À COMBOURG. — DERNIÈRE ENTREVUE AVEC MON PÈRE. — J'ENTRE AU SERVICE. — ADIEUX À COMBOURG.

DEUX mois s'écoulèrent : je me retrouvai seul dans mon île maternelle ; la Villeneuve y venait de mourir. En allant la pleurer au bord du lit vide et pauvre où elle expira, j'aperçus le petit chariot d'osier dans lequel j'avais appris à me tenir debout sur ce triste globe. Je me représentais ma vieille bonne, attachant du fond de sa couche ses regards affaiblis sur cette corbeille roulante ; ce premier monument de ma vie en face du dernier monument de la vie de ma seconde mère, l'idée des souhaits de bonheur que la bonne Villeneuve adressait au ciel pour son nourrisson en quittant le monde, cette preuve d'un attachement si constant, si désintéressé, si pur, me brisaient le cœur de tendresse, de regrets et de reconnaissance.

Du reste, rien de mon passé à Saint-Malo : dans le port je cherchais en vain les navires aux cordes desquels je me jouais ; ils étaient partis ou dépecés ; dans la ville, l'hôtel où j'étais né avait été transformé en auberge. Je touchais presque à mon berceau et déjà tout un monde s'était écoulé. Etranger aux lieux de mon enfance, en me rencontrant on demandait qui j'étais, par l'unique raison que ma tête s'élevait de quelques lignes de plus au-dessus du sol vers lequel elle s'inclinera de nouveau dans peu d'années. Combien rapidement et que de fois nous changeons d'existence et de chimère ! Des amis nous quittent, d'autres leur succèdent ; nos liaisons varient : il y a toujours un temps où nous ne possédions rien de ce que nous possédons, un temps où nous n'avons rien de ce que nous eûmes. L'homme n'a pas une seule et même vie ; il en a plusieurs mises bout à bout, et c'est sa misère.

Désormais sans compagnon, j'explorais l'arène qui vit mes châteaux de sable : *campos ubi Troja fuit* 1. Je marchais sur la plage désertée de la mer. Les grèves abandonnées du flux m'offraient l'image de ces espaces désolés que les illusions laissent autour de nous lorsqu'elles se retirent. Mon compatriote Abailard regardait comme moi ces flots, il y a huit cents ans, avec le souvenir de son Héloïse ; comme moi il voyait fuir quelque vaisseau (*ad horizontis undas* 2), et son oreille était bercée ainsi que la mienne de l'unisonance des vagues. Je m'exposais au brisement de la lame en me livrant aux imaginations funestes que j'avais apportées des bois de Combourg. Un cap, nommé Lavarde, servait de terme à mes courses : assis sur la pointe de ce cap, dans les pensées les plus amères, je me souvenais que ces mêmes rochers servaient à me cacher dans mon enfance, à l'époque des fêtes ; j'y dévorais mes larmes, et mes camarades s'enivraient de joie. Je ne me sentais ni plus aimé, ni plus heureux. Bientôt j'allais quitter ma patrie pour émietter mes jours en divers climats. Ces réflexions me navraient à mort, et j'étais tenté de me laisser tomber dans les flots.

Une lettre me rappelle à Combourg : j'arrive, je soupe avec ma famille ; monsieur mon père ne me dit pas un mot, ma mère soupire, Lucile paraît consternée ; à dix heures on se retire. J'interroge ma sœur ; elle ne savait rien. Le lendemain à huit heures du matin on m'envoie chercher. Je descends : mon père m'attendait dans son cabinet.

« Monsieur le chevalier, me dit-il, il faut renoncer à « vos folies. Votre frère a obtenu pour vous un brevet de « sous-lieutenant au régiment de Navarre. Vous allez partir « pour Rennes, et de là pour Cambrai. Voilà cent louis ; « ménagez-les. Je suis vieux et malade ; je n'ai pas long- « temps à vivre. Conduisez-vous en homme de bien et ne « déshonorez jamais votre nom. »

---

1. « la plaine où fut Troie (*Enéide,* III, 11).
2. « jusqu'aux flots de l'horizon ».

Il m'embrassa. Je sentis ce visage ridé et sévère se presser avec émotion contre le mien : c'était pour moi le dernier embrassement paternel.

Le comte de Chateaubriand, homme si redoutable à mes yeux, ne me parut dans ce moment que le père le plus digne de ma tendresse. Je me jetai sur sa main décharnée et pleurai. Il commençait d'être attaqué d'une paralysie ; elle le conduisit au tombeau ; son bras gauche avait un mouvement convulsif qu'il était obligé de contenir avec sa main droite. Ce fut en retenant ainsi son bras et après m'avoir remis sa vieille épée, que sans me donner le temps de me reconnaître, il me conduisit au cabriolet qui m'attendait dans la Cour Verte. Il m'y fit monter devant lui. Le postillon partit, tandis que je saluais des yeux ma mère et ma sœur qui fondaient en larmes sur le perron.

Je remontai la chaussée de l'étang ; je vis les roseaux de mes hirondelles, le ruisseau du moulin et la prairie ; je jetai un regard sur le château. Alors, comme Adam après son péché, je m'avançai sur la terre inconnue : le monde était tout devant moi : *and the world was all before him* [1]. Depuis cette époque, je n'ai revu Combourg que trois fois : après la mort de mon père, nous nous y trouvâmes en deuil, pour partager notre héritage et nous dire adieu. Une autre fois j'accompagnai ma mère à Combourg : elle s'occupait de l'ameublement du château ; elle attendait mon frère, qui devait amener ma belle-sœur en Bretagne. Mon frère ne vint point ; il eut bientôt avec sa jeune épouse, de la main du bourreau, un autre chevet que l'oreiller préparé des mains de ma mère. Enfin, je traversai une troisième fois Combourg, en allant m'embarquer à Saint-Malo pour l'Amérique. Le château était abandonné, je fus obligé de descendre chez le régisseur. Lorsque, en errant dans le Grand-Mail, j'aperçus du fond d'une allée obscure le perron désert, la porte et les fenêtres fermées, je me trouvai mal. Je regagnai avec peine le village ; j'envoyai chercher mes chevaux et je partis au milieu de la nuit.

1. « Et le monde entier était devant lui » (citation libre de Milton, fin du *Paradis perdu*).

Après quinze années d'absence, avant de quitter de nouveau la France et de passer en Terre-Sainte, je courus embrasser à Fougères ce qui me restait de ma famille. Je n'eus pas le courage d'entreprendre le pélerinage des champs où la plus vive partie de mon existence fut attachée. C'est dans les bois de Combourg que je suis devenu ce que je suis, que j'ai commencé à sentir la première atteinte de cet ennui que j'ai traîné toute ma vie, de cette tristesse qui a fait mon tourment et ma félicité. Là, j'ai cherché un cœur qui pût entendre le mien ; là, j'ai vu se réunir, puis se disperser ma famille. Mon père y rêva son nom rétabli, la fortune de sa maison renouvelée : autre chimère que le temps et les révolutions ont dissipée. De six enfants que nous étions, nous ne restons plus que trois [1] : mon frère, Julie et Lucile ne sont plus, ma mère est morte de douleur, les cendres de mon père ont été arrachées de son tombeau [2].

Si mes ouvrages me survivent, si je dois laisser un nom, peut-être un jour, guidé par ces *Mémoires,* quelque voyageur viendra visiter les lieux que j'ai peints. Il pourra reconnaître le château ; mais il cherchera vainement le grand bois : le berceau de mes songes a disparu comme ces songes. Demeuré seul debout sur son rocher, l'antique donjon pleure les chênes, vieux compagnons qui l'environnaient et le protégeaient contre la tempête. Isolé comme lui, j'ai vu comme lui tomber autour de moi la famille qui embellissait mes jours et me prêtait son abri : heureusement ma vie n'est pas bâtie sur la terre aussi solidement que les tours où j'ai passé ma jeunesse, et l'homme résiste moins aux orages que les monuments élevés par ses mains.

---

1. Chateaubriand lui-même et ses deux sœurs aînées, Marie-Anne de Marigny (1760-1860) et Bénigne de Chateaubourg (1761-1848).
2. Sans doute au commencement de la Révolution.

Revu en juillet 1846.

BERLIN. — POTSDAM. — FRÉDÉRIC.

IL y a loin de Combourg à Berlin, d'un jeune rêveur à un vieux ministre. Je retrouve dans ce qui précède ces paroles : « Dans combien de lieux ai-je commencé à écrire ces Mémoires, et dans quel lieu les finirai-je ? »

Près de quatre ans ont passé entre la date des faits que je viens de raconter et celle où je reprends ces Mémoires. Mille choses sont survenues ; un second homme s'est trouvé en moi, l'homme politique : j'y suis fort peu attaché. J'ai défendu les libertés de la France, qui seules peuvent faire durer le trône légitime. Avec le *Conservateur* j'ai mis M. de Villèle au pouvoir [1] ; j'ai vu mourir le duc de Berry et j'ai honoré sa mémoire [2]. Afin de tout concilier, je me suis éloigné ; j'ai accepté l'ambassade de Berlin [3].

J'étais hier à Potsdam, caserne ornée, aujourd'hui sans soldats : j'étudiais le faux Julien dans sa fausse Athènes. On m'a montré à *Sans-Souci* [4] la table où un grand monarque allemand mettait en petits vers français les maximes encyclopédiques ; la chambre de Voltaire, décorée de singes et de perroquets de bois, le moulin que se fit un jeu de respecter celui qui ravageait des provinces [5], le tombeau du cheval *César* et des levrettes *Diane, Amourette, Biche, Superbe* et *Pax*. Le royal impie se plut à profaner

---

1. Voir t. II, p. 471 *sq.* Villèle (1773-1854) a été président du conseil de 1821 à 1828.
2. Chateaubriand a publié ses *Mémoires sur le duc de Berry* en 1820, aussitôt après l'assassinat du prince.
3. Chateaubriand a occupé son poste de ministre plénipotentiaire près la cour de Prusse à Berlin de janvier à avril 1821.
4. Palais royal à deux kilomètres de Potsdam. — Le « Faux Julien » est Frédéric II.
5. Cf. le poème célèbre d'Andrieux sur *Le meunier de Sans-Souci.*

même la religion des tombeaux, en élevant des mausolées à ses chiens ; il avait marqué sa sépulture auprès d'eux, moins par mépris des hommes que par ostentation du néant.

On m'a conduit au nouveau palais, déjà tombant. On respecte dans l'ancien château de Potsdam les taches de tabac, les fauteuils déchirés et souillés, enfin toutes les traces de la malpropreté du prince renégat. Ces lieux immortalisent à la fois la saleté du cynique, l'impudence de l'athée, la tyrannie du despote et la gloire du soldat.

Une seule chose a attiré mon attention : l'aiguille d'une pendule fixée sur la minute où Frédéric expira ; j'étais trompé par l'immobilité de l'image : les heures ne suspendent point leur fuite ; ce n'est pas l'homme qui arrête le temps, c'est le temps qui arrête l'homme. Au surplus, peu importe le rôle que nous avons joué dans la vie ; l'éclat ou l'obscurité de nos doctrines, nos richesses ou nos misères, nos joies ou nos douleurs ne changent rien à la mesure de nos jours. Que l'aiguille circule sur un cadran d'or ou de bois, que le cadran plus ou moins large remplisse le chaton d'une bague ou la rosace d'une basilique, l'heure n'a que la même durée.

Dans un caveau de l'église protestante, immédiatement au-dessous de la chaire du schismatique défroqué[1], j'ai vu le cercueil du sophiste à couronne. Ce cercueil est de bronze ; quand on le frappe, il retentit. Le gendarme qui dort dans ce lit d'airain, ne serait pas même arraché à son sommeil par le bruit de sa renommée ; il ne se réveillera qu'au son de la trompette, lorsqu'elle l'appellera sur son dernier champ de bataille, en face du Dieu des armées.

J'avais un tel besoin de changer d'impression que j'ai trouvé du soulagement à visiter la Maison-de-Marbre. Le roi qui la fit construire m'adressa autrefois quelques paroles honorables, quand, pauvre officier, je traversai son armée. Du moins, ce roi partagea les faiblesses ordinaires des hommes ; vulgaire comme eux, il se réfugia dans les plaisirs. Les deux squelettes se mettent-ils en peine aujourd'hui de la différence qui fut entre eux jadis, lorsque l'un était le grand Frédéric, et l'autre Frédéric-Guillaume ? Sans-Souci et la

1. Luther.

Maison-de-Marbre sont également des ruines sans maître.

A tout prendre, bien que l'énormité des événements de nos jours ait rapetissé les événements passés, bien que Rosbach, Lissa, Liegnitz, Torgau, etc., etc., ne soient plus que des escarmouches auprès des batailles de Marengo, d'Austerlitz, d'Iena, de la Moskowa, Frédéric souffre moins que d'autres personnages de la comparaison avec le géant enchaîné à Sainte-Hélène. Le roi de Prusse et Voltaire sont deux figures bizarrement groupées qui vivront : le second détruisait une société avec la philosophie qui servait au premier à fonder un royaume.

Les soirées sont longues à Berlin. J'habite un hôtel appartenant à madame la duchesse de Dino 1. Dès l'entrée de la nuit, mes secrétaires m'abandonnent. Quand il n'y a pas de fête à la cour pour le mariage du grand duc et de la grande duchesse Nicolas *, je reste chez moi. Enfermé seul auprès d'un poële à figure morne, je n'entends que le cri de la sentinelle de la porte de Brandebourg, et les pas sur la neige de l'homme qui siffle les heures. A quoi passerai-je mon temps ? Des livres ? je n'en ai guère : si je continuais mes Mémoires ?

Vous m'avez laissé sur le chemin de Combourg à Rennes : je débarquai dans cette dernière ville chez un de mes parents. Il m'annonça tout joyeux, qu'une dame de sa connaissance, allant à Paris, avait une place à donner dans sa voiture, et qu'il se faisait fort de déterminer cette dame à me prendre avec elle. J'acceptai, en maudissant la courtoisie de mon parent. Il conclut l'affaire et me présenta bientôt à ma compagne de voyage, marchande de modes, leste et désinvolte, qui se prit à rire en me regardant. A minuit les chevaux arrivèrent et nous partîmes.

Me voilà dans une chaise de poste, seul avec une femme, au milieu de la nuit. Moi, qui de ma vie n'avais regardé une femme sans rougir, comment descendre de la hauteur de mes songes à cette effrayante vérité ? Je ne savais où j'étais ; je me collais dans l'angle de la voiture de peur de toucher la

1. Nièce par alliance de Talleyrand (voir t. III, p. 701, note 4).
* Aujourd'hui l'empereur et l'impératrice de Russie. (Paris, note de 1832).

robe de madame Rose. Lorsqu'elle me parlait, je balbutiais sans lui pouvoir répondre. Elle fut obligée de payer le postillon, de se charger de tout, car je n'étais capable de rien. Au lever du jour, elle regarda avec un nouvel ébahissement ce nigaud dont elle regrettait de s'être emberloquée.

Dès que l'aspect du paysage commença de changer et que je ne reconnus plus l'habillement et l'accent des paysans bretons, je tombai dans un abattement profond, ce qui augmenta le mépris que madame Rose avait de moi. Je m'aperçus du sentiment que j'inspirais, et je reçus de ce premier essai du monde une impression que le temps n'a pas complètement effacée. J'étais né sauvage et non vergogneux ; j'avais la modestie de mes années, je n'en avais pas l'embarras. Quand je devinai que j'étais ridicule par mon bon côté, ma sauvagerie se changea en une timidité insurmontable. Je ne pouvais plus dire un mot : je sentais que j'avais quelque chose à cacher, et que ce quelque chose était une vertu ; je pris le parti de me cacher moi-même pour porter en paix mon innocence.

Nous avancions vers Paris. A la descente de Saint-Cyr, je fus frappé de la grandeur des chemins et de la régularité des plantations. Bientôt nous atteignîmes Versailles : l'orangerie et ses escaliers de marbre m'émerveillèrent. Les succès de la guerre d'Amérique avaient ramené des triomphes au château de Louis XIV ; la reine y régnait dans l'éclat de la jeunesse et de la beauté ; le trône, si près de sa chute, semblait n'avoir jamais été plus solide. Et moi, passant obscur, je devais survivre à cette pompe, je devais demeurer pour voir les bois de Trianon aussi déserts que ceux dont je sortais alors.

Enfin, nous entrâmes dans Paris. Je trouvais à tous les visages un air goguenard : comme le gentilhomme périgourdin[1], je croyais qu'on me regardait pour se moquer de moi. Madame Rose se fit conduire rue du Mail, à l'*Hôtel de l'Europe*, et s'empressa de se débarrasser de son imbécile. A peine étais-je descendu de voiture, qu'elle dit au portier : « Donnez une chambre à ce Monsieur. — Votre servante »,

---

1. Le Pourceaugnac de Molière.

ajouta-t-elle, en me faisant une révérence courte. Je n'ai de mes jours revu madame Rose.

Berlin, mars 1821.

MON FRÈRE. — MON COUSIN MOREAU. — MA SŒUR LA COMTESSE DE FARCY.

UNE femme monta devant moi un escalier noir et raide, tenant une clef étiquetée à la main ; un Savoyard me suivit portant ma petite malle. Arrivée au troisième étage, la servante ouvrit une chambre le Savoyard posa la malle en travers sur les bras d'un fauteuil. La servante me dit : « Monsieur veut-il quelque chose ? » — Je répondis : « Non ». Trois coups de sifflet partirent ; la servante cria : « On y va ! », sortit brusquement, ferma la porte et dégringola l'escalier avec le Savoyard. Quand je me vis seul enfermé, mon cœur se serra d'une si étrange sorte qu'il s'en fallut peu que je ne reprisse le chemin de la Bretagne. Tout ce que j'avais entendu dire de Paris me revenait dans l'esprit ; j'étais embarrassé de cent manières. Je m'aurais voulu coucher et le lit n'était point fait ; j'avais faim et je ne savais comment dîner. Je craignais de manquer aux usages : fallait-il appeler les gens de l'hôtel ? fallait-il descendre ? à qui m'adresser ? Je me hasardai à mettre la tête à la fenêtre : je n'aperçus qu'une petite cour intérieure profonde comme un puits, où passaient et repassaient des gens qui ne songeraient de leur vie au prisonnier du troisième étage. Je vins me rasseoir auprès de la sale alcôve où je me devais coucher, réduit à contempler les personnages du papier peint qui en tapissait l'intérieur. Un bruit lointain de voix se fait entendre, augmente, approche ; ma porte s'ouvre : entrent mon frère et un de mes cousins, fils d'une sœur de ma mère qui avait fait un assez mauvais mariage. Madame Rose avait pourtant eu pitié du benêt, elle avait fait dire à mon frère, dont elle avait su l'adresse à Rennes, que j'étais arrivé à Paris. Mon frère m'embrassa. Mon cousin Moreau [1] était un grand et gros homme, tout barbouillé de tabac, mangeant comme un ogre, parlant beaucoup, toujours trottant, soufflant, étouffant, la bouche entr'ouverte, la langue à moitié tirée, connaissant toute la terre, vivant dans les tripots, les antichambres et les salons. « Allons, chevalier, s'écria-t-il, vous voilà à Paris ; je vais « vous mener chez madame de Chastenay ? » Qu'était-ce que cette femme dont j'entendais prononcer le nom pour la première fois ? Cette proposition me révolta contre mon cousin Moreau. « Le chevalier a sans doute besoin de repos, » dit mon frère ; « nous irons voir madame de Farcy, puis il « reviendra dîner et se coucher. »

Un sentiment de joie entra dans mon cœur : le souvenir de ma famille au milieu d'un monde indifférent me fut un baume. Nous sortîmes. Le cousin Moreau tempêta au sujet de ma mauvaise chambre, et enjoignit à mon hôte de me faire descendre au moins d'un étage. Nous montâmes dans la voiture de mon frère, et nous nous rendîmes au couvent qu'habitait madame de Farcy.

Julie se trouvait depuis quelque temps à Paris pour consulter les médecins. Sa charmante figure, son élégance et son esprit l'avaient bientôt fait rechercher. J'ai déjà dit qu'elle était née avec un vrai talent pour la poésie. Elle est devenue une sainte, après avoir été une des femmes les plus agréables de son siècle : l'abbé Carron a écrit sa vie [*]. Ces apôtres qui vont partout à la recherche des âmes, ressentent pour elles l'amour qu'un Père de l'Eglise attribue au Créateur : « Quand une âme arrive au Ciel, » dit ce père, avec la simplicité de cœur d'un chrétien primitif, et la naïveté du génie grec, « Dieu la prend sur ses genoux et l'appelle sa fille. »

1. Annibal Moreau, cousin germain (du côté maternel) de Chateaubriand.
* J'ai placé la vie de ma sœur Julie au supplément de ces *Mémoires*.

Lucile a laissé une poignante lamentation : *A la sœur que je n'ai plus.* L'admiration de l'abbé Carron pour Julie explique et justifie les paroles de Lucile. Le récit du saint prêtre montre aussi que j'ai dit vrai dans la préface du *Génie du Christianisme,* et sert de preuve à quelques parties de mes *Mémoires.*

Julie innocente se livra aux mains du repentir ; elle consacra les trésors de ses austérités au rachat de ses frères ; et à l'exemple de l'illustre africaine sa patrone, elle se fit martyre.

L'abbé Carron, l'auteur de la *Vie des Justes,* est cet ecclésiastique mon compatriote, le François de Paule de l'exil, dont la renommée, révélée par les affligés, perça même à travers la renommée de Bonaparte. La voix d'un pauvre vicaire proscrit n'a point été étouffée par les retentissements d'une révolution qui bouleversait la société ; il parut être revenu tout exprès de la terre étrangère pour écrire les vertus de ma sœur : il a cherché parmi nos ruines, il a découvert une victime et une tombe oubliées.

Lorsque le nouvel hagiographe fait la peinture des religieuses cruautés de Julie, on croit entendre Bossuet dans le sermon sur la profession de foi de mademoiselle de Lavallière.

« Osera-t-elle toucher à ce corps si tendre, si chéri, si « ménagé ? N'aura-t-on point pitié de cette complexion « délicate ? Au contraire ! c'est à lui principalement que « l'âme s'en prend comme à son plus dangereux séducteur ; « elle se met des bornes ; resserrée de toutes parts, elle ne « peut plus respirer que du côté du Ciel. »

Je ne puis me défendre d'une certaine confusion en retrouvant mon nom dans les dernières lignes tracées par la main du vénérable historien de Julie. Qu'ai-je à faire avec mes faiblesses auprès de si hautes perfections ? Ai-je tenu tout ce que le billet de ma sœur m'avait fait promettre, lorsque je le reçus pendant mon émigration à Londres ? Un livre suffit-il à Dieu ? n'est-ce pas ma vie que je devrais lui présenter ? Or, cette vie est-elle conforme au *Génie du Christianisme ?* Qu'importe que j'aie tracé des images plus ou moins brillantes de la religion, si mes passions jettent une ombre sur ma foi ! Je n'ai pas été jusqu'au bout ; je n'ai

pas endossé le cilice : cette tunique de mon viatique aurait
bu et séché mes sueurs. Mais, voyageur lassé, je me suis
assis au bord du chemin : fatigué ou non, il faudra bien que
je me relève, que j'arrive où ma sœur est arrivée.

Il ne manque rien à la gloire de Julie : l'abbé Carron a
écrit sa vie ; Lucile a pleuré sa mort.

Berlin, 30 mars 1821.

JULIE MONDAINE — DINER. — POMMEREUL. — MADAME DE CHASTENAY.

QUAND je retrouvai Julie à Paris, elle était dans la pompe de
la mondanité ; elle se montrait couverte de ces fleurs, parée
de ces colliers, voilée de ces tissus parfumés que saint
Clément défend aux premières chrétiennes. Saint Basile
veut que le milieu de la nuit soit pour le solitaire, ce que le
matin est pour les autres, afin de profiter du silence de la
nature. Ce milieu de la nuit était l'heure où Julie allait à des
fêtes dont ses vers, accentués par elle avec une merveilleuse
euphonie, faisaient la principale séduction.

Julie était infiniment plus jolie que Lucile ; elle avait des
yeux bleus caressants et des cheveux bruns à gaufrures ou à
grandes ondes. Ses mains et ses bras, modèles de blancheur
et de forme, ajoutaient par leurs mouvements gracieux
quelque chose de plus charmant encore à sa taille charmante. Elle était brillante, animée, riait beaucoup sans
affectation, et montrait en riant des dents perlées. Une
foule de portraits de femmes du temps de Louis XIV
ressemblaient à Julie, entr'autres ceux des trois Mortemart [1] ; mais elle avait plus d'élégance que madame de
Montespan.

1. Mme de Montespan et ses deux sœurs, Mme de Thiange et l'abbesse
de Fontevrault.

Julie me reçut avec cette tendresse qui n'appartient qu'à une sœur. Je me sentis protégé en étant serré dans ses bras, ses rubans, son bouquet de roses et ses dentelles. Rien ne remplace l'attachement, la délicatesse et le dévouement d'une femme ; on est oublié de ses frères et de ses amis ; on est méconnu de ses compagnons ; on ne l'est jamais de sa mère, de sa sœur ou de sa femme. Quand Harold fut tué à la bataille d'Hastings, personne ne le pouvait indiquer dans la foule des morts ; il fallut avoir recours à une jeune fille, sa bien-aimée. Elle vint, et l'infortuné prince fut retrouvé par Edith au cou de cygne : *« Editha swanes-hales, quod « sonat collum cycni* [1]. *»*

Mon frère me ramena à mon hôtel ; il donna des ordres pour mon dîner et me quitta. Je dînai solitaire, je me couchai triste. Je passai ma première nuit à Paris à regretter mes bruyères et à trembler devant l'obscurité de mon avenir.

A huit heures, le lendemain matin, mon gros cousin arriva ; il était déjà à sa cinquième ou sixième course. « Eh « bien ! chevalier, nous allons déjeuner ; nous dînerons avec « Pommereul [2], et ce soir, je vous mène chez madame de « Chastenay. » Ceci me parut un sort, et je me résignai. Tout se passa comme le cousin l'avait voulu. Après déjeuner, il prétendit me montrer Paris, et me traîna dans les rues les plus sales des environs du Palais-Royal, me racontant les dangers auxquels était exposé un jeune homme. Nous fûmes ponctuels au rendez-vous du dîner, chez le restaurateur. Tout ce qu'on servit me parut mauvais. La conversation et les convives me montrèrent un autre monde. Il fut question de la cour, des projets de finances, des séances de l'Académie, des femmes et des intrigues du jour, de la pièce nouvelle, des succès des acteurs, des actrices et des auteurs.

Plusieurs Bretons étaient au nombre des convives, entre autres le chevalier de Guer et Pommereul. Celui-ci était un beau parleur, lequel a écrit quelques campagnes de Bona-

---

1. « Editha swanes-hales, c'est-à-dire : cou de cygne ».

2 Le général de Pommereul (1745-1823) était de Fougères. Il achètera le château de Marigny. C'est chez son fils, général lui aussi, qu'en 1828 Balzac écrira *Les Chouans*.

parte, et que j'étais destiné à retrouver à la tête de la librairie.

Pommereul, sous l'Empire, a joui d'une sorte de renom par sa haine pour la noblesse. Quand un gentilhomme s'était fait chambellan, il s'écriait, plein de joie : « Encore un pot de chambre sur la tête de ces nobles ! » Et pourtant Pommereul prétendait, et avec raison, être gentilhomme. Il signait *Pommereux,* se faisant descendre de la famille Pommereux des lettres de madame de Sévigné.

Mon frère, après le dîner, voulut me mener au spectacle, mais mon cousin me réclama pour madame de Chastenay, et j'allai avec lui chez ma destinée.

Je vis une belle femme qui n'était plus de la première jeunesse, mais qui pouvait encore inspirer un attachement. Elle me reçut bien, tâcha de me mettre à l'aise, me questionna sur ma province et sur mon régiment. Je fus gauche et embarrassé ; je faisais des signes à mon cousin pour abréger la visite. Mais lui, sans me regarder, ne tarissait point sur mes mérites, affirmant que j'avais fait des vers dans le sein de ma mère, et m'invitant à célébrer madame de Chastenay. Elle me débarrassa de cette situation pénible, me demanda pardon d'être obligée de sortir, et m'invita à revenir la voir le lendemain matin, avec un son de voix si doux que je promis involontairement d'obéir.

Je revins le lendemain seul chez elle : je la trouvai couchée dans une chambre élégamment arrangée. Elle me dit qu'elle était un peu souffrante, et qu'elle avait la mauvaise habitude de se lever tard. Je me trouvais pour la première fois au bord du lit d'une femme qui n'était ni ma mère, ni ma sœur. Elle avait remarqué la veille ma timidité, elle la vainquit au point que j'osai m'exprimer avec une sorte d'abandon. J'ai oublié ce que je lui dis ; mais il me semble que je vois encore son air étonné. Elle me tendit un bras demi-nu et la plus belle main du monde, en me disant avec un sourire : « Nous vous apprivoiserons. » Je ne baisai pas même cette belle main ; je me retirai tout troublé. Je partis le lendemain pour Cambrai. Qui était cette dame de Chastenay ? Je n'en sais rien : elle a passé comme une ombre charmante dans ma vie.

CAMBRAI. — LE RÉGIMENT DE NAVARRE. — LA MARTINIÈRE.

LE courrier de la malle me conduisit à ma garnison. Un de mes beaux-frères, le vicomte de Chateaubourg, (il avait épousé ma sœur Bénigne, restée veuve du comte de Québriac) m'avait donné des lettres de recommandation pour des officiers de mon régiment. Le chevalier de Guénan, homme de fort bonne compagnie, me fit admettre à une table où mangeaient des officiers distingués par leurs talents, MM. Achard, des Mahis, La Martinière. Le marquis de Mortemart était colonel du régiment, le comte d'Andrezel, major : j'étais particulièrement placé sous la tutelle de celui-ci. Je les ai retrouvés tous deux dans la suite : l'un est devenu mon collègue à la chambre des pairs, l'autre s'est adressé à moi pour quelques services que j'ai été heureux de lui rendre. Il y a un plaisir triste à rencontrer des personnes que l'on a connues à diverses époques de la vie et à considérer le changement opéré dans leur existence et dans la nôtre. Comme des jalons laissés en arrière, ils nous tracent le chemin que nous avons suivi dans le désert du passé.

Arrivé en habit bourgeois au régiment, vingt-quatre heures après j'avais pris l'habit de soldat ; il me semblait l'avoir toujours porté. Mon uniforme était bleu et blanc, comme jadis la jaquette de mes vœux : j'ai marché sous les mêmes couleurs, jeune homme et enfant. Je ne subis aucune des épreuves à travers lesquelles les sous-lieutenants étaient dans l'usage de faire passer un nouveau venu ; je ne sais pourquoi on n'osa se livrer avec moi à ces enfantillages

160

militaires. Il n'y avait pas quinze jours que j'étais au corps, qu'on me traitait comme un *ancien*. J'appris facilement le maniement des armes et la théorie ; je franchis mes grades de caporal et de sergent aux applaudissements de mes instructeurs. Ma chambre devint le rendez-vous des vieux capitaines comme des jeunes sous-lieutenants : les premiers me faisaient faire leurs campagnes, les autres me confiaient leurs amours.

La Martinière me venait chercher pour passer avec lui devant la porte d'une belle Cambrésienne qu'il adorait ; cela nous arrivait cinq à six fois le jour. Il était très laid et avait le visage labouré par la petite-vérole. Il me racontait sa passion en buvant de grands verres d'eau de groseille, que je payais quelquefois.

Tout aurait été à merveille sans ma folle ardeur pour la toilette ; on affectait alors le rigorisme de la tenue prussienne : petit chapeau, petites boucles serrées à la tête, queue attachée raide, habit strictement agrafé. Cela me déplaisait fort ; je me soumettais le matin à ces entraves, mais le soir, quand j'espérais n'être pas vu des chefs, je m'affublais d'un plus grand chapeau ; le barbier descendait les boucles de mes cheveux et desserrait ma queue ; je déboutonnais et croisais les revers de mon habit ; dans ce tendre négligé, j'allais faire ma cour pour La Martinière, sous la fenêtre de sa cruelle Flamande. Voilà qu'un jour je me rencontre nez à nez avec M. d'Andrezel : « Qu'est-ce que cela, monsieur ? « me dit le terrible major : vous garderez trois jours les « arrêts. » Je fus un peu humilié ; mais je reconnus la vérité du proverbe, qu'à quelque chose malheur est bon ; il me délivra des amours de mon camarade.

Auprès du tombeau de Fénelon, je relus *Télémaque* : je n'étais pas trop en train de l'historiette philanthropique de la vache et du prélat.

Le début de ma carrière amuse mes ressouvenirs. En traversant Cambrai avec le roi, après les Cent-Jours, je cherchai la maison que j'avais habitée et le café que je fréquentais : je ne les pus retrouver ; tout avait disparu, hommes et monuments.

MORT DE MON PÈRE

L'ANNÉE même où je faisais à Cambrai mes premières armes, on apprit la mort de Frédéric II : je suis ambassadeur auprès du neveu de ce grand roi, et j'écris à Berlin cette partie de mes Mémoires. A cette nouvelle importante pour le public, succéda une autre nouvelle, douloureuse pour moi : Lucile m'annonça que mon père avait été emporté d'une attaque d'apoplexie, le surlendemain de cette fête de l'Angevine, une des joies de mon enfance.

Parmi les pièces authentiques qui me servent de guide, je trouve les actes de décès de mes parents. Ces actes marquant aussi d'une façon particulière le *décès du siècle,* je les consigne ici comme une page d'histoire.

« Extrait du registre de décès de la paroisse de Combourg, pour 1786, où est écrit ce qui suit, folio 8, verso :

« Le corps de haut et puissant messire René de
« Chateaubriand, chevalier, comte de Combourg, seigneur
« de Gaugres, le Plessis-l'Epine, Boulet, Malestroit en Dol
« et autres lieux, époux de haute et puissante dame Apolli-
« ne-Jeanne-Suzanne de Bédée de la Bouëtardais, dame
« comtesse de Combourg, âgé de soixante-neuf ans environ,
« mort en son château de Combourg, le six septembre,
« environ les huit heures du soir, a été inhumé le huit, dans
« le caveau de ladite seigneurie, placé dans le chasseau de
« notre église de Combourg, en présence de messieurs les
« gentilshommes, de messieurs les officiers de la juridiction
« et autres notables bourgeois soussignants. Signé au regis-
« tre : le comte du Petitbois, de Monlouët, de Chateau-
« dassy, Delaunay, Morault, Noury de Mauny, avocat ;
« Hermer, procureur ; Petit, avocat et procureur fiscal ;

« Robiou, Portal, Le Douarin, de Trevelec, recteur doyen de
« Dingé ; Sévin, recteur. »

Dans le *collationné* délivré en 1812 par M. Lodin, maire
de Combourg, les dix-neuf mots portant titres : *haut et
puissant messire, etc.,* sont biffés.

« Extrait du registre des décès de la ville de Saint-Ser-
« van, premier arrondissement du département d'Ille-et-Vi-
« laine, pour l'an VI de la République, folio 35, recto, où
« est écrit ce qui suit :

« Le douze prairial, an six de la République française,
« devant moi, Jacques Bourdasse, officier municipal de la
« commune de Saint-Servan, élu officier public le quatre
« floréal dernier, sont comparus Jean Baslé, jardinier, et
« Joseph Boulin, journalier, lesquels m'ont déclaré qu'Apol-
« line-Jeanne-Suzanne de Bedée, veuve de René-Auguste de
« Chateaubriand, est décédée au domicile de la citoyenne
« Gouyon, situé à La Ballue, en cette commune, ce jour, à
« une heure après midi. D'après cette déclaration, dont je
« me suis assuré de la vérité, j'ai rédigé le présent acte, que
« Jean Baslé a seul signé avec moi, Joseph Boudin ayant
« déclaré ne le savoir faire, de ce interpellé.

« Fait en la maison commune lesdits jour et an. Signé
« Jean Baslé et Bourdasse. »

Dans le premier extrait, l'ancienne société subsiste :
M. de Chateaubriand est un *haut et puissant seigneur,* etc.,
etc. ; les témoins sont des *gentilshommes* et des *notables
bourgeois ;* je rencontre parmi les signataires ce marquis de
Monlouët, qui s'arrêtait l'hiver au château de Combourg, le
curé Sévin, qui eut tant de peine à me croire l'auteur du
Génie du Christianisme, hôtes fidèles de mon père jusqu'à
sa dernière demeure. Mais mon père ne coucha pas longtemps dans son linceul : il en fut jeté hors, quand on jeta la
vieille France à la voirie.

Dans l'extrait mortuaire de ma mère, la terre roule sur
d'autres pôles : nouveau monde, nouvelle ère ; le comput
des années et les noms même des mois sont changés.
Madame de Chateaubriand n'est plus qu'une pauvre femme
qui obite[1]   au domicile de la *citoyenne* Gouyon ; un

---

1. Qui meurt.

jardinier, et un journalier qui ne sait pas signer, attestent
seuls la mort de ma mère 1 : de parents et d'amis, point ;
nulle pompe funèbre ; pour tout assistant, la Révolution*.

Berlin, mars 1821.

REGRETS. — MON PÈRE M'EÛT-IL APPRÉCIÉ ?

JE pleurai M. de Chateaubriand : sa mort me montra mieux
ce qu'il valait ; je ne me souvins ni de ses rigueurs ni de ses
faiblesses. Je croyais encore le voir se promener le soir dans
la salle de Combourg ; je m'attendrissais à la pensée de ces
scènes de famille. Si l'affection de mon père pour moi se
ressentait de la sévérité du caractère, au fond elle n'en était
pas moins vive. Le farouche maréchal de Montluc qui,
rendu camard par des blessures effrayantes 2, était réduit à
cacher, sous un morceau de suaire, l'horreur de sa gloire,
cet homme de carnage se reproche sa dureté envers un fils
qu'il venait de perdre.

« Ce pauvre garçon, disait-il, n'a rien veu de moy
« qu'une contenance refroignée et pleine de mespris ; il a
« emporté cette créance, que je n'ay sceu ny l'aymer ny
« l'estimer selon son mérite. À qui garday-je à descouvrir
« cette singulière affection que je luy portay dans mon
« âme ? Estait-ce pas luy qui en devait avoir tout le plaisir
« et toute l'obligation ? Je me suis contraint et gehenné
« pour maintenir ce vain masque, et y ay perdu le plaisir de
« sa conversation, et sa volonté, quant et quant 3, qu'il ne me

1. Le 31 mai 1798.
2. Il avait été blessé au visage pendant le siège de Rabastens.
3. Entendez : et en même temps son affection.
* Mon neveu à la mode de Bretagne, Frédéric de Chateaubriand, fils de
mon cousin Armand, a acheté La Ballue, où mourut ma mère.

« peut avoir portée autre que bien froide, n'ayant jamais
« reçeu de moy que rudesse, ny senti qu'une façon tyran-
« nique[1]. »

Ma *volonté ne fut point portée bien froide* envers mon
père, et je ne doute point que, malgré sa *façon tyrannique,*
il ne m'aimât tendrement : il m'eût, j'en suis sûr, regretté,
la Providence m'appelant avant lui. Mais lui, restant sur la
terre avec moi, eût-il été sensible au bruit qui s'est élevé de
ma vie ? Une renommée littéraire aurait blessé sa gentil-
hommerie ; il n'aurait vu dans les aptitudes de son fils
qu'une dégénération ; l'ambassade même de Berlin, conquête de la plume, non de l'épée, l'eût médiocrement
satisfait. Son sang breton le rendait d'ailleurs frondeur en
politique, grand opposant des taxes et violent ennemi de la
cour. Il lisait la *Gazette de Leyde,* le *Journal de Francfort,* le
Mercure de France et l'*Histoire philosophique des deux
Indes,* dont les déclamations le charmaient ; il appelait
l'abbé Raynal[2] un *maître homme.* En diplomatie il était
anti-musulman ; il affirmait que quarante mille *polissons
russes* passeraient sur le ventre des janissaires et pren-
draient Constantinople. Bien que turcophage, mon père
avait nonobstant rancune au cœur contre les *polissons
russes,* à cause de ses rencontres à Dantzick.

Je partage le sentiment de M. de Chateaubriand sur les
réputations littéraires ou autres, mais par des raisons
différentes des siennes. Je ne sache pas dans l'histoire une
renommée qui me tente : fallût-il me baisser pour ramasser
à mes pieds et à mon profit la plus grande gloire du monde,
je ne m'en donnerais pas la fatigue. Si j'avais pétri mon
limon, peut-être me fussé-je créé femme, en passion d'elles ;
ou si je m'étais fait homme, je me serais octroyé d'abord la
beauté ; ensuite, par précaution contre l'ennui mon ennemi
acharné, il m'eût assez convenu d'être un artiste supérieur,
mais inconnu, et n'usant de mon talent qu'au bénéfice de
ma solitude. Dans la vie pesée à son poids léger, aunée à sa

---

1. Les paroles de Montluc sont ainsi rapportées par Montaigne (*Essais,*
II, viii).
2. Encyclopédiste (1713-1796). Son *Histoire philosophique et politique
des établissements et du commerce des Européens dans les deux Indes* avait
paru clandestinement en 1770.

courte mesure, dégagée de toute piperie, il n'est que deux choses vraies : la religion avec l'intelligence, l'amour avec la jeunesse, c'est à dire l'avenir et le présent : le reste n'en vaut pas la peine.

Avec mon père finissait le premier acte de ma vie : les foyers paternels devenaient vides ; je les plaignais, comme s'ils eussent été capables de sentir l'abandon et la solitude. Désormais j'étais sans maître et jouissant de ma fortune : cette liberté m'effraya. Qu'en allais-je faire ? A qui la donnerais-je ? Je me défiais de ma force ; je reculais devant moi.

Berlin, mars 1821.

RETOUR EN BRETAGNE. — SÉJOUR CHEZ MA SŒUR AINÉE. — MON FRÈRE M'APPELLE À PARIS.

J'OBTINS un congé. M. d'Andrezel, nommé lieutenant-colonel du régiment de Picardie, quittait Cambrai : je lui servis de courrier. Je traversai Paris, où je ne voulus pas m'arrêter un quart d'heure ; je revis les landes de ma Bretagne avec plus de joie qu'un Napolitain banni dans nos climats ne reverrait les rives de Portici, les campagnes de Sorrente. Ma famille se rassembla à Combourg ; on régla les partages ; cela fait, nous nous dispersâmes, comme des oiseaux s'envolent du nid paternel. Mon frère arrivé de Paris y retourna ; ma mère se fixa à Saint-Malo ; Lucile suivit Julie ; je passai une partie de mon temps chez mesdames de Marigny, de Chateaubourg et de Farcy. Marigny, château de ma sœur aînée, à trois lieues de Fougères, était agréablement situé entre deux étangs parmi des bois, des rochers et des prairies. J'y demeurai quelques mois tranquille ; une lettre de Paris vint troubler mon repos.

Au moment d'entrer au service et d'épouser mademoiselle de Rosambo, mon frère n'avait point encore quitté la robe; par cette raison il ne pouvait monter dans les carrosses. Son ambition pressée lui suggéra l'idée de me faire jouir des honneurs de la cour, afin de mieux préparer les voies à son élévation. Les preuves de noblesse avaient été faites pour Lucile, lorsqu'elle fut reçue au chapitre de l'Argentière; de sorte que tout était prêt : le maréchal de Duras devait être mon patron. Mon frère m'annonçait que j'entrais dans la route de la fortune; que déjà j'obtenais le rang de capitaine de cavalerie, rang honorifique et de courtoisie; qu'il serait ensuite aisé de m'attacher à l'ordre de Malte, au moyen de quoi je jouirais de gros bénéfices.

Cette lettre me frappa comme un coup de foudre : retourner à Paris, être présenté à la cour, — et je me trouvais presque mal quand je rencontrais trois ou quatre personnes inconnues dans un salon! Me faire comprendre l'ambition, à moi qui ne rêvais que de vivre oublié!

Mon premier mouvement fut de répondre à mon frère qu'étant l'aîné, c'était à lui de soutenir son nom; que, quant à moi, obscur cadet de Bretagne, je ne me retirerais pas du service, parce qu'il y avait des chances de guerre; mais que si le roi avait besoin d'un soldat dans son armée, il n'avait pas besoin d'un pauvre gentilhomme à sa cour.

Je m'empressai de lire cette réponse romanesque à madame de Marigny, qui jeta les hauts cris; on appela madame de Farcy, qui se moqua de moi; Lucile m'aurait bien voulu soutenir, mais elle n'osait combattre ses sœurs. On m'arracha ma lettre, et toujours faible quand il s'agit de moi, je mandai à mon frère que j'allais partir.

Je partis en effet; je partis pour être présenté à la première cour de l'Europe, pour débuter dans la vie de la manière la plus brillante, et j'avais l'air d'un homme que l'on traîne aux galères, ou sur lequel on va prononcer une sentence de mort.

MA VIE SOLITAIRE A PARIS.

J'ENTRAI dans Paris par le chemin que j'avais suivi la première fois ; j'allai descendre au même hôtel, rue du Mail : je ne connaissais que cela. Je fus logé à la porte de mon ancienne chambre, mais dans un appartement un peu plus grand et donnant sur la rue.

Mon frère, soit qu'il fût embarrassé de mes manières, soit qu'il eût pitié de ma timidité, ne me mena point dans le monde et ne me fit faire connaissance avec personne. Il demeurait rue des Fossés-Montmartre ; j'allais tous les jours dîner chez lui à trois heures ; nous nous quittions ensuite et nous ne nous revoyions que le lendemain. Mon gros cousin Moreau n'était plus à Paris. Je passai deux ou trois fois devant l'hôtel de madame de Chastenay, sans oser demander au suisse ce qu'elle était devenue.

L'automne commençait. Je me levais à six heures ; je passais au manége ; je déjeunais. J'avais heureusement alors la rage du grec : je traduisais l'*Odyssée* et *la Cyropédie* jusqu'à deux heures, en entremêlant mon travail d'études historiques. A deux heures je m'habillais, je me rendais chez mon frère ; il me demandait ce que j'avais fait, ce que j'avais vu ; je répondais : « Rien. » Il haussait les épaules et me tournait le dos.

Un jour, on entend du bruit au dehors, mon frère court à la fenêtre et m'appelle : je ne voulus jamais quitter le fauteuil dans lequel j'étais étendu au fond de la chambre. Mon pauvre frère me prédit que je mourrais inconnu, inutile à moi et à ma famille.

A quatre heures, je rentrais chez moi ; je m'asseyais derrière ma croisée. Deux jeunes personnes de quinze ou seize ans, venaient à cette heure dessiner à la fenêtre d'un hôtel bâti en face, de l'autre côté de la rue. Elles s'étaient aperçues de ma régularité, comme moi de la leur. De temps en temps, elles levaient la tête pour regarder leur voisin ; je leur savais un gré infini de cette marque d'attention : elles étaient ma seule société à Paris.

Quand la nuit approchait, j'allais à quelque spectacle ; le désert de la foule me plaisait, quoiqu'il m'en coutât toujours un peu de prendre mon billet à la porte et de me mêler aux hommes. Je rectifiai les idées que je m'étais formées du théâtre à Saint-Malo. Je vis madame Saint-Huberti [1] dans le rôle d'Armide [2] ; je sentis qu'il avait manqué quelque chose à la magicienne de ma création. Lorsque je ne m'emprisonnais pas dans la salle de l'Opéra ou des Français, je me promenais de rue en rue ou le long des quais, jusqu'à dix et onze heures du soir. Je n'aperçois pas encore aujourd'hui la file des reverbères de la place Louis XV à la barrière des Bons-Hommes [3], sans me souvenir des angoisses dans lesquelles j'étais, quand je suivis cette route pour me rendre à Versailles lors de ma présentation.

Rentré au logis, je demeurais une partie de la nuit la tête penchée sur mon feu qui ne me disait rien : je n'avais pas, comme les Persans, l'imagination assez riche pour me figurer que la flamme ressemblait à l'anémone, et la braise à la grenade. J'écoutais les voitures allant, venant, se croisant ; leur roulement lointain imitait le murmure de la mer sur les grèves de ma Bretagne, ou du vent dans mes bois de Combourg. Ces bruits du monde qui rappelaient ceux de la solitude réveillaient mes regrets ; j'évoquais mon ancien mal, ou bien mon imagination inventait l'histoire des personnages que ces chars emportaient : j'apercevais des salons radieux, des bals, des amours, des conquêtes. Bientôt, retombé sur moi-même, je me retrouvais, délaissé dans une hôtellerie, voyant le monde par la fenêtre et l'entendant aux échos de mon foyer.

Rousseau croit devoir à sa sincérité, comme à l'enseignement des hommes, la confession des voluptés suspectes de sa vie ; il suppose même qu'on l'interroge gravement et qu'on lui demande compte de ses péchés avec les *donne pericolan-*

1. Première chanteuse de l'Opéra.
2. *L'Armide* de Gluck.
3. C'est-à-dire aujourd'hui de la place de la Concorde au pont de Bir-Hakeim. Les Minimes qui avaient leur couvent près de la barrière de Passy étaient communément appelés « les Bonshommes ».

ti[1] de Venise. Si je m'étais prostitué aux courtisanes de Paris, je ne me croirais pas obligé d'en instruire la postérité ; mais j'étais trop timide d'un côté, trop exalté de l'autre, pour me laisser séduire à des filles de joie. Quand je traversais les troupeaux de ces malheureuses attaquant les passants pour les hisser à leurs entrésols, comme les cochers de Saint-Cloud pour faire monter les voyageurs dans leurs voitures, j'étais saisi de dégoût et d'horreur. Les plaisirs d'aventure ne m'auraient convenu qu'aux temps passés.

Dans les XIVe, XVe, XVIe et XVIIe siècles, la civilisation imparfaite, les croyances superstitieuses, les usages étrangers et demi-barbares, mêlaient le roman partout : les caractères étaient forts, l'imagination puissante, l'existence mystérieuse et cachée. La nuit, autour des hauts murs des cimetières et des couvents, sous les remparts déserts de la ville, le long des chaînes et des fossés des marchés, à l'orée des quartiers clos, dans les rues étroites et sans reverbères, où des voleurs et des assassins se tenaient embusqués, où des rencontres avaient lieu tantôt à la lumière des flambeaux, tantôt dans l'épaisseur des ténèbres, c'était au péril de sa tête qu'on cherchait le rendez-vous donné par quelque Héloïse. Pour se livrer au désordre, il fallait aimer véritablement ; pour violer les mœurs générales, il fallait faire de grands sacrifices. Non-seulement il s'agissait d'affronter des dangers fortuits et de braver le glaive des lois, mais on était obligé de vaincre en soi l'empire des habitudes régulières, l'autorité de la famille, la tyrannie des coutumes domestiques, l'opposition de la conscience, les terreurs et les devoirs du chrétien. Toutes ces entraves doublaient l'énergie des passions.

Je n'aurais pas suivi en 1788 une misérable affamée qui m'eût entraîné dans son bouge sous la surveillance de la police ; mais il est probable que j'eusse mis à fin[2], en 1606, une aventure du genre de celle qu'a si bien raconté Bassompierre.

« Il y avait cinq ou six mois, dit le maréchal, que toutes « les fois que je passois sur le Petit-Pont (car en ce temps-là « le Pont-Neuf n'était point bâti) ; une belle femme, lingère

---

1. Les dames dangereuses, les prostituées.
2. Entendez : mis à exécution.

« à l'enseigne des Deux-Anges, me faisoit de grandes révé-
« rences et m'accompagnoit de la vue tant qu'elle pouvoit ;
« et comme j'eus pris garde à son action, je la regardois
« aussi et la saluois avec plus de soin.

« Il advint que lorsque j'arrivai de Fontainebleau à
« Paris, passant sur le Petit-Pont, dès qu'elle m'aperçut
« venir, elle se mit sur l'entrée de sa boutique et me dit,
« comme je passois : — Monsieur, je suis votre servante. —
« Je lui rendis son salut, et me retournant de temps en
« temps, je vis qu'elle me suivoit de la vue aussi longtemps
« qu'elle pouvoit. »

Bassompierre obtient un rendez-vous : « Je trouvai, »
« dit-il, « une très-belle femme, âgée de vingt ans, qui étoit
« coiffée de nuit, n'ayant qu'une très-fine chemise sur elle
« et une petite jupe de revesche verte, et des mules aux
« pieds, avec un peignoir sur elle. Elle me plut bien fort. Je
« lui demandai si je ne pourrois pas la voir encore une autre
« fois. — Si vous voulez me voir une autre fois, me
« répondit-elle, ce sera chez une de mes tantes, qui se tient
« en la rue Bourg-l'Abbé, proche des Halles, auprès de la
« rue aux Ours, à la troisième porte du côté de la rue
« Saint-Martin ; je vous y attendrai depuis dix heures
« jusques à minuit, et plus tard encore ; je laisserai là porte
« ouverte. A l'entrée, il y a une petite allée que vous passerez
« vite, car la porte de la chambre de ma tante y répond, et
« trouverez un degré qui vous mènera à ce second étage. — Je
« vins à dix heures, et trouvai la porte qu'elle m'avoit mar-
« quée, et de la lumière bien grande, non-seulement au second
« étage, mais au troisième et au premier encore ; mais la porte
« étoit fermée. Je frappai pour avertir de ma venue ; mais
« j'ouïs une voix d'homme qui me demanda qui j'étois. Je
« m'en retournai à la rue aux Ours, et étant retourné pour la
« deuxième fois, ayant trouvé la porte ouverte, j'entrai jus-
« ques au second étage, où je trouvai que cette lumière était la
« paille du lit que l'on y brûloit, et deux corps nus étendus sur
« la table de la chambre. Alors, je me retirai bien étonné, et en
« sortant je rencontrai des corbeaux (*enterreurs de morts*) qui
« me demandèrent ce que je cherchois ; et moi, pour les faire
« écarter, mis l'épée à la main et passai outre, m'en revenant à
« mon logis, un peu ému de ce spectacle inopiné. »

Je suis allé, à mon tour, à la découverte, avec l'adresse donnée, il y a deux cent quarante ans, par Bassompierre. J'ai traversé le Petit-Pont, passé les Halles, et suivi la rue Saint-Denis jusqu'à la rue aux Ours, à main droite ; la première rue à main gauche, aboutissant rue aux Ours, est la rue Bourg-l'Abbé. Son inscription, enfumée comme par le temps et un incendie, m'a donné bonne espérance. J'ai retrouvé la *troisième petite porte* du côté de la rue Saint-Martin, tant les renseignements de l'historien sont fidèles. Là, malheureusement, les deux siècles et demi que j'avais crus d'abord restés dans la rue, ont disparu. La façade de la maison est moderne ; aucune clarté ne sortait ni du premier, ni du second, ni du troisième étage. Aux fenêtres de l'attique, sous le toit, régnait une guirlande de capucines et de pois de senteur ; au rez-de-chaussée, une boutique de coiffeur offrait une multitude de tours de cheveux accrochés derrière les vitres.

Tout déconvenu, je suis entré dans ce musée des Eponine[1] : depuis la conquête des Romains, les Gauloises ont toujours vendu leurs tresses blondes à des fronts moins parés ; mes compatriotes bretonnes se font tondre encore à certains jours de foire, et troquent le voile naturel de leur tête pour un mouchoir des Indes. M'adressant à un merlan, qui filait une perruque sur un peigne de fer : « Monsieur, « n'auriez-vous pas acheté les cheveux d'une jeune lingère, « qui demeurait à l'enseigne des *Deux-Anges,* près du « Petit-Pont ? » Il est resté sous le coup, ne pouvant dire ni oui, ni non. Je me suis retiré, avec mille excuses, à travers un labyrinthe de toupets.

J'ai ensuite erré de porte en porte : point de lingère de vingt ans, me faisant de *grandes révérences ;* point de jeune femme franche, désintéressée, passionnée, *coiffée de nuit, n'ayant qu'une très-fine chemise, une petite jupe de reves- che verte, et des mules aux pieds, avec un peignoir sur elle.* Une vieille grognon, prête à rejoindre ses dents dans la tombe, m'a pensé battre avec sa béquille : c'était peut-être la tante du rendez-vous.

---

1. Entendez : dans cette boutique de coiffeur. Eponine est une héroïne gauloise.

Quelle belle histoire, que cette histoire de Bassompierre ! Il faut comprendre une des raisons pour laquelle il avait été si résolument aimé. A cette époque, les Français se séparaient encore en deux classes distinctes, l'une dominante, l'autre demi-serve. La lingère pressait Bassompierre dans ses bras, comme une demi-dieu descendu au sein d'une esclave : il lui faisait l'illusion de la gloire, et les Françaises, seules de toutes les femmes, sont capables de s'enivrer de cette illusion.

Mais qui nous révélera les causes inconnues de la catastrophe ? Etait-ce la gentille grisette des *Deux-Anges,* dont le corps gisait sur la table avec un autre corps ? Quel était l'autre corps ? Celui du mari, ou de l'homme dont Bassompierre entendit la voix ? La peste (car il y avait peste à Paris) ou la jalousie étaient-elles accourues dans la rue Bourg-l'Abbé avant l'amour ? L'imagination se peut exercer à l'aise sur un tel sujet. Mêlez aux inventions du poëte le chœur populaire, les fossoyeurs arrivant, les *corbeaux* et l'épée de Bassompierre, un superbe mélodrame sortira de l'aventure.

Vous admirerez aussi la chasteté et la retenue de ma jeunesse à Paris : dans cette capitale, il m'était loisible de me livrer à tous mes caprices, comme dans l'abbaye de Thélème où chacun agissait à sa volonté ; je n'abusai pas néanmoins de mon indépendance : je n'avais de commerce qu'avec une courtisane âgée de deux cent seize ans, jadis éprise d'un maréchal de France, rival du Béarnais auprès de mademoiselle de Montmorency[1], et amant de mademoiselle d'Entragues, sœur de la marquise de Verneuil[2], qui parle si mal de Henri IV. Louis XVI, que j'allais voir, ne se doutait pas de mes rapports secrets avec sa famille.

1. Le dernier amour d'Henri IV. — Le « maréchal de France » est Bassompierre.
2. Dans ses *Mémoires* Bassompierre conte longuement ses amours avec la jeune sœur d'Henriette d'Entragues. Henriette avait été faite par Henri IV marquise de Verneuil.

PRÉSENTATION À VERSAILLES. — CHASSE AVEC LE ROI.

LE jour fatal arriva ; il fallut partir pour Versailles plus mort que vif. Mon frère m'y conduisit la veille de ma présentation et me mena chez le maréchal de Duras, galant homme dont l'esprit était si commun qu'il réfléchissait quelque chose de bourgeois sur ses belles manières : ce bon maréchal me fit pourtant une peur horrible.

Le lendemain matin, je me rendis seul au château. On n'a rien vu quand on n'a pas vu la pompe de Versailles, même après le licenciément de l'ancienne maison du roi : Louis XIV était toujours là.

La chose alla bien tant que je n'eus qu'à traverser les salles des gardes : l'appareil militaire m'a toujours plu et ne m'a jamais imposé. Mais quand j'entrai dans l'Œil-de-bœuf et que je me trouvai au milieu des courtisans, alors commença ma détresse. On me regardait ; j'entendais demander qui j'étais. Il se faut souvenir de l'ancien prestige de la royauté, pour se pénétrer de l'importance dont était alors une présentation. Une destinée mystérieuse s'attachait au *débutant;* on lui épargnait l'air protecteur méprisant qui composait, avec l'extrême politesse, les manières inimitables du grand seigneur. Qui sait si ce débutant ne deviendra pas le favori du maître ? On respectait en lui la domesticité future dont il pouvait être honoré. Aujourd'hui, nous nous précipitons dans le palais avec encore plus d'empressement qu'autrefois et, ce qu'il y a d'étrange, sans illusion : un courtisan réduit à se nourrir de vérités est bien près de mourir de faim.

Lorsqu'on annonça le lever du roi, les personnes non présentées se retirèrent ; je sentis un mouvement de vanité : je n'étais pas fier de rester, j'aurais été humilié de sortir. La chambre à coucher du roi s'ouvrit : je vis le roi, selon l'usage, achever sa toilette, c'est-à-dire prendre son chapeau de la main du premier gentilhomme de service. Le roi s'avança allant à la messe ; je m'inclinai ; le maréchal de Duras me nomma : « Sire, le chevalier de Chateaubriand. » Le roi me regarda, me rendit mon salut, hésita, eut l'air de vouloir s'arrêter pour m'adresser la parole. J'aurais répondu d'une contenance assurée : ma timidité s'était évanouie. Parler au général de l'armée, au chef de l'Etat, me paraissait tout simple, sans que je me rendisse compte de ce que j'éprouvais. Le roi plus embarrassé que moi, ne trouvant rien à me dire, passa outre. Vanité des destinées humaines ! ce souverain que je voyais pour la première fois, ce monarque si puissant était Louis XVI à six ans de son échafaud ! Et ce nouveau courtisan qu'il regardait à peine, chargé de démêler les ossements parmi des ossements, après avoir été sur preuves de noblesse présenté aux grandeurs du fils de saint Louis, le serait un jour à sa poussière sur preuves de fidélité [1] ! double tribut de respect à la double royauté du sceptre et de la palme ! Louis XVI pouvait répondre à ses juges comme le Christ aux Juifs : « Je vous ai fait voir beaucoup de bonnes œuvres ; pour laquelle me lapidez-vous [2] ? »

Nous courûmes à la galerie pour nous trouver sur le passage de la reine lorsqu'elle reviendrait de la chapelle. Elle se montra bientôt entourée d'un radieux et nombreux cortége ; elle nous fit une noble révérence ; elle semblait enchantée de la vie. Et ces belles mains qui soutenaient alors avec tant de grâce le sceptre de tant de rois, devaient, avant d'être liées par le bourreau, ravauder les haillons de la veuve, prisonnière à la Conciergerie !

Si mon frère avait obtenu de moi un sacrifice, il ne dépendait pas de lui de me le faire pousser plus loin. Vainement il me supplia de rester à Versailles, afin d'assister le soir au jeu de la Reine : « Tu seras, me disait-il, nommé à la Reine, et le Roi te parlera. » Il ne me pouvait pas donner de meilleures raisons pour m'enfuir. Je me hâtai de venir cacher ma gloire dans mon hôtel garni, heureux

1. En 1815 Chateaubriand fera partie de la commission chargée de reconnaître les restes de Louis XVI et de Marie-Antoinette au cimetière de la Madeleine.

2. Ev. selon saint Jean, X, 32.

d'être échappé à la Cour, mais voyant encore devant moi la terrible journée des carrosses, du 19 février 1787.

Le duc de Coigny me fit prévenir que je chasserais avec le Roi dans la forêt de Saint-Germain. Je m'acheminai de grand matin vers mon supplice, en uniforme de *débutant,* habit gris, veste et culotte rouges, manchettes de bottes, bottes à l'écuyère, couteau de chasse au côté, petit chapeau français à galon d'or. Nous nous trouvâmes quatre *débu-tants* au château de Versailles, moi, les deux messieurs de Saint-Marsault et le comte d'Hautefeuille*. Le duc de Coigny nous donna nos instructions : il nous avisa de ne pas couper la chasse, le Roi s'emportant lorsqu'on passait entre lui et la bête. Le duc de Coigny portait un nom fatal à la Reine. Le rendez-vous était au Val, dans la forêt de Saint-Germain, domaine engagé par la couronne au maré-chal de Beauveau. L'usage voulait que les chevaux de la première chasse à laquelle assistaient les hommes présentés, fussent fournis des écuries du Roi**.

On bat aux champs : mouvement d'armes, voix de com-mandement. On crie : *le Roi!* Le Roi sort, monte dans son carrosse : nous roulons dans les carrosses à la suite. Il y avait loin de cette course et de cette chasse avec le roi de France, à mes courses et à mes chasses dans les landes de la Bretagne; et plus loin encore, à mes courses et à mes chasses avec les sauvages de l'Amérique : ma vie devait être remplie de ces contrastes.

Nous arrivâmes au point de ralliement, où de nombreux chevaux de selle, tenus en main sous les arbres, témoi-gnaient leur impatience. Les carrosses arrêtés dans la forêt avec les gardes; les groupes d'hommes et de femmes; les meutes à peine contenues par les piqueurs; les aboiements

* J'ai retrouvé M. le comte d'Hautefeuille : il s'occupe de la traduc-tion de morceaux choisis de Byron ; madame la comtesse d'Hautefeuille est l'auteur, plein de talent, de l'*Ame exilée,* etc. etc.

** Dans la *Gazette de France* du mardi 27 février 1787, on lit ce qui suit : « Le comte Charles d'Hautefeuille, le baron de Saint-Marsault, le « baron de Saint-Marsault-Chatelaillon et le chevalier de Chateaubriand, « qui précédemment avaient eu l'honneur d'être présentés au Roi, ont eu, « le 19, celui de monter dans les voitures de Sa Majesté, et de la suivre à la « chasse. »

des chiens, le hennissement des chevaux, le bruit des cors, formaient une scène très animée. Les chasses de nos rois rappelaient à la fois les anciennes et les nouvelles mœurs de la monarchie, les rudes passe-temps de Clodion, de Chilpéric, de Dagobert, la galanterie de François Ier, de Henri IV et de Louis XIV.

J'étais trop plein de mes lectures pour ne pas voir partout des comtesses de Chateaubriand, des duchesses d'Etampes[1], des Gabrielle d'Estrées, des La Vallière, des Montespan. Mon imagination prit cette chasse historiquement, et je me sentis à l'aise : j'étais d'ailleurs dans une forêt, j'étais chez moi.

Au descendu des carrosses, je présentai mon billet aux piqueurs. On m'avait destiné une jument appelée *l'Heureuse,* bête légère, mais sans bouche, ombrageuse et pleine de caprices ; assez vive image de ma fortune, qui chauvit sans cesse des oreilles. Le Roi mis en selle partit ; la chasse le suivit, prenant diverses routes. Je restai derrière à me débattre avec *l'Heureuse,* qui ne voulait pas se laisser enfourcher par son nouveau maître ; je finis cependant par m'élancer sur son dos : la chasse était déjà loin.

Je maîtrisai d'abord assez bien *l'Heureuse;* forcée de raccourcir son galop, elle baissait le cou, secouait le mors blanchi d'écume, s'avançait de travers à petits bonds ; mais lorsqu'elle approcha du lieu de l'action, il n'y eut plus moyen de la retenir. Elle allonge le chanfrein, m'abat la main sur le garrot, vient au grand galop donner dans une troupe de chasseurs, écartant tout sur son passage, ne s'arrêtant qu'au heurt du cheval d'une femme qu'elle faillit culbuter, au milieu des éclats de rire des uns, des cris de frayeur des autres. Je fais aujourd'hui d'inutiles efforts pour me rappeler le nom de cette femme, qui reçut poliment mes excuses. Il ne fut plus question que de l'*aventure* du débutant.

Je n'étais pas au bout de mes épreuves. Environ une demi-heure après ma déconvenue, je chevauchais dans une longue percée à travers des parties de bois désertes ; un pavillon s'élevait au bout : voilà que je me mis à songer à

1. Favorites de François Ier.

ces palais répandus dans les forêts de la couronne, en souvenir de l'origine des rois chevelus et de leurs mystérieux plaisirs : un coup de fusil part ; l'*Heureuse* tourne court, brosse tête baissée dans le fourré, et me porte juste à l'endroit où le chevreuil venait d'être abattu : le Roi paraît.

Je me souvins alors, mais trop tard, des injonctions du duc de Coigny : la maudite *Heureuse* avait tout fait. Je saute à terre, d'une main poussant en arrière ma cavale, de l'autre tenant mon chapeau bas. Le Roi regarde, et ne voit qu'un débutant arrivé avant lui aux fins de la bête ; il avait besoin de parler ; au lieu de s'emporter, il me dit avec un ton de bonhomie et un gros rire : « Il n'a pas tenu longtemps. » C'est le seul mot que j'aie jamais obtenu de Louis XVI. On vint de toutes parts ; on fut étonné de me trouver *causant* avec le Roi. Le débutant Chateaubriand fit du bruit par ses deux *aventures;* mais, comme il lui est toujours arrivé depuis, il ne sut profiter ni de la bonne ni de la mauvaise fortune.

Le Roi força trois autres chevreuils. Les débutants ne pouvant courre que la première bête, j'allai attendre au Val avec mes compagnons le retour de la chasse.

Le Roi revint au Val ; il était gai et contait les accidents de la chasse. On reprit le chemin de Versailles. Nouveau désappointement pour mon frère : au lieu d'aller m'habiller pour me trouver au débotté, moment de triomphe et de faveur, je me jetai au fond de ma voiture et rentrai dans Paris plein de joie d'être délivré de mes honneurs et de mes maux. Je déclarai à mon frère que j'étais déterminé à retourner en Bretagne.

Content d'avoir fait connaître son nom, espérant amener un jour à maturité, par sa présentation, ce qu'il y avait d'avorté dans la mienne, il ne s'opposa pas au départ d'un frère d'un esprit aussi biscornu*.

Telle fut ma première vue de la ville et de la cour. La société me parut plus odieuse encore que je ne l'avais

---

* Le *Mémorial historique de la Noblesse* a publié un document inédit annoté de la main du roi, tiré des Archives du royaume, section historique, registre M 813 et carton M 814 ; il contient *les Entrées.* On y voit mon nom et celui de mon frère : il prouve que ma mémoire m'avait bien servi pour les dates. (Note de Paris, 1840.)

imaginé ; mais si elle m'effraya, elle ne me découragea pas ; je sentis confusément que j'étais supérieur à ce que j'avais aperçu. Je pris pour la cour un dégoût invincible ; ce dégoût, ou plutôt ce mépris que je n'ai pu cacher, m'empêchera de réussir, ou me fera tomber du plus haut point de ma carrière.

Au reste, si je jugeais le monde sans le connaître, le monde, à son tour, m'ignorait. Personne ne devina à mon début ce que je pouvais valoir, et quand je revins à Paris, on ne le devina pas davantage. Depuis ma triste célébrité, beaucoup de personnes m'ont dit : « Comme nous vous « eussions remarqué, si nous vous avions rencontré dans « votre jeunesse ! » Cette obligeante prétention n'est que l'illusion d'une renommée déjà faite. Les hommes se ressemblent à l'extérieur : en vain Rousseau nous dit qu'il possédait deux petits yeux tout charmants : il n'en est pas moins certain, témoin ses portraits, qu'il avait l'air d'un maître d'école ou d'un cordonnier grognon.

Pour en finir avec la cour, je dirai qu'après avoir revu la Bretagne et m'être venu fixer à Paris avec mes sœurs cadettes, Lucile et Julie, je m'enfonçai plus que jamais dans mes habitudes solitaires. On me demandera ce que devint l'histoire de ma présentation. Elle resta là. — Vous ne chassâtes donc plus avec le Roi ? — Pas plus qu'avec l'empereur de la Chine. — Vous ne retournâtes donc plus à Versailles ? — J'allai deux fois jusqu'à Sèvres ; le cœur me faillit, et je revins à Paris. — Vous ne tirâtes donc aucun parti de votre position ? — Aucun. — Que faisiez-vous donc ? — Je m'ennuyais. — Ainsi, vous ne vous sentiez aucune ambition ? — Si fait : à force d'intrigues et de soucis, j'arrivai à la gloire d'insérer dans l'*Almanach des Muses* une idylle [1] dont l'apparition me pensa tuer d'espérance et de crainte. J'aurais donné tous les carrosses du Roi pour avoir composé la romance : *O ma tendre musette !* ou *: De mon berger volage.*

Propre à tout pour les autres, bon à rien pour moi : me voilà.

---

1. Le petit poème *l'Amour de la campagne* a paru dans l'*Almanach des Muses* de 1790.

PASSAGE EN BRETAGNE. — GARNISON DE DIEPPE. — RETOUR À PARIS AVEC LUCILE ET JULIE.

TOUT ce qu'on vient de lire dans le livre précédent a été écrit à Berlin. Je suis revenu à Paris pour le baptême du duc de Bordeaux, et j'ai donné la démission de mon ambassade par fidélité politique à M. de Villèle sorti du ministère. Rendu à mes loisirs, écrivons. A mesure que ces *Mémoires* se remplissent de mes années écoulées, ils me représentent le globe inférieur d'un sablier constatant ce qu'il y a de poussière tombée de ma vie : quand tout le sable sera passé, je ne retournerais pas mon horloge de verre, Dieu m'en eût-il donné la puissance.

La nouvelle solitude dans laquelle j'entrai en Bretagne, après ma présentation, n'était plus celle de Combourg ; elle n'était ni aussi entière, ni aussi sérieuse, et pour tout dire, ni aussi forcée : il m'était loisible de la quitter ; elle perdait de sa valeur. Une vieille châtelaine armoriée, un vieux baron blasonné gardant dans un manoir féodal leur dernière fille et leur dernier fils, offraient ce que les Anglais appellent des *caractères :* rien de provincial, de rétréci dans cette vie, parce qu'elle n'était pas la vie commune.

Chez mes sœurs, la province se retrouvait au milieu des champs : on allait dansant de voisins en voisins, jouant la comédie dont j'étais quelquefois un mauvais acteur. L'hiver, il fallait subir à Fougères la société d'une petite ville, les bals, les assemblées, les dîners, et je ne pouvais pas, comme à Paris, être oublié.

D'un autre côté, je n'avais pas vu l'armée, la cour, sans qu'un changement se fût opéré dans mes idées : en dépit de mes goûts naturels, je ne sais quoi se débattant en moi contre l'obscurité me demandait de sortir de l'ombre. Julie avait la province en détestation ; l'instinct du génie et de la beauté poussait Lucile sur un plus grand théâtre.

Je sentais donc dans mon existence un malaise par qui j'étais averti que cette existence n'était pas ma destinée.

Cependant, j'aimais toujours la campagne, et celle de Marigny était charmante*. Mon régiment avait changé de résidence : le premier bataillon tenait garnison au Havre, le second à Dieppe ; je rejoignis celui-ci : ma présentation faisait de moi un personnage. Je pris goût à mon métier ; je travaillais à la manœuvre ; on me confia des recrues que j'exerçais sur les galets au bord de la mer : cette mer a formé le fond du tableau dans presque toutes les scènes de ma vie.

La Martinière ne s'occupait à Dieppe ni de son homonyme *Lamartinière* [1], ni du P. Simon, lequel écrivait contre Bossuet [2], Port-Royal et les Bénédictins, ni de l'anatomiste Pecquet, que madame de Sévigné appelle le petit Pecquet ; mais la Martinière était amoureux à Dieppe comme à Cambrai : il dépérissait aux pieds d'une forte Cauchoise, dont la coiffe et le toupet avaient une demi-toise de haut. Elle n'était pas jeune : par un singulier hasard, elle s'appelait Cauchie, petite-fille apparemment de cette Dieppoise, Anne Cauchie, qui en 1645 était âgée de cent cinquante ans.

C'était en 1647 qu'Anne d'Autriche, voyant comme moi

1. Le camarade de Chateaubriand au régiment de Navarre n'avait vraisemblablement aucune parenté avec Lamartinière, érudit dieppois, né en 1673.

2. C'est surtout Bossuet qui a écrit contre Richard Simon (1638-1712).

* Marigny a beaucoup changé depuis l'époque où ma sœur l'habitait. Il a été vendu, et appartient aujourd'hui à MM. de Pommereul, qui l'ont fait rebâtir et l'ont fort embelli.

la mer par les fenêtres de sa chambre, s'amusait à regarder les brûlots se consumer pour la divertir. Elle laissait les peuples qui avaient été fidèles à Henri IV garder le jeune Louis XIV; elle donnait à ces peuples des bénédictions infinies, *malgré leur vilain langage normand* [1].

On retrouvait à Dieppe quelques redevances féodales que j'avais vu payer à Combourg : il était dû au bourgeois Vauquelin trois têtes de porc ayant chacune une orange entre les dents, et trois sous marqués de la plus ancienne monnaie connue.

Je revins passer un semestre à Fougères. Là régnait une fille noble, appelée mademoiselle de La Belinaye, tante de cette comtesse de Tronjoli, dont j'ai déjà parlé. Une agréable laide, sœur d'un officier au régiment de Condé, attira mes admirations : je n'aurais pas été assez téméraire pour élever mes vœux jusqu'à la beauté; ce n'est qu'à la faveur des imperfections d'une femme que j'osais risquer un respectueux hommage.

Madame de Farcy, toujours souffrante, prit enfin la résolution d'abandonner la Bretagne. Elle détermina Lucile à la suivre; Lucile, à son tour, vainquit mes répugnances : nous prîmes la route de Paris; douce association des trois plus jeunes oiseaux de la couvée.

Mon frère était marié; il demeurait chez son beau-père, le président de Rosambo [2], rue de Bondy. Nous convînmes de nous placer dans son voisinage : par l'entremise de M. Delisle de Sales [3], logé dans les pavillons de Saint-Lazare, au haut du faubourg Saint-Denis, nous arrêtâmes un appartement dans ces mêmes pavillons.

---

1. Passage inspiré des *Mémoires* de Mme de Motteville. Chez elle ce sont les villageois dieppois qui donnent à la reine mère et au petit roi « des bénédictions infinies ».
2. Le président de Rosanbo était l'un des deux gendres de Malesherbes.
3. Encyclopédiste (1743-1816).

DELISLE DE SALES. — FLINS. — VIE D'UN HOMME DE LETTRES.

MADAME DE FARCY s'était accointée, je ne sais comment, avec Delisle de Sales, lequel avait été mis jadis à Vincennes pour des niaiseries philosophiques. A cette époque, on devenait un personnage quand on avait barbouillé quelques lignes de prose ou inséré un quatrain dans l'*Almanach des Muses*. Delisle de Sales, très-brave homme, très-cordialement médiocre, avait un grand relâchement d'esprit, et laissait aller sous lui ses années ; ce vieillard s'était composé une belle bibliothèque avec ses ouvrages, qu'il brocantait à l'étranger et que personne ne lisait à Paris. Chaque année, au printemps, il faisait ses remontes d'idées en Allemagne. Gras et débraillé, il portait un rouleau de papier crasseux que l'on voyait sortir de sa poche ; il y consignait au coin des rues sa pensée du moment. Sur le piédestal de son buste en marbre, il avait tracé de sa main cette inscription, empruntée au buste de Buffon : *Dieu, l'homme, la nature, il a tout expliqué.* Delisle de Sales tout expliqué ! Ces orgueils sont bien plaisants, mais bien décourageants. Qui se peut flatter d'avoir un talent véritable ? ne pouvons-nous pas être, tous tant que nous sommes, sous l'empire d'une illusion semblable à celle de Delisle de Sales ? Je parierais que tel auteur qui lit cette phrase, se croit un écrivain de génie, et n'est pourtant qu'un sot.

Si je me suis trop longuement étendu sur le compte du digne homme des pavillons de Saint-Lazare, c'est qu'il fut le premier littérateur que je rencontrai : il m'introduisit dans la société des autres.

La présence de mes deux sœurs me rendit le séjour de Paris moins insupportable ; mon penchant pour l'étude affaiblit encore mes dégoûts. Delisle de Sales me semblait un aigle. Je vis chez lui Carbon Flins des Oliviers [1], qui

1. Journaliste et auteur dramatique (1757-1806).

tomba amoureux de madame de Farcy. Elle s'en moquait ; il prenait bien la chose, car il se piquait d'être de bonne compagnie. Flins me fit connaître Fontanes, son ami, qui est devenu le mien.

Fils d'un maître des eaux et forêts de Reims, Flins avait reçu une éducation négligée ; au demeurant, homme d'esprit et parfois de talent. On ne pouvait voir quelque chose de plus laid : court et bouffi, de gros yeux saillants, des cheveux hérissés, des dents sales, et malgré cela l'air pas trop ignoble. Son genre de vie, qui était celui de presque tous les gens de lettres de Paris à cette époque, mérite d'être raconté.

Flins occupait un appartement rue Mazarine, assez près de Laharpe, qui demeurait rue Guénégaud. Deux Savoyards, travestis en laquais par la vertu d'une casaque de livrée, le servaient ; le soir, ils le suivaient, et introduisaient les visites chez lui le matin. Flins allait régulièrement au Théâtre-Français, alors placé à l'Odéon, et excellent surtout dans la comédie. Brizard[1] venait à peine de finir ; Talma commençait ; Larive, Saint-Phal, Fleury, Molé, Dazincourt, Dugazon, Grandmesnil, mesdames Contat, Saint-Val, Desgarcins, Olivier étaient dans toute la force du talent, en attendant mademoiselle Mars, fille de Monvel, prête à débuter au théâtre Montansier. Les actrices protégeaient les auteurs et devenaient quelquefois l'occasion de leur fortune.

Flins, qui n'avait qu'une petite pension de sa famille, vivait de crédit. Vers les vacances du Parlement, il mettait en gage les livrées de ses Savoyards, ses deux montres, ses bagues et son linge, payait avec le prêt ce qu'il devait, partait pour Reims, y passait trois mois, revenait à Paris, retirait, au moyen de l'argent que lui donnait son père, ce qu'il avait déposé au Mont-de-Piété, et recommençait le cercle de cette vie, toujours gai et bien reçu.

1. Ce tragédien avait presque cinquante ans de plus que Talma.

GENS DE LETTRES. — PORTRAITS.

DANS le cours des deux années qui s'écoulèrent depuis mon établissement à Paris jusqu'à l'ouverture des Etats-Généraux, cette société s'élargit. Je savais par cœur les élégies du chevalier de Parny, et je les sais encore. Je lui écrivis pour lui demander la permission de voir un poëte dont les ouvrages faisaient mes délices ; il me répondit poliment : je me rendis chez lui rue de Cléry.

Je trouvai un homme assez jeune encore, de très-bon ton, grand, maigre, le visage marqué de petite-vérole. Il me rendit ma visite ; je le présentai à mes sœurs. Il aimait peu la société et il en fut bientôt chassé par la politique : il était alors du vieux parti. Je n'ai point connu d'écrivain qui fût plus semblable à ses ouvrages : poëte et créole, il ne lui fallait que le ciel de l'Inde, une fontaine, un palmier et une femme. Il redoutait le bruit, cherchait à glisser dans la vie sans être aperçu, sacrifiait tout à sa paresse, et n'était trahi dans son obscurité que par ses plaisirs qui touchaient en passant sa lyre :

> *Que notre vie heureuse et fortunée*
> *Coule, en secret, sous l'aile des amours,*
> *Comme un ruisseau qui, murmurant à peine,*
> *Et dans son lit resserrant tous ses flots,*
> *Cherche avec soin l'ombre des arbrisseaux,*
> *Et n'ose pas se montrer dans la plaine.*

C'est cette impossibilité de se soustraire à son indolence qui, de furieux aristocrate, rendit le chevalier de Parny misérable révolutionnaire, attaquant la religion persécutée et les prêtres à l'échafaud, achetant son repos à tout prix, et prêtant à la muse qui chanta Eléonore le langage de ces lieux où Camille Desmoulins allait marchander ses amours.

L'auteur de l'*Histoire de la littérature italienne*, qui

s'insinua dans la révolution à la suite de Chamfort, nous arriva par ce cousinage que tous les Bretons ont entre eux. Ginguené vivait dans le monde sur la réputation d'une pièce de vers assez gracieuse, *la Confession de Zulmé,* qui lui valut une chétive place dans les bureaux de M. de Necker ; de là sa pièce sur son entrée au contrôle-général. Je ne sais qui disputait à Ginguené son titre de gloire, *la Confession de Zulmé ;* mais dans le fait il lui appartenait.

Le poëte rennais savait bien la musique et composait des romances. D'humble qu'il était, nous vîmes croître son orgueil, à mesure qu'il s'accrochait à quelqu'un de connu. Vers le temps de la convocation des Etats-Généraux, Chamfort l'employa à barbouiller des articles pour des journaux et des discours pour des clubs : il se fit superbe[1]. A la première Fédération il disait : « Voilà une belle fête ! on « devrait pour mieux l'éclairer brûler quatre aristocrates « aux quatre coins de l'autel. » Il n'avait pas l'initiative de ces vœux ; longtemps avant lui, le ligueur Louis Dorléans avait écrit dans son *Banquet du comte d'Arête :* « qu'il « fallait attacher en guise de fagots les ministres protestants « à l'arbre du feu de Saint-Jean et mettre le roi Henry IV « dans les muids où l'on mettait les chats. »

Ginguené eut une connaissance anticipée des meurtres révolutionnaires. Madame Ginguené prévint mes sœurs et ma femme du massacre qui devait avoir lieu aux Carmes, et leur donna asile : elles demeuraient *cul-de-sac Férou*[2], dans le voisinage du lieu où l'on devait égorger.

Après la Terreur, Ginguené devint quasi chef de l'instruction publique ; ce fut alors qu'il chanta *l'Arbre de la liberté* au Cadran-Bleu[3], sur l'air : *Je l'ai planté, je l'ai vu naître.* On le jugea assez béat de philosophie pour une ambassade auprès d'un de ces rois qu'on décourronnait. Il écrivait de Turin à M. de Talleyrand, qu'il avait *vaincu un préjugé :* il avait fait recevoir sa femme *en pet-en-l'air*[4] à la cour.

---

1. Pierre-Louis Ginguené (1748-1816) était né à Rennes. Chateaubriand n'oublie pas qu'il avait critiqué durement le *Génie du Christianisme.*
2. Près de Saint-Sulpice.
3. Restaurant alors à la mode, situé près du jardin des Plantes.
4. Sorte de robe de chambre qui ne descendait que jusqu'au bas des reins.

Tombé de la médiocrité dans l'importance, de l'importance dans la niaiserie, et de la niaiserie dans le ridicule, il a fini ses jours littérateur distingué comme critique, et, ce qu'il y a de mieux, écrivain indépendant dans la *Décade* : la nature l'avait remis à la place d'où la société l'avait mal-à-propos tiré. Son savoir est de seconde main, sa prose lourde, sa poésie correcte et quelquefois agréable.

Ginguené avait un ami, le poëte Lebrun [1]. Ginguené protégeait Lebrun, comme un homme de talent, qui connaît le monde, protège la simplicité d'un homme de génie ; Lebrun, à son tour, répandait ses rayons sur les hauteurs de Ginguené. Rien n'était plus comique que le rôle de ces deux compères, se rendant, par un doux commerce, tous les services que se peuvent rendre deux hommes supérieurs dans des genres divers.

Lebrun était tout bonnement un faux monsieur de l'Empirée ; sa verve était aussi froide que ses transports étaient glacés. Son Parnasse, chambre haute dans la rue Montmartre, offrait pour tout meuble des livres entassés pêle-mêle sur le plancher, un lit de sangle dont les rideaux, formés de deux serviettes sales, pendillaient sur une tringle de fer rouillé, et la moitié d'un pot à l'eau accotée contre un fauteuil dépaillé. Ce n'est pas que Lebrun ne fût à son aise, mais il était avare et adonné à des femmes de mauvaise vie.

Au souper *antique* de M. de Vaudreuil [2], il joua le personnage de Pindare. Parmi ses poésies lyriques, on trouve des strophes énergiques ou élégantes, comme dans l'ode sur le vaisseau *le Vengeur* et dans l'ode sur *les Environs de Paris*. Ses élégies sortent de sa tête, rarement de son âme ; il a l'originalité recherchée, non l'originalité naturelle ; il ne crée rien qu'à force d'art ; il se fatigue à pervertir le sens des mots et à les conjoindre par des alliances monstrueuses. Lebrun n'avait de vrai talent que pour la satire ; son épître sur *la bonne et la mauvaise plaisanterie* a joui d'un renom mérité. Quelques-unes de ses

1. Ecouchard Le Brun (1729-1807), celui qu'on appelait Le Brun-Pindare.

2. Le comte de Vaudreuil était un familier du comte d'Artois. Ce souper, où les convives étaient costumés à l'antique, eut lieu chez Mme Vigée-Lebrun.

épigrammes sont à mettre auprès de celles de J.-B. Rousseau : Laharpe surtout l'inspirait. Il faut encore lui rendre une autre justice ; il fut indépendant sous Bonaparte, et il reste de lui, contre l'oppresseur de nos libertés, des vers sanglants.

Mais, sans contredit, le plus bilieux des gens de lettres que je connus à Paris à cette époque était Chamfort ; atteint de la maladie qui a fait les Jacobins, il ne pouvait pardonner aux hommes le hasard de sa naissance. Il trahissait la confiance des maisons où il était admis ; il prenait le cynisme de son langage pour la peinture des mœurs de la cour. On ne pouvait lui contester de l'esprit et du talent, mais de cet esprit et de ce talent qui n'atteignent point la postérité. Quand il vit que sous la Révolution il n'arrivait à rien, il tourna contre lui-même les mains qu'il avait levées sur la société. Le bonnet rouge ne parut plus à son orgueil qu'une autre espèce de couronne, le sans-culottisme qu'une sorte de noblesse, dont les Marat et les Robespierre étaient les grands seigneurs. Furieux de retrouver l'inégalité des rangs jusque dans le monde des douleurs et des larmes, condamné à n'être encore qu'un *vilain* dans la féodalité des bourreaux, il se voulut tuer pour échapper aux supériorités du crime ; il se manqua : la mort se rit de ceux qui l'appellent et qui la confondent avec le néant.

Je n'ai connu l'abbé Delille qu'en 1798 à Londres, et n'ai vu ni Rulhière 1, qui vit par madame d'Egmont et qui la fait vivre, ni Palissot 2, ni Beaumarchais, ni Marmontel 3. Il en est ainsi de Chénier 4 que je n'ai jamais rencontré, qui m'a beaucoup attaqué, auquel je n'ai jamais répondu, et dont la place à l'Institut devait produire une des crises de ma vie.

Lorsque je relis la plupart des écrivains du dix-huitième siècle, je suis confondu, et du bruit qu'ils ont fait et de mes anciennes admirations. Soit que la langue ait avancé, soit qu'elle ait rétrogradé, soit que nous ayons marché vers la civilisation, ou battu en retraite vers la barbarie, il est

1. Carloman de Rulhière, diplomate et historien (1735-1791), épris de la comtesse d'Egmont, fille du maréchal de Richelieu.
2. Adversaire des Encyclopédistes (1730-1814).
3. Secrétaire perpétuel de l'Académie française (1723-1799).
4. Le frère d'André. Chateaubriand lui succédera à l'Académie.

certain que je trouve quelque chose d'usé, de passé, de grisaillé, d'inanimé, de froid dans les auteurs qui firent les délices de ma jeunesse. Je trouve même dans les plus grands écrivains de l'âge voltairien des choses pauvres de sentiment, de pensée et de style.

À qui m'en prendre de mon mécompte ? J'ai peur d'avoir été le premier coupable ; novateur né, j'aurai peut-être communiqué aux générations nouvelles la maladie dont j'étais atteint. Epouvanté, j'ai beau crier à mes enfants : « N'oubliez pas le français ! » Ils me répondent comme le Limousin à Pantagruel : « qu'ils viennent de l'alme, inclyte « et célèbre académie que l'on vocite Lutèce 1. »

Cette manière de gréciser et de latiniser notre langue n'est pas nouvelle, comme on le voit : Rabelais la guérit, elle reparut dans Ronsard ; Boileau l'attaqua 2. De nos jours elle a ressuscité par la science ; nos révolutionnaires, grands Grecs par nature, ont obligé nos marchands et nos paysans à apprendre les hectares, les hectolitres, les kilomètres, les millimètres, les décagrammes : la politique a *ronsardisé*.

J'aurais pu parler ici de M. de Laharpe, que je connus alors et sur lequel je reviendrai ; j'aurais pu ajouter à la galerie de mes portraits celui de Fontanes ; mais bien que mes relations avec cet excellent homme prissent naissance en 1789, ce ne fut qu'en Angleterre que je me liai avec lui d'une amitié toujours accrue par la mauvaise fortune, jamais diminuée par la bonne ; je vous en entretiendrai plus tard dans toute l'effusion de mon cœur. Je n'aurai à peindre que des talents qui ne consolent plus la terre. La mort de mon ami est survenue au moment où mes souvenirs me conduisaient à retracer le commencement de sa vie. Notre existence est d'une telle fuite, que si nous n'écrivons pas le soir l'événement du matin, le travail nous encombre et nous n'avons plus le temps de le mettre à jour. Cela ne nous empêche pas de gaspiller nos années, de jeter au vent ces heures qui sont pour l'homme les semences de l'éternité.

---

1. Rabelais, *Pantagruel*, ch. VI.
2. Boileau reproche étourdiment à Ronsard d'avoir « en français parlé grec et latin » (*Art poét.* I).

Famille Rosambo. — M. de Malesherbes : sa prédilection pour Lucile. — Apparition et changement de ma sylphide.

Si mon inclination et celle de mes deux sœurs m'avaient jeté dans cette société littéraire, notre position nous forçait d'en fréquenter une autre ; la famille de la femme de mon frère fut naturellement pour nous le centre de cette dernière société.

Le président Le Pelletier de Rosambo, mort depuis avec tant de courage, était, quand j'arrivai à Paris, un modèle de légèreté. A cette époque, tout était dérangé dans les esprits et dans les mœurs, symptôme d'une révolution prochaine. Les magistrats rougissaient de porter la robe et tournaient en moquerie la gravité de leurs pères. Les Lamoignon, les Molé, les Séguier, les d'Aguesseau voulaient combattre et ne voulaient plus juger. Les présidentes, cessant d'être de vénérables mères de famille, sortaient de leurs sombres hôtels pour devenir femmes à brillantes aventures. Le prêtre, en chaire, évitait le nom de Jésus-Christ et ne parlait que du *législateur des chrétiens;* les ministres tombaient les uns sur les autres ; le pouvoir glissait de toutes les mains. Le suprême bon ton était d'être Américain à la ville, Anglais à la cour, Prussien à l'armée ; d'être tout, excepté Français. Ce que l'on faisait, ce que l'on disait, n'était qu'une suite d'inconséquences. On prétendait garder des abbés commandataires, et l'on ne voulait point de religion ; nul ne pouvait être officier s'il n'était gentilhomme, et l'on déblatérait contre la noblesse ; on introduisait l'égalité dans les salons et les coups de bâton dans les camps.

190

M. de Malesherbes avait trois filles[1], mesdames de Rosambo, d'Aulnay, de Montboissier : il aimait de préférence madame de Rosambo, à cause de la ressemblance de ses opinions avec les siennes. Le président de Rosambo avait également trois filles, mesdames de Chateaubriand, d'Aulnay, de Tocqueville[2], et un fils dont l'esprit brillant s'est recouvert de la perfection chrétienne. M. de Malesherbes se plaisait au milieu de ses enfants, petits-enfants et arrière-petits-enfants. Maintes fois, au commencement de la Révolution, je l'ai vu arriver chez madame de Rosambo, tout échauffé de politique, jeter sa perruque, se coucher sur le tapis de la chambre de ma belle-sœur, et se laisser lutiner avec un tapage affreux par les enfants ameutés[3]. Ç'aurait été du reste un homme assez vulgaire dans ses manières, s'il n'eût eu certaine brusquerie qui le sauvait de l'air commun : à la première phrase qui sortait de sa bouche, on sentait l'homme d'un vieux nom et le magistrat supérieur. Ses vertus naturelles s'étaient un peu entachées d'affectation par la philosophie qu'il y mêlait. Il était plein de science, de probité et de courage ; mais bouillant, passionné au point qu'il me disait un jour en parlant de Condorcet : « Cet homme a été mon ami ; aujourd'hui, je ne me ferais « aucun scrupule de le tuer comme un chien. » Les flots de la Révolution le débordèrent, et sa mort a fait sa gloire. Ce grand homme serait demeuré caché dans ses mérites, si le malheur ne l'eût décelé à la terre. Un noble Vénitien perdit la vie, en retrouvant ses titres dans l'éboulement d'un vieux palais.

Les franches façons de M. de Malesherbes m'ôtèrent toute contrainte. Il me trouva quelque instruction ; nous nous touchâmes par ce premier point : nous parlions de botanique et de géographie, sujets favoris de ses conversations. C'est en m'entretenant avec lui que je conçus l'idée de faire un voyage dans l'Amérique du Nord, pour découvrir la

1. Deux seulement ; Mme d'Aulnay était l'une des trois filles du président de Rosambo.

2. Le comte de Tocqueville est le père d'Alexis de Tocqueville (1805-1859), auteur de *La Démocratie en Amérique* (cf. p. 652 et tome IV, p. 534).

3. Terme de chasse : mis en meute pour chasser, d'où groupes pour s'agiter.

mer vue par Hearne[1] et depuis par Mackenzie*. Nous nous entendions aussi en politique : les sentiments généreux du fond de nos premiers troubles allaient à l'indépendance de mon caractère ; l'antipathie naturelle que je ressentais pour la cour ajoutait force à ce penchant. J'étais du côté de M. de Malesherbes et de madame de Rosambo, contre M. de Rosambo et contre mon frère, à qui l'on donna le surnom de *l'enragé* Chateaubriand. La Révolution m'aurait entraîné, si elle n'eût débuté par des crimes : je vis la première tête portée au bout d'une pique, et je reculai. Jamais le meurtre ne sera à mes yeux un objet d'admiration et un argument de liberté ; je ne connais rien de plus servile, de plus méprisable, de plus lâche, de plus borné qu'un terroriste. N'ai-je pas rencontré en France toute cette race de Brutus au service de César et de sa police ? Les niveleurs, régénérateurs, égorgeurs, étaient transformés en valets, espions, sycophantes, et moins naturellement encore en ducs, comtes et barons : quel moyen âge !

Enfin, ce qui m'attacha davantage à l'illustre vieillard, ce fut sa prédilection pour ma sœur : malgré la timidité de la comtesse Lucile, on parvint, à l'aide d'un peu de vin de Champagne, à lui faire jouer un rôle dans une petite pièce, à l'occasion de la fête de M. de Malesherbes ; elle se montra si touchante que le bon et grand homme en avait la tête tournée. Il poussait plus que mon frère même à sa translation du chapitre d'Argentière à celui de Remiremont, où l'on exigeait les preuves rigoureuses et difficiles *des seize quartiers*. Tout philosophe qu'il était, M. de Malesherbes avait à un haut degré les principes de la naissance.

Il faut étendre dans l'espace d'environ deux années cette peinture des hommes et de la société à mon apparition dans le monde, entre la clôture de la première assemblée des Notables, le 25 mai 1787, et l'ouverture des États-Généraux, le 5 mai 1789. Pendant ces deux années, mes sœurs et moi, nous n'habitâmes constamment ni Paris, ni le même lieu

1. Hearne et Mackensie, deux voyageurs anglais, avaient exploré certaines des régions les plus septentrionales de l'Amérique. Voir p. 278.

* Dans ces dernières années, naviguée par le capitaine Franklin et le capitaine Parry. (Note de Genève, 1831).

dans Paris. Je vais maintenant rétrograder et ramener mes lecteurs en Bretagne.

Du reste, j'étais toujours affolé de mes illusions; si mes bois me manquaient, les temps passés, au défaut des lieux lointains, m'avaient ouvert une autre solitude. Dans le vieux Paris, dans les enceintes de Saint-Germain-des-Prés, dans les cloîtres des couvents, dans les caveaux de Saint-Denis, dans la Sainte-Chapelle, dans Notre-Dame, dans les petites rues de la Cité, à la porte obscure d'Héloïse, je revoyais mon enchanteresse; mais elle avait pris, sous les arches gothiques et parmi les tombeaux, quelque chose de la mort : elle était pâle, elle me regardait avec des yeux tristes; ce n'était plus que l'ombre ou les mânes du rêve que j'avais aimé.

Paris, septembre 1821.

Revu en décembre 1846.

PREMIERS MOUVEMENTS POLITIQUES EN BRETAGNE. — COUP D'ŒIL SUR L'HISTOIRE DE LA MONARCHIE.

MES différentes résidences en Bretagne, dans les années 1787 et 1788, commencèrent mon éducation politique. On retrouvait dans les Etats de province le modèle des Etats-Généraux : aussi les troubles particuliers qui annoncèrent ceux de la nation, éclatèrent-ils dans deux pays d'Etats, la Bretagne et le Dauphiné.

La transformation qui se développait depuis deux cents ans touchait à son terme : la France passée de la monarchie féodale à la monarchie des Etats-Généraux, de la monarchie des Etats-Généraux à la monarchie des parlements, de la monarchie des parlements à la monarchie absolue, tendait à la monarchie représentative, à travers la lutte de la magistrature contre la puissance royale.

Le parlement Maupeou, l'établissement des assemblées provinciales, avec le vote par tête, la première et la seconde assemblées des Notables, la Cour plénière, la formation des grands bailliages, la réintégration civile des protestants, l'abolition partielle de la torture, celle des corvées, l'égale répartition du payement de l'impôt, étaient des preuves successives de la révolution qui s'opérait. Mais alors, on ne voyait pas l'ensemble des faits : chaque événement paraissait un accident isolé. A toutes les périodes historiques, il existe un esprit-principe. En ne regardant qu'un point, on n'aperçoit pas les rayons convergeant au centre de tous les autres points ; on ne remonte pas jusqu'à l'agent caché qui donne la vie et le mouvement général, comme l'eau ou le feu dans les machines : c'est pourquoi, au début des révolutions, tant de personnes croient qu'il suffirait de briser telle roue, pour empêcher le torrent de couler ou la vapeur de faire explosion.

Le dix-huitième siècle, siècle d'action intellectuelle, non d'action matérielle, n'aurait pas réussi à changer si promptement les lois, s'il n'eût rencontré son véhicule : les parlements, et notamment le parlement de Paris, devinrent les instruments du système philosophique. Toute opinion meurt impuissante ou frénétique, si elle n'est logée dans une assemblée qui la rend pouvoir, la munit d'une volonté, lui attache une langue et des bras. C'est et ce sera toujours par des corps légaux ou illégaux qu'arrivent et arriveront les révolutions.

Les parlements avaient leur cause à venger : la monarchie absolue leur avait ravi une autorité usurpée sur les Etats-Généraux. Les enregistrements forcés, les lits de justice, les exils, en rendant les magistrats populaires, les poussaient à demander des libertés dont au fond ils n'étaient pas sincères partisans. Ils réclamaient les Etats-Généraux, n'osant avouer qu'ils désiraient pour eux-mêmes la puissance législative et politique ; ils hâtaient de la sorte la résurrection d'un corps dont ils avaient recueilli l'héritage, lequel, en reprenant la vie, les réduirait tout d'abord à leur propre spécialité, la justice. Les hommes se trompent presque toujours dans leur intérêt, qu'ils se meuvent par sagesse ou passion : Louis XVI rétablit les parlements qui le forcèrent à appeler les Etats-Généraux ; les Etats-Généraux, transformés en assemblée nationale et bientôt en Convention, détruisirent le trône et les parlements, envoyèrent à la mort et les juges et le monarque de qui émanait la justice. Mais Louis XVI et les parlements en agirent de la sorte, parce qu'ils étaient, sans le savoir, les moyens d'une révolution sociale.

L'idée des Etats-Généraux était donc dans toutes les têtes, seulement on ne voyait pas où cela allait. Il était question, pour la foule, de combler un déficit que le moindre banquier aujourd'hui se chargerait de faire disparaître. Un remède si violent, appliqué à un mal si léger, prouve qu'on était emporté vers des régions politiques inconnues. Pour l'année 1786, seule année dont l'état financier soit bien avéré, la recette était de 412,924,000 livres, la dépense de 593,542,000 livres ; déficit 180,618,000 livres, réduit à 140 millions, par 40 millions 618 mille livres d'économie. Dans ce budget, la maison du Roi est portée à l'immense somme de 37 millions 200 mille livres : les dettes des princes, les acquisitions de châteaux et les déprédations de la cour étaient la cause de cette surcharge.

On voulait avoir les Etats-Généraux dans leur forme de 1614. Les historiens citent toujours cette forme, comme si, depuis 1614, on n'avait jamais ouï parler des Etats-Généraux, ni réclamé leur convocation. Cependant, en 1651, les ordres de la noblesse et du clergé, réunis à Paris, demandèrent les Etats-Généraux. Il existe un gros recueil des actes et des discours faits et prononcés alors. Le parlement de Paris, tout-puissant à cette époque, loin de seconder le vœu des deux premiers ordres, cassa leurs assemblées comme illégales ; ce qui était vrai.

Et puisque je suis sur ce chapitre, je veux noter un autre fait grave, échappé à ceux qui se sont mêlés et qui se mêlent d'écrire l'histoire de France, sans la savoir. On parle des *trois ordres,* comme constituant essentiellement les Etats dit généraux. Eh bien, il arrivait souvent que des bailliages ne nommaient des députés que pour *un* ou *deux* ordres. En 1614, le bailliage d'Amboise n'en nomma ni pour le clergé,

ni pour la noblesse ; le bailliage de Chateauneuf-en-Thime-
rais n'en envoya ni pour le clergé, ni pour le tiers-état ; Le
Puy, La Rochelle, Le Lauraguais, Calais, la Haute-Marche,
Châtellerault firent défaut pour le clergé, et Montdidier et
Roye pour la noblesse. Néanmoins, les Etats de 1614 furent
appelés *Etats-Généraux.* Aussi les anciennes chroniques,
s'exprimant d'une manière plus correcte, disent, en parlant
de nos assemblées nationales, ou les *trois Etats,* ou les
notables bourgeois, ou les *barons et les évêques,* selon
l'occurrence, et elles attribuent à ces assemblées ainsi
composées la même force législative. Dans les diverses
provinces, souvent le tiers, tout convoqué qu'il était, ne
députait pas, et cela par une raison inaperçue, mais fort
naturelle. Le tiers s'était emparé de la magistrature ; il en
avait chassé les gens d'épée ; il y régnait d'une manière
absolue, excepté dans quelques parlements nobles, comme
juge, avocat, procureur, greffier, clerc, etc. ; il faisait les lois
civiles et criminelles, et, à l'aide de l'usurpation parlementaire, il exerçait même le pouvoir politique. La fortune,
l'honneur et la vie des citoyens relevaient de lui : tout
obéissait à ses arrêts, toute tête tombait sous le glaive de ses
justices. Quand donc il jouissait isolément d'une puissance
sans bornes, qu'avait-il besoin d'aller chercher une faible
portion de cette puissance, dans des assemblées où il n'avait
paru qu'à genoux ?

Le peuple, métamorphosé en moine, s'était réfugié dans
les cloîtres, et gouvernait la société par l'opinion religieuse ;
le peuple, métamorphosé en collecteur et en banquier,
s'était réfugié dans la finance, et gouvernait la société par
l'argent ; le peuple, métamorphosé en magistrat, s'était
réfugié dans les tribunaux, et gouvernait la société par la
loi. Ce grand royaume de France, aristocrate dans ses
parties ou ses provinces, était démocrate dans son ensemble,
sous la direction de son roi, avec lequel il s'entendait à
merveille et marchait presque toujours d'accord. C'est ce
qui explique sa longue existence. Il y a toute une nouvelle
histoire de France à faire, ou plutôt l'histoire de France
n'est pas faite.

Toutes les grandes questions mentionnées ci-dessus
étaient particulièrement agitées dans les années 1786, 1787

et 1788. Les têtes de mes compatriotes trouvaient dans leur vivacité naturelle, dans les priviléges de la province, du clergé et de la noblesse, dans les collisions du parlement et des Etats, abondante matière d'inflammation. M. de Calonne [1], un moment intendant de la Bretagne, avait augmenté les divisions en favorisant la cause du tiers-état. M. de Montmorin [2] et M. de Thiard étaient des commandants trop faibles pour faire dominer le parti de la cour. La noblesse se coalisait avec le parlement, qui était noble ; tantôt elle résistait à M. Necker, à M. de Calonne, à l'archevêque de Sens [3] ; tantôt elle repoussait le mouvement populaire, que sa résistance première avait favorisé. Elle s'assemblait, délibérait, protestait ; les communes ou municipalités s'assemblaient, délibéraient, protestaient en sens contraire. L'affaire particulière du *fouage,* en se mêlant aux affaires générales, avait accru les inimitiés. Pour comprendre ceci, il est nécessaire d'expliquer la constitution du duché de Bretagne.

Paris, septembre 1821.

Constitution des États de Bretagne. — Tenue des États.

Les États de Bretagne ont plus ou moins varié dans leur forme, comme tous les Etats de l'Europe féodale, auxquels ils ressemblaient. Les rois de France furent substitués aux droits des ducs de Bretagne. Le contrat de mariage de la duchesse Anne, de l'an 1491, n'apporta pas seulement la Bretagne en dot à la couronne de Charles VIII et de Louis XII,

1. Il devint plus tard contrôleur général des finances (1734-1802).
2. Le père de Pauline de Beaumont, ministre des Affaires étrangères de 1787 à 1791.
3. Loménie de Brienne, ministre sous Louis XVI.

mais il stipula une transaction, en vertu de laquelle fut terminé un différend qui remontait à Charles de Blois et au comte de Montfort. La Bretagne prétendait que les filles héritaient au duché ; la France soutenait que la succession n'avait lieu qu'en ligne masculine ; que celle-ci venant à s'éteindre, la Bretagne, comme grand fief, faisait retour à la couronne. Charles VIII et Anne, ensuite Anne et Louis XII, se cédèrent mutuellement leurs droits ou prétentions. Claude, fille d'Anne et de Louis XII, qui devint femme de François Ier, laissa en mourant le duché de Bretagne à son mari. François 1er, d'après la prière des Etats assemblés à Vannes, unit par édit publié à Nantes en 1532 le duché de Bretagne à la couronne de France, garantissant à ce duché ses libertés et priviléges.

A cette époque, les Etats de Bretagne étaient réunis tous les ans ; mais en 1630, la réunion devint bisannuelle. Le gouverneur proclamait l'ouverture des Etats. Les trois ordres s'assemblaient, selon les lieux, dans une église ou dans les salles d'un couvent. Chaque ordre délibérait à part : c'étaient trois assemblées particulières avec leurs diverses tempêtes, qui se convertissaient en ouragan général quand le clergé, la noblesse et le tiers venaient à se réunir. La cour soufflait la discorde, et dans ce champ resserré, comme dans une plus vaste arène, les talents, les vanités et les ambitions étaient en jeu.

Le père Grégoire de Rostrenen, capucin, dans la dédicace de son *Dictionnaire français-breton,* parle de la sorte à nos seigneurs les Etats de Bretagne :

« S'il ne convenait qu'à l'orateur romain de louer « dignement l'auguste assemblée du sénat de Rome, me « convenait-il de hasarder l'éloge de votre auguste assem- « blée qui nous retrace si dignement l'idée de ce que « l'ancienne et la nouvelle Rome avaient de majestueux et « de respectable ? »

Rostrenen prouve que le celtique est une de ces langues primitives que Gomer, fils aîné de Japhet, apporta en Europe, et que les Bas-Bretons, malgré leur taille, descendent des géants. Malheureusement, les enfants bretons de Gomer, longtemps séparés de la France, ont laissé dépérir une partie de leurs vieux titres : leurs chartes, auxquelles ils ne mettaient pas une assez grande importance comme les liant à l'histoire générale, manquent trop souvent de cette authenticité à laquelle les déchiffreurs de diplômes attachent de leur côté beaucoup trop de prix.

Le temps de la tenue des Etats en Bretagne était un temps de galas et de bals : on mangeait chez M. le commandant, on mangeait chez M. le président de la noblesse, on mangeait chez M. le président du clergé, on mangeait chez M. le trésorier des Etats, on mangeait chez M. l'intendant de la province, on mangeait chez M. le président du parlement ; on mangeait partout : et l'on buvait ! A de longues tables de réfectoire se voyaient assis des du Guesclin laboureurs, des Duguay-Trouin matelots, portant au côté leur épée de fer à vieille garde ou leur petit sabre d'abordage. Tous les gentilshommes assistant aux Etats en personne ne ressemblaient pas mal à une diète de Pologne, de la Pologne à pied, non à cheval, diète de Scythes, non de Sarmates.

Malheureusement, on jouait trop. Les bals ne discontinuaient. Les Bretons sont remarquables par leurs danses et par les airs de ces danses. Madame de Sévigné a peint nos ripailles politiques au milieu des landes, comme ces festins des fées et des sorciers qui avaient lieu la nuit sur les bruyères :

« Vous aurez maintenant, écrit-elle[1], des nouvelles de
« nos Etats pour votre peine d'être Bretonne. M. de Chau-
« nes[2] arriva dimanche au soir, au bruit de tout ce qui peut
« en faire à Vitré : le lundi matin il m'écrivit une lettre ; j'y
« fis réponse par aller dîner avec lui. On mange à deux
« tables dans le même lieu ; il y a quatorze couverts à
« chaque table ; Monsieur en tient une, et Madame l'autre.
« La bonne chère est excessive, on remporte les plats de rôti
« tout entiers ; et pour les pyramides de fruits, il faut faire
« hausser les portes. Nos pères ne prévoyaient pas ces sortes
« de machines, puisque même ils ne comprenaient pas qu'il
« fallût qu'une porte fût plus haute qu'eux...... Après le
« dîner, MM. de Locmaria et Coëtlogon dansèrent avec deux

1. A sa fille, le 5 août 1671.
2. Gouverneur de Bretagne, très lié avec Mme de Sévigné.

« Bretonnes des passe-pieds merveilleux, et des menuets,
« d'un air que les courtisans n'ont pas à beaucoup près : ils
« y font des pas de Bohémiens et de Bas-Bretons avec une
« délicatesse et une justesse qui charment..... C'est un
« jeu, une chère, une liberté jour et nuit qui attirent tout le
« monde. Je n'avais jamais vu les Etats ; c'est une assez belle
« chose. Je ne crois pas qu'il y ait une province
« rassemblée qui ait un aussi grand air que celle-ci ; elle doit
« être bien pleine, du moins, car il n'y en a pas un seul à la
« guerre ni à la cour ; il n'y a que le petit guidon (M. de
« Sévigné le fils), qui peut-être y reviendra un jour comme
« les autres... Une infinité de présents, des pensions, des
« réparations de chemins et de villes, quinze ou vingt
« grandes tables, un jeu continuel, des bals éternels, des
« comédies trois fois la semaine, une grande braverie : voilà
« les Etats. J'oublie trois ou quatre cents pipes de vin qu'on
« y boit. »

Les Bretons ont de la peine à pardonner à madame de
Sévigné ses moqueries. Je suis moins rigoureux ; mais je
n'aime pas qu'elle dise[1] : « Vous me parlez bien plaisam-
« ment de nos misères ; nous ne sommes plus si *roués* : un
« en huit jours seulement, pour entretenir la justice. Il est
« vrai que la penderie me paraît maintenant un rafraîchis-
« sement[2]. » C'est pousser trop loin l'agréable langage de
cour : Barrère parlait avec la même grâce de la guillotine.
En 1793, les noyades de Nantes s'appelaient des *mariages
républicains :* le despotisme populaire reproduisait l'amé-
nité de style du despotisme royal.

Les fats de Paris, qui accompagnaient aux Etats messieurs les gens du Roi, racontaient que nous autres hobe-
reaux nous faisions doubler nos poches de fer-blanc, afin de
porter à nos femmes les fricassées de poulet de M. le
commandant. On payait cher ces railleries. Un comte de
Sabran était naguère resté sur la place, en échange de ses
mauvais propos. Ce descendant des troubadours et des rois

---

1. A sa fille, le 24 novembre 1675.
2. Entendez sans doute que la pendaison apparaît à Mme de Sévigné
moins cruelle que le supplice de la roue. Il n'est pas sûr que dans ce
passage elle n'exprime pas à mots couverts des réserves sur la manière
féroce dont furent réprimées les révoltes paysannes de Bretagne en 1675.

provençaux, grand comme un Suisse, se fit tuer par un petit chasse-lièvre du Morbihan, de la hauteur d'un Lapon. Ce *Ker*[1] ne le cédait point à son adversaire en généalogie : si saint Elzéar de Sabran était proche parent de saint Louis, saint Corentin, grand-oncle du très-noble *Ker,* était évêque de Quimper sous le roi Gallon II, trois cents ans avant Jésus-Christ.

REVENU DU ROI EN BRETAGNE. — REVENU PARTICULIER DE LA PROVINCE. — LE FOUAGE. — J'ASSISTE POUR LA PREMIÈRE FOIS À UNE RÉUNION POLITIQUE. — SCÈNE.

LE revenu du Roi, en Bretagne, consistait dans le don gratuit, variable selon les besoins ; dans le produit du domaine de la couronne, qu'on pouvait évaluer de trois à quatre cent mille francs ; dans la perception du timbre, etc.

La Bretagne avait ses revenus particuliers, qui lui servaient à faire face à ses charges : le *grand* et le *petit devoir,* qui frappaient les liquides et le mouvement des liquides, fournissant deux millions annuels ; enfin, les sommes rentrant par le *fouage.* On ne se doute guère de l'importance du fouage dans notre histoire ; cependant, il fut à la révolution de France ce que fut le timbre à la révolution des Etats-Unis.

Le fouage (*census pro singulis* FOCIS *exactus* [2]) était un cens, ou une espèce de taille, exigé par chaque feu sur les

---

1. C'est Jean-François de Kératry, le « très noble Ker », qui en 1735 avait tué Sabran parce qu'il avait médit des Bretons.

2. « Impôt exigé pour chaque foyer. »

biens roturiers. Avec le fouage graduellement augmenté, se payaient les dettes de la province. En temps de guerre, les dépenses s'élevaient à plus de sept millions d'une session à l'autre, somme qui primait la recette. On avait conçu le projet de créer un capital des deniers provenus du fouage, et de le constituer en rentes au profit des fouagistes : le fouage n'eût plus été alors qu'un emprunt. L'injustice (bien qu'injustice *légale* au terme du droit coutumier) était de le faire porter sur la seule propriété roturière. Les communes ne cessaient de réclamer ; la noblesse, qui tenait moins à son argent qu'à ses priviléges, ne voulait pas entendre parler d'un impôt qui l'aurait rendue taillable. Telle était la question, quand se réunirent les sanglants Etats de Bretagne du mois de décembre 1788.

Les esprits étaient alors agités par diverses causes : l'assemblée des Notables, l'impôt territorial, le commerce des grains, la tenue prochaine des Etats-Généraux et l'affaire du collier, la Cour plénière et le *Mariage de Figaro,* les grands bailliages et Cagliostro et Mesmer[1], mille autres incidents graves ou futiles, étaient l'objet des controverses dans toutes les familles.

La noblesse bretonne, de sa propre autorité, s'était convoquée à Rennes pour protester contre l'établissement de la Cour plénière. Je me rendis à cette diète[2] : c'est la première réunion politique où je me sois trouvé de ma vie. J'étais étourdi et amusé des cris que j'entendais. On montait sur les tables et sur les fauteuils ; on gesticulait, on parlait tous à la fois. Le marquis de Trémargat, jambe de bois, disait d'une voix de Stentor : « Allons tous chez le comman- « dant, M. de Thiard ; nous lui dirons : La noblesse bre- « tonne est à votre porte ; elle demande à vous parler : le « Roi même ne la refuserait pas ! » A ce trait d'éloquence les bravos ébranlaient les voûtes de la salle. Il recommençait : « « Le Roi même ne la refuserait pas ! » Les huchées et les trépignements redoublaient. Nous allâmes chez M. le comte de Thiard, homme de cour, poëte érotique, esprit doux et

1. Cagliostro, aventurier italien. — Mesmer : médecin allemand qui prétendait avoir trouvé dans le « magnétisme animal » un remède à tous les maux.

2. Assemblée.

frivole, mortellement ennuyé de notre vacarme ; il nous regardait comme des *houhous,* des sangliers, des bêtes fauves ; il brûlait d'être hors de notre Armorique et n'avait nulle envie de nous refuser l'entrée de son hôtel. Notre orateur lui dit ce qu'il voulut, après quoi nous vînmes rédiger cette déclaration : « Déclarons infâmes ceux qui « pourraient accepter quelques places, soit dans l'adminis- « tration nouvelle de la justice, soit dans l'administration « des Etats, qui ne seraient pas avouées par les lois « constitutives de la Bretagne. » Douze gentilshommes furent choisis pour porter cette pièce au Roi : à leur arrivée à Paris, on les coffra à la Bastille, d'où ils sortirent bientôt en façon de héros ; ils furent reçus à leur retour avec des branches de laurier. Nous portions des habits avec de grands boutons de nacre semés d'hermine, autour desquels boutons était écrite en latin cette devise : « Plutôt mourir que de se déshonorer[1]. » Nous triomphions de la cour dont tout le monde triomphait, et nous tombions avec elle dans le même abîme.

Paris, octobre 1821.

MA MÈRE RETIRÉE À SAINT-MALO.

CE fut à cette époque que mon frère, suivant toujours ses projets, prit le parti de me faire agréger à l'ordre de Malte. Il fallait pour cela me faire entrer dans la cléricature : elle pouvait m'être donnée par M. Courtois de Pressigny, évêque de Saint-Malo. Je me rendis donc dans ma ville natale, où mon excellente mère s'était retirée ; elle n'avait plus ses

1. Devise qui figure en latin (*Potius mori quam fœdari*) dans les armes de Bretagne.

enfants avec elle ; elle passait le jour à l'église, la soirée à tricoter. Ses distractions étaient inconcevables : je la rencontrai un matin dans la rue, portant une de ses pantoufles sous son bras, en guise de livre de prières. De fois à autre pénétraient dans sa retraite quelques vieux amis, et ils parlaient du bon temps. Lorsque nous étions tête-à-tête, elle me faisait de beaux contes en vers, qu'elle improvisait. Dans un de ces contes le diable emportait une cheminée avec un mécréant, et le poëte s'écriait :

> *Le diable en l'avenue*
> *Chemina tant et tant,*
> *Qu'on en perdit la vue*
> *En moins d'une heur' de tems.*

« Il me semble, dis-je, que le diable ne va pas bien vite. »

Mais madame de Chateaubriand me prouva que je n'y entendais rien : elle était charmante, ma mère.

Elle avait une longue complainte sur le *Récit véritable d'une cane sauvage, en la ville de Montfort-la-Cane-lez-Saint-Malo.* Certain seigneur avait renfermé une jeune fille d'une grande beauté dans le château de Montfort, à dessein de lui ravir l'honneur. A travers une lucarne, elle apercevait l'église de Saint-Nicolas ; elle pria le saint avec des yeux pleins de larmes, et elle fut miraculeusement transportée hors du château ; mais elle tomba entre les mains des serviteurs du félon, qui voulurent en user avec elle comme ils supposaient qu'en avait fait leur maître. La pauvre fille éperdue, regardant de tous côtés pour chercher quelques secours, n'aperçut que des canes sauvages sur l'étang du château. Renouvelant sa prière à saint Nicolas, elle le supplia de permettre à ces animaux d'être témoins de son innocence, afin que si elle devait perdre la vie, et qu'elle ne pût accomplir les vœux qu'elle avait faits à saint Nicolas, les oiseaux les remplissent eux-mêmes à leur façon, en son nom et pour sa personne.

La fille mourut dans l'année : voici qu'à la translation des os de saint Nicolas, le 9 de mai, une cane sauvage, accompagnée de ses petits canetons, vint à l'église de

Saint-Nicolas. Elle y entra et voltigea devant l'image du bienheureux libérateur, pour lui applaudir par le battement de ses ailes ; après quoi, elle retourna à l'étang, ayant laissé un de ses petits en offrande. Quelques temps après, le caneton s'en retourna sans qu'on s'en aperçût. Pendant deux cents ans et plus, la cane, toujours la même cane, est revenue, à jour fixe, avec sa couvée, dans l'église du grand Saint-Nicolas, à Montfort. L'histoire en a été écrite et imprimée en 1652 : l'auteur remarque fort justement : « que c'est une chose peu considérable devant les yeux de « Dieu, qu'une chétive cane sauvage ; que néanmoins elle « tient sa partie pour rendre hommage à sa grandeur ; que « la cigale de saint François était encore moins prisable, et « que pourtant ses fredons charmaient le cœur d'un séra- « phin. » Mais madame de Chateaubriand suivait une fausse tradition : dans sa complainte, la fille renfermée à Montfort était une princesse, laquelle obtint d'être changée en cane, pour échapper à la violence de son vainqueur. Je n'ai retenu que ces vers d'un couplet de la romance de ma mère :

> *Cane la belle est devenue,*
> *Cane la belle est devenue,*
> *Et s'envola, par une grille,*
> *Dans un étang plein de lentilles.*

Paris, octobre 1821.

CLÉRICATURE. — ENVIRONS DE SAINT-MALO.

COMME madame de Chateaubriand était une véritable sainte, elle obtint de l'évêque de Saint-Malo la promesse de me donner la cléricature ; il s'en faisait scrupule : la marque ecclésiastique donnée à un laïque et à un militaire lui paraissait une profanation qui tenait de la simonie. M. Courtois de Pressigny, aujourd'hui archevêque de Besançon et pair de France, est un homme de bien et de mérite. Il était jeune alors, protégé de la Reine, et sur le chemin de la fortune, où il est arrivé plus tard par une meilleure voie : la persécution [1].

Je me mis à genoux, en uniforme, l'épée au côté, aux pieds du prélat ; il me coupa deux ou trois cheveux sur le sommet de la tête ; cela s'appela tonsure, de laquelle je reçus lettres en bonnes formes. Avec ces lettres, 200 mille livres de rentes pouvaient m'échoir, quand mes preuves de noblesse auraient été admises à Malte : abus, sans doute, dans l'ordre ecclésiastique, mais chose utile dans l'ordre politique de l'ancienne constitution. Ne valait-il pas mieux qu'une espèce de bénéfice militaire s'attachât à l'épée d'un soldat qu'à la mantille d'un abbé, lequel aurait mangé sa grasse prieurée sur les pavés de Paris ?

La cléricature à moi conférée pour les raisons précédentes, a fait dire par des biographes mal informés, que j'étais d'abord entré dans l'Eglise.

Ceci se passait en 1788. J'avais des chevaux, je parcourais la campagne, ou je galopais le long des vagues, mes gémissantes et anciennes amies ; je descendais de cheval, et je me jouais avec elles ; toute la famille aboyante de Scylla sautait à mes genoux pour me caresser : *Nunc vada latrantis Scyllæ* [2]. Je suis allé bien loin admirer les scènes de la nature ; je m'aurais pu contenter de celles que m'offrait mon pays natal.

Rien de plus charmant que les environs de Saint-Malo, dans un rayon de cinq à six lieues. Les bords de la Rance, en remontant cette rivière depuis son embouchure jusqu'à Dinan, mériteraient seuls d'attirer les voyageurs ; mélange continuel de rochers et de verdure, de grèves et de forêts, de criques et de hameaux, d'antiques manoirs de la Bretagne féodale et d'habitations modernes de la Bretagne commer-

---

1. Il avait été chassé en 1790 de son évêché de Saint-Malo. Il mourut en 1823 pair de France et archevêque de Besançon.
2. « Les gouffres de Scylla qui aboie. » Fragment de vers attribué inexactement à Virgile dans des dictionnaires de versification latine.

çante. Celles-ci ont été construites en un temps où les négociants de Saint-Malo étaient si riches que, dans leurs jours de goguettes, ils fricassaient des piastres, et les jetaient toutes bouillantes au peuple par les fenêtres. Ces habitations sont d'un grand luxe. Bonabant, château de MM. de Lasandre, est en partie de marbre apporté de Gènes, magnificence dont nous n'avons pas même l'idée à Paris. La Brillantais, Le Beau, le Mont-Marin, La Ballue, le Colombier sont ou étaient ornés d'orangeries, d'eaux jaillissantes et de statues. Quelquefois les jardins descendent en pente au rivage derrière les arcades d'un portique de tilleuls, à travers une colonnade de pins, au bout d'une pelouse ; par-dessus les tulipes d'un parterre, la mer présente ses vaisseaux, son calme et ses tempêtes.

Chaque paysan, matelot et laboureur, est propriétaire d'une petite bastide blanche avec un jardin : parmi les herbes potagères, les groseilliers, les rosiers, les iris, les soucis de ce jardin, on trouve un plant de thé de Cayenne, un pied de tabac de Virginie, une fleur de la Chine, enfin quelque souvenir d'une autre rive et d'un autre soleil : c'est l'itinéraire et la carte du maître du lieu. Les tenanciers de la côte sont d'une belle race normande ; les femmes grandes, minces, agiles, portent des corsets de laine grise, des jupons courts de callemandre et de soie rayée, des bas blancs à coins de couleur. Leur front est ombragé d'une large coiffe de bazin ou de batiste, dont les pattes se relèvent en forme de béret, ou flottent en manière de voile. Une chaîne d'argent à plusieurs branches pend à leur côté gauche. Tous les matins, au printemps, ces filles du Nord, descendant de leurs barques, comme si elles venaient encore envahir la contrée, apportent au marché des fruits dans des corbeilles, et des caillebottes dans des coquilles : lorsqu'elles soutiennent d'une main sur leur tête des vases noirs remplis de lait ou de fleurs, que les barbes de leurs cornettes blanches accompagnent leurs yeux bleus, leur visage rose, leurs cheveux blonds emperlés de rosée, les Valkyries de l'Edda 1 dont la plus jeune est l'*Avenir,* ou les Canéphores d'Athènes n'avaient rien d'aussi gracieux. Ce tableau ressemble-t-il

1. Recueil de la mythologie scandinave (*Edda* signifie: l'aïeule).

encore ? Ces femmes, sans doute, ne sont plus ; il n'en reste que mon souvenir.

Paris, octobre 1821.

LE REVENANT. — LE MALADE.

Je quittai ma mère, et j'allai voir mes sœurs aînées aux environs de Fougères. Je demeurai un mois chez madame de Chateaubourg. Ses deux maisons de campagne, Lascardais et Le Plessis [1], près Saint-Aubin-du-Cormier, célèbre par sa tour et sa bataille, étaient situées dans un pays de roches, de landes et de bois. Ma sœur avait pour régisseur M. Livorel, jadis jésuite, auquel il était arrivé une étrange aventure.

Quand il fut nommé régisseur à Lascardais, le comte de Chateaubourg, le père, venait de mourir : M. Livorel, qui ne l'avait pas connu, fut installé gardien du castel. La première nuit qu'il y coucha seul, il vit entrer dans son appartement un vieillard pâle, en robe de chambre, en bonnet de nuit, portant une petite lumière. L'apparition s'approche de l'âtre, pose son bougeoir sur la cheminée, rallume le feu et s'assied dans son fauteuil. M. Livorel tremblait de tout son corps. Après deux heures de silence, le vieillard se lève, reprend sa lumière, et sort de la chambre en fermant la porte.

Le lendemain, le régisseur conta son aventure aux fermiers, qui, sur la description de la lémure, affirmèrent que c'était leur vieux maître. Tout ne finit pas là : si M. Livorel regardait derrière lui dans une forêt, il apercevait le fantôme ; s'il avait à franchir un échalier dans un champ,

---

1. Ces deux propriétés sont proches de Fougères.

l'ombre se mettait à califourchon sur l'échalier. Un jour, le misérable obsédé s'étant hasardé à lui dire : «Monsieur de Chateaubourg, laissez-moi ; » le revenant répondit : «Non. » M. Livorel, homme froid et positif, très-peu brillant d'imaginative, racontait tant qu'on voulait son histoire, toujours de la même manière et avec la même conviction.

Un peu plus tard, j'accompagnai en Normandie un brave officier atteint d'une fièvre cérébrale. On nous logea dans une maison de paysan : une vieille tapisserie prêtée par le seigneur du lieu, séparait mon lit de celui du malade. Derrière cette tapisserie on saignait le patient ; en délassement de ses souffrances, on le plongeait dans des bains de glace ; il grelottait dans cette torture, les ongles bleus, le visage violet et grincé, les dents serrées, la tête chauve, une longue barbe descendant de son menton pointu et servant de vêtement à sa poitrine nue, maigre et mouillée.

Quand le malade s'attendrissait, il ouvrait un parapluie, croyant se mettre à l'abri de ses larmes : si le moyen était sûr contre les pleurs, il faudrait élever une statue à l'auteur de la découverte.

Mes seuls bons moments étaient ceux où je m'allais promener dans le cimetière de l'église du hameau, bâtie sur un tertre. Mes compagnons étaient les morts, quelques oiseaux et le soleil qui se couchait. Je rêvais à la société de Paris, à mes premières années, à mon fantôme, à ces bois de Combourg dont j'étais si près par l'espace, si loin par le temps ; je retournais à mon pauvre malade : c'était un aveugle conduisant un aveugle.

Hélas ! un coup, une chûte, une peine morale raviront à Homère, à Newton, à Bossuet, leur génie, et ces hommes divins, au lieu d'exciter une pitié profonde, un regret amer et éternel, pourraient être l'objet d'un sourire ! Beaucoup de personnes que j'ai connues et aimées, ont vu se troubler leur raison auprès de moi, comme si je portais le germe de la contagion. Je ne m'explique le chef-d'œuvre de Cervantes et sa gaîté cruelle, que par une réflexion triste : en considérant l'être entier, en pesant le bien et le mal, on serait tenté de désirer tout accident qui porte à l'oubli, comme un moyen d'échapper à soi-même : un ivrogne joyeux est une créature heureuse. Religion à part, le bonheur est de s'ignorer et d'arriver à la mort sans avoir senti la vie. Je ramenai mon compatriote parfaitement guéri.

Paris, octobre 1821.

ÉTATS DE BRETAGNE EN 1789. — INSURRECTION. — SAINT-RIVEUL, MON CAMARADE DE COLLÈGE, EST TUÉ.

MADAME LUCILE et madame de Farcy, revenues avec moi en Bretagne, voulaient retourner à Paris ; mais je fus retenu par les troubles de la province. Les Etats étaient semoncés[1] pour la fin de décembre (1788). La commune de Rennes, et après elle les autres communes de Bretagne, avaient pris un arrêté·qui défendait à leurs députés de s'occuper d'aucune affaire avant que la question des *fouages* n'eût été réglée.

Le comte de Boisgelin, qui devait présider l'ordre de la noblesse, se hâta d'arriver à Rennes. Les gentilshommes furent convoqués par lettres particulières, y compris ceux qui, comme moi, étaient encore trop jeunes pour avoir voix délibérative[2]. Nous pouvions être attaqués, il fallait compter les bras autant que les suffrages : nous nous rendîmes à notre poste.

Plusieurs assemblées se tinrent chez M. de Boisgelin avant l'ouverture des Etats. Toutes les scènes de confusion auxquelles j'avais assisté, se renouvelèrent. Le chevalier de Guer, le marquis de Trémargat, mon oncle le comte de Bedée, qu'on appelait *Bedée l'artichaut,* à cause de sa grosseur, par opposition à un autre Bedée, long et effilé, qu'on nommait *Bedée l'asperge,* cassèrent plusieurs chaises en grimpant dessus pour pérorer. Le marquis de Trémargat,

---

1. Convoqués (archaïsme).
2. Il eût fallu avoir vingt-cinq ans ; Chateaubriand n'en a que vingt.

officier de marine à jambe de bois, faisait beaucoup d'ennemis à son ordre : on parlait un jour d'établir une école militaire où seraient élevés les fils de la pauvre noblesse ; un membre du tiers s'écria : « Et nos fils, qu'auront-ils ? — L'hôpital », repartit Trémargat : mot qui, tombé dans la foule, germa promptement.

Je m'aperçus au milieu de ces réunions d'une disposition de mon caractère que j'ai retrouvée depuis dans la politique et dans les armes : plus mes collègues ou mes camarades s'échauffaient, plus je me refroidissais ; je voyais mettre le feu à la tribune ou au canon avec indifférence : je n'ai jamais salué la parole ou le boulet.

Le résultat de nos délibérations fut que la noblesse traiterait d'abord des affaires générales, et ne s'occuperait du fouage qu'après la solution des autres questions ; résolution directement opposée à celle du tiers. Les gentilshommes n'avaient pas grande confiance dans le clergé, qui les abandonnait souvent, surtout quand il était présidé par l'évêque de Rennes, personnage patelin, mesuré, parlant avec un léger zézaiement qui n'était pas sans grâce, et se ménageant des chances à la cour. Un journal, *la Sentinelle du Peuple,* rédigé à Rennes par un écrivailleur arrivé de Paris, fomentait les haines.

Les Etats se tinrent dans le couvent des Jacobins, sur la place du Palais. Nous entrâmes, avec les dispositions qu'on vient de voir, dans la salle des séances ; nous n'y fûmes pas plus tôt établis, que le peuple nous assiégea. Les 25, 26, 27 et 28 janvier 1789 furent des jours malheureux. Le comte de Thiard avait peu de troupes ; chef indécis et sans vigueur, il se remuait et n'agissait point. L'école de droit de Rennes, à la tête de laquelle était Moreau [1], avait envoyé quérir les jeunes gens de Nantes ; ils arrivaient au nombre de quatre cents, et le commandant, malgré ses prières, ne les put empêcher d'envahir la ville. Des assemblées, en sens divers, au champ Montmorin et dans les cafés, en étaient venues à des collisions sanglantes.

Las d'être bloqués dans notre salle, nous prîmes la résolution de saillir dehors, l'épée à la main ; ce fut un assez

1. Le futur général (voir p. 108).

beau spectacle. Au signal de notre président, nous tirâmes nos épées tous à la fois, au cri de : *Vive la Bretagne!* et, comme une garnison sans ressources, nous exécutâmes une furieuse sortie, pour passer sur le ventre des assiégeants. Le peuple nous reçut avec des hurlements, des jets de pierres, des bourrades de bâtons ferrés et des coups de pistolets. Nous fîmes une trouée dans la masse de ses flots qui se refermaient sur nous. Plusieurs gentilshommes furent blessés, traînés, déchirés, chargés de meurtrissures et de contusions. Parvenus à grande peine à nous dégager, chacun regagna son logis.

Des duels s'ensuivirent entre les gentilshommes, les écoliers de droit et leurs amis de Nantes. Un de ces duels eut lieu publiquement sur la place Royale ; l'honneur en resta au vieux Keralieu, officier de marine, attaqué, qui se battit avec une incroyable vigueur, aux applaudissements de ses jeunes adversaires.

Un autre attroupement s'était formé. Le comte de Montboucher aperçut dans la foule un étudiant nommé Ulliac, auquel il dit : « Monsieur, ceci nous regarde. » On se range en cercle autour d'eux ; Montboucher fait sauter l'épée d'Ulliac et la lui rend : on s'embrasse et la foule se disperse.

Du moins, la noblesse bretonne ne succomba pas sans honneur. Elle refusa de députer aux Etats-Généraux, parce qu'elle n'était pas convoquée selon les lois fondamentales de la constitution de la province ; elle alla rejoindre en grand nombre l'armée des princes, se fit décimer à l'armée de Condé, ou avec Charette dans les guerres vendéennes. Eût-elle changé quelque chose à la majorité de l'Assemblée nationale, au cas de sa réunion à cette assemblée ? Cela n'est guère probable : dans les grandes transformations sociales, les résistances individuelles, honorables pour les caractères, sont impuissantes contre les faits. Cependant, il est difficile de dire ce qu'aurait pu produire un homme du génie de Mirabeau, mais d'une opinion opposée, s'il s'était rencontré dans l'ordre de la noblesse bretonne.

Le jeune Boishue et Saint-Riveul, mon camarade de collège, avaient péri avant ces rencontres, en se rendant à la chambre de la noblesse ; le premier fut en vain défendu par son père, qui lui servit de second.

Lecteur, je t'arrête : regarde couler les premières gouttes de sang que la Révolution devait répandre. Le ciel a voulu qu'elles sortissent des veines d'un compagnon de mon enfance. Supposons ma chute au lieu de celle de Saint-Riveul ; on eût dit de moi, en changeant seulement le nom, ce que l'on dit de la victime par qui commence la grande immolation : «Un gentilhomme, nommé *Chateaubriand,* « fut tué en se rendant à la salle des Etats. » Ces deux mots auraient remplacé ma longue histoire. Saint-Riveul eût-il joué mon rôle sur la terre ? était-il destiné au bruit ou au silence ?

Passe maintenant, lecteur ; franchis le fleuve de sang qui sépare à jamais le vieux monde dont tu sors, du monde nouveau à l'entrée duquel tu mourras.

Paris, novembre 1821.

ANNÉE 1789. — VOYAGE DE BRETAGNE À PARIS. — MOUVE-
MENT SUR LA ROUTE. — ASPECT DE PARIS. — RENVOI DE
M. NECKER. — VERSAILLES. — JOIE DE LA FAMILLE
ROYALE. INSURRECTION GÉNÉRALE. —
PRISE DE LA BASTILLE.

L'ANNÉE 1789, si fameuse dans notre histoire et dans l'histoire de l'espèce humaine, me trouva dans les landes de ma Bretagne ; je ne pus même quitter la province qu'assez tard, et n'arrivai à Paris qu'après le pillage de la maison Réveillon, l'ouverture des Etats-Généraux, la constitution du tiers-état en Assemblée nationale, le serment du Jeu-de-Paume, la séance royale du 23 juin, et la réunion du clergé et de la noblesse au tiers-état.

Le mouvement était grand sur ma route : dans les villages, les paysans arrêtaient les voitures, demandaient les passeports, interrogeaient les voyageurs. Plus on approchait de la capitale, plus l'agitation croissait. En traversant Versailles, je vis des troupes casernées dans l'orangerie ; des trains d'artillerie parqués dans les cours ; la salle provisoire de l'Assemblée nationale élevée sur la place du palais, et des députés allant et venant parmi des curieux, des gens du château et des soldats.

A Paris, les rues étaient encombrées d'une foule qui stationnait à la porte des boulangers ; les passants discouraient au coin des bornes ; les marchands, sortis de leurs boutiques, écoutaient et racontaient des nouvelles devant leurs portes ; au Palais-Royal s'aggloméraient des agitateurs : Camille Desmoulins commençait à se distinguer dans les groupes.

A peine fus-je descendu, avec madame de Farcy et madame Lucile, dans un hôtel garni de la rue de Richelieu, qu'une insurrection éclate : le peuple se porte à l'Abbaye, pour délivrer quelques gardes-françaises arrêtés par ordre de leurs chefs. Les sous-officiers d'un régiment d'artillerie caserné aux Invalides se joignent au peuple. La défection commence dans l'armée.

La cour tantôt cédant, tantôt voulant résister, mélange d'entêtement et de faiblesse, de bravacherie et de peur, se laisse morguer par Mirabeau qui demande l'éloignement des troupes, et elle ne consent pas à les éloigner : elle accepte l'affront et n'en détruit pas la cause. A Paris, le bruit se répand qu'une armée arrive par l'égout Montmartre, que des dragons vont forcer les barrières. On recommande de dépaver les rues, de monter les pavés au cinquième étage, pour les jeter sur les satellites du tyran : chacun se met à l'œuvre. Au milieu de ce brouillement, M. Necker reçoit l'ordre de se retirer. Le ministère changé se compose de MM. de Breteuil, de la Galaisière, du maréchal de Broglie, de La Vauguyon, de Laporte et de Foulon. Ils remplaçaient MM. de Montmorin, de La Luzerne, de Saint-Priest et de Nivernais.

Un poëte breton, nouvellement débarqué, m'avait prié de le mener à Versailles. Il y a des gens qui visitent des jardins et des jets d'eau, au milieu du renversement des empires : les barbouilleurs de papier ont surtout cette faculté de s'abstraire dans leur manie pendant les plus grands événements ; leur phrase ou leur strophe leur tient lieu de tout.

Je menai mon Pindare à l'heure de la messe dans la galerie de Versailles. L'Œil-de-bœuf était rayonnant : le renvoi de M. Necker avait exalté les esprits ; on se croyait sûr de la victoire : peut-être Sanson et Simon [1], mêlés dans la foule, étaient spectateurs des joies de la famille royale.

La reine passa avec ses deux enfants ; leur chevelure blonde semblait attendre des couronnes : madame la duchesse d'Angoulême, âgée de onze ans, attirait les yeux par un orgueil virginal ; belle de la noblesse du rang et de l'innocence [2] de la jeune fille, elle semblait dire comme la fleur d'oranger de Corneille, dans la Guirlande de Julie :

J'ai la pompe de ma naissance.

Le petit Dauphin marchait sous la protection de sa sœur, et M. Du Touchet suivait son élève ; il m'aperçut et me montra obligeamment à la reine. Elle me fit, en me jetant un regard avec un sourire, ce salut gracieux qu'elle m'avait déjà fait le jour de ma présentation. Je n'oublierai jamais ce regard qui devait s'éteindre sitôt. Marie-Antoinette, en souriant, dessina si bien la forme de sa bouche, que le souvenir de ce sourire (chose effroyable !) me fit reconnaître la mâchoire de la fille des rois, quand on découvrit la tête de l'infortunée, dans les exhumations de 1815 [3].

Le contre-coup du coup porté dans Versailles retentit à Paris. A mon retour, je rebroussai le cours d'une multitude qui portait les bustes de M. Necker et de M. le duc d'Orléans, couverts de crêpes. On criait : « Vive Necker ! vive le duc d'Orléans ! » et parmi ces cris on en entendait un plus hardi et plus imprévu : « Vive Louis XVII ! » Vive cet

---

1. Le bourreau qui a exécuté Louis XVI et le savetier à qui fut confié Louis XVII.
2. Souvenir peut-être d'un vers du madrigal de Corneille qui rime avec celui que Chateaubriand va citer :
      Et ma pure blancheur marque mon innocence.
3. Cf. p. 175, note 1.

enfant dont le nom même eût été oublié dans l'inscription funèbre de sa famille, si je ne l'avais rappelé à la Chambre des pairs ! Louis XVI abdiquant, Louis XVII placé sur le trône, M. le duc d'Orléans déclaré régent, que fût-il arrivé ?

Sur la place Louis XV, le prince de Lambesc, à la tête de *Royal-Allemand,* refoule le peuple dans le jardin des Tuileries et blesse un vieillard : soudain le tocsin sonne. Les boutiques des fourbisseurs sont enfoncées, et trente mille fusils enlevés aux Invalides. On se pourvoit de piques, de bâtons, de fourches, de sabres, de pistolets ; on pille Saint-Lazare [1], on brûle les barrières. Les électeurs de Paris prennent en main le gouvernement de la capitale, et, dans une nuit, soixante mille citoyens sont organisés, armés, équipés en gardes nationales.

Le 14 juillet, prise de la Bastille. J'assistai, comme spectateur, à cet assaut contre quelques invalides et un timide gouverneur : si l'on eût tenu les portes fermées, jamais le peuple ne fût entré dans la forteresse. Je vis tirer deux ou trois coups de canon, non par les invalides, mais par des gardes-françaises, déjà montés sur les tours. De Launay [2], arraché de sa cachette, après avoir subi mille outrages, est assommé sur les marches de l'Hôtel-de-Ville ; le prévôt des marchands, Flesselles, a la tête cassée d'un coup de pistolet : c'est ce spectacle que des béats sans cœur trouvaient si beau. Au milieu de ces meurtres, on se livrait à des orgies, comme dans les troubles de Rome, sous Othon et Vitellius. On promenait dans des fiacres *les vainqueurs de la Bastille,* ivrognes heureux, déclarés conquérants au cabaret ; des prostituées et des *sans-culottes* commençaient à régner, et leur faisaient escorte. Les passants se découvraient, avec le respect de la peur, devant ces héros, dont quelques-uns moururent de fatigue au milieu de leur triomphe. Les clefs de la Bastille se multiplièrent ; on en envoya à tous les niais d'importance dans les quatre parties du monde. Que de fois j'ai manqué ma fortune ! Si, moi, spectateur, je me fusse inscrit sur le registre des vainqueurs, j'aurais une pension aujourd'hui.

1. Ancien couvent déjà transformé en prison.
2. Gouverneur de la Bastille.

Les experts accoururent à l'autopsie de la Bastille. Des cafés provisoires s'établirent sous des tentes ; on s'y pressait, comme à la foire Saint-Germain ou à Longchamp ; de nombreuses voitures défilaient ou s'arrêtaient au pied des tours, dont on précipitait les pierres parmi des tourbillons de poussière. Des femmes élégamment parées, des jeunes gens à la mode, placés sur différents degrés des décombres gothiques, se mêlaient aux ouvriers demi-nus qui démolissaient les murs, aux acclamations de la foule. À ce rendez-vous se rencontraient les orateurs les plus fameux, les gens de lettres les plus connus, les peintres les plus célèbres, les acteurs et les actrices les plus renommés, les danseuses les plus en vogue, les étrangers les plus illustres, les seigneurs de la cour et les ambassadeurs de l'Europe : la vieille France était venue là pour finir, la nouvelle pour commencer.

Tout événement, si misérable ou si odieux qu'il soit en lui-même, lorsque les circonstances en sont sérieuses et qu'il fait époque, ne doit pas être traité avec légèreté : ce qu'il fallait voir dans la prise de la Bastille (et ce que l'on ne vit pas alors), c'était, non l'acte violent de l'émancipation d'un peuple, mais l'émancipation même, résultat de cet acte.

On admira ce qu'il fallait condamner, l'accident, et l'on n'alla pas chercher dans l'avenir les destinées accomplies d'un peuple, le changement des mœurs, des idées, des pouvoirs politiques, une rénovation de l'espèce humaine, dont la prise de la Bastille ouvrait l'ère, comme un sanglant jubilé. La colère brutale faisait des ruines, et sous cette colère était cachée l'intelligence qui jetait parmi ces ruines les fondements du nouvel édifice.

Mais la nation qui se trompa sur la grandeur du fait matériel, ne se trompa pas sur la grandeur du fait moral : la Bastille était à ses yeux le trophée de sa servitude ; elle lui semblait élevée à l'entrée de Paris, en face des seize piliers de Montfaucon, comme le gibet de ses libertés *. En rasant une forteresse d'Etat, le peuple crut briser le joug militaire,

* Après cinquante-deux ans, on élève quinze bastilles pour opprimer cette liberté au nom de laquelle on a rasé la première Bastille. (Paris, note de 1841.)

et prit l'engagement tacite de remplacer l'armée qu'il licenciait : on sait quels prodiges enfanta le peuple devenu soldat.

Paris, novembre 1821.

EFFET DE LA PRISE DE LA BASTILLE SUR LA COUR. — TÊTES DE FOULON ET DE BERTHIER.

RÉVEILLÉ au bruit de la chute de la Bastille comme au bruit avant-coureur de la chute du trône, Versailles avait passé de la jactance à l'abattement. Le Roi accourt à l'Assemblée nationale, prononce un discours dans le fauteuil même du président ; il annonce l'ordre donné aux troupes de s'éloigner, et retourne à son palais au milieu des bénédictions ; parades inutiles ! les partis ne croient point à la conversion des partis contraires : la liberté qui capitule, ou le pouvoir qui se dégrade, n'obtient point merci de ses ennemis.

Quatre-vingts députés partent de Versailles, pour annoncer la paix à la capitale ; illuminations. M. Bailly est nommé maire de Paris, M. de La Fayette, commandant de la garde nationale : je n'ai connu le pauvre, mais respectable savant, que par ses malheurs. Les révolutions ont des hommes pour toutes leurs périodes ; les uns suivent ces révolutions jusqu'au bout, les autres les commencent, mais ne les achèvent pas.

Tout se dispersa ; les courtisans partirent pour Bâle, Lausanne, Luxembourg et Bruxelles. Madame de Polignac rencontra, en fuyant, M. Necker qui rentrait. Le comte d'Artois, ses fils, les trois Condés[1], émigrèrent ; ils entraînèrent le haut clergé et une partie de la noblesse. Les officiers,

1. Cf. p. 102, note 1.

218

menacés par leurs soldats insurgés, cédèrent au torrent qui les charriait hors. Louis XVI demeura seul devant la nation avec ses deux enfants et quelques femmes, la reine, *Mesdames* [1] et madame Elisabeth [2]. *Monsieur* [3], qui resta jusqu'à l'évasion de Varennes, n'était pas d'un grand secours à son frère : bien que, en opinant dans l'assemblée des Notables pour le vote par tête, il eût décidé le sort de la Révolution, la Révolution s'en défiait ; lui, *Monsieur,* avait peu de goût pour le Roi, ne comprenait pas la Reine, et n'était pas aimé d'eux.

Louis XVI vint à l'Hôtel de ville le 17 : cent mille hommes, armés comme les moines de la Ligue, le reçurent. Il est harangué par MM. Bailly, Moreau de Saint-Méry et Lally-Tolendal, qui pleurèrent : le dernier est resté sujet aux larmes. Le Roi s'attendrit à son tour ; il mit à son chapeau une énorme cocarde tricolore ; on le déclara, sur place, *honnête homme, père des Français, roi d'un peuple libre,* lequel peuple se préparait, en vertu de sa liberté, à abattre la tête de cet honnête homme, son père et son roi.

Peu de jours après ce raccommodement, j'étais aux fenêtres de mon hôtel garni avec mes sœurs et quelques Bretons ; nous entendons crier : « Fermez les portes ! fermez les portes ! » Un groupe de déguenillés arrive par un des bouts de la rue ; du milieu de ce groupe s'élevaient deux étendards que nous ne voyions pas bien de loin. Lorsqu'ils s'avancèrent, nous distinguâmes deux têtes échevelées et défigurées, que les devanciers de Marat portaient chacune au bout d'une pique : c'étaient les têtes de MM. Foulon [4] et Berthier [5]. Tout le monde se retira des fenêtres ; j'y restai. Les assassins s'arrêtèrent devant moi, me tendirent les piques en chantant, en faisant des gambades, en sautant pour approcher de mon visage les pâles effigies. L'œil d'une de ces têtes, sorti de son orbite, descendait sur le visage obscur du mort ; la pique traversait la bouche ouverte dont les dents mordaient le fer : « Brigands ! » m'écriai-je, plein

1. Les deux filles encore vivantes de Louis XV.
2. Sœur de Louis XVI.
3. Le futur Louis XVIII.
4. Contrôleur général des finances dans le « ministère des Cent heures ».
5. Berthier de Sauvigny, gendre de Foulon.

d'une indignation que je ne pus contenir, «est-ce comme cela que vous entendez la liberté?» Si j'avais eu un fusil, j'aurais tiré sur ces misérables comme sur des loups. Ils poussèrent des hurlements, frappèrent à coups redoublés à la porte cochère pour l'enfoncer, et joindre ma tête à celles de leurs victimes. Mes sœurs se trouvèrent mal; les poltrons de l'hôtel m'accablèrent de reproches. Les massacreurs, qu'on poursuivait, n'eurent pas le temps d'envahir la maison et s'éloignèrent. Ces têtes, et d'autres que je rencontrai bientôt après, changèrent mes dispositions politiques; j'eus horreur des festins de cannibales, et l'idée de quitter la France pour quelque pays lointain germa dans mon esprit.

Paris, novembre 1821.

Rappel de M. Necker. — Seance du 4 aout 1789. — Journée du 5 octobre. — Le Roi est amené à Paris.

RAPPELÉ au ministère le 25 juillet, inauguré, accueilli par des fêtes, M. Necker, troisième successeur de Turgot, après Calonne et Taboureau, fut bientôt dépassé par les événements, et tomba dans l'impopularité. C'est une des singularités du temps qu'un aussi grave personnage eût été élevé au poste de ministre par le savoir-faire d'un homme aussi médiocre et aussi léger que le marquis de Pezay[1]. Le *Compte-rendu*[2], qui substitua en France le système de l'emprunt à celui de l'impôt, remua les idées; les femmes discutaient de dépenses et de recettes; pour la première fois, on voyait ou l'on croyait voir quelque chose dans la machine

1. Favori du premier ministre Maurepas.
2. Etabli par Necker.

à chiffres. Ces calculs, peints d'une couleur à la Thomas [1] avaient établi la première réputation du directeur-général des finances. Habile teneur de caisse, mais économiste sans expédient ; écrivain noble, mais enflé ; honnête homme, mais sans haute vertu, le banquier était un de ces anciens personnages d'avant-scène qui disparaissent au lever de la toile, après avoir expliqué la pièce au public. M. Necker est le père de madame de Staël ; sa vanité ne lui permettait guère de penser que son vrai titre au souvenir de la postérité serait la gloire de sa fille.

La monarchie fut démolie à l'instar de la Bastille, dans la séance du soir de l'Assemblée nationale du 4 août. Ceux qui, par haine du passé, crient aujourd'hui contre la noblesse, oublient que ce fut un membre de cette noblesse, le vicomte de Noailles, soutenu par le duc d'Aiguillon et par Mathieu de Montmorency, qui renversa l'édifice, objet des préventions révolutionnaires. Sur la motion du député féodal [2], les droits féodaux, les droits de chasse, de colombier et de garenne, les dîmes et champarts, les privilèges des ordres, des villes et des provinces, les servitudes personnelles, les justices seigneuriales, la vénalité des offices furent abolis. Les plus grands coups portés à l'antique constitution de l'Etat le furent par des gentilshommes. Les patriciens commencèrent la Révolution, les plébéiens l'achevèrent : comme la vieille France avait dû sa gloire à la noblesse française, la jeune France lui doit sa liberté, si liberté il y a pour la France.

Les troupes campées aux environs de Paris avaient été renvoyées, et par un de ces conseils contradictoires qui tiraillaient la volonté du Roi, on appela le régiment de Flandres à Versailles. Les gardes-du-corps donnèrent un repas aux officiers de ce régiment ; les têtes s'échauffèrent ; la Reine parut au milieu du banquet avec le Dauphin ; on porta la santé de la famille royale ; le Roi vint à son tour ; la musique militaire joue l'air touchant et favori : *O Richard, ô mon roi* [3] ! A peine cette nouvelle s'est-elle répandue à

1. Poète académique.
2. Mathieu de Montmorency.
3. Air extrait de *Richard Cœur de Lion* de Grétry.

Paris, que l'opinion opposée s'en empare ; on s'écrie que Louis refuse sa sanction à la déclaration des droits, pour s'enfuir à Metz avec le comte d'Estaing ; Marat propage cette rumeur : il écrivait déjà l'*Ami du peuple.*

Le 5 octobre arrive. Je ne fus point témoin des événements de cette journée. Le récit en parvint de bonne heure, le 6, dans la capitale. On nous annonce, en même temps, une visite du Roi. Timide dans les salons, j'étais hardi sur les places publiques : je me sentais fait pour la solitude ou pour le forum. Je courus aux Champs-Elysées : d'abord parurent des canons, sur lesquels des harpies, des larronnesses, des filles de joie montées à califourchon, tenaient les propos les plus obscènes et faisaient les gestes les plus immondes. Puis au milieu d'une horde de tout âge et de tout sexe, marchaient à pied les gardes-du-corps, ayant changé de chapeaux, d'épées et de baudriers avec les gardes nationaux : chacun de leurs chevaux portait deux ou trois poissardes, sales bacchantes ivres et débraillées. Ensuite venait la députation de l'Assemblée nationale ; les voitures du Roi suivaient : elles roulaient dans l'obscurité poudreuse d'une forêt de piques et de baïonnettes. Des chiffonniers en lambeaux, des bouchers, tablier sanglant aux cuisses, couteaux nus à la ceinture, manches de chemises retroussées, cheminaient aux portières ; d'autres égipans noirs étaient grimpés sur l'impériale ; d'autres, accrochés au marche-pied des laquais, au siège des cochers. On tirait des coups de fusil et de pistolet ; on criait : *Voici le boulanger, la boulangère et le petit mitron !* Pour oriflamme, devant le fils de saint Louis, des hallebardes suisses élevaient en l'air deux têtes de gardes-du-corps, frisées et poudrées par un perruquier de Sèvres.

L'astronome Bailly déclara à Louis XVI, dans l'Hôtel de ville, que le peuple *humain, respectueux et fidèle* venait de *conquérir* son roi, et le Roi de son côté, *fort touché et fort content,* déclara qu'il était venu à Paris *de son plein gré :* indignes faussetés de la violence et de la peur qui déshonoraient alors tous les partis et tous les hommes. Louis XVI n'était pas faux ; il était faible : la faiblesse n'est pas la fausseté, mais elle en tient lieu et elle en remplit les fonctions : le respect que doivent inspirer la vertu et le malheur du Roi saint et martyr, rend tout jugement humain presque sacrilége.

* *

ASSEMBLÉE CONSTITUANTE.

LES députés quittèrent Versailles et tinrent leur première séance le 19 octobre, dans une des salles de l'archevêché. Le 9 novembre, ils se transportèrent dans l'enceinte du Manége, près des Tuileries. Le reste de l'année 1789 vit les décrets qui dépouillèrent le clergé, détruisirent l'ancienne magistrature et créérent les assignats, l'arrêté de la commune de Paris pour le premier comité des recherches, et le mandat des juges pour la poursuite du marquis de Favras.

L'Assemblée constituante, malgré ce qui peut lui être reproché, n'en reste pas moins la plus illustre congrégation populaire qui jamais ait paru chez les nations, tant par la grandeur de ses transactions, que par l'immensité de leurs résultats. Il n'y a si haute question politique qu'elle n'ait touchée et convenablement résolue. Que serait-ce, si elle s'en fût tenue aux cahiers des Etats-Généraux et n'eût pas essayé d'aller au-delà ! Tout ce que l'expérience et l'intelligence humaines avaient conçu, découvert et élaboré pendant trois siècles, se trouve dans ces cahiers. Les abus divers de l'ancienne monarchie y sont indiqués et les remèdes proposés ; tous les genres de liberté sont réclamés, même la liberté de la presse ; toutes les améliorations demandées, pour l'industrie, les manufactures, le commerce, les chemins, l'armée, l'impôt, les finances, les écoles, l'éducation publique, etc. Nous avons traversé sans profit des abîmes de crimes et des tas de gloire ; la République et l'Empire n'ont servi à rien : l'Empire a seulement réglé la force brutale des bras que la République avait mis en mouvement ; il nous a laissé la centralisation, administration vigoureuse que je crois un mal, mais qui peut-être pouvait seule remplacer les administrations locales alors qu'elles étaient détruites et que l'anarchie avec l'ignorance étaient dans toutes les têtes. A cela près, nous n'avons pas fait un pas depuis l'Assemblée constituante : ses travaux sont comme ceux du grand médecin de l'antiquité [1], lesquels ont à la fois reculé et posé les bornes de la science. Parlons de quelques membres de cette Assemblée, et arrêtons-nous à Mirabeau qui les résume et les domine tous.

Paris, novembre 1821.

MIRABEAU.

MÊLÉ par les désordres et les hasards de sa vie aux plus grands événements et à l'existence des repris de justice, des ravisseurs et des aventuriers, Mirabeau, tribun de l'aristo-cratie, député de la démocratie, avait du Gracchus et du don Juan, du Catilina et du Gusman d'Alfarache [2], du cardinal de Richelieu et du cardinal de Retz, du roué de la régence et du sauvage de la Révolution ; il avait de plus du *Mirabeau*, famille florentine exilée, qui gardait quelque chose de ces palais armés et de ces grands factieux célébrés par Dante ; famille naturalisée française, où l'esprit républicain du moyen âge de l'Italie et l'esprit féodal de notre moyen âge se

1. Hippocrate.
2. Héros d'un roman espagnol du début du **XVII**ᵉ siècle ; la vie de Guzman n'est qu'une suite de coquineries. Le Sage a donné une adaptation française de ce roman en 1732.

224

trouvaient réunis dans une succession d'hommes extraordinaires.

La laideur de Mirabeau, appliquée sur le fond de beauté particulière à sa race, produisait une sorte de puissante figure du *Jugement dernier* de Michel-Ange, compatriote des *Arrighetti*. Les sillons creusés par la petite-vérole sur le visage de l'orateur, avaient plutôt l'air d'escarres laissées par la flamme. La nature semblait avoir moulé sa tête pour l'empire ou pour le gibet, taillé ses bras pour étreindre une nation ou pour enlever une femme. Quand il secouait sa crinière en regardant le peuple, il l'arrêtait ; quand il levait sa patte et montrait ses ongles, la plèbe courait furieuse. Au milieu de l'effroyable désordre d'une séance, je l'ai vu à la tribune, sombre, laid et immobile : il rappelait le chaos de Milton, impassible et sans forme au centre de sa confusion.

Mirabeau tenait de son père,[1] et de son oncle[2] qui, comme Saint-Simon, écrivaient à la diable des pages immortelles. On lui fournissait des discours pour la tribune : il en prenait ce que son esprit pouvait amalgamer à sa propre substance. S'il les adoptait en entier, il les débitait mal ; on s'apercevait qu'ils n'étaient pas de lui par des mots qu'il y mêlait d'aventure, et qui le révélaient. Il tirait son énergie de ses vices ; ces vices ne naissaient pas d'un tempérament frigide, ils portaient sur des passions profondes, brûlantes, orageuses. Le cynisme des mœurs ramène dans la société, en annihilant le sens moral, une sorte de barbares ; ces barbares de la civilisation, propres à détruire comme les Goths, n'ont pas la puissance de fonder comme eux : ceux-ci étaient les énormes enfants d'une nature vierge ; ceux-là sont les avortons monstrueux d'une nature dépravée.

Deux fois j'ai rencontré Mirabeau à un banquet, une fois chez la nièce de Voltaire, la marquise de Villette, une autre fois au Palais-Royal, avec des députés de l'opposition que Chapelier m'avait fait connaître : Chapelier est allé à l'échafaud, dans le même tombereau que mon frère et M. de Malesherbes.

---

1. Victor Riquetti, marquis de Mirabeau, économiste, a laissé un ouvrage intitulé *L'Ami des hommes* (1756).
2. Le bailli de Mirabeau.

225

Mirabeau parla beaucoup, et surtout beaucoup de lui. Ce fils des lions, lion lui-même à tête de chimère, cet homme si positif dans les faits, était tout roman, tout poésie, tout enthousiasme par l'imagination et le langage ; on reconnaissait l'amant de Sophie,[1] exalté dans ses sentiments et capable de sacrifice. « Je la trouvai, dit-il, cette femme « adorable ; ..... je sus ce qu'était son âme, cette âme « formée des mains de la nature dans un moment de « magnificence. »

Mirabeau m'enchanta de récits d'amour, de souhaits de retraite dont il bigarrait des discussions arides. Il m'intéressait encore par un autre endroit : comme moi, il avait été traité sévèrement par son père, lequel avait gardé, comme le mien, l'inflexible tradition de l'autorité paternelle absolue.

Le grand convive s'étendit sur la politique étrangère, et ne dit presque rien de la politique intérieure ; c'était pourtant ce qui l'occupait ; mais il laissa échapper quelques mots d'un souverain mépris contre ces hommes se proclamant supérieurs, en raison de l'indifférence qu'ils affectent pour les malheurs et les crimes. Mirabeau était né généreux, sensible à l'amitié, facile à pardonner les offenses. Malgré son immoralité, il n'avait pu fausser sa conscience ; il n'était corrompu que pour lui, son esprit droit et ferme ne faisait pas du meurtre une sublimité de l'intelligence ; il n'avait aucune admiration pour des abattoirs et des voiries.

Cependant, Mirabeau ne manquait pas d'orgueil ; il se vantait outrageusement ; bien qu'il se fût constitué marchand de drap pour être élu par le tiers-état (l'ordre de la noblesse ayant eu l'honorable folie de le rejeter), il était épris de sa naissance : *oiseau hagard, dont le nid fut entre quatre tourelles,* dit son père. Il n'oubliait pas qu'il avait paru à la cour, monté dans les carrosses et chassé avec le Roi. Il exigeait qu'on le qualifiât du titre de comte ; il tenait à ses couleurs, et couvrit ses gens de livrée quand tout le monde la quitta. Il citait à tout propos et hors de propos *son parent,* l'amiral de Coligny. Le *Moniteur* l'ayant appelé Riquet : « Savez-vous », dit-il avec emportement au journa-

1. Les lettres de Mirabeau à Sophie (comtesse de Monnier) sont célèbres.

liste, « qu'avec votre Riquet, vous avez désorienté l'Europe « pendant trois jours ? » Il répétait cette plaisanterie impudente et si connue : « Dans une autre famille, mon frère le « vicomte,[1] serait l'homme d'esprit et le mauvais sujet ; « dans ma famille, c'est le sot et l'homme de bien. » Des biographes attribuent ce mot au vicomte, se comparant avec humilité aux autres membres de la famille.

Le fond des sentiments de Mirabeau était monarchique ; il a prononcé ces belles paroles : « J'ai voulu guérir les « Français de la superstition de la monarchie et y substituer « son culte. » Dans une lettre, destinée à être mise sous les yeux de Louis XVI, il écrivait : « Je ne voudrais pas avoir « travaillé seulement à une vaste destruction. » C'est cependant ce qui lui est arrivé : le ciel, pour nous punir de nos talents mal employés, nous donne le repentir de nos succès.

Mirabeau remuait l'opinion avec deux leviers : d'un côté, il prenait son point d'appui dans les masses dont il s'était constitué le défenseur en les méprisant ; de l'autre, quoique traître à son ordre, il en soutenait la sympathie par des affinités de caste et des intérêts communs. Cela n'arriverait pas au plébéien, champion des classes privilégiées ; il serait abandonné de son parti sans gagner l'aristocratie, de sa nature ingrate et ingagnable, quand on n'est pas né dans ses rangs. L'aristocratie ne peut d'ailleurs improviser un noble, puisque la noblesse est fille du temps.

Mirabeau a fait école. En s'affranchissant des liens moraux, on a rêvé qu'on se transformait en homme d'Etat. Ces imitations n'ont produit que de petits pervers : tel qui se flatte d'être corrompu et voleur, n'est que débauché et fripon ; tel qui se croit vicieux, n'est que vil ; tel qui se vante d'être criminel, n'est qu'infâme.

Trop tôt pour lui, trop tard pour elle, Mirabeau se vendit à la cour, et la cour l'acheta. Il mit en enjeu sa renommée devant une pension et une ambassade. Cromwell fut au moment de troquer son avenir contre un titre et l'ordre de la Jarretière. Malgré sa superbe, Mirabeau ne s'évaluait pas assez haut. Maintenant que l'abondance du numéraire et des places a élevé le prix des consciences, il n'y a pas de

1. Ce frère était obèse ; on l'appelait « Mirabeau-Tonneau ».

sautereau dont l'acquet ne coûte des centaines de mille francs et les premiers honneurs de l'Etat. La tombe délia Mirabeau de ses promesses, et le mit à l'abri des périls que vraisemblablement il n'aurait pu vaincre : sa vie eût montré sa faiblesse dans le bien ; sa mort l'a laissé en possession de sa force dans le mal.

En sortant de notre dîner, on discutait des ennemis de Mirabeau ; je me trouvais à côté de lui et n'avais pas prononcé un mot. Il me regarda en face avec ses yeux d'orgueil, de vice et de génie, et, m'appliquant sa main sur l'épaule, il me dit : « Ils ne me pardonneront jamais ma « supériorité ! » Je sens encore l'impression de cette main, comme si Satan m'eût touché de sa griffe de feu.

Lorsque Mirabeau fixa ses regards sur un jeune muet, eut-il un pressentiment de mes futuritions ? pensa-t-il qu'il comparaîtrait un jour devant mes souvenirs ? J'étais destiné à devenir l'historien de hauts personnages : ils ont défilé devant moi, sans que je me sois appendu à leur manteau pour me faire traîner avec eux à la postérité.

Mirabeau a déjà subi la métamorphose qui s'opère parmi ceux dont la mémoire doit demeurer ; porté du Panthéon à l'égout, et reporté de l'égout au Panthéon, il s'est élevé de toute la hauteur du temps qui lui sert aujourd'hui de piédestal. On ne voit plus le Mirabeau réel, mais le Mirabeau idéalisé, le Mirabeau tel que le font les peintres, pour le rendre le symbole ou le mythe de l'époque qu'il représente : il devient ainsi plus faux et plus vrai. De tant de réputations, de tant d'acteurs, de tant d'événements, de tant de ruines, il ne restera que trois hommes, chacun d'eux attaché à chacune des trois grandes époques révolutionnaires, Mirabeau pour l'aristocratie, Robespierre pour la démocratie, Bonaparte pour le despotisme ; la monarchie n'a rien : la France a payé cher trois renommées que ne peut avouer la vertu.

SÉANCES DE L'ASSEMBLÉE NATIONALE. — ROBESPIERRE.

LES séances de l'Assemblée nationale offraient un intérêt dont les séances de nos *chambres* sont loin d'approcher. On se levait de bonne heure pour trouver place dans les tribunes encombrées. Les députés arrivaient en mangeant, causant, gesticulant ; ils se groupaient dans les diverses parties de la salle, selon leurs opinions. Lecture du procès-verbal ; après cette lecture, développement du sujet convenu, ou motion extraordinaire. Il ne s'agissait pas de quelque article insipide de loi ; rarement une destruction manquait d'être à l'ordre du jour. On parlait pour ou contre ; tout le monde improvisait bien ou mal. Les débats devenaient orageux ; les tribunes se mêlaient à la discussion, applaudissaient et glorifiaient, sifflaient et huaient les orateurs. Le président agitait sa sonnette ; les députés s'apostrophaient d'un banc à l'autre. Mirabeau le jeune prenait au collet son compétiteur ; Mirabeau l'aîné criait : « Silence aux *trente voix !* » Un jour, j'étais placé derrière l'opposition royaliste ; j'avais devant moi un gentilhomme dauphinois, noir de visage, petit de taille, qui sautait de fureur sur son siége, et disait à ses amis : « Tombons, l'épée à la main, sur ces gueux-là. » Il montrait le côté de la majorité. Les dames de la Halle, tricotant dans les tribunes, l'entendirent, se levèrent et crièrent, toutes à la fois, leurs chausses [1] à la main, l'écume à la bouche : « A la lanterne ! » Le vicomte de Mirabeau, Lautrec et quelques jeunes nobles voulaient donner l'assaut aux tribunes.

Bientôt ce fracas était étouffé par un autre : des pétitionnaires [2], armés de piques, paraissaient à la barre : « Le « peuple meurt de faim, disaient-ils ; il est temps de prendre « des mesures contre les aristocrates et de s'élever *à la*

---

1. Les chausses qu'elles tricotaient.
2. Porteurs de pétitions écrites, couvertes de signatures populaires.

« *hauteur des circonstances.* » Le président assurait ces citoyens de son respect : « On a l'œil sur les traîtres, répon-
dait-il, et l'Assemblée fera justice » Là-dessus, nouveau
vacarme : les députés de droite s'écriaient qu'on allait à
l'anarchie ; les députés de gauche répliquaient que le peuple
était libre d'exprimer sa volonté, qu'il avait le droit de se plaindre des fauteurs du despotisme, assis jusque dans le sein de la
représentation nationale : ils désignaient ainsi leurs collègues
à ce peuple souverain, qui les attendait au réverbère.

Les séances du soir l'emportaient en scandale sur les
séances du matin : on parle mieux et plus hardiment à la
lumière des lustres. La salle du Manège,[1] était alors une
véritable salle de spectacle, où se jouait un des plus grands
drames du monde. Les premiers personnages appartenaient
encore à l'ancien ordre de choses ; leurs terribles rempla-
çants, cachés derrière eux, parlaient peu ou point. A la fin
d'une discussion violente, je vis monter à la tribune un
député d'un air commun, d'une figure grise et inanimée,
régulièrement coiffé, proprement[2] habillé comme le régisseur d'une bonne maison, ou comme un notaire de village
soigneux de sa personne. Il fit un rapport long et ennuyeux ;
on ne l'écouta pas ; je demandai son nom : c'était Robespierre. Les gens à souliers étaient prêts à sortir des salons, et
déjà les sabots heurtaient à la porte.

Paris, décembre 1821.

SOCIÉTÉ. — ASPECT DE PARIS.

LORSQU'AVANT la Révolution je lisais l'histoire des troubles
publics chez divers peuples, je ne concevais pas comment on

1. Le Manège, construit sous Louis XV et où siégèrent les trois
assemblées révolutionnaires, se trouvait à l'angle des rues actuelles de
Castiglione et de Rivoli.
2. Avec élégance.

avait pu vivre en ces temps-là ; je m'étonnais que Montaigne écrivît si gaillardement dans un château dont il ne pouvait faire le tour sans courir le risque d'être enlevé par des bandes de ligueurs ou de protestants.

La Révolution m'a fait comprendre cette possibilité d'existence. Les moments de crise produisent un redoublement de vie chez les hommes. Dans une société qui se dissout et se recompose, la lutte des deux génies, le choc du passé et de l'avenir, le mélange des mœurs anciennes et des mœurs nouvelles, forment une combinaison transitoire qui ne laisse pas un moment d'ennui. Les passions et les caractères en liberté se montrent avec une énergie qu'ils n'ont point dans la cité bien réglée. L'infraction des lois, l'affranchissement des devoirs, des usages et des bienséances, les périls même ajoutent à l'intérêt de ce désordre. Le genre humain en vacances se promène dans la rue, débarrassé de ses pédagogues, rentré pour un moment dans l'état de nature, et ne recommençant à sentir la nécessité du frein social que lorsqu'il porte le joug des nouveaux tyrans enfantés par la licence.

Je ne pourrais mieux peindre la société de 1789 et 1790 qu'en la comparant à l'architecture du temps de Louis XII et de François Ier, lorsque les ordres grecs se vinrent mêler au style gothique, ou plutôt en l'assimilant à la collection des ruines et des tombeaux de tous les siècles, entassés pêle-mêle après la Terreur dans les cloîtres des Petits-Augustins.[1] : seulement, les débris dont je parle étaient vivants et variaient sans cesse. Dans tous les coins de Paris, il y avait des réunions littéraires, des sociétés politiques et des spectacles ; les renommées futures erraient dans la foule sans être connues, comme les âmes au bord du Lethé avant d'avoir joui de la lumière. J'ai vu le maréchal Gouvion-Saint-Cyr remplir un rôle, sur le théâtre du Marais, dans la *Mère coupable* de Beaumarchais. On se transportait du club des Feuillants au club des Jacobins, des bals et des maisons de jeu aux groupes du Palais-Royal, de la tribune de

1. En 1796, sur la proposition du peintre Alexandre Lenoir, les œuvres d'art provenant des édifices religieux désaffectés furent rassemblées dans ce cloître, là où s'élève aujourd'hui l'Ecole des beaux-arts.

l'Assemblée nationale à la tribune en plein vent. Passaient et repassaient dans les rues des députations populaires, des piquets de cavalerie, des patrouilles d'infanterie. Auprès d'un homme en habit français, tête poudrée, épée au côté, chapeau sous le bras, escarpins et bas de soie, marchait un homme, cheveux coupés et sans poudre, portant le frac anglais et la cravate américaine. Aux théâtres, les acteurs publiaient les nouvelles; le parterre entonnait des couplets patriotiques. Des pièces de circonstance attiraient la foule : un abbé paraissait sur la scène; le peuple lui criait : « Calotin ! calotin ! » et l'abbé répondait : « Messieurs, vive la Nation ! » On courait entendre chanter Mandini et sa femme, Viganoni et Rovedino à l'*Opera-Buffa,* après avoir entendu hurler *Ça ira;* on allait admirer madame Dugazon, madame Saint-Aubin, Carline, la petite Olivier, mademoiselle Contat, Molé, Fleury, Talma débutant, après avoir vu pendre Favras 1.

Les promenades au boulevard du Temple et à celui des Italiens, surnommé *Coblentz,* les allées du jardin des Tuileries, étaient inondées de femmes pimpantes : trois jeunes filles de Grétry y brillaient, blanches et roses comme leur parure : elles moururent bientôt toutes trois. « Elle s'endormit pour jamais », dit Grétry en parlant de sa fille aînée, « assise sur mes genoux, aussi belle que pendant sa vie. » Une multitude de voitures sillonnaient les carrefours où barbotaient les sans-culottes, et l'on trouvait la belle madame de Buffon 2, assise seule dans un phaéton du duc d'Orléans, stationné à la porte de quelque club.

L'élégance et le goût de la société aristocratique se retrouvaient à l'hôtel de La Rochefoucauld, aux soirées de mesdames de Poix, d'Hénin, de Simiane, de Vaudreuil, dans quelques salons de la haute magistrature, restés ouverts. Chez M. Necker, chez M. le comte de Montmorin, chez les divers ministres, se rencontraient (avec madame de Staël, la duchesse d'Aiguillon, mesdames de Beaumont 3 et de Sérilly), toutes les nouvelles illustrations de la France, et

1. Le marquis de Favras, ami du comte de Provence.
2. Belle-fille de Buffon, maîtresse du duc d'Orléans.
3. Pauline, fille de Montmorin.

toutes les libertés des nouvelles mœurs. Le cordonnier en uniforme d'officier de garde nationale, prenait à genoux la mesure de votre pied ; le moine, qui le vendredi traînait sa robe noire ou blanche, portait le dimanche le chapeau rond et l'habit bourgeois ; le capucin, rasé, lisait le journal à la guinguette, et dans un cercle de femmes folles paraissait une religieuse gravement assise : c'était une tante ou une sœur mise à la porte de son monastère. La foule visitait ces couvents ouverts au monde, comme les voyageurs parcourent, à Grenade, les salles abandonnées de l'Alhambra, ou comme ils s'arrêtent, à Tibur, sous les colonnes du temple de la Sibylle.

Du reste, force duels et amours, liaisons de prison et fraternité de politique, rendez-vous mystérieux parmi des ruines, sous un ciel serein, au milieu de la paix et de la poésie de la nature ; promenades écartées, silencieuses, solitaires, mêlées de serments éternels et de tendresses indéfinissables, au sourd fracas d'un monde qui fuyait, au bruit lointain d'une société croulante, qui menaçait de sa chute ces félicités placées au pied des événements. Quand on s'était perdu de vue vingt-quatre heures, on n'était pas sûr de se retrouver jamais. Les uns s'engageaient dans les routes révolutionnaires, les autres méditaient la guerre civile ; les autres partaient pour l'Ohio, où ils se faisaient précéder de plans de châteaux à bâtir chez les Sauvages ; les autres allaient rejoindre les princes : tout cela allègrement, sans avoir souvent un sou dans sa poche : les royalistes affirmant que la chose finirait un de ces matins par un arrêt du parlement, les patriotes, tout aussi légers dans leurs espérances, annonçant le règne de la paix et du bonheur avec celui de la liberté. On chantait :

> La sainte chandelle d'Arras,
> Le flambeau de la Provence,
> S'ils ne nous éclairent pas
> Mettent le feu dans la France ;
> On ne peut pas les toucher,
> Mais on espère les moucher.

Et voilà comme on jugeait Robespierre et Mirabeau ! « Il est aussi peu en la puissance de toute faculté terrienne, dit

« l'Estoile, d'engarder le peuple français de parler, que d'en-
« fouir le soleil en terre ou l'enfermer dedans un trou. »

Le palais des Tuileries, grande geôle remplie de condamnés, s'élevait au milieu de ces fêtes de la destruction. Les
sentenciés jouaient aussi en attendant la *charrette,* la *tonte,*
la *chemise rouge* qu'on avait mise sécher, et l'on voyait à
travers les fenêtres les éblouissantes illuminations du cercle
de la Reine.

Des milliers de brochures et de journaux pullulaient ; les
satires et les poëmes, les chansons des *Actes des Apôtres,*[1]
répondaient à l'*Ami du peuple* ou au *Modérateur* du club
monarchien, rédigé par Fontanes ; Mallet-Dupan, dans la
partie politique du *Mercure,* était en opposition avec
Laharpe et Chamfort dans la partie littéraire du même
journal. Champcenetz, le marquis de Bonnay, Rivarol,
Mirabeau le cadet (le Holbein d'épée, qui leva sur le Rhin la
légion des hussards de la Mort), Honoré Mirabeau l'aîné,
s'amusaient à faire, en dînant, des caricatures et le *Petit
Almanach des grands hommes :* Honoré allait ensuite proposer la loi martiale ou la saisie des biens du clergé. Il
passait la nuit chez madame Jay, après avoir déclaré qu'il ne
sortirait de l'Assemblée nationale que par la puissance des
baïonnettes. *Egalité,*[2] consultait le diable dans les carrières
de Montrouge, et revenait au jardin de Monceaux présider
les orgies dont Laclos[3] était l'ordonnateur. Le futur
régicide ne dégénérait point de sa race : double prostitué, la
débauche le livrait épuisé à l'ambition. Lauzun, déjà fané,
soupait dans sa petite maison à la barrière du Maine avec
des danseuses de l'Opéra, entrecaressées de MM. de Noailles, de Dillon, de Choiseul, de Narbonne, de Talleyrand et de
quelques autres élégances du jour dont il nous reste deux ou
trois momies.

La plupart des courtisans, célèbres par leur immoralité
à la fin du règne de Louis XV et pendant le règne de
Louis XVI, étaient enrôlés sous le drapeau tricolore : presque tous avaient fait la guerre d'Amérique et barbouillé

1. Journal royaliste de Rivarol et Peltier.
2. Le duc d'Orléans, Philippe-Egalité.
3. L'auteur des *Liaisons dangereuses,* secrétaire du duc d'Orléans.

leurs cordons des couleurs républicaines. La Révolution les employa tant qu'elle se tint à une médiocre hauteur ; ils devinrent même les premiers généraux de ses armées. Le duc de Lauzun, le romanesque amoureux de la princesse Czartoriska, le coureur de femmes sur les grands chemins, le Lovelace qui *avait* celle-ci et puis qui *avait* celle-là, selon le noble et chaste jargon de la cour, le duc de Lauzun devenu duc de Biron, commandant pour la Convention dans la Vendée : quelle pitié ! Le baron de Bezenval, révélateur menteur et cynique des corruptions de la haute société, mouche du coche des puérilités de la vieille monarchie expirante, ce lourd baron compromis dans l'affaire de la Bastille, sauvé par M. Necker et par Mirabeau, uniquement parce qu'il était Suisse : quelle misère ! Qu'avaient à faire de pareils hommes avec de pareils événements ? Quand la Révolution eut grandi, elle abandonna avec dédain les frivoles apostats du trône : elle avait eu besoin de leurs vices, elle eut besoin de leurs têtes : elle ne méprisait aucun sang, pas même celui de la du Barry.

Paris, décembre 1821.

CE QUE JE FAISAIS AU MILIEU DE TOUT CE BRUIT. — MES JOURS SOLITAIRES. — MADEMOISELLE MONET. — J'ARRÊTE AVEC M. DE MALESHERBES LE PLAN DE MON VOYAGE EN AMÉRIQUE. — BONAPARTE ET MOI, SOUS-LIEUTENANTS IGNORÉS. — LE MARQUIS DE LA ROUËRIE. — JE M'EMBARQUE À SAINT-MALO. — DERNIÈRES PENSÉES EN QUITTANT LA TERRE NATALE.

L'ANNÉE 1790 compléta les mesures ébauchées de l'année 1789. Le bien de l'Église, mis d'abord sous la main de la nation, fut confisqué, la constitution civile du clergé décrétée, la noblesse abolie.

Je n'assistai pas à la Fédération de juillet 1790 : une indisposition assez grave me retenait au lit ; mais je m'étais fort amusé auparavant aux brouettes du Champs-de-Mars. Madame de Staël a merveilleusement décrit cette scène. Je regretterai toujours de n'avoir pas vu M. de Talleyrand dire la messe servie par l'abbé Louis [1], comme de ne l'avoir pas vu, le sabre au côté, donner audience à l'ambassadeur du Grand-Turc.

Mirabeau déchut de sa popularité dans l'année 1790 ; ses liaisons avec la cour étaient évidentes. M. Necker résigna le ministère et se retira, sans que personne eût envie de le retenir. Mesdames, tantes du Roi, partirent pour Rome avec un passeport de l'Assemblée nationale. Le duc d'Orléans, revenu d'Angleterre, se déclara le très-humble et très-obéissant serviteur du Roi. Les sociétés des Amis de la Constitution, multipliées sur le sol, se rattachaient à Paris à la société-mère, dont elles recevaient les inspirations et exécutaient les ordres.

La vie publique rencontrait dans mon caractère des dispositions favorables : ce qui se passait en commun m'attirait, parce que dans la foule je gardais ma solitude et n'avais point à combattre ma timidité. Cependant les salons, participant du mouvement universel, étaient un peu moins étrangers à mon allure, et j'avais, malgré moi, fait des connaissances nouvelles.

La marquise de Villette s'était trouvée sur mon chemin. Son mari, d'une réputation calomniée, écrivait, avec Monsieur, frère du Roi, dans le *Journal de Paris*. Madame de Villette, charmante encore, perdit une fille de seize ans, plus charmante que sa mère, et pour laquelle le chevalier de Parny fit ces vers dignes de l'Anthologie :

> *Au ciel elle a rendu sa vie,*
> *Et doucement s'est endormie,*
> *Sans murmurer contre ses lois :*

---

1. Le baron Louis (1755-1837) n'avait que les ordres mineurs. Il sera plusieurs fois ministre des finances sous la Restauration.

Ainsi le sourire s'efface,
Ainsi meurt sans laisser de trace
Le chant d'un oiseau dans les bois.

Mon régiment, en garnison à Rouen, conserva sa discipline assez tard. Il eut un engagement avec le peuple au sujet de l'exécution du comédien Bordier, qui subit le dernier arrêt de la puissance parlementaire ; pendu la veille, héros le lendemain, s'il eût vécu vingt-quatre heures de plus. Mais, enfin, l'insurrection se mit parmi les soldats de Navarre. Le marquis de Mortemart émigra ; les officiers le suivirent. Je n'avais ni adopté ni rejeté les nouvelles opinions ; aussi peu disposé à les attaquer qu'à les servir, je ne voulus ni émigrer ni continuer la carrière militaire : je me retirai.

Dégagé de tous liens, j'avais, d'une part, des disputes assez vives avec mon frère et le président de Rosambo ; de l'autre, des discussions non moins aigres avec Ginguené, Laharpe et Chamfort. Dès ma jeunesse, mon impartialité politique ne plaisait à personne. Au surplus, je n'attachais d'importance aux questions soulevées alors, que par des idées générales de liberté et de dignité humaines ; la politique personnelle m'ennuyait ; ma véritable vie était dans des régions plus hautes.

Les rues de Paris, jour et nuit encombrées de peuple, ne me permettaient plus mes flâneries. Pour retrouver le désert, je me réfugiais au théâtre : je m'établissais au fond d'une loge, et laissais errer ma pensée aux vers de Racine, à la musique de Sacchini, ou aux danses de l'Opéra. Il faut que j'aie vu intrépidement vingt fois de suite, aux Italiens, la *Barbe-bleue*,[1] et le *Sabot perdu*, m'ennuyant pour me désennuyer, comme un hibou dans un trou de mur ; tandis que la monarchie tombait, je n'entendais ni le craquement des voûtes séculaires, ni les miaulements du vaudeville, ni la voix tonnante de Mirabeau à la tribune, ni celle de Colin qui chantait à Babet sur le théâtre :

1. De Sedaine et Grétry. — On ne sait rien du *Sabot perdu*.

Qu'il pleuve, qu'il vente ou qu'il neige,
Quand la nuit est longue, on l'abrège.

M. Monet, directeur des mines, et sa jeune fille, envoyés par madame Ginguené, venaient quelquefois troubler ma sauvagerie : mademoiselle Monet se plaçait sur le devant de la loge ; je m'asseyais moitié content, moitié grognant, derrière elle. Je ne sais si elle me plaisait, si je l'aimais ; mais j'en avais bien peur. Quand elle était partie, je la regrettais, en étant plein de joie de ne la voir plus. Cependant j'allais quelquefois, à la sueur de mon front, la chercher chez elle, pour l'accompagner à la promenade : je lui donnais le bras, et je crois que je serrais un peu le sien.

Une idée me dominait, l'idée de passer aux Etats-Unis : il fallait un but utile à mon voyage ; je me proposais de découvrir (ainsi que je l'ai dit dans ces Mémoires et dans plusieurs de mes ouvrages) le passage au nord-ouest de l'Amérique. Ce projet n'était pas dégagé de ma nature poétique. Personne ne s'occupait de moi ; j'étais alors, ainsi que Bonaparte, un mince sous-lieutenant tout à fait inconnu ; nous partions, l'un et l'autre, de l'obscurité à la même époque, moi pour chercher ma renommée dans la solitude, lui sa gloire parmi les hommes. Or, ne m'étant attaché à aucune femme, ma sylphide obsédait encore mon imagination. Je me faisais une félicité de réaliser avec elle mes courses fantastiques dans les forêts du Nouveau-Monde. Par l'influence d'une autre nature, ma fleur d'amour, mon fantôme sans nom des bois de l'Armorique, est devenue *Atala* sous les ombrages de la Floride.

M. de Malesherbes me montait la tête sur ce voyage. J'allais le voir le matin : le nez collé sur des cartes, nous comparions les différents dessins de la coupole arctique ; nous supputions les distances du détroit de Bering au fond de la baie d'Hudson ; nous lisions les divers récits des navigateurs et voyageurs anglais, hollandais, français, russes, suédois, danois ; nous nous enquérions des chemins à suivre par terre pour attaquer le rivage de la mer polaire ; nous devisions des difficultés à surmonter, des précautions à prendre contre la rigueur du climat, les assauts des bêtes et

le manque de vivres. Cet homme illustre me disait : « Si
« j'étais plus jeune, je partirais avec vous, je m'épargnerais
« le spectacle que m'offrent ici tant de crimes, de lâchetés
« et de folies. Mais à mon âge, il faut mourir où l'on est. Ne
« manquez pas de m'écrire par tous les vaisseaux, de me
« mander vos progrès et vos découvertes : je les ferai valoir
« auprès des ministres. C'est bien dommage que vous ne
« sachiez pas la botanique ! » Au sortir de ces conversations,
je feuilletais Tournefort, Duhamel, Bernard de Jussieu,
Grew, Jacquin, le Dictionnaire de Rousseau, les Flores
élémentaires ; je courais au Jardin du Roi, et déjà je me
croyais un Linné.

Enfin, au mois de janvier 1791, je pris sérieusement mon
parti. Le chaos augmentait : il suffisait de porter un nom
aristocrate pour être exposé aux persécutions : plus votre
opinion était consciencieuse et modérée, plus elle était
suspecte et poursuivie. Je résolus donc de lever mes tentes :
je laissai mon frère et mes sœurs à Paris et m'acheminai
vers la Bretagne.

Je rencontrai, à Fougères, le marquis de La Rouërie[1] : je
lui demandai une lettre pour le général Washington. *Le
Colonel Armand* (nom qu'on donnait au marquis, en Amérique), s'était distingué dans la guerre de l'indépendance
américaine. Il se rendit célèbre, en France, par la conspiration royaliste qui fit des victimes si touchantes dans la
famille des Désilles. Mort en organisant cette conspiration,
il fut exhumé, reconnu, et causa le malheur de ses hôtes et
de ses amis. Rival de La Fayette et de Lauzun, devancier de
La Rochejaquelein, le marquis de La Rouërie avait plus
d'esprit qu'eux : il s'était plus souvent battu que le premier ; il avait enlevé des actrices à l'Opéra, comme le
second ; il serait devenu le compagnon d'armes du troisième.
Il fourrageait les bois, en Bretagne, avec un major américain, et accompagné d'un singe assis sur la croupe de son
cheval. Les écoliers de droit de Rennes l'aimaient, à cause de
sa hardiesse d'action et de sa liberté d'idées : il avait été un
des douze gentilshommes bretons mis à la Bastille. Il était
élégant de taille et de manière, brave de mine, charmant de

1. Voir, plus haut p. 144.

visage, et ressemblait aux portraits des jeunes seigneurs de la Ligue.

Je choisis Saint-Malo pour m'embarquer, afin d'embrasser ma mère. Je vous ai dit, au troisième livre de ces *Mémoires*, comment je passai par Combourg, et quels sentiments m'oppressèrent. Je demeurai deux mois à Saint-Malo, occupé des préparatifs de mon voyage, comme jadis de mon départ projeté pour les Indes.

Je fis marché avec un capitaine, nommé Desjardins : il devait transporter, à Baltimore, l'abbé Nagault, supérieur de séminaire de Saint-Sulpice, et plusieurs séminaristes, sous la conduite de leur chef. Ces compagnons de voyage m'auraient mieux convenu quatre ans plus tôt : de chrétien zélé que j'avais été, j'étais devenu un esprit fort, c'est-à-dire un esprit faible. Ce changement, dans mes opinions religieuses, s'était opéré par la lecture des livres philosophiques. Je croyais, de bonne foi, qu'un esprit religieux était paralysé d'un côté, qu'il y avait des vérités qui ne pouvaient arriver jusqu'à lui, tout supérieur qu'il pût être d'ailleurs. Ce benoît orgueil me faisait prendre le change ; je supposais dans l'esprit religieux cette absence d'une faculté, qui se trouve précisément dans l'esprit philosophique : l'intelligence courte croit tout voir, parce qu'elle reste les yeux ouverts ; l'intelligence supérieure consent à fermer les yeux, parce qu'elle aperçoit tout en dedans. Enfin, une chose m'achevait : le désespoir sans cause que je portais au fond du cœur.

Une lettre de mon frère a fixé dans ma mémoire la date de mon départ : il écrivait de Paris à ma mère, en lui annonçant la mort de Mirabeau[1]. Trois jours après l'arrivée de cette lettre, je rejoignis en rade le navire sur lequel mes bagages étaient chargés. On leva l'ancre, moment solennel parmi les navigateurs. Le soleil se couchait quand le pilote côtier nous quitta, après nous avoir mis hors des passes. Le temps était sombre, la brise molle, et la houle battait lourdement les écueils à quelques encâblures du vaisseau.

1. Mirabeau est mort le 2 avril 1791. Chateaubriand a dû s'embarquer le 8.

Mes regards restaient attachés sur Saint-Malo ; je venais d'y laisser ma mère toute en larmes. J'apercevais les clochers et les dômes des églises où j'avais prié avec Lucile, les murs, les remparts, les forts, les tours, les grèves où j'avais passé mon enfance avec Gesril et mes camarades de jeux ; j'abandonnais ma patrie déchirée, lorsqu'elle perdait un homme que rien ne pouvait remplacer. Je m'éloignais également incertain des destinées de mon pays et des miennes : qui périrait de la France ou de moi ? Reverrais-je jamais cette France et ma famille ?

Le calme nous arrêta avec la nuit au débouquement [1] de la rade ; les feux de la ville et les phares s'allumèrent : ces lumières qui tremblaient sous mon toit paternel semblaient à la fois me sourire et me dire adieu, en m'éclairant parmi les rochers, les ténèbres de la nuit et l'obscurité des flots.

Je n'emportais que ma jeunesse et mes illusions ; je désertais un monde dont j'avais foulé la poussière et compté les étoiles, pour un monde de qui la terre et le ciel m'étaient inconnus. Que devait-il m'arriver si j'atteignais le but de mon voyage ? Égaré sur les rives hyperboréennes, les années de discorde qui ont écrasé tant de générations avec tant de bruit, seraient tombées en silence sur ma tête ; la société eût renouvelé sa face, moi absent. Il est probable que je n'aurais jamais eu le malheur d'écrire ; mon nom serait demeuré ignoré, ou il ne s'y fût attaché qu'une de ces renommées paisibles au-dessous de la gloire, dédaignées de l'envie et laissées au bonheur. Qui sait si j'eusse repassé l'Atlantique, si je ne me serais point fixé dans les solitudes, à mes risques et périls explorées et découvertes, comme un conquérant au milieu de ses conquêtes [2] !

Mais non ! je devais rentrer dans ma patrie pour y changer de misères, pour y être tout autre chose que ce que j'avais été. Cette mer, au giron de laquelle j'étais né, allait devenir le berceau de ma seconde vie ; j'étais porté par elle,

1. Sortie.
2. « Aujourd'hui que j'approche de la fin de ma carrière, je ne puis m'empêcher... de songer combien cette carrière eût été changée pour moi, si j'avais rempli le but de mon voyage », c'est-à-dire si j'avais « découvert le passage au nord-ouest de l'Amérique, en retrouvant la mer polaire ». (Introduction du *Voyage en Amérique*, 1827 ; O.C. VI, p. 1-3.)

dans mon premier voyage, comme dans le sein de ma nourrice, dans les bras de la confidente de mes premiers pleurs et de mes premiers plaisirs.

Le jusant, au défaut de la brise, nous entraîna au large, les lumières du rivage diminuèrent peu à peu et disparurent. Epuisé de réflexions, de regrets vagues, d'espérances plus vagues encore, je descendis à ma cabine : je me couchai, balancé dans mon hamac au bruit de la lame qui caressait le flanc du vaisseau. Le vent se leva ; les voiles déferlées qui coiffaient les mats s'enflèrent, et quand je montai sur le tillac le lendemain matin, on ne voyait plus la terre de France.

Ici changent mes destinées : *Encore à la mer! Again to sea!* (Byron [1].)

Londres, d'avril à septembre 1822.

Revu en décembre 1846.

PROLOGUE.

TRENTE-UN ans après m'être embarqué, simple sous-lieutenant, pour l'Amérique, je m'embarquais pour Londres, avec un passeport conçu en ces termes : « Laissez passer, » disait ce passe port, « laissez passer sa seigneurie le vicomte de « Chateaubriand, pair de France, ambassadeur du Roi près « de Sa Majesté britannique, etc., etc. » Point de signalement ; ma grandeur devait faire connaître mon visage en tous lieux. Un bateau à vapeur, nolisé [2] pour

1. *Childe Harold,* III, st. 2.
2. Loué.

moi seul, me porte de Calais à Douvres. En mettant le pied
sur le sol anglais, le 5 avril 1822, je suis salué par le canon
du fort. Un officier vient, de la part du commandant,
m'offrir une garde d'honneur. Descendu à *Shipwright-Inn*,
le maître et les garçons de l'auberge me reçoivent bras
pendants et têtes nues. Madame la mairesse m'invite à une
soirée, au nom des plus belles dames de la ville. M. Billing,
attaché à mon ambassade, m'attendait. Un dîner d'énormes
poissons et de monstrueux quartiers de bœuf restaure
monsieur l'ambassadeur, qui n'a point d'appétit et qui
n'était pas du tout fatigué. Le peuple, attroupé sous mes
fenêtres, fait retentir l'air de *huzzas*. L'officier revient et
pose, malgré moi, des sentinelles à ma porte. Le lendemain,
après avoir distribué force argent du Roi mon maître, je me
mets en route pour Londres, au ronflement du canon,
dans une légère voiture, qu'emportent quatre beaux chevaux menés au grand trot par deux élégants jockeys.
Mes gens suivent dans d'autres carrosses ; des cour-
riers à ma livrée accompagnent le cortège. Nous passons
Cantorbery, attirant les yeux de John-Bull et des équipages qui nous croisent. A Black-Heath, bruyère jadis hantée
des voleurs, je trouve un village tout neuf. Bientôt m'apparaît l'immense calotte de fumée qui couvre la cité de Londres.

Plongé dans le gouffre de vapeur charbonnée, comme
dans une des gueules du Tartare, traversant la ville entière
dont je reconnais les rues, j'aborde l'hôtel de l'ambassade,
Portland-Place. Le chargé d'affaires, M. le comte Georges
de Caraman, les secrétaires d'ambassade, M. le vicomte de
Marcellus [1], M. le baron E. Decazes, M. de Bourqueney, les
attachés à l'ambassade, m'accueillent avec une noble politesse. Tous les huissiers, concierges, valets de chambre,
valets de pied de l'hôtel, sont assemblés sur le trottoir.
On me présente les cartes des ministres anglais et des
ambassadeurs étrangers, déjà instruits de ma prochaine
arrivée.

Le 17 mai de l'an de *grâce* 1793, je débarquais pour la

---

1. Sous le titre *Chateaubriand et son temps* il a laissé un commentaire
sournoisement malveillant des *Mémoires d'outre-tombe* (1859).

même ville de Londres, humble et obscur voyageur, à Southampton, venant de Jersey. Aucune mairesse ne s'aperçut que je passais ; le maire de la ville, William Smith, me délivra le 18, pour Londres, une feuille de route, à laquelle était joint un extrait de l'*Alien-bill*. Mon signalement portait en anglais : « François de Chateaubriand, officier français à l'armée des émigrés *(french officer in the emigrant army)*, taille de cinq pieds quatre pouces [1] *(five feet four inches high)*, mince *(thin shape)*, favoris et cheveux bruns *(brown hair and fits)*. » Je partageai modestement la voiture la moins chère avec quelques matelots en congé ; je relayai aux plus chétives tavernes ; j'entrai pauvre, malade, inconnu, dans une ville opulente et fameuse, où M. Pitt régnait ; j'allai loger, à six schellings par mois, sous le lattis d'un grenier que m'avait préparé un cousin de Bretagne, au bout d'une petite rue qui joignait Tottenham-Court-Road.

> *Ah !* Monseigneur, *que votre vie,*
> *D'honneurs aujourd'hui si remplie,*
> *Diffère de ces heureux temps* [2] *!*

Cependant une autre obscurité m'enténèbre à Londres. Ma place politique met à l'ombre ma renommée littéraire ; il n'y a pas un sot dans les trois royaumes qui ne préfère l'ambassadeur de Louis XVIII à l'auteur du *Génie du Christianisme*. Je verrai comment la chose tournera après ma mort, ou quand j'aurai cessé de remplacer M. le duc Decazes auprès de Georges IV, succession aussi bizarre que le reste de ma vie.

Arrivé à Londres comme ambassadeur français, un de mes plus grands plaisirs est de laisser ma voiture au coin d'un square, et d'aller à pied parcourir les ruelles que j'avais jadis fréquentées, les faubourgs populaires et à bon marché, où se réfugie le malheur sous la protection

---

1. Les pieds et pouces anglais sont d'une valeur inférieure à celle des pieds et pouces français. La taille de Chateaubriand était, dans sa jeunesse, de 1 mètre 62 ou 63 (cf. Marcel Duchemin, *Chateaubriand* p. 445).

2. Souvenir de Voltaire, *Epître des vous et des tu* : « Ah ! madame, que votre vie... ».

d'une même souffrance, les abris ignorés que je hantais avec mes associés de détresse, ne sachant si j'aurais du pain le lendemain, moi dont trois et quatre services couvrent aujourd'hui la table. A toutes ces portes étroites et indigentes qui m'étaient autrefois ouvertes, je ne rencontre que des visages étrangers. Je ne vois plus errer mes compatriotes, reconnaissables à leurs gestes, à leur manière de marcher, à la forme et à la vétusté de leurs habits ; je n'aperçois plus ces prêtres martyrs, portant le petit collet, le grand chapeau à trois cornes, la longue redingote noire usée, et que les Anglais saluaient en passant. De larges rues bordées de palais ont été percées, des ponts bâtis, des promenades plantées : *Regent's-Park* occupe, auprès de *Portland-Place,* les anciennes prairies couvertes de troupeaux de vaches. Un cimetière, perspective de la lucarne d'un de mes greniers, a disparu dans l'enceinte d'une fabrique[1]. Quand je me rends chez lord Liverpool[2], j'ai de la peine à retrouver l'espace vide de l'échafaud de Charles Ier ; des bâtisses nouvelles, resserrant la statue de Charles II, se sont avancées avec l'oubli sur des événements mémorables.

Que je regrette, au milieu de mes insipides pompes, ce monde de tribulations et de larmes, ces temps où je mêlais mes peines à celles d'une colonie d'infortunés ! Il est donc vrai que tout change, que le malheur même périt comme la prospérité ! Que sont devenus mes frères en émigration ? Les uns sont morts, les autres ont subi diverses destinées : ils ont vu comme moi disparaître leurs proches et leurs amis ; ils sont moins heureux dans leur patrie qu'ils ne l'étaient sur la terre étrangère. N'avions-nous pas sur cette terre nos réunions, nos divertissements, nos fêtes et surtout notre jeunesse ? Des mères de famille, des jeunes filles qui commençaient la vie par l'adversité, apportaient le fruit semainier du labeur, pour s'éjouir à quelque danse de la patrie. Des attachements se formaient dans les causeries du soir après le travail, sur les

---

1. Au sens technique du mot : construction destinée à orner un parc.

2. Le comte de Liverpool était depuis dix ans, en 1822, premier ministre d'Angleterre.

gazons d'Hamstead et de Primrose-Hill. A des chapelles, ornées de nos mains dans de vieilles masures, nous priions le 21 janvier et le jour de la mort de la Reine, tout émus d'une oraison funèbre prononcée par le curé émigré de notre village. Nous allions le long de la Tamise, tantôt voir surgir aux docks les vaisseaux chargés des richesses du monde, tantôt admirer les maisons de campagne de Richmond, nous si pauvres, nous privés du toit paternel : toutes ces choses sont de véritables félicités !

Quand je rentre en 1822, au lieu d'être reçu par mon ami, tremblottant de froid, qui m'ouvre la porte de notre grenier en me tutoyant, qui se couche sur son grabat auprès du mien, en se recouvrant de son mince habit et ayant pour lampe le clair de lune, — je passe à la lueur des flambeaux entre deux files de laquais, qui vont aboutir à cinq ou six respectueux secrétaires. J'arrive, tout criblé sur ma route des mots : *Monseigneur, Mylord, Votre Excellence, Monsieur l'Ambassadeur,* à un salon tapissé d'or et de soie.

— Je vous en supplie, messieurs, laissez-moi ! Trêve de ces *Mylords!* Que voulez-vous que je fasse de vous ? Allez rire à la chancellerie, comme si je n'étais pas là. Prétendezvous me faire prendre au sérieux cette mascarade ? Pensezvous que je sois assez bête, pour me croire changé de nature, parce que j'ai changé d'habit ? Le marquis de Londonderry va venir, dites-vous ; le duc de Wellington m'a demandé ; M. Canning me cherche ; lady Jersey m'attend à dîner, avec M. Brougham ; lady Gwidir m'espère, à dix heures, dans sa loge à l'Opéra ; lady Mansfield, à minuit, à Almacks [1]. —

Miséricorde ! où me fourrer ? qui me délivrera ? qui m'arrachera à ces persécutions ? Revenez, beaux jours de ma misère et de ma solitude ! Ressuscitez, compagnons de mon exil ! Allons, mes vieux camarades du lit de camp et de la couche de paille, allons dans la campagne, dans le petit jardin d'une taverne dédaignée, boire sur un banc de bois

1. Les salons d'Almack étaient situés dans le parc de Saint-James ; l'aristocratie londonienne y donnait des bals.

une tasse de mauvais thé, en parlant de nos folles espérances et de notre ingrate patrie, en devisant de nos chagrins, en cherchant le moyen de nous assister les uns les autres, de secourir un de nos parents encore plus nécessiteux que nous.

Voilà ce que j'éprouve, ce que je me dis dans ces premiers jours de mon ambassade à Londres. Je n'échappe à la tristesse qui m'assiège sous mon toit, qu'en me saturant d'une tristesse moins pesante dans le parc de Kensington. Lui, ce parc, n'est point changé ; les arbres seulement ont grandi ; toujours solitaire, les oiseaux y font leur nid en paix. Ce n'est plus même la mode de se rassembler dans ce lieu, comme au temps que la plus belle des Françaises, madame Récamier, y passait suivie de la foule. Du bord des pelouses désertes de Kensington, j'aime à voir courre, à travers Hyde-Park, les troupes de chevaux, les voitures des fashionables, parmi lesquelles figure mon tilbury vide, tandis que, redevenu gentillâtre émigré, je remonte l'allée où le confesseur banni disait autrefois son bréviaire.

C'est dans ce parc de Kensington que j'ai médité l'*Essai historique ;* que, relisant le journal de mes courses d'outremer, j'en ai tiré les amours d'*Atala ;* c'est aussi dans ce parc, après avoir erré au loin dans les campagnes sous un ciel baissé, blondissant et comme pénétré de la clarté polaire, que je traçai au crayon les premières ébauches des passions de *René.* Je déposais, la nuit, la moisson de mes rêveries du jour dans l'*Essai historique* et dans les *Natchez.* Les deux manuscrits marchaient de front, bien que souvent je manquasse d'argent pour en acheter le papier, et que j'en assemblasse les feuillets avec des pointes arrachées aux tasseaux de mon grenier, faute de fil.

Ces lieux de mes premières inspirations me font sentir leur puissance ; ils reflètent sur le présent la douce lumière des souvenirs : — je me sens en train de reprendre la plume. Tant d'heures sont perdues dans les ambassades ! Le temps ne me fault pas plus ici qu'à Berlin pour continuer mes Mémoires, édifice que je bâtis avec des ossements et des ruines. Mes secrétaires à Londres désirent aller le matin à des pique-niques, et le soir au bal : très-volontiers ! Les gens, Peter, Valentin, Lewis, vont à leur tour au cabaret, et les femmes, Rose, Peggy, Maria, à la promenade des trottoirs ; j'en suis charmé. On me laisse la clef de la porte extérieure : monsieur l'Ambassadeur est commis à la garde de sa maison ; si on frappe, il ouvrira. Tout le monde est sorti ; me voilà seul : mettons-nous à l'œuvre.

Il y a vingt-deux ans, je viens de le dire, que j'esquissais à Londres les *Natchez* et *Atala;* j'en suis précisément dans mes Mémoires à l'époque de mes voyages en Amérique : cela se rejoint à merveille. Supprimons ces vingt-deux ans, comme ils sont, en effet, supprimés de ma vie, et partons pour les forêts du Nouveau-Monde : le récit de mon ambassade viendra à sa date, quand il plaira à Dieu ; mais pour peu que je reste ici quelques mois, j'aurai le loisir d'arriver de la cataracte de Niagara à l'armée des princes en Allemagne, et de l'armée des princes à ma retraite en Angleterre. L'ambassadeur du roi de France peut raconter l'histoire de l'émigré français dans le lieu même où celui-ci était exilé.

Londres, d'avril à septembre 1822.

TRAVERSÉE DE L'OCÉAN

LE livre précédent se termine par mon embarquement à Saint-Malo. Bientôt nous sortîmes de la Manche, et l'immense houle de l'ouest nous annonça l'Atlantique.

Il est difficile aux personnes qui n'ont jamais navigué de se faire une idée des sentiments qu'on éprouve, lorsque du bord d'un vaisseau on n'aperçoit de toutes parts que la face sérieuse de l'abîme. Il y a dans la vie périlleuse du marin une indépendance qui tient de l'absence de la terre ; on laisse sur le rivage les passions des hommes ; entre le monde que l'on quitte et celui que l'on cherche, on n'a pour amour et pour patrie que l'élément sur lequel on est porté : plus de devoirs à remplir, plus de visites à rendre, plus de journaux, plus de politique. La langue même des matelots n'est pas la langue ordinaire : c'est une langue telle que la parlent l'océan et le ciel, le calme et la tempête. Vous habitez un univers d'eau parmi des créatures dont le vêtement, les goûts, les manières, le visage, ne ressemblent point aux peuples autochtones : elles ont la rudesse du loup marin et la légèreté de l'oiseau ; on ne voit point sur leur front les soucis de la société ; les rides qui le traversent ressemblent aux plissures de la voile diminuée, et sont moins creusées par l'âge que par la bise, ainsi que dans les flots. La peau de ces créatures, imprégnée de sel, est rouge et rigide, comme la surface de l'écueil battu de la lame.

Les matelots se passionnent pour leur navire ; ils pleurent de regret en le quittant, de tendresse en le retrouvant. Ils ne peuvent rester dans leur famille ; après avoir juré cent fois qu'ils ne s'exposeront plus à la mer, il leur est impossible de s'en passer, comme un jeune homme ne se peut arracher des bras d'une maîtresse orageuse et infidèle.

Dans les docks de Londres et de Plymouth, il n'est pas rare de trouver des *sailors* [1] nés sur des vaisseaux : depuis leur enfance jusqu'à leur vieillesse, ils ne sont jamais descendus au rivage ; ils n'ont vu la terre que du bord de leur berceau flottant, spectateurs du monde où ils ne sont point entrés. Dans cette vie réduite à un si petit espace, sous les nuages et sur les abîmes, tout s'anime pour le marinier : une ancre, une voile, un mât, un canon, sont des personnages qu'on affectionne et qui ont chacun leur histoire.

La voile fut déchirée sur la côte du Labrador ; le maître voilier lui mit la pièce que vous voyez.

L'ancre sauva le vaisseau quand il eut chassé sur ses

---

1. Marins.

autres ancres, au milieu des coraux des îles Sandwich.

Le mât fut rompu dans une bourrasque au cap de Bonne-Espérance ; il n'était que d'un seul jet ; il est beaucoup plus fort depuis qu'il est composé de deux pièces.

Le canon est le seul qui ne fut pas démonté au combat de la Chesapeake [1].

Les nouvelles du bord sont des plus intéressantes : on vient de jeter le loch ; le navire file dix nœuds.

Le ciel est clair à midi ; on a pris hauteur : on est à telle latitude.

On a fait le point : il y a tant de lieues gagnées en bonne route.

La déclinaison de l'aiguille est de tant de degrés : on s'est élevé au nord.

Le sable des sabliers passe mal : on aura de la pluie.

On a remarqué des *procellaria* [2] dans le sillage du vaisseau : on essuiera un grain.

Des poissons volants se sont montrés au sud : le temps va se calmer.

Une éclaircie s'est formée à l'ouest dans les nuages : c'est le pied du vent ; demain, le vent soufflera de ce côté.

L'eau a changé de couleur ; on a vu flotter du bois et des goëmons ; on a aperçu des mouettes et des canards ; un petit oiseau est venu se percher sur les vergues : il faut mettre le cap dehors, car on approche de terre, et il n'est pas bon de l'accoster la nuit.

Dans l'épinette [3], il y a un coq favori et pour ainsi dire sacré, qui survit à tous les autres ; il est fameux pour avoir chanté pendant un combat, comme dans la cour d'une ferme au milieu de ses poules. Sous les ponts habite un chat : peau verdâtre zébrée, queue pelée, moustaches de crin, ferme sur ses pattes, opposant le contrepoids au tangage et le balancier au roulis ; il a fait deux fois le tour du monde, et s'est sauvé d'un naufrage sur un tonneau. Les mousses donnent au coq du biscuit trempé dans du

1. Baie de l'Océan Atlantique au fond de laquelle se trouve Baltimore.
2. On dit aussi « procellaries ». Il s'agit des pétrels, appelés encore « oiseaux des tempêtes ».
3. Cage en bois où l'on place la volaille pour l'engraisser.

vin, et Matou a le privilège de dormir, quand il lui plaît, dans le witchoura [1] du second capitaine.

Le vieux matelot ressemble au vieux laboureur. Leurs moissons sont différentes, il est vrai : le matelot a mené une vie errante, le laboureur n'a jamais quitté son champ ; mais ils connaissent également les étoiles et prédisent l'avenir en creusant leurs sillons. A l'un, l'alouette, le rouge-gorge, le rossignol ; à l'autre, la procellaria, le courlis, l'alcyon, — leurs prophètes. Ils se retirent le soir, celui-ci dans sa cabine, celui-là dans sa chaumière ; frêles demeures, où l'ouragan qui les ébranle, n'agite point des consciences tranquilles.

> *If the wind tempestuous is blowing,*
> *Still no danger they descry;*
> *The guiltless heart its boon bestowing,*
> *Soothes them with its Lullaby, etc., etc.*

« Si le vent souffle orageux, ils n'aperçoivent aucun « danger ; le cœur innocent, versant son baume, les berce « avec ses *dodo, l'enfant do ; dodo, l'enfant do, etc.* »

Le matelot ne sait où la mort le surprendra, à quel bord il laissera sa vie : peut-être, quand il aura mêlé au vent son dernier soupir, sera-t-il lancé au sein des flots, attaché sur deux avirons, pour continuer son voyage ; peut-être sera-t-il enterré dans un îlot désert que l'on ne retrouvera jamais, ainsi qu'il a dormi isolé dans son hamac, au milieu de l'océan.

Le vaisseau seul est un spectacle : sensible au plus léger mouvement du gouvernail, hippogriffe ou coursier ailé, il obéit à la main du pilote, comme un cheval à la main d'un cavalier. L'élégance des mâts et des cordages, la légèreté des matelots qui voltigent sur les vergues, les différents aspects dans lesquels se présente le navire, soit qu'il vogue penché par un autan contraire, soit qu'il fuie droit devant un aquilon favorable, font de cette machine savante une des merveilles du génie de l'homme. Tantôt la lame et son écume brisent et rejaillissent contre la carène ; tantôt l'onde

---

1. Manteau fourré.

paisible se divise, sans résistance, devant la proue. Les pavillons, les flammes, les voiles achèvent la beauté de ce palais de Neptune : les plus basses voiles, déployées dans leur largeur, s'arrondissent comme de vastes cylindres ; les plus hautes, comprimées dans leur milieu, ressemblent aux mamelles d'une sirène. Animé d'un souffle impétueux, le navire, avec sa quille, comme avec le soc d'une charrue, laboure à grand bruit le champ des mers.

Sur ce chemin de l'océan, le long duquel on n'aperçoit ni arbres, ni villages, ni villes, ni tours, ni clochers, ni tombeaux ; sur cette route sans colonnes, sans pierres milliaires, qui n'a pour bornes que les vagues, pour relais que les vents, pour flambeaux que les astres, la plus belle des aventures, quand on n'est pas en quête de terres et de mers inconnues, est la rencontre de deux vaisseaux. On se découvre mutuellement à l'horizon avec la longue vue ; on se dirige les uns vers les autres. Les équipages et les passagers s'empressent sur le pont. Les deux bâtiments s'approchent, hissent leur pavillon, carguent à demi leurs voiles, se mettent en travers. Quand tout est silence, les deux capitaines, placés sur le gaillard d'arrière, se hêlent avec le porte-voix : « Le nom du navire ? De quel port ? Le nom du « capitaine ? D'où vient-il ? Combien de jours de traversée ? « La latitude et la longitude ? Adieu, va ! » on lâche les ris ; la voile retombe. Les matelots et les passagers des deux vaisseaux se regardent fuir, sans mot dire : les uns vont chercher le soleil de l'Asie, les autres le soleil de l'Europe, qui les verront également mourir. Le temps emporte et sépare les voyageurs sur la terre, plus promptement encore que le vent ne les emporte et ne les sépare sur l'océan ; on se fait un signe de loin : *Adieu, va !* Le port commun est l'Eternité.

Et si le vaisseau rencontré était celui de Cook ou de La Pérouse ?

Le maître de l'équipage de mon vaisseau malouin était un ancien subrécargue [1], appelé Pierre Villeneuve, dont le nom seul me plaisait à cause de la bonne Villeneuve. Il avait servi

1. Celui qui, sur un navire marchand, représente le propriétaire de la cargaison.

dans l'Inde sous le Bailli de Suffren, et en Amérique sous le comte d'Estaing ; il s'était trouvé à une multitude d'affaires. Appuyé sur l'avant du vaisseau, auprès du beaupré, de même qu'un vétéran assis sous la treille de son petit jardin dans le fossé des Invalides, Pierre, en mâchant une chique de tabac, qui lui enflait la joue comme une fluxion, me peignait le moment du branle-bas, l'effet des détonations de l'artillerie sous les ponts, le ravage des boulets dans leurs ricochets contre les affûts, les canons, les pièces de charpente. Je le faisais parler des Indiens, des nègres, des colons. Je lui demandais comment étaient habillés les peuples, comment les arbres faits, quelle couleur avaient la terre et le ciel, quel goût les fruits ; si les ananas étaient meilleurs que les pêches, les palmiers plus beaux que les chênes. Il m'expliquait tout cela par des comparaisons prises des choses que je connaissais : le palmier était un grand chou, la robe d'un Indien celle de ma grand'mère ; les chameaux ressemblaient à un âne bossu ; tous les peuples de l'Orient, et notamment les Chinois, étaient des poltrons et des voleurs. Villeneuve était de Bretagne, et nous ne manquions pas de finir par l'éloge de l'incomparable beauté de notre patrie.

La cloche interrompait nos conversations ; elle réglait les quarts, l'heure de l'habillement, celle de la revue, celle des repas. Le matin, à un signal, l'équipage, rangé sur le pont, dépouillait la chemise bleue pour en revêtir une autre qui séchait dans les haubans. La chemise quittée était immédiatement lavée dans des baquets, où cette pension de phoques savonnait aussi des faces brunes et des pattes goudronnées.

Aux repas du midi et du soir, les matelots, assis en rond autour des gamelles, plongeaient l'un après l'autre, régulièrement et sans fraude, leur cuiller d'étain dans la soupe flottante au roulis. Ceux qui n'avaient pas faim, vendaient, pour un morceau de tabac ou pour un verre d'eau-de-vie, leur portion de biscuit et de viande salée à leurs camarades. Les passagers mangeaient dans la chambre du capitaine. Quand il faisait beau, on tendait une voile sur l'arrière du vaisseau, et l'on dînait à la vue d'une mer bleue, tachetée çà et là de marques blanches par les écorchures de la brise.

Enveloppé de mon manteau, je me couchais la nuit sur le

tillac. Mes regards contemplaient les étoiles au-dessus de ma tête. La voile enflée me renvoyait la fraîcheur de la brise qui me berçait sous le dôme céleste : à demi assoupi et poussé par le vent, je changeais de ciel en changeant de rêve.

Les passagers, à bord d'un vaisseau, offrent une société différente de celle de l'équipage : ils appartiennent à un autre élément ; leurs destinées sont de la terre. Les uns courent chercher la fortune, les autres le repos ; ceux-là retournent à leur patrie, ceux-ci la quittent ; d'autres naviguent pour s'instruire des mœurs des peuples, pour étudier les sciences et les arts. On a le loisir de se connaître dans cette hôtellerie errante qui voyage avec le voyageur, d'apprendre maintes aventures, de concevoir des antipathies, de contracter des amitiés. Quand vont et viennent ces jeunes femmes nées du sang anglais et du sang indien, qui joignent à la beauté de Clarisse[1] la délicatesse de Sacontala [2], alors se forment des chaînes que nouent et dénouent les vents parfumés de Ceylan, douces comme eux, comme eux légères.

Londres, d'avril à septembre 1822.

FRANCIS TULLOCH. — CHRISTOPHE COLOMB. — CAMOËNS.

PARMI les passagers, mes compagnons, se trouvait un Anglais. Francis Tulloch avait servi dans l'artillerie : peintre, musicien, mathématicien, il parlait plusieurs langues. L'abbé Nagault, supérieur des Sulpiciens, ayant rencontré

---

1. Clarisse Harlowe, l'héroïne de Richardson.
2. Héroïne du drame du poète indien Kalidasa (vers le vᵉ siècle de notre ère).

l'officier anglican, en fit un catholique : il emmenait son néophyte à Baltimore.

Je m'accointai avec Tulloch : comme j'étais alors profond philosophe, je l'invitais à revenir chez ses parents. Le spectacle que nous avions sous les yeux le transportait d'admiration. Nous nous levions la nuit, lorsque le pont était abandonné à l'officier de quart et à quelques matelots qui fumaient leur pipe en silence : *Tuta æquora silent* [1]. Le vaisseau roulait au gré des lames sourdes et lentes, tandis que des étincelles de feu couraient avec une blanche écume le long de ses flancs. Des milliers d'étoiles rayonnant dans le sombre azur du dôme céleste, une mer sans rivage, l'infini dans le ciel et sur les flots ! Jamais Dieu ne m'a plus troublé de sa grandeur que dans ces nuits où j'avais l'immensité sur ma tête et l'immensité sous mes pieds.

Des vents d'ouest, entremêlés de calmes, retardèrent notre marche. Le 4 mai nous n'étions qu'à la hauteur des Açores. Le 6, vers les huit heures du matin, nous eûmes connaissance de l'île du Pic ; ce volcan domina longtemps des mers non naviguées : inutile phare la nuit, signal sans témoin le jour.

Il y a quelque chose de magique à voir s'élever la terre du fond de la mer. Christophe Colomb, au milieu d'un équipage révolté, prêt à retourner en Europe sans avoir atteint le but de son voyage, aperçoit une petite lumière sur une plage que la nuit lui cachait. Le vol des oiseaux l'avait guidé vers l'Amérique ; la lueur du foyer d'un sauvage lui révèle un nouvel univers. Colomb dut éprouver cette sorte de sentiment que l'Ecriture donne au Créateur, quand, après avoir tiré le monde du néant, il vit que son ouvrage était bon : *vidit Deus quod esset bonum*. Colomb créait un monde. Une des premières vies du pilote génois, est celle que Giustiniani, publiant un psautier hébreu, plaça en forme de *note* sous le psaume : *Cæli enarrant gloriam Dei* [2].

Vasco de Gama ne dut pas être moins émerveillé, lorsqu'en 1498, il aborda la côte de Malabar. Alors, tout change sur le globe : une nature nouvelle apparaît ; le rideau qui depuis des milliers de siècles cachait une partie de la terre,

1. « La mer calme et silencieuse » (Virgile, *Enéide*, I, 164).
2. « Les cieux racontent la gloire de Dieu » (*Psaumes*, XVIII, 2).

se lève : on découvre la patrie du soleil, le lieu d'où il sort chaque matin «comme un époux, ou comme un géant, *tanquam sponsus, ut gigas* [1]». On voit à nu ce sage et brillant Orient, dont l'histoire mystérieuse se mêlait aux voyages de Pythagore, aux conquêtes d'Alexandre, au souvenir des croisades, et dont les parfums nous arrivaient à travers les champs de l'Arabie et les mers de la Grèce. L'Europe lui envoya un poëte pour le saluer : le cygne du Tage fit entendre sa triste et belle voix sur les rivages de l'Inde ; Camoëns leur emprunta leur éclat, leur renommée et leur malheur ; il ne leur laissa que leurs richesses.

LES AÇORES. — ILE GRACIOSA.

LORSQUE Gonzalo Villo, aïeul maternel de Camoëns, découvrit une partie de l'archipel des Açores, il aurait dû, s'il eût prévu l'avenir, se réserver une concession de six pieds de terre pour recouvrir les os de son petit-fils.

Nous ancrâmes dans une mauvaise rade, sur une base de roches, par quarante-cinq brasses d'eau. L'île *Graciosa,* devant laquelle nous étions mouillés, nous présentait ses collines un peu renflées dans leurs contours comme les ellipses d'une amphore étrusque : elles étaient drapées de la verdure des blés, et elles exhalaient une odeur fromentacée agréable, particulière aux moissons des Açores. On voyait au milieu de ces tapis les divisions des champs, formées de pierres volcaniques, mi-parti blanches et noires, et entassées les unes sur les autres. Une abbaye, monument d'un ancien monde sur un sol nouveau, se montrait au sommet d'un

---

1. *Psaumes,* XVIII, 6.

tertre ; au pied de ce tertre, dans une anse caillouteuse, miroitaient les toits rouges de la ville de Santa-Cruz. L'île entière, avec ses découpures de baies, de caps, de criques, de promontoires, répétait son paysage inverti dans les flots. Des rochers verticaux au plan des vagues lui servaient de ceinture extérieure. Au fond du tableau, le cône du volcan du Pic, planté sur une coupole de nuages, perçait, par-delà Graciosa, la perspective aérienne.

Il fut décidé que j'irais à terre avec Tulloch et le second capitaine ; on mit la chaloupe en mer : elle nagea au rivage dont nous étions à environ deux milles. Nous aperçûmes du mouvement sur la côte ; une prame [1] s'avança vers nous. Aussitôt qu'elle fut à portée de la voix, nous distinguâmes une quantité de moines. Ils nous hêlèrent en portugais, en italien, en anglais, en français, et nous répondîmes dans ces quatre langues. L'alarme régnait, notre vaisseau était le premier bâtiment d'un grand port qui eût osé mouiller dans la rade dangereuse où nous étalions la marée. D'une autre part, les insulaires voyaient pour la première fois le pavillon tricolore ; ils ne savaient si nous sortions d'Alger ou de Tunis : Neptune n'avait point reconnu ce pavillon si glorieusement porté par Cybèle. Quand on vit que nous avions figure humaine et que nous entendions ce qu'on disait, la joie fut extrême. Les moines nous recueillirent dans le bateau, et nous ramâmes gaiement vers Santa-Cruz : nous y débarquâmes avec quelque difficulté, à cause d'un ressac assez violent.

Toute l'île accourut. Quatre ou cinq alguazils, armés de piques rouillées, s'emparèrent de nous. L'uniforme de Sa Majesté m'attirant les honneurs, je passai pour l'homme important de la députation. On nous conduisit chez le gouverneur, dans un taudis, où Son Excellence, vêtue d'un méchant habit vert, autrefois galonné d'or, nous donna une audience solennelle : il nous permit le ravitaillement.

Nos religieux nous menèrent à leur couvent, édifice à balcons commode et bien éclairé. Tulloch avait trouvé un compatriote : le principal frère, qui se donnait tous les mouvements pour nous, était un matelot de Jersey, dont le

1. Vaisseau à un seul pont qui va à rames et à voiles.

vaisseau avait péri corps et biens sur Graciosa. Sauvé seul du naufrage, ne manquant pas d'intelligence, il se montra docile aux leçons des catéchistes ; il apprit le portugais et quelques mots de latin ; sa qualité d'Anglais militant en sa faveur, on le convertit et on en fit un moine. Le matelot jerseyais, logé, vêtu et nourri à l'autel, trouvait cela beaucoup plus doux que d'aller serrer la voile du perroquet de fougue. Il se souvenait encore de son ancien métier : ayant été longtemps sans parler sa langue, il était enchanté de rencontrer quelqu'un qui l'entendît ; il riait et jurait en vrai pilotin. Il nous promena dans l'île.

Les maisons des villages, bâties en planches et en pierres, s'enjolivaient de galeries extérieures qui donnaient un air propre à ces cabanes, parce qu'il y régnait beaucoup de lumière. Les paysans, presque tous vignerons, étaient à moitié nus et bronzés par le soleil ; les femmes, petites, jaunes comme des mulâtresses, mais éveillées, étaient naïvement coquettes avec leurs bouquets de seringas, leurs chapelets en guise de couronnes ou de chaînes.

Les pentes des collines rayonnaient de ceps, dont le vin approchait celui de Fayal,[1] L'eau était rare, mais partout où sourdait une fontaine, croissait un figuier et s'élevait un oratoire avec un portique peint à fresque. Les ogives du portique encadraient quelques aspects de l'île et quelques portions de la mer. C'est sur un de ces figuiers que je vis s'abattre une compagnie de sarcelles bleues, non palmipèdes. L'arbre n'avait point de feuilles, mais il portait des fruits rouges enchâssés comme des cristaux. Quand il fut orné des oiseaux cérulés qui laissaient pendre leurs ailes, ses fruits parurent d'une pourpre éclatante, tandis que l'arbre semblait avoir poussé tout à coup un feuillage d'azur.

Il est probable que les Açores furent connues des Carthaginois ; il est certain que des monnaies phéniciennes ont été déterrées dans l'île de Corvo. Les navigateurs modernes qui abordèrent les premiers à cette île trouvèrent, dit-on, une statue équestre, le bras droit étendu et montrant du doigt l'Occident, si toutefois cette statue n'est pas la gravure d'invention qui décore les anciens portulans.

1. Île des Açores.

J'ai supposé, dans le manuscrit des *Natchez,* que Chactas, revenant d'Europe, prit terre à l'île de Corvo, et qu'il rencontra la statue mystérieuse. Il exprime ainsi les sentiments qui m'occupaient à Graciosa, en me rappelant la tradition : « J'approche de ce monument extraordinaire. Sur « sa base, baignée de l'écume des flots, étaient gravés des « caractères inconnus : la mousse et le salpêtre des mers « rongeaient la surface du bronze antique ; l'Alcyon, perché « sur le casque du colosse, y jetait, par intervalles, des voix « langoureuses ; des coquillages se collaient aux flancs et « aux crins d'airain du coursier, et lorsqu'on approchait « l'oreille de ses naseaux ouverts, on croyait ouïr des « rumeurs confuses[1]. »

Un bon souper nous fut servi chez les religieux, après notre course ; nous passâmes la nuit à boire avec nos hôtes. Le lendemain, vers midi, nos provisions embarquées, nous retournâmes à bord. Les religieux se chargèrent de nos lettres pour l'Europe. Le vaisseau s'était trouvé en danger par la levée d'un fort sud-est. On vira l'ancre ; mais engagée dans des roches, on la perdit, comme on s'y attendait. Nous appareillâmes : le vent continuant de fraîchir, nous eûmes bientôt dépassé les Açores.

Londres, d'avril à septembre 1822.

JEUX MARINS. — ILE SAINT-PIERRE.

Fac pelagus me scire probes, quo carbasa laxo.

« MUSE, aide-moi à montrer que je connais la mer sur « laquelle je déploie mes voiles. »

C'est ce que disait, il y a six cents ans, Guillaume le Breton, mon compatriote. Rendu à la mer, je recommençai à contempler ses solitudes ; mais à travers le monde idéal de

1. O.C., XIX, 209.

mes rêveries, m'apparaissaient, moniteurs sévères, la France et les événements réels. Ma retraite pendant le jour, lorsque je voulais éviter les passagers, était la hune du grand mât ; j'y montais lestement aux applaudissements des matelots. Je m'y asseyais dominant les vagues.

L'espace tendu d'un double azur avait l'air d'une toile préparée pour recevoir les futures créations d'un grand peintre. La couleur des eaux était pareille à celle du verre liquide. De longues et hautes ondulations ouvraient dans leurs ravines, des échappées de vue sur les déserts de l'Océan : ces vacillants paysages rendaient sensible à mes yeux la comparaison que fait l'Ecriture de la terre chancelante devant le Seigneur, comme un homme ivre. Quelquefois, on eût dit l'espace étroit et borné, faute d'un point de saillie ; mais si une vague venait à lever la tête, un flot à se courber en imitation d'une côte lointaine, un escadron de chiens de mer à passer à l'horizon, alors se présentait une échelle de mesure. L'étendue se révélait, surtout lorsqu'une brume, rampant à la surface pélagienne, semblait accroître l'immensité même.

Descendu de l'aire du mât comme autrefois du nid de mon saule, toujours réduit à une existence solitaire, je soupais d'un biscuit de vaisseau, d'un peu de sucre et d'un citron ; ensuite, je me couchais, ou sur le tillac dans mon manteau, ou sous le pont dans mon cadre : je n'avais qu'à déployer le bras pour atteindre de mon lit à mon cercueil.

Le vent nous força d'anordir et nous accostâmes le banc de Terre-Neuve. Quelques glaces flottantes rôdaient au milieu d'une bruine froide et pâle.

Les hommes du trident ont des jeux qui leur viennent de leurs devanciers : quand on passe la Ligne, il faut se résoudre à recevoir le *baptême :* même cérémonie sous le Tropique, même cérémonie sur le banc de Terre-Neuve, et quel que soit le lieu, le chef de la mascarade est toujours le *bonhomme Tropique.* Tropique et *hydropique* sont synonymes pour les matelots : le bonhomme Tropique a donc une bedaine énorme ; il est vêtu, lors même qu'il est sous son tropique, de toutes les peaux de mouton et de toutes les jaquettes fourrées de l'équipage. Il se tient accroupi dans la grande hune, poussant de temps en temps des mugissements. Chacun le regarde d'en-bas : il commence à descendre le long des haubans pesant comme un ours, trébuchant comme Silène. En mettant le pied sur le pont, il pousse de nouveaux rugissements, bondit, saisit un seau, le remplit d'eau de mer et le verse sur le chef de ceux qui n'ont pas passé la Ligne, ou qui ne sont pas parvenus à la latitude des glaces. On fuit sous les ponts, on remonte sur les écoutilles, on grimpe aux mâts : père Tropique vous poursuit ; cela finit au moyen d'un large pour-boire : jeux d'Amphitrite, qu'Homère aurait célébrés comme il a chanté Protée, si le vieil Océanus eût été connu tout entier du temps d'Ulysse ; mais alors on ne voyait encore que sa tête aux Colonnes d'Hercule ; son corps caché couvrait le monde.

Nous gouvernâmes vers les îles Saint-Pierre et Miquelon, cherchant une nouvelle relâche. Quand nous approchâmes de la première, un matin entre dix heures et midi, nous étions presque dessus ; ses côtes perçaient, en forme de bosse noire, à travers la brume.

Nous mouillâmes devant la capitale de l'île : nous ne la voyions pas, mais nous entendions le bruit de la terre. Les passagers se hâtèrent de débarquer ; le supérieur de Saint-Sulpice, continuellement harcelé du mal de mer, était si faible, qu'on fut obligé de le porter au rivage. Je pris un logement à part ; j'attendis qu'une rafale, arrachant le brouillard, me montrât le lieu que j'habitais, et pour ainsi dire le visage de mes hôtes dans ce pays des ombres.

Le port et la rade de Saint-Pierre sont placés entre la côte orientale de l'île et un îlot allongé, l'*île aux Chiens.* Le port, surnommé le *Barachois,* creuse les terres et aboutit à une flaque saumâtre. Des mornes stériles se serrent au noyau de l'île : quelques-uns, détachés, surplombent le littoral ; les autres ont à leur pied une lisière de landes tourbeuses et arasées. On aperçoit du bourg le morne de la vigie.

La maison du gouverneur [1] fait face à l'embarcadère. L'église, la cure, le magasin aux vivres sont placés au même lieu ; puis viennent la demeure du commissaire de la marine et celle du capitaine du port. Ensuite commence, le long du rivage sur les galets, la seule rue du bourg.

1. Français.

Je dînai deux ou trois fois chez le gouverneur, officier plein d'obligeance et de politesse. Il cultivait sur un glacis [1] quelques légumes d'Europe. Après le dîner, il me montrait ce qu'il appelait son jardin.

Une odeur fine et suave d'héliotrope s'exhalait d'un petit carré de fèves en fleurs ; elle ne nous était point apportée par une brise de la patrie, mais par un vent sauvage de Terre-Neuve, sans relation avec la plante exilée, sans sympathie de réminiscence et de volupté. Dans ce parfum non respiré de la beauté, non épuré dans son sein, non répandu sur ses traces, dans ce parfum changé d'aurore, de culture et de monde, il y avait toutes les mélancolies des regrets, de l'absence et de la jeunesse [2].

Du jardin, nous montions aux mornes [3], et nous nous arrêtions au pied du mât de pavillon de la vigie. Le nouveau drapeau français flottait sur notre tête ; comme les femmes de Virgile, nous regardions la mer, *flentes* [4]. Elle nous séparait de la terre natale ! Le gouverneur était inquiet ; il appartenait à l'opinion battue ; il s'ennuyait d'ailleurs dans cette retraite, convenable à un songe-creux de mon espèce, rude séjour pour un homme occupé d'affaires, ou ne portant point en lui cette passion qui remplit tout, et fait disparaître le reste du monde. Mon hôte s'enquérait de la Révolution, je lui demandais des nouvelles du passage au nord-ouest. Il était à l'avant-garde du désert, mais il ne savait rien des Esquimaux et ne recevait du Canada que des perdrix.

Un matin, j'étais allé seul au Cap-à-l'Aigle, pour voir se lever le soleil du côté de la France. Là, une eau hyémale [5] formait une cascade dont le dernier bond atteignait la mer. Je m'assis au ressaut d'une roche, les pieds pendants sur la vague qui déferlait au bas de la falaise. Une jeune marinière parut dans les déclivités supérieures du morne ; elle avait les jambes nues, quoiqu'il fît froid, et marchait parmi la rosée.

1. Terrain en pente douce, en avant d'un ouvrage de fortification.
2. Cf. Proust, *A la recherche du temps perdu* (éd. de la Pléiade, III, 919).
3. Collines arrondies.
4. « En pleurant » (cf. *Enéide*, V, 615).
5. Amassée par l'hiver.

Ses cheveux noirs passaient en touffes sous le mouchoir des Indes dont sa tête était entortillée ; par dessus ce mouchoir, elle portait un chapeau de roseaux du pays en façon de nef ou de berceau. Un bouquet de bruyères lilas sortait de son sein que modelait l'entoilage[1] blanc de sa chemise. De temps en temps, elle se baissait et cueillait les feuilles d'une plante aromatique qu'on appelle dans l'île *thé naturel*. D'une main elle jetait ces feuilles dans un panier qu'elle tenait de l'autre main. Elle m'aperçut : sans être effrayée, elle se vint asseoir à mon côté, posa son panier près d'elle, et se mit comme moi, les jambes ballantes sur la mer, à regarder le soleil.

Nous restâmes quelques minutes sans parler ; enfin, je fus le plus courageux et je dis : « Que cueillez-vous là ? La « saison des lucets et des atocas[2] est passée. » Elle leva de grands yeux noirs, timides et fiers, et me répondit : « Je « cueillais du thé. » Elle me présenta son panier. « Vous portez « ce thé à votre père et à votre mère ? — Mon père est à la « pêche avec Guillaumy. — Que faites-vous l'hiver dans « l'île ? — Nous tressons des filets, nous pêchons les étangs, « en faisant des trous dans la glace ; le dimanche, nous « allons à la messe et aux vêpres, où nous chantons des « cantiques ; et puis nous jouons sur la neige et nous voyons « les garçons chasser les ours blancs. — Votre père va « bientôt revenir ? — Oh ! non : le capitaine mène le navire « à Gènes avec Guillaumy. — Mais Guillaumy reviendra ? « — Oh ! oui, à la saison prochaine, au retour des « pêcheurs. Il m'apportera dans sa pacotille un corset de « soie rayée, un jupon de mousseline et un collier noir. — « Et vous serez parée pour le vent, la montagne et la mer[3]. « Voulez-vous que je vous envoie un corset, un jupon et un « collier ? — Oh ! non. »

Elle se leva, prit son panier, et se précipita par un sentier rapide, le long d'une sapinière. Elle chantait d'une voix sonore un cantique des Missions :

---

1. La guipure ornant la chemise.
2. Fruits sauvages.
3. Et non pour un amoureux.

Tout brûlant d'une ardeur immortelle,
C'est vers Dieu que tendent mes désirs.

Elle faisait envoler sur sa route de beaux oiseaux appelés aigrettes, à cause du panache de leur tête ; elle avait l'air d'être de leur troupe. Arrivée à la mer, elle sauta dans un bateau, déploya la voile et s'assit au gouvernail ; on l'eût prise pour la Fortune : elle s'éloigna de moi.

Oh! oui, oh! non, Guillaumy, l'image du jeune matelot sur une vergue au milieu des vents, changeaient en terre de délices l'affreux rocher de Saint-Pierre :

L'isole di Fortuna ora vedete [1].

Nous passâmes quinze jours dans l'île. De ses côtes désolées on découvre les rivages encore plus désolés de Terre-Neuve, Les mornes à l'intérieur étendent des chaînes divergentes dont la plus élevée se prolonge vers l'anse Rodrigue. Dans les vallons, la roche granitique, mêlée d'un mica rouge et verdâtre, se rembourre d'un matelas de sphaignes, de lichen et de dicranum.

De petits lacs s'alimentent du tribut des ruisseaux de la *Vigie,* du *Courval,* du *Pain de Sucre,* du *Kergariou,* de la *Tête galante.* Ces flaques sont connues sous le nom des *Etangs du Savoyard,* du *Cap Noir,* du *Ravenel,* du *Colombier,* du *Cap à l'Aigle.* Quand les tourbillons fondent sur ces étangs, ils déchirent les eaux peu profondes, mettant à nu çà et là quelques portions de prairies sous-marines que recouvre subitement le voile retissu de l'onde.

La Flore de Saint-Pierre est celle de la Laponie et du détroit de Magellan. Le nombre des végétaux diminue en allant vers le pôle ; au Spitzberg, on ne rencontre plus que quarante espèces de phanérogames. En changeant de localité, des races de plantes s'éteignent : les unes au nord, habitantes des steppes glacées, deviennent au midi des filles de la montagne ; les autres, nourries dans l'atmosphère tranquille des plus épaisses forêts, viennent, en décroissant

1. « Vous avez devant vous les îles Fortunées. » (Le Tasse, *Jérusalem délivrée,* XV, 27).

de force et de grandeur, expirer aux plages tourmenteuses de l'océan. A Saint-Pierre, le myrtille marécageux *(vaccinium fuliginosum)* est réduit à l'état des traînasses ; il sera bientôt enterré dans l'ouate et les bourrelets des mousses qui lui servent d'humus. Plante voyageuse, j'ai pris mes précautions pour disparaître au bord de la mer, mon site natal.

La pente des monticules de Saint-Pierre est plaquée de baumiers, d'amelanchiers, de palomiers, de mélèzes, de sapins noirs, dont les bourgeons servent à brasser une bière antiscorbutique. Ces arbres ne dépassent pas la hauteur d'un homme. Le vent océanique les étête, les secoue, les prosterne à l'instar des fougères ; puis se glissant sous ces forêts en broussailles, il les relève ; mais il n'y trouve ni troncs, ni rameaux, ni voûtes, ni échos pour y gémir, et il n'y fait pas plus de bruit que sur une bruyère.

Ces bois rachitiques contrastent avec les grands bois de Terre-Neuve dont on découvre le rivage voisin, et dont les sapins portent un lichen argenté *(alectoria trichodes)* : les ours blancs semblent avoir accroché leur poil aux branches de ces arbres, dont ils sont les étranges grimpereaux. Les *swamps* [1] de cette île de Jacques Cartier offrent des chemins battus par ces ours : on croirait voir les sentiers rustiques des environs d'une bergerie. Toute la nuit retentit des cris des animaux affamés ; le voyageur ne se rassure qu'au bruit non moins triste de la mer ; ces vagues, si insociables et si rudes, deviennent des compagnes et des amies.

La pointe septentrionale de Terre-Neuve arrive à la latitude du cap Charles Ier du Labrador ; quelques degrés plus haut, commence le paysage polaire. Si nous en croyons les voyageurs, il est un charme à ces régions : le soir, le soleil, touchant la terre, semble rester immobile, et remonte ensuite dans le ciel au lieu de descendre sous l'horizon. Les monts revêtus de neige, les vallées tapissées de la mousse blanche que broutent les rennes, les mers couvertes de baleines et semées de glaces flottantes, toute cette scène brille éclairée comme à la fois par les feux du couchant et la lumière de l'aurore : on ne sait si l'on assiste à la création

1. Marais.

ou à la fin du monde. Un petit oiseau, semblable à celui qui chante la nuit dans nos bois, fait entendre un ramage plaintif. L'amour amène alors l'Esquimau sur le rocher de glace où l'attendait sa compagne : ces noces de l'homme aux dernières bornes de la terre, ne sont ni sans pompe ni sans félicité.

Londres, d'avril à septembre 1822.

CÔTES DE LA VIRGINIE. — SOLEIL COUCHANT. — PÉRIL. — J'ABORDE EN AMÉRIQUE. — BALTIMORE. — SÉPARATION DES PASSAGERS. — TULLOCH.

APRÈS avoir embarqué des vivres et remplacé l'ancre perdue à Graciosa, nous quittâmes Saint-Pierre. Cinglant au midi, nous atteignîmes la latitude de 38 degrés. Les calmes nous arrêtèrent à une petite distance des côtes du Maryland et de la Virginie. Au ciel brumeux des régions boréales, avait succédé le plus beau ciel ; nous ne voyions pas la terre, mais l'odeur des forêts de pins arrivait jusqu'à nous. Les aubes et les aurores, les levers et les couchers du soleil, les crépuscules et les nuits étaient admirables. Je ne me pouvais rassasier de regarder Vénus, dont les rayons semblaient m'envelopper comme jadis les cheveux de ma sylphide.

Un soir, je lisais dans la chambre du capitaine ; la cloche de la prière sonna : j'allai mêler mes vœux à ceux de mes compagnons. Les officiers occupaient le gaillard d'arrière avec les passagers ; l'aumônier, un livre à la main, un peu en avant d'eux, près du gouvernail ; les matelots se pressaient pêle-mêle sur le tillac : nous nous tenions debout, le visage tourné vers la proue du vaisseau. Toutes les voiles étaient pliées.

Le globe du soleil, prêt à se plonger dans les flots,

apparaissait entre les cordages du navire au milieu des espaces sans bornes : on eût dit, par les balancements de la poupe, que l'astre radieux changeait à chaque instant d'horizon. Quand je peignis ce tableau dont vous pouvez revoir l'ensemble dans le *Génie du Christianisme,* mes sentiments religieux s'harmonisaient avec la scène ; mais, hélas ! quand j'y assistai en personne, le vieil homme était vivant en moi : ce n'était pas Dieu seul que je contemplais sur les flots dans la magnificence de ses œuvres. Je voyais une femme inconnue et les miracles de son sourire ; les beautés du ciel me semblaient écloses de son souffle ; j'aurais vendu l'éternité pour une de ses caresses. Je me figurais qu'elle palpitait derrière ce voile de l'univers qui la cachait à mes yeux. Oh ! que n'était-il en ma puissance de déchirer le rideau pour presser la femme idéalisée contre mon cœur, pour me consumer sur son sein dans cet amour, source de mes inspirations, de mon désespoir et de ma vie ! Tandis que je me laissais aller à ces mouvements si propres à ma carrière future de *coureur des bois,* il ne s'en fallut guère qu'un accident ne mît un terme à mes desseins et à mes songes.

La chaleur nous accablait ; le vaisseau, dans un calme plat, sans voile et trop chargé de ses mâts, était tourmenté du roulis : brûlé sur le pont et fatigué du mouvement, je me voulus baigner, et, quoique nous n'eussions point de chaloupe dehors, je me jetai du beaupré à la mer. Tout alla d'abord à merveille, et plusieurs passagers m'imitèrent. Je nageais sans regarder le vaisseau ; mais quand je vins à tourner la tête, je m'aperçus que le courant l'entraînait déjà loin. Les matelots, alarmés, avaient filé un grelin aux autres nageurs. Des requins se montraient dans les eaux du navire, et on leur tirait des coups de fusil pour les écarter. La houle était si grosse, qu'elle retardait mon retour, en épuisant mes forces. J'avais un gouffre au-dessous de moi, et les requins pouvaient à tout moment m'emporter un bras ou une jambe. Sur le bâtiment, le maître d'équipage cherchait à descendre un canot dans la mer, mais il fallait établir un palan, et cela prenait un temps considérable.

Par le plus grand bonheur, une brise presque insensible se leva ; le vaisseau, gouvernant un peu, s'approcha de moi ;

je ne pus m'emparer de la corde ; mais les compagnons de ma témérité s'étaient accrochés à cette corde ; quand on nous tira au flanc du bâtiment, me trouvant à l'extrémité de la file, ils pesaient sur moi de tout leur poids. On nous repêcha ainsi un à un, ce qui fut long. Les roulis continuaient ; à chacun de ces roulis en sens opposé, nous plongions de six ou sept pieds dans la vague, ou nous étions suspendus en l'air à un même nombre de pieds, comme des poissons au bout d'une ligne : à la dernière immersion, je me sentis prêt à m'évanouir ; un roulis de plus, et c'en était fait. On me hissa sur le pont à demi-mort : si je m'étais noyé, le bon débarras pour moi et pour les autres !

Deux jours après cet accident, nous aperçûmes la terre. Le cœur me battit quand le capitaine me la montra : l'Amérique ! Elle était à peine délinéée par la cime de quelques érables sortant de l'eau. Les palmiers de l'embouchure du Nil m'indiquèrent depuis le rivage de l'Egypte de la même manière. Un pilote vint à notre bord ; nous entrâmes dans la baie de Chesapeake. Le soir même, on envoya une chaloupe chercher des vivres frais. Je me joignis au parti et bientôt je foulai le sol américain.

Promenant mes regards autour de moi, je demeurai quelques instants immobile. Ce continent peut-être ignoré pendant la durée des temps anciens et un grand nombre de siècles modernes ; les premières destinées sauvages de ce continent, et ses secondes destinées depuis l'arrivée de Christophe Colomb ; la domination des monarchies de l'Europe ébranlée dans ce nouveau monde ; la vieille société finissant dans la jeune Amérique ; une république d'un genre inconnu annonçant un changement dans l'esprit humain ; la part que mon pays avait eue à ces événements ; ces mers et ces rivages devant en partie leur indépendance au pavillon et au sang français ; un grand homme sortant du milieu des discordes et des déserts ; Washington habitant une ville florissante, dans le même lieu où Guillaume Penn avait acheté un coin de forêts ; les Etats-Unis renvoyant à la France la révolution que la France avait soutenue de ses armes ; enfin mes propres destins, ma muse vierge que je venais livrer à la passion d'une nouvelle nature ; les découvertes que je voulais tenter dans ces déserts, lesquels étendaient encore leur large royaume derrière l'étroit empire d'une civilisation étrangère : telles étaient les choses qui roulaient dans mon esprit.

Nous nous avançâmes vers une habitation. Des bois de baumiers et de cèdres de la Virginie, des oiseaux-moqueurs et des cardinaux, annonçaient, par leur port et leur ombre, par leur chant et leur couleur, un autre climat. La maison, où nous arrivâmes au bout d'une demi-heure, tenait de la ferme d'un Anglais et de la case d'un créole. Des troupeaux de vaches européennes pâturaient des herbages entourés de claires-voies, dans lesquelles se jouaient des écureuils à peau rayée. Des noirs sciaient des pièces de bois, des blancs cultivaient des plants de tabac. Une négresse de treize à quatorze ans, presque nue et d'une beauté singulière, nous ouvrit la barrière de l'enclos comme une jeune Nuit. Nous achetâmes des gâteaux de maïs, des poules, des œufs, du lait, et nous retournâmes au bâtiment avec nos dames-jeannes et nos paniers. Je donnai mon mouchoir de soie à la petite Africaine : ce fut une esclave qui me reçut sur la terre de la liberté.

On désancra pour gagner la rade et le port de Baltimore : en approchant, les eaux se rétrécirent ; elles étaient lisses et immobiles ; nous avions l'air de remonter un fleuve indolent bordé d'avenues. Baltimore s'offrit à nous comme au fond d'un lac. En regard de la ville, s'élevait une colline boisée, au pied de laquelle on commençait à bâtir. Nous amarrâmes au quai du port. Je dormis à bord et n'atterris que le lendemain. J'allai loger à l'auberge avec mes bagages ; les séminaristes se retirèrent à l'établissement préparé pour eux, d'où ils se sont dispersés en Amérique.

Qu'est devenu Francis Tulloch ? La lettre suivante m'a été remise à Londres, le 12 du mois d'avril 1822 :

« Trente ans s'étant écoulés, mon très-cher vicomte, « depuis l'*epoch* de notre voyage à Baltimore, il est très-pos- « sible que vous ayez oublié jusqu'à mon nom ; mais à juger « d'après les sentiments de mon cœur, qui vous a toujours « été vrai et loyal, ce n'est pas ainsi, et je me flatte que vous « ne seriez pas fâché de me revoir. Presque en face l'un de « l'autre (comme vous verrez par la date de cette lettre), je « ne sens que trop que bien des choses nous séparent. Mais

« témoignez le moindre désir de me voir, et je m'empresse-
« rai de vous prouver, autant qu'il me sera possible, que je
« suis toujours comme j'ai toujours été, votre fidèle et
« dévoué,

« FRAN. TULLOCH. »

« *P.S.* Le rang distingué que vous vous êtes acquis et
« que vous méritez par tant de titres m'est devant les yeux ;
« mais le souvenir du chevalier de Chateaubriand m'est si
« cher, que je ne puis vous écrire (au moins cette fois-ci)
« comme ambassadeur, etc., etc. Ainsi, pardonnez le style
« en faveur de notre ancienne alliance.
   « Vendredi 12 avril.
   « Portland-Place n° 30. »

Ainsi, Tulloch était à Londres ; il ne s'est point fait
prêtre, il s'est marié ; son roman est fini comme le mien.
Cette lettre dépose en faveur de la véracité de mes Mémoires
et de la fidélité de mes souvenirs. Qui aurait rendu témoignage d'une *alliance* et d'une *amitié* formées il y a trente
ans sur les flots, si la partie contractante ne fût survenue ?
et quelle perspective morne et rétrograde me déroule cette
lettre ! Tulloch se retrouvait en 1822 dans la même ville que
moi, dans la même rue que moi ; la porte de sa maison était
en face de la mienne, ainsi que nous nous étions rencontrés
dans le même vaisseau, sur le même tillac, cabine vis-à-vis
cabine. Combien d'autres amis je ne rencontrerai plus !
L'homme, chaque soir en se couchant, peut compter ses
pertes : il n'y a que ses amis qui ne le quittent point, bien
qu'ils passent ; lorsqu'il en fait la revue et qu'il les nomme,
ils répondent : « Présents ! » Aucun ne manque à l'appel.

Londres, d'avril à septembre 1822.

PHILADELPHIE. — LE GÉNÉRAL WASHINGTON.

BALTIMORE, comme toutes les autres métropoles des Etats-
Unis, n'avait pas l'étendue qu'elle a maintenant : c'était

une jolie petite ville catholique, propre, animée, où les mœurs et la société avaient une grande affinité avec les mœurs et la société de l'Europe. Je payai mon passage au capitaine et lui donnai un dîner d'adieu. J'arrêtai ma place au *stage-coach* qui faisait trois fois la semaine le voyage de Pensylvanie. A quatre heures du matin, j'y montai, et me voilà roulant sur les chemins du Nouveau-Monde.

La route que nous parcourûmes, plutôt tracée que faite, traversait un pays assez plat : presque point d'arbres, fermes éparses, villages clairsemés, climat de la France, hirondelles volant sur les eaux comme sur l'étang de Combourg.

En approchant de Philadelphie, nous rencontrâmes des paysans allant au marché, des voitures publiques et des voitures particulières. Philadelphie me parut une belle ville, les rues larges, quelques-unes plantées, se coupant à angle droit dans un ordre régulier du nord au sud et de l'est à l'ouest. La Delaware coule parallèlement à la rue qui suit son bord occidental. Cette rivière serait considérable en Europe : on n'en parle pas en Amérique ; ses rives sont basses et peu pittoresques.

A l'époque de mon voyage (1791), Philadelphie ne s'étendait pas encore jusqu'à la Shuylkill ; le terrain, en avançant vers cet affluent, était divisé par lots, sur lesquels on construisait çà et là des maisons.

L'aspect de Philadelphie est monotone. En général, ce qui manque aux cités protestantes des Etats-Unis, ce sont les grandes œuvres de l'architecture : la Réformation jeune d'âge, qui ne sacrifie point à l'imagination, a rarement élevé ces dômes, ces nefs aériennes, ces tours jumelles dont l'antique religion catholique a couronné l'Europe. Aucun monument, à Philadelphie, à New-York, à Boston, ne pyramide au-dessus de la masse des murs et des toits : l'œil est attristé de ce niveau.

Descendu d'abord à l'auberge, je pris ensuite un appartement dans une pension où logeaient des colons de Saint-Domingue, et des Français émigrés avec d'autres idées que les miennes. Une terre de liberté offrait un asile à ceux qui fuyaient la liberté : rien ne prouve mieux le haut prix des institutions généreuses que cet exil volontaire des partisans du pouvoir absolu dans une pure démocratie.

Un homme, débarqué comme moi aux Etats-Unis, plein d'enthousiasme pour les peuples classiques, un colon qui cherchait partout la rigidité des premières mœurs romaines, dut être fort scandalisé de trouver partout le luxe des équipages, la frivolité des conversations, l'inégalité des fortunes, l'immoralité des maisons de banque et de jeu, le bruit des salles de bal et de spectacle. A Philadelphie j'aurais pu me croire à Liverpool ou à Bristol. L'apparence du peuple était agréable : les quakeresses avec leurs robes grises, leurs petits chapeaux uniformes et leurs visages pâles, paraissaient belles.

A cette heure de ma vie, j'admirais beaucoup les républiques, bien que je ne les crusse pas possibles à l'époque du monde où nous étions parvenus : je connaissais la liberté à la manière des anciens, la liberté fille des mœurs dans une société naissante ; mais j'ignorais la liberté fille des lumières et d'une vieille civilisation, liberté dont la république représentative a prouvé la réalité : Dieu veuille qu'elle soit durable ! On n'est plus obligé de labourer soi-même son petit champ, de maugréer les arts et les sciences, d'avoir des ongles crochus et la barbe sale pour être libre.

Lorsque j'arrivai à Philadelphie, le général Washington n'y était pas ; je fus obligé de l'attendre une huitaine de jours. Je le vis passer dans une voiture que tiraient quatre chevaux fringants, conduits à grands guides. Washington, d'après mes idées d'alors, était nécessairement Cincinnatus ; Cincinnatus en carrosse, dérangeait un peu ma république de l'an de Rome 296. Le dictateur Washington pouvait-il être autre qu'un rustre, piquant ses bœufs de l'aiguillon et tenant le manche de sa charrue ? Mais quand j'allai lui porter ma lettre de recommandation, je retrouvai la simplicité du vieux Romain.

Une petite maison, ressemblant aux maisons voisines, était le palais du président des Etats-Unis : point de gardes, pas même de valets. Je frappai ; une jeune servante ouvrit. Je lui demandai si le général était chez lui ; elle me répondit qu'il y était. Je répliquai que j'avais une lettre à lui remettre. La servante me demanda mon nom, difficile à prononcer en anglais et qu'elle ne put retenir. Elle me dit alors doucement : « *Walk in, sir.* Entrez, monsieur », et elle marcha devant moi dans un de ces étroits corridors qui servent de vestibule aux maisons anglaises : elle m'introduisit dans un parloir où elle me pria d'attendre le général.

Je n'étais pas ému : la grandeur de l'âme ou celle de la fortune ne m'imposent point ; j'admire la première sans en être écrasé ; la seconde m'inspire plus de pitié que de respect : visage d'homme ne me troublera jamais.

Au bout de quelques minutes, le général entra : d'une grande taille, d'un air calme et froid plutôt que noble, il est ressemblant dans ses gravures. Je lui présentai ma lettre en silence ; il l'ouvrit, courut à la signature qu'il lut tout haut avec exclamation : « Le colonel Armand ! » C'était ainsi qu'il l'appelait et qu'avait signé le marquis de la Rouërie.

Nous nous assîmes. Je lui expliquai tant bien que mal le motif de mon voyage. Il me répondait par monosyllabes anglais et français, et m'écoutait avec une sorte d'étonnement ; je m'en aperçus, et je lui dis avec un peu de vivacité : « Mais il est moins difficile de découvrir le passage du nord-ouest que de créer un peuple comme vous l'avez fait. — *Well, well, young man!* Bien, bien, jeune homme. » s'écria-t-il en me tendant la main. Il m'invita à dîner pour le jour suivant, et nous nous quittâmes.

Je n'eus garde de manquer au rendez-vous. Nous n'étions que cinq ou six convives. La conversation roula sur la Révolution française. Le général nous montra une clef de la Bastille. Ces clefs, je l'ai déjà remarqué, étaient des jouets assez niais qu'on se distribuait alors. Les expéditionnaires en serrurerie auraient pu, trois ans plus tard, envoyer au président des Etats-Unis le verrou de la prison du monarque qui donna la liberté à la France et à l'Amérique. Si Washington avait vu dans les ruisseaux de Paris les *vainqueurs de la Bastille,* il aurait moins respecté sa relique. Le sérieux et la force de la Révolution ne venaient pas de ces orgies sanglantes. Lors de la révocation de l'Edit de Nantes, en 1685, la même populace du faubourg Saint-Antoine, démolit le temple protestant à Charenton, avec autant de zèle qu'elle dévasta l'église de Saint-Denis en 1793.

Je quittai mon hôte à dix heures du soir, et ne l'ai jamais revu ; il partit le lendemain, et je continuai mon voyage.

Telle fut ma rencontre [1] avec le soldat citoyen, libérateur d'un monde. Washington est descendu dans la tombe avant qu'un peu de bruit se soit attaché à mes pas ; j'ai passé devant lui comme l'être le plus inconnu ; il était dans tout son éclat, moi dans toute mon obscurité ; mon nom n'est peut-être pas demeuré un jour entier dans sa mémoire : heureux pourtant que ses regards soient tombés sur moi ! je m'en suis senti échauffé le reste de ma vie : il y a une vertu dans les regards d'un grand homme.

Parallèle de Washington et de Bonaparte.

Bonaparte achève à peine de mourir. Puisque je viens de heurter à la porte de Washington, le parallèle entre le fondateur des Etats-Unis et l'empereur des Français se présente naturellement à mon esprit ; d'autant mieux, qu'au moment où je trace ces lignes, Washington lui-même n'est plus. Ercilla, chantant et bataillant dans le Chili, s'arrête au milieu de son voyage pour raconter la mort de Didon ; moi, je m'arrête au début de ma course dans la Pensylvanie pour comparer Washington à Bonaparte. J'aurais pu ne m'occuper d'eux qu'à l'époque où je rencontrai Napoléon ; mais si je venais à toucher ma tombe avant d'avoir atteint dans ma chronique l'année 1814, on ne saurait donc rien de ce que j'aurais à dire des deux mandataires de la Providence ? Je me souviens de Castelnau : ambassadeur comme moi en Angleterre [2], il écrivait comme moi une partie de sa vie à Londres.

1. La réalité de cette « rencontre » est aujourd'hui contestée.
2. De 1575 à 1585.

A la dernière page du livre VIIe, il dit à son fils : «Je traiterai de ce fait au VIIIe livre,» et le VIIIe livre des Mémoires de Castelnau n'existe pas : cela m'avertit de profiter de la vie.

Washington n'appartient pas, comme Bonaparte, à cette race qui dépasse la stature humaine. Rien d'étonnant ne s'attache à sa personne ; il n'est point placé sur un vaste théâtre ; il n'est point aux prises avec les capitaines les plus habiles et les plus puissants monarques du temps ; il ne court point de Memphis à Vienne, de Cadix à Moscou : il se défend avec une poignée de citoyens sur une terre sans célébrité, dans le cercle étroit des foyers domestiques. Il ne livre point de ces combats qui renouvellent les triomphes d'Arbelles et de Pharsale ; il ne renverse point les trônes pour en recomposer d'autres avec leurs débris ; il ne fait point dire aux rois à sa porte :

Qu'ils se font trop attendre, et qu'Attila s'ennuie [1].

Quelque chose de silencieux enveloppe les actions de Washington ; il agit avec lenteur ; on dirait qu'il se sent chargé de la liberté de l'avenir, et qu'il craint de la compromettre. Ce ne sont pas ses destinées que porte ce héros d'une nouvelle espèce : ce sont celles de son pays ; il ne se permet pas de jouer ce qui ne lui appartient pas ; mais de cette profonde humilité quelle lumière va jaillir ! Cherchez les bois où brilla l'épée de Washington : qu'y trouvez-vous ? Des tombeaux ? Non ; un monde ! Washington a laissé les Etats-Unis pour trophée sur son champ de bataille.

Bonaparte n'a aucun trait de ce grave Américain : il combat avec fracas sur une vieille terre ; il ne veut créer que sa renommée ; il ne se charge que de son propre sort. Il semble savoir que sa mission sera courte, que le torrent qui descend de si haut s'écoulera vite ; il se hâte de jouir et d'abuser de sa gloire, comme d'une jeunesse fugitive. A l'instar des dieux d'Homère, il veut arriver en quatre pas au

_____
1. Corneille, *Attila* (deuxième vers).

bout du monde. Il paraît sur tous les rivages ; il inscrit précipitamment son nom dans les fastes de tous les peuples ; il jette des couronnes à sa famille et à ses soldats ; il se dépêche dans ses monuments, dans ses lois, dans ses victoires. Penché sur le monde, d'une main il terrasse les rois, de l'autre il abat le géant révolutionnaire ; mais, en écrasant l'anarchie, il étouffe la liberté, et finit par perdre la sienne sur son dernier champ de bataille.

Chacun est récompensé selon ses œuvres : Washington élève une nation à l'indépendance ; magistrat en repos, il s'endort sous son toit au milieu des regrets de ses compatriotes et de la vénération des peuples.

Bonaparte ravit à une nation son indépendance : empereur déchu, il est précipité dans l'exil, où la frayeur de la terre ne le croit pas encore assez emprisonné sous la garde de l'Océan. Il expire : cette nouvele publiée à la porte du palais devant laquelle le conquérant fit proclamer tant de funérailles, n'arrête, ni n'étonne le passant : qu'avaient à pleurer les citoyens ?

La République de Washington subsiste ; l'Empire de Bonaparte est détruit. Washington et Bonaparte sortirent du sein de la démocratie : nés tous deux de la liberté, le premier lui fut fidèle , le second la trahit.

Washington a été le représentant des besoins, des idées, des lumières, des opinions de son époque ; il a secondé, au lieu de contrarier, le mouvement des esprits ; il a voulu ce qu'il devait vouloir, la chose même à laquelle il était appelé : de là la cohérence et la perpétuité de son ouvrage. Cet homme qui frappe peu, parce qu'il est dans des proportions justes, a confondu son existence avec celle de son pays : sa gloire est le patrimoine de la civilisation ; sa renommée s'élève comme un dé ces sanctuaires publics où coule une source féconde et intarissable.

Bonaparte pouvait enrichir également le domaine commun ; il agissait sur la nation la plus intelligente, la plus brave, la plus brillante de la terre. Quel serait aujourd'hui le rang occupé par lui, s'il eût joint la magnanimité à ce qu'il avait d'héroïque, si, Washington et Bonaparte à la fois, il eut nommé la liberté légataire universelle de sa gloire !

Mais ce géant ne liait point ses destinées à celles de ses

contemporains ; son génie appartenait à l'âge moderne : son ambition était des vieux jours ; il ne s'aperçut pas que les miracles de sa vie excédaient la valeur d'un diadème, et que cet ornement gothique lui siérait mal. Tantôt il se précipitait sur l'avenir, tantôt il reculait vers le passé ; et, soit qu'il remontât ou suivît le cours du temps, par sa force prodigieuse, il entraînait ou repoussait les flots. Les hommes ne furent à ses yeux qu'un moyen de puissance ; aucune sympathie ne s'établit entre leur bonheur et le sien : il avait promis de les délivrer, il les enchaîna ; il s'isola d'eux, ils s'éloignèrent de lui. Les rois d'Egypte plaçaient leurs pyramides funèbres, non parmi des campagnes florissantes, mais au milieu des sables stériles ; ces grands tombeaux s'élèvent comme l'éternité dans la solitude : Bonaparte a bâti à leur image le monument de sa renommée.

Londres, d'avril à septembre 1822.

Revu en décembre 1846.

Voyage de Philadelphie à New-York et à Boston. — Mackenzie.

J'ÉTAIS impatient de continuer mon voyage. Ce n'était pas les Américains que j'étais venu voir, mais quelque chose de tout-à-fait différent des hommes que je connaissais, quelque chose plus d'accord avec l'ordre habituel de mes idées ; je brûlais de me jeter dans une entreprise pour laquelle je n'avais rien de préparé que mon imagination et mon courage.

Quand je formai le projet de découvrir le passage au nord-ouest, on ignorait si l'Amérique septentrionale s'étendait sous le pôle en rejoignant le Groënland, ou si elle se terminait à quelque mer contiguë à la baie d'Hudson et au détroit de Bering. En 1772, Hearne avait découvert la mer à l'embouchure de la rivière de la Mine-de-Cuivre, par les 71 degrés 15 minutes de latitude nord, et les 119 degrés 15 minutes de longitude ouest de Greenwich *.

Sur la côte de l'océan Pacifique, les efforts du capitaine Cook et ceux des navigateurs subséquents avaient laissé des doutes. En 1787, un vaisseau disait être entré dans une mer intérieure de l'Amérique septentrionale ; selon le récit du capitaine de ce vaisseau, tout ce qu'on avait pris pour la côte non interrompue au nord de la Californie, n'était qu'une chaîne d'îles extrêmement serrées. L'amirauté d'Angleterre envoya Vancouver vérifier ces rapports qui se trouvèrent faux. Vancouver n'avait point encore fait son second voyage.

Aux Etats-Unis, en 1791, on commençait à s'entretenir de la course de Mackenzie : parti le 3 juin 1789 du fort Chipewan, sur le lac des Montagnes, il descendit à la mer du pôle par le fleuve auquel il a donné son nom.

Cette découverte aurait pu changer ma direction et me faire prendre ma route droit au nord ; mais je me serais fait scrupule d'altérer le plan arrêté entre moi et M. de Malesherbes. Ainsi donc, je voulais marcher à l'ouest, de manière à intersecter la côte nord-ouest au-dessus du golfe de Californie ; de là, suivant le profil du continent, et toujours en vue de la mer, je prétendais reconnaître le détroit de Bering, doubler le dernier cap septentrional de l'Amérique, descendre à l'est le long des rivages de la mer polaire, et rentrer dans les Etats-Unis par la baie d'Hudson, le Labrador et le Canada.

Quels moyens avais-je d'exécuter cette prodigieuse pérégrination ? aucun. La plupart des voyageurs français ont été des hommes isolés, abandonnés à leurs propres forces ; il est rare que le gouvernement ou des compagnies les aient employés ou secourus. Des Anglais, des Américains, des Allemands, des Espagnols, des Portugais ont accompli, à l'aide du concours des volontés nationales, ce que chez nous

---

* Latitude et longitude reconnues aujourd'hui trop fortes de 4 degrés 1/4. (Note de Genève, 1832.)

des individus délaissés ont commencé en vain. Mackenzie, et après lui plusieurs autres, au profit des Etats-Unis et de la Grande-Bretagne, ont fait sur la vastitude [1] de l'Amérique des conquêtes que j'avais rêvées pour agrandir ma terre natale. En cas de succès, j'aurais eu l'honneur d'imposer des noms français à des régions inconnues, de doter mon pays d'une colonie sur l'océan Pacifique, d'enlever le riche commerce des pelleteries à une puissance rivale, d'empêcher cette rivale de s'ouvrir un plus court chemin aux Indes, en mettant la France elle-même en possession de ce chemin. J'ai consigné ces projets dans l'*Essai historique,* publié à Londres en 1796, et ces projets étaient tirés du manuscrit de mes voyages écrit en 1791. Ces dates prouvent que j'avais devancé par mes vœux et par mes travaux les derniers explorateurs des glaces arctiques.

Je ne trouvai aucun encouragement à Philadelphie. J'entrevis dès-lors que le but de ce premier voyage serait manqué, et que ma course ne serait que le prélude d'un second et plus long voyage. J'en écrivis dans ce sens à M. de Malesherbes, et en attendant l'avenir, je promis à la poésie ce qui serait perdu pour la science. En effet, si je ne rencontrai pas en Amérique ce que j'y cherchais, le monde polaire, j'y rencontrai une nouvelle muse.

Un stage-coach semblable à celui qui m'avait amené de Baltimore me conduisit de Philadelphie à New-Yorck, ville gaie, peuplée, commerçante, qui cependant était loin d'être ce qu'elle est aujourd'hui, loin de ce qu'elle sera dans quelques années : car les Etats-Unis croissent plus vite que ce manuscrit. J'allai en pèlerinage à Boston saluer le premier champ de bataille de la liberté américaine. J'ai vu les champs de Lexington [2] ; j'y cherchai, comme depuis à Sparte, la tombe de ces guerriers qui moururent *pour obéir aux saintes lois de la patrie* [3]. Mémorable exemple de l'enchaînement des choses humaines ! un bill de finances, passé dans le Parlement d'Angleterre en 1765, élève un nouvel empire sur la terre en 1782 et fait disparaître

1. Immensité (latinisme).
2. Lieu du premier combat de la guerre de l'Indépendance (avril 1785).
3. Inscription gravée sur la tombe de Léonidas aux Thermopyles.

du monde un des plus antiques royaumes de l'Europe en 1789 !

Londres, d'avril à septembre 1822.

RIVIÈRE DU NORD. — CHANT DE LA PASSAGÈRE. — M. SWIFT. — DÉPART POUR LA CATARACTE DE NIAGARA AVEC UN GUIDE HOLLANDAIS. — M. VIOLET.

JE m'embarquai à New-Yorck sur le paquebot qui faisait voile pour Albany, situé en amont de la rivière du Nord. La société était nombreuse. Vers le soir de la première journée, on nous servit une collation de fruits et de lait ; les femmes étaient assises sur les bancs du tillac, et les hommes sur le pont, à leurs pieds. La conversation ne se soutint pas longtemps : à l'aspect d'un beau tableau de la nature, on tombe involontairement dans le silence. Tout à coup, je ne sais qui s'écria : « Voilà l'endroit où Asgill [1] fut arrêté. » On pria une quakeresse de Philadelphie de chanter la complainte connue sous le nom d'*Asgill*. Nous étions entre des montagnes ; la voix de la passagère expirait sur la vague, ou se renflait lorsque nous rasions de plus près la rive. La destinée d'un jeune soldat, amant, poëte et brave, honoré de l'intérêt de Washington et de la généreuse intervention d'une reine infortunée, ajoutait un charme au romantique de la scène. L'ami que j'ai perdu, M. de Fontanes, laissa tomber de courageuses paroles en mémoire d'Asgill, quand Bonaparte se disposait à monter au trône où s'était assise Marie-Antoinette. Les officiers américains semblaient touchés du chant de la Pensylvanienne : le souvenir des

1. Lieutenant anglais que les Américains avaient fait prisonnier et voulaient exécuter. Marie-Antoinette obtint sa grâce.

280

troubles passés de la patrie leur rendait plus sensible le calme du moment présent. Ils contemplaient avec émotion ces lieux naguère chargés de troupes, retentissant du bruit des armes, maintenant ensevelis dans une paix profonde ; ces lieux dorés des derniers feux du jour, animés du sifflement des cardinaux, du roucoulement des palombes bleues, du chant des oiseaux-moqueurs, et dont les habitants, accoudés sur des clôtures frangées de bignonias, regardaient notre barque passer au-dessous d'eux.

Arrivé à Albany, j'allai chercher un M. Swift, pour lequel on m'avait donné une lettre. Ce M. Swift trafiquait de pelleteries avec les tribus indiennes enclavées dans le territoire cédé par l'Angleterre aux Etats-Unis ; car les puissances civilisées, républicaines et monarchiques, se partagent sans façon en Amérique des terres qui ne leur appartiennent pas. Après m'avoir entendu, M. Swift me fit des objections très-raisonnables. Il me dit que je ne pouvais pas entreprendre de prime-abord, seul, sans secours, sans appui, sans recommandation pour les postes anglais, américains, espagnols, où je serais forcé de passer, un voyage de cette importance ; que, quand j'aurais le bonheur de traverser tant de solitudes, j'arriverais à des régions glacées où je périrais de froid et de faim : il me conseilla de commencer par m'acclimater, m'invita à apprendre le sioux, l'iroquois et l'esquimau, à vivre au milieu des *coureurs de bois* et des agents de la compagnie de la baie d'Hudson. Ces expériences préliminaires faites, je pourrais alors, dans quatre ou cinq ans, avec l'assistance du gouvernement français, procéder à ma hasardeuse mission.

Ces conseils, dont au fond je reconnaissais la justesse, me contrariaient. Si je m'en étais cru, je serais parti tout droit pour aller au pôle, comme on va de Paris à Pontoise. Je cachai à M. Swift mon déplaisir ; je le priai de me procurer un guide et des chevaux pour me rendre à Niagara et à Pittsbourg : à Pittsbourg, je descendrais l'Ohio et je recueillerais des notions utiles à mes futurs projets. J'avais toujours dans la tête mon premier plan de route.

M. Swift engagea à mon service un Hollandais qui parlait plusieurs dialectes indiens. J'achetai deux chevaux et je quittai Albany.

Tout le pays qui s'étend aujourd'hui entre le territoire de cette ville et celui de Niagara, est habité et défriché ; le canal de New-Yorck le traverse ; mais alors une grande partie de ce pays était déserte.

Lorsqu'après avoir passé le Mohawk [1], j'entrai dans des bois qui n'avaient jamais été abattus, je fus pris d'une sorte d'ivresse d'indépendance : j'allais d'arbre en arbre, à gauche, à droite, me disant, « Ici plus de chemins, plus de villes, « plus de monarchie, plus de république, plus de présidents, « plus de rois, plus d'hommes. » Et, pour essayer si j'étais rétabli dans mes droits originels, je me livrais à des actes de volonté qui faisaient enrager mon guide, lequel, dans son âme, me croyait fou [2].

Hélas ! je me figurais être seul dans cette forêt où je levais une tête si fière ! tout-à-coup, je viens m'énaser [3] contre un hangar. Sous ce hangar s'offrent à mes yeux ébaubis les premiers sauvages que j'aie vus de ma vie. Ils étaient une vingtaine, tant hommes que femmes, tous barbouillés comme des sorciers, le corps demi-nu, les oreilles découpées, des plumes de corbeau sur la tête et des anneaux passés dans les narines. Un petit Français, poudré et frisé, habit vert-pomme, veste de droguet, jabot et manchettes de mousseline, raclait un violon de poche, et faisait danser *Madelon Friquet* à ces Iroquois. M. Violet (c'était son nom) était maître de danse chez les sauvages. On lui payait ses leçons en peaux de castors et en jambons d'ours. Il avait été marmiton au service du général Rochambeau, pendant la guerre d'Amérique. Demeuré à New-York après le départ de notre armée, il se résolut d'enseigner les beaux-arts aux Américains. Ses vues s'étant agrandies avec le succès, le nouvel Orphée porta la civilisation jusque chez les hordes sauvages du Nouveau-Monde. En me parlant des Indiens, il me disait toujours : « Ces messieurs sauvages et ces dames « sauvagesses. » Il se louait beaucoup de la légèreté de ses écoliers ; en effet, je n'ai jamais vu faire de telles gambades.

1. Affluent de l'Hudson. Chateaubriand se dirige vers la cataracte du Niagara ; il y sera à la fin d'août.

2. Chateaubriand s'amuse de l'enthousiasme que lui inspiraient, à vingt-trois ans, les idées de Rousseau.

3. M'écraser le nez.

M. Violet, tenant son petit violon entre son menton et sa poitrine, accordait l'instrument fatal[1] ; il criait, aux Iroquois : *A vos places !* Et toute la troupe sautait comme une bande de démons.

N'était-ce pas une chose accablante pour un disciple de Rousseau, que cette introduction à la vie sauvage par un bal que l'ancien marmiton du général Rochambeau donnait à des Iroquois ? J'avais grande envie de rire, mais j'étais cruellement humilié.

Londres, d'avril à septembre 1822.

MON ACCOUTREMENT SAUVAGE. — CHASSE. — LE CARCAJOU ET LE RENARD CANADIEN. — RATE MUSQUÉE. — CHIENS-PÊCHEURS. — INSECTES — MONTCALM ET WOLF.

J'ACHETAI des Indiens un habillement complet : deux peaux d'ours, l'une pour demi-toge, l'autre pour lit. Je joignis, à mon nouvel accoutrement, la calotte de drap rouge à côtes, la casaque, la ceinture, la corne pour rappeler les chiens, la bandoulière des coureurs de bois. Mes cheveux flottaient sur mon cou découvert ; je portais la barbe longue : j'avais du sauvage, du chasseur et du missionnaire. On m'invita à une partie de chasse qui devait avoir lieu le lendemain, pour dépister un carcajou[2].

Cette race d'animaux est presque entièrement détruite dans le Canada, ainsi que celle des castors.

Nous nous embarquâmes avant le jour, pour remonter une rivière sortant du bois où l'on avait aperçu le carcajou. Nous étions une trentaine, tant Indiens que coureurs de bois

1. Magique (à rapprocher de « démons »).
2. « Espèce de tigre ou de grand chat », dit Chateaubriand lui-même dans son *Voyage en Amérique* (O.C., VI, 135).

américains et canadiens : une partie de la troupe côtoyait, avec les meutes, la marche de la flottille, et des femmes portaient nos vivres.

Nous ne rencontrâmes pas le carcajou ; mais nous tuâmes des loups-cerviers et des rats musqués Jadis les Indiens menaient un grand deuil, lorsqu'ils avaient immolé, par mégarde, quelques-uns de ces derniers animaux, la femelle du rat musqué étant, comme chacun sait, la mère du genre humain. Les Chinois, meilleurs observateurs, tiennent pour certain que le rat se change en caille, et la taupe en loriot.

Des oiseaux de rivière et des poissons fournirent abondamment à notre table. On accoutume les chiens à plonger ; quand ils ne vont pas à la chasse ils vont à la pêche : ils se précipitent dans les fleuves et saisissent le poisson jusqu'au fond de l'eau. Un grand feu autour duquel nous nous placions, servait aux femmes pour les apprêts de notre repas.

Il fallait nous coucher horizontalement, le visage contre terre, pour nous mettre les yeux à l'abri de la fumée, dont le nuage, flottant au-dessus de nos têtes, nous garantissait tellement quellement de la piqûre des maringouins.

Les divers insectes carnivores, vus au microscope, sont des animaux formidables, ils étaient peut-être ces dragons ailés dont on retrouve les anatomies : diminués de taille à mesure que la matière diminuait d'énergie, ces hydres, griffons et autres, se trouveraient aujourd'hui à l'état d'insectes. Les géants antédiluviens sont les petits hommes d'aujourd'hui.

Londres d'avril à septembre 1822.

CAMPEMENT AU BORD DU LAC DES ONONDAGAS. — ARABES. — COURSE BOTANIQUE. — L'INDIENNE ET LA VACHE.

M. VIOLET m'offrit ses lettres de créance pour les Onondagas, reste d'une des six nations iroquoises. J'arrivai d'abord au lac des Onondagas. Le Hollandais choisit un lieu propre à établir notre camp : une rivière sortait du lac ; notre appareil fut dressé dans la courbe de cette rivière. Nous fichâmes en terre, à six pieds de distance l'un de l'autre, deux piquets fourchus ; nous suspendîmes horizontalement dans l'endentement de ces piquets une longue perche. Des écorces de bouleau, un bout appuyé sur le sol, l'autre sur la gaule transversale, formèrent le toit incliné de notre palais. Nos selles devaient nous servir d'oreillers et nos manteaux de couvertures. Nous attachâmes des sonnettes au cou de nos chevaux et nous les lâchâmes dans les bois près de notre camp : ils ne s'en éloignèrent pas.

Lorsque, quinze ans plus tard, je bivouaquais dans les sables du désert de Sabba, à quelques pas du Jourdain, au bord de la mer Morte, nos chevaux, ces fils légers de l'Arabie, avaient l'air d'écouter les contes du scheik, et de prendre part à l'histoire d'Antar et du cheval de Job.

Il n'était guère que quatre heures après midi lorsque nous fûmes huttés. Je pris mon fusil et j'allai flaner dans les environs. Il y avait peu d'oiseaux. Un couple solitaire voltigeait seulement devant moi, comme ces oiseaux que je suivais dans mes bois paternels ; à la couleur du mâle, je reconnus le passereau-blanc, *passer nivalis* des ornithologistes. J'entendis aussi l'orfraie, fort bien caractérisée par sa voix. Le vol de l'*exclamateur*[1] m'avait conduit à un vallon resserré entre des hauteurs nues et pierreuses ; à mi-côte s'élevait une méchante cabane ; une vache maigre errait dans un pré au-dessous.

J'aime les petits abris : « *A chico pajarillo chico nidillo,* à petit oiseau petit nid. » Je m'assis sur la pente en face de la hutte plantée sur le coteau opposé.

Au bout de quelques minutes, j'entendis des voix dans le vallon : trois hommes conduisaient cinq ou six vaches grasses ; ils les mirent paître et éloignèrent à coups de gaule la vache maigre. Une femme sauvage sortit de la hutte, s'avança vers l'animal effrayé et l'appela. La vache courut à elle en allongeant le cou avec un petit mugissement. Les

1. L'orfraie (ou plutôt effraie).

planteurs menacèrent de loin l'Indienne, qui revint à sa cabane. La vache la suivit.

Je me levai, descendis le rampant de la côte, traversai le vallon et montant la colline parallèle, j'arrivai à la hutte.

Je prononçai le salut qu'on m'avait appris : « *Siegoh!* Je suis venu » : l'Indienne, au lieu de me rendre mon salut par la répétition d'usage : « *Vous êtes venu* », ne répondit rien. Alors je caressai la vache : le visage jaune et attristé de l'Indienne laissa paraître des signes d'attendrissement. J'étais ému de ces mystérieuses relations de l'infortune : il y a de la douceur à pleurer sur des maux qui n'ont été pleurés de personne.

Mon hôtesse me regarda encore quelque temps avec un reste de doute, puis elle s'avança et vint passer la main sur le front de sa compagne de misère et de solitude.

Encouragé par cette marque de confiance, je dis en anglais, car j'avais épuisé mon indien : « Elle est bien maigre! » L'Indienne répartit en mauvais anglais : « Elle « mange fort peu. *She eats very little.* » — « On l'a chassée « rudement, repris-je. » Et la femme répondit : « Nous « sommes accoutumées à cela toutes deux; *Both.* » Je repris : « Cette prairie n'est donc pas à vous ? » Elle répondit : « Cette prairie était à mon mari qui est mort. Je n'ai « point d'enfants, et les chairs blanches mènent leurs « vaches dans ma prairie. »

Je n'avais rien à offrir à cette créature de Dieu. Nous nous quittâmes. Mon hôtesse me dit beaucoup de choses que je ne compris point ; c'étaient sans doute des souhaits de prospérité ; s'ils n'ont pas été entendus du ciel, ce n'est pas la faute de celle qui priait, mais l'infirmité de celui pour qui la prière était offerte. Toutes les âmes n'ont pas une égale aptitude au bonheur, comme toutes les terres ne portent pas également des moissons.

Je retournai à mon *ajoupa,* où m'attendait une collation de pommes de terre et de maïs. La soirée fut magnifique ; le lac, uni comme une glace sans tain, n'avait pas une ride ; la rivière baignait en murmurant notre presqu'île que les calycanthes parfumaient de l'odeur de la pomme. Le *weep-*

poor-will [1] répétait son chant : nous l'entendions tantôt plus près, tantôt plus loin, suivant que l'oiseau changeait le lieu de ses appels amoureux. Personne ne m'appelait. Pleure, pauvre William ! *weep, poor Will !*

Londres, d'avril à septembre 1822.

UN IROQUOIS. — SACHEM DES ONONDAGAS. — VELLY ET LES FRANKS. — CÉRÉMONIE DE L'HOSPITALITÉ. — ANCIENS GRECS.

LE lendemain, j'allai rendre visite au sachem des Onondagas ; j'arrivai à son village à dix heures du matin. Aussitôt, je fus environné de jeunes sauvages qui me parlaient dans leur langue, mêlée de phrases anglaises et de quelques mots français ; ils faisaient grand bruit, et avaient l'air joyeux, comme les premiers Turcs que je vis depuis à Coron, en débarquant sur le sol de la Grèce. Ces tribus indiennes, enclavées dans les défrichements des blancs, ont des chevaux et des troupeaux ; leurs cabanes sont remplies d'usten- comme les premiers Turcs que je vis depuis à Coron, en Détroit, et de l'autre, aux marchés des Etats-Unis.

Quand on parcourut l'intérieur de l'Amérique septentrionale, on trouva dans l'état de nature, parmi les diverses nations sauvages, les différentes formes de gouvernement connues des peuples civilisés. L'Iroquois appartenait à une race qui semblait destinée à conquérir les races indiennes, si des étrangers n'étaient venus épuiser ses veines et arrêter son . génie. Cet homme intrépide ne fut point étonné des armes à feu, lorsque pour la première fois on en usa contre lui ; il tint ferme au sifflement des balles et au bruit du canon, comme s'il les eût entendus toute sa vie ;

1. Coucou des Carolines.

il n'eut pas l'air d'y faire plus d'attention qu'à un orage. Aussitôt qu'il se put procurer un mousquet, il s'en servit mieux qu'un Européen. Il n'abandonna pas pour cela le casse-tête, le couteau de scalpe, l'arc et la flèche ; mais il y ajouta la carabine, le pistolet, le poignard et la hache : il semblait n'avoir jamais assez d'armes pour sa valeur. Doublement paré des instruments meurtriers de l'Europe et de l'Amérique, la tête ornée de panaches, les oreilles découpées, le visage bariolé de diverses couleurs, les bras tatoués et teints de sang, ce champion du Nouveau-Monde devint aussi redoutable à voir qu'à combattre, sur le rivage qu'il défendit pied à pied contre les envahisseurs.

Le sachem des Onondagas était un vieil Iroquois dans toute la rigueur du mot ; sa personne gardait la tradition des anciens temps du désert.

Les relations anglaises ne manquent jamais d'appeler le sachem indien *the old gentleman.* Or, le *vieux gentilhomme* est tout nu ; il a une plume ou une arête de poisson passée dans ses narines, et couvre quelquefois sa tête, rase et ronde comme un fromage, d'un chapeau bordé à trois cornes, en signe d'honneur européen. Velly [1] ne peint-il pas l'histoire avec la même vérité ? Le cheftain frank Khilpérick se frottait les cheveux avec du beurre aigre, *infundens acido comam butyro,* se barbouillait les joues de vert, et portait une jaquette bigarrée ou un sayon de peau de bête ; il est représenté par Velly comme un prince magnifique jusqu'à l'ostentation dans ses meubles et dans ses équipages, voluptueux jusqu'à la débauche, croyant à peine en Dieu, dont les ministres étaient le sujet de ses railleries.

Le sachem des Onondagas me reçut bien et me fit asseoir sur une natte. Il parlait anglais et entendait le français ; mon guide savait l'iroquois : la conversation fut facile. Entre autres choses, le vieillard me dit que, quoique sa nation eût toujours été en guerre avec la mienne, il l'avait toujours estimée. Il se plaignit des Américains ; il les trouvait injustes et avides et regrettait que dans le partage des terres indiennes sa tribu n'eût pas augmenté le lot des Anglais.

Les femmes nous servirent un repas. L'hospitalité est

1. Auteur d'une *Histoire de France* (1709-1759).

la dernière vertu restée aux sauvages au milieu de la civilisation européenne ; on sait qu'elle était autrefois cette hospitalité ; le foyer avait la puissance de l'autel.

Lorsqu'une tribu était chassée de ses bois, ou lorsqu'un homme venait demander l'hospitalité, l'étranger commençait ce qu'on appelait la danse du suppliant ; l'enfant touchait le seuil de la porte et disait : « Voici l'étranger ! » Et le chef répondait : « Enfant, introduis l'homme dans la hutte. » L'étranger, entrant sous la protection de l'enfant, s'allait asseoir sur la cendre du foyer. Les femmes disaient le chant de la consolation : « L'étranger a retrouvé une mère et une « femme ; le soleil se lèvera et se couchera pour lui comme « auparavant. »

Ces usages semblent empruntés des Grecs : Thémistocle, chez Admète [1], embrasse les pénates et le jeune fils de son hôte ; (j'ai peut-être foulé à Mégare l'âtre de la pauvre femme, sous lequel fut cachée l'urne cinéraire de Phocion [2]) ; et Ulysse, chez Alcinoüs, implore Arété : « Noble Arété [3], fille de « Rhexénor, après avoir souffert des maux cruels, je me jette à « vos pieds... » En achevant ces mots, le héros s'éloigne et va s'asseoir sur la cendre du foyer. — Je pris congé du vieux sachem. Il s'était trouvé à la prise de Québec. Dans les honteuses années du règne de Louis XV, l'épisode de la guerre du Canada vient nous consoler comme une page de notre ancienne histoire retrouvée à la Tour de Londres.

Montcalm, chargé sans secours de défendre le Canada contre des forces souvent rafraîchies et le quadruple des siennes, lutte avec succès pendant deux années ; il bat lord Loudon et le général Abercromby. Enfin la fortune l'abandonne ; blessé sous les murs de Quebec, il tombe, et deux jours après il rend le dernier soupir [4] : ses grenadiers l'enterrent dans le trou creusé par une bombe, fosse digne de l'honneur de nos armes ! Son noble ennemi Wolf meurt

1. Thémistocle exilé s'est réfugié chez son ennemi, le roi des Molosses.
2. Stratège athénien favorable à l'entente avec la Macédoine. Il fut condamné à mort (317 av. J.-C.). Selon Plutarque, une femme de Mégare recueillit ses cendres.
3. Mère de Nausicaa (*Odyssée,* VII *sq*).
4. Le marquis de Montcalm, général français, fut tué à Québec en 1759.

en face de lui. Il paie de sa vie celle de Montcalm et la gloire d'expirer sur quelques drapeaux français.

Londres, d'avril à septembre 1822.

Voyage du lac des Onondagas à la rivière Genesee. —Abeilles.—Défrichements.—Hospitalité.—Lit.— Serpent à sonnettes enchanté.

Nous voilà, mon guide et moi, remontés à cheval. Notre route, devenue plus pénible, était à peine tracée par des abattis d'arbres. Les troncs de ces arbres servaient de ponts sur les ruisseaux ou de fascines dans les fondrières. La population américaine se portait alors vers les concessions de Genesee[1]. Ces concessions se vendaient plus ou moins cher selon la bonté du sol, la qualité des arbres, le cours et la foison des eaux.

On a remarqué que les colons sont souvent précédés dans les bois par des abeilles : avant-garde des laboureurs, elles sont le symbole de l'industrie et de la civilisation qu'elles annoncent. Etrangères à l'Amérique, arrivées à la suite des voiles de Colomb, ces conquérants pacifiques n'ont ravi à un nouveau monde de fleurs que des trésors dont les indigènes ignoraient l'usage ; elles ne se sont servies de ces trésors que pour enrichir le sol dont elles les avaient tirés.

Les défrichements sur les deux bords de la route que je parcourais, offraient un curieux mélange de l'état de nature et de l'état civilisé. Dans le coin d'un bois qui n'avait jamais retenti que des cris du sauvage et des bramements de la bête fauve, on rencontrait une terre labourée ; on apercevait du même point de vue le wigwaum d'un Indien et l'habitation

1. Région récemment ouverte aux Blancs.

290

d'un planteur. Quelques-unes de ces habitations, déjà achevées, rappelaient la propreté des fermes hollandaises ; d'autres n'étaient qu'à demi terminées et n'avaient pour toit que le ciel.

J'étais reçu dans ces demeures, ouvrages d'un matin ; j'y trouvais souvent une famille avec les élégances de l'Europe : des meubles d'acajou, un piano, des tapis, des glaces, à quatre pas de la hutte d'un Iroquois. Le soir, lorsque les serviteurs étaient revenus des bois ou des champs avec la cognée ou la houe, on ouvrait les fenêtres. Les filles de mon hôte, en beaux cheveux blonds annelés, chantaient au piano le duo de *Pandolfetto* de Paësiello, ou un *cantabile* de Cimarosa [1], le tout à la vue du désert et quelquefois au murmure d'une cascade.

Dans les terrains les meilleurs, s'établissaient des bourgades. La flèche d'un nouveau clocher s'élançait du sein d'une vieille forêt. Comme les mœurs anglaises suivent partout les Anglais, après avoir traversé des pays où il n'y avait pas trace d'habitants, j'apercevais l'enseigne d'une auberge qui brandillait à une branche d'arbre. Des chasseurs, des planteurs, des Indiens, se rencontraient à ces caravansérails : la première fois que je m'y reposai, je jurai que ce serait la dernière.

Il arriva, qu'en entrant dans une de ces hôtelleries, je restai stupéfait à l'aspect d'un lit immense, bâti en rond autour d'un poteau : chaque voyageur prenait place dans ce lit, les pieds au poteau du centre, la tête à la circonférence du cercle, de manière que les dormeurs étaient rangés symétriquement, comme les rayons d'une roue ou les bâtons d'un éventail. Après quelque hésitation, je m'introduisis dans cette machine, parce que je n'y voyais personne. Je commençais à m'assoupir, lorsque je sentis quelque chose se glisser contre moi : c'était la jambe de mon grand Hollandais ; je n'ai de ma vie éprouvé une plus grande horreur. Je sautai dehors du cabas hospitalier, maudissant cordialement les usages de nos bons aïeux. J'allai dormir, dans mon manteau, au clair de lune : cette compagne de la

1. Ces compositeurs italiens ont donné leurs principales œuvres entre 1770 et 1800.

couche du voyageur n'avait rien du moins que d'agréable, de frais et de pur.

Au bord de la Genesee, nous trouvâmes un bac. Une troupe de colons et d'Indiens passa la rivière avec nous. Nous campâmes dans des prairies peinturées de papillons et de fleurs. Avec nos costumes divers, nos différents groupes autour de nos feux, nos chevaux attachés ou paissant, nous avions l'air d'une caravane. C'est là, que je fis la rencontre de ce serpent à sonnettes qui se laissait enchanter par le son d'une flûte. Les Grecs auraient fait de mon Canadien, Orphée ; de la flûte, une lyre ; du serpent, Cerbère, ou peut-être Eurydice.

Londres, d'avril à septembre 1822.

FAMILLE INDIENNE. — NUIT DANS LES FORÊTS. — DÉPART DE LA FAMILLE. — SAUVAGE DU SAUT DE NIAGARA. — LE CAPITAINE GORDON. — JÉRUSALEM.

NOUS avançâmes vers Niagara. Nous n'en étions plus qu'à huit ou neuf lieues, lorsque nous aperçûmes, dans une chenaie, le feu de quelques sauvages, arrêtés au bord d'un ruisseau, où nous songions nous-mêmes à bivouaquer. Nous profitâmes de leur établissement : chevaux pansés, toilette de nuit faite, nous accostâmes la horde. Les jambes croisées à la manière des tailleurs, nous nous assîmes avec les Indiens, autour du bûcher, pour mettre rôtir nos quenouilles de maïs.

La famille était composée de deux femmes, de deux enfants à la mamelle, et de trois guerriers. La conversation devint générale, c'est-à-dire entrecoupée par quelques mots de ma part, et par beaucoup de gestes ; ensuite chacun s'endormit dans la place où il était. Resté seul éveillé, j'allai m'asseoir à l'écart, sur une racine qui traçait au bord du ruisseau.

La lune se montrait à la cime des arbres ; une brise embaumée, que cette reine des nuits amenait de l'Orient avec elle, semblait la précéder dans les forêts, comme sa fraîche haleine. L'astre solitaire gravit peu à peu dans le ciel : tantôt il suivait sa course, tantôt il franchissait des groupes de nues, qui ressemblaient aux sommets d'une chaîne de montagnes couronnées de neiges. Tout aurait été silence et repos, sans la chute de quelques feuilles, le passage d'un vent subit, le gémissement de la hulotte ; au loin, on entendait les sourds mugissements de la cataracte de Niagara, qui, dans le calme de la nuit, se prolongeaient de désert en désert, et expiraient à travers les forêts solitaires. C'est dans ces nuits que m'apparut une muse inconnue ; je recueillis quelques-uns de ses accents ; je les marquai sur mon livre, à la clarté des étoiles, comme un musicien vulgaire écrirait les notes que lui dicterait quelque grand maître des harmonies.

Le lendemain, les Indiens s'armèrent, les femmes rassemblèrent les bagages. Je distribuai un peu de poudre et de vermillon à mes hôtes. Nous nous séparâmes en touchant nos fronts et notre poitrine. Les guerriers poussèrent le cri de marche et partirent en avant ; les femmes cheminèrent derrière, chargées des enfants qui, suspendus dans des fourrures aux épaules de leurs mères, tournaient la tête pour nous regarder. Je suivis des yeux cette marche, jusqu'à ce que la troupe entière eût disparu entre les arbres de la forêt.

Les sauvages du Saut de Niagara dans la dépendance des Anglais étaient chargés de la police de la frontière de ce côté. Cette bizarre gendarmerie, armée d'arcs et de flèches, nous empêcha de passer. Je fus obligé d'envoyer le Hollandais au fort de Niagara chercher un permis afin d'entrer sur les terres de la domination britannique. Cela me serrait un peu le cœur, car il me souvenait que la France avait jadis commandé dans le Haut comme dans le Bas-Canada. Mon guide revint avec le permis : je le conserve encore ; il est signé : *le capitaine Gordon*. N'est-il pas singulier que j'aie retrouvé le même nom anglais sur la porte de ma cellule à

Jérusalem ? « Treize pèlerins avaient écrit leur noms sur la
« porte en dedans de la chambre : le premier s'appelait
« Charles Lombard, et il se trouvait à Jérusalem en 1669 ; le
« dernier est John Gordon, et la date de son passage est de
« 1804 (*Itinéraire*). »

Londres, d'avril à septembre 1822.

CATARACTE DE NIAGARA. — SERPENT À SONNETTES. — JE TOMBE AU BORD DE L'ABÎME.

JE restai deux jours dans le village indien, d'où j'écrivis
encore une lettre à M. de Malesherbes. Les Indiennes
s'occupaient de différents ouvrages ; leurs nourrissons
étaient suspendus dans des réseaux aux branches d'un gros
hêtre pourpre. L'herbe était couverte de rosée, le vent sortait
des forêts tout parfumé, et les plantes à coton du pays,
renversant leurs capsules, ressemblaient à des rosiers
blancs. La brise berçait les couches aériennes d'un mouvement presque insensible ; les mères se levaient de temps en
temps pour voir si leurs enfants dormaient, et s'ils n'avaient
point été réveillés par les oiseaux. Du village indien à la
cataracte, on comptait trois à quatre lieues : il nous fallut
autant d'heures, à mon guide et à moi, pour y arriver. A six
milles de distance, une colonne de vapeur m'indiquait déjà
le lieu du déversoir. Le cœur me battait d'une joie mêlée de
terreur en entrant dans le bois qui me dérobait la vue d'un
des plus grands spectacles que la nature ait offerts aux
hommes.

Nous mîmes pied à terre. Tirant après nous nos chevaux par la bride, nous parvînmes, à travers des brandes et des halliers, au bord de la rivière Niagara, sept ou huit cents pas au-dessus du Saut. Comme je m'avançais incessamment, le guide me saisit par le bras; il m'arrêta au rez même de l'eau, qui passait avec la vélocité d'une flèche. Elle ne bouillonnait point, elle glissait en une seule masse sur la pente du roc; son silence avant sa chute formait contraste avec le fracas de sa chute même. L'Ecriture compare souvent un peuple aux grandes eaux; c'était ici un peuple mourant, qui, privé de la voix par l'agonie, allait se précipiter dans l'abîme de l'éternité.

Le guide me retenait toujours, car je me sentais pour ainsi dire entraîné par le fleuve, et j'avais une envie involontaire de m'y jeter. Tantôt je portais mes regards en amont, sur le rivage; tantôt en aval, sur l'île qui partageait les eaux et où ces eaux manquaient tout à coup, comme si elles avaient été coupées dans le ciel.

Après un quart d'heure de perplexité et d'une admiration indéfinie, je me rendis à la chute. On peut chercher dans l'*Essai sur les révolutions* et dans *Atala* les deux descriptions que j'en ai faites. Aujourd'hui, de grands chemins passent à la cataracte; il y a des auberges sur la rive américaine et sur la rive anglaise, des moulins et des manufactures au-dessous du chasme1 .

Je ne pouvais communiquer les pensées qui m'agitaient à la vue d'un désordre si sublime. Dans le désert de ma première existence, j'ai été obligé d'inventer des personnages pour la décorer; j'ai tiré de ma propre substance des êtres que je ne trouvais pas ailleurs, et que je portais en moi. Ainsi j'ai placé des souvenirs d'Atala et de René aux bords de la cataracte de Niagara, comme l'expression de sa tristesse. Qu'est-ce qu'une cascade qui tombe éternellement à l'aspect insensible de la terre et du ciel, si la nature humaine n'est là avec ses destinées et ses malheurs? S'enfoncer dans cette solitude d'eau et de montagnes, et ne savoir avec qui parler de ce grand spectacle! Les flots, les rochers, les bois, les torrents pour soi seul! Donnez à l'âme

1. Du gouffre (mot grec).

une compagne, et la riante parure des coteaux, et la fraîche haleine de l'onde, tout va devenir ravissement : le voyage du jour, le repos plus doux de la fin de la journée, le passer sur les flots, le dormir sur la mousse, tireront du cœur sa plus profonde tendresse. J'ai assis Velléda sur les grèves de l'Armorique, Cymodocée sous les portiques d'Athènes, Blanca dans les salles de l'Alhambra. Alexandre créait des villes partout où il courait : j'ai laissé des songes partout où j'ai traîné ma vie.

J'ai vu les cascades des Alpes avec leurs chamois et celles des Pyrénées avec leurs isards ; je n'ai pas remonté le Nil assez haut, pour rencontrer ses cataractes, qui se réduisent à des rapides ; je ne parle pas des zônes d'azur de Terni et de Tivoli, élégantes écharpes de ruines ou sujets de chansons pour le poëte :

Et prœceps Anio ac Tiburni lucus[1]

« Et l'Anio rapide et le bois sacré de Tibur. »

Niagara efface tout. Je contemplais la cataracte que révélèrent au vieux monde, non d'infimes voyageurs de mon espèce, mais des missionnaires qui, cherchant la solitude pour Dieu, se jetaient à genoux, à la vue de quelque merveille de la nature, et recevaient le martyre, en achevant leur cantique d'admiration. Nos prêtres saluèrent les beaux sites de l'Amérique et les consacrèrent de leur sang ; nos soldats ont battu des mains aux ruines de Thèbes et présenté les armes à l'Andalousie : tout le génie de la France est dans la double milice de nos camps et de nos autels.

Je tenais la bride de mon cheval entortillée à mon bras ; un serpent à sonnettes vint à bruire dans les buissons. Le cheval effrayé se cabre et recule en approchant de la chute. Je ne puis dégager mon bras des rênes ; le cheval, toujours plus effarouché, m'entraîne après lui. Déjà ses pieds de devant quittent la terre ; accroupi sur le bord de l'abîme, il ne s'y tenait plus qu'à force de reins. C'en était fait de moi, lorsque l'animal, étonné lui-même du nouveau péril, volte

---

1. Horace, *Odes* I, **VII**.

en dedans par une pirouette. En quittant la vie au milieu des bois canadiens, mon âme aurait-elle porté au tribunal suprême les sacrifices, les bonnes œuvres, les vertus des pères Jogues et Lallemand [1], ou des jours vides et de misérables chimères ?

Ce ne fut pas le seul danger que je courus à Niagara : une échelle de lianes servait aux sauvages pour descendre dans le bassin inférieur ; elle était alors rompue. Désirant voir la cataracte de bas en haut, je m'aventurai, en dépit des représentations du guide, sur le flanc d'un rocher presqu'à pic. Malgré les rugissements de l'eau qui bouillonnait au-dessous de moi, je conservai ma tête et je parvins à une quarantaine de pieds du fond. Arrivé là, la pierre nue et verticale, n'offrait plus rien pour m'accrocher ; je demeurai suspendu par une main à la dernière racine, sentant mes doigts s'ouvrir sous le poids de mon corps : il y a peu d'hommes qui aient passé dans leur vie deux minutes comme je les comptai. Ma main fatiguée lâcha prise ; je tombai. Par un bonheur inouï, je me trouvai sur le redan d'un roc où j'aurais dû me briser mille fois, et je ne me sentis pas grand mal ; j'étais à un demi-pied de l'abîme et je n'y avais pas roulé : mais lorsque le froid et l'humidité commencèrent à me pénétrer, je m'aperçus que je n'en étais pas quitte à si bon marché : j'avais le bras gauche cassé au-dessus du coude. Le guide, qui me regardait d'en haut et auquel je fis des signes de détresse, courut chercher des sauvages. Ils me hissèrent avec des harts [2] par un sentier de loutres, et me transportèrent à leur village. Je n'avais qu'une fracture simple : deux lattes, un bandage et une écharpe suffirent à ma guérison.

1. Jésuites français du **XVII**ᵉ siècle, missionnaires au Canada. Le père Jogues était mort martyrisé en 1645.

2. Liens d'osier (le sens usuel du mot *hart* est : corde de pendaison).

Douze jours dans une hutte. — Changement de mœurs chez les sauvages. — Naissance et mort. — Montaigne. — Chant de la Couleuvre. — Pantomime d'une petite Indienne, original de Mila.

Je demeurai douze jours chez mes médecins, les Indiens de Niagara. J'y vis passer des tribus qui descendaient de Détroit ou des pays situés au midi et à l'orient du lac Erié. Je m'enquis de leurs coutumes ; j'obtins pour de petits présents des représentations de leurs anciennes mœurs, car ces mœurs elles-mêmes n'existent plus. Cependant, au commencement de la guerre de l'indépendance américaine, les sauvages mangeaient encore les prisonniers, ou plutôt les tués : un capitaine anglais, puisant du bouillon dans une marmite indienne avec la cuiller à pot, en retira une main.

La naissance et la mort ont le moins perdu des usages indiens, parce qu'elles ne s'en vont point à la vanvole comme la partie de la vie qui les sépare ; elles ne sont point choses de mode qui passent. On confère encore au nouveau-né, afin de l'honorer, le nom le plus ancien sous son toit, celui de son aïeule, par exemple : car les noms sont toujours pris dans la lignée maternelle. Dès ce moment, l'enfant occupe la place de la femme dont il a recueilli le nom ; on lui donne, en lui parlant, le degré de parenté que ce nom fait revivre ; ainsi, un oncle peut saluer un neveu du titre de *grand'mère*. Cette coutume, en apparence risible, est néanmoins touchante. Elle ressuscite les vieux décédés ; elle reproduit dans la faiblesse des premiers ans la faiblesse des derniers ; elle rapproche les extrémités de la vie, le commencement et la fin de la famille ; elle communique une espèce d'immortalité aux ancêtres et les suppose présents au milieu de leur postérité.

En ce qui regarde les morts, il est aisé de trouver les motifs de l'attachement du sauvage à de saintes reliques. Les nations civilisées ont, pour conserver les souvenirs de leur patrie, la mnémonique des lettres et des arts ; elles ont des cités, des palais, des tours, des colonnes, des obélisques ; elles ont la trace de la charrue dans les champs jadis cultivés ; les noms sont entaillés dans l'airain et le marbre, les actions consignées dans les chroniques.

Rien de tout cela aux peuples de la solitude : leur nom n'est point écrit sur les arbres ; leur hutte, bâtie en quelques heures disparaît en quelques instants ; la crosse de leur labour ne fait qu'effleurer la terre, et n'a pu même élever un sillon. Leurs chansons traditionnelles périssent avec la dernière mémoire qui les retient, s'évanouissent avec la dernière voix qui les répète. Les tribus du Nouveau-Monde n'ont donc qu'un seul monument : la tombe. Enlevez à des sauvages les os de leurs pères, vous leur enlevez leur histoire, leurs lois et jusqu'à leurs dieux ; vous ravissez à ces hommes, parmi les générations futures, la preuve de leur existence comme celle de leur néant.

Je voulais entendre le chant de mes hôtes. Une petite Indienne de quatorze ans, nommée Mila, très-jolie (les femmes indiennes ne sont jolies qu'à cet âge) chanta quelque chose de fort agréable. N'était-ce point le couplet cité par Montaigne ? « Couleuvre, arreste toy ; arreste toy, « couleuvre, à fin que ma sœur tire sur le patron de ta « peincture, la façon et l'ouvrage d'un riche cordon, que je « puisse donner à ma mie : ainsi, soit en tout temps ta « beauté et ta disposition préférée à tous les aultres ser- « pents[1]. »

L'auteur des *Essais* vit à Rouen des Iroquois qui, selon lui, étaient des personnages très-sensés : « Mais quoi, ajou- « te-t-il[2], ils ne portent point de hauts-de-chausses ! »

Si jamais je publie les *stromates*[3] ou bigarrures de ma jeunesse, pour parler comme saint Clément d'Alexandrie, on y verra Mila.

---

1. *Essais, Des Cannibales.* La citation de Chateaubriand est très fidèle.
2. C'est la dernière phrase du même « essai ».
3. Le sens propre du mot grec *stromates* est : tapisseries ; d'où : pensées diverses. Saint Clément d'Alexandrie est un Père de l'Église grecque (II⁰ siècle).

Londres, d'avril à septembre 1822.

INCIDENCES[1]. — ANCIEN CANADA. — POPULATION
INDIENNE. — DÉGRADATION DES MŒURS. —
VRAIE CIVILISATION RÉPANDUE PAR LA RELIGION ;
FAUSSE CIVILISATION INTRODUITE PAR LE COMMERCE. —
COUREURS DE BOIS. — FACTORERIES. —
CHASSES. — MÉTIS OU BOIS-BRÛLÉS. — GUERRES DES
COMPAGNIES. — MORT DES LANGUES INDIENNES.

LES Canadiens ne sont plus tels que les ont peints Cartier, Champlain, Lahontan, Lescarbot, Laffiteau, Charlevoix et les *Lettres édifiantes* : le seizième siècle et le commencement du dix-septième[2] étaient encore le temps de la grande imagination et des mœurs naïves ; la merveille de l'une reflétait une nature vierge, et la candeur des autres reproduisait la simplicité du sauvage. Champlain, à la fin de son premier voyage au Canada, en 1603, raconte que proche « de la baye des Chaleurs, tirant au sud, est une isle, où fait « résidence un monstre épouvantable que les sauvages « appellent Gougou. » Le Canada avait son géant comme le cap des Tempêtes avait le sien. Homère est le véritable père de toutes ces inventions ; ce·sont toujours les Cyclopes, Charybde et Scylla, ogres ou gougous.

La population sauvage de l'Amérique septentrionale, en n'y comprenant ni les Mexicains, ni les Esquimaux, ne s'élève pas aujourd'hui à quatre cent mille âmes, en deçà et

1. Ce mot est fréquent dans les *Mémoires d'outre-tombe* au sens de : digression.

2. Ces indications chronologiques s'appliquent au Malouin Jacques Cartier (1491-1557) et à Samuel Champlain (1567-1635). Les *Voyages* du baron Lahontan ont paru au début du **XVIII**ᵉ siècle, les autres navigateurs cités sont du **XVII**ᵉ.

au-delà des montagnes Rocheuses ; des voyageurs ne la portent même qu'à cent cinquante mille. La dégradation des mœurs indiennes a marché de pair avec la dépopulation des tribus. Les traditions religieuses sont devenues confuses ; l'instruction répandue par les jésuites du Canada a mêlé des idées étrangères aux idées natives des indigènes : on aperçoit, au travers de fables grossières, les croyances chrétiennes défigurées ; la plupart des sauvages portent des croix en guise d'ornements, et les marchands protestants leur vendent ce que leur donnaient les missionnaires catholiques. Disons, à l'honneur de notre patrie et à la gloire de notre religion, que les Indiens s'étaient fortement attachés à nous ; qu'ils ne cessent de nous regretter, et qu'une *robe noire* (un missionnaire) est encore en vénération dans les forêts américaines. Le sauvage continue de nous aimer sous l'arbre où nous fûmes ses premiers hôtes, sur le sol que nous avons foulé, et où nous lui avons confié des tombeaux.

Quand l'Indien était nu ou vêtu de peau, il avait quelque chose de grand et de noble ; à cette heure, des haillons européens, sans couvrir sa nudité, attestent sa misère : c'est un mendiant à la porte d'un comptoir, ce n'est plus un sauvage dans sa forêt.

Enfin, il s'est formé une espèce de peuple métif [1], né des colons et des Indiennes. Ces hommes, surnommés *Bois-brûlés*, à cause de la couleur de leur peau, sont les courtiers de change entre les auteurs de leur double origine. Parlant la langue de leurs pères et de leurs mères, ils ont les vices des deux races. Ces bâtards de la nature civilisée et de la nature sauvage, se vendent tantôt aux Américains, tantôt aux Anglais, pour leur livrer le monopole des pelleteries ; ils entretiennent les rivalités des compagnies anglaises de la *Baie d'Hudson* et du *Nord-Ouest,* et des compagnies américaines, *Fur colombian-American company, Missouri's fur company* et autres : ils font eux-mêmes des chasses au compte des traitants et avec des chasseurs soldés par les compagnies.

La grande guerre de l'indépendance américaine est seule connue. On ignore que le sang a coulé pour les chétifs

1. Métis.

intérêts d'une poignée de marchands. La compagnie de la *Baie d'Hudson* vendit, en 1811, à lord Selkirk, un terrain au bord de la rivière Rouge ; l'établissement se fit en 1812. La compagnie du *Nord-Ouest,* ou du *Canada,* en prit ombrage. Les deux compagnies, alliées à diverses tribus indiennes et secondées des *Bois-brûlés,* en vinrent aux mains. Ce conflit domestique, horrible dans ses détails, avait lieu au milieu des déserts glacés de la baie d'Hudson. La colonie de lord Selkirk fut détruite au mois de juin 1815, précisément à l'époque de la bataille de Waterloo. Sur ces deux théâtres, si différents par l'éclat et par l'obscurité, les malheurs de l'espèce humaine étaient les mêmes.

Ne cherchez plus en Amérique les constitutions politiques artistement construites dont Charlevoix a fait l'histoire : la monarchie des Hurons, la république des Iroquois. Quelque chose de cette destruction s'est accompli et s'accomplit encore en Europe, même sous nos yeux ; un poète prussien, au banquet de l'ordre Teutonique, chanta, en vieux prussien, vers l'an 1400, les faits héroïques des anciens guerriers de son pays : personne ne le comprit, et on lui donna, pour récompense, cent noix vides. Aujourd'hui, le bas-breton, le basque, le gaélique meurent de cabane en cabane, à mesure que meurent les chevriers et les laboureurs.

Dans la province anglaise de Cornouailles, la langue des indigènes s'éteignit vers l'an 1676. Un pêcheur disait à des voyageurs : « Je ne connais guère que quatre ou cinq « personnes qui parlent breton, et ce sont de vieilles gens « comme moi, de soixante à quatre-vingts ans ; tout ce qui « est jeune n'en sait plus un mot. »

Des peuplades de l'Orénoque n'existent plus ; il n'est resté de leur dialecte qu'une douzaine de mots prononcés dans la cime des arbres par des perroquets redevenus libres, comme la grive d'Agrippine qui gazouillait des mots grecs sur les balustrades des palais de Rome [1]. Tel sera tôt ou tard le sort de nos jargons modernes, débris du grec et du latin. Quelque corbeau envolé de la cage du dernier curé franco-gaulois, dira, du haut d'un clocher en ruine, à des peuples

1. Allusion inexacte à un passage de Pline l'Ancien (X, 73).

étrangers à nos successeurs : «Agréez ces derniers efforts
« d'une voix qui vous fut connue : vous mettrez fin à tous ces
« discours[1]. »

Soyez donc Bossuet, pour qu'en dernier résultat votre
chef-d'œuvre survive, dans la mémoire d'un oiseau, à votre
langage et à votre souvenir chez les hommes !

Londres, d'avril à septembre 1822.

ANCIENNES POSSESSIONS FRANÇAISES EN AMÉRIQUE. —
REGRETS. — MANIE DU PASSÉ. — BILLET DE FRANCIS
CONYNGHAM.

EN parlant du Canada et de la Louisiane, en regardant sur
les vieilles cartes l'étendue des anciennes colonies françaises
en Amérique, je me demandais comment le gouvernement
de mon pays avait pu laisser périr ces colonies, qui seraient
aujourd'hui pour nous une source inépuisable de prospérité.

De l'Acadie et du Canada à la Louisiane, de l'embouchure
du Saint-Laurent à celle du Mississipi, le territoire de la
Nouvelle-France entoura ce qui formait la confédération des
treize premiers états unis : les onze autres, avec le district
de la Colombie, le territoire de Michigan, du Nord-Ouest,
du Missouri, de l'Orégon et d'Arkansas, nous appartenaient, ou nous appartiendraient, comme ils appartiennent aux Etats-Unis par la cession des Anglais
et des Espagnols, nos successeurs dans la Canada et
dans la Louisiane. Le pays compris entre l'Atlantique
au nord-est. La mer Polaire au nord, l'océan Pacifique et
les possessions russes au nord-ouest, je golfe mexi-
cain au midi, c'est-à-dire plus des deux tiers, de l'Amé-

1. Citation libre (péroraison de l'oraison funèbre de Condé).

rique septentrionale, reconnaîtraient les lois de la France.

J'ai peur que la Restauration ne se perde par les idées contraires à celles que j'exprime ici : la manie de s'en tenir au passé, manie que je ne cesse de combattre, n'aurait rien de funeste si elle ne renversait que moi en me retirant la faveur du prince ; mais elle pourrait bien renverser le trône. L'immobilité politique est impossible ; force est d'avancer avec l'intelligence humaine. Respectons la majesté du temps ; contemplons avec vénération les siècle écoulés, rendus sacrés par la mémoire et les vestiges de nos pères ; toutefois n'essayons pas de rétrograder vers eux, car ils n'ont plus rien de notre nature réelle, et si nous prétendions les saisir, ils s'évanouiraient. Le chapitre de Notre-Dame d'Aix-la-Chapelle fit ouvrir, dit-on, vers l'an 1450, le tombeau de Charlemagne. On trouva l'empereur assis dans une chaise dorée, tenant dans ses mains de squelette le livre des Evangiles écrit en lettres d'or : devant lui étaient posés son sceptre et son bouclier d'or ; il avait au côté sa *Joyeuse* engaînée dans un fourreau d'or. Il était revêtu des habits impériaux. Sur sa tête, qu'une chaîne d'or forçait à rester droite, était un suaire qui couvrait ce qui fut son visage et que surmontait une couronne. On toucha le fantôme ; il tomba en poussière.   Nous possédions outre-mer de vastes contrées : elles offraient un asile à l'excédent de notre population, un marché à notre commerce, un aliment à notre marine. Nous sommes exclus du nouvel univers, où le genre humain recommence : les langues anglaise, portugaise, espagnole servent en Afrique, en Asie, dans l'Océanie, dans les îles de la mer du Sud, sur le continent des deux Amériques, à l'interprétation de la pensée de plusieurs millions d'hommes ; et nous, déshérités des conquêtes de notre courage et de notre génie, à peine entendons-nous parler dans quelque bourgade de la Louisiane et du Canada, sous une domination étrangère, la langue de Colbert et de Louis XIV : elle n'y reste que comme un témoin des revers de notre fortune et des fautes de notre politique.

Et quel est le roi dont la domination remplace maintenant la domination du Roi de France, sur les forêts canadiennes ? Celui qui hier me faisait écrire ce billet :

« Monsieur le Vicomte,

« J'ai les ordres du Roi d'inviter Votre Excellence à
« venir dîner et coucher ici jeudi 6 courant.
                              « Le très-humble et très-obéissant serviteur,
                                        « Francis CONYNGHAM. »

Il était dans ma destinée d'être tourmenté par les princes.
Je m'interromps ; je repasse l'Atlantique ; je remets mon
bras cassé à Niagara ; je me dépouille de ma peau d'ours ; je
reprends mon habit doré ; je me rends du wigwaum d'un
Iroquois à la royale Loge de sa Majesté britannique,
monarque des trois royaumes unis et dominateur des Indes ;
je laisse mes hôtes aux oreilles découpées et la petite
sauvage à la perle ; souhaitant à lady Conyngham 1 la
gentillesse de Mila, avec cet âge qui n'appartient encore
qu'au plus jeune printemps, qu'à ces jours qui précèdent le
mois de mai, et que nos poëtes gaulois appelaient l'Avrillée.

Londres, d'avril à septembre 1822.

Revu en décembre 1846.

MANUSCRIT ORIGINAL EN AMÉRIQUE. — LACS DU CANADA.
— FLOTTE DE CANOTS INDIENS. — RUINES DE LA NATURE. —
VALLÉE DU TOMBEAU. — DESTINÉE DES FLEUVES.

LA tribu de la petite fille à la perle partit ; mon guide, le
Hollandais, refusa de m'accompagner au-delà de la cataracte ; je le payai et je m'associai avec des trafiquants qui
partaient pour descendre l'Ohio ; je jetai, avant de partir, un

1. Favorite du roi d'Angleterre George IV. Elle n'était plus jeune !

coup d'œil sur les lacs du Canada. Rien n'est triste comme l'aspect de ces lacs. Les plaines de l'Océan et de la Méditerranée ouvrent des chemins aux nations, et leurs bords sont ou furent habités par des peuples civilisés, nombreux et puissants : les lacs du Canada ne présentent que la nudité de leurs eaux, laquelle va rejoindre une terre dévêtue : solitudes qui séparent d'autres solitudes. Des rivages sans habitants regardent des mers sans vaisseaux ; vous descendez des flots déserts sur des grèves désertes.

Le lac Erié a plus de cent lieues de circonférence. Les nations riveraines furent exterminées par les Iroquois, il y a deux siècles. C'est une chose effrayante que de voir les Indiens s'aventurer dans des nacelles d'écorce sur ce lac renommé par ses tempêtes, où fourmillaient autrefois des myriades de serpents. Ces Indiens suspendent leurs manitous à la poupe des canots, et s'élancent au milieu des tourbillons entre les vagues soulevées. Les vagues, de niveau avec l'orifice des canots, semblent prêtes à les engloutir. Les chiens des chasseurs, les pattes appuyées sur le bord, poussent des abois tandis que leurs maîtres, gardant un silence profond, frappent les flots en cadence avec leurs pagaies. Les canots s'avancent à la file : à la proue du premier se tient debout un chef qui répète la diphtongue *oah*; *o* sur une note sourde et longue, *a* sur un ton aigu et bref. Dans le dernier canot est un autre chef, debout encore, manœuvrant une rame en forme de gouvernail. Les autres guerriers sont assis sur leurs talons au fond des cales. A travers le brouillard et les vents, on n'aperçoit que les plumes dont la tête des Indiens est ornée, le cou tendu des dogues hurlants, et les épaules des deux *sachems,* pilote et augure : on dirait les dieux de ces lacs.

Les fleuves du Canada sont sans histoire dans l'ancien monde ; autre est la destinée du Gange, de l'Euphrate, du Nil, du Danube et du Rhin. Quels changements n'ont-ils point vus sur leurs bords ! que de sueur et de sang les conquérants ont répandus pour traverser dans leur cours ces ondes qu'un chevrier franchit d'un pas à leur source !

Londres, d'avril à septembre 1822.

COURS DE L'OHIO.

PARTIS des lacs du Canada, nous vînmes à Pittsbourg, au confluent du Kentucky et de l'Ohio ; là, le paysage déploie une pompe extraordinaire. Ce pays si magnifique s'appelle pourtant Kentucky, du nom de sa rivière qui signifie *rivière de sang*. Il doit ce nom à sa beauté : pendant plus de deux siècles, les nations du parti des Chérokis et du parti des nations iroquoises, s'en disputèrent les chasses.

Les générations européennes seront-elles plus vertueuses et plus libres sur ces bords que les générations américaines exterminées ? Des esclaves ne laboureront-ils point la terre sous le fouet de leurs maîtres, dans ces déserts de la primitive indépendance de l'homme ? Des prisons et des gibets ne remplaceront-ils point la cabane ouverte et le haut tulipier où l'oiseau pend sa couvée ? La richesse du sol ne fera-t-elle point naître de nouvelles guerres ? Le Kentucky cessera-t-il d'être la *terre de sang,* et les monuments des arts embelliront-ils mieux les bords de l'Ohio, que les monuments de la nature ?

Le Wabach, la grande Cyprière, la Rivière aux Ailes ou Cumberland, le Chéroki ou Tennessee, les Bancs Jaunes passés, on arrive à une langue de terre souvent noyée dans les grandes eaux ; là s'opère le confluent de l'Ohio et du Mississipi par les 36° 51' de latitude. Les deux fleuves s'opposant une résistance égale ralentissent leur cours ; ils dorment l'un auprès de l'autre sans se confondre pendant quelques milles dans le même chenal, comme deux grands peuples divisés d'origine, puis réunis pour ne plus former qu'une seule race ; comme deux illustres rivaux, partageant la même couche après une bataille ; comme deux époux, mais de sang ennemi, qui d'abord ont peu de penchant à mêler dans le lit nuptial leurs destinées.

Et moi aussi, tel que les puissantes urnes des fleuves, j'ai répandu le petit cours de ma vie, tantôt d'un côté de la montagne, tantôt de l'autre ; capricieux dans mes erreurs, jamais malfaisant ; préférant les vallons pauvres aux riches plaines, m'arrêtant aux fleurs plutôt qu'aux palais. Du reste, j'étais si charmé de mes courses, que je ne pensais presque plus au pôle. Une compagnie de trafiquants, venant de chez les Creeks, dans les Florides, me permit de la suivre.

Nous nous acheminâmes vers les pays connus alors sous le nom général des Florides, et où s'étendent aujourd'hui les états de l'Alabama, de la Georgie, de la Caroline du sud, du Tennessee. Nous suivions à peu près des sentiers que lie maintenant la grande route des Natchez à Nashville par Jackson et Florence, et qui rentre en Virginie par Knoxville et Salem : pays dans ce temps peu fréquenté et dont cependant Bartram avait exploré les lacs et les sites. Les planteurs de la Georgie et des Florides maritimes venaient jusque chez les diverses tribus des Creeks, acheter des chevaux et des bestiaux demi-sauvages, multipliés à l'infini dans les savanes que percent ces *puits* au bord desquels j'ai fait reposer Atala et Chactas. Ils étendaient même leur course jusqu'à l'Ohio.

Nous étions poussés par un vent frais. L'Ohio grossi de cent rivières, tantôt allait se perdre dans les lacs qui s'ouvraient devant nous, tantôt dans les bois. Des îles s'élevaient au milieu des lacs. Nous fîmes voile vers une des plus grandes : nous l'abordâmes à huit heures du matin.

Je traversai une prairie semée de jacobées à fleurs jaunes, d'alcées à panaches roses et d'obélarias dont l'aigrette est pourpre.

Une ruine indienne frappa mes regards. Le contraste de cette ruine et de la jeunesse de la nature, ce monument des hommes dans un désert, causait un grand saisissement. Quel peuple habita cette île ? Son nom, sa race, le temps de son passage ? Vivait-il, alors que le monde au sein duquel il était caché existait ignoré des trois autres parties de la terre ? Le silence de ce peuple est peut-être contemporain du bruit de quelques grandes nations tombées à leur tour dans le silence *.

Des anfractuosités sablonneuses, des ruines ou des tumulus, sortaient des pavots à fleurs roses pendant au bout d'un pédoncule incliné d'un vert pâle. La tige et la fleur ont un arome qui reste attaché aux doigts lorsqu'on touche la plante. Le parfum qui survit à cette fleur, est une image du souvenir d'une vie passée dans la solitude.

J'observai la nymphéa : elle se préparait à cacher son lys blanc dans l'onde, à la fin du jour ; l'*arbre triste* pour déclore le sien n'attendait que la nuit : l'épouse se couche à l'heure où la courtisane se lève.

L'œnothère pyramidale, haute de sept à huit pieds, à feuilles oblongues dentelées d'un vert noir, a d'autres mœurs et une autre destinée : sa fleur jaune commence à s'entr'ouvrir le soir, dans l'espace de temps que Vénus met à descendre sous l'horizon ; elle continue de s'épanouir aux rayons des étoiles ; l'aurore la trouve dans tout son éclat ; vers la moitié du matin elle se fane ; elle tombe à midi. Elle ne vit que quelques heures ; mais elle dépêche ces heures sous un ciel serein, entre les souffles de Vénus et de l'aurore ; qu'importe alors la brièveté de la vie ?

Un ruisseau s'enguirlandait de dionées ; une multitude d'éphémères bourdonnaient à l'entour. Il y avait aussi des oiseaux-mouches et des papillons qui, dans leurs plus brillants affiquets, joutaient d'éclat avec la diaprure du parterre. Au milieu de ces promenades et de ces études, j'étais souvent frappé de leur futilité. Quoi ! la Révolution, qui pesait déjà sur moi et me chassait dans les bois, ne m'inspirait rien de plus grave ? Quoi ! c'était pendant les heures du bouleversement de mon pays, que je m'occupais de descriptions et de plantes, de papillons et de fleurs ? L'individualité humaine sert à mesurer la petitesse des plus grands événements. Combien d'hommes sont indifférents à ces événements ? De combien d'autres seront-ils ignorés ? La population générale du globe est évaluée de onze à douze

* Les ruines de Mitla et de Palenque au Mexique, prouvent aujourd'hui que le *Nouveau-Monde* dispute d'antiquité avec l'ancien. (Paris, note de 1834.)

cents millions ; il meurt un homme par *seconde :* ainsi, à chaque *minute* de notre existence, de nos sourires, de nos joies, soixante hommes expirent, soixante familles gémissent et pleurent. La vie est une peste permanente. Cette chaîne de deuil et de funérailles qui nous entortille, ne se brise point, elle s'allonge ; nous en formerons nous-mêmes un anneau. Et puis, magnifions l'importance de ces catastrophes, dont les trois quarts et demi du monde n'entendront jamais parler ! Haletons après une renommée qui ne volera pas à quelques lieues de notre tombe ! Plongeons-nous dans l'océan d'une félicité dont chaque minute s'écoule entre soixante cercueils incessamment renouvelés !

Nam nox nulla diem, neque noctem aurora secuta est,
Quae non audierit mixtos vagitibus aegris
Ploratus, mortis comites et funeris atri. [1]

« Aucun jour n'a suivi la nuit, aucune nuit n'a été « suivie de l'aurore, qui n'ait entendu des pleurs mêlés à des « vagissements douloureux, compagnons de la mort et des « noires funérailles. »

Londres, d'avril à septembre 1822.

FONTAINE DE JOUVENCE. — MUSCOGULGES ET SIMINO-LES.— NOTRE CAMP.

LES sauvages de la Floride racontent qu'au milieu d'un lac est une île où vivent les plus belles femmes du monde. Les Muscogulges en ont tenté maintes fois la conquête ; mais cet

1. Lucrèce II, 578 *sq.*

Eden fuit devant les canots, naturelle image de ces chimères qui se retirent devant nos désirs.

Cette contrée renfermait aussi une fontaine de Jouvence : qui voudrait revivre ?

Peu s'en fallut que ces fables ne prissent à mes yeux une espèce de réalité. Au moment où nous nous y attendions le moins, nous vîmes sortir d'une baie une flottille de canots, les uns à la rame, les autres à la voile. Ils abordèrent notre île. Ils portaient deux familles de Creeks, l'une siminole, l'autre muscogulge, parmi lesquelles se trouvaient des Chérokis et des *Bois-brûlés*. Je fus frappé de l'élégance de ces sauvages qui ne ressemblaient en rien à ceux du Canada.

Les Siminoles et les Muscogulges sont assez grands, et, par un contraste extraordinaire, leurs mères, leurs épouses et leurs filles sont la plus petite race de femmes connue en Amérique.

Les Indiennes qui débarquèrent auprès de nous, issues d'un sang mêlé de chéroki et de castillan, avaient la taille élevée. Deux d'entre elles ressemblaient à des créoles de Saint-Domingue et de l'Ile-de-France, mais jaunes et délicates comme des femmes du Gange. Ces deux Floridiennes, cousines du côté paternel, m'ont servi de modèles, l'une pour *Atala,* l'autre pour *Céluta* : elles surpassaient seulement les portraits que j'en ai faits par cette vérité de nature variable et fugitive, par cette physionomie de race et de climat que je n'ai pu rendre. Il y avait quelque chose d'indéfinissable dans ce visage ovale, dans ce teint ombré que l'on croyait voir à travers une fumée orangée et légère, dans ces cheveux si noirs et si doux, dans ces yeux si longs, à demi cachés sous le voile de deux paupières satinées qui s'entr'ouvraient avec lenteur ; enfin, dans la double séduction de l'Indienne et de l'Espagnole.

La réunion à nos hôtes changea quelque peu nos allures ; nos agents de traite commencèrent à s'enquérir des chevaux : il fut résolu que nous irions nous établir dans les environs des haras.

La plaine de notre camp était couverte de taureaux, de vaches, de chevaux, de bisons, de buffles, de grues, de dindes, de pélicans : ces oiseaux marbraient de blanc, de noir et de rose le fond vert de la savane.

Beaucoup de passions agitaient nos trafiquants et nos chasseurs : non des passions de rang, d'éducation, de préjugés, mais des passions de la nature, pleines, entières, allant directement à leur but, ayant pour témoins un arbre tombé au fond d'une forêt inconnue, un vallon inretrouvable, un fleuve sans nom. Les rapports des Espagnols et des femmes creekes, faisaient le fond des aventures : les *Bois-brûlés* jouaient le rôle principal dans ces romans. Une histoire était célèbre, celle d'un marchand d'eau-de-vie séduit et ruiné par une *fille peinte* (une courtisane). Cette histoire, mise en vers siminoles sous le nom de *Tabamica,* se chantait au passage des bois*. Enlevées à leur tour par les colons, les Indiennes mouraient bientôt délaissées à Pensacola : leurs malheurs allaient grossir les *Romanceros* et se placer auprès des complaintes de Chimène.

DEUX FLORIDIENNES. — RUINES SUR L'OHIO.

C'EST une mère charmante que la terre ; nous sortons de son sein : dans l'enfance, elle nous tient à ses mamelles gonflées de lait et de miel ; dans la jeunesse et l'âge mûr, elle nous prodigue ses eaux fraîches, ses moissons et ses fruits ; elle nous offre en tous lieux l'ombre, le bain, la table et le lit ; à notre mort, elle nous rouvre ses entrailles, jette sur notre dépouille une couverture d'herbe et de fleurs, tandis qu'elle nous transforme secrètement dans sa propre substance, pour nous reproduire sous quelque forme gracieuse. Voilà ce que je me disais en m'éveillant lorsque mon premier regard rencontrait le ciel, dôme de ma couche.

Les chasseurs étant partis pour les occupations de la

---

* Je l'ai donnée dans mes voyages. (Note de Genève 1832.)

journée, je restais avec les femmes et les enfants. Je ne quittais plus mes deux sylvaines : l'une était fière, et l'autre triste. Je n'entendais pas un mot de ce qu'elles me disaient, elles ne me comprenaient pas ; mais j'allais chercher l'eau pour leur coupe, les sarments pour leur feu, les mousses pour leur lit. Elles portaient la jupe courte et les grosses manches tailladées à l'espagnole, le corset et le manteau indiens. Leurs jambes nues étaient losangées de dentelles de bouleau. Elles nattaient leurs cheveux avec des bouquets ou des filaments de joncs ; elles se maillaient de chaînes et de colliers de verre. A leurs oreilles pendaient des graines empourprées ; elles avaient une jolie perruche qui parlait : oiseau d'Armide ; elles l'agrafaient à leur épaule en guise d'émeraude, ou la portaient chaperonnée sur la main comme les grandes dames du dixième siècle portaient l'épervier. Pour s'affermir le sein et les bras, elles se frottaient avec l'apoya ou souchet d'Amérique. Au Bengale, les bayadères mâchent le bétel, et dans le Levant, les almées sucent le mastic de Chio ; les Floridiennes broyaient, sous leurs dents d'un blanc azuré, des larmes de *liquidambar* et des racines de *libanis,* qui mêlaient la fragrance de l'angélique, du cédrat et de la vanille. Elles vivaient dans une atmosphère de parfums émanés d'elles, comme des orangers et des fleurs dans les pures effluences de leur feuille et de leur calice. Je m'amusais à mettre sur leur tête quelque parure : elles se soumettaient, doucement effrayées ; magiciennes, elles croyaient que je leur faisais un charme. L'une d'elles, la *fière,* priait souvent ; elle me paraissait demi-chrétienne. L'autre chantait avec une voix de velours, poussant à la fin de chaque phrase un cri qui troublait. Quelquefois, elles se parlaient vivement : je croyais démêler des accents de jalousie, mais la triste pleurait, et le silence revenait.

Faible que j'étais, je cherchais des exemples de faiblesse, afin de m'encourager. Camoëns n'avait-il pas aimé dans les Indes une esclave noire de Barbarie, et moi, ne pouvais-je pas en Amérique offrir des hommages à deux jeunes sultanes jonquilles ? Camoëns n'avait-il pas adressé des *Endechas,* ou des stances, à *Barbara escrava ?* Ne lui avait-il pas dit :

A quella captiva,
Que me tem captivo,
Porque nella vivo,
Já naõ quer que viva.
Eu nunqua vi rosa
Em suaves molhos,
Que para meus olhos
Fosse mais formosa.
Pretidaõ de amor,
Taõ doce a figura,
Que a neve lhe jura
Que trocára a côr.
Léda mansidaõ,
Que o siso acompanha :
Bem parece estranha,
Mas Barbara naõ.

« Cette captive qui me tient captif, parce que je vis en elle,
« n'épargne pas ma vie. Jamais rose, dans de suaves bou-
« quets, ne fut à mes yeux plus charmante . . . .
. . . .

« Sa chevelure noire inspire l'amour ; sa figure est si
« douce que la neige a envie de changer de couleur avec
« elle ; sa gaîté est accompagnée de réserve : c'est une
« étrangère : une barbare, non. »

On fit une partie de pêche. Le soleil approchait de son
couchant. Sur le premier plan paraissaient des sassafras,
des tulipiers, des catalpas et des chênes dont les rameaux
étalaient des écheveaux de mousse blanche. Derrière ce
premier plan s'élevait le plus charmant des arbres, le
papayer qu'on eût pris pour un style d'argent ciselé, surmonté d'une urne corinthienne. Au troisième plan domi-
naient les baumiers, les magnolias et les liquidambars.

Le soleil tomba derrière ce rideau : un rayon glissant à
travers le dôme d'une futaie, scintillait comme une escar-
boucle enchâssée dans le feuillage sombre ; la lumière
divergeant entre les troncs et les branches, projetait sur les
gazons des colonnes croissantes et des arabesques mobiles.
En bas, c'étaient des lilas, des azaléas, des lianes annelées,

aux gerbes gigantesques ; en haut, des nuages, les uns fixes, promontoires ou vieilles tours, les autres flottants, fumées de rose ou cardées de soie. Par des transformations successives, on voyait dans ces nues s'ouvrir des gueules de four, s'amonceler des tas de braise, couler des rivières de lave : tout était éclatant, radieux, doré, opulent, saturé de lumière.

Après l'insurrection de la Morée, en 1770, des familles grecques se réfugièrent à la Floride : elles se purent croire encore dans ce climat de l'Ionie, qui semble s'être amolli avec les passions des hommes : à Smyrne, le soir, la nature dort comme une courtisane fatiguée d'amour.

A notre droite étaient des ruines appartenant aux grandes fortifications trouvées sur l'Ohio, à notre gauche un ancien camp de sauvages ; l'île où nous étions, arrêtée dans l'onde et reproduite par un mirage, balançait devant nous sa double perspective. A l'orient, la lune reposait sur des collines lointaines ; à l'occident, la voûte du ciel éait fondue en une mer de diamants et de saphirs, dans laquelle le soleil à demi plongé, paraissait se dissoudre. Les animaux de la création veillaient ; la terre, en adoration, semblait encenser le ciel, et l'ambre exhalé de son sein retombait sur elle en rosée, comme une prière redescend sur celui qui prie.

Quitté de mes compagnes, je me reposai au bord d'un massif d'arbres : son obscurité, glacée de lumière, formait la pénombre où j'étais assis. Des mouches luisantes brillaient parmi les arbrisseaux encrêpés, et s'éclipsaient lorsqu'elles passaient dans les irradiations de la lune. On entendait le bruit du flux et reflux du lac, les sauts du poisson d'or, et le cri rare de la cane plongeuse. Mes yeux étaient fixés sur les eaux ; je déclinais peu à peu vers cette somnolence connue des hommes qui courent les chemins du monde : nul souvenir distinct ne me restait ; je me sentais vivre et végéter avec la nature dans une espèce de panthéisme. Je m'adossai contre le tronc d'un magnolia et je m'endormis ; mon repos flottait sur un fond vague d'espérance.

Quand je sortis de ce Léthé, je me trouvai entre deux femmes ; les odalisques étaient revenues ; elles n'avaient pas voulu me réveiller, elles s'étaient assises en silence à mes côtés ; soit qu'elles feignissent le sommeil, soit qu'elles fussent réellement assoupies, leurs têtes étaient tombées sur mes épaules.

Une brise traversa le bocage et nous inonda d'une pluie de roses de magnolia. Alors la plus jeune des Siminoles se mit à chanter : quiconque n'est pas sûr de sa vie se garde de l'exposer ainsi jamais ! on ne peut savoir ce que c'est que la passion infiltrée avec la mélodie dans le sein d'un homme. A cette voix une voix rude et jalouse répondit : un *Bois-brûlé* appelait les deux cousines ; elles tressaillirent, se levèrent : l'aube commençait à poindre.

Aspasie de moins, j'ai retrouvé cette scène aux rivages de la Grèce : monté aux colonnes du Parthénon avec l'aurore, j'ai vu le Cythéron, le mont Hymette, l'Acropolis de Corinthe, les tombeaux, les ruines baignés dans une rosée de lumière dorée, transparente, volage, que réfléchissaient les mers, que répandaient comme un parfum les zéphirs de Salamine et de Délos.

Nous achevâmes au rivage notre navigation sans paroles. A midi, le camp fut levé pour examiner des chevaux que les Creeks voulaient vendre et les trafiquants acheter. Femmes et enfants, tous étaient convoqués comme témoins, selon la coutume, dans les marchés solennels. Les étalons de tous les âges et de tous les poils, les poulains et les juments avec des taureaux, des vaches et des génisses, commencèrent à fuir et à galoper autour de nous. Dans cette confusion, je fus séparé des Creeks. Un groupe épais de chevaux et d'hommes s'aggloméra à l'orée d'un bois. Tout à coup, j'aperçois de loin mes deux Floridiennes ; des mains vigoureuses les asseyaient sur les croupes de deux barbes que montaient à crû un *Bois-brûlé* et un Siminole. O Cid ! que n'avais-je ta rapide Babieça pour les rejoindre ! Les cavales prennent leur course, l'immense escadron les suit. Les chevaux ruent, sautent, bondissent, hennissent au milieu des cornes des buffles et des taureaux, leurs soles se choquent en l'air, leurs queues et leurs crinières volent sanglantes. Un tourbillon d'insectes dévorants enveloppe l'orbe de cette cavalerie sauvage. Mes Floridiennes disparaissent comme la fille de Cérès, enlevée par le dieu des enfers.

Voilà comme tout avorte dans mon histoire, comme il ne me reste que des images de ce qui a passé si vite : je descendrai aux Champs-Elysées avec plus d'ombres qu'homme n'en a jamais emmené avec soi. La faute en est à mon organisation : je ne sais profiter d'aucune fortune ; je ne m'intéresse à quoi que ce soit de ce qui intéresse les autres. Hors en religion, je n'ai aucune croyance. Pasteur ou roi, qu'aurais-je fait de mon sceptre ou de ma houlette ? Je me serais également fatigué de la gloire et du génie, du travail et du loisir, de la prospérité et de l'infortune. Tout me lasse : je remorque avec peine mon ennui avec mes jours, et je vais partout bâillant ma vie.

QUELLES ÉTAIENT LES DEMOISELLES MUSCOGULGES. — ARRESTATION DU ROI À VARENNES. — J'INTERROMPS MON VOYAGE POUR REPASSER EN EUROPE.

RONSARD nous peint Marie Stuart prête à partir pour l'Ecosse, après la mort de François II :

> *De tel habit vous estiez accoustrée,*
> *Partant hélas ! de la belle contrée*
> *(Dont aviez eu le sceptre dans la main)*
> *Lorsque pensive et baignant vostre sein*
> *Du beau crystal de vos larmes roulées,*
> *Triste, marchiez par les longues allées*
> *Du grand jardin de ce royal chasteau*
> *Qui prend son nom de la source d'une eau* [1].

Ressemblais-je à Marie Stuart se promenant à Fontainebleau, quand je me promenai dans ma savane après mon

1. Ronsard. *Elégie* XXV.

veuvage ? Ce qu'il y a de certain c'est que mon esprit, sinon ma personne, était enveloppé d'*un crespe long, subtil et délié,* comme dit encore Ronsard, ancien poëte de la nouvelle école [1].

Le diable ayant emporté les demoiselles muscogulges, j'appris du guide qu'un *Bois-brûlé,* amoureux d'une des deux femmes, avait été jaloux de moi et qu'il s'était résolu, avec un Siminole, frère de l'autre cousine, de m'enlever *Atala* et *Celuta.* Les guides les appelaient sans façon des *filles peintes* [2], ce qui choquait ma vanité. Je me sentais d'autant plus humilié que le *Bois-brûlé,* mon rival préféré, était un maringouin maigre, laid et noir, ayant tous les caractères des insectes qui, selon la définition des entomologistes du grand Lama, sont des animaux dont la chair est à l'intérieur et les os à l'extérieur. La solitude me parut vide après ma mésaventure. Je reçus mal ma sylphilde généreusement accourue pour consoler un infidèle, comme Julie [3] lorsqu'elle pardonnait à Saint-Preux ses Floridiennes de Paris. Je me hâtai de quitter le désert, où j'ai ranimé depuis les compagnes endormies de ma nuit. Je ne sais si je leur ai rendu la vie qu'elles me donnèrent ; du moins, j'ai fait de l'une une vierge, et de l'autre une chaste épouse, par expiation.

Nous repassâmes les montagnes Bleues, et nous rapprochâmes des défrichements européens vers Chillicothi. Je n'avais recueilli aucune lumière sur le but principal de mon entreprise ; mais j'étais escorté d'un monde de poésie :

Comme une jeune abeille aux roses engagée,
Ma muse revenait de son butin chargée [4].

J'avisai au bord d'un ruisseau une maison américaine, ferme à l'un de ses pignons, moulin à l'autre. J'entrai demander le vivre et le couvert, et fus bien reçu.

Mon hôtesse me conduisit par une échelle dans une

1. Allusion au *Tableau de la poésie française au XVI*[e] *siècle* de Sainte-Beuve (1828).
2. Des courtisanes.
3. La « nouvelle Héloïse » de Rousseau.
4. Vers de Chateaubriand (voir tome III, p. 139).

chambre au-dessus de l'axe de la machine hydraulique. Ma petite croisée, festonnée de lierre et de cobées à cloches d'iris, ouvrait sur le ruisseau qui coulait étroit et solitaire, entre deux épaisses bordures de saules, d'aulnes, de sassafras, de tamarins et de peupliers de la Caroline. La roue moussue tournait sous ces ombrages, en laissant retomber de longs rubans d'eau. Des perches et des truites sautaient dans l'écume du remous ; des bergeronnettes volaient d'une rive à l'autre, et des espèces de martins-pêcheurs agitaient au-dessus du courant leurs ailes bleues.

N'aurais-je pas bien été là avec la *triste,* supposée fidèle, rêvant assis à ses pieds, la tête appuyée sur ses genoux, écoutant le bruit de la cascade, les révolutions de la roue, le roulement de la meule, le sassement du blutoir, les battements égaux du traquet, respirant la fraîcheur de l'onde et l'odeur de l'effleurage des orges perlées ?

La nuit vint. Je descendis à la chambre de la ferme. Elle n'était éclairée que par des feurres de maïs et des coques de faséoles qui flambaient au foyer. Les fusils du maître, horizontalement couchés au porte-armes, brillaient au reflet de l'âtre. Je m'assis sur un escabeau dans le coin de la cheminée, auprès d'un écureuil qui sautait alternativement du dos d'un gros chien sur la tablette d'un rouet. Un petit chat prit possession de mon genou pour regarder ce jeu. La meunière coiffa le brasier d'une large marmite, dont la flamme embrassa le fond noir comme une couronne d'or radiée. Tandis que les patates de mon souper ébouillaient sous ma garde, je m'amusai à lire à la lueur du feu, en baissant la tête, un journal anglais tombé à terre entre mes jambes : j'aperçus, écrits en grosses lettres, ces mots : *Flight of the King* (fuite du Roi). C'était le récit de l'évasion de Louis XVI et de l'arrestation de l'infortuné monarque à Varennes. Le journal racontait aussi les progrès de l'émigration et la réunion des officiers de l'armée sous le drapeau des princes français.

Une conversion subite s'opéra dans mon esprit : Renaud vit sa faiblesse au miroir de l'honneur dans les jardins d'Armide [1] ; sans être le héros du Tasse, la même glace

1. *Jérusalem délivrée.* chant XVI.

m'offrit mon image au milieu d'un verger américain. Le fracas des armes, le tumulte du monde retentit à mon oreille sous le chaume d'un moulin caché dans des bois inconnus. J'interrompis brusquement ma course, et je me dis : « Retourne en France. »

Ainsi, ce qui me parut un devoir renversa mes premiers desseins, amena la première de ces péripéties dont ma carrière a été marquée. Les Bourbons n'avaient pas besoin qu'un cadet de Bretagne revînt d'outre-mer leur offrir son obscur dévouement, pas plus qu'ils n'ont eu besoin de ses services quand il est sorti de son obscurité. Si, continuant mon voyage, j'eusse allumé ma pipe avec le journal qui a changé ma vie, personne ne se fût aperçu de mon absence ; ma vie était alors aussi ignorée et ne pesait pas plus que la fumée de mon calumet. Un simple démêlé entre moi et ma conscience me jeta sur le théâtre du monde. J'eusse pu faire ce que j'aurais voulu, puisque j'étais seul témoin du débat ; mais de tous les témoins, c'est celui aux yeux duquel je craindrais le plus de rougir.

Pourquoi les solitudes de l'Erié, de l'Ontario se présentent-elles aujourd'hui à ma pensée avec un charme que n'a point à ma mémoire le brillant spectacle du Bosphore ? C'est qu'à l'époque de mon voyage aux Etats-Unis, j'étais plein d'illusions ; les troubles de la France commençaient en même temps que commençait mon existence ; rien n'était achevé en moi, ni dans mon pays. Ces jours me sont doux, parce qu'ils me rappellent l'innocence des sentiments inspirés par la famille et les plaisirs de la jeunesse.

Quinze ans plus tard, après mon voyage au Levant, la République, grossie de débris et de larmes, s'était déchargée comme un torrent du déluge dans le despotisme. Je ne me berçais plus de chimères ; mes souvenirs, prenant désormais leur source dans la société et dans des passions, étaient sans candeur. Déçu dans mes deux pèlerinages en Occident et en Orient, je n'avais point découvert le passage au pôle, je n'avais point enlevé la gloire des bords du Niagara où je l'étais allé chercher, et je l'avais laissée assise sur les ruines d'Athènes.

Parti pour être voyageur en Amérique, revenu pour être

soldat en Europe, je ne fournis jusqu'au bout ni l'une ni l'autre de ces carrières : un mauvais génie m'arracha le bâton et l'épée, et me mit la plume à la main. Il y a de cette heure quinze autres années [1], qu'étant à Sparte, et contemplant le ciel pendant la nuit, je me souvenais des pays qui avaient déjà vu mon sommeil paisible ou troublé : parmi les bois de l'Allemagne, dans les bruyères de l'Angleterre, dans les champs de l'Italie, au milieu des mers, dans les forêts canadiennes, j'avais déjà salué les mêmes étoiles que je voyais briller sur la partie d'Hélène et de Ménélas. Mais que me servait de me plaindre aux astres, immobiles témoins de mes destinées vagabondes ? Un jour leur regard ne se fatiguera plus à me poursuivre : maintenant, indifférent à mon sort, je ne demanderai pas à ces astres de l'incliner par une plus douce influence, ni de me rendre ce que le voyageur laisse de sa vie dans les lieux où il passe.

Si je revoyais aujourd'hui les Etats-Unis, je ne les reconnaîtrais plus : là où j'ai laissé des forêts, je trouverais des champs cultivés ; là où je me suis frayé un sentier à travers les halliers, je voyagerais sur de grandes routes ; aux Natchez, au lieu de la hutte de Céluta, s'élève une ville d'environ cinq mille habitants ; Chactas pourrait être aujourd'hui député au Congrès. J'ai reçu dernièrement une brochure imprimée chez les *Chérokis,* laquelle m'est adressée dans l'intérêt de ces sauvages, comme *au défenseur de la liberté de la presse.*

Il y a chez les Muscogulges, les Siminoles, les Chickasas une cité d'Athènes, une autre de Marathon, une autre de Carthage, une autre de Memphis, une autre de Sparte, une autre de Florence ; on trouve un comté de la Colombie et un comté de Marengo : la gloire de tous les pays a placé un nom dans ces mêmes déserts où j'ai rencontré le père Aubry et l'obscure Atala. Le Kentucky montre un Versailles ; un territoire appelé Bourbon a pour capitale un Paris.

Tous les exilés, tous les opprimés qui se sont retirés en Amérique y ont porté la mémoire de leur patrie.

1. Le 18 août 1806.

> . . . . *falsi Simoentis ad undam*
> *Libabat cineri Andromache* [1].

Les Etats-Unis offrent dans leur sein, sous la protection de la liberté, une image et un souvenir de la plupart des lieux célèbres de l'antiquité et de la moderne Europe : dans son jardin de la campagne de Rome, Adrien avait fait répéter les monuments de son empire.

Trente-trois grandes routes sortent de Washington, comme autrefois les voies romaines partaient du Capitole ; elles aboutissent, en se ramifiant, à la circonférence des Etats-Unis, et tracent une circulation de 25,747 milles. Sur un grand nombre de ces routes, les postes sont montées. On prend la diligence pour l'Ohio ou pour Niagara, comme de mon temps on prenait un guide ou un interprète indien. Ces moyens de transport sont doubles : des lacs et des rivières existent partout, liés ensemble par des canaux ; on peut voyager le long des chemins de terre sur des chaloupes à rames et à voiles, ou sur des coches d'eau, ou sur des bateaux à vapeur. Le combustible est inépuisable, puisque des forêts immenses couvrent des mines de charbon à fleur de terre.

La population des Etats-Unis s'est accrue de dix ans en dix ans, depuis 1790 jusqu'en 1820, dans la proportion de trente-cinq individus sur cent. On présume qu'en 1830, elle sera de douze millions huit cent soixante-quinze mille âmes. En continuant à doubler tous les vingt-cinq ans, elle serait en 1855 de vingt-cinq millions sept cent cinquante mille âmes, et vingt-cinq ans plus tard, en 1880, elle dépasserait cinquante millions.

Cette sève humaine fait fleurir de toutes parts le désert. Les lacs du Canada, naguère sans voiles, ressemblent aujourd'hui à des docks où des frégates, des corvettes, des cutters, des barques se croisent avec les pirogues et les

---

1. « Près d'un faux Simoïs Andromaque faisait une libation à la cendre (d'Hector) ». (*Enéide* III, 302 *sq*).

canots indiens, comme les gros navires et les galères se mêlent aux pinques, aux chaloupes et aux caïques dans les eaux de Constantinople.

Le Mississipi, le Missouri, l'Ohio ne coulent plus dans la solitude : des trois-mâts les remontent ; plus de deux cents bateaux à vapeur en vivifient les rivages.

Cette immense navigation intérieure, qui suffirait seule à la prospérité des Etats-Unis, ne ralentit point leurs expéditions lointaines. Leurs vaisseaux courent toutes les mers, se livrent à toutes les espèces d'entreprises, promènent le pavillon étoilé du couchant, le long de ces rivages de l'aurore qui n'ont jamais connu que la servitude.

Pour achever ce tableau surprenant, il se faut représenter des villes comme Boston, New-York, Philadelphie, Baltimore, Charlestown, Savanah, la Nouvelle-Orléans, éclairées la nuit, remplies de chevaux et de voitures, ornées de cafés, de musées, de bibliothèques, de salles de danse et de spectacle, offrant toutes les jouissances du luxe.

Toutefois, il ne faut pas chercher aux Etats-Unis ce qui distingue l'homme des autres êtres de la création, ce qui est son extrait d'immortalité et l'ornement de ses jours : les lettres sont inconnues dans la nouvelle République, quoiqu'elles soient appelées par une foule d'établissements. L'Américain a remplacé les opérations intellectuelles par les opérations positives ; ne lui imputez point à infériorité sa médiocrité dans les arts, car ce n'est pas de ce côté qu'il a porté son attention. Jeté par différentes causes sur un sol désert, l'agriculture et le commerce ont été l'objet de ses soins ; avant de penser, il faut vivre ; avant de planter des arbres, il faut les abattre, afin de labourer. Les colons primitifs, l'esprit rempli de controverses religieuses, portaient, il est vrai, la passion de la dispute jusqu'au sein des forêts ; mais il fallait qu'ils marchassent d'abord à la conquête du désert la hache sur l'épaule, n'ayant pour pupitre, dans l'intervalle de leurs labeurs, que l'orme qu'ils équarrissaient. Les Américains n'ont point parcouru les degrés de l'âge des peuples ; ils ont laissé en Europe leur enfance et leur jeunesse ; les paroles naïves du berceau leur ont été inconnues ; ils n'ont joui des douceurs du foyer qu'à travers le regret d'une patrie qu'ils n'avaient jamais vue, dont ils pleuraient l'éternelle absence et le charme qu'on leur avait raconté.

Il n'y a dans le nouveau continent ni littérature classique, ni littérature romantique, ni littérature indienne : classique, les Américains n'ont point de modèles ; romantique, les Américains n'ont point de moyen âge ; indienne, les Américains méprisent les sauvages et ont horreur des bois comme d'une prison qui leur était destinée.

Ainsi, ce n'est donc pas la littérature à part, la littérature proprement dite, que l'on trouve en Amérique ; c'est la littérature appliquée, servant aux divers usages de la société ; c'est la littérature d'ouvriers, de négociants, de marins, de laboureurs. Les Américains ne réussissent guère que dans la mécanique et dans les sciences, parce que les sciences ont un côté matériel : Franklin et Fulton se sont emparés de la foudre et de la vapeur au profit des hommes. Il appartenait à l'Amérique de doter le monde de la découverte par laquelle aucun continent ne pourra désormais échapper aux recherches du navigateur.

La poésie et l'imagination, partage d'un très petit nombre de désœuvrés, sont regardées aux Etats-Unis comme des puérilités du premier et du dernier âge de la vie : les Américains n'ont point eu d'enfance, ils n'ont point encore de vieillesse.

De ceci il résulte que les hommes engagés dans les études sérieuses ont dû nécessairement appartenir aux affaires de leur pays afin d'en acquérir la connaissance, et qu'ils ont dû de même se trouver acteurs dans leur révolution. Mais une chose triste est à remarquer : la dégénération prompte du talent, depuis les premiers hommes des troubles américains, jusqu'aux hommes de ces derniers temps ; et cependant ces hommes se touchent. Les anciens présidents de la République ont un caractère religieux, simple, élevé, calme, dont on ne trouve aucune trace dans nos fracas sanglants de la République et de l'Empire. La solitude dont les Américains étaient environnés a réagi sur leur nature ; ils ont accompli en silence leur liberté.

Le discours d'adieu du général Washington au peuple des Etats-Unis, pourrait avoir été prononcé par les personnages les plus graves de l'antiquité :

« Les actes publics, dit le général, prouvent jusqu'à
« quel point les principes que je viens de rappeler m'ont
« guidé lorsque je me suis acquitté des devoirs de ma place.
« Ma conscience me dit du moins que je les ai suivis. Bien
« qu'en repassant les actes de mon administration, je n'aie
« connaissance d'aucune faute d'intention, j'ai un senti-
« ment trop profond de mes défauts pour ne pas penser que
« probablement j'ai commis beaucoup de fautes. Quelles
« qu'elles soient, je supplie avec ferveur le Tout-Puissant
« d'écarter ou de dissiper les maux qu'elles pourraient
« entraîner. J'emporterai aussi avec moi l'espoir que mon
« pays ne cessera jamais de les considérer avec indulgence,
« et qu'après quarante-cinq années de ma vie dévouées à
« son service avec zèle et droiture, les torts d'un mérite
« insuffisant tomberont dans l'oubli, comme je tomberai
« bientôt moi-même dans la demeure du repos »

Jefferson [1], dans son habitation de Monticello, écrit,
après la mort de l'un de ses deux enfants :

« La perte que j'ai éprouvée est réellement grande.
« D'autres peuvent perdre ce qu'ils ont en abondance ; mais
« moi, de mon strict nécessaire, j'ai à déplorer la moitié. Le
« déclin de mes jours ne tient plus que par le faible fil d'une
« vie humaine Peut-être suis-je destiné à voir rompre ce
« dernier lien de l'affection d'un père ! »

La philosophie, rarement touchante, l'est ici au souverain
degré. Et ce n'est pas là la douleur oiseuse d'un homme qui
ne s'était mêlé de rien : Jefferson mourut le 4 juillet 1826,
dans la quatre-vingt-quatrième année de son âge, et la
cinquante-quatrième de l'indépendance de son pays. Ses
restes reposent, recouverts d'une pierre, n'ayant pour épitaphe que ces mots : « THOMAS JEFFERSON, *auteur de la
Déclaration d'indépendance.* »

Périclès et Démosthènes avaient prononcé l'oraison funèbre des jeunes Grecs tombés pour un peuple qui disparut
bientôt après eux : Brackenridge [2], en 1817, célébrait la
mort des jeunes Américains dont le sang a fait naître un
peuple.

1. Président des Etats-Unis de 1801 à 1809.
2. Publiciste américain.

On a une galerie nationale des portraits des Américains distingués, en quatre volumes in-octavo, et ce qu'il y a de plus singulier, une biographie contenant la vie de plus de cent principaux chefs indiens. Logan, chef de la Virginie, prononça devant lord Dunmore, ces paroles : « Au printemps dernier, sans provocation aucune, le colonel Crasp « égorgea tous les parents de Logan : il ne coule plus une « seule goutte de mon sang dans les veines d'aucune « créature vivante. C'est là ce qui m'a appelé à la ven- « geance. Je l'ai cherchée ; j'ai tué beaucoup de monde. « Est-il quelqu'un qui viendra maintenant pleurer la mort « de Logan ? Personne »

Sans aimer la nature, les Américains se sont appliqués à l'étude de l'histoire naturelle. Townsend [1], parti de Philadelphie, a parcouru à pied les régions qui séparent l'Atlantique de l'océan Pacifique, en consignant dans son journal ses nombreuses observations. Thomas Say, voyageur dans les Florides et aux montagnes Rocheuses, a donné un ouvrage sur l'entomologie américaine. Wilson [2], tisserand devenu auteur, a des peintures assez finies.

Arrivés à la littérature proprement dite, quoiqu'elle soit peu de chose, il y a pourtant quelques écrivains à citer parmi les romanciers et les poètes. Le fils d'un quaker, Brown [3], est l'auteur de *Wieland*, lequel Wieland est la source et le modèle des romans de la nouvelle école. Contrairement à ses compatriotes, « j'aime mieux, assurait Brown, errer parmi les forêts que de battre le blé. » Wieland, le héros du roman, est un puritain à qui le ciel a commandé de tuer sa femme : « Je t'ai amenée ici, lui dit-il, « pour accomplir les ordres de Dieu : c'est par moi que tu « dois périr et je saisis ses deux bras. Elle poussa plusieurs « cris perçants et voulut se dégager : « Wieland, ne suis-je « pas ta femme ? et tu veux me tuer ; me tuer, moi, oh ! « non, oh ! grâce ! grâce ! — Tant que sa voix eut un « passage, elle cria ainsi grâce et secours. » Wieland étrangle

1. Townsend et Say sont des naturalistes américains du début du **XIX**e siècle.

2. Ornithologiste américain (1766-1813).

3. **Romancier américain (1771-1810).** *Wieland ou la Voix mystérieuse* a paru en 1798.

sa femme et éprouve d'ineffables délices auprès du cadavre expiré. L'horreur de nos inventions modernes est ici surpassée. Brown s'était formé à la lecture de Caleb Williams, et il imitait dans Wieland une scène d'Othello.

A cette heure, les romanciers américains, Cooper [1], Washington-Irving, sont forcés de se réfugier en Europe, pour y trouver des chroniques et un public. La langue des grands écrivains de l'Angleterre s'est *créolisée, provincialisée, barbarisée,* sans avoir rien gagné en énergie au milieu de la nature vierge ; on a été obligé de dresser des catalogues des expressions américaines.

Quant aux poètes américains, leur langage a de l'agrément ; mais ils s'élèvent peu au-dessus de l'ordre commun. Cependant, l'*Ode à la Brise du soir,* le *Lever du soleil sur la montagne,* le *Torrent,* et quelques autres poésies méritent d'être parcourues. Halleck a chanté Botzaris expirant, et Georges Hill a erré parmi les ruines de la Grèce : « O Athènes ! dit-il, c'est donc toi, reine solitaire, reine détrônée ! « . . . . Parthénon, roi des temples, tu as vu les « monuments tes contemporains laisser au temps dérober « leurs prêtres et leurs dieux. »

Il me plaît, à moi voyageur aux rivages de la Hellade et de l'Atlantide [2], d'entendre la voix indépendante d'une terre inconnue à l'antiquité gémir sur la liberté perdue du vieux monde.

---

1. Fenimore Cooper (1789-1851) et Washington Irving (1783-1859) ont été beaucoup lus en Europe jusqu'au début de notre siècle.

2. Ce terme paraît, comme « l'Hellénie » (c'est le mot qu'avait employé Chateaubriand ; « la Hellade » est une correction de ses éditeurs) désigner une terre « du vieux monde » qui a « perdu sa liberté ». Chateaubriand songe sans doute à ce qu'il a entrevu de l'Afrique du Nord en revenant de Jérusalem.

Dangers pour les États-Unis.

MAIS l'Amérique conservera-t-elle la forme de son gouvernement ? Les États ne se diviseront-ils pas ? un député de la Virginie n'a-t-il pas déjà soutenu la thèse de la liberté antique avec des esclaves, résultat du paganisme, contre un député du Massachusetts, défendant la cause de la liberté moderne sans esclaves, telle que le Christianisme l'a faite ?

Les États du nord et du midi ne sont-ils pas opposés d'esprit et d'intérêts ? Les États de l'ouest, trop éloignés de l'Atlantique, ne voudront-ils pas avoir un régime à part ? D'un côté, le lien fédéral est-il assez fort pour maintenir l'union et contraindre chaque état à s'y resserrer ? D'un autre côté, si l'on augmente le pouvoir de la présidence, le despotisme n'arrivera-t-il pas avec les gardes et les priviléges du dictateur ?

L'isolement des États-Unis leur a permis de naître et de grandir : il est douteux qu'ils eussent pu vivre et croître en Europe. La Suisse fédérale subsiste au milieu de nous : pourquoi ? parce qu'elle est petite, pauvre, cantonnée au giron des montagnes ; pépinière de soldats pour les rois, but de promenade pour les voyageurs.

Séparée de l'ancien monde, la population des États-Unis habite encore la solitude ; ses déserts ont été sa liberté : mais déjà les conditions de son existence s'altèrent.

L'existence des démocraties du Mexique, de la Colombie, du Pérou, du Chili, de Buenos-Ayres, toutes troublées qu'elles sont, est un danger. Lorsque les États-Unis n'avaient auprès d'eux que les colonies d'un royaume transatlantique, aucune guerre sérieuse n'était probable ; maintenant des rivalités ne sont-elles pas à craindre ? que de part et d'autre on coure aux armes, que l'esprit militaire s'empare des enfants de Washington, un grand capitaine pourra surgir au trône : la gloire aime les couronnes.

J'ai dit que les États du nord, du midi et de l'ouest étaient divisés d'intérêts; chacun le sait : ces Etats rompant l'union, les réduira-t-on par les armes ? Alors, quel ferment d'inimitiés répandu dans le corps social ! Les Etats dissidents maintiendront-ils leur indépendance ? Alors, quelles discordes n'éclateront pas parmi ces Etats émancipés ! Ces républiques d'outre-mer, désengrenées, ne formeraient plus que des unités débiles de nul poids dans la balance sociale, ou elles seraient successivement subjuguées par l'une d'entre elles. (Je laisse de côté le grave sujet des alliances et des interventions étrangères). Le Kentucky, peuplé d'une race d'hommes plus rustique, plus hardie et plus militaire, semblerait destiné à devenir l'Etat conquérant. Dans cet Etat qui dévorerait les autres, le pouvoir d'un seul ne tarderait pas à s'élever sur la ruine du pouvoir de tous.

J'ai parlé du danger de la guerre, je dois rappeler les dangers d'une longue paix. Les Etats-Unis, depuis leur émancipation, ont joui, à quelques mois près, de la tranquillité la plus profonde : tandis que cent batailles ébranlaient l'Europe, ils cultivaient leurs champs en sûreté. De là un débordement de population et de richesses, avec tous les inconvénients de la surabondance des richesses et des populations.

Si des hostilités survenaient chez un peuple imbelliqueux [1], saurait-on résister ? Les fortunes et les mœurs consentiraient-elles à des sacrifices ? Comment renoncer aux usances câlines, au confort, au bien-être indolent de la vie ? La Chine et l'Inde, endormies dans leur mousseline, ont constamment subi la domination étrangère. Ce qui convient à la complexion d'une société libre, c'est un état de paix modéré par la guerre, et un état de guerre attrempé de paix. Les Américains ont déjà porté trop longtemps de suite la couronne d'olivier : l'arbre qui la fournit n'est pas naturel à leur rive.

L'esprit mercantile commence à les envahir; l'intérêt devient chez eux le vice national. Déjà, le jeu des banques des divers Etats s'entrave, et des banqueroutes menacent la fortune commune. Tant que la liberté produit de l'or, une

---

1. Correction des éditeurs. Chateaubriand avait écrit « imbelle », calqué sur le latin *imbellis* (inapte à la guerre).

république industrielle fait des prodiges ; mais quand l'or est acquis ou épuisé, elle perd son amour de l'indépendance non fondé sur un sentiment moral, mais provenu de la soif du gain et de la passion de l'industrie.

De plus, il est difficile de créer une *patrie* parmi des Etats qui n'ont aucune communauté de religion et d'intérêts, qui, sortis de diverses sources en des temps divers, vivent sur un sol différent et sous un différent soleil. Quel rapport y a-t-il entre un Français de la Louisiane, un Espagnol des Florides, un Allemand de New-Yorck, un Anglais de la Nouvelle-Angleterre, de la Virginie, de la Caroline, de la Georgie, tous réputés Américains ? Celui-là léger et duelliste ; celui-là catholique paresseux et superbe ; celui-là luthérien, laboureur et sans esclaves ; celui-là anglican et planteur avec des nègres ; celui-là puritain et négociant ; combien faudra-t-il de siècles pour rendre ces éléments homogènes !

Une aristocratie chrysogène [1] est prête à paraître avec l'amour des distinctions et la passion des titres. On se figure qu'il règne un niveau général aux Etats-Unis : c'est une complète erreur. Il y a des sociétés qui se dédaignent et ne se voient point entre elles ; il y a des salons où la morgue des maîtres surpasse celle d'un prince allemand à seize quartiers. Ces nobles plébéiens aspirent à la caste, en dépit du progrès des lumières qui les a faits égaux et libres. Quelques-uns d'entre eux ne parlent que de leurs aïeux, fiers barons, apparemment bâtards et compagnons de Guillaume-le-Bâtard. Ils étalent les blasons de chevalerie de l'ancien monde, ornés des serpents, des lézards et des perruches du monde nouveau. Un cadet de Gascogne abordant avec la cape et le parapluie au rivage républicain, s'il a soin de se surnommer *marquis,* est considéré sur les bateaux à vapeur.

L'énorme inégalité des fortunes menace encore plus sérieusement de tuer l'esprit d'égalité. Tel Américain possède un ou deux millions de revenu ; aussi, les Yankees de la grande société ne peuvent-ils déjà plus vivre comme Franklin : le vrai *gentleman,* dégoûté de son pays neuf, vient en Europe chercher du vieux ; on le rencontre dans les auber-

1. Née de l'or, fondée sur la richesse.

ges, faisant comme les Anglais, avec l'extravagance ou le spleen, des *tours* en Italie. Ces rôdeurs de la Caroline ou de la Virginie achètent des ruines d'abbayes en France, et plantent, à Melun, des jardins anglais avec des arbres américains. Naples envoie à New-York ses chanteurs et ses parfumeurs, Paris ses modes et ses baladins, Londres ses grooms et ses boxeurs : joies exotiques qui ne rendent pas l'Union plus gaie. On s'y divertit en se jetant dans la cataracte de Niagara, aux applaudissements de cinquante mille planteurs, demi-sauvages que la mort a bien de la peine à faire rire.

Et ce qu'il y a d'extraordinaire, c'est qu'en même temps que déborde l'inégalité des fortunes et qu'une aristocratie commence, la grande impulsion égalitaire au dehors oblige les possesseurs industriels ou fonciers à cacher leur luxe, à dissimuler leurs richesses, de crainte d'être assommés par leurs voisins. On ne reconnaît point la puissance exécutive ; on chasse à volonté les autorités locales que l'on a choisies, et on leur substitue des autorités nouvelles. Cela ne trouble point l'ordre ; la démocratie pratique est observée, et l'on se rit des lois posées par la même démocratie, en théorie. L'esprit de famille existe peu ; aussitôt que l'enfant est en état de travailler, il faut, comme l'oiseau emplumé, qu'il vole de ses propres ailes. De ces générations émancipées dans un hâtif orphelinage et des émigrations qui arrivent de l'Europe, il se forme des compagnies nomades qui défrichent les terres, creusent des canaux et portent leur industrie partout sans s'attacher au sol ; elles commencent des maisons dans le désert où le propriétaire passager restera à peine quelques jours.

Un égoïsme froid et dur règne dans les villes ; piastres et dollars, billets de banque et argent, hausse et baisse des fonds, c'est tout l'entretien ; on se croirait à la Bourse ou au comptoir d'une grande boutique. Les journaux, d'une dimension immense, sont remplis d'expositions d'affaires ou de caquets grossiers. Les Américains subiraient-ils, sans le savoir, la loi d'un climat où la nature végétale paraît avoir profité aux dépens de la nature vivante, loi combattue par des esprits distingués, mais que la réfutation n'a pas tout à fait mise hors d'examen ? On pourrait s'enquérir si l'Américain n'a pas été trop tôt usé dans la liberté philosophique, comme le Russe dans le despotisme civilisé.

En somme, les Etats-Unis donnent l'idée d'une colonie et non d'une patrie-mère : ils n'ont point de passé, les mœurs s'y sont faites par les lois. Ces citoyens du Nouveau-Monde ont pris rang parmi les nations au moment que les idées politiques entraient dans une phase ascendante : cela explique pourquoi ils se transforment avec une rapidité extraordinaire. La société permanente semble devenir impraticable chez eux, d'un côté par l'extrême ennui des individus, de l'autre par l'impossibilité de rester en place, et par la nécessité de mouvement qui les domine : car on n'est jamais bien fixe là où les pénates sont errants. Placé sur la route des océans, à la tête des opinions progressives aussi neuves que son pays, l'Américain semble avoir reçu de Colomb plutôt la mission de découvrir d'autres univers que de les créer.

Londres, d'avril à septembre 1822.

RETOUR EN EUROPE. — NAUFRAGE.

REVENU du désert à Philadelphie, comme je l'ai déjà dit, et ayant écrit sur le chemin à la hâte *ce que je viens de raconter,* comme le vieillard de La Fontaine [1], je ne trouvai point les lettres de change que j'attendais ; ce fut le commencement des embarras pécuniaires où j'ai été plongé le reste de ma vie. La fortune et moi nous nous sommes pris en grippe aussitôt que nous nous sommes vus. Selon Hérodote, certaines fourmis de l'Inde ramassaient des tas d'or ; d'après Athénée, le soleil avait donné à Hercule un

1. *Le Vieillard et les trois jeunes hommes* (dernier vers).

vaisseau d'or pour aborder à l'île d'Erythia [1], retraite des Hespérides : bien que fourmi, je n'ai pas l'honneur d'appartenir à la grande famille indienne, et bien que navigateur, je n'ai jamais traversé l'eau que dans une barque de sapin. Ce fut un bâtiment de cette espèce qui me ramena d'Amérique en Europe. Le capitaine me donna mon passage à crédit. Le 10 décembre 1791, je m'embarquai avec plusieurs de mes compatriotes, qui, par divers motifs, retournaient comme moi en France. La désignation du navire était le Havre.

Un coup de vent d'ouest nous prit au débouquement de la Delaware, et nous chassa en dix-sept jours à l'autre bord de l'Atlantique. Souvent à mât et à corde, à peine pouvions-nous mettre à la cape. Le soleil ne se montra pas une seule fois. Le vaisseau gouvernant à l'estime, fuyait devant la lame. Je traversai l'océan au milieu des ombres ; jamais il ne m'avait paru si triste. Moi-même, plus triste, je revenais trompé dès mon premier pas dans la vie : «On ne bâtit point de palais sur la mer,» dit le poëte persan Feryd-Eddin. J'éprouvais je ne sais quelle pesanteur de cœur, comme à l'approche d'une grande infortune. Promenant mes regards sur les flots, je leur demandais ma destinée, ou j'écrivais, plus gêné de leur mouvement qu'occupé de leur menace.

Loin de calmer, la tempête augmentait à mesure que nous approchions de l'Europe, mais d'un souffle égal ; il résultait de l'uniformité de sa rage une sorte de bonace furieuse dans le ciel hâve et la mer plombée. Le capitaine, n'ayant pu prendre hauteur, était inquiet ; il montait dans les haubans, regardait les divers points de l'horizon avec une lunette. Une vigie était placée sur le beaupré, une autre dans le petit hunier du grand mât. La lame devenait courte et la couleur de l'eau changeait, signes des approches de la terre : de quelle terre ? Les matelots bretons ont ce proverbe : «Celui qui voit Belle-Isle, voit son île ; celui qui voit Groie, voit sa joie ; celui qui voit Ouëssant, voit son sang.»

J'avais passé deux nuits à me promener sur le tillac, au glapissement des ondes dans les ténèbres, au bourdonne-

1. Ile imaginaire.

ment du vent dans les cordages, et sous les sauts de la mer qui couvrait et découvrait le pont : c'était tout autour de nous une émeute de vagues. Fatigué des chocs et des heurts, à l'entrée de la troisième nuit, je m'allai coucher. Le temps était horrible ; mon hamac craquait et blutait[1] aux coups du flot qui, crevant sur le navire, en disloquait la carcasse. Bientôt j'entends courir d'un bout du pont à l'autre et tomber des paquets de cordages : j'éprouve le mouvement que l'on ressent lorsqu'un vaisseau vire de bord. Le couvercle de l'échelle de l'entrepont s'ouvre ; une voix effrayée appelle le capitaine : cette voix, au milieu de la nuit et de la tempête, avait quelque chose de formidable. Je prête l'oreille ; il me semble ouïr des marins discutant sur le gisement d'une terre. Je me jette en bas de mon branle ; une vague enfonce le château de poupe, inonde la chambre du capitaine, renverse et roule pêle-mêle tables, lits, coffres, meubles et armes ; je gagne le tillac à demi-noyé.

En mettant la tête hors de l'entrepont, je fus frappé d'un spectacle sublime. Le bâtiment avait essayé de virer de bord ; mais n'ayant pu y parvenir, il s'était affalé sous le vent. A la lueur de la lune écornée, qui émergeait des nuages pour s'y replonger aussitôt, on découvrait sur les deux bords du navire, à travers une brume jaune, des côtes hérissées de rochers. La mer boursouflait ses flots comme des monts dans le canal où nous nous trouvions engouffrés ; tantôt ils s'épanouissaient en écumes et en étincelles ; tantôt ils n'offraient qu'une surface huileuse et vitreuse, marbrée de taches noires, cuivrées, verdâtres, selon la couleur des bas-fonds sur lesquels ils mugissaient. Pendant deux ou trois minutes, les vagissements de l'abîme et ceux du vent étaient confondus ; l'instant d'après, on distinguait le détaler des courants, le sifflement des récifs, la voix de la lame lointaine. De la concavité du bâtiment sortaient des bruits qui faisaient battre le cœur aux plus intrépides matelots. La proue du navire tranchait la masse épaisse des vagues avec un froissement affreux, et au gouvernail des torrents d'eau s'écoulaient en tourbillonnant, comme à l'échappée d'une

1. Faut-il comprendre : me secouait, comme celui qui blute secoue la farine dans le tamis ?

écluse. Au milieu de ce fracas, rien n'était aussi alarmant qu'un certain murmure sourd, pareil à celui d'un vase qui se remplit.

Eclairés d'un falot et contenus sous des plombs, des portulans[1], des cartes, des journaux de route étaient déployés sur une cage à poulets. Dans l'habitacle de la boussole, une rafale avait éteint la lampe. Chacun parlait diversement de la terre. Nous étions entrés dans la Manche, sans nous en apercevoir ; le vaisseau, bronchant à chaque vague, courait en dérive entre l'île de Guernesey et celle d'Aurigny. Le naufrage parut inévitable, et les passagers serrèrent ce qu'ils avaient de plus précieux afin de le sauver.

Il y avait parmi l'équipage des matelots français ; un d'entre eux, au défaut d'aumônier, entonna ce cantique à *Notre-Dame de Bon-secours,* premier enseignement de mon enfance ; je le répétai à la vue des côtes de la Bretagne, presque sous les yeux de ma mère. Les matelots améri-cains-protestants se joignaient de cœur aux chants de leurs camarades français-catholiques : le danger apprend aux hommes leur faiblesse et unit leurs vœux. Passagers et marins, tous étaient sur le pont, qui accroché aux manœu-vres, qui au bordage, qui au cabestan, qui au bec des ancres pour n'être pas balayé de la lame ou versé à la mer par le roulis. Le capitaine criait : « Une hache ! une hache ! » pour couper les mâts ; et le gouvernail dont le timon avait été abandonné, allait, tournant sur lui-même, avec un bruit rauque.

Un essai restait à tenter : la sonde ne marquait plus que quatre brasses sur un banc de sable qui traversait le chenal ; il était possible que la lame nous fît franchir le banc et nous portât dans une eau profonde : mais qui oserait saisir le gouvernail et se charger du salut commun ? Un faux coup de barre, nous étions perdus.

Un de ces hommes qui jaillissent des événements et qui sont les enfants spontanés du péril, se trouva : un matelot de New-York s'empare de la place désertée du pilote. Il me semble encore le voir en chemise, en pantalon de toile, les

---

1. Livre qui contient la description des côtes et des ports.

pieds nus, les cheveux épars et diluviés[1], tenant le timon dans ses fortes serres, tandis que, la tête tournée, il regardait à la poupe l'onde qui devait nous sauver ou nous perdre. Voici venir cette lame embrassant la largeur de la passe, roulant haut sans se briser, ainsi qu'une mer envahissant les flots d'une autre mer : de grands oiseaux blancs, au vol calme, la précèdent comme les oiseaux de la mort. Le navire touchait et talonnait ; il se fit un silence profond ; tous les visages blêmirent. La houle arrive : au moment où elle nous attaque, le matelot donne le coup de barre ; le vaisseau, près de tomber sur le flanc, présente l'arrière et la lame qui paraît nous engloutir, nous soulève. On jette la sonde ; elle rapporte vingt-sept brasses. Un huzza monte jusqu'au ciel et nous y joignons le cri de : *Vive le Roi !* il ne fut point entendu de Dieu pour Louis XVI ; il ne profita qu'à nous.

Dégagés des deux îles, nous ne fûmes pas hors de danger ; nous ne pouvions parvenir à nous élever au-dessus de la côte de Granville. Enfin la marée retirante nous emporta et nous doublâmes le cap de La Hougue. Je n'éprouvai aucun trouble pendant ce demi-naufrage et ne sentis point de joie d'être sauvé. Mieux vaut déguerpir de la vie quand on est jeune, que d'en être chassé par le temps. Le lendemain, nous entrâmes au Havre. Toute la population était accourue pour nous voir. Nos mâts de hune étaient rompus, nos chaloupes emportées, le gaillard d'arrière rasé, et nous embarquions l'eau à chaque tangage. Je descendis à la jetée. Le 2 de janvier 1792, je foulai de nouveau le sol natal qui devait encore fuir sous mes pas. J'amenais avec moi, non des esquimaux des régions polaires, mais deux sauvages d'une espèce inconnue : Chactas et Atala.

1. Inondés.

Revu en décembre 1846.

JE VAIS TROUVER MA MÈRE À SAINT-MALO. —PROGRÈS DE LA RÉVOLUTION. — MON MARIAGE.

J'ÉCRIVIS à mon frère, à Paris, le détail de ma traversée, lui expliquant les motifs de mon retour et le priant de me prêter[1] la somme nécessaire pour payer mon passage. Mon frère me répondit qu'il venait d'envoyer ma lettre à ma mère. Madame de Chateaubriand ne me fit pas attendre, elle me mit à même de me libérer et de quitter le Havre. Elle me mandait que Lucile était auprès d'elle avec mon oncle de Bedée et sa famille. Ces renseignements me décidèrent à me rendre à Saint-Malo, où je pourrais consulter mon oncle sur la question de mon émigration prochaine.

Les révolutions, comme les fleuves, grossissent dans leurs cours ; je trouvai celle que j'avais laissée en France énormément élargie et débordant ses rivages ; je l'avais quittée avec Mirabeau sous la *Constituante,* je la retrouvai avec Danton sous la *Législative.*

Le traité de Pilnitz, du 27 août 1791, avait été connu à Paris. Le 14 décembre 1791, lorsque j'étais au milieu des tempêtes, le Roi annonça qu'il avait écrit aux princes du corps germanique (notamment à l'électeur de Trèves) sur les armements de l'Allemagne. Les frères de Louis XVI, le prince de Condé, M. de Calonne, le vicomte de Mirabeau, et M. de la Queille furent presque aussitôt mis en accusation. Dès le 9 de novembre, un précédent décret avait frappé les autres émigrés : c'était dans ces rangs déjà proscrits que j'accourais me placer ; d'autres auraient peut-être reculé, mais la menace du plus fort me fait toujours passer du côté du plus faible : l'orgueil de la victoire m'est insupportable.

1. Jean-Baptiste est implicitement comparé à la fourmi de la fable.

En me rendant du Havre à Saint-Malo, j'eus lieu de remarquer les divisions et les malheurs de la France : les châteaux brûlés ou abandonnés ; les propriétaires à qui l'on avait envoyé des quenouilles, étaient partis ; les femmes vivaient réfugiées dans les villes. Les hameaux et les bourgades gémissaient sous la tyrannie des clubs affiliés au club central des Cordeliers, depuis réuni aux Jacobins. L'antagoniste de celui-ci, la *Société monarchique* ou *des Feuillants*, n'existait plus ; l'ignoble dénomination de *sans-culottes* était devenue populaire ; on n'appelait le Roi que *monsieur Veto* ou *mons Capet*.

Je fus reçu tendrement de ma mère et de ma famille, qui cependant déploraient l'inopportunité de mon retour. Mon oncle, le comte de Bedée, se disposait à passer à Jersey avec sa femme, son fils et ses filles. Il s'agissait de me trouver de l'argent pour rejoindre les princes. Mon voyage d'Amérique avait fait brèche à ma fortune ; mes propriétés étaient presque anéanties dans mon partage de cadet par la suppression des droits féodaux : les bénéfices simples qui me devaient échoir en vertu de mon affiliation à l'ordre de Malte, étaient tombés avec les autres biens du clergé aux mains de la nation. Ce concours de circonstances décida de l'acte le plus grave de ma vie : on me maria, afin de me procurer le moyen de m'aller faire tuer au soutien d'une cause que je n'aimais pas.

Vivait retiré à Saint-Malo M. de Lavigne, chevalier de Saint-Louis, ancien commandant de Lorient. Le comte d'Artois avait logé chez lui dans cette dernière ville lorsqu'il visita la Bretagne : charmé de son hôte, le prince lui promit de lui accorder tout ce qu'il lui demanderait dans la suite.

M. de Lavigne eut deux fils : l'un d'eux épousa mademoiselle de la Placelière. Deux filles, nées de ce mariage, restèrent en bas-âge, orphelines de père et de mère. L'aînée se maria au comte du Plessis-Parscau, capitaine de vaisseau, fils et petit-fils d'amiraux, aujourd'hui contre-amiral lui-même, cordon rouge et commandant des élèves de la marine à Brest ; la cadette, demeurée chez son grand-père, avait dix-sept ans lorsque, à mon retour d'Amérique, j'arrivai à Saint-Malo. Elle était blanche, délicate, mince et fort jolie ; elle laissait pendre, comme un enfant, de beaux cheveux blonds naturellement bouclés. On estimait sa fortune de cinq à six cent mille francs.

Mes sœurs se mirent en tête de me faire épouser mademoiselle de Lavigne, qui s'était fort attachée à Lucile. L'affaire fut conduite à mon insu. A peine avais-je aperçu trois ou quatre fois mademoiselle de Lavigne ; je la reconnaissais de loin sur le *Sillon* à sa pelisse rose, sa robe blanche et sa chevelure blonde enflée du vent, lorsque sur la grève je me livrais aux caresses de ma vieille maîtresse, la mer. Je ne me sentais aucune qualité du mari. Toutes mes illusions étaient vivantes, rien n'était épuisé en moi ; l'énergie même de mon existence avait doublé par mes courses. J'étais tourmenté de la muse. Lucile aimait mademoiselle de Lavigne, et voyait dans ce mariage l'indépendance de ma fortune : « Faites donc », dis-je ! Chez moi l'homme public est inébranlable, l'homme privé est à la merci de quiconque se veut emparer de lui, et pour éviter une tracasserie d'une heure, je me rendrais esclave pendant un siècle.

Le consentement de l'aïeul, de l'oncle paternel et des principaux parents fut facilement obtenu : restait à conquérir un oncle maternel, M. de Vauvert, grand démocrate ; or, il s'opposa au mariage de sa nièce avec un aristocrate comme moi, qui ne l'étais pas du tout. On crut pouvoir passer outre, mais ma pieuse mère exigea que le mariage religieux fût fait par un prêtre *non assermenté,* ce qui ne pouvait avoir lieu qu'en secret. M. de Vauvert le sut, et lâcha contre nous la magistrature, sous prétexte de rapt, de violation de la loi, et arguant de la prétendue enfance dans laquelle le grand-père, M. de Lavigne, était tombé. Mademoiselle de Lavigne, devenue madame de Chateaubriand, sans que j'eusse eu de communication avec elle, fut enlevée au nom de la justice et mise à Saint-Malo, au couvent de la Victoire, en attendant l'arrêt des tribunaux.

Il n'y avait ni rapt, ni violation de la loi, ni aventure, ni amour dans tout cela ; ce mariage n'avait que le mauvais côté du roman : la vérité. La cause fut plaidée, et le tribunal jugea l'union valide au civil. Les parents des deux familles étant d'accord, M. de Vauvert se désista de la poursuite. Le curé constitutionnel, largement payé, ne réclama plus contre la première bénédiction nuptiale, et madame de Chateaubriand sortit du couvent, où Lucile s'était enfermée avec elle.

C'était une nouvelle connaissance que j'avais à faire, et elle m'apporta tout ce que je pouvais désirer. Je ne sais s'il a jamais existé une intelligence plus fine que celle de ma femme : elle devine la pensée et la parole à naître sur le front ou sur les lèvres de la personne avec qui elle cause : la tromper en rien est impossible. D'un esprit original et cultivé, écrivant de la manière la plus piquante, racontant à merveille, madame de Chateaubriand m'admire sans avoir jamais lu deux lignes de mes ouvrages ; elle craindrait d'y rencontrer des idées qui ne sont pas les siennes, ou de découvrir qu'on n'a pas assez d'enthousiasme pour ce que je vaux. Quoique juge passionné, elle est instruite et bon juge.

Les inconvénients de madame de Chateaubriand, si elle en a, découlent de la surabondance de ses qualités ; mes inconvénients très réels résultent de la stérilité des miennes. Il est aisé d'avoir de la résignation, de la patience, de l'obligeance générale, de la sérénité d'humeur, lorsqu'on ne prend à rien[1], qu'on s'ennuie de tout, qu'on répond au malheur comme au bonheur par un désespéré et désespérant : « Qu'est-ce que cela fait ? »

Madame de Chateaubriand est meilleure que moi, bien que d'un commerce moins facile. Ai-je été irréprochable envers elle ? Ai-je reporté à ma compagne tous les sentiments qu'elle méritait et qui lui devaient appartenir ? S'en est-elle jamais plainte ? Quel bonheur a-t-elle goûté pour salaire d'une affection qui ne s'est jamais démentie ? Elle a subi mes adversités ; elle a été plongée dans les cachots de la Terreur, les persécutions de l'Empire, les disgrâces de la Restauration, et n'a point trouvé dans les joies maternelles le contrepoids de ses chagrins. Privée d'enfants, qu'elle aurait eus peut-être dans une autre union, et qu'elle eût aimés avec folie ; n'ayant point ces honneurs et ces tendresses de la mère de famille, qui consolent une femme de ses belles années, elle s'est avancée, stérile et solitaire, vers la vieillesse. Souvent séparée de moi, adverse aux lettres, l'orgueil

1. Entendez : lorsqu'on ne tient à rien.

de porter mon nom ne lui est point un dédommagement. Timide et tremblante pour moi seul, ses inquiétudes sans cesse renaissantes lui ôtent le sommeil et le temps de guérir ses maux : je suis sa permanente infirmité et la cause de ses rechutes. Pourrais-je comparer quelques impatiences qu'elle m'a données aux soucis que je lui ai causés ? Pourrais-je opposer mes qualités telles quelles à ses vertus qui nourrissent le pauvre, qui ont élevé l'infirmerie de Marie-Thérèse en dépit de tous les obstacles ? Qu'est-ce que mes travaux auprès des œuvres de cette chrétienne ? Quand l'un et l'autre nous paraîtrons devant Dieu, c'est moi qui serai condamné.

Somme toute, lorsque je considère l'ensemble et l'imperfection de ma nature, est-il certain que le mariage ait gâté ma destinée ? J'aurais sans doute eu plus de loisir et de repos ; j'aurais été mieux accueilli de certaines sociétés et de certaines grandeurs de la terre ; mais en politique, si madame de Chateaubriand m'a contrarié, elle ne m'a jamais arrêté, parce que là, comme en fait d'honneur, je ne juge que d'après mon sentiment. Aurais-je produit un plus grand nombre d'ouvrages, si j'étais resté indépendant, et ces ouvrages, eussent-ils été meilleurs ? N'y a-t-il pas eu des circonstances, comme on le verra, où, me mariant hors de France, j'aurais cessé d'écrire et renoncé à ma patrie ? Si je ne me fusse pas marié, ma faiblesse ne m'aurait-elle pas livré en proie à quelque indigne créature ? N'aurais-je pas gaspillé et sali mes heures comme lord Byron ? Aujourd'hui que je m'enfonce dans les années, toutes mes folies seraient passées ; il ne m'en resterait que le vide et les regrets : vieux garçon sans estime, ou trompé ou détrompé, vieil oiseau répétant à qui ne l'écouterait pas ma chanson usée. La pleine licence de mes désirs n'aurait pas ajouté une corde de plus à ma lyre, un son plus ému à ma voix. La contrainte de mes sentiments, le mystère de mes pensées, ont peut-être augmenté l'énergie de mes accents, animé mes ouvrages d'une fièvre interne, d'une flamme cachée, qui se fût dissipée à l'air libre de l'amour. Retenu par un lien indissoluble, j'ai acheté d'abord au prix d'un peu d'amertume les douceurs que je goûte aujourd'hui. Je n'ai conservé des maux de mon existence que la partie inguérissable. Je dois donc une tendre et éternelle reconnaissance à ma femme, dont l'attachement a été aussi touchant que profond et sincère. Elle a rendu ma vie plus grave, plus noble, plus honorable, en m'inspirant toujours le respect, sinon toujours la force des devoirs.

Londres, d'avril à septembre 1822.

PARIS. — ANCIENNES ET NOUVELLES CONNAISSANCES. — L'ABBÉ BARTELÉMY. — SAINT-ANGE. — THÉATRE.

JE me mariai à la fin de mars 1792, et le 20 avril, l'Assemblée législative déclara la guerre à François II, qui venait de succéder à son père Léopold ; le 10 du même mois, on avait béatifié à Rome Benoît Labre : voilà deux mondes. La guerre précipita le reste de la noblesse hors de France. D'un côté, les persécutions redoublèrent ; de l'autre, il ne fut plus permis aux royalistes de rester à leurs foyers sans être réputés poltrons : il fallut m'acheminer vers le camp que j'étais venu chercher de si loin. Mon oncle de Bedée et sa famille s'embarquèrent pour Jersey, et moi je partis pour Paris avec ma femme et mes sœurs, Lucile et Julie.

Nous avions fait arrêter un appartement, faubourg Saint-Germain, cul-de-sac Férou, petit hôtel de Villette. Je me hâtai de chercher ma première société. Je revis les gens de lettres avec lesquels j'avais eu quelques relations. Dans les nouveaux visages, j'aperçus ceux du savant abbé Barthélemy[1] et du poëte Saint-Ange[2]. L'abbé a trop dessiné les gynécées d'Athènes d'après les salons de Chanteloup[3]. Le

1. L'auteur (1716-1795) du *Voyage du jeune Anacharsis en Grèce.*
2. Son vrai nom était Ange-François Fariau (1747-1810). Il a traduit Ovide en vers.
3. Hameau voisin d'Amboise. Choiseul y avait un château où il se retira après sa disgrâce. L'abbé Barthélemy était l'un de ses familiers.

traducteur d'Ovide n'était pas un homme sans talent ; le talent est un don, une chose isolée ; il se peut rencontrer avec les autres facultés mentales, il peut en être séparé. Saint-Ange en fournissait la preuve ; il se tenait à quatre pour n'être pas bête, mais il ne pouvait s'en empêcher. Un homme dont j'admirais et dont j'admire toujours le pinceau, Bernardin de Saint-Pierre, manquait d'esprit, et malheureusement son caractère était au niveau de son esprit. Que de tableaux sont gâtés dans les *Etudes de la nature* par la borne de l'intelligence et par le défaut d'élévation d'âme de l'écrivain !

Rulhière était mort subitement, en 1791, avant mon départ pour l'Amérique. J'ai vu depuis sa petite maison à Saint-Denis, avec la fontaine et la jolie statue de l'Amour, au pied de laquelle on lit ces vers :

> *D'Egmont [1] avec l'Amour visita cette rive :*
> *Une image de sa beauté*
> *Se peignit un moment sur l'onde fugitive :*
> *D'Egmont a disparu ; l'Amour seul est resté.*

Lorsque je quittai la France, les théâtres de Paris retentissaient encore du *Réveil d'Epiménide* [2] et de ce couplet :

> *J'aime la vertu guerrière*
> *De nos braves défenseurs,*
> *Mais d'un peuple sanguinaire*
> *Je déteste les fureurs.*
> *A l'Europe redoutables,*
> *Soyons libres à jamais,*
> *Mais soyons toujours aimables*
> *Et gardons l'esprit français.*

A mon retour, il n'était plus question du *Réveil d'Epiménide;* et si le couplet eût été chanté, on aurait fait un mauvais parti à l'auteur. *Charles IX* [3] avait prévalu. La

1. La comtesse d'Egmont : cf. p. 188.
2. *Epiménide ou les Etrennes de la liberté,* comédie de Carbon de Flins des Oliviers (voir p. 183 *sq*).
3. Tragédie de Marie-Joseph Chénier (1789).

vogue de cette pièce tenait principalement aux circonstances ; le tocsin, un peuple armé de poignards, la haine des
rois et des prêtres offraient une répétition à huis-clos de la
tragédie qui se jouait publiquement. Talma, débutant,
continuait ses succès.

Tandis que la tragédie rougissait les rues, la bergerie
florissait au théâtre ; il n'était question que d'innocents
pasteurs et de virginales pastourelles : champs, ruisseaux,
prairies, moutons, colombes, âge d'or sous le chaume,
revivaient aux soupirs du pipeau devant les roucoulants
Tircis et les naïves tricoteuses qui sortaient du spectacle de
la guillotine. Si Sanson en avait eu le temps, il aurait joué le
rôle de Colin, et mademoiselle Théroigne de Méricourt, celui
de Babet. Les conventionnels se piquaient d'être les plus
bénins des hommes : bons pères, bons fils, bons maris, ils
menaient promener les petits enfants ; ils leur servaient de
nourrices ; ils pleuraient de tendresse à leurs simples jeux ;
ils prenaient doucement dans leurs bras ces petits agneaux,
afin de leur montrer le *dada* des charrettes qui conduisaient
les victimes au supplice. Ils chantaient la nature, la paix, la
pitié, la bienfaisance, la candeur, les vertus domestiques ;
ces béats de philanthropie faisaient couper le cou à leurs
voisins avec une extrême sensibilité, pour le plus grand
bonheur de l'espèce humaine.

Londres, d'avril à septembre 1822.

Revu en décembre 1846.

CHANGEMENT DE PHYSIONOMIE DE PARIS. — CLUB DES CORDELIERS. — MARAT.

PARIS n'avait plus, en 1792, la physionomie de 1789 et de
1790 ; ce n'était plus la Révolution naissante, c'était un

344

peuple marchant ivre à ses destins, au travers des abîmes, par des voies égarées. L'apparence du peuple n'était plus tumultueuse, curieuse, empressée ; elle était menaçante. On ne rencontrait dans les rues que des figures effrayées ou farouches, des gens qui se glissaient le long des maisons, afin de n'être pas aperçus, ou qui rôdaient cherchant leur proie : des regards peureux et baissés se détournaient de vous, ou d'âpres regards se fixaient sur les vôtres pour vous deviner et vous percer.

La variété des costumes avait cessé ; le vieux monde s'effaçait ; on avait endossé la casaque uniforme du monde nouveau, casaque qui n'était alors que le dernier vêtement des condamnés à venir. Les licences sociales manifestées au rajeunissement de la France, les libertés de 1789, ces libertés fantasques et déréglées d'un ordre de choses qui se détruit et qui n'est pas encore l'anarchie, se nivelaient déjà sous le sceptre populaire : on sentait l'approche d'une jeune tyrannie plébéienne, féconde, il est vrai, et remplie d'espérances, mais aussi bien autrement formidable que le despotisme caduc de l'ancienne royauté : car le peuple souverain étant partout, quand il devient tyran, le tyran est partout ; c'est la présence universelle d'un universel Tibère.

Dans la population parisienne se mêlait une population étrangère de coupe-jarrets du midi ; l'avant-garde des Marseillais, que Danton attirait pour la journée du 10 août et les massacres de septembre, se faisait connaître à ses haillons, à son teint bruni, à son air de lâcheté et de crime, mais de crime d'un autre soleil : *in vultu vitium,* au visage le vice.

A l'Assemblée législative, je ne reconnaissais personne : Mirabeau et les premières idoles de nos troubles, ou n'étaient plus, ou avaient perdu leurs autels. Pour renouer le fil historique brisé par ma course en Amérique, il faut reprendre les choses d'un peu plus haut.

VUE RÉTROSPECTIVE.

La fuite du Roi le 21 juin 1791, fit faire à la Révolution un pas immense. Ramené à Paris le 25 du même mois, il avait été détrôné une première fois, puisque l'Assemblée nationale déclara que ses décrets auraient force de loi, sans qu'il fût besoin de la sanction ou de l'acceptation royale. Une haute cour de justice, devançant le tribunal révolutionnaire, était établie à Orléans. Dès cette époque, madame Roland demandait la tête de la Reine, en attendant que la Révolution lui demandât la sienne. L'attroupement du Champ-de-Mars avait eu lieu contre le décret qui suspendait le Roi de ses fonctions, au lieu de le mettre en jugement. L'acceptation de la Constitution, le 14 septembre, ne calma rien. Il s'était agi de déclarer la déchéance de Louis XVI ; si elle eût eu lieu, le crime du 21 janvier n'aurait pas été commis ; la position du peuple français changeait par rapport à la monarchie et vis-à-vis de la postérité. Les Constituants qui s'opposèrent à la déchéance crurent sauver la couronne, et ils la perdirent ; ceux qui croyaient la perdre en demandant la déchéance, l'auraient sauvée. Presque toujours, en politique, le résultat est contraire à la prévision.

Le 30 du même mois de septembre 1791, l'Assemblée constituante tint sa dernière séance ; l'imprudent décret du 17 mai précédent, qui défendait la réélection des membres sortants, engendra la Convention. Rien de plus dangereux, de plus insuffisant, de plus inapplicable aux affaires générales, que les résolutions particulières à des individus ou à des corps, alors même qu'elles sont honorables.

Le décret du 29 septembre, pour le règlement des sociétés populaires, ne servit qu'à les rendre plus violentes. Ce fut le dernier acte de l'Assemblée constituante ; elle se sépara le lendemain, et laissa à la France une révolution.

ASSEMBLÉE LÉGISLATIVE. — CLUBS.

L'Assemblée législative, installée le 1er octobre 1791, roula dans le tourbillon qui allait balayer les vivants et les morts. Des troubles ensanglantèrent les départements ; à Caen, on se rassasia de massacres et l'on mangea le cœur de M. de Belzunce.

Le Roi apposa son *veto* au décret contre les émigrés et à

celui qui privait de tout traitement les ecclésiastiques non assermentés. Ces actes légaux augmentèrent l'agitation. Pétion était devenu maire de Paris. Les députés décrétèrent d'accusation, le 1er janvier 1792, les princes émigrés ; le 2, ils fixèrent à ce 1er janvier le commencement de l'an IV de la liberté. Vers le 13 février, les bonnets rouges se montrèrent dans les rues de Paris, et la municipalité fit fabriquer des piques. Le manifeste des émigrés parut le 1er mars. L'Autriche armait. Paris était divisé en sections, plus ou moins hostiles les unes aux autres. Le 20 mars 1792, l'Assemblée législative adopta la mécanique sépulcrale, sans laquelle les jugements de la Terreur n'auraient pu s'exécuter ; on l'essaya d'abord sur des morts, afin qu'elle apprît d'eux son œuvre. On peut parler de cet instrument comme d'un bourreau, puisque des personnes, touchées de ses bons services, lui faisaient présent de sommes d'argent pour son entretien. L'invention de la machine à meurtre, au moment même où elle était nécessaire au crime, est une preuve mémorable de cette intelligence des faits coordonnés les uns aux autres, ou plutôt une preuve de l'action cachée de la Providence, quand elle veut changer la face des empires.

Le ministre Roland, à l'instigation des Girondins, avait été appelé au conseil du Roi. Le 20 avril, la guerre fut déclarée au roi de Hongrie et de Bohême. Marat publia l'*Ami du peuple,* malgré le décret dont lui, Marat, était frappé. Le régiment Royal-Allemand et le régiment de Berchini désertèrent. Isnard parlait de la perfidie de la cour. Gensonné et Brissot dénonçaient le comité autrichien. Une insurrection éclata à propos de la garde du Roi, qui fut licenciée. Le 28 mai, l'Assemblée se forma en séances permanentes. Le 20 juin, le château des Tuileries fut forcé par les masses des faubourgs Saint-Antoine et Saint-Marceau ; le prétexte était le refus de Louis XVI de sanctionner la proscription des prêtres ; le Roi courut risque de vie. La patrie était déclarée en danger. On brûlait en effigie M. de Lafayette. Les fédérés de la seconde fédération arrivaient ; les Marseillais, attirés par Danton, étaient en marche : ils entrèrent dans Paris le 30 juillet, et furent logés par Pétion aux Cordeliers.

Auprès de la tribune nationale, s'étaient élevées deux tribunes concurrentes : celle des Jacobins et celle des Cordeliers, la plus formidable alors, parce qu'elle donna des membres à la fameuse Commune de Paris, et qu'elle lui fournissait des moyens d'action. Si la formation de la Commune n'eût pas eu lieu, Paris, faute d'un point de concentration, se serait divisé, et les différentes mairies fussent devenues des pouvoirs rivaux.

Le club des Cordeliers était établi dans ce monastère, dont une amende en réparation d'un meurtre avait servi à bâtir l'église sous saint Louis, en 1259 * ; elle devint, en 1590, le repaire des plus fameux ligueurs.

Il y a des lieux qui semblent être le laboratoire des factions : « Avis fut donné, » dit l'Estoile (12 juillet 1593), « au « duc de Mayenne, de deux cents cordeliers arrivés à Paris, « se fournissant d'armes et s'entendant avec les Seize, « lesquels dans les Cordeliers de Paris tenaient tous les jours « conseil..... Ce jour, les Seize, assemblés aux Cordeliers, se « déchargèrent de leurs armes. » Les ligueurs fanatiques avaient donc cédé à nos révolutionnaires philosophes le monastère des Cordeliers, comme une morgue.

Les tableaux, les images sculptées ou peintes, les voiles, les rideaux du couvent avaient été arrachés ; la basilique, écorchée, ne présentait plus aux yeux que ses ossements et ses arêtes. Au chevet de l'église, où le vent et la pluie entraient par les rosaces sans vitraux, des établis de menuisier servaient de bureau au président, quand la séance se tenait dans l'église. Sur ces établis étaient déposés des bonnets rouges, dont chaque orateur se coiffait avant de monter à la tribune. Cette tribune consistait en quatre poutrelles arc-boutées, et traversées d'une planche dans leur X, comme un échafaud. Derrière le président, avec une statue de la Liberté, on voyait de prétendus instruments de l'ancienne justice, instruments suppléés par un seul, la machine à sang, comme les mécaniques compliquées sont

---

* Elle fut brûlée en 1580.

remplacées par le bélier hydraulique. Le club des Jacobins *épurés* emprunta quelques-unes de ces dispositions des Cordeliers.

ORATEURS.

Les orateurs, unis pour détruire, ne s'entendaient ni sur les chefs à choisir, ni sur les moyens à employer ; ils se traitaient de gueux, de filous [1], de voleurs, de massacreurs, à la cacophonie des sifflets et des hurlements de leurs différents groupes de diables. Les métaphores étaient prises du matériel des meurtres, empruntées des objets les plus sales de tous les genres de voirie et de fumier, ou tirées des lieux consacrés aux prostitutions des hommes et des femmes. Les gestes rendaient les images sensibles ; tout était appelé par son nom, avec le cynisme des chiens, dans une pompe obscène et impie de jurements et de blasphèmes. Détruire et produire, mort et génération, on ne démêlait que cela à travers l'argot sauvage dont les oreilles étaient assourdies. Les harangueurs, à la voix grêle ou tonnante, avaient d'autres interrupteurs que leurs opposants : les petites chouettes noires du cloître sans moines et du clocher sans cloches, s'éjouissaient aux fenêtres brisées, en espoir du butin ; elles interrompaient les discours. On les rappelait d'abord à l'ordre par le tintamarre de l'impuissante sonnette ; mais ne cessant point leur criaillement, on leur tirait des coups de fusil pour leur faire faire silence : elles tombaient, palpitantes, blessées et fatidiques, au milieu du Pandémonium [2]. Des charpentes abattues, des bancs boiteux, des stalles démantibulées, des tronçons de saints roulés et poussés contre les murs, servaient de gradins aux spectateurs crottés, poudreux, soûls, suants, en carmagnole percée, la pique sur l'épaule ou les bras nus croisés.

Les plus difformes de la bande obtenaient de préférence la parole. Les infirmités de l'âme et du corps ont joué un

1. Correction de l'éditeur : Chateaubriand avait écrit « gitons » dont l'équivalent très adouci serait : mignons.
2. Lieu de réunion des esprits infernaux.

rôle dans nos troubles : l'amour-propre en souffrance a fait de grands révolutionnaires.

MARAT ET SES AMIS.

D'après ces préséances de hideur, passait successivement, mêlée aux fantômes des Seize, une série de têtes de gorgones. L'ancien médecin des gardes-du-corps du comte d'Artois, l'embryon suisse Marat, les pieds nus dans des sabots ou des souliers ferrés, pérorait le premier, en vertu de ses incontestables droits. Nanti de l'office de *fou* à la cour du peuple, il s'écriait, avec une physionomie plate et ce demi-sourire d'une banalité de politesse que l'ancienne éducation mettait sur toutes les faces : « Peuple, il te faut couper deux « cent soixante-dix mille têtes ! » A ce Caligula de carrefour, succédait le cordonnier athée, Chaumette. Celui-ci était suivi du *procureur-général de la lanterne,* Camille Desmoulins, Cicéron bègue, conseiller public de meurtres, épuisé de débauches, léger républicain à calembours et à bons mots, diseur de gaudrioles de cimetière, lequel déclara qu'aux massacres de septembre, *tout s'était passé avec ordre.* Il consentait à devenir Spartiate, pourvu qu'on laissât la façon du brouet noir au restaurateur Méot [1].

Fouché [2], accouru de Juilly et de Nantes, étudiait le désastre sous ces docteurs : dans le cercle des bêtes féroces attentives au bas de la chaire, il avait l'air d'une hyène habillée. Il haleinait les futures [3] effluves du sang ; il humait déjà l'encens des processions à ânes et à bourreaux, en attendant le jour, où, chassé du club des Jacobins, comme voleur, athée, assassin, il serait choisi pour ministre. Quand Marat était descendu de sa planche, ce Triboulet populaire devenait le jouet de ses maîtres : ils lui donnaient des nasardes, lui marchaient sur les pieds, le bousculaient avec des huées, ce qui ne l'empêcha pas de devenir le chef de la multitude, de monter à l'horloge de l'Hôtel-de-Ville, de

1. Célèbre restaurateur du Palais-Royal.
2. Oratorien, Fouché avait été professeur au collège de Juilly et principal du collège de Nantes.
3. Il aspirait, il flairait. — L'édition originale donne bien ce féminin incorrect.

sonner le tocsin d'un massacre général, et de triompher au tribunal révolutionnaire.

Marat, comme le Péché de Milton, fut violé par la Mort : Chénier [1] fit son apothéose, David le peignit dans le bain rougi, on le compara au divin auteur de l'Evangile. On lui dédia cette prière : « Cœur de Jésus, cœur de Marat ; ô sacré « cœur de Jésus, ô sacré cœur de Marat ! » Ce cœur de Marat eut pour ciboire une pyxide précieuse du garde-meuble. On visitait dans un cénotaphe de gazon, élevé sur la place du Carrousel, le buste, la baignoire, la lampe et l'écritoire de la divinité. Puis le vent tourna : l'immondice, versée de l'urne d'agate dans un autre vase, fut vidée à l'égoût.

Londres, d'avril à septembre 1822.

DANTON. — CAMILLE DESMOULINS. — FABRE D'ÉGLANTINE.

LES scènes des Cordeliers, dont je fus trois ou quatre fois le témoin, étaient dominées et présidées par Danton, Hun à taille de Goth, à nez camus, à narines au vent, à méplats couturés, à face de gendarme mélangé de procureur lubrique et cruel. Dans la coque de son église, comme dans la carcasse des siècles, Danton, avec ses trois furies mâles, Camille Desmoulins, Marat, Fabre d'Églantine, organisa les assassinats de septembre. Billaud de Varennes proposa de mettre le feu aux prisons et de brûler tout ce qui était dedans ; un autre conventionnel opina pour qu'on noyât tous les détenus ; Marat se déclara pour un massacre général. On implorait Danton pour les victimes : « Je « me f... des prisonniers, répondit-il. Auteur de la

1. Marie-Joseph.

351

circulaire de la Commune, il invita les hommes libres à répéter dans les départements l'énormité perpétrée aux Carmes et à l'Abbaye.

Prenons garde à l'histoire : Sixte-Quint égala pour le salut des hommes le dévouement de Jacques Clément [1] au mystère de l'Incarnation, comme on compara Marat au Sauveur du monde ; Charles IX écrivit aux gouverneurs des provinces d'imiter les massacres de la Saint-Barthélemy, comme Danton manda aux patriotes de copier les massacres de septembre. Les jacobins étaient des plagiaires ; ils le furent encore en immolant Louis XVI à l'instar de Charles Ier. Comme des crimes se sont trouvés mêlés à un grand mouvement social, on s'est, très mal à propos, figuré que ces crimes avaient produit les grandeurs de la Révolution, dont ils n'étaient que les affreux pastiches : d'une belle nature souffrante, des esprits passionnés ou systématiques n'ont admiré que la convulsion.

Danton, plus franc que les Anglais, disait : « Nous ne « jugerons pas le roi, nous le tuerons. » Il disait aussi : « Ces « prêtres, ces nobles, ne sont point coupables, mais il faut « qu'ils meurent parce qu'ils sont hors de place, entravent « le mouvement des choses et gênent l'avenir. » Ces paroles, sous un semblant d'horrible profondeur, n'ont aucune étendue de génie : car elles supposent que l'innocence n'est rien, et que l'ordre moral peut être retranché de l'ordre politique sans le faire périr, ce qui est faux.

Danton n'avait pas la conviction des principes qu'il soutenait ; il ne s'était affublé du manteau révolutionnaire que pour arriver à la fortune. « Venez *brailler* avec nous », conseillait-il à un jeune homme ; « quand vous vous serez « enrichi, vous ferez ce que vous voudrez. » Il confessa que s'il ne s'était pas livré à la cour, c'est qu'elle n'avait pas voulu l'acheter assez cher : effronterie d'une intelligence qui se connaît et d'une corruption qui s'avoue à *gueule bée*.

Inférieur, même en laideur, à Mirabeau dont il avait été l'agent, Danton fut supérieur à Robespierre, sans avoir, ainsi que lui, donné son nom à ses crimes. Il conservait le

---

1. Le moine assassin d'Henri III. Sixte-Quint en 1589 parla de lui comme d'un martyr.

sens religieux : «Nous n'avons pas, disait-il, détruit la « superstition pour établir l'athéisme.» Ses passions auraient pu être bonnes, par cela seul qu'elles étaient des passions. On doit faire la part du caractère dans les actions des hommes : les coupables à imagination comme Danton semblent, en raison même de l'exagération de leurs dits et déportements, plus pervers que les coupables de sang-froid, et dans le fait, ils le sont moins. Cette remarque s'applique encore au peuple : pris collectivement, le peuple est un poëte, auteur et acteur ardent de la pièce qu'il joue ou qu'on lui fait jouer. Ses excès ne sont pas tant l'instinct d'une cruauté native que le délire d'une foule enivrée de spectacles, surtout quand ils sont tragiques ; chose si vraie que, dans les horreurs populaires, il y a toujours quelque chose de superflu donné au tableau et à l'émotion.

Danton fut attrapé au traquenard qu'il avait tendu. Il ne lui servit de rien de lancer des boulettes de pain au nez de ses juges, de répondre avec courage et noblesse, de faire hésiter le tribunal, de mettre en péril et en frayeur la Convention, de raisonner logiquement sur des forfaits par qui la puissance même de ses ennemis avait été créée, de s'écrier, saisi d'un stérile repentir : «C'est moi qui ai fait « instituer ce tribunal infâme : j'en demande pardon à « Dieu et aux hommes !» phrase qui plus d'une fois a été pillée. C'était avant d'être traduit au tribunal, qu'il fallait en déclarer l'infamie.

Il ne restait à Danton qu'à se montrer aussi impitoyable à sa propre mort qu'il l'avait été à celle de ses victimes, qu'à dresser son front plus haut que le coutelas suspendu : c'est ce qu'il fit. Du théâtre de la Terreur, où ses pieds se collaient dans le sang épaissi de la veille, après avoir promené un regard de mépris et de domination sur la foule, il dit au bourreau : «Tu montreras ma tête au peuple ; elle « en vaut la peine.» Le chef de Danton demeura aux mains de l'exécuteur, tandis que l'ombre acéphale alla se mêler aux ombres décapitées de ses victimes : c'était encore de l'égalité.

Le diacre et le sous-diacre de Danton, Camille Desmoulins et Fabre d'Églantine, périrent de la même manière que leur prêtre.

A l'époque où l'on faisait des pensions à la guillotine, où l'on portait alternativement à la boutonnière de sa carmagnole, en guise de fleur, une petite guillotine en or, un petit morceau de cœur de guillotiné ; à l'époque où l'on vociférait : *Vive l'enfer!* où l'on célébrait les joyeuses orgies du sang, de l'acier et de la rage, où l'on trinquait au néant, où l'on dansait tout nu la danse des trépassés, pour n'avoir pas la peine de se déshabiller en allant les rejoindre ; à cette époque, il fallait, en fin de compte, arriver au dernier banquet, à la dernière facétie de la douleur. Desmoulins fut convié au tribunal de Fouquier-Tinville : « Quel âge as-tu ? » lui demanda le président. « L'âge du sans-culotte Jésus », répondit Camille bouffonnant. Une obsession vengeresse forçait ces égorgeurs de chrétiens à confesser incessamment le nom du Christ.

Il serait injuste d'oublier que Camille Desmoulins osa braver Robespierre, et racheter par son courage ses égarements. Il donna le signal de la réaction contre la Terreur. Une jeune et charmante femme [1], pleine d'énergie, en le rendant capable d'amour, le rendit capable de vertu et de sacrifice. L'indignation inspira l'éloquence à l'intrépide et grivoise ironie du tribun ; il assaillit d'un grand air les échafauds qu'il avait aidé à élever. Conformant sa conduite à ses paroles, il ne consentit point à son supplice ; il se colleta avec l'exécuteur dans le tombereau, et n'arriva au bord du dernier gouffre qu'à moitié déchiré.

Fabre d'Eglantine, auteur d'une pièce qui restera [2], montra, tout au rebours de Desmoulins, une insigne faiblesse. Jean Roseau, bourreau de Paris sous la Ligue, pendu pour avoir prêté son ministère aux assassins du président Brisson, ne se pouvait résoudre à la corde. Il paraît qu'on n'apprend pas à mourir en tuant les autres.

Les débats, aux Cordeliers, me constatèrent le fait d'une société dans le moment le plus rapide de sa transformation. J'avais vu l'Assemblée constituante commencer le meurtre de la royauté, en 1789 et 1790 ; je trouvai le cadavre encore tout chaud de la vieille monarchie, livré en 1792 aux

1. Lucile Desmoulins a été guillotinée après son mari.
2. Sans doute *Philinte,* ou *la suite du Misanthrope* (1790).

boyaudiers législateurs : ils l'éventraient et le disséquaient dans les salles basses de leurs clubs, comme les hallebardiers dépecèrent et brûlèrent le corps du Balafré[1] dans les combles du château de Blois.

De tous les hommes que je rappelle, Danton, Marat, Camille Desmoulins, Fabre d'Eglantine, Robespierre, pas un ne vit. Je les rencontrai un moment sur mon passage, entre une société naissante en Amérique et une société mourante en Europe, entre les forêts du Nouveau-Monde et les solitudes de l'exil : je n'avais pas compté quelques mois sur le sol étranger, que ces amants de la mort s'étaient déjà épuisés avec elle. A la distance où je suis maintenant de leur apparition, il me semble, que descendu aux enfers dans ma jeunesse, j'ai un souvenir confus des larves que j'entrevis errantes au bord du Cocyte : elles complètent les songes variés de ma vie, et viennent se faire inscrire sur mes tablettes d'Outre-Tombe.

Londres, d'avril à septembre 1822.

OPINION DE M. DE MALESHERBES SUR L'ÉMIGRATION.

CE me fut une grande satisfaction de retrouver M. de Malesherbes et de lui parler de mes anciens projets. Je rapportais les plans d'un second voyage qui devait durer neuf ans ; je n'avais à faire avant qu'un autre petit voyage en Allemagne : je courais à l'armée des Princes, je revenais en courant pourfendre la Révolution ; le tout étant terminé en deux ou trois mois. Je hissais ma voile et retournais au

---

1. Henri Ier duc de Guise (1550-1588) qu'Henri III fit assassiner à Blois.

Nouveau-Monde avec une révolution de moins et un mariage de plus.

Et cependant, mon zèle surpassait ma foi ; je sentais que l'émigration était une sottise et une folie : « Pelaudé[1] à « toutes mains, dit Montaigne[2], aux Gibelins j'estois « Guelfe, aux Guelfes Gibelin. » Mon peu de goût pour la monarchie absolue, ne me laissait aucune illusion sur le parti que je prenais : je nourrissais des scrupules, et bien que résolu de me sacrifier à l'honneur, je voulus avoir sur l'émigration l'opinion de M. de Malesherbes. Je le trouvai très-animé : les crimes continués sous ses yeux avaient fait disparaître la tolérance politique de l'ami de Rousseau ; entre la cause des victimes et celle des bourreaux, il n'hésitait pas. Il croyait que tout valait mieux que l'ordre de choses alors existant ; il pensait, dans mon cas particulier, qu'un homme portant l'épée ne se pouvait dispenser de rejoindre les frères d'un Roi opprimé et livré à ses ennemis. Il approuvait mon retour d'Amérique et pressait mon frère de partir avec moi.

Je lui fis les objections ordinaires sur l'alliance des étrangers, sur les intérêts de la patrie, etc., etc. Il y répondit ; des raisonnements généraux passant aux détails, il me cita des exemples embarrassants. Il me présenta les Guelfes et les Gibelins s'appuyant des troupes de l'empereur ou du pape ; en Angleterre, les barons se soulevant contre *Jean-sans-Terre*. Enfin, de nos jours, il citait la République des Etats-Unis, implorant le secours de la France. « Ainsi, « continuait M de Malesherbes, les hommes les plus « dévoués à la liberté et à la philosophie, les républicains et « les protestants, ne se sont jamais crus coupables en « empruntant une force qui pût donner la victoire à leur « opinion. Sans notre or, nos vaisseaux et nos soldats, le « Nouveau-Monde serait-il aujourd'hui émancipé ? Moi, « Malesherbes, moi qui vous parle, n'ai-je pas reçu, en « 1776, Franklin, lequel venait renouer les négociations de « Silas Deane[3], et pourtant Franklin était-il un traître ? La

1. Rossé.
2. *Essais,* III, **XII.**
3. Silas Deane, membre du Congrès américain, était déjà venu dès 1776 solliciter l'appui de la France contre l'Angleterre.

« liberté américaine était-elle moins honorable parce qu'elle
« a été assistée par La Fayette et conquise par des grena-
« diers français ? Tout gouvernement qui, au lieu d'offrir
« des garanties aux lois fondamentales de la société, trans-
« gresse lui-même les lois de l'équité, les règles de la justice,
« n'existe plus et rend l'homme à l'état de nature. Il est
« licite alors de se défendre comme on peut, de recourir aux
« moyens qui semblent les plus propres à renverser la
« tyrannie, à rétablir les droits de chacun et de tous. »

Les principes du droit naturel, mis en avant par les plus
grands publicistes, développés par un homme tel que M. de
Malesherbes, et appuyés de nombreux exemples historiques,
me frappèrent sans me convaincre : je ne cédai réellement
qu'au mouvement de mon âge, au point d'honneur. —
J'ajouterai à ces exemples de M. de Malesherbes, des
exemples récents : pendant la guerre d'Espagne, en 1823, le
parti républicain français est allé servir sous le drapeau des
Cortès, et ne s'est pas fait scrupule de porter les armes
contre sa patrie ; les Polonais et les Italiens constitutionnels
ont sollicité, en 1830 et 1831, les secours de la France, et les
Portugais de la *charte* ont envahi leur patrie avec l'argent et
les soldats de l'étranger. Nous avons deux poids et deux
mesures : nous approuvons, pour une idée, un système, un
intérêt, un homme, ce que nous blâmons pour une autre
idée, un autre système, un autre intérêt, un autre homme.

Londres, d'avril à septembre 1822.

JE JOUE ET JE PERDS. — AVENTURE DU FIACRE. — MADAME
ROLAND. — BARRÈRE À L'ERMITAGE. — SECONDE FÉDÉRA-
TION DU 14 JUILLET. — PRÉPARATIFS D'ÉMIGRATION.

CES conversations entre moi et l'illustre défenseur du roi
avaient lieu chez ma belle-sœur : elle venait d'accoucher

d'un second fils, dont M. de Malesherbes fut parrain, et auquel il donna son nom, Christian. J'assistai au baptême de cet enfant, qui ne devait voir son père et sa mère qu'à l'âge où la vie n'a point de souvenir et apparaît de loin comme un songe immémorable. Les préparatifs de mon départ traînèrent. On avait cru me faire faire un riche mariage : il se trouva que la fortune de ma femme était en rentes sur le clergé; la nation se chargea de les payer à sa façon. Madame de Chateaubriand avait de plus, du consentement de ses tuteurs, prêté l'inscription d'une forte partie de ces rentes à sa sœur, la comtesse du Plessis-Parscau, émigrée. L'argent manquait donc toujours; il en fallut emprunter.

Un notaire nous procura 10,000 francs : je les apportais en assignats chez moi, cul-de-sac Férou, lorsque je rencontrai, rue de Richelieu, un de mes anciens camarades au régiment de Navarre, le comte Achard. Il était grand joueur; il me proposa d'aller aux salons de M..... où nous pourrions causer : le diable me pousse; je monte, je joue, je perds tout, sauf quinze cents francs, avec lesquels, plein de remords et de confusion, je grimpe dans la première voiture venue. Je n'avais jamais joué : le jeu produisit sur moi une espèce d'enivrement douloureux; si cette passion m'eût atteint, elle m'aurait renversé la cervelle. L'esprit à moitié égaré, je quitte la voiture à Saint-Sulpice, et j'y oublie mon portefeuille renfermant l'écornure de mon trésor. Je cours chez moi et je raconte que j'ai laissé les 10,000 francs dans un fiacre.

Je sors, je descends la rue Dauphine, je traverse le Pont-Neuf, non sans avoir envie de me jeter à l'eau; je vais sur la place du Palais-Royal, où j'avais pris le malencontreux cabas. J'interroge les Savoyards qui donnent à boire aux rosses, je dépeins mon équipage, on m'indique au hasard un numéro. Le commissaire de police du quartier m'apprend que ce numéro appartient à un loueur de carrosses demeurant au haut du faubourg Saint-Denis. Je me rends à la maison de cet homme; je demeure toute la nuit dans l'écurie, attendant le retour des fiacres : il en arrive successivement un grand nombre qui ne sont pas le mien; enfin, à deux heures du matin, je vois entrer mon char. A peine eus-je le temps de reconnaître mes deux coursiers blancs, que les pauvres bêtes, éreintées, se laissèrent choir sur la paille, raides, le ventre ballonné, les jambes tendues comme si elles étaient mortes.

Le cocher se souvint de m'avoir mené. Après moi, il avait chargé un citoyen qui s'était fait descendre aux Jacobins ; après le citoyen, une dame qu'il avait conduite rue de Cléry, n° 13 ; après cette dame, un monsieur qu'il avait déposé aux Récollets, rue Saint-Martin. Je promets pour boire au cocher, et me voilà, sitôt que le jour fut venu, procédant à la découverte de mes quinze cents francs, comme à la recherche du passage du nord-ouest. Il me paraissait clair que le citoyen des Jacobins les avait confisqués du droit de sa souveraineté. La demoiselle de la rue de Cléry affirma n'avoir rien vu dans le fiacre. J'arrive à la troisième station, sans aucune espérance ; le cocher donne, tant bien que mal, le signalement du monsieur qu'il a voituré. Le portier s'écrie : « C'est le Père tel ! » Il me conduit, à travers les corridors et les appartements abandonnés, chez un récollet, resté seul pour inventorier les meubles de son couvent. Ce religieux, en redingote poudreuse, sur un amas de ruines, écoute le récit que je lui fais. « Etes-vous, me dit-il, le chevalier de Chateaubriand ? — « Oui », répondis-je. « Voilà votre portefeuille », répliqua-t-il ; « je vous l'aurais porté après mon travail ; j'y avais trouvé votre adresse. » Ce fut ce moine chassé et dépouillé, occupé à compter consciencieusement pour ses proscripteurs les reliques de son cloître, qui me rendit les quinze cents francs avec lesquels j'allais m'acheminer vers l'exil. Faute de cette petite somme, je n'aurais pas émigré : que serais-je devenu ? toute ma vie était changée. Si je faisais aujourd'hui un pas pour retrouver un million, je veux être pendu.

Ceci se passait le 16 juin 1792.

Fidèle à mes instincts, j'étais revenu d'Amérique pour offrir mon épée à Louis XVI, non pour m'associer à des intrigues de parti. Le licenciement de la nouvelle garde du Roi, dans laquelle se trouvait Murat ; les ministères successifs de Roland, de Dumouriez, de Duport du Tertre ; les petites conspirations de cour, ou les grands soulèvements populaires, ne m'inspiraient qu'ennui et mépris. J'entendais beaucoup parler de madame Roland, que je ne vis point ; ses Mémoires prouvent qu'elle possédait une force d'esprit extraordinaire. On la disait fort agréable ; reste à savoir si elle l'était assez pour faire supporter à ce point le cynisme des vertus hors nature. Certes, la femme qui, au pied de la guillotine, demandait une plume et de l'encre afin d'écrire les derniers moments de son voyage, de consigner les découvertes qu'elle avait faites dans son trajet de la Conciergerie à la place de la Révolution, une telle femme montre une préoccupation d'avenir, un dédain de la vie dont il y a peu d'exemples. Madame Roland avait du caractère plutôt que du génie : le premier peut donner le second, le second ne peut donner le premier.

Le 19 juin, j'étais allé à la vallée de Montmorency, visiter l'Ermitage de J.-J. Rousseau : non que je me plusse au souvenir de madame d'Epinay et de cette société factice et dépravée ; mais je voulais dire adieu à la solitude d'un homme antipathique par ses mœurs à mes mœurs, bien que doué d'un talent dont les accents remuaient ma jeunesse. Le lendemain, 20 juin, j'étais encore à l'Ermitage ; j'y rencontrai deux hommes qui se promenaient comme moi dans ce lieu désert pendant le jour fatal de la monarchie, indifférents qu'ils étaient ou qu'ils seraient, pensais-je, aux affaires du monde : l'un était M. Maret[1], de l'Empire ; l'autre, M. Barrère[2], de la République. Le gentil Barrère était venu, loin du bruit, dans sa philosophie sentimentale, conter des fleurettes révolutionnaires à l'ombre de Julie[3]. Le troubadour de la guillotine, sur le rapport duquel la Convention décréta que *la Terreur était à l'ordre du jour,* échappa à cette Terreur en se cachant dans le panier aux têtes ; du fond du baquet de sang, sous l'échafaud, on l'entendait seulement croasser *la mort !* Barrère était de l'espèce de ces tigres qu'Oppien[4] fait naître du souffle léger du vent : *velocis Zephyri proles.*

1. Le futur duc de Bassano, ministre de Napoléon, pair de France sous Louis-Philippe.
2. Barrère de Vieuzac, conventionnel ; lié à Robespierre, Il provoqua sa chute au 9 thermidor (« gentil » par antiphrase).
3. Allusion à *La Nouvelle Héloïse.*
4. Poète grec (**II**ᵉ siècle après J.-C.)

Ginguené, Chamfort, mes anciens amis les gens de lettres, étaient charmés de la journée du 20 juin. Laharpe, continuant ses leçons au Lycée, criait d'une voix de Stentor : « Insensés ! vous répondiez à toutes les représentations « du peuple : Les baïonnettes ! les baïonnettes ! Eh bien ! les « voilà les baïonnettes ! » Quoique mon voyage en Amérique m'eût rendu un personnage moins insignifiant, je ne me pouvais élever à une si grande hauteur de principes et d'éloquence. Fontanes courait des dangers par ses anciennes liaisons avec la *Société monarchique*. Mon frère faisait partie d'un club d'*enragés*. Les Prussiens marchaient en vertu d'une convention des cabinets de Vienne et de Berlin ; déjà une affaire assez chaude avait eu lieu entre les Français et les Autrichiens, du côté de Mons. Il était plus que temps de prendre une détermination.

Mon frère et moi, nous nous procurâmes de faux passe-ports pour Lille : nous étions deux marchands de vin, gardes nationaux de Paris, dont nous portions l'uniforme, nous proposant de soumissionner les fournitures de l'armée. Le valet de chambre de mon frère, Louis Poullain, appelé Saint-Louis, voyageait sous son propre nom : bien que de Lamballe, en Basse-Bretagne, il allait voir ses parents en Flandre. Le jour de notre émigration fut fixé au 15 de juillet, lendemain de la seconde fédération. Nous passâmes le 14 dans les jardins de Tivoli, avec la famille de Rosambo, mes sœurs et ma femme. Tivoli appartenait à M. Boutin dont la fille avait épousé M. de Malesherbes. Vers la fin de la journée, nous vîmes errer à la débandade bon nombre de fédérés, sur les chapeaux desquels était écrit à la craie : « Pétion, ou la « mort ! » Tivoli, point de départ de mon exil, devait devenir un rendez-vous de jeux et de fêtes. Nos parents se séparèrent de nous sans tristesse ; ils étaient persuadés que nous faisions un voyage d'agrément. Mes 1500 francs retrouvés semblaient un trésor suffisant pour me ramener triomphant à Paris.

J'ÉMIGRE AVEC MON FRÈRE. — AVENTURE DE SAINT-LOUIS. — NOUS PASSONS LA FRONTIÈRE.

LE 15 juillet, à six heures du matin, nous montâmes en diligence : nous avions arrêté nos places dans le cabriolet, auprès du conducteur ; le valet de chambre, que nous étions censés ne pas connaître, s'enfourna dans le carrosse, avec les autres voyageurs. Saint-Louis était somnambule ; il allait la nuit chercher son maître dans Paris, les yeux ouverts, mais parfaitement endormi. Il déshabillait mon frère, le mettait au lit, toujours dormant, répondant à tout ce qu'on lui disait pendant ses attaques : « Je sais, je sais », ne s'éveillant que quand on lui jetait de l'eau froide au visage ; homme d'une quarantaine d'années, haut de près de six pieds, et aussi laid qu'il était grand. Ce pauvre garçon, très-respectueux, n'avait jamais servi d'autre maître que mon frère ; il fut tout troublé, lorsqu'au souper, il lui fallut s'asseoir à table avec nous. Les voyageurs, fort patriotes, parlant d'accrocher les aristocrates à la lanterne, augmentaient sa frayeur. L'idée qu'au bout de tout cela, il serait obligé de passer à travers l'armée autrichienne, pour s'aller battre à l'armée des Princes, acheva de déranger son cerveau. Il but beaucoup et remonta dans la diligence ; nous rentrâmes dans le coupé.

Au milieu de la nuit, nous entendons les voyageurs crier, la tête à la portière : « Arrêtez, postillon, arrêtez ! » On arrête, la portière de la diligence s'ouvre, et aussitôt des voix de femmes et d'hommes : « Descendez, citoyen, descendez ! « on n'y tient pas, descendez, cochon ! c'est un brigand ! « descendez, descendez ! » Nous descendons aussi. Nous voyons Saint-Louis bousculé, jeté en bas du coche, se relevant, promenant ses yeux ouverts et endormis autour de lui, se mettant à fuir à toutes jambes, sans chapeau, du côté de Paris. Nous ne le pouvions réclamer, car nous nous serions trahis ; il le fallait abandonner à sa destinée. Pris et appréhendé au premier village, il déclara qu'il était le domestique de M. le comte de Chateaubriand, et qu'il demeurait à Paris, rue de Bondy. La maréchaussée le conduisit de brigade en brigade chez le président de Rosambo ; les dépositions de ce malheureux homme servirent à prouver notre émigration, et à envoyer mon frère et ma belle-sœur à l'échafaud.

Le lendemain, au déjeuner de la diligence, il fallut écouter vingt fois toute l'histoire : « Cet homme avait l'imagination « troublée ; il rêvait tout haut ; il disait des choses étranges ; « c'était sans doute un conspirateur, un assassin qui fuyait « la justice. » Les citoyennes bien élevées rougissaient en agitant de grands éventails de papier vert *à la Constitution*. Nous reconnûmes aisément dans ces récits les effets du somnambulisme, de la peur et du vin.

Arrivés à Lille, nous cherchâmes la personne qui nous devait mener au-delà de la frontière. L'émigration avait ses agents de salut qui devinrent, par le résultat, des agents de perdition. Le parti monarchique était encore puissant, la question non décidée ; les faibles et les poltrons servaient, en attendant l'événement.

Nous sortîmes de Lille avant la fermeture des portes : nous nous arrêtâmes dans une maison écartée, et nous ne nous mîmes en route qu'à dix heures du soir, lorsque la nuit fut tout à fait close ; nous ne portions rien avec nous ; nous avions une petite canne à la main ; il n'y avait pas plus d'un an que je suivais ainsi mon Hollandais dans les forêts américaines.

Nous traversâmes des blés parmi lesquels serpentaient des sentiers à peine tracés. Les patrouilles françaises et autrichiennes battaient la campagne ; nous pouvions tomber dans les unes et dans les autres, ou nous trouver sous le pistolet d'une vedette. Nous entrevîmes de loin des cavaliers isolés, immobiles et l'arme au poing ; nous ouïmes des pas de chevaux dans des chemins creux ; en mettant l'oreille à terre, nous entendîmes le bruit régulier d'une marche d'infanterie. Après trois heures d'une route tantôt faite en courant, tantôt lentement sur la pointe du pied, nous arrivâmes au carrefour d'un bois où quelques rossignols chantaient en tardivité. Une compagnie de hulans qui se tenait derrière une haie fondit sur nous le sabre haut. Nous criâmes : « Officiers qui vont rejoindre les Princes ! » Nous demandâmes à être conduits à Tournay, déclarant être en mesure de nous faire reconnaître. Le commandant du poste nous plaça entre ses cavaliers et nous emmena.

Quand le jour fut venu, les hulans aperçurent nos uniformes de gardes nationaux sous nos redingotes, et insultèrent les couleurs que la France allait faire porter à l'Europe vassale.

Dans le Tournaisis, royaume primitif des Franks, Clovis résida pendant les premières années de son règne : il partit de Tournay avec ses compagnons, appelé qu'il était à la conquête des Gaules : « Les armes attirent à elles tous les « droits, » dit Tacite. Dans cette ville d'où sortit en 486 le premier roi de la première race, pour fonder sa longue et puissante monarchie, j'ai passé en 1792 pour aller rejoindre les princes de la troisième race sur le sol étranger, et j'y repassai en 1814, lorsque le dernier Roi des Français abandonnait le royaume du premier roi des Franks : *omnia migrant* [1].

Arrivé à Tournay, je laissai mon frère se débattre avec les autorités, et sous la garde d'un soldat je visitai la cathédrale. Jadis Odon d'Orléans, écolâtre de cette cathédrale, assis pendant la nuit devant le portail de l'église, enseignait à ses disciples le cours des astres, leur montrant du doigt la voie lactée et les étoiles. J'aurais mieux aimé trouver à Tournay ce naïf astronome du onzième siècle que des Pandours. Je me plais à ces temps où les chroniques m'apprennent, sous l'an 1049, qu'en Normandie un homme avait été métamorphosé en âne : c'est ce qui pensa m'arriver à moi-même, comme on l'a vu, chez les demoiselles Couppart, mes maîtresses de lecture. Hildebert, en 1114, a remarqué une fille des oreilles de laquelle sortaient des épis de blé : c'était peut-être Cérès. La Meuse, que j'allais bientôt traverser, fut suspendue en l'air l'année 1118, témoins Guillaume de Nangis et Albéric. Rigord assure que l'an 1194, entre Compiègne et Clermont en Beauvoisis, il tomba une grêle

1. « Tout passe » (Lucrèce V, 830).

entremêlée de corbeaux qui portaient des charbons et mettaient le feu. Si la tempête, comme nous l'assure Gervais de Tilbury,[1] ne pouvait éteindre une chandelle sur la fenêtre du prieuré de Saint-Michel de *Camissa,* par lui nous savons aussi qu'il y avait dans le diocèse d'Uzès une belle et pure fontaine, laquelle changeait de place lorsqu'on y jetait quelque chose de sale : les consciences d'aujourd'hui ne se dérangent pas pour si peu. — Lecteur, je ne perds pas de temps ; je bavarde avec toi pour te faire prendre patience en attendant mon frère qui négocie : le voici ; il revient après s'être expliqué, à la satisfaction du commandant autrichien. Il nous est permis de nous rendre à Bruxelles, exil acheté par trop de soin.

Londres, d'avril à septembre 1822.

BRUXELLES. — DINER CHEZ LE BARON DE BRETEUIL. — RIVAROL. — DÉPART POUR L'ARMÉE DES PRINCES. — ROUTE. — RENCONTRE DE L'ARMÉE PRUSSIENNE. — J'ARRIVE A TRÈVES.

BRUXELLES était le quartier-général de la haute émigration : les femmes les plus élégantes de Paris et les hommes les plus à la mode, ceux qui ne pouvaient marcher que comme aides-de-camp, attendaient dans les plaisirs le moment de la victoire. Ils avaient de beaux uniformes tout neufs ; ils paradaient de toute la rigueur de leur légèreté. Des sommes considérables qui les auraient pu faire vivre

1. Ecrivain anglais du XIIIe siècle.

pendant quelques années, ils les mangèrent en quelques jours : ce n'était pas la peine d'économiser, puisqu'on serait incessamment à Paris . . . .

Ces brillants chevaliers se préparaient par le succès de l'amour à la gloire, au rebours de l'ancienne chevalerie. Ils nous regardaient dédaigneusement cheminer à pied, le sac sur le dos, nous, petits gentilshommes de province, ou pauvres officiers devenus soldats. Ces Hercules filaient aux pieds de leurs Omphales les quenouilles qu'ils nous avaient envoyées et que nous leur remettions en passant, nous contentant de nos épées.

Je trouvai à Bruxelles mon petit bagage, arrivé en fraude avant moi : il consistait dans mon uniforme du régiment de Navarre, dans un peu de linge et dans mes précieuses paperasses, dont je ne pouvais me séparer.

Je fus invité à dîner avec mon frère chez le baron de Breteuil ; j'y rencontrai la baronne de Montmorency, alors jeune et belle, et qui meurt en ce moment, des évêques martyrs, à soutane de moire et à croix d'or, de jeunes magistrats transformés en colonels hongrois, et Rivarol que je n'ai vu que cette unique fois dans ma vie. On ne l'avait point nommé ; je fus frappé du langage d'un homme qui pérorait seul et se faisait écouter avec quelque droit comme un oracle. L'esprit de Rivarol nuisait à son talent, sa parole à sa plume. Il disait, à propos des révolutions : « Le premier « coup porte sur le Dieu, le second ne frappe plus qu'un « marbre insensible. » J'avais repris l'habit d'un mesquin sous-lieutenant d'enfanterie je devais partir en sortant du dîner et mon havresac était derrière la porte. J'étais encore bronzé par le soleil d'Amérique et l'air de la mer ; je portais les cheveux plats et noirs. Ma figure et mon silence gênaient Rivarol ; le baron de Breteuil, s'apercevant de sa curiosité inquiète, le satisfit : « D'où vient votre frère le chevalier ? » dit-il à mon frère. Je répondis : « De Niagara. » Rivarol s'écria : « De la cataracte ! » Je me tus. Il hasarda un commencement de question : « Monsieur va... ? — Où l'on « se bat, » interrompis-je. On se leva de table.

Cette émigration fate m'était odieuse ; j'avais hâte de voir mes pairs, des émigrés comme moi, à 600 livres de rentes. Nous étions bien stupides, sans doute, mais du moins nous avions notre rapière au vent, et si nous eussions obtenu des succès, ce n'est pas nous qui aurions profité de la victoire.

Mon frère resta à Bruxelles, auprès du baron de Montboissier dont il devint l'aide-de-camp ; je partis seul pour Coblentz.

Rien de plus historique que le chemin que je suivis ; il rappelait partout quelques souvenirs ou quelques grandeurs de la France. Je traversai Liège, une de ces républiques municipales, qui tant de fois se soulevèrent contre leurs évêques ou contre les comtes de Flandre. Louis XI, allié des Liégeois, fut obligé d'assister`au sac de leur ville, pour échapper à sa ridicule prison de Péronne.

J'allais rejoindre et faire partie de ces hommes de guerre qui mettent leur gloire à de pareilles choses. En 1792, les relations entre Liège et la France étaient plus paisibles : l'abbé de Saint-Hubert était obligé d'envoyer tous les ans deux chiens de chasse aux successeurs du roi Dagobert.

A Aix-la-Chapelle, autre don, mais de la part de la France : le drap mortuaire qui servait à l'enterrement d'un monarque très-chrétien, était envoyé au tombeau de Charlemagne, comme un drapeau-lige au fief dominant. Nos Rois prêtaient ainsi foi et hommage, en prenant possession de l'héritage de l'Eternité ; ils juraient, entre les genoux de la mort, leur dame, qu'ils lui seraient fidèles, après lui avoir donné le baiser féodal sur la bouche. Du reste, c'était la seule suzeraineté dont la France se reconnût vassale. La cathédrale d'Aix-la-Chapelle fut bâtie par Karl-le Grand et consacrée par Léon III. Deux prélats, ayant manqué à la cérémonie, ils furent remplacés par deux évêques de Maëstricht, depuis longtemps décédés, et qui ressuscitèrent exprès. Charlemagne, ayant perdu une belle maîtresse, pressait son corps dans ses bras et ne s'en voulait point séparer. On attribua cette passion à un charme : la jeune morte examinée, une petite perle se trouva sous sa langue. La perle fut jetée dans un marais ; Charlemagne, amoureux fou de ce marais, ordonna de le combler, il y bâtit un palais et une église, pour passer sa vie dans l'un et sa mort dans l'autre. Les autorités sont ici l'archevêque Turpin et Pétrarque.

A Cologne, j'admirai la cathédrale : si elle était achevée, ce serait le plus beau monument gothique de l'Europe. Les moines étaient les peintres, les sculpteurs, les architectes et les maçons de leurs basiliques ; ils se glorifiaient du titre de maître maçon, *cæmentarius*.

Il est curieux d'entendre aujourd'hui d'ignorants philosophes et des démocrates bavards crier contre les religieux, comme si ces prolétaires enfroqués, ces ordres mendiants à qui nous devons presque tout, avaient été des gentilshommes.

Cologne me remit en mémoire Caligula[1] et saint Bruno : j'ai vu le reste des digues du premier à Baïes, et la cellule abandonnée du second à la Grande-Chartreuse.

Je remontai le Rhin jusqu'à Coblentz *(Confluentia)*. L'armée des princes n'y était plus. Je traversai ces royaumes vides, *inania regna*[2], je vis cette belle vallée du Rhin, le Tempé des muses barbares, où des chevaliers apparaissaient autour des ruines de leurs châteaux, où l'on entend la nuit des bruits d'armes, quand la guerre doit survenir.

Entre Coblentz et Trèves, je tombai dans l'armée prussienne : je filais le long de la colonne, lorsque, arrivé à la hauteur des gardes, je m'aperçus qu'ils marchaient en bataille avec du canon en ligne ; le roi[3] et le duc de Brunswick[4] occupaient le centre du carré, composé des vieux grenadiers de Frédéric. Mon uniforme blanc attira les yeux du roi ; il me fit appeler : le duc de Brunswick et lui mirent le chapeau à la main, et saluèrent l'ancienne armée française dans ma personne. Ils me demandèrent mon nom, celui de mon régiment, le lieu où j'allais rejoindre les Princes. Cet accueil militaire me toucha : je répondis avec émotion qu'ayant appris en Amérique le malheur de mon Roi, j'étais revenu pour verser mon sang à son service. Les officiers et généraux qui environnaient Frédéric-Guillaume firent un mouvement approbatif et le monarque prussien

1. Est-ce parce que le nom latin de Cologne est *Colonia Agrippinensis,* et parce que cette Agrippine, *Agrippina major,* était la mère de Caligula ?
2. *Enéide*, VI, 269.
3. Frédéric Guillaume II, roi de Prusse, neveu et successeur de Frédéric II.
4. Commandant en chef des armées coalisées.

me dit : « Monsieur, on reconnaît toujours les sentiments de « la noblesse française. » Il ôta de nouveau son chapeau, resta découvert et arrêté, jusqu'à ce que j'eusse disparu derrière la masse des grenadiers. On crie maintenant contre les émigrés ; ce sont *des tigres qui déchiraient le sein de leur mère;* à l'époque dont je parle, on s'en tenait aux vieux exemples, et l'honneur comptait autant que la patrie. En 1792, la fidélité au serment passait encore pour un devoir ; aujourd'hui, elle est devenue si rare qu'elle est regardée comme une vertu.

Une scène étrange, qui s'était déjà répétée pour d'autres que moi, faillit me faire rebrousser chemin. On ne voulait pas m'admettre à Trèves, où l'armée des Princes était parvenue : « J'étais un de ces hommes qui attendent l'événe- « ment pour se décider ; il y avait trois ans que j'aurais dû « être au cantonnement ; j'arrivais quand la victoire était « assurée. On n'avait pas besoin de moi ; on n'avait déjà « que trop de ces braves après combat. Tous les jours, des « escadrons de cavalerie désertaient ; l'artillerie même pas- « sait en masse, et si cela continuait, on ne saurait que faire « de ces gens-là. »

Prodigieuse illusion des partis !

Je rencontrai mon cousin Armand de Chateaubriand : il me prit sous sa protection, assembla les Bretons et plaida ma cause. On me fit venir ; je m'expliquai : je dis que j'arrivais de l'Amérique, pour avoir l'honneur de servir avec mes camarades ; que la campagne était ouverte, non com- mencée, de sorte que j'étais encore à temps pour le premier feu ; qu'au surplus, je me retirerais, si on l'exigeait, mais après avoir obtenu raison d'une insulte non méritée. L'af- faire s'arrangea : comme j'étais bon enfant, les rangs s'ouvrirent pour me recevoir et je n'eus plus que l'embarras du choix.

ARMÉE DES PRINCES. — AMPHITHÉATRE ROMAIN. —
ATALA. — LES CHEMISES DE HENRI IV.

L'ARMÉE des princes était composée de gentilshommes, classés par provinces et servant en qualité de simples soldats : la noblesse remontait à son origine et à l'origine de la monarchie, au moment même où cette noblesse et cette monarchie finissaient, comme un vieillard retourne à l'enfance. Il y avait en outre des brigades d'officiers émigrés de divers régiments, également redevenus soldats : de ce nombre étaient mes camarades de Navarre, conduits par leur colonel, le marquis de Mortemart. Je fus bien tenté de m'enrôler avec La Martinière, dût-il encore être amoureux ; mais le patriotisme armoricain l'emporta. Je m'engageai dans la septième compagnie bretonne, que commandait M. de Goyon-Miniac. La noblesse de ma province avait fourni sept compagnies ; on en comptait une huitième de jeunes gens du tiers-état : l'uniforme gris-de-fer de cette dernière compagnie différait de celui des sept autres, couleur bleu-de-roi avec retroussis à l'hermine. Des hommes attachés à la même cause et exposés aux mêmes dangers perpétuaient leurs inégalités politiques par des signalements odieux : les vrais héros étaient les soldats plébéiens, puisqu'aucun intérêt personnel ne se mêlait à leur sacrifice.

Dénombrement de notre petite armée :

Infanterie de soldats nobles et d'officiers ; quatre compagnies de déserteurs, habillés des différents uniformes des régiments dont ils provenaient ; une compagnie d'artillerie ; quelques officiers du génie, avec quelques canons, obusiers et mortiers de divers calibres (L'artillerie et le génie, qui embrassèrent presqu'en entier la cause de la Révolution, en firent le succès au dehors). Une très-belle cavalerie de carabiniers allemands, de mousquetaires sous les ordres du vieux comte de Montmorin, d'officiers de la marine de Brest, de Rochefort et de Toulon appuyaient notre infanterie. L'émigration générale de ces derniers officiers, replongea la France maritime dans cette faiblesse dont Louis XVI l'avait retirée. Jamais, depuis Duquesne et Tourville, nos escadres ne s'étaient montrées avec plus de gloire. Mes camarades étaient dans la joie ; moi j'avais les larmes aux yeux, quand je voyais passer ces dragons de l'Océan, qui ne conduisaient plus les vaisseaux avec lesquels ils humilièrent les Anglais et délivrèrent l'Amérique. Au lieu d'aller chercher des continents nouveaux pour les léguer à la France, ces compagnons de La Pérouse s'enfonçaient dans les boues de l'Allemagne. Ils montaient le cheval consacré à Neptune ; mais ils avaient changé d'élément, et la terre n'était pas à eux. En vain leur commandant portait à leur tête le pavillon déchiré de la *Belle-Poule,* sainte relique du drapeau blanc, aux lambeaux duquel pendait encore l'honneur, mais d'où était tombée la victoire.

Nous avions des tentes ; du reste, nous manquions de tout. Nos fusils de manufacture allemande, armes de rebut, d'une pesanteur effrayante, nous cassaient l'épaule, et souvent n'étaient pas en état de tirer. J'ai fait toute la campagne avec un de ces mousquets dont le chien ne s'abattait pas.

Nous demeurâmes deux jours à Trèves. Ce me fut un grand plaisir de voir des ruines romaines, après avoir vu les ruines sans nom de l'Ohio, de visiter cette ville si souvent saccagée, dont Salvien [1] disait : « Fugitifs de Trèves, vous « voulez des spectacles, vous redemandez aux Empereurs les « jeux du cirque : pour quel état, je vous prie, pour quel « peuple, pour quelle ville ? » *Theatra igitur quaeritis, circum à principibus postulatis ? cui, quaeso, statui, cui populo, cui civitaeti ?*

Fugitifs de France, où était le peuple pour qui nous voulions rétablir les monuments de saint Louis ?

Je m'asseyais, avec mon fusil, au milieu des ruines ; je tirais de mon havresac le manuscrit de mon voyage en Amérique ; j'en déposais les pages séparées sur l'herbe autour de moi ; je relisais et corrigeais une description de forêt, un passage d'*Atala,* dans les décombres d'un amphithéâtre romain, me préparant ainsi à conquérir la France.

1. Docteur chrétien (390-484), né à Trèves.

Puis, je serrais mon trésor dont le poids, mêlé à celui de mes chemises, de ma capote, de mon bidon de fer-blanc, de ma bouteille clissée et de mon petit Homère, me faisait cracher le sang. J'essayais de fourrer *Atala* avec mes inutiles cartouches dans ma giberne ; mes camarades se moquaient de moi, et arrachaient les feuilles qui débordaient des deux côtés du couvercle de cuir. La Providence vint à mon secours : une nuit, ayant couché dans un grenier à foin, je ne trouvai plus mes chemises dans mon sac à mon réveil ; on avait laissé les paperasses. Je bénis Dieu : cet accident, en assurant ma *gloire,* me sauva la vie, car les soixante livres qui gisaient entre mes deux épaules m'auraient rendu poitrinaire. « Combien ai-je de chemises ? » disait Henri IV à son valet de chambre. « Une douzaine, Sire, encore y en « a-t-il de déchirées. — Et de mouchoirs, est-ce pas huit que « j'ai ? — Il n'y en a pour cette heure que cinq. » Le Béarnais gagna la bataille d'Ivry sans chemises ; je n'ai pu rendre son royaume à ses enfants en perdant les miennes.

Londres, d'avril à septembre 1822.

VIE DE SOLDAT. — DERNIÈRF REPRÉSENTATION DE L'AN-CIENNE FRANCE MILITAIRE.

L'ORDRE arriva de marcher sur Thionville. Nous faisions cinq à six lieues par jour. Le temps était affreux ; nous cheminions au milieu de la pluie et de la fange, en chantant : *O Richard! ô mon Roi*[1]! ou *Pauvre Jacques*[2]! Arrivés à l'endroit du campement, n'ayant ni fourgons, ni vivres, nous allions avec des ânes, qui suivaient la colonne comme une caravane arabe, chercher de quoi manger

---

1. Voir ci-dessus p. 221.
2. Complainte sentimentale où est évoqué le cadre de Trianon (1780). C'était un chant de ralliement des royalistes.

dans les fermes et les villages. Nous payions très-scrupuleusement : je subis néanmoins une faction correctionnelle pour avoir pris, sans y penser, deux poires dans le jardin d'un château. Un grand clocher, une grande rivière et un grand seigneur, dit le proverbe, sont de mauvais voisins.

Nous plantions au hasard nos tentes, dont nous étions sans cesse obligés de battre la toile afin d'en élargir les fils et d'empêcher l'eau de la traverser. Nous étions dix soldats par tente ; chacun à son tour était chargé du soin de la cuisine : celui-ci allait à la viande, celui-là au pain, celui-là au bois, celui-là à la paille. Je faisais la soupe à merveille ; j'en recevais de grands compliments, surtout quand je mêlais à la ratatouille du lait et des choux, à la mode de Bretagne. J'avais appris chez les Iroquois à braver la fumée, de sorte que je me comportais bien autour de mon feu de branches vertes et mouillées. Cette vie de soldat est très-amusante ; je me croyais encore parmi les Indiens. En mangeant notre gamelle sous la tente, mes camarades me demandaient des histoires de mes voyages ; ils me les payaient en beaux contes ; nous mentions tous comme un caporal au cabaret avec un conscrit qui paye l'écot.

Une chose me fatiguait, c'était de laver mon linge ; il le fallait, et souvent : car les obligeants voleurs ne m'avaient laissé qu'une chemise empruntée à mon cousin Armand, et celle que je portais sur moi. Lorsque je savonnais mes chausses, mes mouchoirs et ma chemise au bord d'un ruisseau, la tête en bas et les reins en l'air, il me prenait des étourdissements ; le mouvement des bras me causait une douleur insupportable à la poitrine. J'étais obligé de m'asseoir parmi les prêles et les cressons, et au milieu du mouvement de la guerre, je m'amusais à voir couler l'eau paisible. Lope de Vega fait laver le bandeau de l'Amour par une bergère ; cette bergère m'eût été bien utile pour un petit turban de toile de bouleau que j'avais reçu de mes Floridiennes.

Une armée est ordinairement composée de soldats à peu près du même âge, de la même taille, de la même force. Bien différente était la nôtre, assemblage confus d'hommes faits, de vieillards, d'enfants descendus de leurs colombiers, jargonnant normand, breton, picard, auvergnat, gascon, provençal, languedocien. Un père servait avec ses fils, un beau-père avec son gendre, un oncle avec ses neveux, un frère avec un frère, un cousin avec un cousin. Cet arrière-ban[1], tout ridicule qu'il paraissait, avait quelque chose d'honorable et de touchant, parce qu'il était animé de convictions sincères ; il offrait le spectacle de la vieille monarchie et donnait une dernière représentation d'un monde qui passait. J'ai vu de vieux gentilshommes, à mine sévère, à poil gris, habit déchiré, sac sur le dos, fusil en bandoulière, se traînant avec un bâton et soutenus sous le bras par un de leurs fils ; j'ai vu M. de Boishue, le père de mon camarade massacré aux Etats de Rennes auprès de moi, marcher seul et triste, pieds nus dans la boue, portant ses souliers à la pointe de sa baïonnette, de peur de les user ; j'ai vu de jeunes blessés couchés sous un arbre, et un aumônier en redingote et en étole, à genoux à leur chevet, les envoyant à saint Louis dont ils s'étaient efforcés de défendre les héritiers. Toute cette troupe pauvre ne recevant pas un sou des princes, faisait la guerre à ses dépens, tandis que les décrets achevaient de la dépouiller et jetaient nos femmes et nos mères dans les cachots.

Les vieillards d'autrefois étaient moins malheureux et moins isolés que ceux d'aujourd'hui : si, en demeurant sur la terre, ils avaient perdu leurs amis, peu de chose du reste avait changé autour d'eux ; étrangers à la jeunesse, ils ne l'étaient pas à la société. Maintenant, un traînard dans ce monde a non-seulement vu mourir les hommes, mais il a vu mourir les idées : principes, mœurs, goûts, plaisirs, peines, sentiments, rien ne ressemble à ce qu'il a connu. Il est d'une race différente de l'espèce humaine au milieu de laquelle il achève ses jours.

Et pourtant, France du dix-neuvième siècle, apprenez à estimer cette vieille France qui vous valait. Vous deviendrez vieille à votre tour et l'on vous accusera, comme on nous accusait, de tenir à des idées surannées. Ce sont vos

1. Levée extraordinaire des combattants qui n'avaient pas été compris dans la première levée.

pères que vous avez vaincus ; ne les reniez pas, vous êtes sortie de leur sang. S'ils n'eussent été généreusement fidèles aux antiques mœurs, vous n'auriez pas puisé dans cette fidélité native l'énergie qui a fait votre gloire dans les mœurs nouvelles ; ce n'est, entre les deux France, qu'une transformation de vertu.

Londres, d'avril à septembre 1822.

COMMENCEMENT DU SIÈGE DE THIONVILLE. — LE CHEVALIER DE LA BARONNAIS.

AUPRÈS de notre camp indigent et obscur, en existait un autre brillant et riche. A l'état-major, on ne voyait que fourgons remplis de comestibles ; on n'apercevait que cuisiniers, valets, aides-de-camp. Rien ne représentait mieux la cour et la province, la monarchie expirante à Versailles et la monarchie mourante dans les bruyères de Du Guesclin. Les aides-de-camp nous étaient devenus odieux ; quand il y avait quelque affaire devant Thionville, nous criions : « En avant, les aides-de-camp ! » comme les patriotes criaient : « En « avant, les officiers ! »

J'éprouvai un saisissement de cœur, lorsqu'arrivés par un jour sombre en vue des bois qui bordaient l'horizon, on nous dit que ces bois étaient en France. Passer en armes la frontière de mon pays me fit un effet que je ne puis rendre : j'eus comme une espèce de révélation de l'avenir, d'autant que je ne partageais aucune des illusions de mes camarades, ni relativement à la cause qu'ils soutenaient, ni pour le triomphe dont ils se berçaient ; j'étais là comme

Falkland [1] dans l'armée de Charles Ier. Il n'y avait pas un chevalier de la Manche, malade, éclopé, coiffé d'un bonnet de nuit sous son castor à trois cornes, qui ne se crût très-fermement capable de mettre en fuite, à lui tout seul, cinquante jeunes vigoureux patriotes. Ce respectable et plaisant orgueil, source de prodiges à une autre époque, ne m'avait pas atteint : je ne me sentais pas aussi convaincu de la force de mon invincible bras.

Nous surgîmes invaincus à Thionville, le 1er septembre ; car, chemin faisant, nous ne rencontrâmes personne. La cavalerie campa à droite, l'infanterie à gauche du grand chemin qui conduisait à la ville du côté de l'Allemagne. De l'assiette du camp, on ne découvrait pas la forteresse ; mais à six cents pas en avant, on arrivait à la crête d'une colline d'où l'œil plongeait dans la vallée de la Moselle. Les cavaliers de la marine liaient la droite de notre infanterie au corps autrichien du prince de Waldeck, et la gauche de la même infanterie se couvrait des dix-huit cents chevaux de la Maison-Rouge et de Royal-Allemand. Nous nous retranchâmes sur le front par un fossé, le long duquel étaient rangés les faisceaux d'armes. Les huit compagnies bretonnes occupaient deux rues transversales du camp, et au-dessous de nous s'alignait la compagnie des officiers de Navarre, mes camarades.

Ces travaux, qui durèrent trois jours, étant achevés, Monsieur et le comte d'Artois arrivèrent ; ils firent la reconnaissance de la place, qu'on somma en vain, quoique Wimpfen [2] la semblât vouloir rendre. Comme le grand Condé, nous n'avions pas gagné la bataille de Rocroi, ainsi nous ne pûmes nous emparer de Thionville ; mais nous ne fûmes pas battus sous ses murs, comme Feuquières [3]. On se logea sur la voie publique, dans la tête d'un village servant de faubourg à la ville, en dehors de l'ouvrage à cornes qui défendait le pont de la Moselle. On se fusilla de maison en

1. Favorable au fond à la cause du Parlement, Lucius Carey, vicomte de Falkland, se fit tuer pour son roi, Charles Ier, en 1643.

2. Le baron de Wimpfen, ancien député de Caen à la Constituante, défendait Thionville qu'attaquait le prince de Waldeck.

3. Sous Louis XIII, le marquis de Feuquières ne put chasser les Espagnols de Thionville.

maison ; notre poste se maintint en possession de celles qu'il avait prises. Je n'assistai point à cette première affaire ; Armand, mon cousin, s'y trouva et s'y comporta bien. Pendant qu'on se battait dans ce village, ma compagnie était commandée pour une batterie à établir au bord d'un bois qui coiffait le sommet d'une colline. Sur la déclivité de cette colline, des vignes descendaient jusqu'à la plaine adhérante aux fortifications extérieures de Thionville.

L'ingénieur qui nous dirigeait nous fit élever un cavalier gazonné, destiné à nos canons ; nous filâmes un boyau parallèle, à ciel ouvert, pour nous mettre au-dessous du boulet. Ces terrasses allaient lentement, car nous étions tous officiers jeunes et vieux, peu accoutumés à remuer la pelle et la pioche. Nous manquions de brouettes, et nous portions la terre dans nos habits, qui nous servaient de sacs. Le feu d'une lunette s'ouvrit sur nous ; il nous incommodait d'autant plus, que nous ne pouvions riposter : deux pièces de huit et un obusier à la Cohorn[1], qui n'avait pas la portée, étaient toute notre artillerie. Le premier obus que nous lançâmes tomba en dehors des glacis ; il excita les huées de la garnison. Peu de jours après, il nous arriva des canons et des canonniers autrichiens. Cent hommes d'infanterie et un piquet de cavalerie de la marine furent, toutes les vingt-quatre heures, relevés à cette batterie. Les assiégés se disposèrent à l'attaquer ; on remarquait avec le télescope du mouvement sur les remparts. A l'entrée de la nuit, on vit une colonne sortir par une poterne et gagner la lunette à l'abri du chemin couvert. Ma compagnie fut commandée de renfort. A la pointe du jour, cinq ou six cents patriotes engagèrent l'action dans le village, sur le grand chemin, au-dessus de la ville ; puis, tournant à gauche, ils vinrent à travers les vignes prendre notre batterie en flanc. La marine chargea bravement, mais elle fut culbutée et nous découvrit. Nous étions trop mal armés pour croiser le feu ; nous marchâmes la baïonnette en avant. Les assaillants se retirèrent je ne sais pourquoi ; s'ils eussent tenu, ils nous enlevaient.

1. Engin de tranchée. — Le baron de Cohorn (1641-1704), ingénieur de l'armée hollandaise, l'avait imaginé.

Nous eûmes plusieurs blessés et quelques morts, entre autres le chevalier de La Baronnais, capitaine d'une des compagnies bretonnes. Je lui portai malheur : la balle qui lui ôta la vie, fit ricochet sur le canon de mon fusil et le frappa d'une telle raideur, qu'elle lui perça les deux tempes ; sa cervelle me sauta au visage. Inutile et noble victime d'une cause perdue ! Quand le maréchal d'Aubeterre tint les Etats de Bretagne, il passa chez M. de La Baronnais le père, pauvre gentilhomme, demeurant à Dinard, près de Saint-Malo ; le maréchal, qui l'avait supplié de n'inviter personne, aperçut en entrant une table de vingt-cinq couverts, et gronda amicalement son hôte. « Monseigneur, lui dit M. de La Baronnais, je n'ai à dîner que mes enfants. » M. de La Baronnais avait vingt-deux garçons et une fille, tous de la même mère. La Révolution a fauché, avant la maturité, cette riche moisson du père de famille.

Londres, d'avril à septembre 1822.

CONTINUATION DU SIÉGE. — CONTRASTES. — SAINTS DANS LES BOIS. — BATAILLE DE BOUVINES. — PATROUILLE. — RENCONTRE IMPRÉVUE. — EFFETS D'UN BOULET ET D'UNE BOMBE.

LE corps autrichien de Waldeck commença d'opérer. L'attaque devint plus vive de notre côté. C'était un beau spectacle la nuit : des pots-à-feu illuminaient les ouvrages de la place, couverts de soldats ; des lueurs subites frappaient les nuages ou le zénith bleu, lorsqu'on mettait le feu aux canons, et les bombes, se croisant en l'air, décrivaient une parabole de lumière. Dans les intervalles des détonations, on entendait des roulements de tambour, des éclats de musique militaire, et la voix des factionnaires sur les remparts de Thionville et à nos postes ; malheureusement, ils criaient en français dans les deux camps : « Sentinelles, prenez garde à vous ! »

Si les combats avaient lieu à l'aube, il arrivait que l'hymne de l'alouette succédait au bruit de la mousqueterie, tandis que les canons qui ne tiraient plus, nous regardaient bouche béante silencieusement par les embrasures. Le chant de l'oiseau, en rappelant les souvenirs de la vie pastorale, semblait faire un reproche aux hommes. Il en était de même lorsque je rencontrais quelques tués parmi des champs de luzerne en fleurs, ou au bord d'un courant d'eau qui baignait la chevelure de ces morts. Dans les bois, à quelques pas des violences de la guerre, je trouvais de petites statues des saints et de la Vierge. Un chevrier, un pâtre, un mendiant portant besace, agenouillés devant ces pacificateurs, disaient leur chapelet au bruit lointain du canon. Toute une commune vint une fois avec son pasteur offrir des bouquets au patron d'une paroisse voisine dont l'image demeurait dans une futaie, en face d'une fontaine. Le curé était aveugle ; soldat de la milice de Dieu, il avait perdu la vue dans les bonnes œuvres, comme un grenadier sur le champ de bataille. Le vicaire donnait la communion pour son curé, parce que celui-ci n'aurait pu déposer la sainte hostie sur les lèvres des communiants. Pendant cette cérémonie, et du sein de la nuit, il bénissait la lumière !

Nos pères croyaient que les patrons des hameaux, Jean le *Silentiaire*, Dominique l'*Encuirassé*, Jacques l'*Intercis* [1], Paul le *Simple*, Basle l'*Ermite*, et tant d'autres n'étaient point étrangers au triomphe des armes par qui les moissons sont protégées. Le jour même de la bataille de Bouvines, des voleurs s'introduisirent, à Auxerre, dans un couvent sous l'invocation de saint Germain, et dérobèrent les vases sacrés. Le sacristain se présente devant la châsse du bienheureux évêque, et lui dit en gémissant : « Germain, où étais-tu, « lorsque ces brigands ont osé violer ton sanctuaire ? » Une voix sortant de la châsse répondit : « J'étais auprès de « Cisoing, non loin du pont de Bouvines ; avec d'autres

---

1. Le mutilé (*intercisus*). Saint Jacques l'Intercis, martyr persan (Ve siècle), fut condamné à avoir les membres coupés.

« saints, j'aidais les Français et leur Roi à qui une victoire
« éclatante a été donnée par notre secours » :

Cui fuit auxilio victoria praestita nostro [1].

Nous faisions des battues dans la plaine, et nous les
poussions jusqu'aux hameaux, sous les premiers retranche-
ments de Thionville. Le village du grand chemin trans-Mo-
selle était sans cesse pris et repris. Je me trouvai deux fois à
ces assauts. Les patriotes nous traitaient d'*ennemis de la
liberté*, d'*aristocrates*, de *satellites de Capet;* nous les appe-
lions *brigands*, *coupe-têtes*, *traîtres* et *révolutionnaires*. On
s'arrêtait quelquefois, et un duel avait lieu au milieu des
combattants devenus témoins impartiaux ; singulier caractère français que les passions même ne peuvent étouffer !

Un jour, j'étais de patrouille dans une vigne, j'avais à
vingt pas de moi un vieux gentilhomme chasseur qui
frappait avec le bout de son fusil sur les ceps, comme pour
débusquer un lièvre, puis il regardait vivement autour de lui
dans l'espoir de voir partir un *patriote;* chacun était là avec
ses mœurs.

Un autre jour, j'allai visiter le camp autrichien : entre ce
camp et celui de la cavalerie de la marine se déployait le
rideau d'un bois contre lequel la place dirigeait mal à
propos son feu ; la ville tirait trop, elle nous croyait plus
nombreux que nous l'étions, ce qui explique les pompeux
bulletins du commandant de Thionville. Comme je traversais ce bois, j'aperçois quelque chose qui remuait dans les
herbes ; je m'approche : un homme étendu de tout son long,
le nez en terre, ne présentait qu'un large dos. Je le crus
blessé : je le pris par le chignon du cou, et lui soulevai à
demi la tête. Il ouvre des yeux effarés, se redresse un peu en
s'appuyant sur ses mains ; j'éclate de rire : c'était mon
cousin Moreau ! Je ne l'avais pas vu depuis notre visite à
madame de Chatenay.

Couché sur le ventre à la descente d'une bombe, il lui

1. Guillaume le Breton (1165-1227), chroniqueur et poète, était le
conseiller de Philippe Auguste et rima à sa gloire un poème latin, *La
Philippide,* d'où ce vers est tiré.

avait été impossible de se relever. J'eus toutes les peines du monde à le mettre debout ; sa bedaine était triplée. Il m'apprit qu'il servait dans les vivres et qu'il allait proposer des bœufs aux prince de Waldeck. Au reste, il portait un chapelet ; Hugues Métel [1] parle d'un loup qui résolut d'embrasser l'état monastique ; mais n'ayant pu s'habituer au maigre, il se fit chanoine.

En rentrant au camp, un officier du génie passa près de moi, menant son cheval par la bride ; un boulet atteint la bête à l'endroit le plus étroit de l'encolure et la coupe net ; la tête et le cou restent pendus à la main du cavalier qu'ils entraînent à terre de leur poids. J'avais vu une bombe tomber au milieu d'un cercle d'officiers de marine qui mangeaient assis en rond : la gamelle disparut ; les officiers culbutés et ensablés criaient comme le vieux capitaine de vaisseau : « Feu de tribord, feu de babord, feu partout ! feu dans ma perruque ! »

Ces coups singuliers semblent appartenir à Thionville : en 1558, François de Guise mit le siège devant cette place. Le maréchal Strozzi [2] y fut tué *parlant dans la tranchée audit sieur de Guise qui lui tenait lors la main sur l'épaule.*

Londres, d'avril à septembre 1822.

MARCHÉ DU CAMP.

IL s'était formé derrière notre camp une espèce de marché. Les paysans avaient amené des quartauts de vin blanc de Moselle, qui demeuraient sur les voitures : les chevaux

1. Rimeur du **XII**ᵉ siècle ; on lui attribue la fable du *loup qui se fit ermite.*
2. Florentin, cousin de Catherine de Médicis, maréchal de France.

dételés mangeaient attachés à un bout des charrettes, tandis qu'on buvait à l'autre bout. Des fouées [1] brillaient çà et là. On faisait frire des saucisses dans des poëlons, bouillir des gaudes [2] dans des bassines, sauter des crêpes sur des plaques de fonte, enfler des pancakes [3] sur des paniers. On vendait des galettes anisées, des pains de seigle d'un sou, des gâteaux de maïs, des pommes vertes, des œufs rouges et blancs, des pipes et du tabac, sous un arbre aux branches duquel pendaient des capotes de gros drap, marchandées par les passants. Des villageoises à califourchon sur un escabeau portatif, trayaient des vaches, chacun présentant sa tasse à la laitière et attendant son tour. On voyait rôder devant les fourneaux les vivandiers en blouse, les militaires en uniforme. Des cantinières allaient criant en allemand et en français. Des groupes se tenaient debout, d'autres assis à des tables de sapin plantées de travers sur un sol raboteux. On s'abritait à l'aventure sous une toile d'emballage ou sous des rameaux coupés dans la forêt, comme à Pâques fleuries [4]. Je crois aussi qu'il y avait des noces dans les fourgons couverts, en souvenir des rois franks. Les patriotes auraient pu facilement, à l'exemple de Majorien, enlever le chariot de la mariée : *Rapit esseda victor, Nubentemque nurum.* (Sidoine Apollinaire [5]). On chantait, on riait, on fumait. Cette scène était extrêmement gaie la nuit, entre les feux qui l'éclairaient à terre et les étoiles qui brillaient au-dessus.

Quand je n'étais ni de garde aux batteries ni de service à la tente, j'aimais à souper à la foire. Là recommençaient les histoires du camp; mais animées de rogome [6] et de chèrelie [7], elles étaient beaucoup plus belles.

Un de nos camarades, capitaine à brevet, dont le nom s'est perdu pour moi dans celui de *Dinarzade* [8] que nous lui avions donné, était célèbre par ses contes; il eût été plus

1. Feux allumés dans un four.
2. Bouillies de farine de maïs.
3. Crêpes (terme dialectal).
4. Le dimanche des Rameaux.
5. Evêque de Clermont et poëte (ve siècle) : « Le vainqueur s'empara des chariots et de la mariée ».
6. Eau-de-vie.
7. Ripaille.
8. La sœur de Shéhérazade.

correct de dire *Sheherazade,* mais nous n'y regardions pas de si près. Aussitôt que nous le voyions, nous courions à lui, nous nous le disputions : c'était à qui l'aurait à son écot. Taille courte, cuisses longues, figure avalée, moustaches tristes, yeux faisant la virgule à l'angle extérieur, voix creuse, grande épée à fourreau café au lait, prestance de poëte militaire, entre le suicide et le luron, Dinarzade, goguenard sérieux, ne riait jamais et on le pouvait regarder sans rire. Il était le témoin obligé de tous les duels et l'amoureux de toutes les dames de comptoir. Il prenait au tragique tout ce qu'il disait et n'interrompait sa narration que pour boire à même d'une bouteille, rallumer sa pipe ou avaler une saucisse.

Une nuit qu'il pleuvinait, nous faisions cercle au robinet d'un tonneau penché vers nous sur une charrette dont les brancards étaient en l'air. Une chandelle collée à la futaille nous éclairait ; un morceau de serpillière, tendu du bout des brancards à deux poteaux, nous servait de toit. — Dinarzade, son épée de guingois à la façon de Frédéric II, debout entre une roue de la voiture et la croupe d'un cheval, racontait une histoire à notre grande satisfaction. Les cantinières qui nous apportaient la pitance, restaient avec nous pour écouter notre Arabe. La troupe attentive des bacchantes et des silènes qui formaient le chœur, accompagnait le récit des marques de sa surprise, de son approbation ou de son improbation.

« Messieurs, disait le ramenteur [1], vous avez tous « connu le chevalier Vert, qui vivait au temps du roi Jean ? » Et chacun de répondre : « Oui, oui. » Dinarzarde engloutit, en se brûlant, une crêpe roulée.

« Ce chevalier Vert, messieurs, vous le savez, puis- « que vous l'avez vu, était fort beau : quand le vent « rebroussait ses cheveux roux sur son casque, cela ressem- « blait à un tortis de filasse autour d'un turban vert. »

L'assemblée : « Bravo ! »

« Par une soirée de mai, il sonna du cor au pont-levis

1. Celui qui rappelle de vieilles histoires (« ramentevoir » signifie : rappeler).

« d'un château de Picardie, ou d'Auvergne, n'importe. Dans
« ce château demeurait la *Dame des grandes compagnies.*
« Elle reçut bien le chevalier, le fit désarmer, conduire au
« bain et se vint asseoir avec lui à une table magnifique ;
« mais elle ne mangea point, et les pages-servants étaient
« muets. »

L'assemblée : « Oh ! oh ! »

« La dame, messieurs, était grande, plate, maigre et
« disloquée comme la femme du major ; d'ailleurs, beau-
« coup de physionomie et l'air coquet. Lorsqu'elle riait et
« montrait ses dents longues sous son nez court, on ne
« savait plus où l'on en était. Elle devint amoureuse du
« chevalier et le chevalier amoureux de la dame, bien qu'il
« en eût peur. »

Dinarzade vida la cendre de sa pipe sur la jante de la roue
et voulut recharger son brûle-gueule ; on le força de continuer :

« Le chevalier Vert, tout anéanti, se résolut de
« quitter le château ; mais avant de partir, il requiert de la
« châtelaine l'explication de plusieurs choses étranges ; il lui
« faisait en même temps une offre loyale de mariage, si
« toutefois elle n'était pas sorcière. »

La rapière de Dinarzade était plantée droite et raide entre
ses genoux. Assis et penchés en avant, nous faisions au-dessous de lui, avec nos pipes, une guirlande de flammèches
comme l'anneau de Saturne. Tout à coup Dinarzade s'écria
comme hors de lui :

« Or, messieurs, la Dame des grandes compagnies,
« c'était la mort ! »

Et le capitaine, rompant les rangs et s'écriant : « La
« mort ! la mort ! » mit en fuite les cantinières. La séance fut
levée : le brouhaha fut grand et les rires prolongés. Nous
nous rapprochâmes de Thionville, au bruit du canon de la
place.

NUIT AUX FAISCEAUX D'ARMES. — CHIENS HOLLANDAIS. —
SOUVENIR DES MARTYRS. — QUELLE ÉTAIT MA COMPAGNIE
AUX AVANT-POSTES. — EUDORE. — ULYSSE.

LE siège continuait, ou plutôt il n'y avait pas de siège, car
on n'ouvrait point la tranchée et les troupes manquaient
pour investir régulièrement la place. On comptait sur des
intelligences, et l'on attendait la nouvelle des succès de
l'armée prussienne ou de celle de Clairfayt [1], avec laquelle
se trouvait le corps français du duc de Bourbon. Nos petites
ressources s'épuisaient ; Paris semblait s'éloigner. Le
mauvais temps ne cessait ; nous étions inondés au milieu
de nos travaux ; je m'éveillais quelquefois dans un
fossé avec de l'eau jusqu'au cou : le lendemain j'étais per-
clus.

Parmi mes compatriotes, j'avais rencontré Ferron de la
Sigonière, mon ancien camarade de classe à Dinan. Nous
dormions mal sous notre pavillon ; nos têtes, dépassant la
toile, recevaient la pluie de cette espèce de gouttière. Je me
levais et j'allais avec Ferron me promener devant les
faisceaux, car toutes nos nuits n'étaient pas aussi gaies que
celles de Dinarzade. Nous marchions en silence, écoutant la
voix des sentinelles, regardant les lumières des rues de nos
tentes, de même que nous avions vu autrefois au collège les
lampions de nos corridors. Nous causions du passé et de
l'avenir, des fautes que l'on avait commises, de celles que
l'on commettrait ; nous déplorions l'aveuglement des Princes, qui croyaient revenir dans leur patrie avec une poignée

1. Général autrichien.

de serviteurs, et raffermir par le bras de l'étranger la couronne sur la tête de leur frère. Je me souviens d'avoir dit à mon camarade, dans ces conversations, que la France voudrait imiter l'Angleterre, que le Roi périrait sur l'échafaud et que, vraisemblablement, notre expédition devant Thionville serait un des principaux chefs d'accusation contre Louis XVI. Ferron fut frappé de ma prédiction : c'est la première de ma vie. Depuis ce temps, j'en ai fait bien d'autres tout aussi vraies, tout aussi peu écoutées ; l'accident était-il arrivé ? on se mettait à l'abri, et l'on m'abandonnait aux prises avec le malheur que j'avais prévu. Quand les Hollandais essuient un coup de vent en haute mer, ils se retirent dans l'intérieur du navire, ferment les écoutilles et boivent du punch, laissant un chien sur le pont pour aboyer à la tempête ; le danger passé, on renvoie Fidèle à sa niche au fond de la cale, et le capitaine revient jouir du beau temps sur le gaillard. J'ai été le chien hollandais du vaisseau de la légitimité.

Les souvenirs de ma vie militaire se sont gravés dans ma pensée ; ce sont eux que j'ai retracés au sixième livre des *Martyrs*.

Barbare de l'Armorique au camp des princes, je portais Homère avec mon épée ; je préférais ma *patrie, la pauvre, la petite île* d'AARON[1] , *aux cent villes de la Crète*. Je disais comme Télémaque : « L'âpre pays qui ne nourrit que des « chèvres m'est plus agréable que ceux où l'on élève des « chevaux[2]. » Mes paroles auraient fait rire le candide[3] Ménélas,

1. La presqu'île de Saint-Malo.
2. C'est à Ménélas, à Sparte, que Télémaque tient ce langage (*Odyssée*, IV, 606).
3. Chateaubriand joue sur le mot français « bon » par lequel on traduit d'ordinaire l'adjectif grec « agathos ». En réalité, cet adjectif signifie, surtout chez Homère : brave, vaillant.

PASSAGE DE LA MOSELLE. — COMBAT. — LIBBA, SOURDE ET MUETTE. — ATTAQUE SUR THIONVILLE

LE bruit se répandit qu'enfin on allait en venir à une action ; le prince de Waldeck devait tenter un assaut, tandis que, traversant la rivière, nous ferions diversion par une fausse attaque sur la place du côté de la France.

Cinq compagnies bretonnes, la mienne comprise, la compagnie des officiers de Picardie et de Navarre, le régiment des volontaires, composé de jeunes paysans lorrains et de déserteurs des divers régiments, furent commandés de service. Nous devions être soutenus de Royal-Allemand, des escadrons des mousquetaires et des différents corps de dragons qui couvraient notre gauche : mon frère se trouvait dans cette cavalerie avec le baron de Montboissier qui avait épousé une fille de M. de Malesherbes, sœur de madame de Rosambo, et par conséquent tante de ma belle-sœur. Nous escortions trois compagnies d'artillerie autrichienne avec des pièces de gros calibre et une batterie de trois mortiers.

Nous partîmes à six heures du soir ; à dix, nous passâmes la Moselle, au-dessus de Thionville, sur des pontons de cuivre :

> *amœna fluenta*
> *Subterlabentis tacito rumore Mosellæ* [1] (AUSONE.)

Au lever du jour, nous étions en bataille sur la rive gauche, la grosse cavalerie s'échelonnant aux ailes, la légère en tête. A notre second mouvement, nous nous formâmes en colonne et nous commençâmes de défiler.

---

1. « Les flots riants de la Moselle qui coule au pied de la ville, silencieusement. » Le Bordelais Ausone (IVᵉ siècle ap. J.-C.) a laissé un poème latin sur la Moselle.

Vers neuf heures, nous entendîmes à notre gauche le feu d'une décharge. Un officier de carabiniers, accourant à bride abattue, vint nous apprendre qu'un détachement de l'armée de Kellermann était près de nous joindre et que l'action était déjà engagée entre les tirailleurs. Le cheval de cet officier avait été frappé d'une balle au chanfrein ; il se cabrait en jetant l'écume par la bouche et le sang par les naseaux : ce carabinier, le sabre à la main sur ce cheval blessé, était superbe. Le corps sorti de Metz manœuvrait pour nous prendre en flanc ; il avait des pièces de campagne dont le tir entama le régiment de nos volontaires. J'entendis les exclamations de quelques recrues touchés du boulet ; ces derniers cris de la jeunesse arrachée toute vivante de la vie me firent une profonde pitié : je pensai aux pauvres mères.

Les tambours battirent la charge, et nous allâmes en désordre à l'ennemi. On s'approcha de si près que la fumée n'empêchait pas de voir ce qu'il y a de terrible dans le visage d'un homme prêt à verser votre sang. Les patriotes n'avaient point encore acquis cet aplomb que donne la longue habitude des combats et de la victoire : leurs mouvements étaient mous, ils tâtonnaient ; cinquante grenadiers de la vieille garde auraient passé sur le ventre d'une masse hétérogène de vieux et jeunes nobles indisciplinés ; mille à douze cents fantassins s'étonnèrent de quelques coups de canon de la grosse artillerie autrichienne ; ils se retirèrent ; notre cavalerie les poursuivit pendant deux lieues.

Une sourde et muette allemande, appelée Libbe ou Libba, s'était attachée à mon cousin Armand et l'avait suivi. Je la trouvai assise sur l'herbe qui ensanglantait sa robe : son coude était posé sur ses genoux pliés et relevés ; sa main passée sous ses cheveux blonds épars appuyait sa tête. Elle pleurait en regardant trois ou quatre tués, nouveaux sourds et muets gisant autour d'elle. Elle n'avait point ouï les coups de la foudre dont elle voyait l'effet et n'entendait point les soupirs qui s'échappaient de ses lèvres quand elle regardait Armand ; elle n'avait jamais entendu le son de la voix de celui qu'elle aimait, et n'entendrait point le premier cri de l'enfant qu'elle portait dans son sein ; si le sépulcre ne renfermait que le silence, elle ne s'apercevrait pas d'y être descendue.

Au surplus, les champs de carnage sont partout ; au cimetière de l'Est [1], à Paris, vingt-sept mille tombeaux, deux cent trente mille corps vous apprendront quelle bataille la mort livre jour et nuit à votre porte.

Après une halte assez longue, nous reprîmes notre route, et nous arrivâmes à l'entrée de la nuit sous les murs de Thionville.

Les tambours ne battaient point ; le commandement se faisait à voix basse. La cavalerie, afin de repousser toute sortie, se glissa le long des chemins et des haies jusqu'à la porte que nous devions canonner. L'artillerie autrichienne, protégée par notre infanterie, prit position à vingt-cinq toises des ouvrages avancés, derrière des gabions épaulés à la hâte. A une heure du matin, le 6 septembre, une fusée lancée du camp du prince de Waldeck, de l'autre côté de la place, donna le signal. Le prince commença un feu nourri auquel la ville répondit vigoureusement. Nous tirâmes aussitôt.

Les assiégés, ne croyant pas que nous eussions des troupes de ce côté et n'ayant pas prévu cette insulte, n'avaient rien aux remparts du midi ; nous ne perdîmes pas pour attendre : la garnison arma une double batterie, qui perça nos épaulements et démonta deux de nos pièces. Le ciel était en feu ; nous étions ensevelis dans des torrents de fumée. Il m'arriva d'être un petit Alexandre : exténué de fatigue, je m'endormis profondément presque sous les roues des affûts où j'étais de garde. Un obus, crevé à six pouces de terre, m'envoya un éclat à la cuisse droite. Réveillé du coup, mais ne sentant point la douleur, je ne m'aperçus de ma blessure qu'à mon sang. J'entourai ma cuisse avec mon mouchoir. A l'affaire de la plaine, deux balles avaient frappé mon havresac pendant un mouvement de conversion. Atala, en fille dévouée, se plaça entre son père et le plomb ennemi : il lui restait à soutenir le feu de l'abbé Morellet [2].

A quatre heures du matin, le tir du prince de Waldeck cessa ; nous crûmes la ville rendue [3] ; mais les portes ne

1. Communément appelé cimetière du Père-Lachaise.
2. Cet encyclopédiste (1729-1819) critiquera aigrement *Atala*.
3. Nous crûmes qu'elle avait fait sa reddition.

s'ouvrirent point, et il nous fallut songer à la retraite. Nous rentrâmes dans nos positions, après une marche accablante de trois jours.

Le prince de Waldeck s'était approché jusqu'au bord des fossés qu'il avait essayé de franchir, espérant une reddition au moyen de l'attaque simultanée : on supposait toujours des divisions dans la ville, et l'on se flattait que le parti royaliste apporterait les clefs aux princes. Les Autrichiens, ayant tiré à barbette [1], perdirent un monde considérable ; le prince de Waldeck eut un bras emporté. Tandis que quelques gouttes de sang coulaient sous les murs de Thionville, le sang coulait à torrent dans les prisons de Paris : ma femme et mes sœurs étaient plus en danger que moi.

Londres, d'avril à septembre 1822.

LEVÉE DU SIÉGE. — ENTRÉE À VERDUN. — MALADIE PRUSSIENNE. — RETRAITE. — PETITE-VÉROLE.

NOUS levâmes le siège de Thionville et nous partîmes pour Verdun, rendu le 2 septembre aux alliés. Longwy, patrie de François de Mercy [2], était tombé le 23 août. De toutes parts des festons et des couronnes attestaient le passage de Frédéric-Guillaume.

Je remarquai, au milieu des paisibles trophées, l'aigle de Prusse attachée sur les fortifications de Vauban : elle n'y devait pas rester longtemps ; quant aux fleurs, elles allaient

---

1. A découvert, sans épaulement de terre pour se cacher.
2. Général allemand, adversaire de Condé et de Turenne.

bientôt voir se faner comme elles les innocentes créatures qui les avaient cueillies. Un des meurtres les plus atroces de la Terreur, fut celui des jeunes filles de Verdun.

« Quatorze jeunes filles de Verdun, dit Riouffe[1], d'une « candeur sans exemple, et qui avaient l'air de jeunes « vierges parées pour une fête publique, furent menées « ensemble à l'échafaud. Elles disparurent tout à coup et « furent moissonnées dans leur printemps ; la *Cour des* « *femmes* avait l'air, le lendemain de leur mort, d'un « parterre dégarni de ses fleurs par un orage Je n'ai jamais « vu parmi nous de désespoir pareil à celui qu'excita cette « barbarie. »

Verdun est célèbre par ses sacrifices de femmes. Au dire de Grégoire de Tours, Deuteric, voulant dérober sa fille aux poursuites de Théodebert, la plaça dans un tombereau attelé de deux bœufs indomptés et la fit précipiter dans la Meuse. L'instigateur du massacre des jeunes filles de Verdun, fut le poëtereau régicide, Pons[2] de Verdun, acharné contre sa ville natale. Ce que l'*Almanach des Muses* a fourni d'agents de la Terreur est incroyable ; la vanité des médiocrités en souffrance produisit autant de révolutionnaires que l'orgueil blessé des culs-de-jatte et des avortons : révolte analogue des infirmités de l'esprit et de celles du corps. Pons attacha à ses épigrammes émoussées la pointe d'un poignard. Fidèle apparemment aux traditions de la Grèce, le poëte ne voulait offrir à ses dieux que le sang des vierges : car la Convention décréta, sur son rapport, qu'aucune femme enceinte ne pouvait être mise en jugement. Il fit aussi annuler la sentence qui condamnait à mort madame de Bonchamp, veuve du célèbre général vendéen. Hélas ! nous autres royalistes à la suite des Princes, nous arrivâmes aux revers de la Vendée, sans avoir passé par sa gloire.

Nous n'avions pas à Verdun, pour passer le temps, « cette « fameuse comtesse de Saint-Balmont[3], qui, après avoir « quitté les habits de femme, montait à cheval et servoit « elle-même d'escorte aux dames qui l'accompagnoient et

---

1. Historien et administrateur français.

2. Ce conventionnel devint magistrat sous l'Empire.

3. Héroïne de la guerre de Trente Ans ; son mari combattait dans les armées impériales.

« qu'elle avoit laissées dans son carrosse... » Nous n'étions pas passionnés pour *le vieux gaulois,* et nous ne nous écrivions pas *des billets en langage d'Amadis* (Arnauld 1.)

La maladie des Prussiens 2 se communiqua à notre petite armée ; j'en fus atteint. Notre cavalerie était allée rejoindre Frédéric-Guillaume à Valmy. Nous ignorions ce qui se passait, et nous attendions d'heure en heure l'ordre de nous porter en avant ; nous reçûmes celui de battre en retraite.

Extrêmement affaibli, et ma gênante blessure ne me permettant de marcher qu'avec douleur, je me traînai comme je pus à la suite de ma compagnie, qui bientôt se débanda. Jean Balue, fils d'un meunier de Verdun, partit fort jeune de chez son père avec un moine qui le chargea de sa besace. En sortant de Verdun, la *colline du gué* selon Saumaise *(ver dunum),* je portais la besace de la monarchie, mais je ne suis devenu ni contrôleur des finances, ni évêque, ni cardinal.

Si, dans les romans que j'ai écrits, j'ai touché à ma propre histoire, dans les histoires que j'ai racontées j'ai placé des souvenirs de l'histoire vivante dont j'avais fait partie. Ainsi, dans la vie du duc de Berry, j'ai retracé quelques-unes des scènes qui s'étaient passées sous mes yeux :

« Quand on licencie une armée, elle retourne dans ses
« foyers ; mais les soldats de l'armée de Condé avaient-ils
« des foyers ? Où les devait guider le bâton qu'on leur
« permettait à peine de couper dans les bois de l'Allemagne,
« après avoir déposé le mousquet qu'ils avaient pris pour la
« défense de leur Roi ? . . . .

. . . .

« Il fallut se séparer. Les frères d'armes se dirent un dernier
« adieu, et prirent divers chemins sur la terre. Tous allèrent,
« avant de partir, saluer leur père et leur capitaine, le vieux
« Condé en cheveux blancs : le patriarche de la gloire
« donna sa bénédiction à ses enfants, pleura sur sa tribu
« dispersée, et vit tomber les tentes de son camp avec la

1. C'est aux Mémoires de l'abbé Arnauld, fils d'Arnauld d'Andilly, que Chateaubriand emprunte cette citation et ces expressions.
2. La dysenterie.

« douleur d'un homme qui voit s'écrouler les toits pater-
« nels. »

Moins de vingt ans après, le chef de la nouvelle armée
française, Bonaparte, prit aussi congé de ses compagnons ;
tant les hommes et les empires passent vite ! tant la
renommée la plus extraordinaire ne sauve pas du destin le
plus commun !

Nous quittâmes Verdun. Les pluies avaient défoncé les
chemins ; on rencontrait partout caissons, affûts, canons
embourbés, chariots renversés, vivandières avec leurs
enfants sur leur dos, soldats expirants ou expirés dans la
boue. En traversant une terre labourée, j'y restai enfoncé
jusqu'aux genoux ; Ferron et un autre de mes camarades
m'en arrachèrent malgré moi : je les priais de me laisser là ;
je préférais mourir.

Le capitaine de ma compagnie, M. de Goyon Miniac, me
délivra le 16 octobre, au camp près de Longwy, un certificat
fort honorable. A Arlon, nous aperçûmes sur la grande
route une file de chariots attelés : les chevaux, les uns
debout, les autres agenouillés, les autres appuyés sur le nez
étaient morts, et leurs cadavres se tenaient raidis entre les
brancards : on eût dit des ombres d'une bataille bivoua-
quant au bord du Styx. Ferron me demanda ce que je
comptais faire, je lui répondis : « Si je puis parvenir à
« Ostende, je m'embarquerai pour Jersey où je trouverai
« mon oncle de Bedée ; de là, je serai à même de rejoindre
« les royalistes de Bretagne. »

La fièvre me minait ; je ne me soutenais qu'avec peine sur
ma cuisse enflée. Je me sentis saisi d'un autre mal. Après
vingt-quatre heures de vomissements, une ébullition me
couvrit le corps et le visage ; une petite-vérole confluente se
déclara ; elle rentrait et sortait alternativement selon les
impressions de l'air. Arrangé de la sorte, je commençai à
pied un voyage de deux cents lieues, riche que j'étais de
dix-huit livres tournois ; tout cela pour la plus grande gloire
de la monarchie. Ferron, qui m'avait prêté mes six petits
écus de trois francs, étant attendu à Luxembourg, me
quitta.

Revu en février 1845.

LES ARDENNES.

EN sortant d'Arlon, une charrette de paysan me prit pour la somme de quatre sous, et me déposa à cinq lieues de là sur un tas de pierres. Ayant sautillé quelques pas à l'aide de ma béquille, je lavai le linge de mon éraflure devenue plaie, dans une source qui ruisselait au bord du chemin, ce qui me fit grand bien. La petite-vérole était complètement sortie, et je me sentais soulagé. Je n'avais point abandonné mon sac dont les bretelles me coupaient les épaules.

Je passai une première nuit dans une grange, et ne mangeai point. La femme du paysan, propriétaire de la grange, refusa le loyer de ma couchée ; elle m'apporta au lever du jour une grande écuelle de café au lait avec de la miche noire que je trouvai excellente. Je me remis en route tout gaillard, bien que je tombasse souvent. Je fus rejoint par quatre ou cinq de mes camarades qui prirent mon sac ; ils étaient aussi fort malades. Nous rencontrâmes des villageois ; de charrettes en charrettes, nous gagnâmes pendant cinq jours assez de chemin dans les Ardennes pour atteindre Attert, Flamizoul et Bellevue. Le sixième jour, je me retrouvai seul. Ma petite-vérole blanchissait et s'aplatissait.

Après avoir marché deux lieues, qui me coûtèrent six heures de temps, j'aperçus une famille de bohémiens campée avec deux chèvres et un âne, derrière un fossé, autour d'un feu de brandes. A peine arrivais-je, je me laissai choir, et les singulières créatures s'empressèrent de me secourir. Une jeune femme en haillons, vive, brune, mutine, chantait, sautait, tournait, en tenant de biais son enfant sur son sein, comme la vielle dont elle aurait animé sa danse, puis elle s'asseyait sur ses talons tout contre moi, me regardait curieusement à la lueur du feu, prenait ma main mourante pour me dire ma bonne aventure, en me demandant un *petit sou ;* c'était trop cher. Il était difficile d'avoir plus de science, de gentillesse et de misère que ma sibylle des Ardennes. Je ne sais quand les nomades dont j'aurais été un digne fils, me quittèrent ; lorsque, à l'aube, je sortis de mon engourdissement, je ne les trouvai plus. Ma bonne aventurière s'en était allée avec le secret de mon avenir. En échange de mon *petit sou,* elle avait déposé à mon chevet une pomme qui servit à me rafraîchir la bouche. Je me secouai comme Jeannot Lapin parmi le *thym* [1] et la *rosée ;* mais je ne pouvais ni *brouter,* ni *trotter,* ni faire beaucoup de *tours.* Je me levai néanmoins dans l'intention de faire *ma cour à l'aurore :* elle était bien belle, et j'étais bien laid ; son visage rose annonçait sa bonne santé ; elle se portait mieux que le pauvre Céphale [2] de l'Armorique. Quoique jeunes tous deux, nous étions de vieux amis, et je me figurai que ce matin-là ses pleurs étaient pour moi.

Je m'enfonçai dans la forêt, je n'étais pas trop triste ; la solitude m'avait rendu à ma nature. Je chantonnais la romance de l'infortuné Cazotte [3] :

Tout au beau milieu des Ardennes,
  Est un château sur le haut d'un rocher, etc., etc.

N'était-ce point dans le donjon de ce château des fantô-

---

1. On relèvera dans tout ce passage des allusions à la fable de La Fontaine, *Le chat, la belette et le petit lapin.*
2. Le prince dont l'Aurore était amoureuse.
3. Illuminé (1720-1792). Il est mort sur l'échafaud.

mes, que le roi d'Espagne, Philippe II, fit enfermer mon compatriote, le capitaine La Noue, qui eut pour grand'mère une Chateaubriand ? Philippe consentait à relâcher l'illustre prisonnier, si celui-ci consentait à se laisser crever les yeux ; La Noue fut au moment d'accepter la proposition, tant il avait soif de retrouver sa chère Bretagne. Hélas ! j'étais possédé du même désir, et pour m'ôter la vue, je n'avais besoin que du mal dont il avait plu à Dieu de m'affliger. Je ne rencontrai pas *sire Enguerrand venant d'Espagne* [1], mais de pauvres traîne-malheurs, de petits marchands forains qui avaient, comme moi, toute leur fortune sur leur dos. Un bûcheron, avec des genouillères de feutre, entrait dans le bois : il aurait dû me prendre pour une branche morte et m'abattre. Quelques corneilles, quelques alouettes, quelques bruants, espèce de gros pinsons, trottaient sur le chemin ou posaient immobiles sur le cordon de pierres, attentifs à l'émouchet qui planait circulairement dans le ciel. De fois à autre, j'entendais le son de la trompe du porcher gardant ses truies et leurs petits à la glandée. Je me reposai à la hutte roulante d'un berger ; je n'y trouvai pour maître qu'un chaton qui me fit mille gracieuses caresses. Le berger se tenait au loin, debout, au centre d'un parcours [2], ses chiens assis à différentes distances autour des moutons ; le jour, ce pâtre cueillait des simples, c'était un médecin et un sorcier ; la nuit, il regardait les étoiles, c'était un berger Chaldéen.

Je stationnai, une demi-lieue plus haut, dans un viandis [3] de cerfs : des chasseurs passaient à l'extrémité. Une fontaine sourdait à mes pieds ; au fond de cette fontaine, dans cette même forêt, Roland *innamorato,* non pas *furioso* [4]. aperçut un palais de cristal rempli de dames et de chevaliers. Si le paladin, qui rejoignit les brillantes naïades, avait du moins laissé Bride-d'Or [5] au bord de la source ; si Shakspeare m'eût envoyé Rosalinde et le Duc exilé [6], ils m'auraient été bien secourables.

1. Encore un emprunt à la romance de Cazotte.
2. Terrain communal où les troupeaux ont le droit de paître.
3. Une clairière où les cerfs viennent brouter.
4. Amoureux et non furieux : allusion au *Roland furieux* de l'Arioste.
5. Le cheval de Roland.
6. Allusion à la comédie de Shakespeare *Comme il vous plaira.*

Ayant repris haleine, je continuai ma route. Mes idées affaiblies flottaient dans un vague non sans charme ; mes anciens fantômes, ayant à peine la consistance d'ombres aux trois quarts effacées, m'entouraient pour me dire adieu. Je n'avais plus la force des souvenirs ; je voyais dans un lointain indéterminé, et mêlées à des images inconnues, les formes aériennes de mes parents et de mes amis. Quand je m'asseyais contre une borne du chemin, je croyais apercevoir des visages me souriant au seuil des distantes cabanes, dans la fumée bleue échappée du toit des chaumières, dans la cime des arbres, dans le transparent des nuées, dans les gerbes lumineuses du soleil traînant ses rayons sur les bruyères comme un râteau d'or. Ces apparitions étaient celles des Muses qui venaient assister à la mort du poëte : ma tombe, creusée avec les montants de leurs lyres sous un chêne des Ardennes, aurait assez bien convenu au soldat et au voyageur. Quelques gelinottes, fourvoyées dans le gîte des lièvres sous des troènes, faisaient seules, avec des insectes, quelques murmures autour de moi ; vies aussi légères, aussi ignorées que ma vie. Je ne pouvais plus marcher ; je me sentais extrêmement mal ; la petite-vérole rentrait et m'étouffait.

Vers la fin du jour, je m'étendis sur le dos à terre, dans un fossé, la tête soutenue par le sac d'Atala, ma béquille à mes côtés, les yeux attachés sur le soleil, dont les regards s'éteignaient avec les miens. Je saluai de toute la douceur de ma pensée l'astre qui avait éclairé ma première jeunesse dans mes landes paternelles : nous nous couchions ensemble, lui pour se lever plus glorieux, moi, selon toutes les vraisemblances, pour ne me réveiller jamais. Je m'évanouis dans un sentiment de religion : le dernier bruit que j'entendis était la chute d'une feuille et le sifflement d'un bouvreuil.

FOURGONS DU PRINCE DE LIGNE. — FEMMES DE NAMUR. —
JE RETROUVE MON FRÈRE À BRUXELLES. — NOS DERNIERS
ADIEUX.

IL paraît que je demeurai à peu près deux heures en
défaillance. Les fourgons du prince de Ligne[1] vinrent à
passer ; un des conducteurs s'étant arrêté pour couper un
scion de bouleau, trébucha sur moi sans me voir : il me crut
mort et me poussa du pied ; je donnai un signe de vie. Le
conducteur appela ses camarades, et, par un instinct de
pitié, ils me jetèrent sur un chariot. Les cahots me
ressuscitèrent ; je pus parler à mes sauveurs ; je leur dis que
j'étais un soldat de l'armée des Princes, que s'ils voulaient
me mener jusqu'à Bruxelles, où ils allaient, je les récompen-
serais de leur peine. « Bien, camarade, » me répondit l'un
« d'eux, mais il faudra que tu descendes à Namur, car il
« nous est défendu de nous charger de personne. Nous te
« reprendrons de l'autre côté de la ville. » Je demandai à
boire ; j'avalai quelques gouttes d'eau-de-vie qui firent
reparaître en dehors les symptômes de mon mal et débarras-
sèrent un moment ma poitrine : la nature m'avait doué
d'une force extraordinaire.

Nous arrivâmes vers dix heures du matin dans les faubourgs de Namur. Je mis pied à terre et suivis de loin les
chariots ; je les perdis bientôt de vue. A l'entrée de la ville,
on m'arrêta. Tandis qu'on examinait mes papiers, je m'assis
sous la porte. Les soldats de garde, à la vue de mon
uniforme, m'offrirent un chiffon de pain de munition, et le
caporal me présenta, dans un godet de verre bleu, du
brandevin au poivre. Je faisais quelques façons pour boire à
la coupe de l'hospitalité militaire : « Prends donc ! »
s'écria-t-il en colère, en accompagnant son injonction d'un
Sacrament der Teufel (sacrement du diable) !

Ma traversée de Namur fut pénible : j'allais, m'appuyant

1. Né à Bruxelles, il servait dans l'armée autrichienne (1735-1814).

contre les maisons. La première femme qui m'aperçut sortit de sa boutique, me donna le bras avec un air de compatissance, et m'aida à me traîner ; je la remerciai et elle répondit : « Non, non, soldat. » Bientôt d'autres femmes accoururent, apportèrent du pain, du vin, des fruits, du lait, du bouillon, de vieilles nippes, des couvertures. « Il est blessé, » disaient les unes dans leur patois français-brabançon ; « il a la petite-vérole, » s'écriaient les autres, et elles écartaient les enfants. « Mais, jeune homme, vous ne pourrez marcher ; vous allez mourir ; restez à l'hôpital. » Elles me voulaient conduire à l'hôpital, elles se relayaient de porte en porte, et me conduisirent ainsi jusqu'à celle de la ville, en dehors de laquelle je retrouvai les fourgons. On a vu une paysanne me secourir, on verra une autre femme me recueillir à Guernesey. Femmes, qui m'avez assisté dans ma détresse, si vous vivez encore, que Dieu soit en aide à vos vieux jours et à vos douleurs ! Si vous avez quitté la vie, que vos enfants aient en partage le bonheur que le ciel m'a longtemps refusé !

Les femmes de Namur m'aidèrent à monter dans le fourgon, me recommandèrent au conducteur et me forcèrent d'accepter une couverture de laine. Je m'aperçus qu'elles me traitaient avec une sorte de respect et de déférence : il y a dans la nature du Français quelque chose de supérieur et de délicat que les autres peuples reconnaissent. Les gens du prince de Ligne me déposèrent encore sur le chemin à l'entrée de Bruxelles et refusèrent mon dernier écu.

A Bruxelles, aucun hôtelier ne me voulut recevoir. Le Juif-Errant, Oreste [1] populaire que la complainte conduit dans cette ville :

> *Quand il fut dans la ville*
> *De Bruxelle en Brabant,*

y fut mieux accueilli que moi, car il avait toujours cinq sous dans sa poche. Je frappais, on ouvrait ; en m'apercevant, on disait : « Passez ! passez ! » et l'on me fermait la porte au nez.

---

1. Après le meurtre de sa mère, Oreste, poursuivi par les Erinyes, mène une vie errante

On me chassa d'un café. Mes cheveux pendaient sur mon visage masqué par ma barbe et mes moustaches ; j'avais la cuisse entourée d'un torchis de foin ; par-dessus mon uniforme en loques, je portais la couverture de laine des Namuriennes, nouée à mon cou en guise de manteau. Le mendiant de l'Odyssée [1] était plus insolent, mais n'était pas si pauvre que moi.

Je m'étais présenté d'abord inutilement à l'hôtel que j'avais habité avec mon frère ; je fis une seconde tentative : comme j'approchais de la porte, j'aperçus le comte de Chateaubriand [2], descendant de voiture avec le baron de Montboissier [3]. Il fut effrayé de mon spectre. On chercha une chambre hors de l'hôtel, car le maître refusa absolument de m'admettre. Un perruquier offrait un bouge convenable à mes misères. Mon frère m'amena un chirurgien et un médecin. Il avait reçu des lettres de Paris ; M. de Malesherbes l'invitait à rentrer en France. Il m'apprit la journée du 10 août, les massacres de septembre et les nouvelles politiques dont je ne savais pas un mot. Il approuva mon dessein de passer dans l'île de Jersey, et m'avança vingt-cinq louis. Mes regards affaiblis me permettaient à peine de distinguer les traits de mon malheureux frère ; je croyais que ces ténèbres émanaient de moi, et c'étaient les ombres que l'Eternité répandait autour de lui : sans le savoir, nous nous voyions pour la dernière fois. Tous, tant que nous sommes, nous n'avons à nous que la minute présente ; celle qui la suit est à Dieu : il y a toujours deux chances pour ne pas retrouver l'ami que l'on quitte : notre mort ou la sienne. Combien d'hommes n'ont jamais remonté l'escalier qu'ils avaient descendu ?

La mort nous touche plus avant qu'après le trépas d'un ami : c'est une partie de nous qui se détache, un monde de souvenirs d'enfance, d'intimités de famille, d'affections et d'intérêts communs qui se dissout. Mon frère me précéda dans le sein de ma mère ; il habita le premier ces mêmes et

1. Iros veut chasser Ulysse de son palais (*Odyssée*, XVIII) ; cf. tome III, p. 614.
2. Son frère Jean-Baptiste.
3. La baronne de Montboissier, fille de Malesherbes, était la tante de la femme de Jean-Baptiste.

saintes entrailles dont je sortis après lui ; il s'assit avant moi au foyer paternel ; il m'attendit plusieurs années pour me recevoir, me donner mon nom en Jésus-Christ et s'unir à toute ma jeunesse. Mon sang, mêlé à son sang dans le vase révolutionnaire, aurait eu la même saveur, comme un lait fourni par le pâturage de la même montagne. Mais si les hommes ont fait tomber la tête de mon aîné, de mon parrain, avant l'heure, les ans n'épargneront pas la mienne : déjà mon front se dépouille ; je sens un Ugolin, le temps, penché sur moi qui me ronge le crâne :

. . . come 'l pan per fame si manduca [1].

Londres, d'avril à septembre 1822.

OSTENDE. — PASSAGE À JERSEY. — ON ME MET À TERRE À GUERNESEY. — LA FEMME DU PILOTE. — JERSEY. — MON ONCLE DE BEDÉE ET SA FAMILLE. — DESCRIPTION DE L'ILE. — LE DUC DE BERRY. — PARENTS ET AMIS DISPARUS. — MALHEUR DE VIEILLIR. — JE PASSE EN ANGLETERRE. — DERNIÈRE RENCONTRE AVEC GESRIL.

LE docteur ne revenait pas de son étonnement : il regardait cette petite-vérole sortante et rentrante qui ne me tuait pas, qui n'arrivait à aucune de ses crises naturelles, comme un phénomène dont la médecine n'offrait pas d'exemple. La

1. « Comme dans le pain mord l'affamé » (Dante, *L'Enfer*, XXXII, 127 : vision d'Ugolin).

gangrène s'était mise à ma blessure ; on la pansa avec du quinquina. Ces premiers secours obtenus, je m'obstinai à partir pour Ostende. Bruxelles m'était odieux ; je brûlais d'en sortir ; il se remplissait de nouveau de ces héros de la domesticité, revenus de Verdun en calèche, et que je n'ai pas revus dans ce même Bruxelles, lorsque j'ai suivi le Roi pendant les Cent-Jours.

J'arrivai doucement à Ostende par les canaux : j'y trouvai quelques Bretons, mes compagnons d'armes. Nous nolisâmes une barque pontée et nous dévalâmes la Manche. Nous couchions dans la cale, sur les galets qui servaient de lest. La vigueur de mon tempérament était enfin épuisée. Je ne pouvais plus parler ; les mouvements d'une grosse mer achevèrent de m'abattre. Je humais à peine quelques gouttes d'eau et de citron, et quand le mauvais temps nous força de relâcher à Guernesey, on crut que j'allais expirer ; un prêtre émigré me lut les prières des agonisants. Le capitaine, ne voulant pas que je mourusse à son bord, ordonna de me descendre sur le quai : on m'assit au soleil, le dos appuyé contre un mur, la tête tournée vers la pleine mer, en face de cette île d'Aurigny, où, huit mois auparavant, j'avais vu la mort sous une autre forme.

J'étais apparemment voué à la pitié. La femme d'un pilote anglais vint à passer ; elle fut émue, appela son mari qui, aidé de deux ou trois matelots, me transporta dans une maison de pêcheur, moi, l'ami des vagues ; on me coucha sur un bon lit, dans des draps bien blancs. La jeune marinière prit tous les soins possibles de l'étranger : je lui dois la vie. Le lendemain, on me rembarqua. Mon hôtesse pleurait presque en se séparant de son malade ; les femmes ont un instinct céleste pour le malheur. Ma blonde et belle gardienne, qui ressemblait à une figure des anciennes gravures anglaises, pressait mes mains bouffies et brûlantes dans ses fraîches et longues mains ; j'avais honte d'approcher tant de disgrâces de tant de charmes.

Nous mîmes à la voile, et nous abordâmes la pointe occidentale de Jersey. Un de mes compagnons, M. du Tilleul, se rendit à Saint-Hélier, auprès de mon oncle. M. de Bedée le renvoya me chercher le lendemain avec une voiture. Nous traversâmes l'île entière : tout expirant que je me sentais, je fus charmé de ses bocages : mais je n'en disais que des radoteries, étant tombé dans le délire.

Je demeurai quatre mois entre la vie et la mort. Mon oncle, sa femme, son fils et ses trois filles se relevaient à mon chevet. J'occupais un appartement dans une des maisons que l'on commençait à bâtir le long du port : les fenêtres de ma chambre descendaient à fleur de plancher, et du fond de mon lit j'apercevais la mer. Le médecin, M. Delattre, avait défendu de me parler de choses sérieuses et surtout de politique. Dans les derniers jours de janvier 1793, voyant entrer chez moi mon oncle en grand deuil, je tremblai, car je crus que nous avions perdu quelqu'un de notre famille : il m'apprit la mort de Louis XVI. Je n'en fus pas étonné ; je l'avais prévue. Je m'informai des nouvelles de mes parents ; mes sœurs et ma femme étaient revenues en Bretagne, après les massacres de septembre ; elles avaient eu beaucoup de peine à sortir de Paris. Mon frère, de retour en France, s'était retiré à Malesherbes.

Je commençais à me lever ; la petite-vérole était passée ; mais je souffrais de la poitrine et il me restait une faiblesse que j'ai gardée longtemps.

Jersey, la *Cœsarea* de l'itinéraire d'Antonin, est demeurée sujette de la couronne d'Angleterre depuis la mort de Robert, duc de Normandie ; nous avons voulu plusieurs fois la prendre, mais toujours sans succès. Cette île est un débris de notre primitive histoire : les saints venant d'Hibernie et d'Albion dans la Bretagne-Armorique, se reposaient à Jersey.

Saint Hélier, solitaire, demeurait dans les rochers de Césarée ; les Vandales le massacrèrent. On retrouve à Jersey un échantillon des vieux Normands ; on croit entendre parler Guillaume-le-Bâtard ou l'auteur du roman de Rou.

L'île est féconde ; elle a deux villes et douze paroisses ; elle est couverte de maisons de campagne et de troupeaux. Le vent de l'Océan, qui semble démentir sa rudesse, donne à Jersey du miel exquis, de la crême d'une douceur extraordinaire et du beurre d'un jaune foncé, qui sent la violette. Bernardin de Saint-Pierre présume que le pommier nous vient de Jersey ; il se trompe : nous tenons la pomme et la poire de la Grèce, comme nous devons la pêche à la Perse, le citron à la Médie, la prune à la Syrie, la cerise à Céra-sonte[1], la châtaigne à Castane[2], le coing à Cydon[3] et la grenade à Chypre.

J'eus un grand plaisir à sortir aux premiers jours de mai. Le printemps conserve à Jersey toute sa jeunesse ; il pourrait encore s'appeler *primevère* comme autrefois, nom qu'en devenant vieux, il a laissé à sa fille, la première fleur dont il se couronne.

Ici je vous transcrirai deux pages de la vie du duc de Berry ; c'est toujours vous raconter la mienne :

« Après vingt-deux ans de combats, la barrière d'airain
« qui fermait la France fut forcée : l'heure de la Restaura-
« tion approchait ; nos princes quittèrent leurs retraites.
« Chacun d'eux se rendit sur différents points des frontiè-
« res, comme ces voyageurs qui cherchent, au péril de leur
« vie, à pénétrer dans un pays dont on raconte des merveil-
« les. MONSIEUR partit pour la Suisse ; monseigneur le duc
« d'Angoulême pour l'Espagne, et son frère pour Jersey.
« Dans cette île, où quelques juges de Charles Ier mouru-
« rent ignorés de la terre, monseigneur le duc de Berry
« retrouva des royalistes français, vieillis dans l'exil et
« oubliés pour leurs vertus, comme jadis les régicides
« anglais pour leur crime. Il rencontra de vieux prêtres,
« désormais consacrés à la solitude ; il réalisa avec eux la
« fiction du poëte qui fait aborder un Bourbon dans l'île de
« Jersey, après un orage. Tel confesseur et martyr pouvait
« dire à l'héritier de Henri IV, comme l'ermite de Jersey à ce
« grand roi :

> *Loin de la cour alors, dans cette grotte obscure,*
> *De ma religion je viens pleurer l'injure.* (HENRIADE.)

« Monseigneur le duc de Berry passa quelques mois à
« Jersey ; la mer, les vents, la politique l'y enchaînèrent.
« Tout s'opposait à son impatience ; il se vit au moment de
« renoncer à son entreprise, et de s'embarquer pour Bor-

1. Ville du bord de la mer Noire.
2. Ville du Pont
3. Ville de Crète.

404

« deaux. Une lettre de lui, à madame la maréchale
« Moreau[1], nous retrace vivement ses occupations sur son
« rocher :

« 8 février 1814.

« Me voici donc comme Tantale, en vue de cette
« malheureuse France qui a tant de peine à briser ses fers.
« Vous dont l'âme est si belle, si française, jugez de tout ce
« que j'éprouve ; combien il m'en coûterait de m'éloigner de
« ces rivages qu'il ne me faudrait que deux heures pour
« atteindre ! Quand le soleil les éclaire, je monte sur les plus
« hauts rochers, et, ma lunette à la main, je suis toute la
« côte ; je vois les rochers de Coutances. Mon imagination
« s'exalte, je me vois sautant à terre, entouré de Français,
« cocardes blanches aux chapeaux ; j'entends le cri de :
« *Vive le Roi !* ce cri que jamais Français n'a entendu de
« sang-froid ; la plus belle femme de la province me ceint
« d'une écharpe blanche, car l'amour et la gloire vont
« toujours ensemble. Nous marchons sur Cherbourg ; quel-
« que vilain fort, avec une garnison d'étrangers, veut se
« défendre : nous l'emportons d'assaut, et un vaisseau part
« pour aller chercher le Roi, avec le pavillon blanc qui
« rappelle les jours de gloire et de bonheur de la France !
« Ah ! madame, quand on n'est qu'à quelques heures d'un
« rêve si probable, peut-on penser à s'éloigner ? »

Il y a trois ans que j'écrivais ces pages à Paris ; j'avais
précédé M. le duc de Berry de vingt-deux années à Jersey,
ville de bannis ; j'y devais laisser mon nom, puisque Armand
de Chateaubriand s'y maria et que son fils Frédéric y est né.

La joyeuseté n'avait point abandonné la famille de mon
oncle de Bedée ; ma tante choyait toujours un grand chien
descendant de celui dont j'ai raconté les vertus ; comme il
mordait tout le monde et qu'il était galeux, mes cousines le
firent pendre en secret, malgré sa noblesse. Madame de
Bedée se persuada que des officiers anglais, charmés de la
beauté d'Azor, l'avaient volé, et qu'il vivait comblé d'honneurs et de dîners dans le plus riche château des trois

---

1. Louis XVIII avait fait Moreau maréchal à titre posthume.

royaumes. Hélas! notre hilarité présente ne se composait que de notre gaieté passée. En nous retraçant les scènes de Montchoix, nous trouvions le moyen de rire à Jersey. La chose est assez rare, car dans le cœur humain, les plaisirs ne gardent pas entre eux les relations que les chagrins y conservent : les joies nouvelles ne rendent point le printemps aux anciennes joies, mais les douleurs récentes font reverdir les vieilles douleurs.

Au surplus, les émigrés excitaient alors la sympathie générale; notre cause paraissait la cause de l'ordre européen : c'est quelque chose qu'un malheur honoré, et le nôtre l'était.

M. de Bouillon [1] protégeait à Jersey les réfugiés français : il me détourna du dessein de passer en Bretagne, hors d'état que j'étais de supporter une vie de cavernes et de forêts; il me conseilla de me rendre en Angleterre et d'y chercher l'occasion d'y prendre du service régulier. Mon oncle, très-peu pourvu d'argent, commençait à se sentir mal à l'aise avec sa nombreuse famille; il s'était vu forcé d'envoyer son fils à Londres se nourrir de misère et d'espérance. Craignant d'être à charge à M. de Bedée, je me décidai à le débarrasser de ma personne.

Trente louis qu'un bateau fraudeur de Saint-Malo m'apporta, me mirent à même d'exécuter mon dessein et j'arrêtai ma place au paquebot de Southampton. En disant adieu à mon oncle, j'étais profondément attendri; il venait de me soigner avec l'affection d'un père; à lui se rattachait le peu d'instants heureux de mon enfance; il connaissait tout ce qui fut aimé de moi; je retrouvais sur son visage quelques ressemblances de ma mère. J'avais quitté cette excellente mère, et je ne devais plus la revoir; j'avais quitté ma sœur Julie et mon frère, et j'étais condamné à ne plus les retrouver; je quittais mon oncle, et sa mine épanouie ne devait plus réjouir mes yeux. Quelques mois avaient suffi à toutes ces pertes, car la mort de nos amis ne compte pas du moment où ils meurent, mais de celui où nous cessons de vivre avec eux.

1. Officier de marine anglais qui s'était fait adopter par le dernier duc de Bouillon en 1789 et qui avait émigré à Jersey.

Si l'on pouvait dire au temps : « Tout beau ! » on l'arrête-rait aux heures des délices ; mais comme on ne le peut, ne séjournons pas ici-bas ; allons-nous-en, avant d'avoir vu fuir nos amis, et ces années que le poëte trouvait seules dignes de la vie : *Vitâ dignior œtas*[1]. Ce qui enchante dans l'âge des liaisons devient dans l'âge délaissé un objet de souf-france et de regret. On ne souhaite plus le retour des mois riant à la terre ; on le craint plutôt : les oiseaux, les fleurs, une belle soirée de la fin d'avril, une belle nuit commencée le soir avec le premier rossignol, achevée le matin avec la première hirondelle, ces choses qui donnent le besoin et le désir du bonheur, vous tuent. De pareils charmes, vous les sentez encore, mais ils ne sont plus pour vous : la jeunesse qui les goûte à vos côtés et qui vous regarde dédaigneuse-ment, vous rend jaloux et vous fait mieux comprendre la profondeur de votre abandon. La fraîcheur et la grâce de la nature, en vous rappelant vos félicités passées, augmentent la laideur de vos misères. Vous n'êtes plus qu'une tache dans cette nature, vous en gâtez les harmonies et la suavité par votre présence, par vos paroles, et même par les sentiments que vous oseriez exprimer. Vous pouvez aimer, mais on ne peut plus vous aimer. La fontaine printanière a renouvelé ses eaux sans vous rendre votre jouvence, et la vue de tout ce qui renaît, de tout ce qui est heureux, vous réduit à la douloureuse mémoire de vos plaisirs.

Le paquebot sur lequel je m'embarquai était encom-bré de familles émigrées. J'y fis connaissance avec M. Hingant, ancien collègue de mon frère au Parlement de Bretagne, homme d'esprit et de goût dont j'aurai trop à parler. Un officier de marine jouait aux échecs dans la chambre du capitaine ; il ne se remit pas mon visage, tant j'étais changé ; mais moi, je reconnus Gesril. Nous ne nous étions pas vus depuis Brest ; nous devions nous séparer à Southampton. Je lui racontai mes voyages, il me raconta les siens. Ce jeune homme, né auprès de moi parmi les vagues, embrassa pour la dernière fois son premier ami au milieu de ces vagues qu'il allait prendre à témoin de sa glorieuse mort. Lamba Doria, amiral des Génois, ayant battu la flotte des

1. *Enéide* IX, 212.

Vénitiens, apprend que son fils a été tué : *Qu'on le jette à la mer,* dit ce père, à la façon des Romains, comme s'il eût dit : *Qu'on le jette à sa victoire.* Gesril ne sortit volontairement des flots dans lesquels il s'était précipité, que pour mieux leur montrer sa *victoire* sur leur rivage.

J'ai déjà donné au commencement du sixième livre de ces *Mémoires* le certificat de mon débarquement de Jersey à Southampton. Voilà donc qu'après mes courses dans les bois de l'Amérique et dans les camps de l'Allemagne, j'arrive en 1793, pauvre émigré, sur cette terre où j'écris tout ceci en 1822 et où je suis aujourd'hui magnifique ambassadeur.

Londres, d'avril à septembre 1822.

LITTERARY FUND. — GRENIER DE HOLBORN. — DÉPÉRISSEMENT DE MA SANTÉ. — VISITE AUX MEDECINS. — ÉMIGRÉS À LONDRES.

IL s'est formé à Londres une société pour venir au secours des gens de lettres, tant anglais qu'étrangers. Cette société m'a invité à sa réunion annuelle ; je me suis fait un devoir de m'y rendre et d'y porter ma souscription. S. A. R. le duc d'Yorck occupait le fauteuil du président ; à sa droite étaient le duc de Sommerset, les lords Torrington et Bolton ; il m'a fait placer à sa gauche. J'ai rencontré là mon ami M. Canning. Le poëte, l'orateur, le ministre illustre a prononcé un discours où se trouve ce passage trop honorable pour moi, que les journaux ont répété : « Quoique la personne de « mon noble ami, l'ambassadeur de France, soit encore peu « connue ici, son caractère et ses écrits sont bien connus de « toute l'Europe. Il commença sa carrière par exposer les

« principes du Christianisme ; il l'a continuée en défendant
« ceux de la Monarchie, et maintenant il vient d'arriver dans
« ce pays pour unir les deux Etats par les liens communs
« des principes monarchiques et des vertus chrétiennes. »

Il y a bien des années que M. Canning, homme de lettres,
s'instruisait à Londres aux leçons de la politique de M. Pitt ;
il y a presque le même nombre d'années que je commençai
à écrire obscurément dans cette même capitale de l'Angleterre. Tous les deux, arrivés à une haute fortune, nous voilà
membres d'une société consacrée au soulagement des écrivains malheureux. Est-ce l'affinité de nos grandeurs ou le
rapport de nos souffrances, qui nous a réunis ici ? Que
feraient au banquet des Muses affligées le gouverneur des
Indes orientales et l'ambassadeur de France ? C'est George
Canning et François de Chateaubriand qui s'y sont assis, en
souvenir de leur adversité et peut-être de leur félicité
passées ; ils ont bu à la mémoire d'Homère, chantant ses
vers pour un morceau de pain.

Si le *Litterary fund* eût existé lorsque j'arrivai de Southampton à Londres, le 21 mai 1793, il aurait peut-être
payé la visite du médecin dans le grenier de Holborn, où
mon cousin de La Bouëtardais, fils de mon oncle de Bedée,
me logea. On avait espéré merveille du changement d'air
pour me rendre les forces nécessaires à la vie d'un soldat ;
mais ma santé, au lieu de se rétablir, déclina. Ma poitrine
s'entreprit ; j'étais maigre et pâle, je toussais fréquemment,
je respirais avec peine ; j'avais des sueurs et des crachements
de sang. Mes amis, aussi pauvres que moi, me traînaient de
médecin en médecin. Ces Hippocrates faisaient attendre
cette bande de gueux à leur porte, puis me déclaraient, au
prix d'une guinée, qu'il fallait prendre mon mal en
patience, ajoutant : *T'is done, dear Sir* : « C'est fait, cher
Monsieur. » Le docteur Godwin, célèbre par ses expériences
relatives aux noyés et faites sur sa propre personne d'après
ses ordonnances, fut plus généreux : il m'assista gratuitement de ses conseils ; mais il me dit, avec la dureté dont il
usait pour lui-même, que je pourrais *durer* quelques mois,
peut-être une ou deux années, pourvu que je renonçasse à
toute fatigue. « Ne comptez pas sur une longue carrière » :
tel fut le résumé de ses consultations.

La certitude acquise ainsi de ma fin prochaine, en augmentant le deuil naturel de mon imagination, me donna un incroyable repos d'esprit. Cette disposition intérieure explique un passage de la notice placée à la tête de l'*Essai historique* [1], et cet autre passage de l'*Essai* même : « Attaqué d'une mala-« die qui me laisse peu d'espoir, je vois les objets d'un œil « tranquille ; l'air calme de la tombe se fait sentir au voyageur « qui n'en est plus qu'à quelques journées. » L'amertume des réflexions répandues dans l'*Essai* n'étonnera donc pas : c'est sous le coup d'un arrêt de mort, entre la sentence et l'exécution, que j'ai composé cet ouvrage. Un écrivain qui croyait toucher au terme, dans le dénuement de son exil, ne pouvait guère promener des regards riants sur le monde.

Mais comment traverser le temps de grâce qui m'était accordé ? J'aurais pu vivre ou mourir promptement de mon épée : on m'en interdisait l'usage ; que me restai-t-il, une plume ? elle n'était ni connue, ni éprouvée, et j'en ignorais la puissance. Le goût des lettres inné en moi, des poésies de mon enfance, des ébauches de mes voyages, suffiraient-ils pour attirer l'attention du public ? L'idée d'écrire un ouvrage sur les Révolutions comparées m'était venue ; je m'en occupais dans ma tête comme d'un sujet plus approprié aux intérêts du jour ; mais qui se chargerait de l'impression d'un manuscrit sans prôneurs, et pendant la composition de ce manuscrit, qui me nourrirait ? Si je n'avais que peu de jours à passer sur la terre, force était néanmoins d'avoir quelque moyen de soutenir ce peu de jours. Mes trente louis, déjà fort écornés, ne pouvaient aller bien loin, et en surcroît de mes afflictions particulières, il me fallait supporter la détresse commune de l'émigration. Mes compagnons à Londres avaient tous des occupations : les uns s'étaient mis dans le commerce du charbon, les autres faisaient avec leurs femmes des chapeaux de paille, les autres enseignaient le français qu'ils ne savaient pas. Ils étaient tous très-gais. Le défaut de notre nation, la légèreté, s'était dans ce moment changé en vertu. On riait au nez de la fortune ; cette voleuse était toute penaude d'emporter ce qu'on ne lui redemandait pas.

1. *L'Essai sur les Révolutions.*

PELLETIER. — TRAVAUX LITTÉRAIRES. — MA SOCIÉTÉ AVEC
HINGANT. — NOS PROMENADES. — UNE NUIT DANS L'ÉGLISE
DE WESTMINSTER

PELLETIER[1], auteur du *Domine salvum fac Regem*[2] et
principal rédacteur des *Actes des Apôtres,* continuait à
Londres son entreprise de Paris. Il n'avait pas précisément
de vices ; mais il était rongé d'une vermine de petits défauts
dont on ne pouvait l'épurer : libertin, mauvais sujet,
gagnant beaucoup d'argent et le mangeant de même, à la
fois serviteur de la légitimité et ambassadeur du roi nègre
Christophe[3] auprès de George III, correspondant diplomatique de M. le comte de *Limonade,* et buvant en vin de
Champagne les appointements qu'on lui payait en sucre.
Cette espèce de M. Violet, jouant les grands airs de la
Révolution sur un violon de poche, me vint voir et m'offrit
ses services, en qualité de Breton. Je lui parlai de mon plan
de l'*Essai ;* il l'approuva fort : « Ce sera superbe ! »
s'écria-t-il, et il me proposa une chambre chez son imprimeur Baylie, lequel imprimerait l'ouvrage au fur et à
mesure de la composition. Le libraire Deboffe aurait la
vente ; lui, Pelletier, emboucherait la trompette dans son
journal l'*Ambigu,* tandis qu'on pourrait s'introduire dans le
Courrier Français de Londres, dont la rédaction passa

---

1. Polémiste royaliste (1765-1825). Il s'appelait, en réalité, Dudoyer.
2. « Dieu, sauve le roi ! »
3. Ancien esclave noir qui s'est proclamé roi de la partie nord d'Haïti,
mais seulement en 1811. Il a réellement créé un « comte de la Limonade » et
même un « baron de la Seringue ».

bientôt à M. de Montlosier. Pelletier ne doutait de rien : il parlait de me faire donner la croix de Saint-Louis pour mon siége de Thionville. Mon Gil Blas[1], grand, maigre, escalabreux[2], les cheveux poudrés, le front chauve, toujours criant et rigolant, met son chapeau rond sur l'oreille, me prend par le bras et me conduit chez l'imprimeur Baylie, où il me loue sans façon une chambre, au prix d'une guinée par mois.

J'étais en face de mon avenir doré ; mais le présent, sur quelle planche le traverser ? Pelletier me procura des traductions du latin et de l'anglais ; je travaillais le jour à ces traductions, la nuit à l'*Essai historique* dans lequel je faisais entrer une partie de mes voyages et de mes rêveries. Baylie me fournissait les livres, et j'employais mal à propos quelques schellings à l'achat des bouquins étalés sur les échoppes.

Hingant, que j'avais rencontré sur le paquebot de Jersey, s'était lié avec moi. Il cultivait les lettres, il était savant, écrivait en secret des romans dont il me lisait des pages. Il se logea, assez près de Baylie, au fond d'une rue qui donnait dans Holborn. Tous les matins, à dix heures, je déjeunais avec lui ; nous parlions de politique et surtout de mes travaux. Je lui disais ce que j'avais bâti de mon édifice de nuit, l'*Essai;* puis je retournais à mon œuvre de jour, les traductions. Nous nous réunissions pour dîner, à un schelling par tête, dans un estaminet ; de là, nous allions aux champs. Souvent aussi nous nous promenions seuls, car nous aimions tous deux à rêvasser.

Je dirigeais alors ma course à Kensington ou à Westminster. Kensington me plaisait ; j'errais dans sa partie solitaire, tandis que la partie qui touchait à Hyde-Park se couvrait d'une multitude brillante. Le contraste de mon indigence et de la richesse, de mon délaissement et de la foule, m'était

1. Est-ce pour la facilité de son abord que Pelletier est comparé à Gil Blas ? Chateaubriand connaît bien l'œuvre de son « compatriote » Le Sage (cf. p. 422).
2. Ce mot fait difficulté. Chateaubriand a-t-il voulu faire passer en français l'adjectif provençal « escalabrous » qui signifie : bizarre, rude ? Il ferait alors allusion à la maigreur de Pelletier, à la dureté de ses traits, à son allure dégingandée.

agréable. Je voyais passer de loin les jeunes Anglaises avec cette confusion désireuse que me faisait éprouver autrefois ma sylphide, lorsqu'après l'avoir parée de toutes mes folies, j'osais à peine lever les yeux sur mon ouvrage. La mort, à laquelle je croyais toucher, ajoutait un mystère à cette vision d'un monde dont j'étais presque sorti. S'est-il jamais attaché un regard sur l'étranger assis au pied d'un pin ? Quelque belle femme avait-elle deviné l'invisible présence de René ?

A Westminster, autre passe-temps : dans ce labyrinthe de tombeaux, je pensais au mien prêt à s'ouvrir. Le buste d'un homme inconnu comme moi ne prendrait jamais place au milieu de ces illustres effigies ! Puis se montraient les sépulcres des monarques : Cromwell n'y était plus, et Charles Ier n'y était pas. Les cendres d'un traître, de Robert d'Artois, reposaient sous les dalles que je pressais de mes pas fidèles. La destinée de Charles Ier venait de s'étendre sur Louis XVI ; chaque jour le fer moissonnait en France, et les fosses de mes parents étaient déjà creusées.

Les chants des maîtres de chapelle et les causeries des étrangers interrompaient mes réflexions. Je ne pouvais multiplier mes visites, car j'étais obligé de donner aux gardiens de ceux qui ne vivaient plus le schelling qui m'était nécessaire pour vivre. Mais alors je tournoyais au dehors de l'abbaye avec les corneilles, ou je m'arrêtais à considérer les clochers, jumeaux de grandeur inégale, que le soleil couchant ensanglantait de ses feux sur la tenture noire des fumées de la Cité.

Une fois, cependant, il arriva qu'ayant voulu contempler au jour tombé l'intérieur de la basilique, je m'oubliai dans l'admiration de cette architecture pleine de fougue et de caprice. Dominé par le sentiment de la *vastité sombre des églises chrestiennes* (Montaigne), j'errais à pas lents et je m'anuitai : on ferma les portes. J'essayai de trouver une issue ; j'appelai l'*usher*,[1] je heurtai aux *gates* [2] : tout ce bruit, épandu et délayé dans le silence, se perdit ; il fallut me résigner à coucher avec les défunts.

1. L'huissier, le portier.
2. Aux portes.

Après avoir hésité dans le choix de mon gîte, je m'arrêtai près du mausolée de lord Chatham[1], au bas du jubé et du double étage de la chapelle des Chevaliers et de Henry VII. A l'entrée de ces escaliers, de ces ailes fermées de grilles, un sarcophage engagé dans le mur, vis-à-vis d'une mort de marbre armée de sa faulx, m'offrit son abri. Le pli d'un linceul, également de marbre, me servit de niche : à l'exemple de Charles-Quint, je m'habituais à mon enterrement.

J'étais aux premières loges pour voir le monde tel qu'il est. Quel amas de grandeurs renfermé sous ces dômes ! Qu'en reste-t-il ? Les afflictions ne sont pas moins vaines que les félicités ; l'infortunée Jane Gray[2] n'est pas différente de l'heureuse Alix de Salisbury[3] ; son squelette seulement est moins horrible, parce qu'il est sans tête ; sa carcasse s'embellit de son supplice et de l'absence de ce qui fit sa beauté. Les tournois du vainqueur de Crécy, les jeux du Camp du Drap-d'or de Henri VIII, ne recommenceront pas dans cette salle des spectacles funèbres. Bacon, Newton, Milton, sont aussi profondément ensevelis, aussi passés à jamais que leurs plus obscurs contemporains. Moi banni, vagabond, pauvre, consentirais-je à n'être plus la petite chose oubliée et douloureuse que je suis, pour avoir été un de ces morts fameux, puissants, rassasiés de plaisirs ? Oh ! la vie n'est pas tout cela ! Si du rivage de ce monde nous ne découvrons pas distinctement les choses divines, ne nous en étonnons pas : le temps est un voile interposé entre nous et Dieu, comme notre paupière entre notre œil et la lumière.

Tapi sous mon linge de marbre, je redescendis de ces hauts pensers aux impressions naïves du lieu et du moment. Mon anxiété mêlée de plaisir était analogue à celle que j'éprouvais l'hiver dans ma tourelle de Combourg, lorsque j'écoutais le vent : un souffle et une ombre sont de nature pareille.

Peu à peu, m'accoutumant à l'obscurité, j'entrevis les figures placées aux tombeaux. Je regardais les encorbelle-

1. Le premier Pitt.
2. Décapitée par ordre de Marie Tudor en 1554.
3. Favorite d'Edouard III (XIVᵉ siècle).

ments du Saint-Denis d'Angleterre, d'où l'on eût dit que descendaient en lampadaires gothiques les événements passés et les années qui furent : l'édifice entier était comme un temple monolithe de siècles pétrifiés.

J'avais compté dix heures, onze heures à l'horloge ; le marteau qui se soulevait et retombait sur l'airain, était le seul être vivant avec moi dans ces régions. Au dehors une voiture roulante, le cri du watchman[1], voilà tout : ces bruits lointains de la terre me parvenaient d'un monde dans un autre monde. Le brouillard de la Tamise et la fumée du charbon de terre s'infiltrèrent dans la basilique, et y répandirent de secondes ténèbres.

Enfin, un crépuscule s'épanouit dans un coin des ombres les plus éteintes : je regardais fixement croître la lumière progressive ; émanait-elle des deux fils d'Edouard IV, assassinés par leur oncle ? « Ces aimables enfants », dit le grand tragique[2], « étaient couchés ensemble ; ils se tenaient entou-« rés de leurs bras innocents et blancs comme l'albâtre. « Leurs lèvres semblaient quatre roses vermeilles sur une « seule tige, qui, dans tout l'éclat de leur beauté, se baisent « l'une l'autre.» Dieu ne m'envoya pas ces âmes tristes et charmantes ; mais le léger fantôme d'une femme à peine adolescente parut portant une lumière abritée dans une feuille de papier tournée en coquille : c'était la petite sonneuse de cloches. J'entendis le bruit d'un baiser, et la cloche tinta le point du jour. La sonneuse fut tout épouvantée lorsque je sortis avec elle par la porte du cloître. Je lui contai mon aventure ; elle me dit qu'elle était venue remplir les fonctions de son père malade ; nous ne parlâmes pas du baiser.

1. Du veilleur de nuit.
2. Shakespeare dans *Richard III* (IV, 3).

DÉTRESSE. — SECOURS IMPRÉVU. — LOGEMENT SUR UN CIMETIÈRE. — NOUVEAUX CAMARADES D'INFORTUNE. — NOS PLAISIRS. — MON COUSIN DE LA BOUËTARDAIS.

J'AMUSAI Hingant de mon aventure, et nous fîmes le projet de nous enfermer à Westminster ; mais nos misères nous appelaient chez les morts d'une manière moins poétique.

Mes fonds s'épuisaient : Baylie et Deboffe s'étaient hasardés, moyennant un billet de remboursement en cas de non-vente, à commencer l'impression de l'*Essai ;* là finissait leur générosité, et rien n'était plus naturel ; je m'étonne même de leur hardiesse. Les traductions ne venaient plus ; Pelletier, homme de plaisir, s'ennuyait d'une obligeance prolongée. Il m'aurait bien donné ce qu'il avait, s'il n'eût préféré le manger ; mais quêter des travaux çà et là, faire une bonne œuvre de patience, impossible à lui. Hingant voyait aussi s'amoindrir son trésor ; entre nous deux, nous ne possédions que soixante francs. Nous diminuâmes la ration de vivres, comme sur un vaisseau lorsque la traversée se prolonge. Au lieu d'un schelling par tête, nous ne dépensions plus à dîner qu'un demi-schelling. Le matin, à notre thé, nous retranchâmes la moitié du pain, et nous supprimâmes le beurre. Ces abstinences fatiguaient les nerfs de mon ami. Son esprit battait la campagne ; il prêtait l'oreille, et avait l'air d'écouter quelqu'un ; en réponse, il éclatait de rire, ou versait des larmes. Hingant croyait au magnétisme, et s'était troublé la cervelle du galimatias de Swedenborg [1]. Il me disait le matin qu'on lui avait fait du bruit la nuit ; il se fâchait si je lui niais ses imaginations. L'inquiétude qu'il me causait m'empêchait de sentir mes souffrances.

Elles étaient grandes pourtant : cette diète rigoureuse, jointe au travail, échauffait ma poitrine malade ; je commençais à avoir de la peine à marcher, et néanmoins, je

1. Philosophe mystique suédois (1688-1772)

passais les jours et une partie des nuits dehors, afin qu'on ne s'aperçût pas de ma détresse. Arrivés à notre dernier schelling, je convins avec mon ami de le garder pour faire semblant de déjeuner. Nous arrangeâmes que nous achèterions un pain de deux sous ; que nous nous laisserions servir comme de coutume l'eau chaude et la théière ; que nous n'y mettrions point de thé ; que nous ne mangerions pas le pain, mais que nous boirions l'eau chaude avec quelques petites miettes de sucre restées au fond du sucrier.

Cinq jours s'écoulèrent de la sorte. La faim me dévorait ; j'étais brûlant ; le sommeil m'avait fui ; je suçais des morceaux de linge que je trempais dans de l'eau ; je mâchais de l'herbe et du papier. Quand je passais devant des boutiques de boulangers, mon tourment était horrible. Par une rude soirée d'hiver, je restai deux heures planté devant un magasin de fruits secs et de viandes fumées, avalant des yeux tout ce que je voyais : j'aurais mangé, non-seulement les comestibles, mais leurs boîtes, paniers et corbeilles.

Le matin du cinquième jour, tombant d'inanition, je me traîne chez Hingant ; je heurte à la porte, elle était fermée ; j'appelle, Hingant est quelque temps sans répondre ; il se lève enfin et m'ouvre. Il riait d'un air égaré ; sa redingote était boutonnée ; il s'assit devant la table à thé : « Notre déjeuner va venir, » me dit-il d'une voix extraordinaire. Je crus voir quelques taches de sang à sa chemise ; je déboutonne brusquement sa redingote : il s'était donné un coup de canif profond de deux pouces dans le bout du sein gauche. Je criai au secours. La servante alla chercher un chirurgien. La blessure était dangereuse.

Ce nouveau malheur m'obligea de prendre un parti. Hingant, conseiller au parlement de Bretagne, s'était refusé à recevoir le traitement que le gouvernement anglais accordait aux magistrats français, de même que je n'avais pas voulu accepter le schelling aumôné par jour aux émigrés : j'écrivis à M. de Barentin [1] et lui révélai la situation de mon ami. Les parents de Hingant accoururent et l'emmenèrent à la campagne. Dans ce moment même, mon oncle de Bedée me fit parvenir quarante écus, oblation touchante de ma

---

1. Garde des sceaux de Louis XVI ; il avait émigré à Londres.

famille persécutée ; il me sembla voir tout l'or du Pérou : le denier des prisonniers de France nourrit le Français exilé.

Ma misère avait mis obstacle à mon travail. Comme je ne fournissais plus de manuscrit, l'impression fut suspendue. Privé de la compagnie de Hingant, je ne gardai pas chez Baylie un logement d'une guinée par mois ; je payai le terme échu et m'en allai. Au-dessous des émigrés indigents qui m'avaient d'abord servi de patrons à Londres, il y en avait d'autres, plus nécessiteux encore. Il est des degrés entre les pauvres comme entre les riches ; on peut aller depuis l'homme qui se couvre l'hiver avec son chien, jusqu'à celui qui grelotte dans ses haillons tailladés. Mes amis me trouvèrent une chambre mieux appropriée à ma fortune décroissante (on n'est pas toujours au comble de la prospérité) ; ils m'installèrent aux environs de Mary-Le-Bone-Street, dans un *garret* 1 dont la lucarne donnait sur un cimetière : chaque nuit la crecelle du *watchman* m'annonçait que l'on venait de voler des cadavres 2. J'eus la consolation d'apprendre que Hingant était hors de danger.

Des camarades me visitaient dans mon atelier. A notre indépendance et à notre pauvreté, on nous eût pris pour des peintres sur les ruines de Rome ; nous étions des artistes en misère sur les ruines de la France. Ma figure servait de modèle et mon lit de siège à mes élèves. Ce lit consistait dans un matelas et une couverture. Je n'avais point de draps ; quand il faisait froid, mon habit et une chaise, ajoutés à ma couverture, me tenaient chaud. Trop faible pour remuer ma couche, elle restait comme Dieu me l'avait retournée.

Mon cousin de La Bouëtardais 3, chassé, faute de payement, d'un taudis irlandais, quoiqu'il eût mis son violon en gage, vint chercher chez moi un abri contre le constable ; un vicaire bas-breton lui prêta un lit de sangles. La Bouëtardais était, ainsi que Hingant, conseiller au parlement de Breta-

1. Galetas.
2. La dissection n'était pas officiellement autorisée en Angleterre. Aussi y avait-il un commerce clandestin de cadavres au profit des écoles de chirurgie.
3. Le comte de La Bouëtardais (1758-1809), fils du comte de Bedée, était donc un cousin germain de Chateaubriand.

gne ; il ne possédait pas un mouchoir pour s'envelopper la tête ; mais il avait déserté avec armes et bagages, c'est-à-dire qu'il avait emporté son bonnet carré et sa robe rouge, et il couchait *sous* la pourpre à mes côtés. Facétieux, bon musicien, ayant la voix belle, quand nous ne dormions pas, il s'asseyait tout nu sur ses sangles, mettait son bonnet carré, et chantait des romances en s'accompagnant d'une guitare qui n'avait que trois cordes. Une nuit que le pauvre garçon fredonnait ainsi l'*Hymne à Vénus* de Métastase : *Scendi propizia* [1], il fut frappé d'un vent coulis ; la bouche lui tourna, et il en mourut, mais pas tout de suite, car je lui frottai cordialement la joue. Nous tenions des conseils dans notre chambre haute, nous raisonnions sur la politique, nous nous occupions des cancans de l'émigration. Le soir, nous allions chez nos tantes et cousines danser, après les modes enrubanées et les chapeaux faits.

Londres, d'avril à septembre 1822.

FÊTE SOMPTUEUSE. — FIN DE MES QUARANTE ÉCUS. — NOUVELLE DÉTRESSE. — TABLE D'HÔTE. — ÉVÊQUES. — DINER À LONDON-TAVERN. — MANUSCRITS DE CAMDEN.

CEUX qui lisent cette partie de mes Mémoires ne se sont pas aperçus que je les ai interrompus deux fois : une fois, pour offrir un grand dîner au duc d'York, frère du roi d'Angleterre ; une autre fois, pour donner une fête pour l'anniversaire de la rentrée du Roi de France à Paris, le 8 juillet. Cette fête m'a coûté quarante mille francs. Les pairs et les pairesses de l'empire britannique, les ambassadeurs, les étrangers de distinction ont rempli mes salons magnifiquement décorés.

1. « Descends, propice... »

Mes tables étincelaient de l'éclat des cristaux de Londres et de l'or des porcelaines de Sèvres. Ce qu'il y a de plus délicat en mets, vins et fleurs abondait. Portland-Place était encombré de brillantes voitures. Collinet et la musique d'Almack's[1] enchantaient la mélancolie fashionable des dandys et les élégances rêveuses des ladies pensivement dansantes. L'opposition et la majorité ministérielles avaient fait trève : lady Canning causait avec lord Londonderry, lady Jersey avec le duc de Wellington. Monsieur[2], qui m'a fait faire cette année des compliments de mes somptuosités de 1822, ne savait pas, en 1793, qu'il existait non loin de lui un futur ministre lequel, en attendant ses grandeurs, jeûnait au-dessus d'un cimetière pour péché de fidélité. Je me félicite aujourd'hui d'avoir essayé du naufrage, entrevu la guerre, partagé les souffrances des classes les plus humbles de la société, comme je m'applaudis d'avoir rencontré, dans les temps de prospérité, l'injustice et la calomnie. J'ai profité à ces leçons : la vie, sans les maux qui la rendent grave, est un hochet d'enfant.

J'étais l'homme aux quarante écus[3] ; mais le niveau des fortunes n'étant pas encore établi, et les denrées n'ayant pas baissé de valeur, rien ne fit contrepoids à ma bourse qui se vida. Je ne devais pas compter sur de nouveaux secours de ma famille, exposée en Bretagne au double fléau de la *chouannerie* et de la Terreur. Je ne voyais plus devant moi que l'hôpital ou la Tamise.

Des domestiques d'émigrés que leurs maîtres ne pouvaient plus nourrir, s'étaient transformés en restaurateurs pour nourrir leurs maîtres. Dieu sait la chère-lie que l'on faisait à ces tables d'hôtes ! Dieu sait aussi la politique qu'on y entendait ! Toutes les victoires de la République étaient métamorphosées en défaites, et si par hasard on doutait d'une restauration immédiate, on était déclaré Jacobin. Deux vieux évêques, qui avaient un faux air de la mort, se promenaient au printemps dans le parc Saint-James :

1. Voir p. 246. — « Collinet, dont M. de Chateaubriand, écrit Marcellus (*op. cit. 121*), aimait le flageolet et les grimaces. » Il était l'animateur des réunions d'Almack (voir p. 489).

2. Le comte d'Artois.

3. Allusion au conte bien connu de Voltaire qui porte ce titre.

« Monseigneur », disait l'un, « croyez-vous que nous soyons
« en France au mois de juin ? » — « Mais Monseigneur »,
répondait l'autre après avoir mûrement réfléchi, « je n'y vois
« pas d'inconvénient. »

L'homme aux ressources, Pelletier, me déterra, ou plutôt
me dénicha dans mon aire. Il avait lu dans un journal de
Yarmouth, qu'une société d'antiquaires s'allait occuper
d'une histoire du comté de Suffolk, et qu'on demandait un
Français capable de déchiffrer des manuscrits français
du douzième siècle, de la collection de Camden[1]. Le *parson,*
ou ministre, de Beccles, était à la tête de l'entreprise ; c'était à lui qu'il se fallait adresser. « Voilà votre
affaire », me dit Pelletier, « partez, vous déchiffre-
« rez ces vieilles paperasses ; vous continuerez à envoyer de
« la copie de l'*Essai* à Baylie ; je forcerai ce pleutre à re-
« prendre son impression ; vous reviendrez à Londres
« avec deux cents guinées, votre ouvrage fait, et
« vogue la galère » !

Je voulus balbutier quelques objections : « Eh ! que dia-
« ble, s'écria mon homme, comptez-vous rester dans ce
« *palais* où j'ai déjà un froid horrible ? Si Rivarol, Champ-
« cenetz, Mirabeau-Tonneau et moi avions eu la bouche en
« cœur[2], nous aurions fait de belle besogne dans les *Actes*
« *des Apôtres !* Savez-vous que cette histoire de Hingant fait
« un boucan d'enfer ? Vous vouliez donc vous laisser mourir
« de faim tous deux ? Ah ! ah ! ah ! pouf !...... Ah !
« ah !...... » Pelletier, plié en deux, se tenait les genoux à
force de rire. Il venait de placer cent exemplaires de son
journal aux Colonies ; il en avait reçu le paiement et faisait
sonner ses guinées dans sa poche. Il m'emmena de force,
avec La Bouëtardais apoplectique, et deux émigrés en
guenilles qui se trouvèrent sous sa main, dîner à *London-
Tavern.* Il nous fit boire du vin de Porto, manger du
roastbeef et du plumpudding à en crever. « Comment,
monsieur le comte, disait-il à mon cousin, avez-vous ainsi

1. Voir p. 461.
2. Non pas pour minauder, au sens ordinaire de l'expression, mais sans
doute pour souffler sur nos doigts, en restant dans une chambre glacée
sans rien faire.

la gueule de travers ? » La Bouëtardais, moitié choqué, moitié content, expliquait la chose de son mieux ; il racontait qu'il avait été tout à coup saisi en chantant ces deux mots : *O bella Venere*[1] ! Mon pauvre paralysé avait un air si mort, si transi, si râpé, en barbouillant sa *bella Venere*, que Pelletier se renversa d'un fou rire et pensa culbuter la table, en la frappant en dessous de ses deux pieds.

A la réflexion, le conseil de mon compatriote, vrai personnage de mon autre compatriote Le Sage[2], ne me parut pas si mauvais. Au bout de trois jours d'enquêtes, après m'être fait habiller par le tailleur de Pelletier, je partis pour Beccles avec quelque argent que me prêta Deboffe, sur l'assurance de ma reprise de l'*Essai*. Je changeai mon nom, qu'aucun Anglais ne pouvait prononcer, en celui de *Combourg* qu'avait porté mon frère et qui me rappelait les peines et les plaisirs de ma première jeunesse. Descendu à l'auberge, je présentai au ministre du lieu une lettre de Deboffe, fort estimé dans la librairie anglaise, laquelle lettre me recommandait comme un savant du premier ordre. Parfaitement accueilli, je vis tous les *gentlement* du canton, et je rencontrai deux officiers de notre marine royale qui donnaient les leçons des français dans le voisinage.

Londres, d'avril à septembre 1822.

MES OCCUPATIONS DANS LA PROVINCE. — MORT DE MON FRÈRE. — MALHEURS DE MA FAMILLE. — DEUX FRANCES. — LETTRES DE HINGANT.

JE repris des forces ; les courses que je faisais à cheval me rendirent un peu de santé. L'Angleterre, vue ainsi en détail

1. « O belle Vénus ! » (Cf. p. 419). Nous avons vu que La Bouëtardais, « bon musicien », avait « la voix belle ».
2. Pelletier (p. 412) a déjà été appelé « mon Gil Blas ».

était triste, mais charmante ; partout la même chose et le même aspect. M. de Combourg était invité à toutes les parties. Je dus à l'étude le premier adoucissement de mon sort. Cicéron avait raison de recommander le commerce des lettres dans les chagrins de la vie. Les femmes étaient charmées de rencontrer un Français pour parler français.

Les malheurs de ma famille, que j'appris par les journaux, et qui me firent connaître sous mon véritable nom (car je ne pus cacher ma douleur), augmentèrent à mon égard l'intérêt de la société. Les feuilles publiques annoncèrent la mort de M. de Malesherbes[1] ; celle de sa fille, madame la présidente de Rosambo ; celle de sa petite-fille, madame la comtesse de Chateaubriand ; et celle de son petit-gendre, le comte de Chateaubriand, mon frère, immolés ensemble, le même jour, à la même heure, au même échafaud. M. de Malesherbes était l'objet de l'admiration et de la vénération des Anglais ; mon alliance de famille avec le défenseur de Louis XVI ajouta à la bienveillance de mes hôtes.

Mon oncle de Bedée me manda les persécutions éprouvées par le reste de mes parents. Ma vieille et incomparable mère avait été jetée dans une charrette avec d'autres victimes, et conduite du fond de la Bretagne dans les geôles de Paris, afin de partager le sort du fils qu'elle avait tant aimé. Ma femme et ma sœur Lucile, dans les cachots de Rennes, attendaient leur sentence ; il avait été question de les enfermer au château de Combourg, devenu forteresse d'Etat : on accusait leur innocence du crime de mon émigration. Qu'étaient-ce que nos chagrins en terre étrangère, comparés à ceux des Français demeurés dans leur patrie ? Et pourtant, quel malheur, au milieu des souffrances de l'exil, de savoir que notre exil même devenait le prétexte de la persécution de nos proches !

Il y a deux ans que l'anneau de mariage de ma belle-sœur fut ramassé dans le ruisseau de la rue Cassette ; on me l'apporta ; il était brisé ; les deux cerceaux de l'alliance étaient ouverts et pendaient enlacés l'un à l'autre ; les noms s'y lisaient parfaitement gravés. Comment cette bague

1. Le 22 avril 1794.

s'était-elle retrouvée ? Dans quel lieu et quand avait-elle été perdue ? La victime, emprisonnée au Luxembourg, avait-elle passé par la rue Cassette en allant au supplice ? Avait-elle laissé tomber la bague du haut du tombereau ? Cette bague avait-elle été arrachée de son doigt après l'exécution ? Je fus tout saisi à la vue de ce symbole, qui, par sa brisure et son inscription, me rappelait de si cruelles destinées. Quelque chose de mystérieux et de fatal s'attachait à cet anneau que ma belle-sœur semblait m'envoyer du séjour des morts, en mémoire d'elle et de mon frère. Je l'ai remis à son fils : puisse-t-il ne pas lui porter malheur !

> *Cher orphelin, image de ta mère,*
> *Au ciel pour toi je demande ici-bas*
> *Les jours heureux retranchés à ton père*
> *Et les enfants que ton oncle n'a pas*[1].

Ce mauvais couplet et deux ou trois autres sont le seul présent de noces que j'aie pu faire à mon neveu lorsqu'il s'est marié.

Un autre monument m'est resté de ces malheurs : voici ce que m'écrit M. de Contencin, qui, en fouillant dans les archives de la Ville, a trouvé l'ordre du tribunal révolutionnaire qui envoyait mon frère et sa famille à l'échafaud :

« Monsieur le vicomte,

« Il y a une sorte de cruauté à réveiller dans une âme qui a
« beaucoup souffert le souvenir des maux qui l'ont affectée
« le plus douloureusement. Cette pensée m'a fait hésiter
« quelque temps à vous offrir un bien triste document qui,
« dans mes recherches historiques, m'est tombé sous la
« main. C'est un acte de décès signé avant la mort par un
« homme qui s'est toujours montré implacable comme elle,
« toutes les fois qu'il a trouvé réunis sur la même tête
« l'illustration et la vertu.

---

1. Cette strophe fait partie de l'épithalame que Chateaubriand lut au mariage de son neveu Geoffroy-Louis avec Zélie d'Orglandes, au château du Ménil, le 8 octobre 1811.

« Je désire, monsieur le vicomte, que vous ne me sachiez
« pas trop mauvais gré d'ajouter à vos archives de famille
« un titre qui rappelle de si cruels souvenirs. J'ai supposé
« qu'il aurait de l'intérêt pour vous, puisqu'il avait du prix à
« mes yeux, et dès lors j'ai songé à vous l'offrir. Si je ne suis
« point indiscret, je m'en féliciterai doublement, car je
« trouve aujourd'hui dans ma démarche l'occasion de vous
« exprimer les sentiments de profond respect et d'admira-
« tion sincère que vous m'avez inspirés depuis longtemps, et
« avec lesquels je suis, monsieur le vicomte,

> « Votre très-humble et très-obéissant serviteur,
> « A. DE CONTENCIN.

> « Hôtel de la préfecture de la Seine.
> « Paris, le 28 mars 1835. »

Voici ma réponse à cette lettre :

« J'avais fait, monsieur, chercher à la Sainte-Chapelle les
pièces du procès de mon malheureux frère et de sa femme,
mais on n'avait pas trouvé *l'ordre* que vous avez bien voulu
m'envoyer. Cet ordre et tant d'autres, avec leurs ratures,
leurs noms estropiés, auront été présentés à Fouquier au
tribunal de Dieu : il lui aura bien fallu reconnaître sa
signature. Voilà les temps qu'on regrette, et sur lesquels on
écrit des volumes d'admiration! Au surplus, j'envie mon
frère : depuis longues années du moins, il a quitté ce triste
monde. Je vous remercie infiniment, monsieur, de l'estime
que vous voulez bien me témoigner dans votre belle et noble
lettre, et vous prie d'agréer l'assurance de la considération
très-distinguée avec laquelle j'ai l'honneur d'être, etc. »

Cet ordre de mort est surtout remarquable par les preuves
de la légèreté avec laquelle les meurtres étaient commis :
des noms sont mal orthographiés, d'autres sont effacés. Ces
défauts de forme, qui auraient suffi pour annuler la plus
simple sentence, n'arrêtaient point les bourreaux; ils ne
tenaient qu'à l'heure exacte de la mort : *à cinq heures
précises.* Voici la pièce authentique, je la copie fidèlement :

EXÉCUTEUR DES JUGEMENTS CRIMINELS.

TRIBUNAL RÉVOLUTIONNAIRE.

L'exécuteur des jugements criminels ne fera faute de se rendre à la maison de justice de la Conciergerie, pour y mettre à exécution le jugement qui condamne Mousset, d'Esprémenil, Chapelier, Thouret, Hell, Lamoignon Malsherbes, la femme Lepelletier Rosambo, Chateau Brian et sa femme (le nom propre effacé, illisible), la veuve Duchatelet, la femme de Grammont, ci-devant duc, la femme Rochechuart (Rochechouart), et Parmentier : — 14, à la peine de mort. L'exécution aura lieu aujourd'hui, à cinq heures précises, sur la place de la Révolution de cette ville.

L'accusateur public,

H. Q. FOUQUIER.

Fait au tribunal, le trois floréal, l'an second de la République française.

Deux voitures.

Le 9 thermidor sauva les jours de ma mère ; mais elle fut oubliée à la Conciergerie. Le commissaire conventionnel la trouva : « Que fais-tu là, citoyenne ? » lui dit-il ; « qui es-tu ? pourquoi restes-tu ici ? » Ma mère répondit qu'ayant perdu son fils, elle ne s'informait point de ce qui se passait, et qu'il lui était indifférent de mourir dans la prison ou ailleurs. « Mais tu as peut-être d'autres enfants ? » répliqua le commissaire. Ma mère nomma ma femme et mes sœurs détenues à Rennes. L'ordre fut expédié de mettre celles-ci en liberté, et l'on contraignit ma mère de sortir.

Dans les histoires de la Révolution, on a oublié de placer le tableau de la France extérieure auprès du tableau de la France intérieure, de peindre cette grande colonie d'exilés, variant son industrie et ses peines de la diversité des climats et de la différence des mœurs des peuples.

En dehors de la France, tout s'opérant par individu, métamorphoses d'états, afflictions obscures, sacrifices sans bruit, sans récompense ; et dans cette variété d'individus de tout rang, de tout âge, de tout sexe, une idée fixe conservée ;

la vieille France voyageuse avec ses préjugés et ses fidèles, comme autrefois l'Eglise de Dieu errante sur la terre avec ses vertus et ses martyrs.

En dedans de la France, tout s'opérant par masse : Barrère annonçant des meurtres et des conquêtes, des guerres civiles et des guerres étrangères ; les combats gigantesques de la Vendée et des bords du Rhin ; les trônes croulant au bruit de la marche de nos armées ; nos flottes abîmées dans les flots ; le peuple déterrant les monarques à Saint-Denis et jetant la poussière des Rois morts au visage des Rois vivants pour les aveugler ; la nouvelle France, glorieuse de ses nouvelles libertés, fière même de ses crimes, stable sur son propre sol, tout en reculant ses frontières, doublement armée du glaive du bourreau et de l'épée du soldat.

Au milieu de mes chagrins de famille, quelques lettres de mon ami Hingant vinrent me rassurer sur son sort, lettres d'ailleurs fort remarquables : il m'écrivait au mois de septembre 1795 : « Votre lettre du 23 août est pleine de la « sensibilité la plus touchante. Je l'ai montrée à quelques « personnes qui avaient les yeux mouillés en la lisant. J'ai « été presque tenté de leur dire ce que Diderot disait le jour « que J.-J. Rousseau vint pleurer dans sa prison, à Vincen-« nes[1] : *Voyez comme mes amis m'aiment*. Ma maladie n'a « été, au vrai, qu'une de ces fièvres de nerfs qui font « beaucoup souffrir, et dont le temps et la patience sont les « meilleurs remèdes. Je lisais pendant cette fièvre des « extraits du *Phédon* et du *Timée*. Ces livres-là donnent « appétit de mourir, et je disais comme Caton ·

It must be so, Plato ; thou reason' st well[2]!

« Je me faisais une idée de mon voyage, comme on se ferait « une idée d'un voyage aux grandes Indes. Je me représen-« tais que je verrais beaucoup d'objets nouveaux dans le « *monde des esprits* (comme l'appelle Swedenborg[3]), et « surtout que je serais exempt des fatigues et des dangers « du voyage. »

1. En octobre 1749.
2. « Il doit en être ainsi, Platon ; tu raisonnes bien ! » (Addison, *Caton*, monologue du Vᵉ acte).
3. Voir p. 416.

Londres, d'avril à septembre 1822.

CHARLOTTE.

A QUATRE lieues de Beccles, dans une petite ville appelée Bungay, demeurait un ministre anglais, le révérend M. Ives, grand helléniste et grand mathématicien. Il avait une femme jeune encore, charmante de figure, d'esprit et de manières, et une fille unique, âgée de quinze ans. Présenté dans cette maison, j'y fus mieux reçu que partout ailleurs. On buvait à la manière des anciens Anglais, et on restait deux heures à table, après les femmes. M. Ives, qui avait vu l'Amérique, aimait à conter ses voyages, à entendre le récit des miens, à parler de Newton et d'Homère. Sa fille, devenue savante pour lui plaire, était excellente musicienne et chantait comme aujourd'hui madame Pasta[1]. Elle reparaissait au thé et charmait le sommeil communicatif du vieux ministre. Appuyé au bout du piano, j'écoutais miss Ives en silence.

La musique finie, la *young lady* me questionnait sur la France, sur la littérature ; elle me demandait des plans d'études ; elle désirait particulièrement connaître les auteurs italiens, et me pria de lui donner quelques notes sur la *Divina Commedia* et la *Gerusalemme*. Peu à peu, j'éprouvai le charme timide d'un attachement sorti de l'âme : j'avais paré les Floridiennes, je n'aurais pas osé relever le gant de miss Ives ; je m'embarrassais quand j'essayais de traduire quelque passage du Tasse. J'étais plus à l'aise avec un génie plus chaste et plus mâle, Dante.

1. Cantatrice italienne (1798-1865), très applaudie à Paris en 1822.

Les années de Charlotte Ives et les miennes concordaient. Dans les liaisons qui ne se forment qu'au milieu de votre carrière, il entre quelque mélancolie ; si l'on ne se rencontre pas de prime abord, les souvenirs de la personne qu'on aime, ne se trouvent point mêlés à la partie des jours où l'on respira sans la connaître : ces jours, qui appartiennent à une autre société, sont pénibles à la mémoire et comme retranchés de notre existence. Y a-t-il disproportion d'âge ? Les inconvénients augmentent : le plus vieux a commencé la vie avant que le plus jeune fût au monde ; le plus jeune est destiné à demeurer seul à son tour ; l'un a marché dans une solitude en-deçà d'un berceau, l'autre traversera une solitude au-delà d'une tombe ; le passé fut un désert pour le premier, l'avenir sera un désert pour le second. Il est difficile d'aimer avec toutes les conditions de bonheur, jeunesse, beauté, temps opportun, harmonie de cœur, de goût, de caractère, de grâces et d'années.

Ayant fait une chute de cheval, je restai quelque temps chez M. Ives. C'était l'hiver ; les songes de ma vie commencèrent à fuir devant la réalité. Miss Ives devenait plus réservée ; elle cessa de m'apporter des fleurs ; elle ne voulut plus chanter.

Si l'on m'eût dit que je passerais le reste de ma vie, ignoré au sein de cette famille solitaire, je serais mort de plaisir : il ne manque à l'amour que la durée, pour être à la fois l'Eden avant la chute et l'Hosanna sans fin. Faites que la beauté reste, que la jeunesse demeure, que le cœur ne se puisse lasser, et vous reproduirez le ciel. L'amour est si bien la félicité souveraine qu'il est poursuivi de la chimère d'être toujours ; il ne veut prononcer que des serments irrévocables ; au défaut de ses joies, il cherche à éterniser ses douleurs ; ange tombé, il parle encore le langage qu'il parlait au séjour incorruptible ; son espérance est de ne cesser jamais ; dans sa double nature et dans sa double illusion ici-bas, il prétend se perpétuer par d'immortelles pensées et par des générations intarissables.

Je voyais venir avec consternation le moment où je serais obligé de me retirer. La veille du jour annoncé comme celui de mon départ, le dîner fut morne. A mon grand étonnement, M. Ives se retira au dessert en emmenant sa fille, et je restai seul avec madame Ives : elle était dans un embarras extrême. Je crus qu'elle m'allait faire des reproches d'une inclination qu'elle avait pu découvrir, mais dont jamais je n'avais parlé. Elle me regardait, baissait les yeux, rougissait ; elle-même, séduisante dans ce trouble, il n'y a point de sentiment qu'elle n'eût pu revendiquer pour elle. Enfin, brisant avec effort l'obstacle qui lui ôtait la parole : « Monsieur, » me dit-elle en Anglais, « vous avez vu ma « confusion : je ne sais si Charlotte vous plaît, mais il est « impossible de tromper une mère ; ma fille a certainement « conçu de l'attachement pour vous. M. Ives et moi nous « nous sommes consultés ; vous nous convenez sous tous les « rapports ; nous croyons que vous rendrez notre fille « heureuse. Vous n'avez plus de patrie ; vous venez de « perdre vos parents ; vos biens sont vendus ; qui pourrait « donc vous rappeler en France ? En attendant notre héri- « tage, vous vivrez avec nous. »

De toutes les peines que j'avais endurées, celle-là me fut la plus sensible et la plus grande. Je me jetai aux genoux de madame Ives ; je couvris ses mains de mes baisers et de mes larmes. Elle croyait que je pleurais de bonheur, et elle se mit à sangloter de joie. Elle étendit le bras pour tirer le cordon de la sonnette ; elle appela son mari et sa fille : « Arrêtez ! » m'écriai-je ; « je suis marié ! » Elle tomba évanouie.

Je sortis, et sans rentrer dans ma chambre, je partis à pied. J'arrivai à Beccles, et je pris la poste pour Londres, après avoir écrit à madame Ives une lettre dont je regrette de n'avoir pas gardé de copie.

Le plus doux, le plus tendre et le plus reconnaissant souvenir m'est resté de cet événement. Avant ma renommée, la famille de M. Ives est la seule qui m'ait voulu du bien et qui m'ait accueilli d'une affection véritable. Pauvre, ignoré, proscrit, sans séduction, sans beauté, je trouve un avenir assuré, une patrie, une épouse charmante pour me retirer de mon délaissement, une mère presque aussi belle pour me tenir lieu de ma vieille mère, un père instruit, aimant et cultivant les lettres pour remplacer le père dont le ciel m'avait privé ; qu'apportais-je en compensation de tout cela ? Aucune illusion ne pouvait entrer dans le choix que l'on faisait de moi ; je devais croire être aimé. Depuis cette époque, je n'ai rencontré qu'un attachement assez élevé pour m'inspirer la même confiance [1]. Quant à l'intérêt dont j'ai paru être l'objet dans la suite, je n'ai jamais pu démêler si des causes extérieures, si le fracas de la renommée, la parure des partis, l'éclat des hautes positions littéraires ou politiques n'étaient pas l'enveloppe qui m'attirait des empressements.

Au reste, en épousant Charlotte Ives, mon rôle changeait sur la terre : enseveli dans un comté de la Grande-Bretagne, je serais devenu un *gentleman* chasseur : pas une seule ligne ne serait tombée de ma plume ; j'eusse même oublié ma langue, car j'écrivais en anglais, et mes idées commençaient à se former en anglais dans ma tête. Mon pays aurait-il beaucoup perdu à ma disparition ? Si je pouvais mettre à part ce qui m'a consolé, je dirais que je compterais déjà bien des jours de calme, au lieu des jours de trouble échus à mon lot. L'Empire, la Restauration, les divisions, les querelles de la France, que m'eût fait tout cela ? Je n'aurais pas eu chaque matin à pallier des fautes, à combattre des erreurs. Est-il certain que j'aie un talent véritable et que ce talent ait valu la peine du sacrifice de ma vie ? Dépasserai-je ma tombe ? Si je vais au-delà, y aura-t-il dans la transformation qui s'opère, dans un monde changé et occupé de toute autre chose, y aura-t-il un public pour m'entendre ? Ne serai-je pas un homme d'autrefois, inintelligible aux générations nouvelles ? Mes idées, mes sentiments, mon style même ne seront-ils pas à la dédaigneuse postérité choses ennuyeuses et vieillies ? Mon ombre pourra-t-elle dire comme celle de Virgile à Dante : *Poeta fui et cantai* [2], « Je fus poëte, et je chantai » !

1. Allusion à Juliette Récamier.
2. *Enfer,* I, 73.

Retour à Londres.

Revenu à Londres, je n'y trouvai pas le repos : j'avais fui devant ma destinée comme un malfaiteur devant son crime. Combien il avait dû être pénible à une famille si digne de mes hommages, de mes respects, de ma reconnaissance, d'éprouver une sorte de refus de l'homme inconnu qu'elle avait accueilli, auquel elle avait offert de nouveaux foyers avec une simplicité, une absence de soupçon, de précaution qui tenaient des mœurs patriarcales! je me représentais le chagrin de Charlotte, les justes reproches que l'on pouvait et qu'on devait m'adresser : car enfin j'avais mis de la complaisance à m'abandonner à une inclination dont je connaissais l'insurmontable illégitimité. Etait-ce donc une séduction que j'avais vaguement tentée, sans me rendre compte de cette blâmable conduite ? Mais en m'arrêtant, comme je le fis, pour rester honnête homme, ou en passant par-dessus l'obstacle pour me livrer à un penchant flétri d'avance par ma conduite, je n'aurais pu que plonger l'objet de cette séduction dans le regret ou la douleur.

De ces réflexions amères, je me laissais aller à d'autres sentiments non moins remplis d'amertume : je maudissais mon mariage qui, selon les fausses perceptions de mon esprit, alors très-malade, m'avait jeté hors de mes voies et me privait du bonheur. Je ne songeais pas qu'en raison de cette nature souffrante à laquelle j'étais soumis et de ces notions romanesques de liberté que je nourrissais, un mariage avec miss Ives eut été pour moi aussi pénible qu'une union plus indépendante.

Une chose restait pure et charmante en moi, quoique profondément triste : l'image de Charlotte; cette image finissait par dominer mes révoltes contre mon sort. Je fus cent fois tenté de retourner à Bungay, d'aller, non me présenter à la famille troublée, mais me cacher sur le bord du chemin pour voir passer Charlotte, pour la suivre au temple où nous avions le même Dieu, sinon le même autel, pour offrir à cette femme, à travers le ciel, l'inexprimable ardeur de mes vœux, pour prononcer, du moins en pensée, cette prière de la bénédiction nuptiale que j'aurais pu entendre de la bouche d'un ministre dans ce temple :

« O Dieu, unissez, s'il vous plaît, les esprits de ces « époux, et versez dans leurs cœurs une sincère amitié. « Regardez d'un œil favorable votre servante. Faites que « son joug soit un joug d'amour et de paix, qu'elle obtienne « une heureuse fécondité ; faites, Seigneur, que ces époux « voient tous deux les enfants de leurs enfants jusqu'à la « troisième et quatrième générations, et qu'ils parviennent à « une heureuse vieillesse. »

Errant de résolution en résolution, j'écrivais à Charlotte de longues lettres que je déchirais. Quelques billets insignifiants, que j'avais reçus d'elle, me servaient de talisman ; attachée à mes pas par ma pensée, Charlotte, gracieuse, attendrie, me suivait, en les purifiant, par les sentiers de la sylphide. Elle absorbait mes facultés ; elle était le centre à travers lequel plongeait mon intelligence, de même que le sang passe par le cœur ; elle me dégoûtait de tout, car j'en faisais un objet perpétuel de comparaison à son avantage. Une passion vraie et malheureuse est un levain empoisonné qui reste au fond de l'âme et qui gâterait le pain des anges.

Les lieux que j'avais parcourus, les heures et les paroles que j'avais échangées avec Charlotte étaient gravés dans ma mémoire : je voyais le sourire de l'épouse qui m'avait été destinée ; je touchais respectueusement ses cheveux noirs ; je pressais ses beaux bras contre ma poitrine, ainsi qu'une chaîne de lys que j'aurais portée à mon cou. Je n'étais pas plus tôt dans un lieu écarté, que Charlotte, aux blanches mains, se venait placer à mes côtés. Je devinais sa présence, comme la nuit on respire le parfum des fleurs qu'on ne voit pas.

Privé de la société d'Hingant, mes promenades, plus solitaires que jamais, me laissaient en pleine liberté d'y mener l'image de Charlotte. A la distance de trente milles de Londres, il n'y a pas une bruyère, un chemin, une église que je n'aie visités. Les endroits les plus abandonnés, un préau d'orties, un fossé planté de chardons, tout ce qui était négligé des hommes, devenaient pour moi des lieux préférés, et dans ces lieux Byron respirait déjà. La tête appuyée sur ma main, je regardais les sites dédaignés ; quand leur impression pénible m'affectait trop, le souvenir de Charlotte venait me ravir : j'étais alors comme ce pèlerin, lequel, arrivé dans une solitude à la vue des rochers du Sinaï, entendit chanter le rossignol.

A Londres, on était surpris de mes façons. Je ne regardais personne, je ne répondais point, je ne savais ce que l'on me disait : mes anciens camarades me soupçonnaient atteint de folie.

Rencontre extraordinaire.

QU'ARRIVA-T-IL à Bungay après mon départ ? Qu'est devenue cette famille où j'avais apporté la joie et le deuil ?

Vous vous souvenez toujours bien que je suis ambassadeur auprès de George IV, et que j'écris à Londres, en 1822, ce qui m'arriva à Londres en 1795.

Quelques affaires, depuis huit jours, m'ont obligé d'interrompre la narration que je reprends aujourd'hui. Dans cet intervalle, mon valet de chambre est venu me dire, un matin entre midi et une heure, qu'une voiture était arrêtée à ma porte, et qu'une dame anglaise demandait à me parler. Comme je me suis fait une règle, dans ma position publique, de ne refuser personne, j'ai dit de laisser monter cette dame.

J'étais dans mon cabinet ; on a annoncé lady Sulton [1] ; j'ai vu entrer une femme en deuil, accompagnée de deux beaux

---

1. Charlotte Ives avait épousé en 1806 le capitaine de vaisseau Samuel Sulton (ou plutôt Sutton), de vingt ans plus âgé qu'elle ; il mourut en 1832.

garçons également en deuil : l'un pouvait avoir seize ans et l'autre quatorze. Je me suis avancé vers l'étrangère ; elle était si émue qu'elle pouvait à peine marcher. Elle m'a dit d'une voix altérée : « *My lord, do you remember me ?* » (me reconnaissez-vous ?) Oui, j'ai reconnu miss Ives ! les années qui avaient passé sur sa tête ne lui avaient laissé que leur printemps. Je l'ai prise par la main, je l'ai faite asseoir et je me suis assis à ses côtés. Je ne lui pouvais parler ; mes yeux étaient pleins de larmes ; je la regardais en silence à travers ces larmes ; je sentais que je l'avais profondément aimée par ce que j'éprouvais. Enfin, j'ai pu lui dire à mon tour : « Et vous, madame, me reconnaissez-vous ? » Elle a levé les yeux qu'elle tenait baissés, et, pour toute réponse, elle m'a adressé un regard souriant et mélancolique comme un long souvenir. Sa main était toujours entre les deux miennes. Charlotte m'a dit : « Je suis en deuil de ma mère ; « mon père est mort depuis plusieurs années. Voilà mes « enfants. » A ces derniers mots, elle a retiré sa main et s'est enfoncée dans son fauteuil, en couvrant ses yeux de son mouchoir.

Bientôt elle a repris : « Mylord, je vous parle à présent « dans la langue que j'essayais avec vous à Bungay. Je suis « honteuse : excusez-moi. Mes enfants sont fils de l'amiral « Sulton, que j'épousai trois ans après votre départ d'Angle- « terre. Mais aujourd'hui, je n'ai pas la tête assez à moi « pour entrer dans le détail. Permettez-moi de revenir. » Je lui ai demandé son adresse en lui donnant le bras pour la reconduire à sa voiture. Elle tremblait, et je serrai sa main contre mon cœur.

Je me rendis le lendemain chez lady Sulton ; je la trouvai seule. Alors commença entre nous la série de ces *vous souvient-il ?* qui font renaître toute une vie. A chaque *vous souvient-il*, nous nous regardions ; nous cherchions à décou- vrir sur nos visages ces traces du temps qui mesurent cruellement la distance du point de départ et l'étendue du chemin parcouru. J'ai dit à Charlotte : « Comment votre « mère vous apprit-elle ? »... Charlotte rougit et m'interrom- pit vivement : « Je suis venue à Londres pour vous prier de « vous intéresser aux enfants de l'amiral Sulton : l'aîné « désirerait passer à Bombay. M. Canning, nommé gouver-

« neur des Indes, est votre ami ; il pourrait emmener mon
« fils avec lui. Je serais bien reconnaissante, et j'aimerais à
« vous devoir le bonheur de mon premier enfant. » Elle
appuya sur ces derniers mots.

« Ah ! madame, lui répondis-je, que me rappelez-
« vous ? Quel bouleversement de destinées ! Vous qui avez
« reçu à la table hospitalière de votre père un pauvre banni ;
« vous qui n'avez point dédaigné ses souffrances ; vous qui
« peut-être aviez pensé à l'élever jusqu'à un rang glorieux et
« inespéré, c'est vous qui réclamez sa protection dans votre
« pays ! Je verrai M. Canning ; votre fils, quoi qu'il m'en
« coûte de lui donner ce nom, votre fils, si cela dépend de
« moi, ira aux Indes. Mais, dites-moi, Madame, que vous
« fait ma fortune nouvelle ? Comment me voyez-vous
« aujourd'hui ? Ce mot de *mylord* que vous employez me
« semble bien dur. »

Charlotte répliqua : « Je ne vous trouve point changé, pas
« même vieilli. Quand je parlais de vous à mes parents
« pendant votre absence, c'était toujours le titre de mylord
« que je vous donnais ; il me semblait que vous le deviez
« porter : n'étiez-vous pas pour moi comme un mari, *my*
« *lord and master,* mon seigneur et maître ? » Cette gracieuse femme avait quelque chose de l'Eve de Milton, en
prononçant ces paroles : elle n'était point née du sein d'une
autre femme ; sa beauté portait l'empreinte de la main
divine qui l'avait pétrie.

Je courus chez M. Canning et chez Lord Londonderry ; ils
me firent des difficultés pour une petite place, comme on
m'en aurait fait en France ; mais ils me promettaient comme on
promet à la Cour. Je rendis compte à lady Sulton de ma
démarche. Je la revis trois fois : à ma quatrième visite, elle
me déclara qu'elle allait retourner à Bungay. Cette dernière
entrevue fut douloureuse. Charlotte m'entretint encore du
passé de notre vie cachée, de nos lectures, de nos promenades, de la musique, des fleurs d'antan, des espérances
d'autrefois. « Quand je vous ai connu », me disait-elle,
« personne ne prononçait votre nom : maintenant, qui
« l'ignore ? Savez-vous que je possède un ouvrage et plu-
« sieurs lettres, écrits de votre main ? Les voilà. » Et elle
me remit un paquet. « Ne vous offensez pas si je ne veux rien

« garder de vous », et elle se prit à pleurer. « *Farewell!*
« *farewell!* »[1] me dit-elle, souvenez-vous de mon fils. Je ne
« vous reverrai jamais, car vous ne viendrez pas me cher-
« cher à Bungay. — J'irai, m'écriai-je ; j'irai vous porter le
« brevet de votre fils. » Elle secoua la tête d'un air de doute,
et se retira.

Rentré à l'ambassade, je m'enfermai et j'ouvris le paquet.
Il ne contenait que des billets de moi insignifiants et un
plan d'études, avec des remarques sur les poëtes anglais et
italiens. J'avais espéré trouver une lettre de Charlotte ; il n'y
en avait point ; mais j'aperçus aux marges du manuscrit
quelques notes anglaises, françaises et latines, dont l'encre
vieillie et la jeune écriture témoignaient qu'elles étaient
depuis longtemps déposées sur ces marges.

Voilà mon histoire avec miss Ives. En achevant de la
raconter, il me semble que je perds une seconde fois
Charlotte, dans cette même île où je la perdis une première.
Mais entre ce que j'éprouve à cette heure pour elle, et ce
que j'éprouvais aux heures dont je rappelle les tendresses, il
y a tout l'espace de l'innocence : des passions se sont
interposées entre miss Ives et lady Sulton. Je ne porterais
plus à une femme ingénue la candeur des désirs, la suave
ignorance d'un amour resté à la limite du rêve. J'écrivais
alors sur le vague des tristesses ; je n'en suis plus au vague
de la vie. Eh bien ! si j'avais serré dans mes bras, épouse et
mère, celle qui me fut destinée vierge et épouse, c'eût été
avec une sorte de rage, pour flétrir, remplir de douleur et
étouffer ces vingt-sept années livrées à un autre, après
m'avoir été offertes.

Je dois regarder le sentiment que je viens de rappeler,
comme le premier de cette espèce entré dans mon cœur ; il
n'était cependant point sympathique à ma nature orageuse ;
elle l'aurait corrompu ; elle m'eût rendu incapable de savourer longuement de saintes délectations. C'était alors qu'aigri
par les malheurs, déjà pèlerin d'outre-mer, ayant commencé
mon solitaire voyage, c'était alors que les folles idées peintes
dans le mystère de René, m'obsédaient et faisaient de moi
l'être le plus tourmenté qui fût sur la terre. Quoi qu'il en

1. « Adieu ! adieu ! »

soit, la chaste image de Charlotte, en faisant pénétrer au fond de mon âme quelques rayons d'une lumière vraie, dissipa d'abord une nuée de fantômes : ma démone, comme un mauvais génie, se replongea dans l'abîme ; elle attendit l'effet du temps pour renouveler ses apparitions.

Londres, d'avril à septembre 1822.

Revu en décembre 1846.

DÉFAUT DE MON CARACTÈRE.

MES rapports avec Deboffe n'avaient jamais été interrompus complètement pour l'*Essai sur les Révolutions,* et il m'importait de les reprendre au plus vite à Londres pour soutenir ma vie matérielle. Mais d'où m'était venu mon dernier malheur ? de mon obstination au silence. Pour comprendre ceci, il faut entrer dans mon caractère.

En aucun temps, il ne m'a été possible de surmonter cet esprit de retenue et de solitude intérieure qui m'empêche de causer de ce qui me touche. Personne ne saurait affirmer sans mentir que j'aie raconté ce que la plupart des gens racontent dans un moment de peine, de plaisir ou de vanité. Un nom, une confession de quelque gravité, ne sort point ou ne sort que rarement de ma bouche. Je n'entretiens jamais les passants de mes intérêts, de mes desseins, de mes travaux, de mes idées, de mes attachements, de mes joies, de mes chagrins, persuadé de l'ennui profond que l'on cause aux autres en leur parlant de soi. Sincère et véridique, je manque d'ouverture de cœur : mon âme tend incessamment à se fermer ; je ne dis point une chose entière et je n'ai laissé passer ma vie complète que dans ces Mémoires. Si j'essaie de commencer un récit, soudain l'idée de sa longueur m'épouvante ; au bout de quatre paroles, le son de ma voix me devient insupportable et je me tais. Comme je ne crois à rien, excepté en religion, je me défie de tout : la malveillance et le dénigrement sont les deux caractères de l'esprit français ; la moquerie et la calomnie, le résultat certain d'une confidence.

Mais qu'ai-je gagné à ma nature réservée ? d'être devenu, parce que j'étais impénétrable, un je ne sais quoi de fantaisie, qui n'a aucun rapport avec ma réalité. Mes amis même se trompent sur moi, en croyant me faire mieux connaître et en m'embellissant des illusions de leur attachement. Toutes les médiocrités d'antichambre, de bureaux, de gazettes, de cafés, m'ont supposé de l'ambition et je n'en ai aucune. Froid et sec en matière usuelle[1], je n'ai rien de l'enthousiaste et du sentimental : ma perception distincte et rapide traverse vite le fait et l'homme, et les dépouille de toute importance. Loin de m'entraîner, d'idéaliser les vérités applicables[2], mon imagination ravale les plus hauts événements, me déjoue moi-même[3] ; le côté petit et ridicule des objets m'apparaît tout d'abord ; de grands génies et de grandes choses, il n'en existe guère à mes yeux. Poli, laudatif, admiratif[4] pour les suffisances[5] qui se proclament intelligences supérieures, mon mépris caché rit et place sur tous ces visages enfumés d'encens des masques de Callot. En politique, la chaleur de mes opinions n'a jamais excédé la longueur de mon discours ou de ma brochure. Dans l'existence intérieure et théorique, je suis l'homme de tous les songes ; dans l'existence extérieure et pratique, l'homme des réalités. Aventureux et ordonné, passionné et méthodique, il n'y a jamais eu d'être à la fois plus chimérique et plus positif que moi, de plus ardent et de plus

1. Dans la vie pratique.
2. Susceptibles d'être mises en pratique.
3. Dissipe mes illusions.
4. Feignant l'admiration.
5. Les vaniteux.

glacé ; androgyne bizarre, pétri des sangs divers de ma mère et de mon père[1].

Les portraits qu'on a faits de moi, hors de toute ressemblance, sont principalement dus à la réticence de mes paroles. La foule est trop légère, trop inattentive pour se donner le temps, lorsqu'elle n'est pas avertie, de voir les individus tels qu'ils sont. Quand, par hasard, j'ai essayé de redresser quelques-uns de ces faux jugements dans mes préfaces, on ne m'a pas cru. En dernier résultat, tout m'étant égal, je n'insistais pas ; un *comme vous voudrez* m'a toujours débarrassé de l'ennui de persuader personne ou de chercher à établir une vérité. Je rentre dans mon for intérieur, comme un lièvre dans son gîte : là je me remets à contempler la feuille qui remue ou le brin d'herbe qui s'incline.

Je ne me fais pas une vertu de ma circonspection invincible autant qu'involontaire : si elle n'est pas une fausseté, elle en a l'apparence ; elle n'est pas en harmonie avec des natures plus heureuses, plus aimables, plus faciles, plus naïves, plus abondantes, plus communicatives que la mienne. Souvent, elle m'a nui dans les sentiments et dans les affaires, parce que je n'ai jamais pu souffrir les explications, les raccommodements par protestation et éclaircissement, lamentation et pleurs, verbiage et reproches, détails et apologie.

Au cas de la famille Ives, ce silence obstiné de moi sur moi-même me fut extrêmement fatal. Vingt fois la mère de Charlotte s'était enquise de mes parents et m'avait mis sur la voie des révélations. Ne prévoyant pas où mon mutisme me mènerait, je me contentai, comme d'usage, de répondre quelques mots vagues et brefs. Si je n'eusse été atteint de cet odieux travers d'esprit, toute méprise devenant impossible, je n'aurais pas eu l'air d'avoir voulu tromper la plus généreuse hospitalité ; la vérité, dite par moi au moment décisif, ne m'excusait pas : un mal réel n'en avait pas moins été fait.

Je repris mon travail au milieu de mes chagrins et des

1. Le père, homme pratique, aux grandes visées et d'extérieur glacé ; la mère « d'une imagination prodigieuse », « pétulante et animée ».

justes reproches que je me faisais. Je m'accommodais même de ce travail, car il m'était venu en pensée qu'en acquérant du renom, je rendrais la famille Ives moins repentante de l'intérêt qu'elle m'avait témoigné. Charlotte, que je cherchais ainsi à me réconcilier par la gloire, présidait à mes études. Son image était assise devant moi tandis que j'écrivais. Quand je levais les yeux de dessus mon papier, je les portais sur l'image adorée, comme si le modèle eût été là en effet. Les habitants de l'île de Ceylan virent un matin l'astre du jour se lever dans une pompe extraordinaire, son globe s'ouvrit, et il en sortit une brillante créature qui dit aux Ceylanais : « Je viens régner sur vous. » Charlotte, éclose d'un rayon de lumière, régnait sur moi.

Abandonnons-les, ces souvenirs ; les souvenirs vieillissent et s'effacent comme les espérances. Ma vie va changer, elle va couler sous d'autres cieux, dans d'autres vallées. Premier amour de ma jeunesse, vous fuyez avec vos charmes ! Je viens de revoir Charlotte, il est vrai, mais après combien d'années l'ai-je revue ? Douce lueur du passé, rose pâle du crépuscule qui borde la nuit, quand le soleil depuis long-temps est couché !

Londres, d'avril à septembre 1822.

L'ESSAI HISTORIQUE SUR LES RÉVOLUTIONS. — SON EFFET. — LETTRE DE LEMIÈRE, NEVEU DU POËTE.

ON a souvent représenté la vie (moi tout le premier), comme une montagne que l'on gravit d'un côté et que l'on dévale de l'autre : il serait aussi vrai de la comparer à une Alpe, au sommet chauve couronné de glace, et qui n'a pas de revers. En suivant cette image, le voyageur monte toujours et ne descend plus ; il voit mieux alors l'espace qu'il a parcouru, les sentiers qu'il n'a pas choisis et à l'aide desquels il se fût élevé par une pente adoucie : il regarde avec regret et

441

douleur le point où il a commencé de s'égarer. Ainsi, c'est à la publication de l'*Essai historique* que je dois marquer le premier pas qui me fourvoya du chemin de la paix. J'achevai la première partie du grand travail que je m'étais tracé ; j'en écrivis le dernier mot entre l'idée de la mort (j'étais retombé malade) et un rêve évanoui : *In somnis venit imago conjugis*[1]. Imprimé chez Baylie, l'*Essai* parut chez Deboffe en 1797. Cette date est celle d'une des transformations de ma vie. Il y a des moments où notre destinée, soit qu'elle cède à la société, soit qu'elle obéisse à la nature, soit qu'elle commence à nous faire ce que nous devons demeurer, se détourne soudain de sa ligne première, telle qu'un fleuve qui change son cours par une subite inflexion.

L'*Essai* offre le compendium de mon existence, comme poëte, moraliste, publiciste et politique Dire que j'espérais, autant du moins que je puis espérer, un grand succès de l'ouvrage, cela va sans dire : nous autres auteurs, petits prodiges d'une ère prodigieuse, nous avons la prétention d'entretenir des intelligences avec les races futures ; mais nous ignorons, que je crois, la demeure de la postérité, nous mettons mal son adresse. Quand nous nous engourdirons dans la tombe, la mort glacera si dur nos paroles, écrites ou chantées, qu'elles ne se fondront pas comme les *paroles gelées* de Rabelais[2].

L'*Essai* devait être une sorte d'encyclopédie historique. Le seul volume publié est déjà une assez grande investigation ; j'en avais la suite en manuscrit ; puis venaient, auprès des recherches et annotations de l'annaliste, les lais et virelais du poëte, les *Natchez*, etc. Je comprends à peine aujourd'hui comment j'ai pu me livrer à des études aussi considérables, au milieu d'une vie active, errante et sujette à tant de revers. Mon opiniâtreté à l'ouvrage explique cette fécondité : dans ma jeunesse, j'ai souvent écrit douze et quinze heures sans quitter la table où j'étais assis, raturant et recomposant dix fois la même page. L'âge ne m'a rien fait perdre de cette faculté d'application : aujourd'hui mes correspondances

1. « Dans son sommeil se présente l'image de son époux » (cf. *Enéide* I, 353 *sq.*)

2. *Quart livre*, LVI

442

diplomatiques, qui n'interrompent point mes compositions littéraires, sont entièrement de ma main.

L'*Essai* fit du bruit dans l'émigration : il était en contradiction avec les sentiments de mes compagnons d'infortune ; mon indépendance dans mes diverses positions sociales a presque toujours blessé les hommes avec qui je marchais. J'ai tour à tour été le chef d'armées différentes dont les soldats n'étaient pas de mon parti : j'ai mené les vieux royalistes à la conquête des libertés publiques, et surtout de la liberté de la presse, qu'ils détestaient ; j'ai rallié les libéraux au nom de cette même liberté sous le drapeau des Bourbons qu'ils ont en horreur. Il arriva que l'opinion émigrée s'attacha, par amour-propre, à ma personne : les *Revues* anglaises, ayant parlé de moi avec éloge, la louange rejaillit sur tout le corps des *fidèles*.

J'avais adressé des exemplaires de l'*Essai* à Laharpe, Ginguené et de Sales. Lemière, neveu du poète du même nom et traducteur des poésies de Gray [1], m'écrivit de Paris, le 15 juillet 1797, que mon *Essai* avait le plus grand succès. Il est certain que si l'*Essai* fut un moment connu, il fut presque aussitôt oublié : une ombre subite engloutit le premier rayon de ma gloire.

Etant devenu presque un personnage, la haute émigration me rechercha à Londres. Je fis mon chemin de rue en rue ; je quittai d'abord Holborn-Tottenham-Court-road, et m'avançai jusque sur la route d'Hamsteadt. Là, je stationnai quelques mois chez madame O'Larry, veuve irlandaise, mère d'une très-jolie fille de quatorze ans et aimant tendrement les chats. Liés par cette conformité de passion, nous eûmes le malheur de perdre deux élégantes minettes, toutes blanches comme deux hermines, avec le bout de la queue noir.

Chez madame O'Larry venaient de vieilles voisines avec lesquelles j'étais obligé de prendre du thé à l'ancienne façon. Madame de Staël a peint cette scène dans Corinne chez lady Edgermond : « Ma chère, croyez-vous que l'eau

---

1. Thomas Gray (1716-1771), poète anglais. Chateaubriand a traduit en vers son *Elégie sur un cimetière de campagne* (O.C. XXII, 327 *sq*)

« soit assez bouillante pour la jeter sur le thé ?— Ma chère,
« je crois que ce serait trop tôt. »

Venait aussi à ces soirées une grande belle jeune Irlandaise, Marie Neale, sous la garde d'un tuteur. Elle trouvait au fond de mon regard quelque blessure, car elle me disait : *You carry your heart in a sling* (vous portez votre cœur en écharpe). Je portais mon cœur je ne sais comment.

Madame O'Larry partit pour Dublin ; alors, m'éloignant derechef du canton de la colonie de la pauvre émigration de l'est, j'arrivai, de logement en logement, jusqu'au quartier de la riche émigration de l'ouest, parmi les évêques, les familles de cour et les colons de la Martinique.

Pelletier m'était revenu ; il s'était marié à la vanvole ; toujours hâbleur, gaspillant son obligeance et fréquentant l'argent de ses voisins plus que leur personne.

Je fis plusieurs connaissances nouvelles, surtout dans la société où j'avais des rapports de famille : Christian de Lamoignon [1], blessé grièvement d'une jambe à l'affaire de Quiberon, et aujourd'hui mon collègue à la Chambre des pairs, devint mon ami. Il me présenta à madame Lindsay [2], attachée à Auguste de Lamoignon, son frère : le président Guillaume [3] n'était pas emménagé de la sorte à Basville, entre Boileau, madame de Sévigné et Bourdaloue.

Madame Lindsay, Irlandaise d'origine, d'un esprit sec, d'une humeur un peu cassante, élégante de taille, agréable de figure, avait de la noblesse d'âme et de l'élévation de caractère : les émigrés de mérite passaient la soirée au foyer de la dernière des Ninon. La vieille monarchie périssait avec tous ses abus et toutes ses grâces. On la déterrera un jour, comme ces squelettes de reines, ornés de colliers, de bracelets, de pendants d'oreille, qu'on exhume en Etrurie. Je rencontrai à ce rendez-vous M. Malouët et madame du

1. Christian de Lamoignon (1770-1827) épousa Mlle Molé de Champlatreux.
2. Mme Lindsay (1764-1826) était la maîtresse d'Auguste de Lamoignon.
3. Guillaume de Lamoignon (1617-1677). Premier président au Parlement de Paris. Il vivait encore lorsque Boileau a adressé l'épître VI à son fils, l'avocat général.

Belloy, femme digne d'attachement, le comte de Montlosier[1], et le chevalier de Panat[2]. Ce dernier avait une réputation méritée d'esprit, de malpropreté et de gourmandise : il appartenait à ce parterre d'hommes de goût, assis autrefois les bras croisés devant la société française ; oisifs dont la mission était de tout regarder et de tout juger, ils exerçaient les fonctions qu'exercent maintenant les journaux, sans en avoir l'âpreté, mais aussi sans arriver à leur grande influence populaire.

Montlosier était resté à cheval sur la renommée de sa fameuse phrase de la *croix de bois*[3], phrase un peu ratissée par moi, quand je l'ai reproduite, mais vraie au fond. En quittant la France, il se rendit à Coblentz : mal reçu des Princes, il eut une querelle, se battit la nuit au bord du Rhin et fut embroché. Ne pouvant remuer et n'y voyant goutte, il demanda aux témoins si la pointe de l'épée passait par derrière : « De trois pouces, » lui dirent ceux-ci qui tâtèrent. « Alors ce n'est rien, » répondit Montlosier : « monsieur, retirez votre botte. »

Montlosier, accueilli de la sorte pour son royalisme, passa en Angleterre et se réfugia dans les lettres, grand hôpital des émigrés où j'avais une paillasse auprès de la sienne. Il obtint la rédaction du *Courrier français*. Outre son journal, il écrivait des ouvrages physico-politico-philosophiques : il prouvait dans l'une de ces œuvres que le bleu était la couleur de la vie par la raison que les veines bleuissent après la mort, la vie venant à la surface du corps pour s'évaporer et retourner au ciel bleu : comme j'aime beaucoup le bleu, j'étais tout charmé.

Féodalement libéral, aristocrate et démocrate, esprit bigarré, fait de pièces et de morceaux, Montlosier accouche avec difficulté d'idées disparates ; mais s'il parvient à les dégager de leur délivre, elles sont quelquefois belles, surtout

---

1. Auvergnat (1755-1838), surtout connu pour son hostilité aux jésuites.
2. Officier de marine (1762-1834).
3. A la Constituante où il siégeait, Montlosier avait combattu le projet de verser une rente aux évêques réfractaires : « Si on leur ôte une croix d'or, ils prendront une croix de bois, et c'est une croix de bois qui a sauvé le monde ».

énergiques : anti-prêtre comme noble, chrétien par sophisme et comme amateur des vieux siècles, il eût été, sous le paganisme, chaud partisan de l'indépendance en théorie et de l'esclavage en pratique, faisant jeter l'esclave aux murènes, au nom de la liberté du genre humain. Brise-raison, ergoteur, raide et hirsute, l'ancien député de la noblesse de Riom se permet néanmoins des condescendances au pouvoir ; il sait ménager ses intérêts, mais il ne souffre pas qu'on s'en aperçoive, et met à l'abri ses faiblesses d'homme derrière son honneur de gentilhomme. Je ne veux point dire du mal de mon *Auvernat fameux*[1], avec ses romances du *Mont-d'Or* et sa polémique de la *Plaine*[2] ; j'ai du goût pour sa personne hétéroclite. Ses longs développements obscurs et tournoiements d'idées, avec parenthèses, bruits de gorge et *oh! oh!* chevrottants, m'ennuient (le ténébreux, l'embrouillé, le vaporeux, le pénible me sont abominables) ; mais, d'un autre côté, je suis diverti par ce naturaliste de volcans, ce Pascal manqué, cet orateur de montagnes qui pérore à la tribune comme ses petits compatriotes chantent au haut d'une cheminée ; j'aime ce gazetier de tourbières et de castels, ce libéral expliquant la Charte à travers une fenêtre gothique, ce seigneur pâtre quasi-marié à sa vachère, semant lui-même son orge parmi la neige, dans son petit champ de cailloux : je lui saurai toujours gré de m'avoir consacré, dans son chalet du Puy-de-Dôme, une vieille roche noire, prise d'un cimetière des Gaulois par lui découvert.

L'abbé Delille[3], autre compatriote de Sidoine Apollinaire, du chancelier de L'Hospital, de La Fayette, de Thomas, de Chamfort, chassé du continent par le débordement des victoires républicaines, était venu aussi s'établir à Londres. L'émigration le comptait avec orgueil dans ses

1. L'expression vient du *Repas ridicule* de Boileau où elle désigne un vin médiocre, « l'Auvernat », qui se récolte aux environs d'Orléans et qui donne mal à la tête (c'est le sens de « fumeux »). Chateaubriand joue sur les deux mots : il prend *Auvernat* au sens d'auvergnat et *fumeux* au sens d'obscur (voir la suite).
2. Allusions peu claires. Retiré en Auvergne sous la Restauration, Montlosier, féodal et gallican, polémique surtout contre le clergé.
3. Jacques Delille (1738-1813) passait alors pour un grand poète.

rangs; il chantait nos malheurs, raison de plus pour aimer sa muse. Il besognait beaucoup; il le fallait bien, car madame Delille l'enfermait et ne le lâchait que quand il avait gagné sa journée par un certain nombre de vers. Un jour, j'étais allé chez lui; il se fit attendre, puis il parut les joues fort rouges : on prétend que madame Delille le souffletait; je n'en sais rien; je dis seulement ce que j'ai vu.

Qui n'a entendu l'abbé Delille dire ses vers ? Il racontait très-bien; sa figure, laide, chiffonnée, animée par son imagination, allait à merveille à la nature coquette de son débit, au caractère de son talent et à sa profession d'abbé. Le chef-d'œuvre de l'abbé Delille est sa traduction des *Géorgiques,* aux morceaux de sentiment près; mais c'est comme si vous lisiez Racine traduit dans la langue de Louis XV.

La littérature du dix-huitième siècle, à part quelques beaux génies qui la dominent, cette littérature, placée entre la littérature classique du dix-septième siècle et la littérature romantique du dix-neuvième, sans manquer de naturel, manque de nature; vouée à des arrangements de mots, elle n'est ni assez originale comme école nouvelle, ni assez pure comme école antique. L'abbé Delille était le poëte des châteaux modernes, de même que le troubadour était le poëte des vieux châteaux; les vers de l'un, les ballades de l'autre, font sentir la différence qui existait entre l'aristocratie dans la force de l'âge et l'aristocratie dans la décrépitude : l'abbé peint des lectures et des parties d'échecs dans les manoirs, où les troubadours chantaient des croisades et des tournois.

Les personnages distingués de notre Eglise militante étaient alors en Angleterre : l'abbé Carron, dont je vous ai déjà parlé, en lui empruntant la vie de ma sœur Julie; l'évêque de Saint-Pol-de-Léon, prélat sévère et borné, qui contribuait à rendre M. le comte d'Artois de plus en plus étranger à son siècle; l'archevêque d'Aix, calomnié peut-être à cause de ses succès dans le monde; un autre évêque savant et pieux, mais d'une telle avarice, que s'il avait eu le malheur de perdre son âme, il ne l'aurait jamais rachetée. Presque tous les avares sont gens d'esprit : il faut que je sois bien bête.

Parmi les Françaises de l'ouest, on nommait madame de Boignes, aimable, spirituelle, remplie de talents, extrêmement jolie et la plus jeune de toutes ; elle a depuis représenté avec son père, le marquis d'Osmond, la cour de France en Angleterre, bien mieux que ma sauvagerie ne l'a fait. Elle écrit maintenant, et ses talents reproduiront à merveille ce qu'elle a vu [1].

Mesdames de Caumont, de Gontaut et du Cluzel habitaient aussi le quartier des félicités exilées, si toutefois je ne fais pas de confusion à l'égard de madame de Caumont et de madame du Cluzel, que j'avais entrevues à Bruxelles.

Très-certainement, à cette époque, madame la duchesse de Duras [2] était à Londres : je ne devais la connaître que dix ans plus tard. Que de fois on passe dans la vie à côté de ce qui en ferait le charme, comme le navigateur franchit les eaux d'une terre aimée du ciel, qu'il n'a manquée que d'un horizon et d'un jour de voile ! J'écris ceci au bord de la Tamise, et demain une lettre ira dire, par la poste, à madame de Duras, au bord de la Seine, que j'ai rencontré son premier souvenir.

Londres, d'avril à septembre 1822.

FONTANES. — CLÉRY.

DE temps en temps, la Révolution nous envoyait des émigrés d'une espèce et d'une opinion nouvelles ; il se formait diverses couches d'exilés : la terre renferme des lits de sable ou d'argile, déposés par les flots du déluge. Un de ces flots m'apporta un homme dont je déplore aujourd'hui la perte, un homme qui fut mon guide dans les lettres et de

1. Dans ses Mémoires inspirés par le chancelier Pasquier elle ne parle de Chateaubriand qu'avec aigreur.
2. Claire de Duras, née Kersaint, la « chère sœur ».

448

qui l'amitié a été un des honneurs comme une des consolations de ma vie.

On a vu, dans un des livres de ces Mémoires, que j'avais connu M. de Fontanes en 1789 : c'est à Berlin, l'année dernière, que j'appris la nouvelle de sa mort. Il était né à Niort, d'une famille noble et protestante : son père avait eu le malheur de tuer en duel son beau-frère. Le jeune Fontanes, élevé par un frère d'un grand mérite, vint à Paris. Il vit mourir Voltaire, et ce grand représentant du dix-huitième siècle lui inspira ses premiers vers : ses essais poétiques furent remarqués de Laharpe. Il entreprit quelques travaux pour le théâtre, et se lia avec une actrice charmante, mademoiselle Desgarcins. Logé auprès de l'Odéon, en errant autour de la Chartreuse [1], il en célébra la solitude. Il avait rencontré un ami destiné à devenir le mien, M. Joubert. La révolution arrivée, le poëte s'engagea dans un de ces partis stationnaires qui meurent toujours déchirés par le parti du progrès qui les tire en avant, et le parti rétrograde qui les tire en arrière. Les monarchiens attachèrent M. de Fontanes à la rédaction du *Modérateur*. Quand les jours devinrent mauvais, il se réfugia à Lyon et s'y maria. Sa femme accoucha d'un fils : pendant le siége de la ville que les révolutionnaires avaient nommée *Commune affranchie*, de même que Louis XI, en en bannissant les citoyens, avait appelé Arras *Ville franchise*, madame de Fontanes était obligée de changer de place le berceau de son nourrisson pour le mettre à l'abri des bombes. Retourné à Paris le 9 thermidor, M. de Fontanes établit le *Mémorial*.[2] avec M. de Laharpe et l'abbé de Vauxelles. Proscrit au 18 fructidor, l'Angleterre fut son port de salut [3].

M. de Fontanes a été, avec Chénier, le dernier écrivain de l'école classique de la branche aînée : sa prose et ses vers se ressemblent et ont un mérite de même nature. Ses pensées et ses images ont une mélancolie ignorée du siècle de

1. Le Clos des Chartreux se trouvait sur l'emplacement de l'actuelle avenue de l'Observatoire.

2. Le *Mémorial historique, politique et littéraire* ne parut que pendant quatre mois en 1797.

3. Fontanes n'arriva en Angleterre qu'en janvier 1798. Il avait d'abord émigré à Hambourg.

Louis XIV, qui connaissait seulement l'austère et sainte tristesse de l'éloquence religieuse. Cette mélancolie se trouve mêlée aux ouvrages du chantre du *Jour des morts*, comme l'empreinte de l'époque où il a vécu ; elle fixe la date de sa venue ; elle montre qu'il est né depuis J.-J. Rousseau, tenant par son goût à Fénélon. Si l'on réduisait les écrits de M. de Fontanes à deux très-petits volumes, l'un de prose, l'autre de vers, ce serait le plus élégant monument funèbre qu'on pût élever sur la tombe de l'école classique *.

Parmi les papiers que mon ami a laissés, se trouvent plusieurs chants du poëme de la *Grèce sauvée*, des livres d'odes, des poësies diverses, etc. Il n'eût plus rien publié lui-même : car ce critique si fin, si éclairé, si impartial, lorsque les opinions politiques ne l'aveuglaient pas, avait une frayeur horrible de la critique. Il a été souverainement injuste envers madame de Staël. Un article envieux de Garat, sur la *Forêt de Navarre*, pensa l'arrêter net au début de sa carrière poétique. Fontanes, en paraissant, tua l'école affectée de Dorat[1], mais il ne put rétablir l'école classique qui touchait à son terme avec la langue de Racine.

Parmi les odes posthumes de M. de Fontanes, il en est une sur l'*Anniversaire de sa naissance* : elle a tout le charme du *Jour des Morts*, avec un sentiment plus pénétrant et plus individuel. Je ne me souviens que de ces deux strophes :

> *La vieillesse déjà vient avec ses souffrances :*
> *Que m'offre l'avenir ? De courtes espérances.*
> *Que m'offre le passé ? Des fautes, des regrets.*
> *Tel est le sort de l'homme ; il s'instruit avec l'âge :*
> *Mais que sert d'être sage,*
> *Quand le terme est si près ?*
>
> *Le passé, le présent, l'avenir, tout m'afflige :*
> *La vie à son déclin est pour moi sans prestige ;*

---

1. Auteur de poésie légères (1734-1780).

* Il vient d'être élevé par la piété filiale de madame Christine de Fontanes ; M. de Sainte-Beuve a orné de son ingénieuse notice le fronton du monument. (Paris, note de 1839.)

Dans le miroir du temps elle perd ses appas.
Plaisirs ! allez chercher l'amour et la jeunesse ;
Laissez-moi ma tristesse,
Et ne l'insultez pas !

Si quelque chose au monde devait être antipathique à M. de Fontanes, c'était ma manière d'écrire. En moi commençait, avec l'école dite romantique, une révolution dans la littérature française : toutefois, mon ami, au lieu de se révolter contre ma barbarie, se passionna pour elle. Je voyais bien de l'ébahissement sur son visage quand je lui lisais des fragments des Natchez, d'Atala, de René ; il ne pouvait ramener ces productions aux règles communes de la critique, mais il sentait qu'il entrait dans un monde nouveau ; il voyait une nature nouvelle ; il comprenait une langue qu'il ne parlait pas. Je reçus de lui d'excellents conseils ; je lui dois ce qu'il y a de correct dans mon style ; il m'apprit à respecter l'oreille ; il m'empêcha de tomber dans l'extravagance d'invention et le rocailleux d'exécution de mes disciples.

Ce me fut un grand bonheur de le revoir à Londres, fêté de l'émigration ; on lui demandait des chants de la *Grèce sauvée ;* on se pressait pour l'entendre. Il se logea auprès de moi ; nous ne nous quittions plus. Nous assistâmes ensemble à une scène digne de ces temps d'infortune : Cléry, dernièrement débarqué, nous lut ses *Mémoires* manuscrits. Qu'on juge de l'émotion d'un auditoire d'exilés, écoutant le valet de chambre de Louis XVI, raconter, témoin oculaire, les souffrances et la mort du prisonnier du Temple ! Le Directoire, effrayé des mémoires de Cléry, en publia une édition interpolée, dans laquelle il faisait parler l'auteur comme un laquais, et Louis XVI comme un porte-faix : entre les turpitudes révolutionnaires, celle-ci est peut-être une des plus sales.

UN PAYSAN VENDÉEN.

M. du Theil [1], chargé des affaires de M. le comte d'Artois

1. Agent des Princes auprès du gouvernement anglais.

à Londres, s'était hâté de chercher Fontanes : celui-ci me pria de le conduire chez l'agent des Princes. Nous le trouvâmes environné de tous ces défenseurs du trône et de l'autel qui battaient les pavés de Piccadily, d'une foule d'espions et de chevaliers d'industrie échappés de Paris sous divers noms et divers déguisements, et d'une nuée d'aventuriers belges, allemands, irlandais, vendeurs de contre-révolution. Dans un coin de cette foule était un homme de trente à trente-deux ans qu'on ne regardait point, et qui ne faisait lui-même attention qu'à une gravure de la mort du général Wolf[1]. Frappé de son air, je m'enquis de sa personne : un de mes voisins me répondit : « Ce n'est rien ; « c'est un paysan vendéen, porteur d'une lettre de ses « chefs. »

Cet homme, *qui n'était rien,* avait vu mourir Cathelineau, premier général de la Vendée et paysan comme lui ; Bonchamp, en qui revivait Bayard ; Lescure, armé d'un cilice non à l'épreuve de la balle ; d'Elbée, fusillé dans un fauteuil, ses blessures ne lui permettant pas d'embrasser la mort debout ; La Rochejaquelein, dont les patriotes ordonnèrent de *vérifier* le cadavre, afin de rassurer la Convention au milieu de ses victoires. Cet homme, *qui n'était rien,* avait assisté à deux cents prises et reprises de villes, villages et redoutes, à sept cents actions particulières et à dix-sept batailles rangées ; il avait combattu trois cent mille hommes de troupes réglées, six à sept cent mille réquisitionnaires et gardes nationaux ; il avait aidé à enlever cent pièces de canon et cinquante mille fusils ; il avait traversé les *colonnes infernales,* compagnies d'incendiaires commandées par des conventionnels ; il s'était trouvé au milieu de l'océan de feu, qui, à trois reprises, roula ses vagues sur les bois de la Vendée ; enfin, il avait vu périr trois cent mille Hercules de charrue, compagnons de ses travaux, et se changer en un désert de cendres cent lieues carrées d'un pays fertile.

Les deux Frances se rencontrèrent sur ce sol nivelé par elles. Tout ce qui restait de sang et de souvenir dans la France des Croisades, lutta contre ce qu'il y avait de nouveau sang et d'espérances dans la France de la Révolu-

---

1. Général anglais tué à l'assaut de Québec contre Montcalm en 1759.

tion. Le vainqueur sentit la grandeur du vaincu. Thureau, général des républicains, déclarait que « les Vendéens « seraient placés dans l'histoire au premier rang des peuples « soldats. » Un autre général écrivait à Merlin de Thionville : « Des troupes qui ont battu de tels Français peuvent « bien se flatter de battre tous les autres peuples. » Les légions de Probus[1], dans leur chanson, en disaient autant de nos pères. Bonaparte appela les combats de la Vendée « des combats de géants. »

Dans la cohue du parloir, j'étais le seul à considérer avec admiration et respect le représentant de ces anciens *Jacques*[2], qui, tout en brisant le joug de leurs seigneurs, repoussaient, sous Charles V, l'invasion étrangère : il me semblait voir un enfant de ces communes du temps de Charles VII, lesquelles, avec la petite noblesse de province, reconquirent pied à pied, de sillon en sillon, le sol de la France. Il avait l'air indifférent du sauvage ; son regard était grisâtre et inflexible comme une verge de fer ; sa lèvre inférieure tremblait sur ses dents serrées ; ses cheveux descendaient de sa tête en serpents engourdis, mais prêts à se redresser ; ses bras, pendant à ses côtés, donnaient une secousse nerveuse à d'énormes poignets tailladés de coups de sabre ; on l'aurait pris pour un scieur de long. Sa physionomie exprimait une nature populaire rustique, mise, par la puissance des mœurs, au service d'intérêts et d'idées contraires à cette nature ; la fidélité native du vassal, la simple foi du chrétien, s'y mêlaient à la rude indépendance plébéienne accoutumée à s'estimer et à se faire justice. Le sentiment de sa liberté paraissait n'être en lui que la conscience de la force de sa main et de l'intrépidité de son cœur. Il ne parlait pas plus qu'un lion ; il se grattait comme un lion, bâillait comme un lion, se mettait sur le flanc comme un lion ennuyé, et rêvait apparemment de sang et de forêts.

Quels hommes dans tous les partis que les Français

---

1. Chateaubriand dans *Les Martyrs* fait chanter par les Romains le passage du chant de Probus où hommage est rendu aux Francs. — Probus : empereur romain du IIIe siècle.

2. *Jacques*, ou *Jacques Bonhomme* était le nom que, dès le Moyen Age, les nobles donnaient par dérision aux paysans. Augustin Thierry en 1820 a publié une *Histoire véritable de Jacques Bonhomme*.

d'alors, et quelle race aujourd'hui nous sommes ! Mais les républicains avaient leur principe en eux, au milieu d'eux, tandis que le principe des royalistes était hors de France. Les Vendéens députaient vers les exilés ; les géants envoyaient demander des chefs aux pygmées. L'agreste messager que je contemplais avait saisi la Révolution à la gorge, il avait crié : « Entrez ; passez derrière moi ; elle ne « vous fera aucun mal ; elle ne bougera pas ; je la tiens. » Personne ne voulut passer : alors Jacques Bonhomme relâcha la Révolution, et Charette brisa son épée [1].

PROMENADES AVEC FONTANES.

Tandis que je faisais ces réflexions à propos de ce laboureur, comme j'en avais fait d'une autre sorte à la vue de Mirabeau et de Danton, Fontanes obtenait une audience particulière de celui qu'il appelait plaisamment le *Contrôleur-général des finances* : il en sortit fort satisfait, car M. du Theil avait promis d'encourager la publication de mes ouvrages, et Fontanes ne pensait qu'à moi. Il n'était pas possible d'être meilleur homme : timide en ce qui le regardait, il devenait tout courage pour l'amitié ; il me le prouva, lors de ma démission à l'occasion de la mort du duc d'Enghien. Dans la conversation, il éclatait en colères littéraires risibles. En politique, il déraisonnait ; les crimes conventionnels lui avaient donné l'horreur de la liberté. Il détestait les journaux, la philosophaillerie, l'idéologie, et il communiqua cette haine à Bonaparte, quand il s'approcha du maître de l'Europe.

Nous allions nous promener dans la campagne ; nous nous arrêtions sous quelques-uns de ces larges ormes répandus dans les prairies. Appuyé contre le tronc de ces ormes,

1. Charette, découragé, signa le 17 février 1795 un traité de paix avec les représentants de la Convention. En juin d'ailleurs il reprenait la lutte. — « Ah ! que je donnerais tous les *Condors* de Leconte de Lisle et même une partie du bagage lyrique de Hugo dans la *Légende des siècles,* pour cette page des *Mémoires d'outre-tombe* où Chateaubriand peint dans l'antichambre de M. du Theil... ce paysan vendéen, cet homme qui *n'était rien...* » (E. de Goncourt, *Journal* IX, 117, à la date du 31 mars 1893.)

mon ami me contait son ancien voyage en Angleterre avant la Révolution, et les vers qu'il adressait alors à deux jeunes ladies, devenues vieilles à l'ombre des tours de Westminster ; tours qu'il retrouvait debout comme il les avait laissées, durant qu'à leur base s'étaient ensevelies les illusions et les heures de sa jeunesse.

Nous dînions souvent dans quelque taverne solitaire à Chelsea, sur la Tamise, en parlant de Milton et de Shakspeare : ils avaient vu ce que nous voyions ; ils s'étaient assis, comme nous, au bord de ce fleuve de la patrie. Nous rentrions de nuit à Londres, aux rayons défaillants des étoiles, submergées l'une après l'autre dans le brouillard de la ville. Nous regagnions notre demeure, guidés par d'incertaines lueurs qui nous traçaient à peine la route à travers la fumée de charbon rougissant autour de chaque reverbère : ainsi s'écoule la vie du poëte.

Nous vîmes Londres en détail : ancien banni, je servais de *cicerone* aux nouveaux réquisitionnaires de l'exil que la Révolution prenait, jeunes ou vieux : il n'y a point d'âge légal pour le malheur. Au milieu d'une de ces excursions, nous fûmes surpris d'une pluie mêlée de tonnerre et forcés de nous réfugier dans l'allée d'une chétive maison dont la porte se trouvait ouverte par hasard. Nous y rencontrâmes le duc de Bourbon : je vis pour la première fois, à ce Chantilly, un prince qui n'était pas encore le dernier des Condé[1].

Le duc de Bourbon, Fontanes et moi également proscrits, cherchant en terre étrangère, sous le toit du pauvre, un abri contre le même orage ! *Fata viam invenient*[2].

Fontanes fut rappelé en France. Il m'embrassa en faisant des vœux pour notre prochaine réunion. Arrivé en Allemagne, il m'écrivit la lettre suivante :

28 juillet 1798.

« Si vous avez senti quelques regrets à mon départ
« de Londres, je vous jure que les miens n'ont pas été moins
« réels. Vous êtes la seconde personne à qui, dans le cours

1. Il le deviendra après l'exécution de son fils, le duc d'Enghien.
2. « Les destins trouveront leur route » (*Enéide* III, 395).

« de ma vie, j'ai trouvé une imagination et un cœur à ma
« façon. Je n'oublierai jamais les consolations que vous
« m'avez fait trouver dans l'exil et sur une terre étrangère.
« Ma pensée la plus chère et la plus constante, depuis que
« je vous ai quitté, se tourne sur les *Natchez*. Ce que vous
« m'en avez lu, et surtout dans les derniers jours, est
« admirable, et ne sortira plus de ma mémoire. Mais le
« charme des idées poétiques que vous m'avez laissées a
« disparu un moment à mon arrivée en Allemagne. Les plus
« affreuses nouvelles de France ont succédé à celles que
« je vous avais montrées en vous quittant. J'ai été cinq ou
« six jours dans les plus cruelles perplexités. Je crai-
« gnais même des persécutions contre ma famille.
« Mes terreurs sont aujourd'hui fort diminuées. Le mal
« même n'a été que fort léger ; on menace plus qu'on ne
« frappe, et ce n'était pas à ceux de ma *date* qu'en vou-
« laient les exterminateurs. Le dernier courrier m'a porté des
« assurances de paix et de bonne volonté. Je puis
« continuer ma route, et je vais me mettre en marche dès les
« premiers jours du mois prochain. Mon séjour sera fixé
« près de la forêt de Saint-Germain, entre ma famille, la
« Grèce [1] et mes livres, que ne puis-je dire aussi les
« Natchez ! L'orage inattendu qui vient d'avoir lieu à Paris,
« est causé, j'en suis sûr, par l'étourderie des agents et des
« chefs que vous connaissez. J'en ai la preuve évidente entre
« les mains. D'après cette certitude, j'écris *Great-Pulteney-*
« *street* (rue où demeurait M. du Theil), avec toute la
« politesse possible, mais aussi avec tous les ménagements
« qu'exige la prudence. Je veux éviter toute correspondance
« au moins prochaine, et je laisse dans le plus grand doute
« sur le parti que je dois prendre et sur le séjour que je veux
« choisir. Au reste, je parle encore de vous avec l'accent de
« l'amitié, et je souhaite du fond du cœur que les espéran-
« ces d'utilité qu'on peut fonder sur moi réchauffent les
« bonnes dispositions qu'on m'a témoignées à cet égard, et
« qui sont si bien dues à votre personne et à vos grands
« talents. Travaillez, travaillez, mon cher ami, devenez
« illustre. Vous le pouvez : l'avenir est à vous. J'espère que

1. Son poème *La Grèce sauvée*.

« la parole si souvent donnée par le *contrôleur-général des*
« *finances* est au moins acquittée en partie. Cette partie me
« console, car je ne puis soutenir l'idée qu'un bel ouvrage
« est arrêté faute de quelques secours. Ecrivez-moi ; que nos
« cœurs communiquent, que nos muses soient toujours
« amies. Ne doutez pas que, lorsque je pourrai me prome-
« ner librement dans ma patrie, je ne vous y prépare une
« ruche et des fleurs à côté des miennes. Mon attachement
« est inaltérable. Je serai seul tant que je ne serai point
« auprès de vous. Parlez-moi de vos travaux. Je veux vous
« réjouir en finissant : j'ai fait la moitié d'un nouveau
« chant sur les bords de l'Elbe, et j'en suis plus content que
« de tout le reste.

« Adieu, je vous embrasse tendrement, et suis votre
« ami,

« FONTANES. »

Fontanes m'apprend qu'il faisait des vers en changeant
d'exil. On ne peut jamais tout ravir au poëte ; il emporte
avec lui sa lyre. Laissez au cygne ses ailes ; chaque soir, des
fleuves inconnus répéteront les plaintes mélodieuses qu'il
eût mieux aimé faire entendre à l'Eurotas.

L'avenir est à vous : Fontanes disait-il vrai ? Dois-je me
féliciter de sa prédiction ? Hélas ! cet avenir annoncé est
déjà passé : en aurai-je un autre ?

Cette première et affectueuse lettre du premier ami que
j'aie compté dans ma vie, et qui depuis la date de cette lettre
a marché vingt-trois ans à mes côtés, m'avertit douloureusement de mon isolement progressif. Fontanes n'est
plus [1] ; un chagrin profond, la mort tragique d'un fils, l'a jeté
dans la tombe avant l'heure. Presque toutes les personnes dont
j'ai parlé dans ces Mémoires, ont disparu ; c'est un registre
obituaire que je tiens. Encore quelques années, et moi, condamné à cataloguer les morts, je ne laisserai personne pour
inscrire mon nom au livre des absents.

Mais s'il faut que je reste seul, si nul être qui m'aima ne
demeure après moi pour me conduire à mon dernier asile,
moins qu'un autre j'ai besoin de guide : je me suis enquis

1. Il était mort le 17 mars 1821.

du chemin, j'ai étudié les lieux où je dois passer, j'ai voulu voir ce qui arrive au dernier moment. Souvent, au bord d'une fosse dans laquelle on descendait une bière avec des cordes, j'ai entendu le râlement de ces cordes ; ensuite, j'ai ouï le bruit de la première pelletée de terre tombant sur la bière : à chaque nouvelle pelletée, le bruit creux diminuait ; la terre, en comblant la sépulture, faisait peu à peu monter le silence éternel à la surface du cercueil.

Fontanes ! vous m'avez écrit : *Que nos muses soient toujours amies ;* vous ne m'avez pas écrit en vain.

Londres, d'avril à septembre 1822.

Mort de ma mère. — Retour à la Religion.

Alloquar ? audiero nunquam tua verba loquentem ?
Nunquam ego te, vita frater amabilior,
Aspiciam posthac ? at, certe, semper amabo [1]*!*

« Ne te parlerai-je plus ? jamais n'entendrai-je tes
« paroles ? jamais, frère plus aimable que la vie, ne te
« verrai-je ? Ah ! toujours je t'aimerai ! »
Je viens de quitter un ami, je vais quitter une mère : il faut toujours répéter les vers que Catulle adressait à son frère. Dans notre vallée de larmes, ainsi qu'aux enfers, il est je ne sais quelle plainte éternelle, qui fait le fond ou la note dominante des lamentations humaines ; on l'entend sans cesse, et elle continuerait quand toutes les douleurs créées viendraient à se taire.

Une lettre de Julie, que je reçus peu de temps après celle de Fontanes, confirmait ma triste remarque sur mon isolement progressif : Fontanes m'invitait à *travailler, à devenir illustre ;* ma sœur m'engageait à *renoncer à écrire :* l'un me proposait la gloire, l'autre l'oubli. Vous avez vu dans l'histoire de madame de Farcy qu'elle était dans ce train

1. Catulle, CI.

458

d'idées ; elle avait pris la littérature en haine, parce qu'elle la regardait comme une des tentations de sa vie.

Saint-Servan, 1er juillet 1798.

« Mon ami, nous venons de perdre la meilleure des « mères ; je t'annonce à regret ce coup funeste. Quand tu « cesseras d'être l'objet de nos sollicitudes, nous aurons « cessé de vivre. Si tu savais combien de pleurs tes erreurs « ont fait répandre à notre respectable mère, combien elles « paraissent déplorables à tout ce qui pense et fait profession « non-seulement de piété, mais de raison ; si tu le savais, « peut-être cela contribuerait-il à t'ouvrir les yeux, à te faire « renoncer à écrire ; et si le ciel, touché de nos vœux, « permettait notre réunion, tu trouverais au milieu de nous « tout le bonheur qu'on peut goûter sur la terre ; tu nous « donnerais ce bonheur, car il n'en est point pour nous, « tandis que tu nous manques et que nous avons lieu d'être « inquiètes de ton sort. »

Ah ! que n'ai-je suivi le conseil de ma sœur ! Pourquoi ai-je continué d'écrire ? Mes écrits de moins dans mon siècle, y aurait-il eu quelque chose de changé aux événements et à l'esprit de ce siècle ?

Ainsi, j'avais perdu ma mère ; ainsi, j'avais affligé l'heure suprême de sa vie ! Tandis qu'elle rendait le dernier soupir loin de son dernier fils, en priant pour lui, que faisais-je à Londres ? Je me promenais peut-être par une fraîche matinée, au moment où les sueurs de la mort couvraient le front maternel et n'avaient pas ma main pour les essuyer !

La tendresse filiale que je conservais pour madame de Chateaubriand était profonde. Mon enfance et ma jeunesse se liaient intimement au souvenir de ma mère ; tout ce que je savais me venait d'elle. L'idée d'avoir empoisonné les vieux jours de la femme qui me porta dans ses entrailles, me désespéra : je jetai au feu avec horreur des exemplaires de l'*Essai*, comme l'instrument de mon crime ; s'il m'eût été possible d'anéantir l'ouvrage, je l'aurais fait sans hésiter. Je ne me remis de ce trouble que lorsque la pensée m'arriva d'expier mon premier ouvrage par un ouvrage religieux : telle fut l'origine du *Génie du Christianisme*.

« Ma mère, » ai-je dit dans la première préface de cet

ouvrage,« après avoir été jetée à soixante-douze ans dans des
« cachots, où elle vit périr une partie de ses enfants, expira
« enfin sur un grabat, où ses malheurs l'avaient reléguée.
« Le souvenir de mes égarements répandit sur ses derniers
« jours une grande amertume ; elle chargea, en mourant, une
« de mes sœurs de me rappeler à cette religion dans laquelle
« j'avais été élevé. Ma sœur me manda le dernier vœu de ma
« mère. Quand la lettre me parvint au-delà des mers, ma sœur
« elle-même n'existait plus ; elle était morte aussi des suites de
« son emprisonnement. Ces deux voix sorties du tombeau,
« cette mort qui servait d'interprète à la mort [1], m'ont frappé.
« Je suis devenu chrétien. Je n'ai point cédé, j'en conviens, à de
« grandes lumières surnaturelles : ma conviction est sortie du
« cœur ; j'ai pleuré et j'ai cru. »

Je m'exagérais ma faute ; l'*Essai* n'était pas un livre
impie, mais un livre de doute et de douleur. A travers les
ténèbres de cet ouvrage, se glisse un rayon de la lumière
chrétienne qui brilla sur mon berceau. Il ne fallait pas un
grand effort pour revenir du scepticisme de l'*Essai* à la
certitude du *Génie du Christianisme*.

Londres, d'avril à septembre 1822.

GÉNIE DU CHRISTIANISME. — LETTRE DU CHEVALIER DE
PANAT.

LORSQU'APRÈS la triste nouvelle de la mort de madame de
Chateaubriand, je me résolus à changer subitement de voie,

---

1. Mme de Chateaubriand était morte le 31 mai 1798 ; Julie meurt le
25 juillet 1799. Il est peu probable que Chateaubriand n'ait reçu qu'avec
un retard de plus d'un an la lettre de sa sœur datée du 1er juillet 1798. Ce
qui est sûr, en tout cas, c'est que, dès le 29 juin 1798, il fait allusion à la
mort de sa mère dans une lettre adressée à son oncle Bedée (voir p. 464 une
allusion aux lettres échangées en juin et juillet 1798 entre le neveu et
l'oncle).

le titre de *Génie du Christianisme* que je trouvai sur-le-champ m'inspira ; je me mis à l'ouvrage ; je travaillai avec l'ardeur d'un fils qui bâtit un mausolée à sa mère. Mes matériaux étaient dégrossis et rassemblés de longue main par mes précédentes études. Je connaissais les ouvrages des Pères mieux qu'on ne les connaît de nos jours ; je les avais étudiés, même pour les combattre, et entré dans cette route à mauvaise intention, au lieu d'en être sorti vainqueur, j'en étais sorti vaincu.

Quant à l'histoire proprement dite, je m'en étais spéciale-ment occupé en composant l'*Essai sur les Révolutions*. Les authentiques de Camden [1] que je venais d'examiner, m'avaient rendu familières les mœurs et les institutions du moyen âge. Enfin mon terrible manuscrit des Natchez, de deux mille trois cent quatre-vingt-treize pages in-folio, conte-nait tout ce dont le *Génie du Christianisme* avait besoin en descriptions de la nature ; je pouvais prendre largement dans cette source, comme j'y avais déjà pris pour l'*Essai*.

J'écrivis la première partie du *Génie du Christianisme*. MM. Dulau, qui s'étaient faits libraires du clergé français émigré, se chargèrent de la publication. Les premières feuilles du premier volume furent imprimées.

L'ouvrage ainsi commencé à Londres en 1799 ne fut achevé qu'à Paris, en 1802 : voyez les différentes préfaces du *Génie du Christianisme*. Une espèce de fièvre me dévora pendant tout le temps de ma composition : on ne saura jamais ce que c'est de porter à la fois dans son cerveau, dans son sang, dans son âme, *Atala* et *René,* et de mêler à l'enfantement douloureux de ces brûlants jumeaux le travail de conception des autres parties du *Génie du Christianisme*. Le souvenir de Charlotte traversait et réchauffait tout cela, et pour m'achever, le premier désir de gloire enflammait mon imagination exaltée. Ce désir me venait de la tendresse filiale ; je voulais un grand bruit, afin qu'il montât jusqu'au séjour de ma mère, et que les anges lui portassent ma sainte expiation.

1. Chateaubriand fait plus haut (p. 421) allusion aux « manuscrits français du XIIe siècle de la collection Camden. Camden est un érudit anglais (1551-1623).

Comme une étude mène à une autre, je ne pouvais m'occuper des mes scholies françaises, sans tenir note de la littérature et des hommes du pays au milieu duquel je vivais : je fus entraîné dans ces autres recherches. Mes jours et mes nuits se passaient à lire, à écrire, à prendre d'un savant prêtre, l'abbé Capelan, des leçons d'hébreu, à consulter les bibliothèques et les gens instruits, à rôder dans les campagnes avec mes opiniâtres rêveries, à recevoir et à rendre des visites. S'il est des effets rétroactifs et symptomatiques des événements futurs, j'aurais pu augurer le mouvement et le fracas de l'ouvrage qui devait me faire un nom, aux bouillonnements de mes esprits et aux palpitations de ma muse.

Quelques lectures de mes premières ébauches servirent à m'éclairer. Les lectures sont excellentes comme instruction, lorsqu'on ne prend pas pour argent comptant les flagorneries obligées. Pourvu qu'un auteur soit de bonne foi, il sentira vite, par l'impression instinctive des autres, les endroits faibles de son travail, et surtout si ce travail est trop long ou trop court, s'il garde, ne remplit pas, ou dépasse la juste mesure. Je retrouve une lettre du chevalier de Panat sur les lectures d'un ouvrage, alors si inconnu. La lettre est charmante : l'esprit positif et moqueur du sale [1] chevalier ne paraissait pas susceptible de se frotter ainsi de poésie. Je n'hésite pas à donner cette lettre, document de mon histoire, bien qu'elle soit entachée d'un bout à l'autre de mon éloge, comme si le malin auteur se fût complu à verser son encrier sur son épître :

Ce lundi.

« Mon Dieu ! l'intéressante lecture que j'ai due ce
« matin à votre extrême complaisance ! Notre religion avait
« compté parmi ses défenseurs de grands génies, d'illustres
« pères de l'Eglise : ces athlètes avaient manié avec vigueur
« toutes les armes du raisonnement ; l'incrédulité était
« vaincue ; mais ce n'était pas assez : il fallait montrer
« encore tous les charmes de cette religion admirable ; il
« fallait montrer combien elle est appropriée au cœur
« humain et les magnifiques tableaux qu'elle offre à l'ima-

---

1. Chateaubriand a déjà parlé (p. 444) de la « malpropreté » de Panat.

« gination. Ce n'est plus un théologien dans l'école, c'est le
« grand peintre et l'homme sensible qui s'ouvrent un nouvel
« horizon. Votre ouvrage manquait et vous étiez appelé à le
« faire. La nature vous a éminemment doué des belles
« qualités qu'il exige : vous appartenez à un autre siècle...
   « Ah ! si les vérités de sentiment sont les premières dans
« l'ordre de la nature, personne n'aura mieux prouvé que
« vous celles de notre religion ; vous aurez confondu à la
« porte du temple les impies, et vous aurez introduit dans le
« sanctuaire les esprits délicats et les cœurs sensibles. Vous
« me retracez ces philosophes anciens qui donnaient leurs
« leçons la tête couronnée de fleurs et les mains remplies de
« doux parfums. C'est une bien faible image de votre esprit
« si doux, si pur et si antique.
   « Je me félicite chaque jour de l'heureuse circonstance
« qui m'a rapproché de vous ; je ne puis plus oublier que
« c'est un bienfait de Fontanes ; je l'en aime davantage, et
« mon cœur ne séparera jamais deux noms que la même
« gloire doit unir, si la Providence nous ouvre les portes de
« notre patrie.

                                            « Ch^{er} DE PANAT. »

L'abbé Delille entendit aussi la lecture de quelques
fragments du *Génie du Christianisme.* Il parut surpris, et il
me fit l'honneur, peu après, de rimer la prose qui lui avait
plu. Il naturalisa mes fleurs sauvages de l'Amérique dans
ses divers jardins français, et mit refroidir mon vin un peu
chaud dans l'eau frigide de sa claire fontaine.

L'édition inachevée du *Génie du Christianisme,* commencée à Londres, différait un peu, dans l'ordre des matières, de
l'édition publiée en France. La censure consulaire, qui
devint bientôt impériale, se montrait fort chatouilleuse à
l'endroit des rois : leur personne, leur honneur et leur vertu
lui étaient chers d'avance. La police de Fouché voyait déjà
descendre du ciel, avec la fiole sacrée, le pigeon blanc,
symbole de la candeur de Bonaparte et de l'innocence
révolutionnaire. Les sincères croyants des processions républicaines de Lyon me forcèrent de retrancher un chapitre
intitulé les *Rois athées,* et d'en disséminer çà et là les
paragraphes dans le corps de l'ouvrage.

Mon oncle, M. de Bedée : sa fille aînée.

AVANT de continuer ces investigations littéraires, il me les faut interrompre un moment, pour prendre congé de mon oncle de Bedée : hélas ! c'est prendre congé de la première joie de ma vie : | *freno non remorante dies* [1], « aucun frein n'arrête les jours. » Voyez les vieux sépulcres dans les vieilles cryptes : eux-mêmes, vaincus par l'âge, caducs et sans mémoire, ayant perdu leurs épitaphes, ils ont oublié jusqu'aux noms de ceux qu'ils renferment.

J'avais écrit à mon oncle au sujet de la mort de ma mère ; il me répondit par une longue lettre, dans laquelle on trouvait quelques mots touchants de regrets ; mais les trois quarts de sa double feuille in-folio étaient consacrés à ma généalogie. Il me recommandait surtout, quand je rentrerais en France, de rechercher les titres du *quartier des Bedée,* confié à mon frère. Ainsi, pour ce vénérable émigré, ni l'exil, ni la ruine, ni la destruction de ses proches, ni le sacrifice de Louis XVI, ne l'avertissaient de la Révolution ; rien n'avait passé, rien n'était advenu ; il en était toujours aux Etats de Bretagne et à l'Assemblée de la noblesse. Cette fixité de l'idée de l'homme est bien frappante au milieu et comme en présence de l'altération de son corps, de la fuite de ses années, de la perte de ses parents et de ses amis.

Au retour de l'émigration, mon oncle de Bedée s'est retiré à Dinan, où il est mort, à six lieues de Monchoix, sans l'avoir revu. Ma cousine Caroline, l'aînée de mes trois cousines, existe encore. Elle est restée vieille fille, malgré les sommations respectueuses de son ancienne jeunesse. Elle m'écrit des lettres sans orthographe, où elle me tutoie, m'appelle *chevalier,* et me parle de notre bon temps : *in illo tempore.* Elle était nantie de deux beaux yeux noirs et d'une

1. Ovide, *Fastes* VI, 772.

464

jolie taille ; elle dansait comme la Camargo[1], et elle croit avoir souvenance que je lui portais en secret un farouche amour. Je lui réponds sur le même ton, mettant de côté, à son exemple, mes ans, mes honneurs et ma renommée : « Oui, *chère Caroline,* ton chevalier, etc. » Il y a bien quelque six ou sept lustres[2] que nous ne nous sommes rencontrés : le Ciel en soit loué ! car, Dieu sait, si nous venions à nous embrasser, quelle figure nous nous trouverions !

Douce, patriarcale, innocente, honorable amitié de famille, votre siècle est passé ! On ne tient plus au sol par une multitude de fleurs, de rejetons et de racines ; on naît et l'on meurt maintenant un à un. Les vivants sont pressés de jeter le défunt à l'Eternité et de se débarrasser de son cadavre. Entre les amis, les uns vont attendre le cercueil à l'église, en grommelant d'être désheurés et dérangés de leurs habitudes ; les autres poussent le dévouement jusqu'à suivre le convoi au cimetière ; la fosse comblée, tout souvenir est effacé. Vous ne reviendrez plus, jours de religion et de tendresse, où le fils mourait dans la même maison, dans le même fauteuil, près du même foyer où étaient morts son père et son aïeul, entouré, comme ils l'avaient été, d'enfants et de petits-enfants en pleurs, sur qui descendait la dernière bénédiction paternelle !

Adieu, mon oncle chéri ! Adieu, famille maternelle, qui disparaissez ainsi que l'autre partie de ma famille ! Adieu, ma cousine de jadis, qui m'aimez toujours comme vous m'aimiez lorsque nous écoutions ensemble la complainte de notre bonne tante de Boistilleul sur l'*Epervier*[3], ou lorsque vous assistiez au relèvement du vœu de ma nourrice, à l'abbaye de Nazareth ! Si vous me survivez[4], agréez la part de reconnaissance et d'affection que je vous lègue ici. Ne croyez pas au faux sourire ébauché sur mes lèvres en parlant de vous : mes yeux, je vous assure, sont pleins de larmes.

1. Danseuse célèbre de l'Opéra (1710-1770).
2. Six exactement depuis la rencontre à Jersey en 1792.
3. Cf. p. 59.
4. Elle lui survivra un an, bien qu'elle fût de six ans son aînée.

Londres, d'avril à septembre 1822.

Revu en février 1845.

INCIDENCES. [1]

LITTÉRATURE ANGLAISE. — DÉPÉRISSEMENT DE L'ANCIENNE ÉCOLE. — HISTORIENS. — POËTES. — PUBLICISTES. — SHAKSPEARE.

MES études corrélatives au *Génie du Christianisme* m'avaient de proche en proche (je vous l'ai dit) conduit à un examen plus approfondi de la littérature anglaise. Lorsqu'en 1792, je me réfugiai en Angleterre, il me fallut réformer la plupart des jugements que j'avais puisés dans les critiques. En ce qui touche les historiens, Hume était réputé écrivain tory et rétrograde : on l'accusait, ainsi que Gibbon, d'avoir surchargé la langue anglaise de gallicismes ; on lui préférait son continuateur Smollett. Philosophe pendant sa vie, devenu chrétien à sa mort, Gibbon demeurait, en cette qualité, atteint et convaincu d'être un pauvre homme. On parlait encore de Robertson, parce qu'il était sec.

Pour ce qui regarde les poëtes, les *elegant Extracts* servaient d'exil à quelques pièces de Dryden ; on ne pardonnait point aux rimes de Pope, bien qu'on visitât sa maison à Twickenham et que l'on coupât des morceaux du saule pleureur planté par lui, et dépéri comme sa renommée.

Blair passait pour un critique ennuyeux à la française :

1. Cf. p. 300, note 1.

on le mettait bien au-dessous de Johnson. Quant au vieux *Spectator,* il était au grenier.

Les ouvrages politiques anglais ont peu d'intérêt pour nous. Les traités économiques sont moins circonscrits ; les calculs sur la richesse des nations, sur l'emploi des capitaux, sur la balance du commerce, s'appliquent en partie aux sociétés européennes.

Burke sortait de l'individualité nationale politique : en se déclarant contre la Révolution française, il entraîna son pays dans cette longue voie d'hostilités qui aboutit aux champs de Waterloo.

Toutefois, de grandes figures demeuraient. On retrouvait partout Milton et Shakspeare. Montmorency, Biron, Sully, tour à tour ambassadeurs de France auprès d'Elisabeth et de Jacques Ier, entendirent-ils jamais parler d'un baladin, acteur dans ses propres farces et dans celles des autres ? Prononcèrent-ils jamais le nom, si barbare en français, de Shakspeare ? Soupçonnèrent-ils qu'il y eût là une gloire devant laquelle leurs honneurs, leurs pompes, leurs rangs, viendraient s'abîmer ? Hé bien ! le comédien chargé du rôle du spectre dans *Hamlet,* était le grand fantôme, l'ombre du moyen âge qui se levait sur le monde, comme l'astre de la nuit, au moment où le moyen âge achevait de descendre parmi les morts : siècles énormes que Dante ouvrit et que ferma Shakspeare.

Dans le *Précis historique* de Whitelocke, contemporain du chantre du *Paradis perdu,* on lit : « Un certain aveugle, « nommé Milton, secrétaire du Parlement pour les dépêches « latines. » Molière, l'*histrion,* jouait son Pourceaugnac, de même que Shakspeare, le *bateleur,* grimaçait son Falstaff.

Ces voyageurs voilés, qui viennent de fois à autre s'asseoir à notre table, sont traités par nous en hôtes vulgaires ; nous ignorons leur nature jusqu'au jour de leur disparition. En quittant la terre, ils se transfigurent, et nous disent comme l'envoyé du ciel à Tobie : « Je suis l'un des sept qui sommes « présents devant le Seigneur. » Mais si elles sont méconnues des hommes à leur passage, ces divinités ne se méconnaissent point entre elles. « Qu'a besoin mon Shaks- « peare », dit Milton, « pour ses os vénérés, de pierres

« entassées par le travail d'un siècle ? » Michel-Ange enviant le sort et le génie de Dante, s'écrie :

> *Pur fuss' io tal...*
> *Per l'aspro esilio suo con sua virtute*
> *Darei del mondo più felice stato.*

« Que n'ai-je été tel que lui ! pour son dur exil avec sa « vertu, je donnerais toutes les félicités de la terre ! »

Le Tasse célèbre Camoëns encore presque ignoré, et lui sert de *renommée*. Est-il rien de plus admirable que cette société d'illustres égaux se révélant les uns aux autres par des signes, se saluant et s'entretenant ensemble dans une langue d'eux seuls comprise ?

Shakspeare était-il boiteux comme lord Byron, Walter Scott et les Prières[1], filles de Jupiter ? S'il l'était en effet, le *Boy* de Stratford, loin d'être honteux de son infirmité, ainsi que Childe-Harold, ne craint pas de la rappeler à l'une de ses maîtresses :

> *...... lame by fortune's dearest spite.*

« Boiteux par la moquerie la plus chère de la fortune. »

Shakspeare aurait eu beaucoup d'amours, si l'on en comptait un par sonnet. Le créateur de Desdemone et de Juliette vieillissait sans cesser d'être amoureux. La femme inconnue à laquelle il s'adresse en vers charmants, était-elle fière et heureuse d'être l'objet des sonnets de Shakspeare ? On peut en douter : la gloire est pour un vieil homme ce que sont les diamants pour une vieille femme ; ils la parent, et ne peuvent l'embellir.

« Ne pleurez pas longtemps pour moi quand je serai « mort », dit le Tragique anglais[1] à sa maîtresse. « Si vous « lisez ces mots, ne vous rappelez pas la main qui les a « tracés ; je vous aime tant que je veux être oublié dans vos « doux souvenirs, si en pensant à moi vous pouviez être

---

1. Souvenir de l'*Iliade* IX, 502.
2. Shakespeare, Sonnet LXXI.

468

« malheureuse. Oh! si vous jetez un regard sur ces lignes,
« quand peut-être je ne serai plus qu'une masse d'argile, ne
« redites pas même mon pauvre nom, et laissez votre amour
« se faner avec ma vie. »

Shakspeare aimait, mais il ne croyait pas plus à l'amour
qu'il ne croyait à autre chose : une femme pour lui était un
oiseau, une brise, une fleur, chose qui charme et passe. Par
l'insouciance ou l'ignorance de sa renommée, par son état,
qui le jetait à l'écart de la société, en dehors des conditions
où il ne pouvait atteindre, il semblait avoir pris la vie
comme une heure légère et désoccupée, comme un loisir
rapide et doux.

Shakspeare, dans sa jeunesse, rencontra de vieux moines
chassés de leur cloître, lesquels avaient vu Henri VIII, ses
réformes, ses destructions de monastères, ses *fous*, ses
épouses, ses maîtresses, ses bourreaux. Lorsque le poëte
quitta la vie, Charles Ier comptait seize ans.

Ainsi, d'une main Shakspeare avait pu toucher les têtes
blanchies que menaça le glaive de l'avant-dernier des Tudor,
de l'autre la tête brune du second des Stuart, que la hache
des parlementaires devait abattre. Appuyé sur ces fronts
tragiques, le grand Tragique s'enfonça dans la tombe ; il
remplit l'intervalle des jours où il vécut, de ses spectres, de
ses rois aveugles, de ses ambitieux punis, de ses femmes
infortunées, afin de joindre, par des fictions analogues, les
réalités du passé aux réalités de l'avenir.

Shakspeare est au nombre des cinq ou six écrivains qui
ont suffi aux besoins et à l'aliment de la pensée ; ces
génies-mères semblent avoir enfanté et allaité tous les
autres. Homère a fécondé l'antiquité : Eschyle, Sophocle,
Euripide, Aristophane, Horace, Virgile sont ses fils. Dante a
engendré l'Italie moderne, depuis Pétrarque jusqu'au Tasse.
Rabelais a créé les lettres françaises ; Montaigne, La Fontaine, Molière viennent de sa descendance. L'Angleterre est
toute Shakspeare, et, jusque dans ces derniers temps, il a
prêté sa langue à Byron, son dialogue à Walter Scott.

On renie souvent ces maîtres suprêmes ; on se révolte
contre eux ; on compte leurs défauts ; on les accuse d'ennui,
de longueur, de bizarrerie, de mauvais goût, en les volant et
en se parant de leurs dépouilles ; mais on se débat en vain

sous leur joug. Tout tient de leurs couleurs ; partout s'impriment leurs traces ; ils inventent des mots et des noms qui vont grossir le vocabulaire général des peuples ; leurs expressions deviennent proverbes, leurs personnages fictifs se changent en personnages réels, lesquels ont hoirs et lignée. Ils ouvrent des horizons d'où jaillissent des faisceaux de lumière ; ils sèment des idées, germes de mille autres ; ils fournissent des imaginations, des sujets, des styles à tous les arts : leurs œuvres sont les mines ou les entrailles de l'esprit humain.

De tels génies occupent le premier rang ; leur immensité, leur variété, leur fécondité, leur originalité, les font reconnaître tout d'abord pour lois, exemplaires, moules, types des diverses intelligences, comme il y a quatre ou cinq races d'hommes sorties d'une seule souche, dont les autres ne sont que des rameaux. Donnons-nous garde d'insulter aux désordres dans lesquels tombent quelquefois ces êtres puissants ; n'imitons pas Cham le maudit ; ne rions pas si nous rencontrons, nu et endormi, à l'ombre de l'arche échouée sur les montagnes d'Arménie, l'unique et solitaire nautonnier de l'abîme[1]. Respectons ce navigateur diluvien qui recommença la création après l'épuisement des cataractes du ciel : pieux enfants, bénis de notre père, couvrons-le pudiquement de notre manteau.

Shakspeare, de son vivant, n'a jamais pensé à vivre après sa vie : que lui importe aujourd'hui mon cantique d'admiration ? En admettant toutes les suppositions, en raisonnant d'après les vérités ou les erreurs dont l'esprit humain est pénétré ou imbu, que fait à Shakspeare une renommée dont le bruit ne peut monter jusqu'à lui ? Chrétien ? au milieu des félicités éternelles, s'occupe-t-il du néant du monde ? Déiste ? dégagé des ombres de la matière, perdu dans les splendeurs de Dieu, abaisse-t-il un regard sur le grain de sable où il a passé ? Athée ? il dort de ce sommeil sans souffle et sans réveil, qu'on appelle la mort. Rien donc de plus vain que la gloire au-delà du tombeau, à moins qu'elle n'ait fait vivre l'amitié, qu'elle n'ait été utile à la vertu, secourable au malheur, et qu'il ne nous soit donné de jouir

1. Noé.

dans le ciel d'une idée consolante, généreuse, libératrice, laissée par nous sur la terre.

Londres, d'avril à septembre 1822.

INCIDENCES [1].

ROMANS ANCIENS. — ROMANS NOUVEAUX. — RICHARDSON.
— WALTER SCOTT.

LES romans, à la fin du dernier siècle, avaient été compris dans la proscription générale. Richardson dormait oublié ; ses compatriotes trouvaient dans son style des traces de la société inférieure au sein de laquelle il avait vécu. Fielding se soutenait ; Sterne, entrepreneur d'originalité, était passé. On lisait encore *Le Vicaire de Wakefield.*

Si Richardson n'a pas de style (ce dont nous ne sommes pas juges, nous autres étrangers), il ne vivra pas, parce que l'on ne vit que par le style. En vain on se révolte contre cette vérité : l'ouvrage le mieux composé, orné de portraits d'une bonne ressemblance, rempli de mille autres perfections, est mort-né si le style manque. Le style, et il y en a de mille sortes, ne s'apprend pas ; c'est le don du ciel, c'est le talent. Mais si Richardson n'a été abandonné que pour certaines locutions bourgeoises, insupportables à une société élégante, il pourra renaître ; la révolution qui s'opère, en abaissant l'aristocratie et en élevant les classes moyennes, rendra moins sensibles ou fera disparaître les traces des habitudes de ménage et d'un langage inférieur.

De *Clarisse* et de *Tom Jones* sont sorties les deux principales branches de la famille des romans modernes anglais, les romans à tableaux de famille et drames domestiques, les romans à aventures et à peinture de la société

1. Voir p. 300.

générale. Après Richardson, les mœurs de l'*ouest* de la ville, firent une irruption dans le domaine des fictions : les romans se remplirent de châteaux, de lords et de ladies, de scènes aux eaux, d'aventures aux courses de chevaux, au bal, à l'Opéra, au Ranelagh, avec un *chit-chat,* un caquetage qui ne finissait plus. La scène ne tarda pas à se transporter en Italie ; les amants traversèrent les Alpes avec des périls effroyables et des douleurs d'âme à attendrir les lions : *le lion répandit des pleurs!* un jargon de bonne compagnie fut adopté.

Dans ces milliers de romans, qui ont inondé l'Angleterre depuis un demi-siècle, deux ont gardé leur place : *Caleb Williams* et *le Moine.* Je ne vis point Godwin pendant ma retraite à Londres ; mais je rencontrai deux fois Lewis. C'était un jeune membre des Communes fort agréable, et qui avait l'air et les manières d'un Français. Les ouvrages d'Anne Radcliffe font une espèce à part. Ceux de mistress Barbauld, de miss Edgeworth, de miss Burnet, etc., ont, dit-on, des chances de vivre. « Il y devrait, » dit Montaigne [1], « avoir coertion des lois contre les *escrivains* ineptes et « inutiles, comme il y a contre les vagabonds et fainéants. « On banniroit des mains de notre peuple et moy et cent « autres. L'escrivaillerie semble être quelque symptosme « d'un siècle desbordé. »

Mais ces écoles diverses de romanciers sédentaires, de romanciers voyageurs en diligence ou en calèche, de romanciers de lacs et de montagnes, de ruines et de fantômes, de romanciers de villes et de salons, sont venues se perdre dans la nouvelle école de Walter Scott, de même que la poésie s'est précipitée sur les pas de lord Byron.

L'illustre peintre de l'Ecosse débuta dans la carrière des lettres, lors de mon exil à Londres, par la traduction du *Berlichingen* de Gœthe. Il continua à se faire connaître par la poésie, et la pente de son génie le conduisit enfin au roman. Il me semble avoir créé un genre faux ; il a perverti le roman et l'histoire ; le romancier s'est mis à faire des romans historiques, et l'historien des histoires romanesques. Si, dans Walter Scott, je suis obligé de passer quelquefois

1. *Essais, De la vanité.*

des conversations interminables, c'est ma faute, sans doute ; mais un des grands mérites de Walter Scott, à mes yeux, c'est de pouvoir être mis entre les mains de tout le monde. Il faut de plus grands efforts de talent pour intéresser en restant dans l'ordre, que pour plaire en passant toute mesure ; il est moins facile de régler le cœur que de le troubler.

Burke retint la politique de l'Angleterre dans le passé, Walter Scott refoula les Anglais jusqu'au moyen âge ; tout ce qu'on écrivit, fabriqua, bâtit, fut gothique : livres, meubles, maisons, églises, châteaux. Mais les lairds de la Grande-Charte sont aujourd'hui des *fashionables* de Bond-Street, race frivole qui campe dans les manoirs antiques, en attendant l'arrivée des générations nouvelles qui s'apprêtent à les en chasser.

Londres, d'avril à septembre 1822.

INCIDENCES [1].

POËSIE NOUVELLE. — BEATTIE.

EN même temps que le roman passait à l'état *romantique,* la poésie subissait une transformation semblable. Cowper abandonna l'école française pour faire revivre l'école nationale ; Burns, en Ecosse, commença la même révolution. Après eux vinrent les restaurateurs des ballades. Plusieurs de ces poëtes de 1792 à 1800 appartenaient à ce qu'on appelait *Lake school* (nom qui est resté), parce que les romanciers demeuraient aux bords des lacs du Cumberland et du Westmoreland, et qu'ils les chantaient quelquefois.

Thomas Moore, Campbell, Rogers, Crabbe, Wordsworth, Southey, Hunt, Knowles, lord Holland, Canning, Croker,

1. Voir p. 300.

vivent encore pour l'honneur des lettres anglaises ; mais il faut être né anglais pour apprécier tout le mérite d'un genre intime de composition qui se fait particulièrement sentir aux hommes du sol.

Nul, dans une littérature vivante, n'est juge compétent que des ouvrages écrits dans sa propre langue. En vain vous croyez posséder à fond un idiome étranger, le lait de la nourrice vous manque, ainsi que les premières paroles qu'elle vous apprit à son sein et dans vos langes ; certains accents ne sont que de la patrie. Les Anglais et les Allemands ont, de nos gens de lettres, les notions les plus baroques : ils adorent ce que nous méprisons, ils méprisent ce que nous adorons ; ils n'entendent ni Racine, ni La Fontaine, ni même complétement Molière. C'est à rire de savoir quels sont nos grands écrivains à Londres, à Vienne, à Berlin, à Pétersbourg, à Munich, à Leipsick, à Gœttingue, à Cologne, de savoir ce qu'on y lit avec fureur et ce qu'on n'y lit pas.

Quand le mérite d'un auteur consiste spécialement dans la diction, un étranger ne comprendra jamais bien ce mérite. Plus le talent est intime, individuel, national, plus ses mystères échappent à l'esprit qui n'est pas, pour ainsi dire, *compatriote* de ce talent. Nous admirons sur parole les Grecs et les Romains ; notre admiration nous vient de tradition, et les Grecs et les Romains ne sont pas là pour se moquer de nos jugements de Barbares. Qui de nous se fait une idée de l'harmonie de la prose de Démosthènes et de Cicéron, de la cadence des vers d'Alcée et d'Horace, telles qu'elles étaient saisies par une oreille grecque et latine ? On soutient que les beautés réelles sont de tous les temps, de tous les pays : oui, les beautés de sentiment et de pensée ; non, les beautés de style. Le style n'est pas, comme la pensée, cosmopolite : il a une terre natale, un ciel, un soleil à lui.

Burns, Mason, Cowper moururent pendant mon émigration à Londres, avant 1800 et en 1800 ; ils finissaient le siècle ; je le commençais. Darwin et Beattie moururent deux ans après mon retour de l'exil.

Beattie avait annoncé l'ère nouvelle de la lyre. Le *Minstrel*, ou le *Progrès du génie,* est la peinture des premiers

474

effets de la muse sur un jeune barde, lequel ignore encore le souffle dont il est tourmenté. Tantôt le poëte futur va s'asseoir au bord de la mer pendant une tempête ; tantôt il quitte les jeux du village pour écouter à l'écart, dans le lointain, le son des musettes.

Beattie a parcouru la série entière des rêveries et des idées mélancoliques, dont cent autres poëtes se sont cru les *discovers*. Beattie se proposait de continuer son poëme ; en effet, il en a écrit le second chant : Edwin entend un soir une voix grave s'élevant du fond d'une vallée ; c'est celle d'un solitaire qui, après avoir connu les illusions du monde, s'est enseveli dans cette retraite, pour y recueillir son âme et chanter les merveilles du Créateur. Cet ermite instruit le jeune *minstrel* et lui révèle le secret de son génie. L'idée était heureuse ; l'exécution n'a pas répondu au bonheur de l'idée. Beattie était destiné à verser des larmes ; la mort de son fils brisa son cœur paternel : comme Ossian après la perte de son Oscar, il suspendit sa harpe aux branches d'un chêne. Peut-être le fils de Beattie était-il ce jeune *minstrel* qu'un père avait chanté et dont il ne voyait plus les pas sur la montagne.

Londres, d'avril à septembre 1822.

INCIDENCES[1].

LORD BYRON.

ON retrouve dans les vers de lord Byron des imitations frappantes du *Minstrel :* à l'époque de mon exil en Angleterre, lord Byron habitait l'école de Harrow, dans un village

1. Voir p. 300.

à dix milles de Londres. Il était enfant, j'étais jeune et aussi inconnu que lui ; il avait été élevé sur les bruyères de l'Ecosse, au bord de la mer, comme moi dans les landes de la Bretagne, au bord de la mer ; il aima la Bible et Ossian, comme je les aimai ; il chanta dans New-stead-Abbey les souvenirs de l'enfance, comme je les chantai dans le château de Combourg.

« Lorsque j'explorais, jeune montagnard, la noire
« bruyère et gravissais ta cime penchée, ô Morven couronné
« de neige, pour m'ébahir au torrent qui tonnait au-dessous
« de moi, ou aux vapeurs de la tempête qui s'amoncelaient
« à mes pieds..... »

Dans mes courses aux environs de Londres, lorsque j'étais si malheureux, vingt fois j'ai traversé le village de Harrow, sans savoir quel génie il renfermait. Je me suis assis dans le cimetière, au pied de l'orme sous lequel, en 1807, lord Byron écrivait ces vers, au moment où je revenais de la Palestine :

> *Spot of my youth ! whose hoary branches sigh,*
> *Swept by the breeze that funs thy cloudless sky ; etc.*

« Lieu de ma jeunesse, où soupirent les branches
« chenues, effleurées par la brise qui rafraîchit ton ciel sans
« nuage ! Lieu où je vague aujourd'hui seul, moi qui
« souvent ai foulé, avec ceux que j'aimais, ton gazon mol et
« vert ; quand la destinée glacera ce sein qu'une fièvre
« dévore ; quand elle aura calmé les soucis et les pas-
« sions ;.... ici où il palpita, ici mon cœur pourra reposer.
« Puissé-je m'endormir où s'éveillèrent mes espérances,
« .... mêlé à la terre où coururent mes pas, ... pleuré de
« ceux qui furent en société avec mes jeunes années, oublié
« du reste du monde ! »

Et moi je dirai : Salut, antique ormeau, au pied duquel Byron enfant s'abandonnait aux caprices de son âge, alors que je rêvais *René* sous ton ombre, sous cette même ombre où plus tard le poëte vint à son tour rêver *Childe-Harold !* Byron demandait au cimetière, témoin des premiers jeux de sa vie, une tombe ignorée : inutile prière que n'exaucera point la gloire. Cependant Byron n'est plus ce qu'il a été ; je l'avais trouvé de toutes parts vivant à Venise : au bout de quelques années, dans cette même ville où je trouvais son nom partout, je l'ai retrouvé effacé et inconnu partout. Les échos du Lido ne le répètent plus, et si vous le demandez à des Vénitiens, ils ne savent plus de qui vous parlez. Lord Byron est entièrement mort pour eux ; ils n'entendent plus les hennissements de son cheval : il en est de même à Londres, où sa mémoire périt. Voilà ce que nous devenons.

Si j'ai passé à Harrow sans savoir que lord Byron enfant y respirait, des Anglais ont passé à Combourg sans se douter qu'un petit vagabond, élevé dans ces bois, laisserait quelque trace. Le voyageur Arthur Young[1], traversant Combourg, écrivait :

« Jusqu'à Combourg (de Pontorson) le pays a un aspect
« sauvage ; l'agriculture n'y est pas plus avancée que chez
« les Hurons, ce qui paraît incroyable dans un pays enclos ;
« le peuple y est presque aussi sauvage que le pays, et la
« ville de Combourg, une des places les plus sales et les plus
« rudes que l'on puisse voir : des maisons de terre sans
« vitres, et un pavé si rompu qu'il arrête les passagers, mais
« aucune aisance. — Cependant il s'y trouve un château, et
« il est même habité. Qui est ce M. de Chateaubriand,
« propriétaire de cette habitation, qui a des nerfs assez forts
« pour résider au milieu de tant d'ordures et de pauvreté ?
« Au-dessous de cet amas hideux de misère est un beau lac
« environné d'enclos bien boisés. »

Ce M. de Chateaubriand était mon père ; la retraite qui paraissait si hideuse à l'agronome de mauvaise humeur, n'en était pas moins une noble et belle demeure, quoique sombre et grave. Quant à moi, faible plant de lierre commençant à grimper au pied de ces tours sauvages, M. Young eût-il pu m'apercevoir, lui qui n'était occupé que de la revue de nos moissons ?

Qu'il me soit permis d'ajouter à ces pages écrites en Angleterre en 1822, ces autres pages écrites en 1814 et 1840 : elles achèveront le morceau de lord Byron ; ce morceau se trouvera surtout complété, quand on aura lu ce que je redirai du grand poëte en passant à Venise.

Il y aura peut-être quelque intérêt à remarquer dans

---

1. Le *Voyage en France* d'Arthur Young a paru de 1790 à 1794.

l'avenir la rencontre des deux chefs de la nouvelle école française et anglaise, ayant un même fonds d'idées, des destinées, sinon des mœurs à peu près pareilles : l'un pair d'Angleterre, l'autre pair de France, tous deux voyageurs dans l'Orient, assez souvent l'un près de l'autre, et ne se voyant jamais : seulement la vie du poëte anglais a été mêlée à de moins grands événements que la mienne.

Lord Byron est allé visiter après moi les ruines de la Grèce : dans *Childe-Harold,* il semble embellir de ses propres couleurs les descriptions de l'*Itinéraire.* Au commencement de mon pèlerinage, je reproduis l'adieu du sire de Joinville à son château ; Byron dit un égal adieu à sa demeure gothique.

Dans les *Martyrs,* Eudore part de la Messénie pour se rendre à Rome : « Notre navigation fut longue, dit-il,... « nous vîmes tous ces promontoires marqués par des tem-« ples ou des tombeaux . . . .
« Mes jeunes compagnons n'avaient entendu parler que « des métamorphoses de Jupiter, et ils ne comprirent rien « aux débris qu'ils avaient sous les yeux ; moi, je m'étais « déjà assis, avec le prophète, sur les ruines des villes « désolées, et Babylone m'enseignait Corinthe. »

Le poëte anglais est comme le prosateur français, derrière la lettre de Sulpicius à Cicéron ; — une rencontre si parfaite m'est singulièrement glorieuse, puisque j'ai devancé le chantre immortel au rivage où nous avons eu les mêmes souvenirs, et où nous avons commémoré les mêmes ruines.

J'ai encore l'honneur d'être en rapport avec lord Byron, dans la description de Rome : les *Martyrs* et ma Lettre sur la campagne romaine ont l'inappréciable avantage, pour moi, d'avoir deviné les inspirations d'un beau génie.

Les premiers traducteurs, commentateurs et admirateurs de lord Byron se sont bien gardés de faire remarquer que quelques pages de mes ouvrages avaient pu rester un moment dans les souvenirs du peintre de Childe-Harold ; ils auraient cru ravir quelque chose à son génie. Maintenant que l'enthousiasme s'est un peu calmé, on me refuse moins cet honneur. Notre immortel chansonnier [1], dans le dernier

1. Béranger, hélas !

478

volume de ses Chansons, a dit : « Dans un des couplets qui « précèdent celui-ci, je parle des *lyres* que la France doit à « M. de Chateaubriand. Je ne crains pas que ce vers soit « démenti par la nouvelle école poétique, qui, née sous les « ailes de l'aigle, s'est, avec raison, glorifiée souvent d'une « telle origine. L'influence de l'auteur du *Génie du Christia-« nisme* s'est fait ressentir également à l'étranger, et il y « aurait peut-être justice à reconnaître que le chantre de « Childe-Harold est de la famille de René. »

Dans un excellent article sur lord Byron, M. Villemain a renouvelé la remarque de M. de Béranger : « Quelques « pages incomparables de René, dit-il, avaient, il est vrai, « épuisé ce caractère politique. Je ne sais si Byron les « imitait ou les renouvelait de génie. »

Ce que je viens de dire sur les affinités d'imagination et de destinée entre le chroniqueur de René et le chantre de Childe-Harold, n'ôte pas un seul cheveu à la tête du barde immortel. Que peut à la muse de la *Dee* [1], portant une lyre et des ailes, ma muse pédestre et sans luth. Lord Byron vivra, soit qu'enfant de son siècle comme moi, il en ait exprimé, comme moi et comme Gœthe avant nous, la passion et le malheur ; soit que mes périples et le falot de ma barque gauloise aient montré la route au vaisseau d'Albion sur des mers inexplorées.

D'ailleurs, deux esprits d'une nature analogue peuvent très bien avoir des conceptions pareilles, sans qu'on puisse leur reprocher d'avoir marché servilement dans les mêmes voies. Il est permis de profiter des idées et des images exprimées dans une langue étrangère, pour en enrichir la sienne : cela s'est vu dans tous les siècles et dans tous les temps. Je reconnais tout d'abord que, dans ma première jeunesse, *Ossian, Werther,* les *Rêveries du promeneur solitaire,* les *Etudes de la nature,* ont pu s'apparenter à mes idées ; mais je n'ai rien caché, rien dissimulé du plaisir que me causaient des ouvrages où je me délectais.

S'il était vrai que René entrât pour quelque chose dans le fond du personnage unique mis en scène sous des noms

1. Rivière d'Ecosse. Byron a passé plusieurs années de sa jeunesse à Aberdeen, situé à l'embouchure de la Dee.

divers dans Childe-Harold, Conrad, Lara, Manfred, le Giaour ; si, par hasard, lord Byron m'avait fait vivre de sa vie, il aurait donc eu la faiblesse de ne jamais me nommer ? J'étais donc un de ces pères qu'on renie quand on est arrivé au pouvoir ? Lord Byron peut-il m'avoir complétement ignoré, lui qui cite presque tous les auteurs français ses contemporains ? N'a-t-il jamais entendu parler de moi, quand les journaux anglais, comme les journaux français, ont retenti vingt ans auprès de lui de la controverse sur mes ouvrages, lorsque le *New-Times* a fait un parallèle de l'auteur du *Génie du Christianisme* et de l'auteur de *Childe-Harold* ?

Point d'intelligence, si favorisée qu'elle soit, qui n'ait ses susceptibilités, ses défiances : on veut garder le sceptre, on craint de le partager, on s'irrite des comparaisons. Ainsi, un autre talent supérieur a évité mon nom dans un ouvrage sur la *Littérature*[1]. Grâce à Dieu, m'estimant à ma juste valeur, je n'ai jamais prétendu à l'empire ; comme je ne crois qu'à la vérité religieuse dont la liberté est une forme, je n'ai pas plus de foi en moi qu'en toute autre chose ici-bas. Mais je n'ai jamais senti le besoin de me taire quand j'ai admiré ; c'est pourquoi je proclame mon enthousiasme pour madame de Staël et pour lord Byron. Quoi de plus doux que l'admiration ? c'est de l'amour dans le ciel, de la tendresse élevée jusqu'au culte ; on se sent pénétré de reconnaissance pour la divinité qui étend les bases de nos facultés, qui ouvre de nouvelles vues à notre âme, qui nous donne un bonheur si grand, si pur, sans aucun mélange de crainte ou d'envie.

Au surplus, la petite chicane que je fais dans ces Mémoires au plus grand poëte que l'Angleterre ait eu depuis Milton, ne prouve qu'une chose : le haut prix que j'aurais attaché au souvenir de sa muse.

Lord Byron a ouvert une déplorable école : je présume qu'il a été aussi désolé des Childe-Harold auxquels il a donné naissance, que je le suis des René qui rêvent autour de moi.

1. Etrange reproche : quand a paru *De la littérature,* en 1800, Chateaubriand, encore en Angleterre, était inconnu en France.

La vie de lord Byron est l'objet de beaucoup d'investigations et de calomnies : les jeunes gens ont pris au sérieux des paroles magiques ; les femmes se sont senties disposées à se laisser séduire, avec frayeur, par ce *monstre,* à consoler ce Satan solitaire et malheureux. Qui sait ? il n'avait peut-être pas trouvé la femme qu'il cherchait, une femme assez belle, un cœur aussi vaste que le sien. Byron, d'après l'opinion fantasmagorique, est l'ancien serpent séducteur et corrupteur, parce qu'il voit la corruption de l'espèce humaine ; c'est un génie fatal et souffrant, placé entre les mystères de la matière et de l'intelligence, qui ne trouve point de mot à l'énigme de l'univers, qui regarde la vie comme une affreuse ironie sans cause, comme un sourire pervers du mal ; c'est le fils du désespoir, qui méprise et renie, qui, portant en soi-même une incurable plaie, se venge en menant à la douleur par la volupté tout ce qui l'approche ; C'est un homme qui n'a point passé par l'âge de l'innocence, qui n'a jamais eu l'avantage d'être rejeté et maudit de Dieu ; un homme qui, sorti réprouvé du sein de la nature, est le damné du néant.

Tel est le Byron des imaginations échauffées : ce n'est point, ce me semble, celui de la vérité.

Deux hommes différents, comme dans la plupart des hommes, sont unis dans lord Byron : l'homme de la *nature* et l'homme du *système.* Le poëte, s'apercevant du rôle que le public lui faisait jouer, l'a accepté et s'est mis à maudire le monde qu'il n'avait pris d'abord qu'en rêverie : cette marche est sensible dans l'ordre chronologique de ses ouvrages.

Quant à son *génie,* loin d'avoir l'étendue qu'on lui attribue, il est assez réservé ; sa pensée poétique n'est qu'un gémissement, une plainte, une imprécation ; en cette qualité, elle est admirable : il ne faut pas demander à la lyre ce qu'elle pense, mais ce qu'elle chante.

Quant à son *esprit,* il est sarcastique et varié, mais d'une nature qui agite et d'une influence funeste : l'écrivain avait bien lu Voltaire, et il l'imite.

Lord Byron, doué de tous les avantages, avait peu de chose à reprocher à sa naissance ; l'accident même qui le rendait malheureux[1] et qui rattachait ses supériorités à l'infirmité humaine, n'aurait pas dû le tourmenter, puisqu'il ne l'empêchait pas d'être aimé. Le chantre immortel connut par lui-même combien est vrai la maxime de Zénon : « La voix est la fleur de la beauté. »

Une chose déplorable, c'est la rapidité avec laquelle les renommées fuient aujourd'hui. Au bout de quelques années, que dis-je ? de quelques mois, l'engouement disparaît ; le dénigrement lui succède. On voit déjà pâlir la gloire de lord Byron ; son génie est mieux compris de nous ; il aura plus longtemps des autels en France qu'en Angleterre. Comme Childe-Harold excelle principalement à peindre les sentiments particuliers de l'individu, les Anglais, qui préfèrent les sentiments communs à tous, finiront par méconnaître le poëte dont le cri est si profond et si triste. Qu'ils y prennent garde : s'ils brisent l'image de l'homme qui les a fait revivre, que leur restera-t-il ?

Lorsque j'écrivis, pendant mon séjour à Londres, en 1822, mes sentiments sur lord Byron, il n'avait plus que deux ans à vivre sur la terre : il est mort en 1824, à l'heure où les désenchantements et les dégoûts allaient commencer pour lui. Je l'ai précédé dans la vie ; il m'a précédé dans la mort ; il a été appelé avant son tour ; mon numéro primait le sien, et pourtant le sien est sorti le premier. *Childe-Harold* aurait dû rester ; le monde me pouvait perdre sans s'apercevoir de ma disparition. J'ai rencontré, en continuant ma route, madame Guiccioli[2] à Rome, lady Byron à Paris. La faiblesse et la vertu me sont ainsi apparues : la première avait peut-être trop de réalités, la seconde pas assez de songes.

1. Il boitait.
2. L'une des maîtresses de Byron.

L'Angleterre, de Richmond à Greenwich. — Course avec Pelletier. — Bleinheim. — Stowe. — Hampton Court. — Oxford. — Collège d'Eton. — Mœurs privées ; Mœurs politiques. — Fox. — Burke. — George III.

Maintenant, après vous avoir parlé des écrivains anglais à l'époque où l'Angleterre me servait d'asile, il ne me reste qu'à vous dire quelque chose de l'Angleterre elle-même à cette époque, de son aspect, de ses sites, de ses châteaux, de ses mœurs privées et politiques.

Toute l'Angleterre peut être vue dans l'espace de quatre lieues, depuis Richmond, au-dessus de Londres, jusqu'à Greenwich et au-dessous.

Au-dessous de Londres, c'est l'Angleterre industrielle et commerçante avec ses docks, ses magasins, ses douanes, ses arsenaux, ses brasseries, ses manufactures, ses fonderies, ses navires ; ceux-ci, à chaque marée, remontent la Tamise en trois divisions, les plus petits d'abord, les moyens ensuite, enfin, les grands vaisseaux qui rasent de leurs voiles les colonnes de l'hôpital des vieux marins et les fenêtres de la taverne où festoyent les étrangers.

Au-dessus de Londres, c'est l'Angleterre agricole et pastorale avec ses prairies, ses troupeaux, ses maisons de campagnes, ses parcs, dont l'eau de la Tamise, refoulée par le flux, baigne deux fois le jour les arbustes et les gazons. Au milieu de ces deux points opposés, Richmond et Greenwich, Londres confond toutes les choses de cette double Angleterre : à l'ouest l'aristocratie, à l'est la démocratie, la Tour de Londres et Westminster, bornes entre lesquelles l'histoire entière de la Grande-Bretagne se vient placer.

Je passai une partie de l'été de 1799 à Richmond avec Christian de Lamoignon, m'occupant du *Génie du Christianisme*. Je faisais des nagées en bateau sur la Tamise, ou des courses dans le parc de Richmond. J'aurais bien voulu que le Richmond-lès-Londres, fût le Richmond du traité *Honor*

Richemundiœ, car alors je me serais retrouvé dans ma patrie, et voici comment : Guillaume-le-Bâtard fit présent à Alain, duc de Bretagne, son gendre, de quatre cent quarante-deux terres seigneuriales en Angleterre, qui formèrent depuis le comté de Richmond* : les ducs de Bretagne, successeurs d'Alain, inféodèrent ces domaines à des chevaliers bretons, cadets des familles de Rohan, de Tinteniac, de Chateaubriand, de Goyon, de Montboucher. Mais, malgré ma bonne volonté, il me faut chercher dans le Yorkshire le comté de Richmond érigé en duché sous Charles II pour un bâtard : le Richmond sur la Tamise est l'ancien Sheen d'Edouard III.

Là expira, en 1377, Edouard III, ce fameux roi volé par sa maîtresse Alix Pearce, qui n'était plus Alix ou Catherine de Salisbury des premiers jours de la vie du vainqueur de Crécy : n'aimez qu'à l'âge où vous pouvez être aimé. Henri VIII et Elisabeth moururent aussi à Richmond : où ne meurt-on pas ? Henri VIII se plaisait à cette résidence. Les historiens anglais sont fort embarrassés de cet abominable homme ; d'un côté, ils ne peuvent dissimuler sa tyrannie et la servitude du parlement ; de l'autre, s'ils disaient trop anathème au chef de la Réformation, ils se condamneraient en le condamnant :

Plus l'oppresseur est vil, plus l'esclave est infâme [1].

On montre dans le parc de Richmond le tertre qui servait d'observatoire à Henri VIII pour épier la nouvelle du supplice d'Anne Boleyn. Henri tressaillit d'aise au signal parti de la Tour de Londres. Quelle volupté ! le fer avait tranché le col délicat, ensanglanté les beaux cheveux auxquels le poëte-roi avait attaché ses fatales caresses.

Dans le parc abandonné de Richmond, je n'attendais aucun signal homicide, je n'aurais pas même souhaité le plus petit mal à qui m'aurait trahi. Je me promenais avec quelques daims paisibles : accoutumés à courir devant une meute, ils s'arrêtaient lorsqu'ils étaient fatigués ; on les

1. Vers de La Harpe.
* Voir le *Domesday book.*

rapportait, fort gais et tout amusés de ce jeu, dans un tombereau rempli de paille. J'allais voir à Kew les kanguroos, ridicules bêtes, tout juste l'inverse de la girafe : ces innocents quadrupèdes-sauterelles peuplaient mieux l'Australie que les prostituées du vieux duc de Queensbury ne peuplaient les ruelles de Richmond. La Tamise bordait le gazon d'un cottage à demi caché sous un cèdre du Liban, et parmi des saules pleureurs : un couple nouvellement marié était venu passer la lune de miel dans ce paradis.

Voici qu'un soir, lorsque je marchais tout doux sur les pelouses de Twickenham, apparaît Pelletier, tenant son mouchoir sur sa bouche : « Quel sempiternel tonnerre de brouillard ! » s'écria-t-il aussitôt qu'il fut à portée de la voix. « Comment, diable, pouvez-vous rester là ? j'ai fait ma « liste : Stowe, Bleinheim, Hampton-Court, Oxford ; avec « votre façon songearde, vous seriez chez John-Bull *in vitam* « *œternam,* que vous ne verriez rien. »

Je demandai grâce inutilement, il fallut partir. Dans la calèche, Pelletier m'énuméra ses espérances ; il en avait des relais ; une crevée sous lui, il en enfourchait une autre, et en avant, jambe de ci, jambe de çà, jusqu'au bout de la journée. Une de ses espérances, la plus robuste, le conduisit dans la suite à Bonaparte qu'il prit au collet : Napoléon eut la simplicité de boxer avec lui. Pelletier avait pour second James Makintosh ; condamné devant les tribunaux, il fit une nouvelle fortune (qu'il mangea incontinent) en vendant les pièces de son procès.

Bleinheim me fut désagréable : je souffrais d'autant plus d'un ancien revers de ma patrie, que j'avais eu à supporter l'insulte d'un récent affront : un bateau en amont de la Tamise m'aperçut sur la rive ; les rameurs avisant un Français poussèrent des hourras ; on venait de recevoir la nouvelle du combat naval d'Aboukir : ces succès de l'étranger, qui pouvaient m'ouvrir les portes de la France, m'étaient odieux. Nelson, que j'avais rencontré plusieurs fois dans Hyde-Park, enchaîna ses victoires à Naples dans le châle de lady Hamilton, tandis que les lazzaroni jouaient à la boule avec des têtes. L'amiral mourut glorieusement à Trafalgar, et sa maîtresse misérablement à Calais, ayant perdu beauté, jeunesse et fortune. Et moi qu'outragea sur la

Tamise le triomphe d'Aboukir, j'ai vu les palmiers de la Libye border la mer calme et déserte qui fut rougie du sang de mes compatriotes.

Le parc de Stowe est célèbre par ses fabriques : j'aime mieux ses ombrages. Le *cicerone* du lieu nous montra, dans une ravine noire, la copie d'un temple dont je devais admirer le modèle dans la brillante vallée du Céphise. De beaux tableaux de l'école italienne s'attristaient au fond de quelques chambres inhabitées, dont les volets étaient fermés : pauvre Raphaël, prisonnier dans un château des vieux Bretons, loin du ciel de la Farnésine !

Hampton-Court conservait la collection des portraits des maîtresses de Charles II : voilà comme ce prince avait pris les choses en sortant d'une révolution qui fit tomber la tête de son père et qui devait chasser sa race.

Nous vîmes à Slough, Herschell avec sa savante sœur et son grand télescope de quarante pieds ; il cherchait de nouvelles planètes : cela faisait rire Pelletier qui s'en tenait aux sept vieilles.

Nous nous arrêtâmes deux jours à Oxford. Je me plus dans cette république d'Alfred-le-Grand [1] ; elle représentait les libertés privilégiées et les mœurs des institutions lettrées du moyen âge. Nous ravaudâmes [2] les vingt-cinq colléges, les bibliothèques, les tableaux, le muséum, le jardin des plantes. Je feuilletai avec un plaisir extrême parmi les manuscrits du collége de Worcester, une vie du Prince Noir, écrite en vers français par le héraut-d'armes de ce prince.

Oxford, sans leur ressembler, rappelait à ma mémoire les modestes colléges de Dol, de Rennes et de Dinan. J'avais traduit l'élégie de Gray sur le *Cimetière de campagne.*

The curfew tolls the knell of parting day [3],

1. Roi d'Angleterre (849-901) qui passe pour avoir fondé l'Université d'Oxford.
2. Au sens très rare de : parcourûmes en tous sens.
3. Vers ainsi traduit par Chateaubriand (cf. p. 443, note 1) :
   Dans les airs frémissants j'entends le long murmure
   De la cloche du soir qui tinte avec lenteur...

imitation de ce vers de Dante [1] :

> *Squilla di lontano*
> *Che paja 'l giorno pianger che si muore.*

Pelletier s'était empressé de publier à son de trompe, dans son journal, ma traduction. A la vue d'Oxford, je me souvins de l'ode du même poëte [2] sur *une vue lointaine du collége d'Eton.*

« Heureuses collines, charmants bocages, champs aimés
« en vain, où jadis mon enfance insouciante errait étrangère
« à la peine ! Je sens les brises qui viennent de vous : elles
« semblent caresser mon âme abattue, et, parfumée de joie
« et de jeunesse, me souffler un second printemps.

« Dis, Paternelle Tamise..., dis quelle génération volage
« l'emporte aujourd'hui à précipiter la course du cerceau
« roulant, ou à lancer la balle fugitive. Hélas ! sans souci de
« leur destinée, folâtrent les petites victimes ! Elles n'ont ni
« prévision des maux à venir, ni soin d'outre-journée. »

Qui n'a éprouvé les sentiments et les regrets exprimés ici avec toute la douceur de la muse ? Qui ne s'est attendri au souvenir des jeux, des études, des amours de ses premières années ? Mais peut-on leur rendre la vie ? Les plaisirs de la jeunesse reproduits par la mémoire sont des ruines vues au flambeau.

VIE PRIVÉE DES ANGLAIS.

Séparés du continent par une longue guerre, les Anglais conservaient, à la fin du dernier siècle, leurs mœurs et leur caractère national. Il n'y avait encore qu'un peuple, au nom duquel s'exerçait la souveraineté par un gouvernement aristocratique ; on ne connaissait que deux grandes classes amies et liées d'un commun intérêt, les patrons et les clients. Cette classe jalouse, appelée bourgeoisie en France,

---

1. *Purgatoire* VIII, 5 *sq.* : «[Le voyageur entend] la cloche au loin qui semble pleurer le jour qui meurt. »
2. Gray.

qui commence à naître en Angleterre, n'existait pas : rien ne s'interposait entre les riches propriétaires et les hommes occupés de leur industrie. Tout n'était pas encore machine dans les professsions manufacturières, folie dans les rangs privilégiés. Sur ces mêmes trottoirs où l'on voit maintenant se promener des figures sales et des hommes en redingote, passaient de petites filles en mantelet blanc, chapeau de paille noué sous le menton avec un ruban, corbeille au bras, dans laquelle étaient des fruits ou un livre ; toutes tenant les yeux baissés, toutes rougissant lorsqu'on les regardait. « L'Angleterre », dit Shakspeare, « est un nid de cygnes au milieu des eaux. » Les redingotes sans habit étaient si peu d'usage à Londres, en 1793, qu'une femme, qui pleurait à chaudes larmes la mort de Louis XVI, me disait : « Mais, « cher monsieur, est-il vrai que le pauvre Roi était vêtu « d'une redingote, quand on lui coupa la tête ? »

Les *gentlemen-farmers* n'avaient point encore vendu leur patrimoine pour habiter Londres ; ils formaient encore dans la chambre des Communes cette fraction indépendante qui, se portant de l'opposition au ministère, maintenait les idées de liberté, d'ordre et de propriété. Ils chassaient le renard ou le faisan en automne, mangeaient l'oie grasse à Noël, criaient *vivat* au *roastbeef,* se plaignaient du présent, vantaient le passé, maudissaient Pitt et la guerre, laquelle augmentait le prix du vin de Porto, et se couchaient ivres pour recommencer le lendemain la même vie. Ils se tenaient assurés que la gloire de la Grande-Bretagne ne périrait point, tant qu'on chanterait *God save the King,* que les bourgs-pourris seraient maintenus, que les lois sur la chasse resteraient en vigueur, et que l'on vendrait furtivement au marché les lièvres et les perdrix sous le nom de *lions* et d'*autruches.*

Le clergé anglican était savant, hospitalier et généreux ; il avait reçu le clergé français avec une charité toute chrétienne. L'université d'Oxford fit imprimer à ses frais et distribuer gratis aux curés un Nouveau-Testament, selon la leçon romaine, avec ces mots : *A l'usage du clergé catholique exilé pour la Religion.* Quant à la haute société anglaise, chétif exilé, je n'en apercevais que les dehors. Lors des réceptions à la cour ou chez la princesse de Galles, passaient des ladies assises de côté dans des chaises à porteurs ; leurs grands paniers sortaient par la porte de la chaise comme des devants d'autel. Elles ressemblaient elles-mêmes, sur ces autels de leur ceinture, à des madones ou à des pagodes. Ces belles dames étaient les filles dont le duc de Guiche et le duc de Lauzun avaient adoré les mères ; ces filles sont, en 1822, les mères et grand'mères des petites filles qui dansent chez moi aujourd'hui en robes courtes, au son du galoubet de Collinet [1], rapides générations de fleurs.

MŒURS POLITIQUES.

L'Angleterre de 1688 était, vers la fin du siècle dernier, à l'apogée de sa gloire. Pauvre émigré à Londres, de 1792 à 1800, j'ai entendu parler les Pitt, les Fox, les Sheridan, les Wilberforce, les Grenville, les Whitebread, les Lauderdale, les Erskine ; magnifique ambassadeur à Londres aujourd'hui, en 1822, je ne saurais dire à quel point je suis frappé, lorsque, au lieu des grands orateurs que j'avais admirés autrefois, je vois se lever ceux qui étaient leurs seconds à la date de mon premier voyage, les écoliers à la place des maîtres. Les idées *générales* ont pénétré dans cette société *particulière*. Mais l'aristocratie éclairée, placée à la tête de ce pays depuis cent quarante ans, aura montré au monde une des plus belles et des plus grandes sociétés qui aient fait honneur à l'espèce humaine depuis le patriciat romain. Peut-être, quelque vieille famille, dans le fond d'un comté, reconnaîtra la société que je viens de peindre, et regrettera le temps dont je déplore ici la perte.

En 1792, M. Burke se sépara de M. Fox. Il s'agissait de la Révolution française que M. Burke attaquait et que M. Fox défendait. Jamais les deux orateurs, qui jusqu'alors avaient été amis, ne déployèrent autant d'éloquence. Toute la Chambre fut émue, et des larmes remplissaient les yeux de M. Fox, quand M. Burke termina sa réplique par ces paroles : « Le très-honorable gentleman, dans le discours

1. Voir p. 420.

« qu'il a fait, m'a traité à chaque phrase avec une dureté
« peu commune ; il a censuré ma vie entière, ma conduite et
« mes opinions. Nonobstant cette grande et sérieuse attaque,
« non méritée de ma part, je ne serai pas épouvanté ; je ne
« crains pas de déclarer mes sentiments dans cette Chambre
« ou partout ailleurs. Je dirai au monde entier que la
« constitution est en péril. C'est certainement une chose
« indiscrète en tout temps, et beaucoup plus indiscrète
« encore à cet âge de ma vie, que de provoquer des ennemis,
« ou de donner à mes amis des raisons de m'abandonner.
« Cependant, si cela doit arriver pour mon adhérence à la
« Constitution britannique, je risquerai tout, et comme le
« devoir public et la prudence publique me l'ordonnent,
« dans mes dernières paroles je m'écrierai : Fuyez la Cons-
« titution française ! — *Fly from the french Constitution.* »

M. Fox ayant dit qu'il ne s'agissait pas de *perdre des
amis,* M. Burke s'écria :

« Oui, il s'agit de perdre des amis ! Je connais le
« résultat de ma conduite ; j'ai fait mon devoir au prix de
« mon ami, notre amitié est finie : *I have done my duty at
« the price of my friend; our friendship is at an end.*
« J'avertis les très-honorables gentlemen, qui sont les deux
« grands rivaux dans cette Chambre [1], qu'ils doivent à
« l'avenir (soit qu'ils se meuvent dans l'hémisphère politi-
« que comme deux grands météores, soit qu'ils marchent
« ensemble comme deux frères), je les avertis qu'ils doivent
« préserver et chérir la Constitution britannique, qu'ils
« doivent se mettre en garde contre les innovations et se
« sauver du danger de ces nouvelles théories. — *From the
« danger of these new theories.* » Mémorable époque du
monde !

M. Burke, que je connus vers la fin de sa vie, accablé de
la mort de son fils unique, avait fondé une école consacrée
aux enfants des pauvres émigrés. J'allai voir ce qu'il appelait sa pépinière, *his nursery.* Il s'amusait de la vivacité de la
race étrangère qui croissait sous la paternité de son génie.
En regardant sauter les insouciants exilés, il me disait :
« Nos petits garçons ne feraient pas cela : *Our*

1. Fox et Pitt.

490

boys could not do that», et ses yeux se mouillaient de larmes : il pensait à son fils parti pour un plus long exil.

Pitt, Fox, Burke ne sont plus, et la constitution anglaise a subi l'influence des *nouvelles théories*. Il faut avoir vu la gravité des débats parlementaires à cette époque, il faut avoir entendu ces orateurs dont la voix prophétique semblait annoncer une révolution prochaine, pour se faire une idée de la scène que je rappelle. La liberté, contenue dans les limites de l'ordre, semblait se débattre à Westminster sous l'influence de la liberté anarchique, qui parlait à la tribune encore sanglante de la Convention.

M. Pitt, grand et maigre, avait un air triste et moqueur. Sa parole était froide, son intonation monotone, son geste insensible ; toutefois, la lucidité et la fluidité de ses pensées, la logique de ses raisonnements, subitement illuminés d'éclairs d'éloquence, faisaient de son talent quelque chose hors de ligne.

J'apercevais assez souvent M. Pitt, lorsque de son hôtel, à travers le parc Saint-James, il allait à pied chez le roi. De son côté, George III arrivait de Windsor, après avoir bu de la bière dans un pot d'étain avec les fermiers du voisinage ; il franchissait les vilaines cours de son vilain châtelet, dans une voiture grise que suivaient quelques gardes à cheval ; c'était là le maître des rois de l'Europe, comme cinq ou six marchands de la Cité sont les maîtres de l'Inde. M. Pitt, en habit noir, épée à poignée d'acier au côté, chapeau sous le bras, montait, enjambant deux ou trois marches à la fois. Il ne trouvait sur son passage que trois ou quatre émigrés désœuvrés : laissant tomber sur nous un regard dédaigneux, il passait, le nez au vent, la figure pâle.

Ce grand financier n'avait aucun ordre chez lui ; point d'heures réglées pour ses repas ou son sommeil. Criblé de dettes, il ne payait rien, et ne se pouvait résoudre à faire l'addition d'un mémoire. Un valet de chambre conduisait sa maison. Mal vêtu, sans plaisir, sans passions, avide seulement de pouvoir, il méprisait les honneurs, et ne voulait être que *William Pitt*.

Lord Liverpool, au mois de juin dernier 1822, me mena dîner à sa campagne : en traversant la bruyère de Pulteney, il me montra la petite maison où mourut pauvre le fils de lord Chatham, l'homme d'Etat qui avait mis l'Europe à sa solde et distribué de ses propres mains tous les milliards de la terre.

George III survécut à M. Pitt, mais il avait perdu la raison et la vue. Chaque session, à l'ouverture du Parlement, les ministres lisaient aux chambres silencieuses et attendries le bulletin de la santé du roi. Un jour, j'étais allé visiter Windsor : j'obtins pour quelques schellings de l'obligeance d'un concierge qu'il me cachât de manière à voir le roi. Le monarque, en cheveux blancs et aveugle, parut, errant comme le roi Lear, dans ses palais et tâtonnant avec ses mains les murs des salles. Il s'assit devant un piano dont il connaissait la place, et joua quelques morceaux d'une sonate de Haendel : c'était une belle fin de la *vieille Angleterre. Old England !*

Londres, d'avril à septembre 1822.

RENTRÉE DES ÉMIGRÉS EN FRANCE. — LE MINISTRE DE
PRUSSE ME DONNE UN FAUX PASSEPORT SOUS LE
NOM DE LASSAGNE, HABITANT DE NEUFCHATEL, EN SUISSE.
— MORT DE LORD LONDONDERRY. — FIN DE MA
CARRIÈRE DE SOLDAT ET DE VOYAGEUR. — JE
DÉBARQUE À CALAIS.

JE commençais à tourner les yeux vers ma terre natale. Une grande Révolution s'était opérée. Bonaparte, devenu premier Consul, rétablissait l'ordre par le despotisme ; beaucoup d'exilés rentraient ; la haute émigration, surtout, s'empressait d'aller recueillir les débris de sa fortune : la fidélité périssait par la tête, tandis que son cœur battait encore dans la poitrine de quelques gentilshommes de province à demi nus. Madame Lindsay était partie ; elle écrivait à MM. de Lamoignon de revenir ; elle invitait à MM. de Lamoignon de revenir ; elle invitait aussi madame d'Aguesseau, sœur de

MM. de Lamoignon, à passer le détroit. Fontanes m'appelait, pour achever à Paris, l'impression du *Génie du Christianisme.* Tout en me souvenant de mon pays, je ne me sentais aucun désir de le revoir ; des dieux plus puissants que les lares paternels me retenaient ; je n'avais plus en France de biens et d'asile ; la patrie était devenue pour moi un sein de pierre, une mamelle sans lait : je n'y trouverais ni ma mère, ni mon frère, ni ma sœur Julie. Lucile existait encore, mais elle avait épousé M. de Caud, et ne portait plus mon nom ; ma jeune *veuve* ne me connaissait que par une union de quelques mois, par le malheur et une absence de huit années.

Livré à moi seul, je ne sais si j'aurais eu la force de partir ; mais je voyais ma petite société se dissoudre ; madame d'Aguesseau me proposait de me mener à Paris : je me laissai aller. Le ministre de Prusse me procura un passeport, sous le nom de Lassagne, habitant de Neufchâtel ; MM. Dulau interrompirent le tirage du *Génie du Christianisme,* et m'en donnèrent les feuilles composées. Je détachai des *Natchez* les esquisses d'*Atala* et de *René ;* j'enfermai le reste du manuscrit dans une malle dont je confiai le dépôt à mes hôtes, à Londres, et je me mis en route pour Douvres avec madame d'Aguesseau : madame Lindsay nous attendait à Calais.

Ainsi j'abandonnai l'Angleterre en 1800 ; mon cœur était autrement occupé qu'il ne l'est à l'époque où j'écris ceci, en 1822. Je ne ramenais de la terre d'exil que des regrets et des songes ; aujourd'hui, ma tête est remplie de scènes d'ambition, de politique, de grandeurs et de cours, si messéantes à ma nature. Que d'événements sont entassés dans ma présente existence ! Passez, hommes, passez ; viendra mon tour. Je n'ai déroulé à vos yeux qu'un tiers de mes jours ; si les souffrances que j'ai endurées ont pesé sur mes sérénités printanières, maintenant, entrant dans un âge plus fécond, le germe de *René* va se développer et des amertumes d'une autre sorte se mêleront à mon récit ! Que n'aurai-je point à dire en parlant de ma patrie, de ses révolutions dont j'ai déjà montré le premier plan ; de cet Empire et de l'homme gigantesque que j'ai vu tomber ; de cette Restauration à laquelle j'ai pris tant de part, aujourd'hui glorieuse en 1822, mais que je ne puis néanmoins entrevoir qu'à travers je ne sais quel nuage funèbre ?

Je termine ce livre, qui atteint au printemps de 1800. Arrivé au bout de ma première carrière, s'ouvre devant moi *la carrière de l'écrivain ;* d'homme privé, je vais devenir homme public ; je sors de l'asile virginal et silencieux de la solitude pour entrer dans le carrefour souillé et bruyant du monde ; le grand jour va éclairer ma vie rêveuse, la lumière pénétrer dans le royaume des ombres. Je jette un regard attendri sur ces livres qui renferment mes heures immémorées ; il me semble dire un dernier adieu à la maison paternelle ; je quitte les pensées et les chimères de ma jeunesse comme des sœurs, comme des amantes que je laisse au foyer de la famille et que je ne reverrai plus.

Nous mîmes quatre heures à passer de Douvres à Calais. Je me glissai dans ma patrie à l'abri d'un nom étranger : caché doublement dans l'obscurité du Suisse Lassagne et dans la mienne, j'abordai la France avec le siècle[1].

Dieppe 1836.

Revu en décembre 1846.

SÉJOUR À DIEPPE. — DEUX SOCIÉTÉS.

VOUS savez que j'ai maintes fois changé de lieu en écrivant ces mémoires ; que j'ai souvent peint ces lieux, parlé des sentiments qu'ils m'inspiraient et retracé mes souve-

1. Chateaubriand débarque à Calais le 6 mai 1800.

494

nirs, mêlant ainsi l'histoire de mes pensers et de mes foyers errants à l'histoire de ma vie.

Vous voyez où j'habite maintenant. En me promenant ce matin sur les falaises, derrière le château de Dieppe, j'ai aperçu la poterne qui communique à ces falaises au moyen d'un pont jeté sur un fossé : madame de Longueville avait échappé par là à la reine Anne d'Autriche ; embarquée furtivement au Havre, mise à terre à Rotterdam, elle se rendit à Stenay, auprès du maréchal de Turenne. Les lauriers du grand capitaine n'étaient plus innocents [1], et la moqueuse exilée ne traitait pas trop bien le coupable.

Madame de Longueville, qui relevait de l'hôtel de Rambouillet, du trône de Versailles et de la municipalité de Paris, se prit de passion pour l'auteur des *Maximes,* et lui fut fidèle autant qu'elle le pouvait. Celui-ci vit moins de ses pensées que de l'amitié de madame de La Fayette et de madame de Sévigné, des vers de La Fontaine et de l'amour de madame de Longueville : voilà ce que c'est que les attachements illustres.

La princesse de Condé [2], près d'expirer, dit à madame de Brienne : « Ma chère amie, mandez à cette pauvre miséra-« ble qui est à Stenay, l'état où vous me voyez, et quelle « apprenne à mourir. » Belles paroles ; mais la princesse oubliait qu'elle-même avait été aimée de Henri IV, qu'em-menée à Bruxelles par son mari, elle avait voulu rejoindre le Béarnais, *s'échapper la nuit par une fenêtre, et faire ensuite trente ou quarante lieues à cheval ;* elle était alors une *pauvre misérable* de dix-sept ans.

Descendu de la falaise, je me suis trouvé sur le grand chemin de Paris ; il monte rapidement au sortir de Dieppe. A droite, sur la ligne ascendante d'une berge, s'élève le mur d'un cimetière ; le long de ce mur est établi un rouet de corderie. Deux cordiers, marchant parallèlement à reculons et se balançant d'une jambe sur l'autre, chantaient ensemble à demi-voix. J'ai prêté l'oreille ; ils en

1. Amoureux de Mme de Longueville, sœur de Condé, Turenne en 1650 avait pris parti contre la Cour.
2. La mère de la duchesse de Longueville.

étaient à ce couplet du *Vieux caporal* : beau mensonge poétique, qui nous a conduits où nous sommes :

> *Qui là bas sanglote et regarde ?*
> *Eh ! c'est la veuve du tambour, etc., etc.*

Ces hommes prononçaient le refrain : *Conscrits au pas; ne pleurez pas..... Marchez au pas, au pas,* d'un ton si mâle et si pathétique que les larmes me sont venues aux yeux. En marquant eux-mêmes le pas et en dévidant leur chanvre, ils avaient l'air de filer le dernier moment du vieux caporal : je ne saurais dire ce qu'il y avait dans cette gloire particulière à Béranger, solitairement révélée par deux matelots qui chantaient à la vue de la mer la mort d'un soldat.

La falaise m'a rappelé une grandeur monarchique, le chemin une célébrité plébéienne : j'ai comparé en pensée les hommes aux deux extrémités de la société; je me suis demandé à laquelle de ces époques j'aurais préféré appartenir. Quand le présent aura disparu comme le passé, laquelle de ces deux renommées attirera le plus les regards de la postérité ?

Et néanmoins, si les faits étaient tout, si la valeur des noms ne contrepesait dans l'histoire la valeur des événements, quelle différence entre mon temps et le temps qui s'écoula depuis la mort de Henri IV jusqu'à celle de Mazarin ! Qu'est-ce que les troubles de 1648 comparés à cette Révolution, laquelle a dévoré l'ancien monde, dont elle mourra peut-être, en ne laissant après elle ni vieille, ni nouvelle société ? N'avais-je pas à peindre dans mes Mémoires des tableaux d'une importance incomparablement au-dessus des scènes racontées par le duc de la Rochefoucauld ? A Dieppe même, qu'est-ce que la nonchalante et voluptueuse idole de Paris séduit et rebelle, auprès de madame la duchesse de Berry ? Les coups de canon qui annonçaient à la mer la présence de la veuve royale[1], n'éclatent plus; la flatterie de poudre et de

---

1. A la fin de la Restauration la duchesse de Berry avait mis Dieppe à la mode.

fumée n'a laissé sur le rivage que le gémissement des flots.

Les deux filles de Bourbon, Anne-Geneviève et Marie-Caroline[1], se sont retirées ; les deux matelots de la chanson du poëte plébéien s'abîmeront ; Dieppe est vide de moi-même : c'était un autre *moi,* un *moi* de mes premiers jours finis, qui jadis habita ces lieux, et ce *moi* a succombé, car nos jours meurent avant nous. Ici vous m'avez vu sous-lieutenant au régiment de Navarre, exercer des recrues sur les galets ; vous m'y avez revu exilé sous Bonaparte ; vous m'y rencontrerez de nouveau lorsque les journées de Juillet m'y surprendront. M'y voici encore ; j'y reprends la plume pour continuer mes Confessions.

Afin de nous reconnaître, il est utile de jeter un coup-d'œil sur l'état de mes Mémoires.

OÙ EN SONT MES MÉMOIRES.

IL m'est arrivé ce qui arrive à tout entrepreneur qui travaille sur une grande échelle : j'ai, en premier lieu, élevé les pavillons des extrémités, puis, déplaçant et replaçant çà et là mes échafauds, j'ai monté la pierre et le ciment des constructions intermédiaires ; on employait

1. La duchesse de Longueville (celle de la Fronde) et la duchesse de Berry, la belle-fille de Charles X.

plusieurs siècles à l'achèvement des cathédrales gothiques. Si le ciel m'accorde de vivre, le monument sera fini par mes diverses années ; l'architecte, toujours le même, aura seulement changé d'âge. Du reste, c'est un supplice de conserver intact son être intellectuel, emprisonné dans une enveloppe matérielle usée. Saint Augustin, sentant son argile tomber, disait à Dieu : « Servez de tabernacle à mon âme » ; et il disait aux hommes : « Quand vous m'aurez connu dans ce « livre, priez pour moi. »

Il faut compter trente-six ans entre les choses qui commencent mes Mémoires et celles qui m'occupent. Comment renouer avec quelque ardeur la narration d'un sujet rempli jadis pour moi de passion et de feu, quand ce ne sont plus des vivants avec qui je vais m'entretenir, quand il s'agit de réveiller des effigies glacées au fond de l'Eternité, de descendre dans un caveau funèbre pour y jouer à la vie ? Ne suis-je pas moi-même quasi-mort ? Mes opinions ne sont-elles pas changées ? Vois-je les objets du même point de vue ? Ces événements personnels dont j'étais si troublé, les événements généraux et prodigieux qui les ont accompagnés ou suivis, n'en ont-ils pas diminué l'importance aux yeux du monde, ainsi qu'à mes propres yeux ? Quiconque prolonge sa carrière sent se refroidir ses heures ; il ne retrouve plus le lendemain l'intérêt qu'il portait à la veille. Lorsque je fouille dans mes pensées, il y a des noms, et jusqu'à des personnages, qui échappent à ma mémoire, et cependant ils avaient peut-être fait palpiter mon cœur : vanité de l'homme oubliant et oublié ! Il ne suffit pas de dire aux songes, aux amours : « Renaissez ! » pour qu'ils renaissent ; on ne se peut ouvrir la région des ombres qu'avec le rameau d'or[1], et il faut une jeune main pour le cueillir.

---

1. *Enéide* VI, 190 *sq.*

ANNÉE 1800. — VUE DE LA FRANCE. — J'ARRIVE A PARIS.

AUCUNS VENANTS DES LARES PATRIES[1] (Rabelais.)

DEPUIS huit ans enfermé dans la Grande-Bretagne, je n'avais vu que le monde anglais, si différent, surtout alors, du reste du monde européen. A mesure que le *packet-boat* de Douvres approchait de Calais, au printemps de 1800, mes regards me devançaient au rivage. J'étais frappé de l'air pauvre du pays : à peine quelques mâts se montraient dans le port ; une population en carmagnole et en bonnet de coton s'avançait au devant de nous le long de la jetée : les vainqueurs du continent me furent annoncés par un bruit de sabots. Quand nous accostâmes le môle, les gendarmes et les douaniers sautèrent sur le pont, visitèrent nos bagages et nos passeports : en France, un homme est toujours suspect, et la première chose que l'on aperçoit dans nos affaires, comme dans nos plaisirs, est un chapeau à trois cornes ou une baïonnette.

Madame Lindsay nous attendait à l'auberge : le lendemain nous partîmes avec elle pour Paris, madame d'Aguesseau, une jeune personne sa parente, et moi. Sur la route, on n'apercevait presque point d'hommes ; des femmes noircies et hâlées, les pieds nus, la tête découverte ou entourée d'un mouchoir, labouraient les champs : on les eût prises pour des esclaves. J'aurais dû plutôt être frappé de l'indépendance et de la virilité de cette terre où les femmes maniaient le hoyau, tandis que les hommes maniaient le mousquet. On eût dit que le feu avait passé dans les villages ; ils étaient misérables et à moitié démolis : partout de la boue ou de la poussière, du fumier et des décombres.

---

1. Du foyer paternel. — Chateaubriand se souvient-il du chapitre de l'écolier limousin (*Pantagruel* VI : « ... à venir des pénates et lares patriotiques ») ?

A droite et à gauche du chemin, se montraient des châteaux abattus ; de leurs futaies rasées, il ne restait que quelques troncs équarris, sur lesquels jouaient des enfants. On voyait des murs d'enclos ébréchés, des églises abandonnées, dont les morts avaient été chassés, des clochers sans cloches, des cimetières sans croix, des saints sans tête et lapidés dans leurs niches. Sur les murailles étaient barbouillées ces inscriptions républicaines déjà vieillies : LIBERTÉ, EGALITÉ, FRATERNITÉ OU LA MORT. Quelquefois on avait essayé d'effacer le mot MORT, mais les lettres noires ou rouges reparaissaient sous une couche de chaux. Cette nation, qui semblait au moment de se dissoudre, recommençait un monde, comme ces peuples sortant de la nuit de la barbarie et de la destruction du moyen âge.

En approchant de la capitale, entre Ecouen et Paris, les ormeaux n'avaient point été abattus ; je fus frappé de ces belles avenues itinéraires, inconnues au sol anglais. La France m'était aussi nouvelle que me l'avaient été autrefois les forêts de l'Amérique. Saint-Denis était découvert, les fenêtres en étaient brisées ; la pluie pénétrait dans ses nefs verdies, et il n'avait plus de tombeaux : j'y ai vu, depuis, les os de Louis XVI, les Cosaques, le cercueil du duc de Berry et le catafalque de Louis XVIII.

Auguste de Lamoignon vint au devant de madame Lindsay : son élégant équipage contrastait avec les lourdes charrettes, les diligences sales, délabrées, traînées par des haridelles attelées de cordes que j'avais rencontrées depuis Calais. Madame Lindsay demeurait aux Ternes[1]. On me mit à terre, sur le chemin de la Révolte, et je gagnai, à travers champs, la maison de mon hôtesse. Je demeurai vingt-quatre heures chez elle ; j'y rencontrai un grand et gros monsieur Lasalle qui lui servait à arranger des affaires d'émigrés. Elle fit prévenir M. de Fontanes de mon arrivée ; au bout de quarante-huit heures, il me vint chercher au fond d'une petite chambre que madame Lindsay m'avait louée dans une auberge, presque à sa porte.

C'était un dimanche : vers trois heures de l'après-midi, nous entrâmes à pied dans Paris par la barrière de l'Etoile.

1. Alors lieu-dit sur le territoire de Neuilly.

Nous n'avons pas une idée aujourd'hui de l'impression que les excès de la Révolution avaient faite sur les esprits en Europe, et principalement parmi les hommes absents de la France pendant la Terreur ; il me semblait, à la lettre, que j'allais descendre aux enfers. J'avais été témoin, il est vrai, des commencements de la Révolution ; mais les grands crimes n'étaient pas alors accomplis, et j'étais resté sous le joug des faits subséquents, tels qu'on les racontait au milieu de la société paisible et régulière de l'Angleterre.

M'avançant sous mon faux nom, et persuadé que je compromettais mon ami Fontanes, j'ouïs, à mon grand étonnement, en entrant dans les Champs-Elysées, des sons de violon, de cor, de clarinette et de tambour. J'aperçus des *bastringues* où dansaient des hommes et des femmes ; plus loin, le palais des Tuileries m'apparut dans l'enfoncement de ses deux grands massifs de marronniers. Quant à la place Louis XV, elle était nue ; elle avait le délabrement, l'air mélancolique et abandonné d'un vieil amphithéâtre ; on y passait vite ; j'étais tout surpris de ne pas entendre des plaintes ; je craignais de mettre le pied dans un sang dont il ne restait aucune trace ; mes yeux ne se pouvaient détacher de l'endroit du ciel où s'était élevé l'instrument de mort ; je croyais voir en chemise, liés auprès de la machine sanglante, mon frère et ma belle-sœur : là était tombée la tête de Louis XVI. Malgré les joies de la rue, les tours des églises étaient muettes ; il me semblait être rentré le jour de l'immense douleur, le jour du Vendredi-Saint.

M. de Fontanes demeurait dans la rue Saint-Honoré, aux environs de Saint-Roch. Il me mena chez lui, me présenta à sa femme, et me conduisit ensuite chez son ami, M. Joubert, où je trouvai un abri provisoire : je fus reçu comme un voyageur dont on avait entendu parler.

Le lendemain, j'allai à la police, sous le nom de Lassagne, déposer mon passeport étranger et recevoir en échange, pour rester à Paris, une permission qui fut renouvelée de mois en mois. Au bout de quelques jours, je louai un entresol rue de Lille, du côté de la rue des Saints-Pères.

J'avais apporté le *Génie du Christianisme* et les premières feuilles de cet ouvrage, imprimées à Londres. On m'adressa à M. Migneret, digne homme, qui consentit à se charger de recommencer l'impression interrompue et à me donner d'avance quelque chose pour vivre. Pas une âme ne connaissait mon *Essai sur les Révolutions,* malgré ce que m'en avait mandé M. Lemière. Je déterrai le vieux philosophe Delisle de Sales, qui venait de publier son *Mémoire en faveur de Dieu,* et je me rendis chez Ginguené[1]. Celui-ci était logé rue de Grenelle-Saint-Germain, près de l'hôtel du Bon La Fontaine. On lisait encore sur la loge de son concierge : «*Ici on s'honore du titre de citoyen, et on se tutoie. Ferme la porte, s'il vous plaît.*» Je montai : M. Ginguené, qui me reconnut à peine, me parla du haut de la grandeur de tout ce qu'il était et avait été. Je me retirai humblement, et n'essayai pas de renouer des liaisons si disproportionnées.

Je nourrissais toujours au fond du cœur les regrets et les souvenirs de l'Angleterre ; j'avais vécu si longtemps dans ce pays que j'en avais pris les habitudes : je ne pouvais me faire à la saleté de nos maisons, de nos escaliers, de nos tables, à notre malpropreté, à notre bruit, à notre familiarité, à l'indiscrétion de notre bavardage : j'étais Anglais de manières, de goût et, jusqu'à un certain point, de pensées ; car si, comme on le prétend, lord Byron s'est inspiré quelquefois de *René* dans son *Childe-Harold,* il est vrai de dire aussi que huit années de résidence dans la Grande-Bretagne, précédées d'un voyage en Amérique, qu'une longue habitude de parler, d'écrire et même de penser en anglais, avaient nécessairement influé sur le tour et l'expression de mes idées. Mais peu à peu je goûtai la sociabilité qui nous distingue, ce commerce charmant, facile et rapide des intelligences, cette absence de toute morgue et de tout préjugé, cette inattention à la fortune et aux noms, ce nivellement naturel de tous les rangs, cette égalité des esprits qui rend la société française incomparable et qui rachète nos défauts : après quelques mois d'établissement au milieu de nous, on sent qu'on ne peut plus vivre qu'à Paris.

1. Cf. p. 186.

Année 1800. — Ma vie à Paris.

Je m'enfermai au fond de mon entresol, et je me livrai tout entier au travail. Dans les intervalles de repos, j'allais faire de divers côtés des reconnaissances. Au milieu du Palais-Royal, le Cirque avait été comblé ; Camille Desmoulins ne pérorait plus en plein vent ; on ne voyait plus circuler des troupes de prostituées, compagnes virginales de la déesse Raison, et marchant sous la conduite de David, costumier et corybante. Au débouché de chaque allée, dans les galeries, on rencontrait des hommes qui criaient des curiosités, *ombres chinoises, vues d'optique, cabinets de physique, bêtes étranges ;* malgré tant de têtes coupées, il restait encore des oisifs. Du fond des caves du Palais-Marchand sortaient des éclats de musique, accompagnés du bourdon des grosses caisses : c'était peut-être là qu'habitaient ces géants que je cherchais et que devaient avoir nécessairement produits des événements immenses. Je descendais ; un bal souterrain s'agitait au milieu de spectateurs assis et buvant de la bière. Un petit bossu, planté sur une table, jouait du violon et chantait un hymne à Bonaparte, qui se terminait par ces vers :

> *Par ses vertus, par ses attraits,*
> *Il méritait d'être leur père !*

On lui donnait un sou après la ritournelle. Tel est le fond de cette société humaine qui porta Alexandre et qui portait Napoléon.

Je visitais les lieux où j'avais promené les rêveries de mes premières années. Dans mes couvents d'autrefois, les clubistes avaient été chassés après les moines. En errant derrière le Luxembourg, je fus conduit à la Chartreuse[1] ; on achevait de la démolir.

La place des Victoires et celle de Vendôme pleuraient les effigies absentes du grand Roi ; la communauté des Capucines était saccagée : le cloître intérieur servait de retraite à la fantasmagorie de Robertson[2]. Aux Cordeliers, je demandai en vain la nef gothique où j'avais aperçu Marat et Danton dans leur primeur. Sur le quai des Théatins[3], l'église de ces religieux était devenue un café et une salle de danseurs de corde. A la porte, une enluminure représentait des funambules, et on lisait en grosses lettres : *Spectacle gratis.* Je m'enfonçai avec la foule dans cet antre perfide : je ne fus pas plus tôt assis à ma place, que des garçons entrèrent serviette à la main et criant comme des enragés : « Consommez, messieurs ! consommez ! » Je ne me le fis pas dire deux fois, et je m'évadai piteusement aux cris moqueurs de l'assemblée, parce que je n'avais pas de quoi *consommer.*

CHANGEMENT DE LA SOCIÉTÉ.

LA Révolution s'est divisée en trois parties qui n'ont rien de commun entre elles : la République, l'Empire et la Restauration ; ces trois mondes divers, tous trois aussi complétement finis les uns que les autres, semblent séparés par des siècles. Chacun de ces trois mondes a eu un principe fixe : le principe de la République était l'égalité, celui de l'Empire

1. Voir p. 448, note 1.
2. La lanterne magique que venait de perfectionner le physicien belge Robertson.
3. Devenu en 1791 le quai Voltaire.

la force, celui de la Restauration la liberté. L'époque républicaine est la plus originale et la plus profondément gravée, parce qu'elle a été unique dans l'histoire : jamais on n'avait vu, jamais on ne reverra l'ordre physique produit par le désordre moral, l'unité sortie du gouvernement de la multitude, l'échafaud substitué à la loi et obéi au nom de l'humanité.

J'assistai, en 1801, à la seconde transformation sociale. Le pêle-mêle était bizarre : par un travestissement convenu, une foule de gens devenaient des personnages qu'ils n'étaient pas : chacun portait son nom de guerre ou d'emprunt suspendu à son cou, comme les Vénitiens, au carnaval, portent à la main un petit masque pour avertir qu'ils sont masqués. L'un était réputé italien ou espagnol, l'autre prussien ou hollandais : j'étais suisse. La mère passait pour être la tante de son fils, le père pour l'oncle de sa fille ; le propriétaire d'une terre n'en était que le régisseur. Ce mouvement me rappelait, dans un sens contraire, le mouvement de 1789, lorsque les moines et les religieux sortirent de leur cloître et que l'ancienne société fut envahie par la nouvelle : celle-ci, après avoir remplacé celle-là, était remplacée à son tour.

Cependant le monde ordonné commençait à renaître ; on quittait les cafés et la rue pour rentrer dans sa maison ; on recueillait les restes de sa famille ; on recomposait son héritage en en rassemblant les débris, comme, après une bataille, on bat le rappel et on fait le compte de ce que l'on a perdu. Ce qui demeurait d'églises entières se rouvrait : j'eus le bonheur de sonner la trompette à la porte du temple. On distinguait les vieilles générations républicaines qui se retiraient, des générations impériales qui s'avançaient. Des généraux de la réquisition, pauvres, au langage rude, à la mine sévère, et qui, de toutes leurs campagnes, n'avaient remporté que des blessures et des habits en lambeaux, croisaient les officiers brillants de dorure de l'armée consulaire. L'émigré rentré causait tranquillement avec les assassins de quelques-uns de ses proches. Tous les portiers, grands partisans de feu M. de Robespierre, regrettaient les spectacles de la place Louis XV, où l'on coupait la tête à *des femmes qui,* me disait mon propre concierge de la rue de

Lille, *avaient le cou blanc comme de la chair de poulet.* Les septembriseurs, ayant changé de nom et de quartier, s'étaient faits marchands de pommes cuites au coin des bornes ; mais ils étaient souvent obligés de déguerpir, parce que le peuple, qui les reconnaissait, renversait leur échoppe et les voulait assommer. Les révolutionnaires enrichis commençaient à s'emménager dans les grands hôtels vendus du faubourg Saint-Germain. En train de devenir barons et comtes, les jacobins ne parlaient que des horreurs de 1793, de la nécessité de châtier les prolétaires et de réprimer les excès de la populace. Bonaparte, plaçant les Brutus et les Scœvola à sa police, se préparait à les barioler de rubans, à les salir de titres, à les forcer de trahir leurs opinions et de déshonorer leurs crimes. Entre tout cela poussait une génération vigoureuse semée dans le sang, et s'élevant pour ne plus répandre que celui de l'étranger : de jour en jour s'accomplissait la métamorphose des républicains en impérialistes et de la tyrannie de tous dans le despotisme d'un seul.

Paris, 1837.

Revu en décembre 1846.

ANNÉE DE MA VIE, 1801. — LE MERCURE. — ATALA.

TOUT en m'occupant à retrancher, augmenter, changer les feuilles du *Génie du Christianisme,* la nécessité me forçait de suivre quelques autres travaux. M. de Fontanes rédigeait alors le *Mercure de France :* il me proposa d'écrire dans ce journal. Ces combats n'étaient pas sans quelque péril : on ne pouvait arriver à la politique que par la littérature, et la police de Bonaparte entendait à demi-mot. Une circonstance singulière, en m'empêchant de dormir, allongeait mes heures et me donnait plus de temps. J'avais acheté deux tourterelles ; elles roucoulaient beaucoup : en vain je les enfermais la nuit dans ma petite malle de voyageur ; elles n'en roucoulaient que mieux. Dans un des moments d'insomnie qu'elles me causaient, je m'avisai d'écrire pour le *Mercure* une lettre à madame de Staël. [1] Cette boutade me fit tout à coup sortir de l'ombre ; ce que n'avaient pu faire mes deux gros volumes sur les *Révolutions*, quelques pages d'un journal le firent. Ma tête se montrait un peu au-dessus de l'obscurité.

Ce premier succès semblait annoncer celui qui l'allait suivre. Je m'occupais à revoir les épreuves d'*Atala* (épisode renfermé, ainsi que *René*, dans le *Génie du Christianisme*) lorsque je m'aperçus que des feuilles me manquaient. La peur me prit : je crus qu'on avait dérobé mon roman, ce qui assurément était une crainte bien peu fondée, car personne ne pensait que je valusse la peine d'être volé. Quoi qu'il en soit, je me déterminai à publier *Atala* à part, et j'annonçai ma résolution dans une lettre adressée au *Journal des Débats* et au *Publiciste*.

Avant de risquer l'ouvrage au grand jour, je le montrai à M. de Fontanes : il en avait déjà lu des fragments en manuscrit à Londres. Quand il fut arrivé au discours du père Aubry, au bord du lit de mort d'Atala, il me dit brusquement d'une voix rude : « Ce n'est pas cela ; c'est « mauvais ; refaites cela ! » Je me retirai désolé ; je ne me sentais pas capable de mieux faire. Je voulais jeter le tout au feu ; je passai depuis huit heures jusqu'à onze heures du soir dans mon entresol, assis devant ma table, le front appuyé sur le dos de mes mains étendues et ouvertes sur mon papier. J'en voulais à Fontanes ; je m'en voulais ; je n'essayais pas même d'écrire, tant je désespérais de moi. Vers minuit, la voix de mes tourterelles m'arriva, adoucie par l'éloignement et rendue plus plaintive par la prison où je les tenais renfermées : l'inspiration me revint ; je traçai

1. Chateaubriand y attaque la thèse de la perfectibilité soutenue par Mme de Staël dans son ouvrage *De la littérature*.

de suite le discours du missionnaire, sans une seule interligne, sans en rayer un seul mot, tel qu'il est resté et tel qu'il existe aujourd'hui. Le cœur palpitant, je le portai le matin à Fontanes qui s'écria : «C'est cela ! c'est cela ! Je vous l'avais « bien dit, que vous feriez mieux !»

C'est de la publication d'*Atala* que date le bruit que j'ai fait dans ce monde : je cessai de vivre de moi-même et ma carrière publique commença. Après tant de succès militaires, un succès littéraire paraissait un prodige ; on en était affamé. L'étrangeté de l'ouvrage ajoutait à la surprise de la foule. *Atala* tombant au milieu de la littérature de l'Empire, de cette école classique, vieille rajeunie dont la seule vue inspirait l'ennui, était une sorte de production d'un genre inconnu. On ne savait si l'on devait la classer parmi les *monstruosités* ou parmi les *beautés ;* était-elle Gorgone ou Vénus ? Les Académiciens assemblés dissertèrent doctement sur son sexe et sur sa nature, de même qu'ils firent des rapports sur le *Génie du Christianisme*. Le vieux siècle la repoussa, le nouveau l'accueillit.

Atala devint si populaire qu'elle alla grossir, avec la Brinvilliers, la collection de *Curtius* [1]. Les auberges de rouliers étaient ornées de gravures rouges, vertes et bleues, représentant Chactas, le père Aubry et la fille de Simaghan. Dans des boîtes de bois, sur les quais, on montrait mes personnages en cire, comme on montre des images de Vierge et de Saints à la foire. Je vis sur un théâtre du boulevard ma sauvagesse coiffée de plumes de coq, qui parlait de l'*âme de la solitude* à un sauvage de son espèce, de manière à me faire suer de confusion. On représentait aux Variétés une pièce dans laquelle une jeune fille et un jeune garçon, sortant de leur pension, s'en allaient par le coche se marier dans leur petite ville ; comme en débarquant ils ne parlaient, d'un air égaré, que crocodiles, cigognes et forêts, leurs parents croyaient qu'ils étaient devenus fous. Parodies, caricatures, moqueries m'accablaient. L'abbé Morellet [2], pour me confondre, fit asseoir sa servante sur

1. L'Allemand Curtius avait ouvert au Palais-Royal et au boulevard du Temple deux « cabinets » de figures de cire.
2. Voir p. 389.

ses genoux et ne put tenir les pieds de la jeune vierge dans ses mains, comme Chactas tenait les pieds d'Atala pendant l'orage : si le Chactas de la rue d'Anjou s'était fait peindre ainsi, je lui aurais pardonné sa critique.

Tout ce train servait à augmenter le fracas de mon apparition. Je devins à la mode. La tête me tourna : j'ignorais les jouissances de l'amour-propre, et j'en fus enivré. J'aimai la gloire comme une femme, comme un premier amour. Cependant, poltron que j'étais, mon effroi égalait ma passion : conscrit, j'allais mal au feu. Ma sauvagerie naturelle, le doute que j'ai toujours eu de mon talent, me rendaient humble au milieu de mes triomphes. Je me dérobais à mon éclat ; je me promenais à l'écart, cherchant à éteindre l'auréole dont ma tête était couronnée. Le soir, mon chapeau rabattu sur mes yeux, de peur qu'on ne reconnût le grand homme, j'allais à l'estaminet lire à la dérobée mon éloge dans quelque petit journal inconnu. Tête à tête avec ma renommée, j'étendais mes courses jusqu'à la pompe à feu de Chaillot, sur ce même chemin où j'avais tant souffert en allant à la Cour ; je n'étais pas plus à mon aise avec mes nouveaux honneurs. Quand ma supériorité dînait à 30 sous au pays latin, elle avalait de travers, gênée par les regards dont elle se croyait l'objet. Je me contemplais, je me disais : « C'est pourtant toi, créature extraordinaire, qui « manges comme un autre homme ! » Il y avait aux Champs-Elysées un café que j'affectionnais à cause de quelques rossignols suspendus en cage au pourtour intérieur de la salle ; madame Rousseau, la maîtresse du lieu, me connaissait de vue sans savoir qui j'étais. On m'apportait vers dix heures du soir une tasse de café, et je cherchais *Atala* dans les *Petites-Affiches,* à la voix de mes cinq ou six Philomèles. Hélas ! je vis bientôt mourir la pauvre madame Rousseau ; notre société des rossignols et de l'Indienne qui chantait : « *Douce habitude d'aimer, si nécessaire à la vie !* » ne dura qu'un moment.

Si le succès ne pouvait prolonger en moi ce stupide engouement de ma vanité, ni pervertir ma raison, il avait des dangers d'une autre sorte ; ces dangers s'accrurent à l'apparition du *Génie du Christianisme,* et à ma démission pour la mort du duc d'Enghien. Alors vinrent se presser autour de moi, avec les jeunes femmes qui pleurent aux romans, la foule des chrétiennes, et ces autres nobles enthousiastes dont une action d'honneur fait palpiter le sein. Les éphèbes de treize et quatorze ans étaient les plus périlleuses ; car ne sachant ni ce qu'elles veulent, ni ce qu'elles vous veulent, elles mêlent avec séduction votre image à un monde de fables, de rubans et de fleurs. J.-J. Rousseau parle des déclarations qu'il reçut à la publication de la *Nouvelle Héloïse* et des conquêtes qui lui étaient offertes : je ne sais si l'on m'aurait ainsi livré des empires, mais je sais que j'étais enseveli sous un amas de billets parfumés ; si ces billets n'étaient aujourd'hui des billets de grand'mères, je serais embarrassé de raconter avec une modestie convenable comment on se disputait un mot de ma main, comment on ramassait une enveloppe suscrite par moi, et comment, avec rougeur, on la cachait, en baissant la tête, sous le voile tombant d'une longue chevelure. Si je n'ai pas été gâté, il faut que ma nature soit bonne.

Politesse réelle ou curieuse faiblesse, je me laissais quelquefois aller jusqu'à me croire obligé de remercier chez elles les dames inconnues qui m'envoyaient leurs noms avec leurs flatteries : un jour, à un quatrième étage, je trouvai une créature ravissante sous l'aile de sa mère, et chez qui je n'ai pas remis le pied. Une Polonaise m'attendait dans des salons de soie ; mélange de l'odalisque et de la Valkyrie, elle avait l'air d'un perce-neige à blanches fleurs, ou d'une de ces élégantes bruyères qui remplacent les autres filles de Flore, lorsque la saison de celles-ci n'est pas encore venue ou qu'elle est passée : ce chœur féminin, varié d'âge et de beauté, était mon ancienne sylphide réalisée. Le double effet sur ma vanité et mes sentiments pouvait être d'autant plus redoutable que jusqu'alors, excepté un attachement sérieux, je n'avais été ni recherché, ni distingué de la foule. Toutefois je le dois dire : m'eût-il été facile d'abuser d'une illusion passagère, l'idée d'une volupté advenue par les voies chastes de la Religion, révoltait ma sincérité : être aimé à travers le *Génie du Christianisme,* aimé pour l'*Extrême-onction,* pour la *Fête des morts !* Je n'aurais jamais été ce honteux tartuffe.

J'ai connu un médecin provençal, le docteur Vigaroux ;

arrivé à l'âge où chaque plaisir retranche un jour, «il n'avait point, disait-il, de regret du temps ainsi perdu ; sans s'embarrasser s'il donnait le bonheur qu'il recevait, il allait à la mort dont il espérait faire sa dernière délice ». Je fus cependant témoin de ses pauvres larmes lorsqu'il expira ; il ne put me dérober son affliction ; il était trop tard : ses cheveux blancs ne descendaient pas assez bas pour cacher et essuyer ses pleurs. Il n'y a de véritablement malheureux en quittant la terre que l'incrédule : pour l'homme sans foi, l'existence à cela d'affreux qu'elle fait sentir le néant ; si l'on n'était point né, on n'éprouverait pas l'horreur de ne plus être : la vie de l'athée est un effrayant éclair qui ne sert qu'à découvrir un abîme.

Dieu de grandeur et de miséricorde ! vous ne nous avez point jetés sur la terre pour des chagrins peu dignes et pour un misérable bonheur ! Notre désenchantement inévitable nous avertit que nos destinées sont plus sublimes. Quelles qu'aient été nos erreurs, si nous avons conservé une âme sérieuse et pensé à vous au milieu de nos faiblesses, nous serons transportés, quand votre bonté nous délivrera, dans cette région où les attachements sont éternels !

Paris, 1837.

ANNÉE DE MA VIE, 1801. — MADAME DE BEAUMONT :
SA SOCIÉTÉ.

JE ne tardai pas à recevoir le châtiment de ma vanité d'auteur, la plus détestable de toutes, si elle n'en était la plus bête : j'avais cru pouvoir savourer *in petto* la satisfaction d'être un sublime génie, non en portant, comme aujourd'hui, une barbe et un habit extraordinaires [1], mais en restant accoutré de la même façon que les honnêtes gens, distingué seulement par ma supériorité : inutile espoir ! mon orgueil devait être puni ; la correction me vint des personnages politiques que je fus obligé de connaître : la célébrité est un bénéfice à charge d'âmes.

M. de Fontanes était lié avec madame Bacciochi [2]. il me présenta à la sœur de Bonaparte, et bientôt au frère du premier consul, Lucien. Celui-ci avait une maison de campagne près de Senlis (le Plessis), où j'étais contraint d'aller dîner ; ce château avait appartenu au cardinal de Bernis. Lucien avait dans son jardin le tombeau de sa première femme, une dame moitié allemande et moitié espagnole, et le souvenir du poëte cardinal. La nymphe nourricière d'un ruisseau creusé à la bêche, était une mule qui tirait de l'eau d'un puits : c'était là le commencement de tous les fleuves que Bonaparte devait faire couler dans son empire. On travaillait à ma radiation [3] ; on me nommait déjà, et je me nommais moi-même tout haut *Chateaubriand,* oubliant qu'il me fallait appeler *Lassagne.* Des émigrés m'arrivèrent, entre autres MM. de Bonald et Chênedollé. Christian de Lamoignon, mon camarade d'exil à Londres, me conduisit chez madame Récamier : le rideau se baissa subitement entre elle et moi.

La personne qui tint le plus de place dans mon existence, à mon retour de l'émigration, fut madame la comtesse de Beaumont [4]. Elle demeurait une partie de l'année au château de Passy, près Villeneuve-sur-Yonne, que M. Joubert habitait pendant l'été. Madame de Beaumont revint à Paris et désira me connaître.

Pour faire de ma vie une longue chaîne de regrets, la Providence voulut que la première personne dont je fus accueilli avec bienveillance au début de ma carrière publique, fût aussi la première à disparaître. Madame de Beaumont ouvre la marche funèbre de ces femmes qui ont passé

1. Allusion aux « Jeune France » de 1830.
2. Elisa, sœur de Bonaparte.
3. De la liste des émigrés.
4. Pauline de Beaumont (1768-1803).

devant moi. Mes souvenirs les plus éloignés reposent sur des cendres, et ils ont continué de tomber de cercueil en cercueil ; comme le Pandit indien, je récite les prières des morts, jusqu'à ce que les fleurs de mon chapelet soient fanées.

Madame de Beaumont était fille d'Armand Marc de Saint-Herem, comte de Montmorin, ambassadeur de France à Madrid, commandant en Bretagne, membre de l'assemblée des Notables en 1787, et chargé du portefeuille des affaires étrangères sous Louis XVI, dont il était fort aimé : il périt sur l'échafaud [1], où le suivit une partie de sa famille.

Madame de Beaumont, plutôt mal que bien de figure, est fort ressemblante dans un portrait fait par madame Lebrun. Son visage était amaigri et pâle ; ses yeux, coupés en amande, auraient peut-être jeté trop d'éclat, si une suavité extraordinaire n'eût éteint à demi ses regards en les faisant briller languissamment, comme un rayon de lumière s'adoucit en traversant le cristal de l'eau. Son caractère avait une sorte de raideur et d'impatience qui tenait à la force de ses sentiments et au mal intérieur qu'elle éprouvait [2]. Ame élevée, courage grand, elle était née pour le monde d'où son esprit s'était retiré par choix et malheur ; mais quand une voix amie appelait au dehors cette intelligence solitaire, elle venait et vous disait quelques paroles du ciel. L'extrême faiblesse de madame de Beaumont rendait son expression lente, et cette lenteur touchait ; je n'ai connu cette femme affligée qu'au moment de sa fuite ; elle était déjà frappée de mort, et je me consacrai à ses douleurs. J'avais pris un logement rue Saint-Honoré, à l'hôtel d'Etampes, près de la rue Neuve-du-Luxembourg. Madame de Beaumont occupait dans cette dernière rue un appartement ayant vue sur les jardins du ministère de la Justice. Je me rendais chaque soir chez elle, avec ses amis et les miens, M. Joubert, M. de Fontanes, M. de Bonald, M. Molé, M. Pasquier, M. Chênedollé, hommes qui ont occupé une place dans les lettres et dans les affaires.

1. Non sur l'échafaud, mais au cours des massacres de septembre 1792.
2. Elle était phtisique.

Plein de manies et d'originalité, M. Joubert [1] manquera éternellement à ceux qui l'ont connu. Il avait une prise extraordinaire sur l'esprit et sur le cœur, et quand une fois il s'était emparé de vous, son image était là comme un fait, comme une pensée fixe, comme une obsession qu'on ne pouvait plus chasser. Sa grande prétention était au calme et personne n'était aussi troublé que lui : il se surveillait pour arrêter ces émotions de l'âme qu'il croyait nuisibles à sa santé, et toujours ses amis venaient déranger les précautions qu'il avait prises pour se bien porter, car il ne se pouvait empêcher d'être ému de leur tristesse ou de leur joie : c'était un égoïste qui ne s'occupait que des autres. Afin de retrouver des forces, il se croyait souvent obligé de fermer les yeux et de ne point parler pendant des heures entières. Dieu sait quel bruit et quel mouvement se passaient intérieurement chez lui, pendant ce silence et ce repos qu'il s'ordonnait. M. Joubert changeait à chaque moment de diète et de régime, vivant un jour de lait, un autre jour de viande hachée, se faisant cahoter au grand trot sur les chemins les plus rudes, ou traîner au petit pas dans les allées les plus unies. Quand il lisait, il déchirait de ses livres les feuilles qui lui déplaisaient, ayant, de la sorte, une bibliothèque à son usage, composée d'ouvrages évidés, renfermés dans des couvertures trop larges.

Profond métaphysicien, sa philosophie, par une élaboration qui lui était propre, devenait peinture ou poésie ; Platon à cœur de La Fontaine, il s'était fait l'idée d'une perfection qui l'empêchait de rien achever. Dans des manuscrits trouvés après sa mort, il dit : «Je suis comme une harpe « éolienne, qui rend quelques beaux sons et qui n'exécute « aucun air.» Madame Victoire de Chastenay prétendait qu'*il avait l'air d'une âme qui avait rencontré par hasard un corps, et qui s'en tirait comme elle pouvait :* définition charmante et vraie.

Nous riions des ennemis de M. de Fontanes, qui le voulaient faire passer pour un politique profond et dissimulé : c'était tout simplement un poëte irascible, franc jusqu'à la colère, un esprit que la contrariété poussait à bout, et qui

1. Joseph Joubert (1754-1824).

ne pouvait pas plus cacher son opinion qu'il ne pouvait prendre celle d'autrui. Les principes littéraires de son ami Joubert n'étaient pas les siens : celui-ci trouvait quelque chose de bon partout et dans tout écrivain ; Fontanes, au contraire, avait horreur de telle ou telle doctrine et ne pouvait entendre prononcer le nom de certains auteurs. Il était ennemi juré des principes de la composition moderne : transporter sous les yeux du lecteur l'action matérielle, le crime besognant ou le gibet avec sa corde, lui paraissait des énormités ; il prétendait qu'on ne devait jamais apercevoir l'objet que dans un milieu poétique, comme sous un globe de cristal. La douleur s'épuisant machinalement par les yeux ne lui semblait qu'une sensation du Cirque ou de la Grève ; il ne comprenait le sentiment tragique qu'ennobli par l'admiration, et changé, au moyen de l'art, en une *pitié charmante* [1]. Je lui citais des vases grecs : dans les arabesques de ces vases, on voit le corps d'Hector traîné au char d'Achille, tandis qu'une petite figure, qui vole en l'air, représente l'ombre de Patrocle, consolée par la vengeance du fils de Thétis. « Eh bien ! Joubert », s'écria Fontanes, « que « dites-vous de cette métamorphose de la muse ? comme ces « Grecs respectaient l'âme ! » Joubert se crut attaqué, et il mit Fontanes en contradiction avec lui-même, en lui reprochant son indulgence pour moi.

Ces débats, souvent très-comiques, étaient à ne point finir : un soir, à onze heures et demie, quand je demeurais place Louis XV, dans l'attique de l'hôtel de madame de Coislin [2], Fontanes remonta mes quatre-vingt quatre marches pour venir furieux, en frappant du bout de sa canne, achever un argument qu'il avait laissé interrompu : il s'agissait de Picard [3], qu'il mettait, dans ce moment-là, fort au-dessus de Molière ; il se serait donné de garde d'écrire un seul mot de ce qu'il disait : Fontanes parlant et Fontanes la plume à la main étaient deux hommes.

C'est M. de Fontanes, j'aime à le redire, qui encouragea

---

1. Expression de Boileau (*Art poétique* III, 20).
2. Chateaubriand a occupé cet appartement dont les fenêtres donnaient sur l'actuelle place de la Concorde, du début de 1805 à l'automne de 1807.
3. Auteur et acteur comique (1769-1828).

mes premiers essais ; c'est lui qui annonça le *Génie du Christianisme* ; c'est sa muse qui, pleine d'un dévouement étonné, dirigea la mienne dans les voies nouvelles où elle s'était précipitée ; il m'apprit à dissimuler la difformité des objets par la manière de les éclairer ; à mettre, autant qu'il était en moi, la langue classique dans la bouche de mes personnages romantiques. Il y avait jadis des hommes conservateurs du goût, comme ces dragons qui gardaient les pommes d'or du jardin des Hespérides ; ils ne laissaient entrer la jeunesse que quand elle pouvait toucher au fruit sans le gâter.

Les écrits de mon ami vous entraînent par un cours heureux ; l'esprit éprouve un bien-être et se trouve dans une situation harmonieuse où tout charme et rien ne blesse. M. de Fontanes revoyait sans cesse ses ouvrages ; nul, plus que ce maître des vieux jours, n'était convaincu de l'excellence de la maxime : « Hâte-toi lentement. » Que dirait-il donc, aujourd'hui qu'au moral comme au physique, on s'évertue à supprimer le chemin et que l'on croit ne pouvoir jamais aller assez vite ? M. de Fontanes préférait voyager au gré d'une délicieuse mesure. Vous avez vu ce que j'ai dit de lui quand je le retrouvai à Londres ; les regrets que j'exprimais alors, il me faut les répéter ici : la vie nous oblige sans cesse à pleurer par anticipation ou par souvenir.

M. de Bonald[1] avait l'esprit délié ; on prenait son ingéniosité pour du génie ; il avait rêvé sa politique métaphysique à l'armée de Condé, dans la Forêt-Noire, de même que ces professeurs d'Iéna et de Gœttingue, qui marchèrent depuis à la tête de leurs écoliers et se firent tuer pour la liberté de l'Allemagne. Novateur, quoiqu'il eût été mousquetaire sous Louis XVI, il regardait les anciens comme des enfants en politique et en littérature ; et il prétendait, en employant le premier la fatuité du langage actuel, que le grand-maître de l'Université n'était *pas encore assez avancé pour entendre cela.*

---

1. Le vicomte Louis de Bonald (1754-1840), doctrinaire de l'absolutisme. En politique comme en religion ses idées sont aussi différentes que possible de celles de Chateaubriand. Le désaccord entre eux éclatera à la Chambre des pairs.

Chênedollé [1], avec du savoir et du talent, non pas naturel, mais appris, était si triste qu'il se surnommait le Corbeau : il allait à la maraude dans mes ouvrages. Nous avions fait un traité : je lui avais abandonné mes ciels, mes vapeurs, mes nuées ; mais il était convenu qu'il me laisserait mes brises, mes vagues et mes forêts.

Je ne parle maintenant que de mes amis littéraires ; quant à mes amis politiques, je ne sais si je vous en entretiendrai : des principes et des discours ont creusé entre nous des abîmes [2] !

Madame Hocquart et madame de Vintimille venaient à la réunion de la rue Neuve-du-Luxembourg [3]. Madame de Vintimille [4], femme d'autrefois, comme il en reste peu, fréquentait le monde et nous rapportait ce qui s'y passait : je lui demandais si l'on *bâtissait encore des villes*. La peinture des petits scandales qu'ébauchait une piquante raillerie, sans être offensante, nous faisait mieux sentir le prix de notre sûreté. Madame de Vintimille avait été chantée avec sa sœur [5] par M. de Laharpe. Son langage était circonspect, son caractère contenu, son esprit acquis : elle avait vécu avec mesdames de Chevreuse, de Longueville, de La Vallière, de Maintenon, avec madame Geoffrin et madame du Deffant. Elle se mêlait bien à une société dont l'agrément tenait à la variété des esprits et à la combinaison de leurs différentes valeurs.

Madame Hocquart fut fort aimée du frère de madame de Beaumont, lequel s'occupa de la dame de ses pensées jusque sur l'échafaud, comme Aubiac [6] allait à la potence en baisant un manchon de velours raz-bleu qui lui restait des bienfaits de Marguerite de Valois. Nulle part désormais ne se rassembleront sous un même toit tant de personnes distinguées appartenant à des rangs divers et à diverses destinées, pouvant causer des choses les plus communes

1. Poète et universitaire français (1769-1833). Il fut amoureux de Lucile de Chateaubriand.
2. Chateaubriand songe surtout ici à Molé et à Pasquier.
3. Chez Pauline de Beaumont (voir p. 513).
4. Aimée de Joubert.
5. Mme de Fezensac.
6. L'un des amants de « la reine Margot ».

comme des choses les plus élevées : simplicité de discours qui ne venait pas d'indigence, mais de choix. C'est peut-être la dernière société où l'esprit français de l'ancien temps ait paru. Chez les Français nouveaux on ne trouvera plus cette urbanité, fruit de l'éducation et transformée par un long usage en aptitude du caractère. Qu'est-il arrivé à cette société ? Faites-donc des projets, rassemblez des amis, afin de vous préparer un deuil éternel ! Madame de Beaumont n'est plus, Joubert n'est plus, Chênedollé n'est plus, madame de Vintimille n'est plus. Autrefois, pendant les vendanges, je visitais à Villeneuve M. Joubert ; je me promenais avec lui sur les côteaux de l'Yonne ; il cueillait des oronges dans les taillis et moi des veilleuses dans les prés. Nous causions de toutes choses et particulièrement de notre amie madame de Beaumont, absente pour jamais : nous rappelions le souvenir de nos anciennes espérances. Le soir nous rentrions dans Villeneuve, ville environnée de murailles décrépites du temps de Philippe-Auguste, et de tours à demi-rasées au-dessus desquelles s'élevait la fumée de l'âtre des vendangeurs. Joubert me montrait de loin sur la colline un sentier sablonneux au milieu des bois et qu'il prenait lorsqu'il allait voir sa voisine, cachée au château de Passy pendant la Terreur.

Depuis la mort de mon cher hôte, j'ai traversé quatre ou cinq fois le Senonais [1]. Je voyais du grand chemin les côteaux : Joubert ne s'y promenait plus ; je reconnaissais les arbres, les champs, les vignes, les petits tas de pierres où nous avions accoutumé de nous reposer. En passant dans Villeneuve, je jetais un regard sur la rue déserte et sur la maison fermée de mon ami. La dernière fois que cela m'arriva, j'allais en ambassade à Rome : ah ! s'il eût été à ses foyers, je l'aurais emmené à la tombe de madame de Beaumont ! Il a plu à Dieu d'ouvrir à M. Joubert une Rome céleste, mieux appropriée encore à son âme platonique, devenue chrétienne. Je ne le rencontrerai plus ici-bas : *Je m'en irai vers lui ; il ne reviendra pas vers moi.* (Psalm.)

1. La région de Sens (Villeneuve-sur-Yonne est dans l'arrondissement de Sens).

Année de ma vie, 1801. —
Été à Savigny.

LE succès d'*Atala* m'ayant déterminé à recommencer le *Génie du Christianisme,* dont il y avait déjà deux volumes imprimés, madame de Beaumont me proposa de me donner une chambre à la campagne, dans une maison qu'elle venait de louer à Savigny [1]. Je passai six mois dans sa retraite, avec M. Joubert et nos autres amis.

La maison était située à l'entrée du village, du côté de Paris, près d'un vieux grand chemin qu'on appelle dans le pays le *Chemin de Henri IV;* elle était adossée à un côteau de vignes, et avait en face le parc de Savigny, terminé par un rideau de bois et traversé par la petite rivière de l'Orge. Sur la gauche s'étendait la plaine de Viry jusqu'aux fontaines de Juvisy. Tout autour de ce pays, on trouve des vallées, où nous allions le soir à la découverte de quelques promenades nouvelles.

Le matin, nous déjeunions ensemble ; après déjeuner, je me retirais à mon travail ; madame de Beaumont avait la bonté de copier les citations que je lui indiquais. Cette noble femme m'a offert un asile lorsque je n'en avais pas : sans la paix qu'elle m'a donnée, je n'aurais peut-être jamais fini un ouvrage que je n'avais pu achever pendant mes malheurs.

Je me rappellerai éternellement quelques soirées passées dans cet abri de l'amitié : nous nous réunissions, au retour de la promenade, auprès d'un bassin d'eau vive, placé au milieu d'un gazon dans le potager : madame Joubert, madame de Beaumont et moi, nous nous asseyions sur un

---

1. Savigny-sur-Orge, à vingt-trois kilomètres au sud de Paris.

banc ; le fils de madame Joubert se roulait à nos pieds sur la pelouse : cet enfant a déjà disparu. M. Joubert se promenait à l'écart dans une allée sablée ; deux chiens de garde et une chatte se jouaient autour de nous, tandis que des pigeons roucoulaient sur le bord du toit. Quel bonheur pour un homme nouvellement débarqué de l'exil, après avoir passé huit ans dans un abandon profond, excepté quelques jours promptement écoulés ! C'était ordinairement dans ces soirées que mes amis me faisaient parler de mes voyages ; je n'ai jamais si bien peint qu'alors les déserts du Nouveau-Monde. La nuit, quand les fenêtres de notre salon champêtre étaient ouvertes, madame de Beaumont remarquait diverses constellations, en me disant que je me rappellerais un jour qu'elle m'avait appris à les connaître : depuis que je l'ai perdue, non loin de son tombeau, à Rome, j'ai plusieurs fois, du milieu de la campagne, cherché au firmament les étoiles qu'elle m'avait nommées ; je les ai aperçues brillant au-dessus des montagnes de la Sabine ; le rayon prolongé de ces astres venait frapper la surface du Tibre. Le lieu où je les ai vus sur les bois de Savigny, et les lieux où je les revoyais, la mobilité de mes destinées, ce signe qu'une femme m'avait laissé dans le ciel pour me souvenir d'elle, tout cela brisait mon cœur. Par quel miracle l'homme consent-il à faire ce qu'il fait sur cette terre, lui qui doit mourir ?

Un soir, nous vîmes dans notre retraite quelqu'un entrer à la dérobée par une fenêtre et sortir par une autre : c'était M. Laborie [1] ; il se sauvait des serres de Bonaparte. Peu après apparut une de ces âmes en peine qui sont d'une espèce différente des autres âmes, et qui mêlent, en passant, leur malheur inconnu aux vulgaires souffrances de l'espèce humaine : c'était Lucile, ma sœur.

Après mon arrivée en France, j'avais écrit à ma famille pour l'informer de mon retour. Madame la comtesse de Marigny, ma sœur aînée, me chercha la première, se trompa de rue et rencontra cinq messieurs Lassagne, dont le dernier monta du fond d'une trappe de savetier, pour

1. Roux de Laborie (1769-1840). Il deviendra préfet sous la Restauration.

répondre à son nom. Madame de Chateaubriand vint à son tour : elle était charmante et remplie de toutes les qualités propres à me donner le bonheur que j'ai trouvé auprès d'elle, depuis que nous sommes réunis. Madame la comtesse de Caud, Lucile, se présenta ensuite. M. Joubert et madame de Beaumont se prirent d'un attachement passionné et d'une tendre pitié pour elle. Alors commença entre eux une correspondance qui n'a fini qu'à la mort des deux femmes qui s'étaient penchées l'une vers l'autre, comme deux fleurs de même nature prêtes à se faner. Madame Lucile s'étant arrêtée à Versailles, le 30 septembre 1802, je reçus d'elle ce billet : « Je t'écris pour te prier de remercier de ma part « madame de Beaumont de l'invitation qu'elle me fait « d'aller à Savigny. Je compte avoir ce plaisir à peu près « dans quinze jours, à moins que du côté de madame de « Beaumont, il ne se trouve quelque empêchement. » Madame de Caud vint à Savigny comme elle l'avait annoncé.

Je vous ai raconté que, dans sa jeunesse, ma sœur, chanoinesse du chapitre de l'Argentière et destinée à celui de Remiremont, avait eu pour M. de Malfilâtre [1], conseiller au parlement de Bretagne, un attachement qui, renfermé dans son sein, avait augmenté sa mélancolie naturelle. Pendant la Révolution, elle épousa M. le comte de Caud et le perdit après quinze mois de mariage. La mort de madame la comtesse de Farcy, sœur qu'elle aimait tendrement, accrut la tristesse de madame de Caud. Elle s'attacha ensuite à madame de Chateaubriand, ma femme, et prit sur elle un empire qui devint pénible, car Lucile était violente, impérieuse, déraisonnable, et madame de Chateaubriand, soumise à ses caprices, se cachait d'elle pour lui rendre les services qu'une amie plus riche rend à une amie susceptible et moins heureuse.

Le génie de Lucile et son caractère étaient arrivés presque à la folie de J.-J. Rousseau ; elle se croyait en butte à des ennemis secrets : elle donnait à madame de Beaumont, à M. Joubert, à moi, de fausses adresses pour lui écrire ; elle examinait les cachets, cherchait à découvrir s'ils n'avaient point été rompus ; elle errait de domicile en domicile, ne

1. Cf. p. 132.

pouvait rester ni chez mes sœurs, ni avec ma femme ; elle les avait prises en antipathie, et madame de Chateaubriand, après lui avoir été dévouée au-delà de tout ce ce qu'on peut imaginer, avait fini par être accablée du fardeau d'un attachement si cruel.

Une autre fatalité avait frappé Lucile : M. de Chêne-dollé[1], habitant auprès de Vire, l'était allé voir à Fougères ; bientôt, il fut question d'un mariage qui manqua. Tout échappait à la fois à ma sœur, et retombée sur elle-même, elle n'avait pas la force de se porter. Ce spectre plaintif s'assit un moment sur une pierre, dans la solitude riante de Savigny : tant de cœurs l'y avaient reçue avec joie ! ils l'auraient rendue avec tant de bonheur à une douce réalité d'existence ! Mais le cœur de Lucile ne pouvait battre que dans un air fait exprès pour elle, et qui n'avait point été respiré. Elle dévorait avec rapidité les jours du monde à part dans lequel le ciel l'avait placée. Pourquoi Dieu avait-il créé un être uniquement pour souffrir ? Quel rapport mystérieux y a-t-il donc entre une nature pâtissante et un principe éternel ?

Ma sœur n'était point changée ; elle avait pris seulement l'expression fixe de ses maux : sa tête était un peu baissée, comme une tête sur laquelle les heures ont pesé. Elle me rappelait mes parents ; ces premiers souvenirs de famille, évoqués de la tombe, m'entouraient comme des larves accourues pour se réchauffer à la nuit à la flamme mourante d'un bûcher funèbre. En la contemplant, je croyais apercevoir dans Lucile toute mon enfance, qui me regardait derrière ses yeux un peu égarés.

La vision de douleur s'évanouit : cette femme, grevée de la vie, semblait être venue chercher l'autre femme abattue qu'elle devait emporter.

1. Voir p. 517.

Année de ma vie, 1802. — Talma.

L'été passa : selon la coutume, je m'étais promis de le recommencer l'année suivante ; mais l'aiguille ne revient point à l'heure qu'on voudrait ramener. Pendant l'hiver à Paris, je fis quelques nouvelles connaissances. M. Jullien, homme riche, obligeant, et convive joyeux, quoique d'une famille où l'on se tuait, avait une loge aux Français ; il la prêtait à madame de Beaumont ; j'allai quatre ou cinq fois au spectacle avec M. de Fontanes et M. Joubert. A mon entrée dans le monde, l'ancienne comédie était dans toute sa gloire ; je la retrouvai dans sa complète décomposition ; la tragédie se soutenait encore, grâce à mademoiselle Duches-nois [1] et surtout à Talma, arrivé à la plus grande hauteur du talent dramatique. Je l'avais vu à son début ; il était moins beau et, pour ainsi dire, moins jeune qu'à l'âge où je le revoyais : il avait pris la distinction, la noblesse et la gravité des années.

Le portrait que madame de Staël a fait de Talma dans son ouvrage sur l'Allemagne, n'est qu'à moitié vrai : le brillant écrivain apercevait le grand acteur avec une imagination de femme, et lui donna ce qui lui manquait.

Il ne fallait pas à Talma le monde intermédiaire : il ne savait pas le *gentilhomme;* il ne connaissait pas notre ancienne société ; il ne s'était pas assis à la table des châtelaines, dans la tour gothique au fond des bois ; il ignorait la flexibilité, la variété de ton, la galanterie, l'allure légère des mœurs, la naïveté, la tendresse, l'héroïsme d'honneur, les dévouements chrétiens de la chevalerie : il n'était pas Tancrède, Coucy [2], ou, du moins, il les transformait en héros d'un moyen âge de sa création : Othello était au fond de Vendôme.

1. Sa rivalité avec Mlle George provoqua une « guerre comique ».
2. Héros d'une tragédie de Dormont de Belloy, *Gabrielle de Vergy*.

Qu'était-il donc, Talma ? Lui, son siècle et le temps antique. Il avait les passions profondes et concentrées de l'amour et de la patrie ; elles sortaient de son sein par explosion. Il avait l'inspiration funeste, le dérangement du génie de la Révolution à travers laquelle il avait passé. Les terribles spectacles dont il fut environné se répétaient dans son talent avec les accents lamentables et lointains des chœurs de Sophocle et d'Euripide. Sa grâce qui n'était point la grâce convenue, vous saisissait comme le malheur. La noire ambition, le remords, la jalousie, la mélancolie de l'âme, la douleur physique, la folie par les dieux et l'adversité, le deuil humain ; voilà ce qu'il savait. Sa seule entrée en scène, le seul son de sa voix étaient puissamment tragiques. La souffrance et la pensée se mêlaient sur son front, respiraient dans son immobilité, ses poses, ses gestes, ses pas. *Grec,* il arrivait, pantelant et funèbre, des ruines d'Argos, immortel Oreste, tourmenté qu'il était depuis trois mille ans par les Euménides ; *Français,* il venait des solitudes de Saint-Denis, où les Parques de 1793 avaient coupé le fil de la vie tombale des rois. Tout entier triste, attendant quelque chose d'inconnu, mais d'arrêté dans l'injuste ciel, il marchait, forçat de la destinée, inexorablement enchaîné entre la fatalité et la terreur.

Le temps jette une obscurité inévitable sur les chefs-d'œuvre dramatiques vieillissants ; son ombre portée change en Rembrandt les Raphaël les plus purs : sans Talma une partie des merveilles de Corneille et de Racine serait demeurée inconnue. Le talent dramatique est un flambeau ; il communique le feu à d'autres flambeaux à demi-éteints, et fait revivre des génies qui vous ravissent par leur splendeur renouvelée.

On doit à Talma la perfection de la tenue de l'acteur. Mais la vérité du théâtre et le rigorisme du vêtement sont-ils aussi nécessaires à l'art qu'on le suppose ? Les personnages de Racine n'empruntent rien de la coupe de l'habit : dans les tableaux des premiers peintres, les fonds sont négligés et les costumes inexacts. Les *Fureurs* d'Oreste ou la *Prophétie* de Joad, lues dans un salon par Talma en frac, faisaient autant d'effet que déclamées sur la scène par Talma en manteau grec ou en robe juive. Iphigénie était accoutrée comme madame de Sévigné, lorsque Boileau[1] adressait ces beaux vers à son ami :

> *Jamais Iphigénie en Aulide immolée*
> *N'a coûté tant de pleurs à la Grèce assemblée,*
> *Que dans l'heureux spectacle à nos yeux étalé*
> *N'en a fait sous son nom verser la Champmeslé.*

Cette correction dans la représentation de l'objet inanimé est l'esprit des arts de notre temps : elle annonce la décadence de la haute poésie et du vrai drame ; on se contente des petites beautés, quand on est impuissant aux grandes ; on imite, à tromper l'œil, des fauteuils et du velours, quand on ne peut plus peindre la physionomie de l'homme assis sur ce velours et dans ces fauteuils. Cependant, une fois descendu à cette vérité de la forme matérielle, on se trouve forcé de la reproduire ; car le public, matérialisé lui-même, l'exige.

ANNÉES DE MA VIE 1802 ET 1803. — GÉNIE DU CHRISTIANISME. — CHUTE ANNONCÉE. — CAUSE DU SUCCÈS FINAL.

CEPENDANT j'achevais le *Génie du Christianisme :* Lucien en désira voir quelques épreuves ; je les lui communiquai ; il mit aux marges des notes assez communes.

Quoique le succès de mon grand livre[2] fût aussi éclatant que celui de la petite *Atala,* il fut néanmoins plus contesté :

1. Dans l'épître VII.
2. La première édition du *Génie du Christianisme* parut le 14 avril 1802.

c'était un ouvrage grave où je ne combattais plus les principes de l'ancienne littérature et de la philosophie par un roman, mais où je les attaquais par des raisonnements et des faits. L'empire voltairien poussa un cri et courut aux armes. Madame de Staël se méprit sur l'avenir de mes études religieuses : on lui apporta l'ouvrage sans être coupé ; elle passa ses doigts entre les feuillets, tomba sur le chapitre *La Virginité,* et elle dit à M. Adrien de Montmorency [1], qui se trouvait avec elle : « Ah ! mon Dieu ! notre « pauvre Chateaubriand ! Cela va tomber à plat ! » L'abbé de Boullogne ayant entre les mains quelques parties de mon travail, avant la mise sous presse, répondit à un libraire qui le consultait : « Si vous voulez vous ruiner, imprimez cela. » Et l'abbé de Boullogne a fait depuis un trop magnifique éloge de mon livre.

Tout paraissait en effet annoncer ma chute : quelle espérance pouvais-je avoir, moi sans nom et sans prôneurs, de détruire l'influence de Voltaire, dominante depuis plus d'un demi-siècle, de Voltaire qui avait élevé l'énorme édifice achevé par les encyclopédistes et consolidé par tous les hommes célèbres en Europe ? Quoi ! les Diderot, les d'Alembert, les Duclos, les Dupuis, les Helvétius, les Condorcet étaient des esprits sans autorité ? Quoi ? le monde devait retourner à la Légende dorée, renoncer à son admiration acquise à des chefs-d'œuvre de science et de raison ? Pouvais-je jamais gagner une cause que n'avaient pu sauver Rome armée de ses foudres, le clergé de sa puissance ; une cause en vain défendue par l'archevêque de Paris, Christophe de Beaumont, appuyé des arrêts du parlement, de la force armée et du nom du Roi ? N'était-il pas aussi ridicule que téméraire à un homme obscur, de s'opposer à un mouvement philosophique tellement irrésistible qu'il avait produit la Révolution ? Il était curieux de voir un pygmée *raidir ses petits bras* [2] pour étouffer les progrès du siècle,

---

1. Le duc de Laval (1767-1837), cousin germain de Mathieu de Montmorency.

2. Souvenir d'une épigramme de Lebrun contre La Harpe : elle se termine par les mots :

Pour étouffer si haute renommée.

(la « renommée » de Corneille que La Harpe avait traité de haut.)

arrêter la civilisation et faire rétrograder le genre humain !
Grâce à Dieu, il suffirait d'un mot pour pulvériser l'insensé : aussi M. Ginguené, en maltraitant le *Génie du Christianisme* dans la *Décade,* déclarait que la critique venait trop tard, puisque mon rabâchage était déjà oublié. Il disait cela cinq ou six mois après la publication d'un ouvrage que l'attaque de l'Académie française entière, à l'occasion des prix décennaux, n'a pu faire mourir.

Ce fut au milieu des débris de nos temples que je publiai le *Génie du Christianisme.* Les fidèles se crurent sauvés : on avait alors un besoin de foi, une avidité de consolations religieuses, qui venaient de la privation de ces consolations depuis longues années. Que de forces surnaturelles à demander pour tant d'adversités subies ! Combien de familles mutilées avaient à chercher auprès du Père des hommes les enfants qu'elles avaient perdus ! Combien de cœurs brisés, combien d'âmes devenues solitaires, appelaient une main divine pour les guérir ! On se précipitait dans la maison de Dieu, comme on entre dans la maison du médecin le jour d'une contagion. Les victimes de nos troubles (et que de sortes de victimes !) se sauvaient à l'autel ; naufragés s'attachant au rocher sur lequel elles cherchent leur salut.

Bonaparte, désirant alors fonder sa puissance sur la première base de la société, venait de faire des arrangements avec la cour de Rome : il ne mit d'abord aucun obstacle à la publication d'un ouvrage utile à la popularité de ses desseins ; il avait à lutter contre les hommes qui l'entouraient et contre des ennemis déclarés du culte ; il fut donc heureux d'être défendu au dehors par l'opinion que le *Génie du Christianisme* appelait. Plus tard, il se repentit de sa méprise : les idées monarchiques régulières étaient arrivées avec les idées religieuses.

Un épisode du *Génie du Christianisme,* qui fit moins de bruit alors qu'*Atala,* a déterminé un des caractères de la littérature moderne ; mais, au surplus, si *René* n'existait pas, je ne l'écrirais plus ; s'il m'était possible de le détruire, je le détruirais. Une famille de René poëtes et de René prosateurs a pullulé : on n'a plus entendu que des phrases lamentables et décousues ; il n'a plus été question que de vents et d'orages, que de mots inconnus livrés aux nuages et à la nuit. Il n'y a pas de grimaud sortant du collége qui n'ait rêvé être le plus malheureux des hommes ; de bambin qui à seize ans n'ait épuisé la vie, qui ne se soit cru tourmenté par son génie ; qui, dans l'abîme de ses pensées, ne se soit livré au *vague de ses passions,* qui n'ait frappé son front pâle et échevelé, et n'ait étonné les hommes stupéfaits d'un malheur dont il ne savait pas le nom, ni eux non plus.

Dans *René,* j'avais exposé une infirmité de mon siècle ; mais c'était une autre folie aux romanciers d'avoir voulu rendre universelles des afflictions en dehors de tout. Les sentiments généraux qui composent le fond de l'humanité, la tendresse paternelle et maternelle, la piété filiale, l'amitié, l'amour, sont inépuisables ; mais les manières particulières de sentir, les individualités d'esprit et de caractère ne peuvent s'étendre et se multiplier que dans de grands et nombreux tableaux. Les petits coins non découverts du cœur de l'homme sont un champ étroit ; il ne reste rien à recueillir dans ce champ après la main qui l'a moissonné la première. Une maladie de l'âme n'est pas un état permanent et naturel : on ne peut la reproduire, en faire une littérature, en tirer parti comme d'une passion générale incessamment modifiée au gré des artistes qui la manient et en changent la forme.

Quoi qu'il en soit, la littérature se teignit des couleurs de mes tableaux religieux, comme les affaires ont gardé la phraséologie de mes écrits sur la cité ; la *Monarchie selon la Charte,* a été le rudiment de notre gouvernement représentatif, et mon article du *Conservateur.*[1], sur *les intérêts moraux et les intérêts matériels* a laissé ces deux désignations à la politique.

Des écrivains me firent l'honneur d'imiter *Atala* et *René,* de même que la chaire emprunta mes récits des Missions et des bienfaits du Christianisme. Les passages dans lesquels je démontre qu'en chassant les divinités païennes des bois, notre culte élargi a rendu la nature à sa solitude ; les paragraphes où je traite de l'influence de notre religion dans notre manière de voir et de peindre, où j'examine les changements opérés dans la poésie et l'éloquence ; les

1. A la date du 5 décembre 1818.

chapitres que je consacre à des recherches sur les sentiments étrangers introduits dans les caractères dramatiques
de l'antiquité, renferment le germe de la critique nouvelle.
Les personnages de Racine, comme je l'ai dit, sont et ne
sont point des personnages grecs ; ce sont des personnages
chrétiens : c'est ce qu'on n'avait point du tout compris.

Si l'effet du *Génie du Christianisme* n'eût été qu'une
réaction contre des doctrines auxquelles on attribuait les
malheurs révolutionnaires, cet effet aurait cessé avec la
cause disparue ; il ne se serait pas prolongé jusqu'au
moment où j'écris. Mais l'action du *Génie du Christianisme*
sur les opinions ne se borna pas à une résurrection momen-
tanée d'une religion qu'on prétendait au tombeau : une
métamorphose plus durable s'opéra. S'il y avait dans l'ouvrage innovation de style, il y avait aussi changement de
doctrine ; le fond était altéré comme la forme ; l'athéisme et
le matérialisme ne furent plus la base de la croyance ou de
l'incroyance des jeunes esprits ; l'idée de Dieu et de l'immortalité de l'âme reprit son empire : dès lors, altération dans
la chaîne des idées qui se lient les unes aux autres. On ne
fut plus cloué dans sa place par un préjugé anti-religieux ;
on ne se crut plus obligé de rester momie du néant, entourée
de bandelettes philosophiques ; on se permit d'examiner tout
système, si absurde qu'on le trouvât, *fût-il même chrétien*.

Outre les fidèles qui revenaient à la voix de leur Pasteur,
il se forma, par ce droit de libre examen, d'autres fidèles *a
priori*. Posez Dieu pour principe, et le Verbe va suivre : le
Fils naît forcément du Père.

Les diverses combinaisons abstraites ne font que substituer aux mystères chrétiens des mystères encore plus incompréhensibles : le panthéisme, qui, d'ailleurs, est de trois ou
quatre espèces, et qu'il est de mode aujourd'hui d'attribuer
aux intelligences éclairées, est la plus absurde des rêveries
de l'Orient, remise en lumière par Spinoza : il suffit de lire
à ce sujet l'article du sceptique Bayle sur ce juif d'Amster-
dam. Le ton tranchant dont quelques-uns parlent de tout
cela révolterait, s'il ne tenait au défaut d'études : on se paye
de mots que l'on n'entend pas, et l'on se figure être des
génies transcendants. Que l'on se persuade bien que les
Abailard, les saint Bernard, les saint Thomas d'Aquin ont

porté dans la métaphysique une supériorité de lumières dont nous n'approchons pas ; que les systèmes saint-simonien, phalanstérien, fouriériste, humanitaire, ont été trouvés et pratiqués par les diverses hérésies ; que ce que l'on nous donne pour des progrès et des découvertes, sont des vieilleries qui traînent depuis quinze cents ans dans les écoles de la Grèce et dans les colléges du moyen âge. Le mal est que les premiers sectaires ne purent parvenir à fonder leur république néo-platonicienne, lorsque Gallien permit à Plotin d'en faire l'essai dans la Campanie : plus tard, on eut le très-grand tort de brûler les sectaires[1] quand ils voulurent établir la communauté des biens, déclarer la prostitution sainte, en avançant qu'une femme ne peut, sans pécher, refuser un homme qui lui demande une union passagère au nom de Jésus-Christ : il ne fallait, disaient-ils, pour arriver à cette union, qu'anéantir son âme, et la mettre un moment en dépôt dans le sein de Dieu.

Le heurt que le *Génie du Christianisme* donna aux esprits, fit sortir le dix-huitième siècle de l'ornière, et le jeta pour jamais hors de sa voie : on recommença, ou plutôt on commença à étudier les sources du christianisme : en relisant les Pères (en supposant qu'on les eût jamais lus) on fut frappé de rencontrer tant de faits curieux, tant de science philosophique, tant de beautés de style de tous les genres, tant d'idées, qui, par une gradation plus ou moins sensible, faisaient le passage de la société antique à la société moderne : ère unique et mémorable de l'humanité, où le ciel communique avec la terre au travers d'âmes placées dans des hommes de génie.

Auprès du monde croulant du paganisme, s'éleva autrefois, comme en dehors de la société, un autre monde, spectateur de ces grands spectacles, pauvre, à l'écart, solitaire, ne se mêlant des affaires de la vie que quand on avait besoin de ses leçons ou de ses secours. C'était une chose merveilleuse de voir ces premiers évêques, presque tous honorés du nom de saints et de martyrs, ces simples prêtres veillant aux reliques et aux cimetières, ces religieux et ces ermites dans leurs couvents ou dans leurs grottes, faisant

---

1. Les Albigeois.

des règlements de paix, de morale, de charité, quand tout était guerre, corruption, barbarie ; allant des tyrans de Rome aux chefs des Tartares et des Goths, afin de prévenir l'injustice des uns et la cruauté des autres, arrêtant des armées avec une croix de bois et une parole pacifique ; les plus faibles des hommes, et protégeant le monde contre Attila ; placés entre deux univers pour en être le lien, pour consoler les derniers moments d'une société expirante, et soutenir les premiers pas d'une société au berceau.

GÉNIE DU CHRISTIANISME : suite. — DÉFAUTS DE L'OUVRAGE.

IL était impossible que les vérités développées dans le *Génie du Christianisme* ne contribuassent pas au changement des idées. C'est encore à cet ouvrage que se rattache le goût actuel pour les édifices du moyen âge : c'est moi qui ai rappelé le jeune siècle à l'admiration des vieux temples. Si l'on a abusé de mon opinion ; s'il n'est pas vrai que nos cathédrales aient approché de la beauté du Parthénon ; s'il est faux que ces églises nous apprennent dans leurs documents de pierre des faits ignorés ; s'il est insensé de soutenir que ces mémoires de granit nous révèlent des choses échappées aux savants Bénédictins ; si à force d'entendre rabâcher du gothique, on en meurt d'ennui, ce n'est pas ma faute. Du reste, sous le rapport des arts, je sais ce qui manque au *Génie du Christianisme ;* cette partie de ma composition est défectueuse, parce qu'en 1800, je ne connaissais pas les arts : je n'avais vu ni l'Italie, ni la Grèce, ni l'Egypte. De même, je n'ai pas tiré un parti suffisant des vies des Saints et des légendes ; elles m'offraient pourtant des histoires merveilleuses : en y choisissant avec goût, on y pouvait faire une moisson abondante. Ce champ des richesses de l'imagination du moyen âge surpasse en fécondité les métamorphoses d'Ovide et les fables milésiennes. Il y a, de plus, dans mon ouvrage des jugements étriqués ou faux, tels que celui que je porte sur Dante[1], auquel j'ai rendu depuis un éclatant hommage.

Sous le rapport sérieux, j'ai complété le *Génie du Christianisme* dans mes *Etudes historiques,* un de mes écrits dont on a le moins parlé et qu'on a le plus volé.

Le succès d'*Atala* m'avait enchanté, parce que mon âme était encore neuve ; celui du *Génie du Christianisme* me fut pénible : je fus obligé de sacrifier mon temps à des correspondances au moins inutiles et à des politesses étrangères. Une admiration prétendue ne me dédommageait point des dégoûts qui attendent un homme dont la foule a retenu le nom. Quel bien peut remplacer la paix que vous avez perdue en introduisant le public dans votre intimité ? Joignez à cela les inquiétudes dont les muses se plaisent à affliger ceux qui s'attachent à leur culte, les embarras d'un caractère facile, l'inaptitude à la fortune, la perte des loisirs, une humeur inégale, des affections plus vives, des tristesses sans raison, des joies sans cause : qui voudrait, s'il en était le maître, acheter à de pareilles conditions les avantages incertains d'une réputation qu'on n'est pas sûr d'obtenir, qui vous sera contestée pendant votre vie, que la postérité ne confirmera pas, et à laquelle votre mort vous rendra à jamais étranger ?

La controverse littéraire sur les nouveautés du style qu'avait excitée *Atala,* se renouvela à la publication du *Génie du Christianisme.*

Un trait caractéristique de l'école impériale, et même de l'école républicaine, est à observer : tandis que la société avançait en mal ou en bien, la littérature demeurait stationnaire ; étrangère au changement des idées, elle n'appartenait

1. *La Divine Comédie* y est appelée une « production bizarre ». Chateaubriand n'en reconnaît pas moins que « dans le pathétique et dans le terrible le Dante a égalé et peut-être surpassé tous les poëtes ». (Ed. orig. II, 5 *sq*).

pas à son temps. Dans la comédie, les seigneurs de village, les Colin, les Babet ou les intrigues de ces salons que l'on ne connaissait plus, se jouaient (comme je l'ai déjà fait remarquer) devant des hommes grossiers et sanguinaires, destructeurs des mœurs dont on leur offrait le tableau ; dans la tragédie, un parterre plébéïen s'occupait des familles des nobles et des rois.

Deux choses arrêtaient la littérature à la date du dix-huitième siècle : l'impiété qu'elle tenait de Voltaire et de la Révolution, le despotisme dont la frappait Bonaparte. Le chef de l'Etat trouvait du profit dans ces lettres subordonnées qu'il avait mises à la caserne, qui lui présentaient les armes, qui sortaient lorsqu'on criait : « Hors la garde ! » qui marchaient en rang et qui manœuvraient comme des soldats. Toute indépendance semblait rebellion à son pouvoir ; il ne voulait pas plus d'émeute de mots et d'idées, qu'il ne souffrait d'insurrection. Il suspendit l'*Habeas corpus* pour la pensée comme pour la liberté individuelle. Reconnaissons aussi que le public, fatigué d'anarchie, reprenait volontiers le joug des règles.

La littérature qui exprime l'ère nouvelle, n'a régné que quarante ou cinquante ans après le temps dont elle était l'idiome. Pendant ce demi-siècle elle n'était employée que par l'opposition. C'est madame de Staël, c'est Benjamin Constant, c'est Lemercier,[1] c'est Bonald, c'est moi enfin, qui les premiers avons parlé cette langue. Le changement de littérature dont le dix-neuvième siècle se vante, lui est arrivé de l'émigration et de l'exil ; ce fut M. de Fontanes qui couva ces oiseaux d'une autre espèce que lui, parce que, remontant au dix-septième siècle, il avait pris la puissance de ce temps fécond et perdu la stérilité du dix-huitième. Une partie de l'esprit humain, celle qui traite de matières transcendantes, s'avança seule d'un pas égal avec la civilisation ; malheureusement la gloire du savoir ne fut pas sans tache : les La Place, les Lagrange, les Monge, les Chaptal, les Berthollet, tous ces prodiges, jadis fiers démocrates, devinrent les plus obséquieux serviteurs de Napoléon. Il faut

---

1. Népomucène Lemercier (1772-1840), auteur de tragédies : *Agamemnon, Christophe Colomb...*

le dire à l'honneur des lettres : la littérature nouvelle fut libre, la science servile ; le caractère ne répondit point au génie, et ceux dont la pensée était montée au plus haut du ciel, ne purent élever leur âme au-dessus des pieds de Bonaparte : ils prétendaient n'avoir pas besoin de Dieu, c'est pourquoi ils avaient besoin d'un tyran.

Le classique napoléonien était le génie du dix-neuvième siècle affublé de la perruque de Louis XIV, ou frisé comme au temps de Louis XV. Bonaparte avait voulu que les hommes de la Révolution ne parussent à la cour qu'en habit habillé [1], l'épée au côté. On ne voyait pas la France du moment ; ce n'était pas de l'ordre, c'était de la discipline. Aussi, rien n'était plus ennuyeux que cette pâle résurrection de la littérature d'autrefois. Ce calque froid, cet anachronisme improductif disparut quand la littérature nouvelle fit irruption avec fracas par le *Génie du Christianisme*. La mort du duc d'Enghien eut pour moi l'avantage, en me jetant à l'écart, de me laisser suivre dans la solitude mon inspiration particulière et de m'empêcher de m'enrégimenter dans l'infanterie régulière du vieux Pinde : je dus à ma liberté morale ma liberté intellectuelle.

Au dernier chapitre du *Génie du Christianisme,* j'examine ce que serait devenu le monde si la foi n'eût pas été prêchée au moment de l'invasion des Barbares ; dans un autre paragraphe, je mentionne un important travail à entreprendre sur les changements que le Christianisme apporta dans les lois après la conversion de Constantin.

En supposant que l'opinion religieuse existât telle qu'elle est à l'heure où j'écris maintenant, le *Génie du Christianisme* étant encore à faire, je le composerais tout différemment [2] : au lieu de rappeler les bienfaits et les institutions de notre religion au passé, je ferais voir que le Christianisme est la pensée de l'avenir et de la liberté humaine ; que cette pensée rédemptrice et messie est le seul fondement de l'égalité sociale ; qu'elle seule la peut établir, parce qu'elle place auprès de cette égalité la nécessité du devoir, correctif et régulateur de l'instinct démocratique. La légalité ne suffit

---

1. En habit de cérémonie.
2. Voir notre introduction p. 29 *sq.*

pas pour contenir, parce qu'elle n'est pas permanente ; elle tire sa force de la loi ; or la loi est l'ouvrage des hommes qui passent et varient. Une loi n'est pas toujours obligatoire ; elle peut toujours être changée par une autre loi : contrairement à cela, la morale est permanente ; elle a sa force en elle-même, parce qu'elle vient de l'ordre immuable, elle seule peut donc donner la durée.

Je ferais voir que partout où le Christianisme a dominé, il a changé l'idée, il a rectifié les notions du juste et de l'injuste, substitué l'affirmation au doute, embrassé l'humanité entière dans ses doctrines et ses préceptes. Je tâcherais de deviner la distance où nous sommes encore de l'accomplissement total de l'Evangile, en supputant le nombre des maux détruits et des améliorations opérées dans les dix-huit siècles écoulés de ce côté-ci de la Croix. Le Christianisme agit avec lenteur parce qu'il agit partout ; il ne s'attache pas à la réforme d'une société particulière, il travaille sur la société générale ; sa philanthropie s'étend à tous les fils d'Adam : c'est ce qu'il exprime avec une merveilleuse simplicité dans ses oraisons les plus communes, dans ses vœux quotidiens, lorsqu'il dit à la foule dans le temple : « Prions pour tout ce qui souffre sur la terre. » Quelle religion a jamais parlé de la sorte ! Le Verbe ne s'est point fait chair dans l'homme de plaisir, il s'est incarné à l'homme de douleur, dans le but de l'affranchissement de tous, d'une fraternité universelle et d'une salvation immense.

Quand le *Génie du Christianisme* n'aurait donné naissance qu'à de telles investigations, je me féliciterais de l'avoir publié : reste à savoir si, à l'époque de l'apparition de ce livre, un autre *Génie du Christianisme,* élevé sur le nouveau plan dont j'indique à peine le tracé, aurait obtenu le même succès. En 1803, lorsqu'on n'accordait rien à l'ancienne religion, qu'elle était l'objet du dédain, que l'on ne savait pas le premier mot de la question, aurait-on été bien venu à parler de la liberté future descendant du Calvaire, quand on était encore meurtri des excès de la liberté des passions ? Bonaparte eût-il souffert un pareil ouvrage ? Il était peut-être utile d'exciter les regrets, d'intéresser l'imagination à une cause si méconnue, d'attirer les regards sur l'objet méprisé, de le rendre aimable, avant de montrer comment il était sérieux, puissant et salutaire.

Maintenant, dans la supposition que mon nom laisse quelque trace, je le devrai au *Génie du Christianisme* : sans illusion sur la valeur intrinsèque de l'ouvrage, je lui reconnais une valeur accidentelle ; il est venu juste et à son moment. Par cette raison, il m'a fait prendre place à l'une de ces époques historiques qui, mêlant un individu aux choses, contraignent à se souvenir de lui. Si l'influence de mon travail ne se bornait pas au changement que, depuis quarante années, il a produit parmi les générations vivantes ; s'il servait encore à ranimer chez les tard-venus une étincelle des vérités civilisatrices de la terre ; si le léger symptôme de vie que l'on croit apercevoir s'y soutenait dans les générations à venir, je m'en irais plein d'espérance dans la miséricorde divine. Chrétien réconcilié, ne m'oublie pas dans tes prières, quand je serai parti ; mes fautes m'arrêteront peut-être à ces portes où ma charité avait crié pour toi : « Ouvrez-vous, portes éternelles ! *Elevamini, portae aeternales* [1] ! »

Paris, 1837.

Revu en décembre 1846.

ANNÉES DE MA VIE, 1802 ET 1803. — CHATEAUX. — MADAME DE CUSTINE. — M. DE SAINT-MARTIN. — MADAME D'HOUDETOT ET SAINT-LAMBERT.

MA vie se trouva toute dérangée aussitôt qu'elle cessa d'être à moi. J'avais une foule de connaissances en dehors de ma société habituelle. J'étais appelé dans les châteaux que l'on rétablissait. On se rendait comme on pouvait dans ces

1. *Psaumes* XXIII, 7.

manoirs demi-démeublés, demi-meublés, où un vieux fauteuil succédait à un fauteuil neuf. Cependant, quelques-uns de ces manoirs étaient restés intacts, tels que le Marais échu à madame de La Briche[1], excellente femme dont le bonheur n'a jamais pu se débarrasser. Je me souviens que mon immortalité allait rue Saint-Dominique-d'Enfer prendre une place pour le Marais dans une méchante voiture de louage, où je rencontrais madame de Vintimille et madame de Fezensac. A Champlâtreux, M. Molé faisait refaire de petites chambres au second étage. Son père, tué révolutionnairement[2], était remplacé, dans un grand salon délabré, par un tableau dans lequel Mathieu Molé était représenté, arrêtant une émeute avec son bonnet carré : tableau qui faisait sentir la différence des temps. Une superbe patte d'oie de tilleuls avait été coupée ; mais une des trois avenues existait encore dans la magnificence de son vieux ombrage ; on l'a mêlée depuis à de nouvelles plantations : nous en sommes aux peupliers.

Au retour de l'émigration, il n'y avait si pauvre banni qui ne dessinât les tortillons d'un jardin anglais dans les dix pieds de terre ou de cour qu'il avait retrouvés : moi-même, n'ai-je pas planté jadis la Vallée-aux-Loups ? N'y ai-je pas commencé ces *Mémoires ?* Ne les ai-je pas continués dans le parc de Montboissier, dont on essayait alors de raviver l'aspect défiguré par l'abandon ? Ne les ai-je pas prolongés dans le parc de Maintenon rétabli tout à l'heure, proie nouvelle pour la démocratie qui revient ? Les châteaux brûlés en 1789 auraient dû avertir le reste des châteaux de demeurer cachés dans leurs décombres : mais les clochers des villages engloutis qui percent les laves du Vésuve, n'empêchent pas de replanter sur la surface de ces mêmes laves d'autres églises et d'autres hameaux.

Parmi les abeilles qui composaient leur ruche, était la marquise de Custine[3] héritière des longs cheveux de Mar-

---

1. Belle-sœur de Mme d'Houdetot et de Mme d'Epinay, belle-mère de Molé.
2. Président au Parlement de Paris, il avait guillotiné en avril 1794.
3. Delphine de Custine, aimée de Chateaubriand. Elle avait acheté en 1803, près de Lisieux, le château de Fervaques où Henri IV avait séjourné avec Gabrielle d'Estrées. Astolphe, fils de Delphine, était né en 1790.

guerite de Provence, femme de saint Louis, dont elle avait du sang. J'assistai à sa prise de possession de Fervaques, et j'eus l'honneur de coucher dans le lit du Béarnais, de même que dans le lit de la reine Christine à Combourg. Ce n'était pas une petite affaire que ce voyage ; il fallait embarquer dans la voiture Astolphe de Custine, enfant, M. Berschtett, le gouverneur, une vieille bonne alsacienne ne parlant qu'allemand, Jenny la femme de chambre, et Trim, chien fameux qui mangeait les provisions de la route. N'aurait-on pas pu croire que cette colonie se rendait à Fervaques pour jamais ? et cependant le château n'était pas achevé de meubler que le signal du délogement fut donné. J'ai vu celle qui affronta l'échafaud d'un si grand courage, je l'ai vue, plus blanche qu'une Parque, vêtue de noir, la taille amincie par la mort, la tête ornée de sa seule chevelure de soie, je l'ai vue me sourire de ses lèvres pâles et de ses belles dents, lorsqu'elle quittait Sécherons, près Genève, pour expirer à Bex [1], à l'entrée du Valais ; j'ai entendu son cercueil passer la nuit dans les rues solitaires de Lausanne, pour aller prendre sa place éternelle à Fervaques : elle se hâtait de se cacher dans une terre qu'elle n'avait possédée qu'un moment, comme sa vie. J'avais lu sur le coin d'une cheminée du château ces méchantes rimes attribuées à l'amant de Gabrielle :

> *La dame de Fervaques*
> *Mérite de vives attaques.*

Le soldat-roi en avait dit autant à bien d'autres : déclarations passagères des hommes, vite effacées et descendues de beautés en beautés, jusqu'à madame de Custine. Fervaques a été vendu.

Je rencontrai encore la duchesse de Châtillon, laquelle, pendant mon absence des Cent-Jours, décora ma vallée d'Aulnay. Madame Lindsay, que je n'avais cessé de voir, me fit connaître Julie Talma. Madame de Clermont-Tonnerre m'attira chez elle. Nous avions une grand-mère commune, et elle voulait bien m'appeler son cousin. Veuve du comte de Clermont-Tonnerre, elle se remaria depuis au marquis de Talaru. Elle avait, en prison, converti M. de Laharpe. Ce fut

---

1. Delphine de Custine y est morte dans un hôtel, le 25 juillet 1826.

par elle que je connus le peintre Neveu, enrôlé au nombre de ses cavaliers-servants ; Neveu me mit un moment en rapport avec Saint-Martin.

M. de Saint-Martin,[1] avait cru trouver dans *Atala* certain argot dont je ne me doutais pas, et qui lui prouvait une affinité de doctrines avec moi. Neveu, afin de lier deux frères[2], nous donna à dîner dans une chambre haute qu'il habitait dans les communs du Palais-Bourbon. J'arrivai au rendez-vous à six heures : le philosophe du ciel était déjà à son poste. A sept heures, un valet discret posa un potage sur la table, se retira et ferma la porte. Nous nous assîmes et nous commençâmes à manger en silence. M. de Saint-Martin, qui, d'ailleurs, avait de très-belles façons, ne prononçait que de courtes paroles d'oracle. Neveu répondait par des exclamations, avec des attitudes et des grimaces de peintre ; je ne disais mot.

Au bout d'une demi-heure, le nécromant[3] rentra, enleva la soupe, et mit un autre plat sur la table : les mets se succédèrent ainsi un à un et à de longues distances. M. de Saint-Martin, s'échauffant peu à peu, se mit à parler en façon d'archange ; plus il parlait, plus son langage devenait ténébreux. Neveu m'avait insinué, en me serrant la main, que nous verrions des choses extraordinaires, que nous entendrions des bruits : depuis six mortelles heures, j'écoutais et je ne découvrais rien. A minuit, l'homme des visions se lève tout à coup : je crus que l'esprit des ténèbres ou l'esprit divin descendait, que les sonnettes allaient faire retentir les mystérieux corridors ; mais M. de Saint-Martin déclara qu'il était épuisé, et que nous reprendrions la conversation une autre fois ; il mit son chapeau et s'en alla. Malheureusement pour lui, il fut arrêté à la porte et forcé de rentrer par une visite inattendue : néanmoins, il ne tarda pas à disparaître. Je ne l'ai jamais revu : il courut mourir dans le jardin de M. Lenoir-Laroche, mon voisin d'Aulnay.

1. Le « philosophe inconnu » (1743-1803). Il a exercé une grande influence sur Joseph de Maistre et Balzac.
2. Allusion à l'« affinité de doctrines » que Saint-Martin a cru découvrir entre l'auteur d'*Atala* et lui-même. Peut-être même supposait-il qu'en Angleterre Chateaubriand s'était affilié à la franc-maçonnerie.
3. Le valet qui a aussi figure d'incantateur des morts.

Je suis un sujet rebelle pour le Swedenborgisme[1] : l'abbé Faria[2], à un dîner chez madame de Custine, se vanta de tuer un serin en le magnétisant : le serin fut le plus fort, et l'abbé, hors de lui, fut obligé de quitter la partie, de peur d'être tué par le serin : chrétien, ma seule présence avait rendu le trépied impuissant.

Une autre fois, le célèbre Gall[3], toujours chez madame de Custine, dîna près de moi sans me connaître, se trompa sur mon angle facial, me prit pour une grenouille et voulut, quand il sut qui j'étais, raccommoder sa science d'une manière dont j'étais honteux pour lui. La forme de la tête peut aider à distinguer le sexe dans les individus, à indiquer ce qui appartient à la bête, aux passions animales ; quant aux facultés intellectuelles, la phrénologie en ignorera toujours. Si l'on pouvait rassembler les crânes divers des grands hommes morts depuis le commencement du monde, et qu'on les mît sous les yeux des phrénologistes sans leur dire à qui ils ont appartenu, ils n'enverraient pas un cerveau à son adresse : l'examen des *bosses* produirait les méprises les plus comiques.

Il me prend un remords : j'ai parlé de M. de Saint-Martin avec un peu de moquerie, je m'en repens. Cette moquerie que je repousse continuellement et qui me revient sans cesse, me met en souffrance ; car je hais l'esprit satirique comme étant l'esprit le plus petit, le plus commun et le plus facile de tous ; bien entendu que je ne fais pas ici le procès à la haute comédie. M. de Saint-Martin était, en dernier résultat, un homme d'un grand mérite, d'un caractère noble et indépendant. Quand ses idées étaient explicables, elles étaient élevées et d'une nature supérieure. Ne devrais-je pas le sacrifice des deux pages précédentes à la généreuse et beaucoup trop flatteuse déclaration de l'auteur du *Portrait de M. de Saint-Martin fait par lui-même ?* Je ne balancerais pas à les effacer, si ce que je dis pouvait nuire le moins du monde à la renommée grave de M. de Saint-Martin et à

1. Saint-Martin avait été le disciple de Swedenborg (cf. p. 416).
2. Magnétiseur.
3. Médecin allemand (1758-1828), créateur de la phrénologie (cf. p. 643).

l'estime qui s'attachera toujours à sa mémoire. Je vois du reste avec plaisir que mes souvenirs ne m'avaient pas trompé : M. de Saint-Martin n'a pas pu être tout-à-fait frappé de la même manière que moi dans le dîner dont je parle ; mais on voit que je n'avais pas inventé la scène et que le récit de M. de Saint-Martin ressemble au mien par le fond.

« Le 27 janvier 1803, dit-il, j'ai eu une entrevue avec « M. de Chateaubriand dans un dîner arrangé pour cela, « chez M. Neveu à l'Ecole polytechnique. J'aurais beaucoup « gagné à le connaître plus tôt : c'est le seul homme de « lettres honnête avec qui je me sois trouvé en présence « depuis que j'existe, et encore n'ai-je joui de sa conversa-« tion que pendant le repas. Car aussitôt après parut une « visite qui le rendit muet pour le reste de la séance, et je ne « sais quand l'occasion pourra renaître, parce que le roi de « ce monde a grand soin de mettre des bâtons dans les roues « de ma carriole. Au reste, de qui ai-je besoin, excepté de « Dieu ? »

M. de Saint-Martin vaut mille fois mieux que moi : la dignité de sa dernière phrase écrase du poids d'une nature sérieuse ma raillerie inoffensive.

J'avais aperçu M. de Saint-Lambert et madame d'Houde-tot[1] au Marais, représentant l'un et l'autre les opinions et les libertés d'autrefois, soigneusement empaillées et conser-vées : c'était le dix-huitième siècle expiré et marié à sa manière. Il suffit de tenir bon dans la vie, pour que les illégitimités deviennent des légitimités. On se sent une estime infinie pour l'immoralité, parce qu'elle n'a pas cessé d'être, et que le temps l'a décorée de rides. A la vérité, deux vertueux époux, qui ne sont pas époux, et qui restent unis par respect humain, souffrent un peu de leur vénérable état ; ils s'ennuient et se détestent cordialement dans toute la mauvaise humeur de l'âge : c'est la justice de Dieu.

Malheur à qui le ciel accorde de longs jours !

1. Ils s'étaient beaucoup aimés : mais en 1803 Mlle d'Houdetot a 73 ans et Saint-Lambert 87.

Il devenait difficile de comprendre quelques pages des *Confessions*, quand on avait vu l'objet des transports de Rousseau[1] : madame d'Houdetot avait-elle conservé les lettres que Jean-Jacques lui écrivait, et qu'il dit avoir été plus brûlantes que celles de la *Nouvelle Héloïse?* On croit qu'elle en avait fait le sacrifice à Saint-Lambert.

A près de quatre-vingts ans, madame d'Houdetot s'écriait encore, dans des vers agréables :

Et l'amour me console!
Rien ne pourra me consoler de lui.

Elle ne se couchait point qu'elle n'eût frappé trois fois à terre avec sa pantoufle, en disant à feu l'auteur des *Saisons*[2] : « Bonsoir, mon « ami!» C'était là à quoi se réduisait, en 1803, la philosophie du dix-huitième siècle.

La société de madame d'Houdetot, de Diderot, de Saint-Lambert, de Rousseau, de Grimm, de madame d'Epinay, m'a rendu la vallée de Montmorency insupportable, et quoique, sous le rapport des faits, je sois bien aise qu'une relique des temps voltairiens soit tombée sous mes yeux, je ne regrette point ces temps. J'ai revu dernièrement, à Sannois, la maison qu'habitait madame d'Houdetot; ce n'est plus qu'une coque vide, réduite aux quatre murailles. Un âtre abandonné intéresse toujours; mais que disent des foyers où ne s'est assise ni la beauté, ni la mère de famille, ni la religion, et dont les cendres, si elles n'étaient dispersées, reporteraient seulement le souvenir vers des jours qui n'ont su que détruire ?

1. Jean-Jacques assure dans les *Confessions* que Mme d'Houdetot est la seule femme dont il ait été vraiment amoureux.
2. Saint-Lambert.

Voyage dans le Midi de la France (1802).

Une contrefaçon du *Génie du Christianisme*, à Avignon, m'appela au mois d'octobre 1802 dans le midi de la France. Je ne connaissais que ma pauvre Bretagne et les provinces du Nord, traversées par moi en quittant mon pays. J'allais voir le soleil de Provence, ce ciel qui devait me donner un avant-goût de l'Italie et de la Grèce, vers lesquelles mon instinct et la muse me poussaient. J'étais dans une disposition heureuse ; ma réputation me rendait la vie légère : il y a beaucoup de songes dans le premier enivrement de la renommée, et les yeux se remplissent d'abord avec délices de la lumière qui se lève ; mais que cette lumière s'éteigne, elle vous laisse dans l'obscurité ; si elle dure, l'habitude de la voir vous y rend bientôt insensible.

Lyon me fit un extrême plaisir. Je retrouvai ces ouvrages des Romains, que je n'avais point aperçus depuis le jour où je lisais dans l'amphithéâtre de Trèves quelques feuilles d'*Atala,* tirées de mon havresac. Sur la Saône passaient d'une rive à l'autre des barques entoilées, portant la nuit une lumière ; des femmes les conduisaient ; une nautonière de dix-huit ans, qui me prit à son bord, raccommodait, à chaque coup d'aviron, un bouquet de fleurs mal attaché à son chapeau. Je fus réveillé le matin par le son des cloches. Les couvents suspendus aux côteaux semblaient avoir recouvré leurs solitaires. Le fils de M. Ballanche[1], propriétaire, après M. Migneret, du *Génie du Christianisme*, était mon hôte : il est devenu mon ami. Qui ne connaît aujourd'hui le philosophe chrétien, dont les écrits brillent de cette clarté paisible sur laquelle on se plaît à attacher les regards, comme sur le rayon d'un astre ami dans le ciel ?

---

1. Pierre-Simon Ballanche (1778-1847), fils de l'imprimeur lyonnais, philosophe mystique. Il avait voué un culte à Mme Récamier. Il communiqua, un temps, à Chateaubriand sa foi dans la « palingénésie ».

Le 27 octobre, le bateau de poste qui me conduisait à Avignon, fut obligé de s'arrêter à Tain, à cause d'une tempête. Je me croyais en Amérique : le Rhône me représentait mes grandes rivières sauvages. J'étais niché dans une petite auberge, au bord des flots ; un conscrit se tenait debout dans un coin du foyer ; il avait le sac sur le dos, et allait rejoindre l'armée d'Italie. J'écrivais sur le soufflet de la cheminée, en face de l'hôtelière, assise en silence devant moi, et qui, par égard pour le voyageur, empêchait le chien et le chat de faire du bruit.

Ce que j'écrivais, était un article déjà presque fait en descendant le Rhône et relatif à la *Législation primitive* de M. de Bonald. Je prévoyais ce qui est arrivé depuis : « La « littérature française, » disais-je, « va changer de face ; avec « la Révolution, vont naître d'autres pensées, d'autres vues « des choses et des hommes. Il est aisé de prévoir que les « écrivains se diviseront. Les uns s'efforceront de sortir des « anciennes routes ; les autres tâcheront de suivre les anti- « ques modèles, mais toutefois en les présentant sous un « jour nouveau. Il est assez probable que les derniers « finiront par l'emporter sur leurs adversaires, parce qu'en « s'appuyant sur les grandes traditions et sur les grands « hommes, ils auront des guides plus sûrs et des documents « plus féconds. »

Les lignes qui terminent ma critique voyageuse sont de l'histoire ; mon esprit marchait dès lors avec mon siècle : « L'auteur de cet article, disais-je, ne se peut refuser à une « image qui lui est fournie par la position dans laquelle il se « trouve. Au moment même où il écrit ces derniers mots, il « descend un des plus grands fleuves de France. Sur deux « montagnes opposées, s'élèvent deux tours en ruines ; au « haut de ces tours, sont attachées de petites cloches que les « montagnards sonnent à notre passage. Ce fleuve, ces « montagnes, ces sons, ces monuments gothiques, amusent « un moment les yeux des spectateurs ; mais personne ne « s'arrête pour aller où le clocher l'invite. Ainsi les hommes « qui prêchent aujourd'hui morale et religion, donnent en « vain le signal du haut de leurs ruines à ceux que le torrent « du siècle entraîne ; le voyageur s'étonne de la grandeur des « débris, de la douceur des bruits qui en sortent, de la

« majesté des souvenirs qui s'en élèvent, mais il n'inter-
« rompt point sa course, et au premier détour du fleuve,
« tout est oublié. »

Arrivé à Avignon la veille de la Toussaint, un enfant portant des livres m'en offrit : j'achetai du premier coup trois éditions différentes et contrefaites d'un petit roman nommé *Atala*. En allant de libraire en libraire, je déterrai le contrefacteur, à qui j'étais inconnu. Il me vendit les quatre volumes du *Génie du Christianisme,* au prix raisonnable de neuf francs l'exemplaire, et me fit un grand éloge de l'ouvrage et de l'auteur. Il habitait un bel hôtel entre cour et jardin. Je crus avoir trouvé la pie au nid : au bout de vingt-quatre heures, je m'ennuyai de suivre la fortune, et je m'arrangeai presque pour rien avec le voleur.

Je vis madame de Janson, petite femme sèche, blanche et résolue, qui, dans sa propriété, se battait avec le Rhône, échangeait des coups de fusil avec les riverains et se défendait contre les années.

Avignon me rappela mon compatriote. Du Guesclin valait bien Bonaparte, puisqu'il arracha la France à la conquête. Arrivé auprès de la ville des papes avec les aventuriers que sa gloire entraînait en Espagne, il dit au prévôt envoyé au devant de lui par le pontife : « Frère, ne me célez pas : dont
« vient ce trésor ? l'a prins le pape en son trésor ? Et il lui
« répondit que non, et que le commun d'Avignon l'avoit
« payé chacun sa portion. Lors, dit Bertrand, prévost, je
« vous promets que nous n'en aurons denier en notre vie, et
« voulons que cet argent cueilli soit rendu à ceux qui l'ont
« payé, et dites bien au pape qu'il le leur fasse rendre ; car
« si je savois que le contraire fust, il m'en poiseroit ; et
« eusse ores passé la mer, si retournerois-je par-deçà. Adonc
« fut Bertrand payé de l'argent du pape, et ses gens de
« rechief absous, et ladite absolution première de rechief
« confirmée. »

Les voyages transalpins commençaient autrefois par Avignon, c'était l'entrée de l'Italie. Les géographies disent :
« Le Rhône est au Roi, mais la ville d'Avignon est arrosée
« par une branche de la rivière de la Sorgue, qui est au
« pape. » Le pape est-il bien sûr de conserver longtemps la propriété du Tibre ? On visitait à Avignon le couvent des

Célestins. Le bon roi René, qui diminuait les impôts quand la tramontane soufflait, avait peint dans une des salles du couvent des Célestins un squelette : c'était celui d'une femme d'une grande beauté qu'il avait aimée.

Dans l'église des Cordeliers, se trouvait le sépulcre de *madonna Laura* : François Ier commanda de l'ouvrir et salua les cendres immortalisées. Le vainqueur de Marignan laissa à la nouvelle tombe qu'il fit élever cette épitaphe :

> *En petit lieu compris vous pouvez voir*
> *Ce qui comprend beaucoup par renommée :*
>
> . . . .
>
> *O gentille ame, estant tant estimée,*
> *Qui te pourra louer qu'en se taisant ?*
> *Car la parole est tousjours réprimée,*
> *Quand le sujet surmonte le disant.*

On aura beau faire, le *père des lettres,* l'ami de Benvenuto Cellini, de Léonard de Vinci, du Primatice, le roi à qui nous devons la Diane, sœur de l'Apollon du Belvédère, et la Sainte-Famille de Raphaël ; le chantre de Laure, l'admirateur de Pétrarque, a reçu des beaux-arts reconnaissants une vie qui ne périra point.

J'allai à Vaucluse cueillir, au bord de la fontaine, des bruyères parfumées et la première olive que portait un jeune olivier :

> *Chiara fontana, in quel medesmo bosco,*
> *Sorgea d'un sasso ; ed acque fresche et dolci*
> *Spargea soavemente mormorando :*
> *Al bel seggio riposto, ombroso e fosco*
> *Ne pastori appressavan, ne bifolci ;*
> *Ma nimfe et muse a quel tenor cantando* [1].

« Cette claire fontaine, dans ce même bocage, sort
« d'un rocher ; elle répand, fraîches et douces, ses ondes qui

---

1. Pétrarque, *Canzone,* 323.

546

« suavement murmurent. A ce beau lit de repos, ni les
« pasteurs ni les troupeaux ne s'empressent ; mais la Nym-
« phe et la Muse y vont chantant. »

Pétrarque a raconté comment il rencontra cette vallée :
« Je m'enquérais, dit-il, d'un lieu caché où je pusse me
« retirer comme dans un port, quand je trouvai une petite
« vallée fermée, Vaucluse, bien solitaire, d'où naît la source
« de la Sorgue, reine de toutes les sources : je m'y établis.
« C'est là que j'ai composé mes poésies en langue vulgaire :
« vers où j'ai peint les chagrins de ma jeunesse. »

C'est aussi de Vaucluse qu'il entendait, comme on l'entendait encore lorsque j'y passai, le bruit des armes retentissant en Italie ; il s'écriait :

> *Italia mia* . . .
>
> . . . .
> *O diluvio raccolto*
> *Di che deserti strani*
> *Per inondar i nostri dolci campi !*
>
> . . . .
> *Non è questo 'l terren ch'io toccai pria ?*
> *Non è questo 'l mio nido,*
> *Ove nudrito fui si dolcemente ?*
> *Non è questa la patria, in ch'io mi fido,*
> *Madre benigna e pia*
> *Che copre l'uno e l'altro mio parente* [1] *?*

« Mon Italie !... O déluge rassemblé des déserts
« étrangers pour inonder nos doux champs !... N'est-ce pas
« là le sol que je touchai d'abord ? n'est-ce pas là le nid où
« je fus si doucement nourri ? n'est-ce pas là la patrie en
« qui je me confie, mère bénigne et pieuse qui couvre l'un
« et l'autre de mes parents ? »

Plus tard, l'amant de Laure invite Urbain V [2] à se
transporter à Rome : « Que répondrez-vous à saint Pier-
« re, s'écrie-t-il éloquemment, quand il vous dira : « Que
« se passe-t-il à Rome ? Dans quel état est mon temple,
« mon tombeau, mon peuple ? Vous ne répondez rien ?

---

1. *Canzone*, 128.
2. Pape de 1362 à 1370. Il était français et résida à Avignon.

« D'où venez-vous ? Avez-vous habité les bords du Rhône ?
« Vous y naquîtes, dites-vous : et moi, n'étais-je pas né en
« Galilée ? »

Siècle fécond, jeune, sensible, dont l'admiration remuait les entrailles ; siècle qui obéissait à la lyre d'un grand poëte comme à la loi d'un législateur ! C'est à Pétrarque que nous devons le retour du souverain pontife au Vatican ; c'est sa voix qui a fait naître Raphaël et sortir de terre le dôme de Michel-Ange.

De retour à Avignon, je cherchai le palais des papes, et l'on me montra la *Glacière* [1] : la Révolution s'en est prise aux lieux célèbres ; les souvenirs du passé sont obligés de pousser au travers et de reverdir sur des ossements. Hélas ! les gémissements des victimes meurent vite après elles ; ils arrivent à peine à quelque écho qui les fait survivre un moment, quand déjà la voix dont ils s'exhalaient est éteinte. Mais tandis que le cri des douleurs expirait au bord du Rhône, on entendait dans le lointain les sons du luth de Pétrarque ; une *canzone* solitaire, échappée de la tombe, continuait à charmer Vaucluse d'une immortelle mélancolie et de chagrins d'amour d'autrefois.

Alain Chartier était venu de Bayeux se faire enterrer à Avignon, dans l'église de Saint-Antoine. Il avait écrit *la Belle Dame sans mercy,* et le baiser de Marguerite d'Ecosse l'a fait vivre.

D'Avignon je me rendis à Marseille. Que peut avoir à désirer une ville à qui Cicéron adresse ces paroles, dont le tour oratoire a été imité par Bossuet : « Je ne t'oublierai « pas, Marseille, dont la vertu est à un degré si éminent, « que la plupart des nations te doivent céder, et que la « Grèce même ne doit pas se comparer à toi. » *(Pro L. Flacco.)* Tacite, dans la *Vie d'Agricola,* loue aussi Marseille, comme mêlant l'urbanité grecque à l'économie des provinces latines. Fille de l'Hellénie, institutrice de la Gaule, célébrée par Cicéron, emportée par César, n'est-ce pas réunir assez de gloire ? Je me hâtai de monter à *Notre-Dame de la Garde,* pour admirer la mer que bordent avec leurs

---

1. La glacière du château des papes. Cent prisonniers royalistes y furent massacrés en 1791.

ruines les côtes riantes de tous les pays fameux de l'antiquité. La mer, qui ne marche point, est la source de la mythologie, comme l'Océan, qui se lève deux fois le jour, est l'abîme auquel a dit Jéhova : « Tu n'iras pas plus loin[1]. »

Cette année même, 1838, j'ai remonté sur cette cime ; j'ai revu cette mer qui m'est à présent si connue, et au bout de laquelle s'élevèrent la croix et la tombe victorieuses. Le mistral soufflait ; je suis entré dans le fort bâti par François 1er, où ne veillait plus un vétéran de l'armée d'Égypte, mais où se tenait un conscrit destiné pour Alger et perdu sous des voûtes obscures. Le silence régnait dans la chapelle restaurée, tandis que le vent mugissait au dehors. Le cantique des matelots de la Bretagne à *Notre-Dame de Bon-Secours* me revenait en pensée : vous savez quand et comment je vous ai déjà cité cette complainte de mes premiers jours de l'Océan :

> *Je mets ma confiance,*
> *Vierge, en votre secours, etc.*

Que d'événements il avait fallu pour me ramener aux pieds de l'*Etoile des mers,* à laquelle j'avais été voué dans mon enfance ! Lorsque je contemplais ces *ex-voto,* ces peintures de naufrages suspendues autour de moi, je croyais lire l'histoire de mes jours. Virgile place sous les portiques de Carthage le héros troyen, ému à la vue d'un tableau représentant l'incendie de Troie[2], et le génie du chantre d'Hamlet a profité de l'âme du chantre de Didon[3].

Au bas de ce rocher, couvert autrefois d'une forêt chantée par Lucain[4], je n'ai point reconnu Marseille : dans ses rues droites, longues et larges, je ne pouvais plus m'égarer. Le port était encombré de vaisseaux ; j'y aurais à peine trouvé

1. Job, 38,11.
2. *Enéide* I, 454 *sq.* Le « héros troyen » est Enée.
3. La scène d'*Hamlet* à laquelle songe Chateaubriand est-elle celle des Comédiens, à l'acte III ?
4. On ne sait, en réalité, où se trouvait cette « forêt de Marseille » que décrit Lucain au livre III de *la Pharsale*.

il y a trente-six ans, une *nave,* conduite par un descendant de Pythéas[1], pour me transporter en Chypre comme Joinville : au rebours des hommes, le temps rajeunit les villes. J'aimais mieux ma vieille Marseille avec ses souvenirs des Bérenger, du duc d'Anjou, du roi René, de Guise et D'Epernon, avec les monuments de Louis XIV et les vertus de Belzunce[2] ; les rides me plaisaient sur son front. Peutêtre qu'en regrettant les années qu'elle a perdues, je ne fais que pleurer celles que j'ai trouvées. Marseille m'a reçu gracieusement, il est vrai ; mais l'émule d'Athènes est devenue trop jeune pour moi.

Si les Mémoires d'Alfieri eussent été publiés en 1802[3], je n'aurais pas quitté Marseille sans visiter le rocher des bains du poëte. Cet homme rude est arrivé une fois au charme de la rêverie et de l'expression :

« Après le spectacle », dit-il, « un de mes amusements, à « Marseille, était de me baigner presque tous les soirs dans « la mer ; j'avais trouvé un petit endroit fort agréable, sur « une langue de terre placée à droite hors du port, où, en « m'asseyant sur le sable, le dos appuyé contre un rocher, « qui empêchait qu'on ne pût me voir du côté de la terre, je « n'avais plus devant moi que le ciel et la mer. Entre ces « deux immensités qu'embellissaient les rayons d'un soleil « couchant, je passais, en rêvant, des heures délicieuses ; et « là, je serais devenu poëte, si j'avais su écrire dans une « langue quelconque. »

Je revins par le Languedoc et la Gascogne. A Nîmes, les Arènes et la Maison-Carrée n'étaient pas encore dégagées : cette année 1838, je les ai vues dans leur exhumation. Je suis aussi allé chercher Jean Reboul[4]. Je me défiais de ces ouvriers-poëtes, qui ne sont ordinairement ni poëtes, ni ouvriers : réparation à M. Reboul. Je l'ai trouvé dans sa boulangerie ; je me suis adressé à lui sans savoir à qui je parlais, ne le distinguant pas de ses compagnons de Cérès. Il a pris mon nom, et m'a dit qu'il allait voir si la personne

1. Navigateur marseillais du **IV**ᵉ siècle av. J.-C.
2. Evêque de Marseille (1671-1755) ; il a fait preuve d'un dévouement admirable pendant la peste de 1720.
3. Elles l'ont été en 1803, un an après la mort du poëte italien.
4. Le « poëte boulanger » de Nîmes.

que je demandais était chez elle. Il est revenu bientôt après et s'est fait connaître : il m'a mené dans son magasin ; nous avons circulé dans un labyrinthe de sacs de farine, et nous sommes grimpés par une espèce d'échelle dans un petit réduit, comme dans la chambre haute d'un moulin à vent. Là, nous nous sommes assis et nous avons causé. J'étais heureux comme dans mon grenier à Londres, et plus heureux que dans mon fauteuil de ministre à Paris. M. Reboul a tiré d'une commode un manuscrit, et m'a lu des vers énergiques d'un poëme qu'il compose sur le Dernier jour. Je l'ai félicité de sa religion et de son talent. Je me rappelais ses belles strophes *à un Exilé* [1] :

> *Quelque chose de grand se couve dans le monde ;*
> *Il faut, ô jeune roi, que ton âme y réponde ;*
> *Oh ! ce n'est pas pour rien que, calmant notre deuil,*
> *Le ciel par un mourant fit révéler ta vie ;*
> *Que quelque temps après, de ses enfants suivie,*
> *Aux yeux de l'univers, la nation ravie*
> *T'éleva dans ses bras sur le bord d'un cercueil !*

Il fallut me séparer de mon hôte, non sans souhaiter au poëte les jardins d'Horace. J'aurais mieux aimé qu'il rêvât au bord de la cascade de Tibur, que de le voir recueillir le froment broyé par la roue au-dessus de cette cascade. Il est vrai que Sophocle était peut-être un forgeron à Athènes, et que Plaute, à Rome, annonçait Reboul à Nîmes.

Entre Nîmes et Montpellier, je passai sur ma gauche Aigues-Mortes, que j'ai visitée en 1838. Cette ville est encore toute entière avec ses tours et son enceinte : elle ressemble à un vaisseau de haut bord échoué sur le sable où l'ont laissée saint Louis, le temps et la mer. Le saint Roi avait donné des *usages* et statuts à la ville d'Aigues-Mortes : « Il veut que la prison soit telle, qu'elle serve non à « l'extermination de la personne, mais à sa garde ; que nulle « information ne soit faite pour des paroles injurieuses ; que

1. Henri V.

« l'adultère même ne soit recherché qu'en certains cas, et
« que le violateur d'une vierge, *volente vel nolente* [1], ne
« perde ni la vie, ni aucun de ses membres, *sed alio modo*
« *puniatur* [2]. »

A Montpellier, je revis la mer, à qui j'aurais volontiers
écrit comme le Roi très-chrétien à la Confédération suisse :
« Ma fidèle alliée et ma grande amie. » Scaliger aurait
voulu faire de Montpellier *le nid de sa vieillesse*. Elle a reçu
son nom de deux vierges saintes, *Mons puellarum :* de là la
beauté de ses femmes. Montpellier, en tombant devant le
cardinal de Richelieu, vit mourir la constitution aristocratique de la France.

De Montpellier à Narbonne, j'eus, chemin faisant, un
retour à mon naturel, une attaque de mes songeries. J'aurais
oublié cette attaque si, comme certains malades imaginaires, je n'avais enregistré le jour de ma crise sur un tout petit
bulletin, seule note de ce temps retrouvée pour aide à ma
mémoire. Ce fut cette fois un espace aride, couvert de
digitales, qui me fit oublier le monde : mon regard glissait
sur cette mer de tiges empourprées, et n'était arrêté au loin
que par la chaîne bleuâtre du Cantal. Dans la nature,
hormis le ciel, l'océan et le soleil, ce ne sont pas les
immenses objets dont je suis inspiré ; ils me donnent
seulement une sensation de grandeur, qui jette ma petitesse
éperdue et non consolée aux pieds de Dieu. Mais une fleur
que je cueille, un courant d'eau qui se dérobe parmi des
joncs, un oiseau qui va s'envolant et se reposant devant moi,
m'entraînent à toutes sortes de rêves. Ne vaut-il pas mieux
s'attendrir sans savoir pourquoi, que de chercher dans la vie
des intérêts émoussés, refroidis par leur répétition et leur
multitude ? Tout est usé aujourd'hui, même le malheur.

A Narbonne, je rencontrai le canal des Deux-Mers.
Corneille, chantant cet ouvrage, ajoute sa grandeur à celle
de Louis XIV [3] :

---

1. « consentante ou non. »
2. « Mais soit puni d'une autre manière. »
3. Poème de Corneille *Sur le canal du Languedoc,* imitation d'un
poème latin (1668).

La Garonne et le Tarn [1], en leurs grottes profondes,
Soupiraient dès longtemps pour marier leurs ondes,
Et faire ainsi couler par un heureux penchant
Les trésors de l'aurore aux rives du couchant.
Mais à des vœux si doux, à des flammes si belles,
La nature, attachée à des lois éternelles,
Pour obstacle invincible opposait fièrement
Des monts et des rochers l'affreux enchaînement.
France, ton grand Roi parle, et ces rochers se fendent,
La terre ouvre son sein, les plus hauts monts descendent.
Tout cède...

A Toulouse, j'aperçus du pont de la Garonne la ligne des Pyrénées ; je la devais traverser quatre ans plus tard [2] : les horizons se succèdent comme nos jours. On me proposa de me montrer dans un caveau le corps desséché de la belle Paule : heureux ceux qui croient sans avoir vu ! Montmorenci avait été décapité dans la cour de l'Hôtel de ville : cette tête coupée était donc bien importante, puisqu'on en parle encore après tant d'autres têtes abattues ? Je ne sais si dans l'histoire des procès criminels il existe une déposition de témoin qui ait fait mieux reconnaître l'identité d'un homme : « Le feu et la fumée dont il était couvert, dit
« Guitaut, m'empêchèrent d'abord de le reconnaître ; mais
« voyant un homme qui, après avoir rompu six de nos
« rangs, tuoit encore des soldats au septième, je jugeai que
« ce ne pouvait être que M. de Montmorenci ; je le sus
« certainement lorsque je le vis renversé à terre sous son
« cheval mort. »

L'église abandonnée de Saint-Sernin me frappa par son architecture. Cette église est liée à l'histoire des Albigeois, que le poëme, si bien traduit par M. Fauriel, fait revivre :
« Le vaillant jeune comte [3], la lumière et l'héritier de
« son père, la croix et le fer, entrent ensemble par l'une des
« portes. Ni en chambre, ni en étage, il ne resta pas une

---

1. Texte de Corneille : « et l'Atax » (nom latin de l'Aude).
2. Après son voyage en Orient, en venant d'Espagne.
3. Simon de Montfort.

« jeune fille ; les habitants de la ville, grands et petits,
« regardent tous le comte comme fleur de rosier. »

C'est de l'époque de Simon de Montfort que date la perte
de la langue d'*Oc :* « Simon, se voyant seigneur de tant de
« terres, les départit entre les gentilshommes, tant français
« qu'autres, *atque loci leges dedimus* »; disent les huit
archevêques et évêques signataires.

J'aurais bien voulu avoir le temps de m'enquérir à
Toulouse d'une de mes grandes admirations, de Cujas[1],
écrivant, couché à plat ventre, ses livres épandus autour de
lui. Je ne sais si l'on a conservé le souvenir de Suzanne, sa
fille, mariée deux fois. La constance n'amusait pas beaucoup Suzanne, elle en faisait peu de cas ; mais elle nourrit
l'un de ses maris des infidélités dont mourut l'autre. Cujas
fut protégé par la fille de François Ier, Pibrac[2] par la fille
de Henri II, deux Marguerites de ce sang des Valois, pur
sang des Muses. Pibrac est célèbre par ses quatrains
traduits en persan. (J'étais logé peut-être dans l'hôtel du
président son père.) « Ce bon monsieur de Pibrac », dit
Montaigne, « avoit un esprit si gentil, les opinions si saines,
les mœurs si douces ; son âme étoit si disproportionnée à
notre corruption et à nos tempêtes ! » Et Pibrac a fait
l'apologie de la Saint-Barthélemy.

Je courais sans pouvoir m'arrêter ; le sort me renvoyait à
1838 pour admirer en détail la cité de Raimond de Saint-
Gilles[3], et pour parler des nouvelles connaissances que j'y
ai faites ; M. de Lavergne[4], homme de talent, d'esprit et de
raison ; mademoiselle Honorine Gasc[5], Malibran future.
Celle-ci, en ma qualité nouvelle de serviteur de Clémence
Isaure[6], me rappelait ces vers que Chapelle et Bachau-

1. Jurisconsulte toulousain (1522-1590).
2. Auteur de *Quatrains moraux* (1529-1584).
3. Raimond IV, comte de Toulouse (1042-1105). Il s'est illustré dans la
première Croisade.
4. Léonce Guilhaud de Lavergne (1809-1880), historien et journaliste. Il
avait assisté aux lectures des *Mémoires* en 1834.
5. Cantatrice.
6. En avril 1821, Chateaubriand avait été élu « maître ès jeux » de
l'Académie des Jeux Floraux. C'est Victor Hugo, âgé de 19 ans mais déjà
« maître », qui lui avait remis les lettres par lesquelles son titre lui était
conféré.

554

mont [1] écrivaient dans l'île d'Ambijoux, près de Toulouse :

Hélas! que l'on serait heureux
Dans ce beau lieu digne d'envie,
Si, toujours aimé de Sylvie,
On pouvait, toujours amoureux,
Avec elle passer sa vie!

Puisse mademoiselle Honorine être en garde contre sa belle voix! Les talents sont *de l'or de Toulouse :* ils portent malheur [2].

Bordeaux était à peine débarrassé de ses échafauds et de ses lâches Girondins. Toutes les villes que je voyais avaient l'air de belles femmes relevées d'une violente maladie et qui commencent à peine à respirer. A Bordeaux, Louis XIV avait jadis fait abattre le palais *des Tutelles*.[3], afin de bâtir le Château-Trompette : Spon [4] et les amis de l'antiquité gémirent :

Pourquoi démolit-on ces colonnes des dieux,
Ouvrage des Césars, monument tutélaire?

On trouvait à peine quelques restes des Arènes. Si l'on donnait un témoignage de regret à tout ce qui tombe, il faudrait trop pleurer.

Je m'embarquai pour Blaye. Je vis ce château alors ignoré, auquel, en 1833, j'adressai ces paroles : «Captive de « Blaye [5]! je me désole de ne pouvoir rien pour vos présentes « destinées!» Je m'acheminai vers Rochefort, et je me rendis à Nantes, par la Vendée.

Ce pays portait, comme un vieux guerrier, les mutilations et les cicatrices de sa valeur. Des ossements blanchis par le temps et des ruines noircies par les flammes frappaient les

1. C'est en 1656 que Chapelle et Bachaumont, deux bons vivants, avaient fait un voyage en Languedoc et en Provence ; leur relation en prose et vers de ce voyage avait paru en 1663.
2. Selon une légende ancienne, «l'or de Toulouse» porte malheur (cf. IV, 303).
3. Temple romain consacré à la déesse protectrice Tutela ou Tutelina (une rue de Bordeaux s'appelle, en souvenir de ce temple, rue des Piliers de Tutelle).
4. Archéologue (1647-1685).
5. La duchesse de Berry.

regards. Lorsque les Vendéens étaient près d'attaquer l'ennemi, ils s'agenouillaient et recevaient la bénédiction d'un prêtre : la prière prononcée sous les armes n'était point réputée faiblesse, car le Vendéen qui élevait son épée vers le ciel, demandait la victoire et non la vie.

La diligence dans laquelle je me trouvais enterré était remplie de voyageurs qui racontaient les viols et les meurtres dont ils avaient glorifié leur vie dans les guerres vendéennes. Le cœur me palpita, lorsqu'ayant traversé la Loire à Nantes, j'entrai en Bretagne. Je passai le long des murs de ce collège de Rennes, qui vit les dernières années de mon enfance. Je ne pus rester que vingt-quatre heures auprès de ma femme et de mes sœurs, et je regagnai Paris.

Paris, 1838.

ANNÉES DE MA VIE, 1802 ET 1803. — M. DE LAHARPE : SA MORT.

J'ARRIVAI pour voir mourir un homme qui appartenait à ces noms supérieurs au second rang dans le dix-huitième siècle, et qui, formant une arrière-ligne solide dans la société, donnaient à cette société de l'ampleur et de la consistance.

J'avais connu M. de Laharpe [1] en 1789 : comme Flins, il s'était pris d'une belle passion pour ma sœur, madame la comtesse de Farcy. Il arrivait avec trois gros volumes de ses œuvres sous ses petits bras, tout étonné que sa gloire ne triomphât pas des cœurs les plus rebelles. Le verbe haut, la mine animée, il tonnait contre les abus, faisant faire une omelette chez les ministres où il ne trouvait pas le dîner bon, mangeant avec ses doigts, traînant dans les plats ses manchettes, disant des grossièretés philosophiques aux plus

1. Critique littéraire célèbre en son temps (1739-1803).

grands seigneurs qui raffolaient de ses insolences ; mais, somme toute, esprit droit, éclairé, impartial au milieu de ses passions, capable de sentir le talent, de l'admirer, de pleurer à de beaux vers ou à une belle action, et ayant un des ces fonds propres à porter le repentir. Il n'a pas manqué sa fin : je le vis mourir chrétien courageux, le goût agrandi par la religion, n'ayant conservé d'orgueil que contre l'impiété, et de haine que contre la *langue révolutionnaire*.

A mon retour de l'émigration, la religion avait rendu M. de Laharpe favorable à mes ouvrages : la maladie dont il était attaqué ne l'empêchait pas de travailler ; il me récitait des passages d'un poëme qu'il composait sur la Révolution ; on y remarquait quelques vers énergiques contre les crimes du temps et contre les *honnêtes gens* qui les avaient soufferts :

> *Mais s'ils ont tout osé, vous avez tout permis :*
> *Plus l'oppresseur est vil, plus l'esclave est infâme.*

Oubliant qu'il était malade, coiffé d'un bonnet blanc, vêtu d'un spencer ouaté, il déclamait à tue-tête ; puis, laissant échapper son cahier, il disait d'une voix qu'on entendait à peine : « Je n'en puis plus : je sens une griffe « de fer dans le côté. » Et si, malheureusement, une servante venait à passer, il reprenait sa voix de Stentor et mugissait : « Allez-vous-en ! Allez-vous-en ! Fermez la porte ! » Je lui disais un jour : « Vous vivrez pour l'avantage de la « religion. — Ah ! oui », me répondit-il, « ce serait bien à « Dieu ; mais il ne le veut pas, et je mourrai ces jours-ci. » Retombant dans son fauteuil et enfonçant son bonnet sur ses oreilles, il expiait son orgueil par sa résignation et son humilité.

Dans un dîner chez Migneret, je l'avais entendu parler de lui-même avec la plus grande modestie, déclarant qu'il n'avait rien fait de supérieur, mais qu'il croyait que l'art et la langue n'avaient point dégénéré entre ses mains.

M. de Laharpe quitta ce monde le 11 février 1803 : l'auteur des *Saisons* mourait presqu'en même temps au milieu de toutes les consolations de la philosophie, comme M. de Laharpe au milieu de toutes les consolations de la religion ; l'un visité des hommes, l'autre visité de Dieu.

M. de Laharpe fut enterré le 12 février 1803, au cimetière de la barrière de Vaugirard. Le cercueil ayant été déposé au bord de la fosse, sur le petit monceau de terre qui le devait bientôt recouvrir, M. de Fontanes prononça un discours. La scène était lugubre : les tourbillons de neige tombaient du ciel et blanchissaient le drap mortuaire que le vent soulevait, pour laisser passer les dernières paroles de l'amitié à l'oreille de la mort. Le cimetière a été détruit et M. de Laharpe exhumé : il n'existait presque plus rien de ses cendres chétives. Marié sous le Directoire, M. de Laharpe n'avait pas été heureux avec sa belle femme ; elle l'avait pris en horreur en le voyant, et ne voulut jamais lui accorder aucun droit.

Au reste, M. de Laharpe avait, ainsi que toute chose, diminué auprès de la Révolution qui grandissait toujours : les renommées se hâtaient de se retirer devant le représentant de cette Révolution, comme les périls perdaient leur puissance devant lui.

Paris, 1838.

ANNÉES DE MA VIE, 1802 ET 1803. — ENTREVUE AVEC BONAPARTE.

TANDIS QUE nous étions occupés du vivre et du mourir vulgaires, la marche gigantesque du monde s'accomplissait ;

l'Homme du temps prenait le haut bout dans la race humaine. Au milieu des remuements immenses, précurseurs du déplacement universel, j'étais débarqué à Calais pour concourir à l'action générale, dans la mesure assignée à chaque soldat. J'arrivai, la première année du siècle, au camp où Bonaparte battait le rappel des destinées : il devint bientôt premier consul à vie.

Après l'adoption du Concordat par le Corps législatif en 1802, Lucien, ministre de l'intérieur, donna une fête à son frère ; j'y fus invité, comme ayant rallié les forces chrétiennes et les ayant ramenées à la charge. J'étais dans la galerie, lorsque Napoléon entra : il me frappa agréablement ; je ne l'avais jamais aperçu que de loin. Son sourire était caressant et beau ; son œil admirable, surtout par la manière dont il était placé sous son front et encadré dans ses sourcils. Il n'avait encore aucune charlatanerie dans le regard, rien de théâtral et d'affecté. Le *Génie du Christianisme,* qui faisait en ce moment beaucoup de bruit, avait agi sur Napoléon. Une imagination prodigieuse animait ce politique si froid : il n'eût pas été ce qu'il était, si la muse n'eût été là ; la raison accomplissait les idées du poëte. Tous ces hommes à grande vie sont toujours un composé de deux natures, car il les faut capables d'inspiration et d'action : l'une enfante le projet, l'autre l'accomplit.

Bonaparte m'aperçut et me reconnut, j'ignore à quoi. Quand il se dirigea vers ma personne, on ne savait qui il cherchait ; les rangs s'ouvraient successivement ; chacun espérait que le Consul s'arrêterait à lui : il avait l'air d'éprouver une certaine impatience de ces méprises. Je m'enfonçais derrière mes voisins ; Bonaparte éleva tout à coup la voix et me dit : « Monsieur de Chateaubriand ! » Je restai seul alors en avant, car la foule se retira et bientôt se reforma en cercle autour des interlocuteurs. Bonaparte m'aborda avec simplicité : sans me faire de compliments, sans questions oiseuses, sans préambule, il me parla sur-le-champ de l'Egypte et des Arabes, comme si j'eusse été de son intimité et comme s'il n'eût fait que continuer une conversation déjà commencée entre nous. « J'étais toujours « frappé, me dit-il, quand je voyais les cheiks tomber à « genoux au milieu du désert, se tourner vers l'Orient et

« toucher le sable de leur front. Qu'était-ce que cette chose
« inconnue qu'ils adoraient vers l'Orient ? »

Bonaparte s'interrompit, et passant sans transition à une
autre idée : « Le christianisme ! Les idéologues n'ont-ils pas
« voulu en faire un système d'astronomie ? quand cela
« serait, croient-ils me persuader que le christianisme est
« petit ? Si le christianisme est l'allégorie du mouvement des
« sphères, la géométrie des astres, les esprits forts ont beau
« faire, malgré eux ils ont encore laissé assez de grandeur à
« l'*infâme.* »

Bonaparte incontinent s'éloigna. Comme à Job, dans ma
nuit, « un esprit est passé devant moi ; les poils de ma chair
« se sont hérissés ; il s'est tenu là : je ne connais point son
« visage et j'ai entendu sa voix comme un petit souffle ».

Mes jours n'ont été qu'une suite de visions ; l'enfer et le
ciel se sont continuellement ouverts sous mes pas ou sur ma
tête, sans que j'aie eu le temps de sonder leurs ténèbres ou
leurs lumières. J'ai rencontré une seule fois sur le rivage des
deux mondes l'homme du dernier siècle et l'homme du
nouveau, Washington et Napoléon. Je m'entretins un
moment avec l'un et l'autre ; tous deux me renvoyèrent à la
solitude, le premier par un souhait bienveillant, le second
par un crime.[1]

Je remarquai qu'en circulant dans la foule, Bonaparte me
jetait des regards plus profonds que ceux qu'il avait arrêtés
sur moi en me parlant. Je le suivais aussi des yeux :

> *Chi è quel grande, che non par che curi*
> *L'incendio ?*

« Quel est ce grand qui n'a cure de l'incen-
« die ? » *(Dante)* [2].

---

1. L'exécution du duc d'Enghien.
2. *Enfer* XIV, 46 *sq.*

560

Année de ma vie, 1803. — Je suis nommé premier secrétaire d'ambassade à Rome.

A LA suite de cette entrevue, Bonaparte pensa à moi pour Rome : il avait jugé d'un coup d'œil où et comment je lui pouvais être utile. Peu lui importait que je n'eusse pas été dans les affaires, que j'ignorasse jusqu'au premier mot de la diplomatie pratique ; il croyait que tel esprit sait toujours, et qu'il n'a pas besoin d'apprentissage. C'était un grand découvreur d'hommes ; mais il voulait qu'ils n'eussent de talent que pour lui, à condition encore qu'on parlât peu de ce talent ; jaloux de toute renommée, il la regardait comme une usurpation sur la sienne : il ne devait y avoir que Napoléon dans l'univers.

Fontanes et madame Bacciochi me parlèrent de la satisfaction que le Consul avait eue de *ma conversation :* je n'avais pas ouvert la bouche ; cela voulait dire que Bonaparte était content de lui. Ils me pressèrent de profiter de la fortune. L'idée d'être quelque chose ne m'était jamais venue ; je refusai net. Alors, on fit parler une autorité à laquelle il m'était difficile de résister.

L'abbé Emery[1], supérieur du séminaire de Saint-Sulpice, vint me conjurer, au nom du clergé, d'accepter, pour le bien de la religion, la place de premier secrétaire de l'ambassade que Bonaparte destinait à son oncle, le cardinal Fesch[2]. Il me faisait entendre que l'intelligence du cardinal n'étant pas très-remarquable, je me trouverais bientôt le maître des affaires. Un hasard singulier m'avait mis en rapport avec l'abbé Emery : j'avais passé aux Etats-Unis avec l'abbé Nagot et divers séminaristes, vous le savez. Ce souvenir de

1. Jacques-André Emery (1732-1811).
2. Joseph Fesch (1763-1839). Son père, officier suisse, avait épousé en secondes noces la mère de Letizia Bonaparte. Il n'était donc que le demi-frère de Letizia. Mêlé aux négociations du Concordat, il devint archevêque de Lyon, cardinal et ambassadeur à Rome en 1803.

mon obscurité, de ma jeunesse, de ma vie de voyageur, qui se réfléchissait dans ma vie publique, me prenait par l'imagination et le cœur. L'abbé Emery, estimé de Bonaparte, était fin par sa nature, par sa robe et par la Révolution ; mais cette triple finesse ne lui servait qu'au profit de son vrai mérite ; ambitieux seulement de faire le bien, il n'agissait que dans le cercle de la plus grande prospérité d'un séminaire. Circonspect dans ses actions et dans ses paroles, il eût été superflu de violenter l'abbé Emery, car il tenait toujours sa vie à votre disposition, en échange de sa volonté qu'il ne cédait jamais : sa force était de vous attendre, assis sur sa tombe.

Il échoua dans sa première tentative ; il revint à la charge, et sa patience me détermina. J'acceptai la place qu'il avait mission de me proposer, sans être le moins du monde convaincu de mon utilité au poste où l'on m'appelait : je ne vaux rien du tout en seconde ligne. J'aurais peut-être encore reculé, si l'idée de madame de Beaumont n'était venue mettre un terme à mes scrupules. La fille de M. de Montmorin se mourait ; le climat de l'Italie lui serait, disait-on, favorable ; moi allant à Rome, elle se résoudrait à passer les Alpes : je me sacrifiai à l'espoir de la sauver. Madame de Chateaubriand se prépara à me venir rejoindre ; M. Joubert parlait de l'accompagner, et madame de Beaumont partit pour le Mont-d'Or, afin d'achever ensuite sa guérison au bord du Tibre.

M. de Talleyrand occupait le ministère des relations extérieures ; il m'expédia ma nomination. Je dînai chez lui : il est demeuré tel dans mon esprit qu'il s'y plaça au premier moment. Au reste, ses belles façons faisaient contraste avec celles des marauds de son entourage ; ses roueries avaient une importance inconcevable : aux yeux d'un brutal guêpier, la corruption des mœurs semblait génie, la légèreté d'esprit profondeur. La Révolution était trop modeste ; elle n'appréciait pas assez sa supériorité : ce n'est pas même chose d'être au-dessus ou au-dessous des crimes.

Je vis les ecclésiastiques attachés au cardinal ; je distinguai le joyeux abbé de Bonnevie[1] : jadis aumônier à

---

1. Chateaubriand et lui ont échangé des lettres très amicales.

l'armée des Princes, il s'était trouvé à la retraite de Verdun ; il avait aussi été grand vicaire de l'évêque de Châlons, M. de Clermont-Tonnerre, qui s'embarqua derrière nous pour réclamer une pension du Saint-Siége, en qualité de *Chiaramonte*[1]. Mes préparatifs achevés, je me mis en route : je devais devancer à Rome l'oncle de Napoléon.

Paris, 1838.

Année de ma vie, 1803. — Voyage de Paris aux Alpes de Savoie.

A Lyon, je revis mon ami M. Ballanche. Je fus témoin de la Fête-Dieu renaissante : je croyais avoir quelque part à ces bouquets de fleurs, à cette joie du ciel que j'avais rappelée sur la terre[2].

Je continuai ma route ; un accueil cordial me suivait : mon nom se mêlait au rétablissement des autels. Le plaisir le plus vif que j'aie éprouvé, c'est de m'être senti honoré en France et chez l'étranger des marques d'un intérêt sérieux. Il m'est arrivé quelquefois, tandis que je me reposais dans une auberge de village, de voir entrer un père et une mère avec leur fils : ils m'amenaient, me disaient-ils, leur enfant pour me remercier. Etait-ce l'amour-propre qui me donnait alors ce plaisir dont je parle ? Qu'importait à ma vanité que d'obscurs et honnêtes gens me témoignassent leur satisfaction sur un grand chemin, dans un lieu où personne ne les entendait ? Ce qui me touchait, du moins j'ose le croire,

1. Le pape Pie VII s'appelait *Chiaramonte :* pour cette raison Monseigneur de Clermont se prétendait son cousin !
2. En aidant par le *Génie du Christianisme* au rétablissement des fêtes chrétiennes.

563

c'était d'avoir produit un peu de bien, consolé quelques affligés, fait renaître au fond des entrailles d'une mère l'espérance d'élever un fils chrétien, c'est à dire un fils soumis, respectueux, attaché à ses parents. Aurais-je goûté cette joie pure si j'eusse écrit un livre dont les mœurs et la religion auraient eu à gémir ?

La route est assez triste en sortant de Lyon : depuis La Tour-du-Pin jusqu'à Pont-de-Beauvoisin, elle est fraîche et bocagère.

A Chambéry, où l'âme chevaleresque de Bayard se montra si belle, un homme fut accueilli par une femme, et pour prix de l'hospitalité qu'il en reçut, il se crut philosophiquement obligé de la déshonorer [1]. Tel est le danger des lettres ; le désir de faire du bruit l'emporte sur les sentiments généreux : si Rousseau ne fût jamais devenu écrivain célèbre, il aurait enseveli dans les vallées de la Savoie les faiblesses de la femme qui l'avait nourri ; il se serait sacrifié aux défauts même de son amie ; il l'aurait soulagée dans ses vieux ans, au lieu de se contenter de lui donner une tabatière et de s'enfuir. Ah ! que la voix de l'amitié trahie ne s'élève jamais contre notre tombeau !

Après avoir passé Chambéry, se présente le cours de l'Isère. On rencontre partout dans les vallées des croix sur les chemins et des madones dans le tronc des pins. Les petites églises, environnées d'arbres, font un contraste touchant avec les grandes montagnes. Quand les tourbillons de l'hiver descendent de ces sommets chargés de glaces, le Savoyard se met à l'abri dans son temple champêtre et prie.

Les vallées où l'on entre au-dessus de Montmélian, sont bordées par des monts de diverses formes, tantôt demi-nus, tantôt habillés de forêts.

Aiguebelle semble clore les Alpes ; mais en tournant un rocher isolé, tombé dans le chemin, vous apercevez de nouvelles vallées attachées au cours de l'Arche [2].

Les monts des deux côtés se dressent ; leurs flancs deviennent perpendiculaires ; leurs sommets stériles commencent à

---

1. Allusion à Jean-Jacques Rousseau et au récit qu'il a fait dans les *Confessions* de ses amours avec Mme de Warens.

2. Ou de l'Arc.

présenter quelques glaciers : des torrents se précipitent et vont grossir l'Arche qui court follement. Au milieu de ce tumulte des eaux, on remarque une cascade légère qui tombe avec une grâce infinie sous un rideau de saules.

Ayant traversé Saint-Jean-de-Maurienne et arrivé vers le coucher du soleil à Saint-Michel, je ne trouvai pas de chevaux : obligé de m'arrêter, j'allai me promener hors du village. L'air devint transparent à la crête des monts ; leur dentelure se traçait avec une netteté extraordinaire, tandis qu'une grande nuit sortant de leur pied s'élevait vers leur cime. La voix du rossignol était en bas, le cri de l'aigle en haut ; l'alisier fleuri dans la vallée, la blanche neige sur la montagne. Un château, ouvrage des Carthaginois, selon la tradition populaire, se montrait sur le redan taillé à pic. Là, s'était incorporée au rocher la haine d'un homme[1], plus puissante que tous les obstacles. La vengeance de l'espèce humaine pesait sur un peuple libre, qui ne pouvait bâtir sa grandeur qu'avec l'esclavage et le sang du reste du monde.

Je partis à la pointe du jour et j'arrivai, vers les deux heures après midi, à Lans-le-Bourg, au pied du Mont Cenis. En entrant dans le village, je vis un paysan qui tenait un aiglon par les pieds ; une troupe impitoyable frappait le jeune roi, insultait à la faiblesse de l'âge et à la majesté tombée ; le père et la mère du noble orphelin avaient été tués : on me proposa de me le vendre ; il mourut des mauvais traitements qu'on lui avait fait subir avant que je le pusse délivrer. Je me souvenais alors du pauvre petit Louis XVII ; je pense aujourd'hui à Henri V : quelle rapidité de chute et de malheur !

Ici, l'on commence à gravir le Mont Cenis et on quitte la petite rivière d'Arche, qui vous conduit au pied de la montagne. De l'autre côté du Mont Cenis, la Doire vous ouvre l'entrée de l'Italie. Les fleuves sont non-seulement des *grands chemins qui marchent,* comme les appelle Pascal, mais ils tracent encore le chemin aux hommes.

Quand je me vis pour la première fois au sommet des Alpes, une étrange émotion me saisit ; j'étais comme cette alouette qui traversait, en même temps que moi, le plateau

1. Hannibal (allusion à sa haine contre Rome).

glacé, et qui, après avoir chanté sa petite chanson de la plaine, s'abattait parmi des neiges, au lieu de descendre sur des moissons. Les stances que m'inspirèrent ces montagnes en 1822, retracent assez bien les sentiments qui m'agitaient aux mêmes lieux en 1803 :

> *Alpes, vous n'avez point subi mes destinées!*
> *Le temps ne vous peut rien;*
> *Vos fronts légèrement ont porté les années*
> *Qui pèsent sur le mien.*

> *Pour la première fois, quand, rempli d'espérance,*
> *Je franchis vos remparts,*
> *Ainsi que l'horizon, un avenir immense*
> *S'ouvrait à mes regards.*

> *L'Italie à mes pieds, et devant moi le monde!*

Ce monde, y ai-je réellement pénétré? Christophe Colomb eut une apparition qui lui montra la terre de ses songes, avant qu'il l'eût découverte; Vasco de Gama rencontra sur son chemin le géant des tempêtes : lequel de ces deux grands hommes m'a prédit mon avenir? Ce que j'aurais aimé avant tout, eût été une vie glorieuse par un résultat éclatant, et obscure par sa destinée. Savez-vous quelles sont les premières cendres européennes qui reposent en Amérique? Ce sont celles de Biorn le Scandinave : il mourut, en abordant à Vinland, et fut enterré par ses compagnons sur un promontoire. Qui sait cela? Qui connaît celui dont la voile devança le vaisseau du pilote génois[1] au Nouveau-Monde? Biorn dort sur la pointe d'un cap ignoré, et depuis mille ans son nom ne nous est transmis que par les sagas des poëtes, dans une langue que l'on ne parle plus.

---

1. Christophe Colomb.

Du Mont Cenis à Rome. — Milan et Rome.

J'AVAIS commencé mes courses dans le sens contraire des autres voyageurs : les vieilles forêts de l'Amérique s'étaient offertes à moi avant les vieilles citées de l'Europe. Je tombais au milieu de celles-ci au moment où elles se rajeunissaient et mouraient à la fois dans une révolution nouvelle. Milan était occupé par nos troupes ; on achevait d'abattre le château, témoin des guerres du moyen âge.

L'armée française s'établissait, comme une colonie militaire, dans les plaines de la Lombardie. Gardés çà et là par leurs camarades en sentinelle, ces étrangers de la Gaule, coiffés d'un bonnet de police, portant un sabre en guise de faucille par-dessus leur veste ronde, avaient l'air de moissonneurs empressés et joyeux. Ils remuaient des pierres, roulaient des canons, conduisaient des chariots, élevaient des hangars et des huttes de feuillage. Des chevaux sautaient, caracolaient, se cabraient dans la foule, comme des chiens qui caressent leurs maîtres. Des Italiennes vendaient des fruits sur leurs éventaires au marché de cette foire armée : nos soldats leur faisaient présent de leurs pipes et de leurs briquets, en leur disant comme les anciens Barbares, leurs pères, à leurs bien-aimées : « Moi, Fotrad, « fils d'Eupert, de la race des Franks, je te donne à toi, « Helgine, mon épouse chérie, en honneur de ta beauté *(in « honore pulchritudinis tuæ)*, mon habitation dans le quar- « tier des Pins[1]. »

Nous sommes de singuliers ennemis : on nous trouve d'abord un peu insolents, un peu trop gais, trop remuants ;

---

1. Extrait d'une « constitution de dot » du VIIIe siècle.

nous n'avons pas plus tôt tourné les talons qu'on nous regrette. Vif, spirituel, intelligent, le soldat français se mêle aux occupations de l'habitant chez lequel il est logé ; il tire de l'eau au puits, comme Moïse pour les filles de Madian, chasse les pasteurs, mène les agneaux au lavoir, fend le bois, fait le feu, veille à la marmite, porte l'enfant dans ses bras ou l'endort dans son berceau. Sa bonne humeur et son activité communiquent la vie à tout ; on s'accoutume à le regarder comme un conscrit de la famille. Le tambour bat-il ? Le garnisaire court à son mousquet, laisse les filles de son hôte pleurant sur la porte, et quitte la chaumière, à laquelle il ne pensera plus avant qu'il soit entré aux Invalides.

A mon passage à Milan, un grand peuple réveillé ouvrait un moment les yeux. L'Italie sortait de son sommeil, et se souvenait de son génie comme d'un rêve divin : utile à notre pays renaissant, elle apportait dans la mesquinerie de notre pauvreté la grandeur de la nature transalpine, nourrie qu'elle était, cette Ausonie, aux chefs-d'œuvre des arts et dans les hautes réminiscences d'une patrie fameuse. L'Autriche est venue ; elle a remis son manteau de plomb sur les Italiens ; elle les a forcés à regagner leur cercueil. Rome est rentrée dans ses ruines, Venise dans sa mer. Venise s'est affaissée en embellissant le ciel de son dernier sourire ; elle s'est couchée charmante dans ses flots, comme un astre qui ne doit plus se lever.

Le général Murat commandait à Milan. J'avais pour lui une lettre de madame Bacciochi. Je passai la journée avec les aides-de-camp : ils n'étaient pas aussi pauvres que mes camarades devant Thionville. La politesse française reparaissait sous les armes ; elle tenait à prouver qu'elle était toujours du temps de Lautrec [1].

Je dînai en grand gala, le 23 juin, chez M. de Melzi, à l'occasion du baptême d'un fils du général Murat. M. de Melzi avait connu mon frère ; les manières du vice-président de la République cisalpine étaient belles ; sa maison ressemblait à celle d'un prince qui l'aurait toujours été : il me

1. Odet de Lautrec : maréchal de France sous Louis XII et François Ier.

traita poliment et froidement ; il me trouva tout juste dans des dispositions pareilles aux siennes.

J'arrivai à ma destination le 27 juin au soir, avant-veille de la Saint-Pierre : le prince des Apôtres m'attendait, comme mon indigent patron me reçut depuis à Jérusalem [1]. J'avais suivi la route de Florence, de Sienne et de Radicofani. Je m'empressai d'aller rendre ma visite à M. Cacault, auquel le cardinal Fesch succédait, tandis que je remplaçais M. Artaud.[2]

Le 28 juin, je courus tout le jour : je jetai un premier regard sur le Colysée, le Panthéon, la colonne Trajane et le château Saint-Ange. Le soir, M. Artaud me mena à un bal dans une maison aux environs de la place Saint-Pierre. On apercevait la girandole de feu de la coupole de Michel-Ange, entre les tourbillons des valses qui roulaient devant les fenêtres ouvertes ; les fusées du feu d'artifice du môle d'Adrien s'épanouissaient à Saint-Onuphre, sur le tombeau du Tasse : le silence, l'abandon et la nuit étaient dans la campagne romaine.

Le lendemain, j'assistai à l'office de la Saint-Pierre. Pie VII, pâle, triste et religieux, était le vrai pontife des tribulations. Deux jours après, je fus présenté à Sa Sainteté : elle me fit asseoir auprès d'elle. Un volume du *Génie du Christianisme* était obligeamment ouvert sur sa table. Le cardinal Consalvi [3], souple et ferme, d'une résistance douce et polie, était l'ancienne politique romaine vivante, moins la foi du temps et plus la tolérance du siècle.

En parcourant le Vatican, je m'arrêtai à contempler ces escaliers où l'on peut monter à dos de mulet, ces galeries ascendantes repliées les unes sur les autres, ornées de chefs-d'œuvre, le long desquelles les papes d'autrefois passaient avec toute leur pompe, ces Loges que tant d'artistes immortels ont décorées, tant d'hommes illustres admirées,

1. Chateaubriand arrivera à Jérusalem un 4 octobre jour de la fête de Saint-François.

2. Artaud de Montor (1772-1849). Les lettres que Chateaubriand lui a écrites sont cordiales. Il n'en est pas moins sûr que Cacault, remplacé par Fesch comme ambassadeur, et Artaud, sitôt rentrés à Paris, desservirent Chateaubriand dans les bureaux.

3. Secrétaire d'État de Pie VII.

Pétrarque, Tasse, Arioste, Montaigne, Milton, Montesquieu, et puis des reines et des rois, ou puissants ou tombés, enfin un peuple de pèlerins venu des quatre parties de la terre : tout cela maintenant immobile et silencieux ; théâtre dont les gradins abandonnés, ouverts devant la solitude, sont à peine visités par un rayon de soleil.

On m'avait recommandé de me promener au clair de la lune : du haut de la Trinité-du-Mont, les édifices lointains paraissaient comme les ébauches d'un peintre ou comme des côtes effumées[1] vues de la mer, du bord d'un vaisseau. L'astre de la nuit, ce globe que l'on suppose un monde fini, promenait ses pâles déserts au-dessus des déserts de Rome ; il éclairait des rues sans habitants, des enclos, des places, des jardins où ne passait personne, des monastères où l'on n'entend plus la voix des cénobites, des cloîtres aussi muets et aussi dépeuplés que les portiques du Colysée.

Qu'arriva-t-il, il y a dix-huit siècles, à pareille heure et aux mêmes lieux ? Quels hommes ont ici traversé l'ombre de ces obélisques, après que cette ombre eut cessé de tomber sur les sables d'Egypte ? Non-seulement l'ancienne Italie n'est plus, mais l'Italie du moyen âge a disparu. Toutefois, la trace de ces deux Italies est encore marquée dans la Ville éternelle : si la Rome moderne montre son Saint-Pierre et ses chefs-d'œuvre, la Rome ancienne lui oppose son Panthéon et ses débris ; si l'une fait descendre du Capitole ses consuls, l'autre amène du Vatican ses pontifes. Le Tibre sépare les deux gloires : assises dans la même poussière, Rome païenne s'enfonce de plus en plus dans ses tombeaux, et Rome chrétienne redescend peu à peu dans ses catacombes.

1. Aux teintes adoucies (terme technique).

LE cardinal Fesch avait loué, assez près du Tibre, le palais Lancelotti : j'y ai vu depuis, en 1827, la princesse Lancelotti. On me donna le plus haut étage du palais : en y rentrant, une si grande quantité de puces me sautèrent aux jambes, que mon pantalon blanc en était tout noir. L'abbé de Bonnevie et moi, nous fîmes, le mieux que nous pûmes, laver notre demeure. Je me croyais retourné à mes chenils de New-Road : ce souvenir de ma pauvreté ne me déplaisait pas. Etabli dans ce cabinet diplomatique, je commençai à délivrer des passeports et à m'occuper de fonctions aussi importantes. Mon écriture était un obstacle à mes talents, et le cardinal Fesch haussait les épaules quand il apercevait ma signature. N'ayant presque rien à faire dans ma chambre aérienne, je regardais par-dessus les toits, dans une maison voisine, des blanchisseuses qui me faisaient des signes ; une cantatrice future, instruisant sa voix, me poursuivait de son solfège éternel ; heureux quand il passait quelque enterrement pour me désennuyer ! Du haut de ma fenêtre, je vis dans l'abîme de la rue le convoi d'une jeune mère : on la portait, le visage découvert, entre deux rangs de pèlerins blancs ; son nouveau-né, mort aussi et couronné de fleurs, était couché à ses pieds.

Il m'échappa une grande faute : ne doutant de rien, je crus devoir rendre visite aux personnes notables ; j'allai, sans façon, offrir l'hommage de mon respect au roi abdicataire de Sardaigne[1]. Un horrible cancan sortit de cette démarche insolite ; tous les diplomates se boutonnèrent. « Il est perdu ! il est perdu ! » répétaient les caudataires et les attachés, avec la joie que l'on éprouve charitablement aux

1. Victor-Emmanuel Ier. La demeure de ce roi sans royaume était le quartier général des émigrés français hostiles à Bonaparte.

mésaventures d'un homme, quel qu'il soit. Pas une buse diplomatique qui ne se crût supérieure à moi de toute la hauteur de sa bêtise. On espérait bien que j'allais tomber, quoique je ne fusse rien et que je ne comptasse pour rien : n'importe, c'était quelqu'un qui tombait, cela fait toujours plaisir. Dans ma simplicité, je ne me doutais pas de mon crime, et, comme depuis, je n'aurais pas donné d'une place quelconque un fétu. Les rois, auxquels on croyait que j'attachais une importance si grande, n'avaient à mes yeux que celle du malheur. On écrivit de Rome à Paris mes effroyables sottises : heureusement, j'avais affaire à Bonaparte ; ce qui devait me noyer me sauva.

Toutefois, si de prime-abord et de plein saut devenir premier secrétaire d'ambassade sous un prince de l'Eglise, oncle de Napoléon, paraissait être quelque chose, c'était néanmoins comme si j'eusse été expéditionnaire dans une préfecture. Dans les démêlés qui se préparaient, j'aurais pu trouver à m'occuper, mais on ne m'initiait à aucun mystère. Je me pliais parfaitement au contentieux de chancellerie ; mais à quoi bon perdre mon temps dans des détails à la portée de tous les commis ?

Après mes longues promenades et mes fréquentations du Tibre, je ne rencontrais en rentrant, pour m'occuper, que les parcimonieuses tracasseries du cardinal, les rodomontades gentilhommières de l'évêque de Châlons,[1], et les incroyables menteries du futur évêque de Maroc. L'abbé Guillon [2], profitant d'une ressemblance de noms qui sonnaient à l'oreille de la même manière que le sien, prétendait, après s'être échappé miraculeusement du massacre des Carmes, avoir donné l'absolution à madame de Lamballe, à la Force. Il se vantait d'être l'auteur du discours de Robespierre à l'Etre-Suprême. Je pariai, un jour, lui faire dire qu'il était allé en Russie : il n'en convint pas tout à fait, mais il avoua avec modestie qu'il avait passé quelques mois à Saint-Pétersbourg.

---

1. Mgr de Clermont-Tonnerre (1749-1830). Prélat intransigeant, il devint sous la Restauration archevêque de Toulouse et cardinal.
2. Secrétaire de Fesch à Rome. Il deviendra en 1833 évêque *in partibus* au Maroc.

M. de la Maisonfort [1], homme d'esprit qui se cachait, eut recours à moi, et bientôt M. Bertin l'aîné, propriétaire des *Débats*, m'assista de son amitié dans une circonstance douloureuse. Exilé à l'île d'Elbe, par l'homme qui, revenant à son tour de l'île d'Elbe, le poussa à Gand, M. Bertin avait obtenu, en 1803, du républicain M. Briot que j'ai connu, la permission d'achever son ban en Italie. C'est avec lui que je visitai les ruines de Rome et que je vis mourir madame de Beaumont ; deux choses qui ont lié sa vie à la mienne. Critique plein de goût, il m'a donné, ainsi que son frère, d'excellents conseils pour mes ouvrages. Il eût montré un vrai talent de parole, s'il avait été appelé à la tribune. Longtemps légitimiste, ayant subi l'épreuve de la prison au Temple, et celle de la déportation à l'île d'Elbe, ses principes sont, au fond, demeurés les mêmes. Je resterai fidèle au compagnon de mes mauvais jours ; toutes les opinions politiques de la terre seraient trop payées par le sacrifice d'une heure d'une sincère amitié [2] : il suffit que je reste invariable dans mes opinions, comme je reste attaché à mes souvenirs.

Vers le milieu de mon séjour à Rome, la princesse Borghèse [3] arriva : j'étais chargé de lui remettre des souliers de Paris. Je lui fus présenté ; elle fit sa toilette devant moi : la jeune et jolie chaussure qu'elle mit à ses pieds, ne devait fouler qu'un instant cette vieille terre.

Un malheur me vint enfin occuper : c'est une ressource sur laquelle on peut toujours compter.

1. Agent royaliste des plus actifs, le marquis de la Maisonfort « se cache » après s'être évadé de l'île d'Elbe. Quand il sera ministre plénipotentiaire à Florence sous la Restauration, il aura en 1825 Lamartine pour secrétaire de légation.
2. Après 1830, Bertin dans les *Débats* soutint le gouvernement de Louis-Philippe.
3. La plus jolie des sœurs de Napoléon. Elle mourut à 45 ans en 1825.

Revu le 22 février 1845.

Année de ma vie, 1803. — Manuscrit de madame de Beaumont. — Lettres de madame de Caud.

Quand je partis de France, nous étions bien aveuglés sur madame de Beaumont : elle pleura beaucoup, et son testament a prouvé qu'elle se croyait condamnée. Cependant ses amis, sans se communiquer leur crainte, cherchaient à se rassurer ; ils croyaient aux miracles des eaux, achevés ensuite par le soleil de l'Italie ; ils se quittèrent et prirent des routes diverses : le rendez-vous était Rome.

Des fragments écrits à *Paris,* au *Mont-d'Or,* à *Rome,* par madame de Beaumont, et trouvés dans ses papiers, montrent quel était l'état de son âme.

Paris.

« Depuis plusieurs années, ma santé dépérit d'une manière
« sensible. Des symptômes que je croyais le signal du départ,
« sont survenus sans que je sois encore prête à partir. Les illu-
« sions redoublent avec les progrès de la maladie. J'ai vu beau-
« coup d'exemples de cette singulière faiblesse, et je m'aper-
« çois qu'ils ne me serviront de rien. Déjà je me laisse aller à
« faire des remèdes aussi ennuyeux qu'insignifiants, et, sans
« doute, je n'aurai pas plus de force pour me garantir des
« remèdes cruels dont on ne manque pas de martyriser ceux
« qui doivent mourir de la poitrine. Comme les autres, je me
« livrerai à l'espérance ; à l'espérance ! puis-je donc désirer de
« vivre ? Ma vie passée a été une suite de malheurs, ma vie
« actuelle est pleine d'agitations et de troubles ; le repos de
« l'âme m'a fui pour jamais. Ma mort serait un chagrin
« momentané pour quelques-uns, un bien pour d'autres, et
« pour moi le plus grand des biens. »

«Ce 21 floréal, 10 mai, anniversaire de la mort de ma
« mère et de mon frère :

Je péris la dernière et la plus misérable [1] *!*

«Oh! pourquoi n'ai-je pas le courage de mourir?
« Cette maladie, que j'avais presque la faiblesse de crain-
« dre, s'est arrêtée, et peut-être suis-je condamnée à vivre
« longtemps : il me semble cependant que je mourrais avec
« joie :

Mes jours ne valent pas qu'il m'en coûte un soupir.

«Personne n'a plus que moi à se plaindre de la
« nature : en me refusant tout, elle m'a donné le sentiment
« de tout ce qui me manque. Il n'y a pas d'instant où je ne
« sente le poids de la complète médiocrité à laquelle je suis
« condamnée. Je sais que le contentement de soi et le
« bonheur sont souvent le prix de cette médiocrité dont je
« me plains amèrement ; mais en n'y joignant pas le don des
« illusions, la nature en a fait pour moi un supplice. Je
« ressemble à un être déchu qui ne peut oublier ce qu'il a
« perdu, qui n'a pas la force de le regagner. Ce défaut
« absolu d'illusion, et par conséquent d'entraînement, fait
« mon malheur de mille manières. Je me juge comme un
« indifférent pourrait me juger et je vois mes amis tels
« qu'ils sont. Je n'ai de prix que par une extrême bonté qui
« n'a assez d'activité, ni pour être appréciée, ni pour être
« véritablement utile, et dont l'impatience de mon caractère
« m'ôte tout le charme : elle me fait plus souffrir des maux
« d'autrui qu'elle ne me donne des moyens de les réparer.
« Cependant, je lui dois le peu de véritables jouissances que
« j'ai eues dans ma vie : je lui dois surtout de ne pas
« connaître l'envie, apanage si ordinaire de la médiocrité
« sentie. »

Mont-d'Or.

«J'avais le projet d'entrer sur moi dans quelques
« détails ; mais l'ennui me fait tomber la plume des
« mains.

1. Racine. *Phèdre* I, **III**.

« Tout ce que ma position a d'amer et de pénible se
« changerait en bonheur, si j'étais sûre de cesser de vivre
« dans quelques mois.

« Quand j'aurais la force de mettre moi-même à mes
« chagrins le seul terme qu'ils puissent avoir, je ne l'em-
« ploierais pas : ce serait aller contre mon but, donner la
« mesure de mes souffrances et laisser une blessure trop
« douloureuse dans l'âme que j'ai jugée digne de m'appuyer
« dans mes maux.

« Je me *supplie en pleurant* de prendre un parti aussi
« rigoureux qu'indispensable. Charlotte Corday prétend
« qu'*il n'y a point de dévouement dont on ne retire plus de
« jouissance qu'il n'en a coûté de peine à s'y décider;* mais
« elle allait mourir, et je puis vivre encore longtemps. Que
« deviendrai-je? Où me cacher? Quel tombeau choisir?
« Comment empêcher l'espérance d'y pénétrer? Quelle
« puissance en murera la porte?

« M'éloigner en silence, me laisser oublier, m'ensevelir
« pour jamais, tel est le devoir qui m'est imposé et que
« j'espère avoir le courage d'accomplir. Si le calice est trop
« amer, une fois oubliée rien ne me forcera de l'épuiser en
« entier, et peut-être que tout simplement ma vie ne sera
« pas aussi longue que je le crains.

« Si j'avais déterminé le lieu de ma retraite, il me semble
« que je serais plus calme ; mais la difficulté du moment
« ajoute aux difficultés qui naissent de ma faiblesse, et il
« faut quelque chose de surnaturel pour agir contre soi avec
« force, pour se traiter avec autant de rigueur que le
« pourrait faire un ennemi violent et cruel.»

Rome, ce 28 octobre.

« Depuis dix mois, je n'ai pas cessé de souffrir ;
« depuis six, tous les symptômes du mal de poitrine et
« quelques-uns au dernier degré : il ne me manque plus
« que les illusions, et peut-être en ai-je ! »

M. Joubert, effrayé de cette envie de mourir qui tourmentait madame de Beaumont, lui adressait ces paroles dans ses
Pensées : « Aimez et respectez la vie, sinon pour elle, au

« moins pour vos amis. En quelque état que soit la vôtre,
« j'aimerai toujours mieux vous savoir occupée à la filer
« qu'à la découdre. »

Ma sœur, dans ce moment, écrivait à madame de Beaumont. Je possède cette correspondance, que la mort m'a rendue. L'antique poésie représente je ne sais quelle Néréide, comme une fleur flottant sur l'abîme : Lucile était cette fleur. En rapprochant ses lettres des fragments cités plus haut, on est frappé de cette ressemblance de tristesse d'âme, exprimée dans le langage différent de ces anges infortunés. Quand je songe que j'ai vécu dans la société de telles intelligences, je m'étonne de valoir si peu. Ces pages de deux femmes supérieures, disparues de la terre à peu de distance l'une de l'autre, ne tombent pas sous mes yeux, qu'elles ne m'affligent amèrement :

A Lascardais [1], ce 30 juillet.

« J'ai été si charmée, madame, de recevoir enfin une
« lettre de vous, que je ne me suis pas donné le temps de
« prendre le plaisir de la lire de suite tout entière : j'en ai
« interrompu la lecture pour aller apprendre à tous les
« habitants de ce château que je venais de recevoir de vos
« nouvelles, sans réfléchir qu'ici ma joie n'importe guère, et
« que même presque personne ne savait que j'étais en
« correspondance avec vous. Me voyant environnée de visa-
« ges froids, je suis remontée dans ma chambre, prenant
« mon parti d'être seule joyeuse. Je me suis mise à achever
« de lire votre lettre, et, quoique je l'ai relue plusieurs fois,
« à vous dire vrai, madame, je ne sais pas tout ce qu'elle
« contient. La joie que je ressens toujours en voyant cette
« lettre si désirée, nuit à l'attention que je lui dois.

« Vous partez donc, madame ? N'allez pas, rendue au
« Mont-d'Or, oublier votre santé ; donnez-lui tous vos soins,
« je vous en supplie du meilleur et du plus tendre de mon
« cœur. Mon frère m'a mandé qu'il espérait vous voir en
« Italie. Le destin, comme la nature, se plaît à le distinguer
« de moi d'une manière bien favorable. Au moins, je ne

1. Domaine de la deuxième des sœurs de Chateaubriand, près de Fougères.

« céderai pas à mon frère le bonheur de vous aimer : je le
« partagerai avec lui toute la vie. Mon Dieu, madame, que
« j'ai le cœur serré et abattu ! Vous ne savez pas combien
« vos lettres me sont salutaires, comme elles m'inspirent du
« dédain pour mes maux ! L'idée que je vous occupe, que je
« vous intéresse, m'élève singulièrement le courage. Ecri-
« vez-moi donc, madame, afin que je puisse conserver une
« idée qui m'est si nécessaire.

« Je n'ai point encore vu M. Chênedollé ; je désire
« beaucoup son arrivée. Je pourrai lui parler de vous et de
« M. Joubert ; ce sera pour moi un bien grand plaisir.
« Souffrez, madame, que je vous recommande encore votre
« santé, dont le mauvais état m'afflige et m'occupe sans
« cesse. Comment ne vous aimez-vous pas ? Vous êtes si
« aimable et si chère à tous : ayez donc la justice de faire
« beaucoup pour vous.

« LUCILE. »

Ce 2 septembre.

« Ce que vous me mandez, madame, de votre santé,
« m'alarme et m'attriste ; cependant, je me rassure en
« pensant à votre jeunesse, en songeant que, quoique vous
« soyez fort délicate, vous êtes pleine de vie.
« Je suis désolée que vous soyez dans un pays qui vous
« déplaît[1]. Je voudrais vous voir environnée d'objets pro-
« pres à vous distraire et à vous ranimer. J'espère qu'avec le
« retour de votre santé, vous vous réconcilierez avec l'Auver-
« gne : il n'est guère de lieu qui ne puisse offrir quelque
« beauté à des yeux tels que les vôtres. J'habite maintenant
« Rennes : je me trouve assez bien de mon isolement. Je
« change, comme vous voyez, madame, souvent de de-
« meure ; j'ai bien la mine d'être déplacée sur la terre :
« effectivement, ce n'est pas d'aujourd'hui que je me
« regarde comme une de ses productions superflues. Je
« crois, madame, vous avoir parlé de mes chagrins et de mes
« agitations. A présent, il n'est plus question de tout cela, je

1. Pauline de Beaumont se sentait comme écrasée par les montagnes
d'Auvergne.

578

« jouis d'une paix intérieure qu'il n'est plus au pouvoir de
« personne de m'enlever. Quoique parvenue à mon âge,
« ayant, par circonstance et par goût, mené presque tou-
« jours une vie solitaire, je ne connaissais, madame, nulle-
« ment le monde : j'ai fait enfin cette maussade connais-
« sance. Heureusement, la réflexion est venue à mon
« secours. Je me suis demandé qu'avait donc ce monde de si
« formidable et où résidait sa valeur, lui qui ne peut jamais
« être, dans le mal comme dans le bien, qu'un objet de
« pitié ? N'est-il pas vrai, madame, que le jugement de
« l'homme est aussi borné que le reste de son être, aussi
« mobile et d'une incrédulité égale à son ignorance ? Toutes
« ces bonnes ou mauvaises raisons m'ont fait jeter avec
« aisance, derrière moi, la robe bizarre dont je m'étais
« revêtue : je me suis trouvée pleine de sincérité et de
« force ; on ne peut plus me troubler. Je travaille de tout
« mon pouvoir à ressaisir ma vie, à la mettre toute entière
« sous ma dépendance.

« Croyez aussi, madame, que je ne suis point trop à
« plaindre, puisque mon frère, la meilleure partie de moi-
« même, est dans une situation agréable, qu'il me reste des
« yeux pour admirer les merveilles de la nature, Dieu pour
« appui, et pour asile un cœur plein de paix et de doux
« souvenirs. Si vous avez la bonté, madame, de continuer à
« m'écrire, cela me sera un grand surcroît de bonheur. »

Le mystère du style, mystère sensible partout, présent
nulle part ; la révélation d'une nature douloureusement
privilégiée ; l'ingénuité d'une fille qu'on croirait être dans sa
première jeunesse, et l'humble simplicité d'un génie qui
s'ignore, respirent dans ces lettres, dont je supprime un
grand nombre. Madame de Sévigné écrivait-elle à madame
de Grignan avec une affection plus reconnaissante que
madame de Caud à madame de Beaumont ? *Sa tendresse
pouvait se mêler de marcher côte à côte avec la sienne.*
Ma sœur aimait mon amie avec toute la passion du tombeau, car elle sentait qu'elle allait mourir. Lucile n'avait
presque point cessé d'habiter près des Rochers ; mais
elle était la fille de son siècle et la Sévigné de
la solitude.

ARRIVÉE DE MADAME DE BEAUMONT À ROME.— LETTRES DE MA SŒUR.

UNE lettre de M. Ballanche, datée du 30 fructidor, m'annonça l'arrivée de madame de Beaumont, venue du Mont-d'Or à Lyon et se rendant en Italie. Il me mandait que le malheur que je redoutais n'était point à craindre, et que la santé de la malade paraissait s'améliorer. Madame de Beaumont, parvenue à Milan, y rencontra M. Bertin que des affaires y avaient appelé : il eut la complaisance de se charger de la pauvre voyageuse, et il la conduisit à Florence où j'étais allé l'attendre. Je fus terrifié à sa vue ; elle n'avait plus que la force de sourire. Après quelques jours de repos, nous nous mîmes en route pour Rome, cheminant au pas pour éviter les cahots. Madame de Beaumont recevait partout des soins empressés : un attrait vous intéressait à cette aimable femme, si délaissée et si souffrante. Dans les auberges, les servantes même se laissaient prendre à cette douce commisération.

Ce que je sentais peut se deviner : on a conduit des amis à la tombe, mais ils étaient muets et un reste d'espérance inexplicable ne venait pas rendre votre douleur plus poignante. Je ne voyais plus le beau pays que nous traversions ; j'avais pris le chemin de Pérouse : que m'importait l'Italie ? J'en trouvais encore le climat trop rude, et si le vent soufflait un peu, les brises me semblaient des tempêtes.

A Terni, madame de Beaumont parla d'aller voir la cascade ; ayant fait un effort pour s'appuyer sur mon bras, elle se rassit et me dit : « Il faut laisser tomber les flots. » J'avais loué pour elle à Rome une maison solitaire près de la place d'Espagne, sous le mont Pincio ; il y avait un petit jardin avec des orangers en espalier et une cour plantée d'un figuier. J'y déposai la mourante. J'avais eu beaucoup de peine à me procurer cette retraite, car il y a un préjugé à Rome contre les maladies de poitrine regardées comme contagieuses.

A cette époque de la renaissance de l'ordre social, on recherchait ce qui avait appartenu à l'ancienne monarchie : le Pape envoya savoir des nouvelles de la fille de M. de Montmorin ; le cardinal Consalvi et les membres du sacré collège imitèrent Sa Sainteté ; le cardinal Fesch lui-même donna à madame de Beaumont jusqu'à sa mort des marques de déférence et de respect que je n'aurais pas attendues de lui, et qui m'ont fait oublier les misérables divisions des premiers temps de mon séjour à Rome. J'avais écrit à M. Joubert les inquiétudes dont j'étais tourmenté avant l'arrivée de madame de Beaumont : « Notre amie m'écrit du « Mont-d'Or, lui disais-je, des lettres qui me brisent « l'âme : elle dit qu'elle *sent qu'il n'y a plus d'huile dans la* « *lampe;* elle parle des *derniers battements de son cœur.* « Pourquoi l'a-t-on laissée seule dans ce voyage ? pourquoi « ne lui avez-vous point écrit ? Que deviendrons-nous si « nous la perdons ? qui nous consolera d'elle ? Nous ne « sentons le prix de nos amis qu'au moment où nous « sommes menacés de les perdre. Nous sommes même assez « insensés quand tout va bien, pour croire que nous pou- « vons impunément nous éloigner d'eux : le ciel nous en « punit ; il nous les enlève et nous sommes épouvantés de la « solitude qu'ils laissent autour de nous. Pardonnez, mon « cher Joubert ; je me sens aujourd'hui mon cœur de « vingt ans ; cette Italie m'a rajeuni ; j'aime tout ce qui « m'est cher avec la même force que dans mes premières « années. Le chagrin est mon élément : je ne me retrouve « que quand je suis malheureux. Mes amis sont à présent « d'une espèce si rare, que la seule crainte de me les voir « ravir glace mon sang. Souffrez mes lamentations : je suis « sûr que vous êtes aussi malheureux que moi. Ecrivez-moi, « écrivez aussi à cette autre infortunée de Bretagne 1 . »

Madame de Beaumont se trouva d'abord un peu soulagée.

1. A Lucile.

La malade elle-même recommença à croire à sa vie. J'avais la satisfaction de penser que, du moins, madame de Beaumont ne me quitterait plus : je comptais la conduire à Naples au printemps, et de là, envoyer ma démission au ministre des affaires étrangères. M. d'Agincourt [1], ce véritable philosophe, vint voir le léger oiseau de passage, qui s'était arrêté à Rome avant de se rendre à la terre inconnue ; M. Boguet [2], déjà le doyen de nos peintres, se présenta. Ces renforts d'espérances soutinrent la malade et la bercèrent d'une illusion qu'au fond de l'âme elle n'avait plus. Des lettres cruelles à lire m'arrivaient de tous côtés, m'exprimant des craintes et des espérances. Le 4 d'octobre, Lucile m'écrivait de Rennes :

« J'avais commencé l'autre jour une lettre pour toi ;
« je viens de la chercher inutilement ; je t'y parlais de
« madame de Beaumont, et je me plaignais de son silence à
« mon égard. Mon ami, quelle triste et étrange vie je mène
« depuis quelques mois ! Aussi ces paroles du prophète me
« reviennent sans cesse à l'esprit : *Le Seigneur vous couron-*
« *nera de maux, et vous jettera comme une balle.* Mais
« laissons mes peines et parlons de tes inquiétudes. Je ne
« puis me les persuader fondées, je vois toujours madame
« de Beaumont pleine de vie et de jeunesse, et presque
« immatérielle ; rien de funeste ne peut, à son sujet. me
« tomber dans le cœur. Le ciel, qui connaît nos sentiments
« pour elle, nous la conservera sans doute. Mon ami, nous
« ne la perdrons point ; il me semble que j'en ai au dedans
« de moi la certitude. Je me plais à penser que, lorsque tu
« recevras cette lettre, tes soucis seront dissipés. Dis-lui de
« ma part tout le véritable et tendre intérêt que je prends à
« elle ; dis-lui que son souvenir est pour moi une des plus
« belles choses de ce monde. Tiens ta promesse et ne
« manque pas de m'en donner le plus possible des nouvelles.
« Mon Dieu ! quel long espace de temps il va s'écouler avant
« que je ne reçoive une réponse à cette lettre ! Que l'éloigne-
« ment est quelque chose de cruel ! D'où vient que tu me
« parles de ton retour en France ? Tu cherches à me flatter,

1. Erudit et amateur d'art (1730-1814).
2. Peintre français établi à Rome (1755-1839).

« tu me trompes. Au milieu de toutes mes peines, il s'élève
« en moi une douce pensée, celle de ton amitié, celle que je
« suis dans ton souvenir telle qu'il a plu à Dieu de me
« former. Mon ami, je ne regarde plus sur la terre de sûr
« asile pour moi que ton cœur ; je suis étrangère et incon-
« nue pour tout le reste. Adieu, mon pauvre frère ! te
« reverrai-je ? cette idée ne s'offre pas à moi d'une manière
« bien distincte. Si tu me revois, je crains que tu ne me
« retrouves qu'entièrement insensée. Adieu, toi à qui je dois
« tant ! Adieu, félicité sans mélange ! O souvenirs de mes
« beaux jours, ne pouvez-vous donc éclairer un peu mainte-
« nant mes tristes heures ?

« Je ne suis pas de ceux qui épuisent toute leur douleur
« dans l'instant de la séparation ; chaque jour ajoute au
« chagrin que je ressens de ton absence, et serais-tu cent
« ans à Rome que tu ne viendrais pas à bout de ce chagrin.
« Pour me faire illusion sur ton éloignement, il ne se passe
« pas de jour où je ne lise quelques feuilles de ton ouvrage ;
« je fais tous mes efforts pour croire t'entendre. L'amitié
« que j'ai pour toi est bien naturelle : dès notre enfance, tu as
« été mon défenseur et mon ami ; jamais tu n'as fait un ami
« sans qu'il ne soit devenu le mien. Mon aimable frère, le
« ciel qui se plaît à se jouer de toutes mes autres félicités,
« veut que je trouve mon bonheur tout en toi, que je me
« confie à ton cœur. Donne-moi vite des nouvelles de
« madame de Beaumont. Adresse-moi tes lettres chez made-
« moiselle Lamotte, quoique je ne sache pas quel espace de
« temps j'y pourrai rester. Depuis notre dernière séparation,
« je suis toujours, à l'égard de ma demeure, comme un
« sable mouvant qui me manque sous les pieds : il est bien
« vrai que pour quiconque ne me connaît pas, je dois
« paraître inexplicable ; cependant je ne varie que de forme,
« car le fond reste constamment le même. »

La voix du cygne, qui s'apprêtait à mourir, fut transmise
par moi au cygne mourant : j'étais l'écho de ces ineffables
et derniers concerts !

Lettre de madame de Krüdner.

UNE autre lettre, bien différente de celle-ci, mais écrite par une femme dont le rôle a été extraordinaire, madame de Krüdner [1], montre l'empire que madame de Beaumont, sans aucune force de beauté, de renommée, de puissance ou de richesse, exerçait sur les esprits.

Paris, 24 novembre 1803.

« J'ai appris avant-hier par M. Michaud, qui est
« revenu de Lyon, que madame de Beaumont était à Rome
« et qu'elle était très, très-malade : voilà ce qu'il m'a dit.
« J'en ai été profondément affligée ; mes nerfs s'en sont
« ressentis, et j'ai beaucoup pensé à cette femme charmante
« que je ne connaissais pas depuis longtemps, mais que
« j'aimais véritablement. Que de fois j'ai désiré pour elle du
« bonheur ! Que de fois, j'ai souhaité qu'elle pût franchir
« les Alpes et trouver sous le ciel de l'Italie les douces et
« profondes émotions que j'y ai ressenties moi-même !
« Hélas ! n'aurait-elle atteint ce pays si ravissant, que pour
« n'y connaître que les douleurs et pour y être exposée à des
« dangers que je redoute ! Je ne saurais vous exprimer
« combien cette idée m'afflige. Pardon, si j'en ai été si
« absorbée, que je ne vous ai pas encore parlé de vous-
« même, mon cher Chateaubriand ; vous devez connaître
« mon sincère attachement pour vous, et en vous montrant
« l'intérêt si vrai que m'inspire madame de Beaumont, c'est
« vous toucher plus que je n'eusse pu le faire en m'occu-

1. La baronne de Krüdner (1764-1824) était liée avec Pauline de Beaumont. Devenue mystique, elle sera en 1814 l'égérie du tsar Alexandre.

« pant de vous. J'ai devant mes yeux ce triste spectacle ; j'ai
« le secret de la douleur, et mon âme s'arrête toujours avec
« déchirement devant ces âmes auxquelles la nature donna
« la puissance de souffrir plus que les autres. J'espérais que
« madame de Beaumont jouirait du privilége qu'elle reçut,
« d'être plus heureuse ; j'espérais qu'elle retrouverait un
« peu de santé avec le soleil d'Italie et le bonheur de votre
« présence. Ah ! rassurez-moi, parlez-moi ; dites-lui que je
« l'aime sincèrement, que je fais des vœux pour elle.
« A-t-elle eu ma lettre écrite en réponse à la sienne à
« Clermont ? Adressez votre réponse à Michaud[1] : je ne
« vous demande qu'un mot, car je sais, mon cher Chateau-
« briand, combien vous êtes sensible et combien vous
« souffrez. Je la croyais mieux ; je ne lui ai pas écrit ; j'étais
« accablée d'affaires ; mais je pensais au bonheur qu'elle
« aurait de vous revoir, et je savais le concevoir. Parlez-moi
« un peu de votre santé ; croyez à mon amitié, à l'intérêt
« que je vous ai voué à jamais, et ne m'oubliez pas.

« B. KRÜDNER. »

Paris, 1838.

Mort de madame de Beaumont.

Le mieux que l'air de Rome avait fait éprouver à madame
de Beaumont, ne dura pas : les signes d'une destruction
immédiate disparurent, il est vrai ; mais il semble que le
dernier moment s'arrête toujours pour nous tromper. J'avais
essayé deux ou trois fois une promenade en voiture avec la
malade ; je m'efforçais de la distraire, en lui faisant remar-

---

1. Joseph Michaud (1767-1839), auteur d'une *Histoire des Croisades.*

quer la campagne et le ciel : elle ne prenait plus goût à rien. Un jour, je la menai au Colysée ; c'était un de ces jours d'octobre, tels qu'on n'en voit qu'à Rome. Elle parvint à descendre, et alla s'asseoir sur une pierre, en face d'un des autels placés au pourtour de l'édifice. Elle leva les yeux ; elle les promena lentement sur ces portiques morts eux-mêmes depuis tant d'années, et qui avaient vu tant mourir ; les ruines étaient décorées de ronces et d'ancolies safranées par l'automne, et noyées dans la lumière. La femme expirante abaissa ensuite, de gradins en gradins jusqu'à l'arène, ses regards qui quittaient le soleil ; elle les arrêta sur la croix de l'autel, et me dit : « Allons, j'ai froid. » Je la reconduisis chez elle ; elle se coucha et ne se releva plus.

Je m'étais mis en rapport avec le comte de La Luzerne [1] ; je lui envoyais de Rome, par chaque courrier, le bulletin de la santé de sa belle-sœur. Lorsqu'il avait été chargé par Louis XVI d'une mission diplomatique à Londres, il avait emmené mon frère avec lui : André Chénier faisait partie de cette ambassade [2].

Les médecins que j'avais assemblés de nouveau, après l'essai de la promenade, me déclarèrent qu'un miracle seul pouvait sauver madame de Beaumont. Elle était frappée de l'idée qu'elle ne passerait pas le 2 novembre, jour des Morts ; puis elle se rappela qu'un de ses parents, je ne sais lequel, avait péri le 4 novembre. Je lui disais que son imagination était troublée ; qu'elle reconnaîtrait la fausseté de ses frayeurs ; elle me répondait, pour me consoler : « Oh ! oui, j'irai plus loin ! » Elle aperçut quelques larmes que je cherchais à lui dérober ; elle me tendit la main, et me dit : « Vous êtes un enfant ; est-ce que « vous ne vous y attendiez pas ? »

La veille de sa fin, jeudi 3 novembre, elle parut plus tranquille. Elle me parla d'arrangements de fortune, et me dit, à propos de son testament, que « *tout était fini; mais que tout était à faire, et qu'elle aurait désiré seulement*

1. Le vicomte de la Luzerne avait épousé en 1787 la sœur aînée de Pauline de Beaumont ; cette sœur était morte en 1794 à l'hôpital des prisons de Paris. Après la mort de Pauline, Chateaubriand adressa à son beau-frère une « relation » de ses derniers moments (cf. II, 116).

2. Chateaubriand confond ici le comte de La Luzerne avec son neveu, le beau-frère de Pauline.

avoir deux heures pour s'occuper de cela ». Le soir, le médecin m'avertit qu'il se croyait obligé de prévenir la malade qu'il était temps de songer à mettre ordre à sa concience : j'eus un moment de faiblesse ; la crainte de précipiter, par l'appareil de la mort, le peu d'instants que madame de Beaumont avait encore à vivre, m'accabla. Je m'emportai contre le médecin, puis je le suppliai d'attendre au moins jusqu'au lendemain.

Ma nuit fut cruelle, avec le secret que j'avais dans le sein. La malade ne me permit pas de la passer dans sa chambre. Je demeurai en dehors, tremblant à tous les bruits que j'entendais : quand on entr'ouvrait la porte, j'apercevais la clarté débile d'une veilleuse qui s'éteignait.

Le vendredi 4 novembre, j'entrai, suivi du médecin. Madame de Beaumont s'aperçut de mon trouble, elle me dit : « Pourquoi êtes-vous comme cela ? J'ai passé une « bonne nuit. » Le médecin affecta alors de me dire tout haut qu'il désirait m'entretenir dans la chambre voisine. Je sortis : quand je rentrai, je ne savais plus si j'existais. Madame de Beaumont me demanda ce que me voulait le médecin. Je me jetai au bord de son lit, en fondant en larmes. Elle fut un moment sans parler, me regarda et me dit d'une voix ferme, comme si elle eût voulu me donner de la force : « Je ne croyais pas que c'eût été tout à fait aussi « prompt : allons, il faut bien vous dire adieu. Appelez « l'abbé de Bonnevie. »

L'abbé de Bonnevie, s'étant fait donner des pouvoirs, se rendit chez madame de Beaumont Elle lui déclara qu'elle avait toujours eu dans le cœur, un profond sentiment de religion ; mais que les malheurs inouïs dont elle avait été frappée pendant la Révolution, l'avaient fait douter quelque temps de la justice de la Providence ; qu'elle était prête à reconnaître ses erreurs et à se recommander à la miséricorde éternelle ; qu'elle espérait, toutefois, que les maux qu'elle avait soufferts dans ce monde-ci, abrégeraient son expiation dans l'autre. Elle me fit signe de me retirer et resta seule avec son confesseur.

Je le vis revenir une heure après, essuyant ses yeux et disant qu'il n'avait jamais entendu un plus beau langage, ni vu un pareil héroïsme. On envoya chercher le curé, pour administrer les Sacrements. Je retournai auprès de madame de Beaumont. En m'apercevant, elle me dit : « Eh bien ! êtes-vous content de moi ? » Elle s'attendrit sur ce qu'elle daignait appeler *mes bontés* pour elle : ah ! si j'avais pu dans ce moment racheter un seul de ses jours par le sacrifice de tous les miens, avec quelle joie je l'aurais fait ! Les autres amis de madame de Beaumont, qui n'assistaient pas à ce spectacle, n'avaient du moins qu'une fois à pleurer : debout, au chevet de ce lit de douleurs d'où l'homme entend sonner son heure suprême, chaque sourire de la malade me rendait la vie et me la faisait perdre en s'effaçant. Une idée déplorable vint me bouleverser : je m'aperçus que madame de Beaumont ne s'était doutée qu'à son dernier soupir de l'attachement véritable que j'avais pour elle : elle ne cessait d'en marquer sa surprise et elle semblait mourir désespérée et ravie. Elle avait cru qu'elle m'était à charge, et elle avait désiré s'en aller pour me débarrasser d'elle.

Le curé arriva à onze heures : la chambre se remplit de cette foule de curieux et d'indifférents qu'on ne peut empêcher de suivre le prêtre à Rome. Madame de Beaumont vit la formidable solennité sans le moindre signe de frayeur. Nous nous mîmes à genoux, et la malade reçut à la fois la Communion et l'Extrême-Onction. Quand tout le monde se fut retiré, elle me fit asseoir au bord de son lit et me parla pendant une demi-heure de mes affaires et de mes intentions avec la plus grande élévation d'esprit et l'amitié la plus touchante ; elle m'engagea surtout à vivre auprès de madame de Chateaubriand et de M. Joubert : mais M. Joubert devait-il vivre ?

Elle me pria d'ouvrir la fenêtre, parce qu'elle se sentait oppressée. Un rayon de soleil vint éclairer son lit et sembla la réjouir. Elle me rappela alors des projets de retraite à la campagne, dont nous nous étions quelquefois entretenus, et elle se mit à pleurer.

Entre deux et trois heures de l'après-midi, madame de Beaumont demanda à changer de lit à madame Saint-Germain, vieille femme de chambre espagnole qui la servait avec une affection digne d'une aussi bonne maîtresse : le médecin s'y opposa dans la crainte que madame de Beaumont n'expirât pendant le transport. Alors elle me dit qu'elle sentait l'approche de l'agonie. Tout à coup, elle rejeta sa couverture, me tendit une main, serra la mienne avec contraction ; ses yeux s'égarèrent. De la main qui lui restait libre, elle faisait des signes à quelqu'un qu'elle voyait au pied de son lit ; puis reportant cette main sur sa poitrine, elle disait : « *C'est là !* » Consterné, je lui demandai si elle me reconnaissait : l'ébauche d'un sourire parut au milieu de son égarement ; elle me fit une légère affirmation de tête : sa parole n'était déjà plus dans ce monde. Les convulsions ne durèrent que quelques minutes. Nous la soutenions dans nos bras, moi, le médecin et la garde : une de mes mains se trouvait appuyée sur son cœur qui touchait à ses légers ossements ; il palpitait avec rapidité comme une montre qui dévide sa chaîne brisée. Oh ! moment d'horreur et d'effroi, je le sentis s'arrêter ! nous inclinâmes sur son oreiller la femme arrivée au repos ; elle pencha la tête. Quelques boucles de ses cheveux déroulés tombaient sur son front ; ses yeux étaient fermés, la nuit éternelle était descendue. Le médecin présenta un miroir et une lumière à la bouche de l'étrangère : le miroir ne fut point terni du souffle de la vie et la lumière resta immobile. Tout était fini.

Paris.

FUNÉRAILLES.

ORDINAIREMENT, ceux qui pleurent peuvent jouir en paix de leurs larmes, d'autres se chargent de veiller aux derniers soins de la religion : comme représentant, pour la France, le cardinal-ministre absent alors, comme le seul ami de la fille de M. de Montmorin, et responsable envers sa famille, je fus obligé de présider à tout : il me fallut désigner le lieu de la sépulture, m'occuper de la profondeur et de la largeur de la fosse, faire délivrer le linceul et donner au menuisier les dimensions du cercueil.

Deux religieux veillèrent auprès de ce cercueil qui devait être porté à *Saint-Louis-des-Français*. Un de ces pères était d'Auvergne et né à Montmorin même. Madame de Beaumont avait désiré qu'on l'ensevelît dans une pièce d'étoffe que son frère Auguste, seul échappé à l'échafaud [1], lui avait envoyée de l'Ile-de-France. Cette étoffe n'était point à Rome ; on n'en trouva qu'un morceau qu'elle portait partout. Madame Saint-Germain attacha cette zone autour du corps avec une cornaline qui renfermait des cheveux de M. de Montmorin. Les ecclésiastiques français étaient convoqués ; la princesse Borghèse prêta le char funèbre de sa famille ; le cardinal Fesch avait laissé l'ordre, en cas d'un accident trop prévu, d'envoyer sa livrée et ses voitures. Le samedi 5 novembre, à sept heures du soir, à la lueur des torches et au milieu d'une grande foule, passa madame de Beaumont par le chemin où nous passons tous. Le dimanche 6 novembre, la messe de l'enterrement fut célébrée. Les funérailles eussent été moins françaises à Paris qu'elles ne le furent à Rome. Cette architecture religieuse, qui porte dans ses ornements les armes et les inscriptions de notre ancienne patrie ; ces tombeaux où sont inscrits les noms de quelques-unes des races les plus historiques de nos annales ; cette église, sous la protection d'un grand saint, d'un grand roi et d'un grand homme, tout cela ne consolait pas, mais honorait le malheur. Je désirais que le dernier rejeton d'une famille jadis haut placée trouvât, du moins, quelque appui dans mon obscur attachement, et que l'amitié ne lui manquât pas comme la fortune.

La population romaine, accoutumée aux étrangers, leur sert de frères et de sœurs. Madame de Beaumont a laissé, sur ce sol hospitalier aux morts, un pieux souvenir ; on se la rappelle encore : j'ai vu Léon XII prier à son tombeau. En 1827 [2], je visitai le monument de celle qui fut l'âme d'une

---

1. Mais il était mort noyé dans une tempête près de l'Ile de France.
2. Sans doute en 1828, quand Chateaubriand est ambassadeur à Rome.

société évanouie ; le bruit de mes pas autour de ce monument muet, dans une église solitaire, m'était une admoni-
tion. «Je t'aimerai toujours, dit l'épitaphe grecque ; mais
toi, chez les morts, ne bois pas, je t'en prie, à cette coupe[1]
qui te ferait oublier tes anciens amis. »

Paris, 1838.

ANNÉE DE MA VIE 1803. — LETTRES DE M. CHÊNEDOLLÉ, DE
M. DE FONTANES, DE M. NECKER ET DE MADAME DE
STAËL.

SI l'on rapportait à l'échelle des événements publics les
calamités d'une vie privée, ces calamités devraient à peine
occuper un mot dans des *Mémoires*. Qui n'a perdu un ami ?
qui ne l'a vu mourir ? qui n'aurait à retracer une pareille
scène de deuil ? La réflexion est juste, cependant personne
ne s'est corrigé de raconter ses propres aventures : sur le
vaisseau qui les emporte, les matelots ont une famille à
terre, qui les intéresse et dont ils s'entretiennent mutuellement. Chaque homme renferme en soi un monde à part,
étranger aux lois et aux destinées générales des siècles. C'est,
d'ailleurs, une erreur de croire que les révolutions, les
accidents renommés, les catastrophes retentissantes, soient
les fastes uniques de notre nature : nous travaillons tous un
à un à la chaîne de l'histoire commune, et c'est de toutes ces
existences individuelles que se compose l'univers humain
aux yeux de Dieu.

En assemblant des regrets autour des cendres de madame

1. Pleine de l'eau du Léthé. — Cette épitaphe se trouve dans l'*Anthologie* (livre VII, épig. 346).

de Beaumont, je ne fais que déposer sur un tombeau les couronnes qui lui étaient destinées.

LETTRE DE M. CHÊNEDOLLÉ.

« Vous ne doutez pas, mon cher et malheureux ami, de
« toute la part que je prends à votre affliction. Ma douleur
« n'est pas aussi grande que la vôtre, parce que cela n'est
« pas possible ; mais je suis bien profondément affligé de
« cette perte, et elle vient noircir cette vie qui, depuis
« longtemps, n'est plus que de la souffrance pour moi.
« Ainsi donc passe et s'efface de dessus la terre tout ce qu'il
« y a de bon, d'aimable et de sensible. Mon pauvre ami,
« dépêchez-vous de repasser en France ; venez chercher
« quelques consolations auprès de votre vieux ami. Vous
« savez si je vous aime : venez.

« J'étais dans la plus grande inquiétude sur vous : il y
« avait plus de trois mois que je n'avais reçu de vos
« nouvelles, et trois de mes lettres sont restées sans réponse.
« Les avez-vous reçues ? Madame de Caud a cessé tout à
« coup de m'écrire, il y a deux mois. Cela m'a causé une
« peine mortelle, et cependant, je crois n'avoir aucun tort à
« me reprocher envers elle. Mais quoi qu'elle fasse, elle ne
« pourra m'ôter l'amitié tendre et respectueuse que je lui ai
« vouée pour la vie. Fontanes et Joubert ont aussi cessé de
« m'écrire ; ainsi, tout ce que j'aimais semble s'être réuni
« pour m'oublier à la fois. Ne m'oubliez pas, ô vous, mon
« bon ami, et que sur cette terre de larmes, il me reste
« encore un cœur sur lequel je puisse compter ! Adieu ! je
« vous embrasse en pleurant. Soyez sûr, mon bon ami, que
« je sens votre perte comme on doit la sentir. »

23 novembre 1803.

LETTRE DE M. DE FONTANES.

« Je partage tous vos regrets, mon cher ami : je sens la
« douleur de votre situation. Mourir si jeune et après avoir
« survécu à toute sa famille ! Mais, du moins, cette intéres-

« sante et malheureuse femme n'aura pas manqué des
« secours et des souvenirs de l'amitié. Sa mémoire vivra
« dans des cœurs dignes d'elle. J'ai fait passer à
« M. de La Luzerne la touchante relation qui lui était
« destinée. Le vieux Saint-Germain, domestique de votre
« amie, s'est chargé de la porter. Ce bon serviteur m'a fait
« pleurer en me parlant de sa maîtresse. Je lui ai dit qu'il
« avait un legs de dix mille francs ; mais il ne s'en est pas
« occupé un seul moment. S'il était possible de parler
« d'affaires dans de si lugubres circonstances, je vous dirais
« qu'il était bien naturel de vous donner au moins l'usufruit
« d'un bien qui doit passer à des collatéraux éloignés et
« presque inconnus *. J'approuve votre conduite ; je connais
« votre délicatesse ; mais je ne puis avoir pour mon ami le
« même désintéressement qu'il a pour lui-même. J'avoue
« que cet oubli m'étonne et m'afflige. Madame de Beau-
« mont sur son lit de mort vous a parlé, avec l'éloquence du
« dernier adieu, de l'avenir et de votre destinée. Sa voix doit
« avoir plus de force que la mienne. Mais vous a-t-elle
« conseillé de renoncer à huit ou dix mille francs d'appoin-
« tements lorsque votre carrière était débarrassée des pre-
« mières épines ? Pourriez-vous précipiter, mon cher ami,
« une démarche aussi importante ? Vous ne doutez pas du
« grand plaisir que j'aurai à vous revoir. Si je ne consultais
« que mon propre bonheur, je vous dirais : venez tout à
« l'heure. Mais vos intérêts me sont aussi chers que les
« miens et je ne vois pas des ressources assez prochaines
« pour vous dédommager des avantages que vous perdez
« volontairement. Je sais que votre talent, votre nom et le
« travail ne vous laisseront jamais à la merci des premiers
« besoins ; mais je vois là plus de gloire que de fortune.
« Votre éducation, vos habitudes, veulent un peu de
« dépense. La renommée ne suffit pas seule aux choses de
« la vie, et cette misérable science du *pot-au-feu* est à la tête
« de toutes les autres quand on veut vivre indépendant et
« tranquille. J'espère toujours que rien ne vous déterminera

* L'amitié de M. de Fontanes va beaucoup trop loin : madame de
Beaumont m'avait mieux jugé ; elle pensa sans doute que si elle m'eût
laissé sa fortune, je ne l'aurais pas acceptée.

« à chercher la fortune chez les étrangers [1]. Eh ! mon ami,
« soyez sûr qu'après les premières caresses ils valent encore
« moins que les compatriotes. Si votre amie mourante a fait
« toutes ces réflexions, ses derniers moments ont dû être un
« peu troublés ; mais j'espère qu'aux pieds de sa tombe vous
« trouverez des leçons et des lumières supérieures à toutes
« celles que les amis qui vous restent pourraient vous
« donner. Cette aimable femme vous aimait : elle vous
« conseillera bien. Sa mémoire et votre cœur vous guideront
« sûrement : je ne suis plus en peine si vous les écoutez
« tous deux. Adieu, mon cher ami, je vous embrasse
« tendrement. »

M. Necker m'écrivit la seule lettre que j'aie jamais reçue
de lui. J'avais été témoin de la joie de la Cour lors du renvoi
de ce ministre, dont les honnêtes opinions contribuèrent au
renversement de la monarchie. Il avait été collègue de M. de
Montmorin. M. Necker allait bientôt mourir au lieu d'où sa
lettre était datée : n'ayant pas alors auprès de lui madame
de Staël, il trouva quelques larmes pour l'amie de sa fille :

LETTRE DE M. NECKER.

« Ma fille, monsieur, en se mettant en route pour
« l'Allemagne, m'a prié d'ouvrir les paquets d'un grand
« volume, qui pourraient lui être adressés, afin de juger s'ils
« valaient la peine de les lui faire parvenir par la poste :
« c'est le motif qui m'instruit, avant elle, de la mort de
« madame de Beaumont. Je lui ai envoyé, monsieur, votre
« lettre à Francfort, d'où elle sera probablement transmise
« plus loin, et peut-être à Weimar ou à Berlin. Ne soyez
« donc pas surpris, monsieur, si vous ne recevez pas la
« réponse de madame de Staël, aussitôt que vous avez droit
« de l'attendre. Vous êtes bien sûr, monsieur, de la douleur
« qu'éprouvera madame de Staël, en apprenant la perte
« d'une amie dont je lui ai toujours entendu parler avec un
« profond sentiment. Je m'associe à sa peine, je m'associe à

1. Chateaubriand songeait à démissionner et à passer en Russie.

« la vôtre, monsieur, et j'ai une part à moi en particulier,
« lorsque je songe au malheureux sort de toute la famille de
« mon ami M. de Montmorin.

« Je vois, monsieur, que vous êtes sur le point de quitter
« Rome, pour retourner en France : je souhaite que vous
« preniez votre route par Genève, où je vais passer l'hiver.
« Je serais très-empressé à vous faire les honneurs d'une
« ville où vous êtes déjà connu de réputation. Mais où ne
« l'êtes-vous pas, monsieur ? Votre dernier ouvrage, étince-
« lant de beautés incomparables, est entre les mains de tous
« ceux qui aiment à lire.

« J'ai l'honneur de vous présenter, monsieur, les assu-
« rances et l'hommage des sentiments les plus distingués.

« NECKER. »

Coppet, le 27 novembre 1803.

LETTRE DE MADAME DE STAËL.

Francfort, ce 3 décembre 1803.

« Ah ! mon Dieu, *my dear Francis,* de quelle douleur je
« suis saisie en recevant votre lettre ! Déjà hier, cette
« affreuse nouvelle était tombée sur moi par les gazettes, et
« votre déchirant récit vient la graver pour jamais en lettres
« de sang dans mon cœur. Pouvez-vous, pouvez-vous me
« parler d'opinions différentes sur la religion, sur les prê-
« tres[1] ? Est-ce qu'il y a deux opinions, quand il n'y a
« qu'un sentiment ? Je n'ai lu votre récit qu'à travers les
« plus douloureuses larmes. *My dear Francis,* rappelez-vous
« le temps où vous vous sentiez le plus d'amitié pour moi ;
« n'oubliez pas surtout celui où tout mon cœur était attiré
« vers vous, et dites-vous que ces sentiments, plus tendres,
« plus profonds que jamais, sont au fond de mon âme pour
« vous. J'aimais, j'admirais le caractère de madame de
« Beaumont : je n'en connais point de plus généreux, de
«

1. En envoyant sa « relation » à Mme de Staël, Chateaubriand lui
demandait de ne pas « plaisanter » sur la place que tenaient dans son récit la
religion et les prêtres.

« plus reconnaissant, de plus passionnément sensible.
« Depuis que je suis entrée dans le monde, je n'avais jamais
« cessé d'avoir des rapports avec elle, et je sentais toujours,
« qu'au milieu même de quelques diversités, je tenais à elle
« par toutes les racines. Mon cher Francis, donnez-moi une
« place dans votre vie. Je vous admire, je vous aime,
« j'aimais celle que vous regrettez. Je suis une amie
« dévouée, je serai pour vous une sœur. Plus que jamais, je
« dois respecter vos opinions : Mathieu [1], qui les a, a été un
« ange pour moi, dans la dernière peine que je viens
« d'éprouver. Donnez-moi une nouvelle raison de les ména-
« ger : faites que je vous sois utile ou agréable de quelque
« manière. Vous a-t-on écrit que j'avais été exilée à qua-
« rante lieues de Paris ? J'ai pris ce moment pour faire le
« tour de l'Allemagne ; mais, au printemps, je serai revenue
« à Paris même, si mon exil est fini, ou auprès de Paris, ou
« à Genève. Faites que, de quelque manière, nous nous
« réunissions. Est-ce que vous ne sentez pas que mon esprit
« et mon âme entendent la vôtre, et ne sentez-vous pas en
« quoi nous nous ressemblons, à travers les différences ?
« M. de Humboldt [2] m'avait écrit, il y a quelques jours, une
« lettre où il me parlait de votre ouvrage avec une admira-
« tion qui doit vous flatter dans un homme et de son mérite
« et de son opinion. Mais que vais-je vous parler de vos
« succès dans un tel moment ? Cependant elle les aimait ces
« succès, elle y attachait sa gloire. Continuez de rendre
« illustre celui qu'elle a tant aimé. Adieu, mon cher Fran-
« çois. Je vous écrirai de Weimar en Saxe. Répondez-moi là,
« chez MM. Desport banquiers. Que dans votre récit, il y a
« des mots déchirants ! Et cette résolution de garder la
« pauvre Saint-Germain : vous l'amènerez une fois dans
« ma maison.

« Adieu tendrement : douloureusement adieu.

                                              « N. DE STAËL. »

Cette lettre empressée, affectueusement rapide, écrite par
une femme illustre, me causa un redoublement d'attendris-

---

1. Mathieu de Montmorency. Il était devenu très dévot.
2. Ministre de Prusse à Rome.

596

sement. Madame de Beaumont aurait été bien heureuse dans ce moment, si le ciel lui eût permis de renaître ! mais nos attachements, qui se font entendre des morts, n'ont pas le pouvoir de les délivrer : quand Lazare se leva de la tombe, il avait les pieds et les mains liés avec des bandes et le visage enveloppé d'un suaire : or, l'amitié ne saurait dire, comme le Christ à Marthe et à Marie : « Déliez-le, et le laissez aller [1]. »

Ils sont passés aussi, mes consolateurs, et ils me demandent pour eux les regrets qu'ils donnaient à une autre.

Paris, 1838.

ANNÉES DE MA VIE 1803 ET 1804. — PREMIÈRE IDÉE DE MES MÉMOIRES. — JE SUIS NOMMÉ MINISTRE DE FRANCE DANS LE VALAIS. DÉPART DE ROME.

J'ÉTAIS déterminé à quitter cette carrière des affaires où des malheurs personnels étaient venus se mêler à la médiocrité du travail et à d'infimes tracasseries politiques. On n'a pas su ce que c'est que la désolation du cœur, quand on n'est point demeuré seul à errer dans les lieux naguère habités d'une personne qui avait agréé votre vie : on la cherche et on ne la trouve plus ; elle vous parle, vous sourit, vous accompagne ; tout ce qu'elle a porté ou touché reproduit son image ; il n'y a entre elle et vous qu'un rideau transparent, mais si lourd que vous ne pouvez le lever. Le souvenir du premier ami qui vous a laissé sur la route est cruel ; car, si vos jours se sont prolongés, vous avez nécessairement fait d'autres pertes : ces morts qui se sont suivies, se rattachent

1. *Evangile.* Saint Jean, XI, 44.

à la première, et vous pleurez à la fois dans une seule personne toutes celles que vous avez successivement perdues.

Tandis que je prenais des arrangements prolongés par l'éloignement de la France, je restais abandonné sur les ruines de Rome. A ma première promenade, les aspects me semblaient changés, je ne reconnaissais ni les arbres, ni les monuments, ni le ciel ; je m'égarais au milieu des campagnes, le long des cascades, des aqueducs, comme autrefois sous les berceaux des bois du Nouveau-Monde. Je rentrais dans la Ville éternelle, qui joignait maintenant à tant d'existences passées une vie éteinte de plus. A force de parcourir les solitudes du Tibre, elles se gravèrent si bien dans ma mémoire, que je les reproduisis assez correctement dans ma lettre à M. de Fontanes[1] : « Si l'étranger est « malheureux, disais-je, s'il a mêlé les cendres qu'il aima « à tant de cendres illustres, avec quel charme ne passe- « ra-t-il pas du tombeau de Cecilia Metella au cercueil « d'une femme infortunée ! »

C'est aussi à Rome que je conçus, pour la première fois, l'idée d'écrire les *Mémoires de ma vie ;* j'en trouve quelques lignes jetées au hasard, dans lesquelles je déchiffre ce peu de mots : « Après avoir erré sur la terre, passé les plus belles « années de ma jeunesse loin de mon pays, et souffert à peu « près tout ce qu'un homme peut souffrir, la faim même, je « revins à Paris en 1800. »

Dans une lettre à M. Joubert, j'esquissais ainsi mon plan :

« Mon seul bonheur est d'attraper quelques heures, « pendant lesquelles je m'occupe d'un ouvrage qui peut seul « apporter de l'adoucissement à mes peines : ce sont les « *Mémoires de ma vie.* Rome y entrera ; ce n'est que comme « cela que je puis désormais parler de Rome. Soyez tran- « quille ; ce ne seront point des confessions pénibles pour « mes amis : si je suis quelque chose dans l'avenir, mes « amis y auront un nom aussi beau que respectable. Je « n'entretiendrai pas non plus la postérité du détail de mes « faiblesses ; je ne dirai de moi que ce qui est convenable à

1. *Sur la campagne romaine :* O.C., VII. 242.

« ma dignité d'homme et, j'ose le dire, à l'élévation de mon
« cœur. Il ne faut présenter au monde que ce qui est beau ;
« ce n'est pas mentir à Dieu que de ne découvrir de sa vie
« que ce qui peut porter nos pareils à des sentiments nobles
« et généreux. Ce n'est pas, qu'au fond, j'aie rien à cacher ;
« je n'ai ni fait chasser une servante pour un ruban volé, ni
« abandonné mon ami mourant dans une rue, ni déshonoré
« la femme qui m'a recueilli, ni mis mes bâtards aux
« Enfants-Trouvés[1] ; mais j'ai eu mes faiblesses, mes abat-
« tements de cœur ; un gémissement sur moi suffira pour
« faire comprendre au monde ces misères communes, faites
« pour être laissées derrière le voile. Que gagnerait la
« société à la reproduction de ces plaies que l'on retrouve
« partout ? On ne manque pas d'exemples, quand on veut
« triompher de la pauvre nature humaine. »

Dans ce plan que je me traçais, j'oubliais ma famille,
mon enfance, ma jeunesse, mes voyages et mon exil : ce
sont pourtant les récits où je me suis plu davantage.

J'avais été comme un heureux esclave : accoutumé à
mettre sa liberté au cep[2], il ne sait plus que faire de son
loisir, quand ses entraves sont brisées. Lorsque je me voulais
livrer au travail, une figure venait se placer devant moi, et je
ne pouvais plus en détacher mes yeux : la religion seule me
fixait par sa gravité et par les réflexions d'un ordre supérieur qu'elle me suggérait.

Cependant, en m'occupant de la pensée d'écrire mes
Mémoires, je sentis le prix que les anciens attachaient à la
valeur de leur nom : il y a peut-être une réalité touchante
dans cette perpétuité des souvenirs qu'on peut laisser en
passant. Peut-être, parmi les grands hommes de l'antiquité,
cette idée d'une vie immortelle chez la race humaine leur
tenait-elle lieu de cette immortalité de l'âme, demeurée pour
eux un problème. Si la renommée est peu de chose quand
elle ne se rapporte qu'à nous, il faut convenir néanmoins
que c'est un beau privilège attaché à l'amitié du génie, de
donner une existence impérissable à tout ce qu'il a aimé.

J'entrepris un commentaire de quelques livres de la Bible,

1. Allusions à J.-J. Rousseau.
2. A être enchaîné.

en commençant par la Genèse. Sur ce verset : *Voici qu'Adam est devenu comme l'un de nous, sachant le bien et le mal ; donc, maintenant, il ne faut pas qu'il porte la main au fruit de vie, qu'il le prenne, qu'il en mange et qu'il vive éternellement ;* je remarquai l'ironie formidable du Créateur : *Voici qu'Adam est devenu semblable à l'un de nous,* etc. *Il ne faut pas que l'homme porte la main au fruit de vie.* Pourquoi ? Parce qu'il a goûté au fruit de la science et qu'il connaît le bien et le mal ; il est maintenant accablé de maux ; *donc, il ne faut pas qu'il vive éternellement :* quelle bonté de Dieu que la mort !

Il y a des prières commencées, les unes pour *les inquiétudes de l'âme,* les autres pour *se fortifier contre la prospérité des méchants :* je cherchais à ramener à un centre de repos mes pensées errantes hors de moi.

Comme Dieu ne voulait pas finir là ma vie, la réservant à de longues épreuves, les orages qui s'étaient soulevés se calmèrent. Tout à coup, le cardinal-ambassadeur changea de manières à mon égard : j'eus une explication avec lui, et déclarai ma résolution de me retirer. Il s'y opposa [1] : il prétendit que ma démission, dans ce moment, aurait l'air d'une disgrâce ; que je réjouirais mes ennemis, que le Premier Consul prendrait de l'humeur, ce qui m'empêcherait d'être tranquille dans les lieux où je voulais me retirer. Il me proposa d'aller passer quinze jours ou un mois à Naples.

Dans ce moment même, la Russie me faisait sonder pour savoir si j'accepterais la place de gouverneur d'un grand-duc : ce serait tout au plus si j'aurais voulu faire à Henri V le sacrifice des dernières années de ma vie [2].

Tandis que je flottais entre mille partis, je reçus la nouvelle que le Premier Consul m'avait nommé ministre dans le Valais. Il s'était d'abord emporté sur des dénonciations ; mais revenant à sa raison, il comprit que j'étais de cette race qui n'est bonne que sur un premier plan, qu'il ne

1. Les rapports de Fesch à Paris prouvent que, de sa part, cette réconciliation n'était pas sincère (voir la suite).
2. En étant son précepteur : ce sera l'un des rêves de la vieillesse de Chateaubriand.

fallait me mêler à personne, ou bien que l'on ne tirerait jamais parti de moi. Il n'y avait point de place vacante ; il en créa une, et la choisissant conforme à mon instinct de solitude et d'indépendance, il me plaça dans les Alpes ; il me donna une république catholique avec un monde de torrents : le Rhône et nos soldats se croiseraient à mes pieds, l'un descendant vers la France, les autres remontant vers l'Italie, le Simplon ouvrant devant moi son audacieux chemin. Le Consul devait m'accorder autant de congés que j'en désirerais pour voyager en Italie, et madame Bacciochi me faisait mander par Fontanes que la première grande ambassade disponible m'était réservée. J'obtins donc cette première victoire diplomatique sans m'y attendre, et sans le vouloir : il est vrai qu'à la tête de l'Etat se trouvait une haute intelligence, qui ne voulait pas abandonner à des intrigues de bureaux une autre intelligence qu'elle sentait trop disposée à se séparer du pouvoir.

Cette remarque est d'autant plus vraie que le cardinal Fesch, à qui je rends dans ces Mémoires une justice sur laquelle peut-être il ne comptait pas, avait envoyé deux dépêches malveillantes à Paris, presqu'au moment même que ses manières étaient devenues plus obligeantes, après la mort de madame de Beaumont. Sa véritable pensée était-elle dans ses conversations, lorsqu'il me permettait d'aller à Naples, ou dans ses missives diplomatiques ? Conversations et missives sont de la même date, et contradictoires. Il n'eût tenu qu'à moi de mettre M. le cardinal d'accord avec lui-même, en laissant disparaître les traces des rapports qui me concernaient : il m'eût suffi de retirer des cartons, lorsque j'étais ministre des affaires étrangères, les élucubrations de l'ambassadeur : je n'aurais fait que ce qu'a fait M. de Talleyrand au sujet de sa correspondance avec l'Empereur. Je n'ai pas cru avoir le droit d'user de ma puissance à mon profit. Si, par hasard, on recherchait ces documents, on les trouverait à leur place. Que cette manière d'agir soit une duperie, je le veux bien ; mais pour ne pas me faire le mérite d'une vertu que je n'ai pas, il faut qu'on sache que ce respect des correspondances de mes détracteurs, tient plus à mon mépris qu'à ma générosité. J'ai vu aussi dans les archives de l'ambassade à Berlin des lettres offensantes de

M. le marquis de Bonnay[1] à mon égard : loin de me ménager, je les ferai connaître.

M. le cardinal Fesch ne gardait pas plus de retenue avec le pauvre abbé Guillon (l'évêque de Maroc) : il était signalé comme un *agent de la Russie*. Bonaparte traitait M. Lainé d'*agent de l'Angleterre*[2] : c'étaient là de ces commérages dont ce grand homme avait pris la méchante habitude dans des rapports de police. Mais n'y avait-il rien à dire contre M. Fesch lui-même ? Quel cas sa propre famille faisait-elle de lui ? Le cardinal de Clermont-Tonnerre était à Rome comme moi, en 1803 ; que n'écrivait-il point de l'oncle de Napoléon ! J'ai les lettres.

Au reste, à qui ces contentions, ensevelies depuis quarante ans dans des liasses vermoulues, importent-elles ? Des divers acteurs de cette époque un seul restera, Bonaparte. Nous tous qui prétendons vivre, nous sommes déjà morts : lit-on le nom de l'insecte, à la faible lueur qu'il traîne quelquefois après lui en rampant ?

M. le cardinal Fesch m'a retrouvé depuis, ambassadeur auprès de Léon XII[3] ; il m'a donné des preuves d'estime : de mon côté, j'ai tenu à le prévenir et à l'honorer. Il est d'ailleurs naturel que l'on m'ait jugé avec une sévérité que je ne m'épargne pas. Tout cela est archi-passé : je ne veux pas même reconnaître l'écriture de ceux qui, en 1803, ont servi de secrétaires officiels ou officieux à M. le cardinal Fesch.

Je partis pour Naples : là commença une année sans madame de Beaumont ; année d'absence, que tant d'autres devaient suivre ! Je n'ai point revu Naples depuis cette époque, bien qu'en 1827 je fusse à la porte de cette même ville, où je me promettais d'aller avec madame de Chateaubriand. Les orangers étaient couverts de leurs fruits, et les myrtes de leurs fleurs. Baïes, les Champs-Elysées et la mer, étaient des enchantements que je ne pouvais plus dire à personne. J'ai peint la baie de Naples dans *les Martyrs*. Je

---

1. Le prédécesseur de Chateaubriand à l'ambassade de Berlin.

2. Allusion à la colère avec laquelle, en 1813, Napoléon accueillit un rapport de Lainé, alors député au Corps législatif. Lainé sera ministre de l'Intérieur en 1816.

3. En 1828, Fesch s'était retiré à Rome.

montai au Vésuve et descendis dans son cratère. Je me pillais : je jouais une scène de *René*[1].

A Pompeï, on me montra un squelette enchaîné et des mots latins estropiés, barbouillés par des soldats sur des murs. Je revins à Rome. Canova[2] m'accorda l'entrée de son atelier, tandis qu'il travaillait à une statue de nymphe. Ailleurs, les modèles des marbres du tombeau que j'avais commandé, étaient déjà d'une grande expression. J'allai prier sur des cendres à Saint-Louis[3], et je partis pour Paris le 21 janvier 1804, autre jour de malheur[4].

Voici une prodigieuse misère : trente-cinq ans se sont écoulés depuis la date de ces événements. Mon chagrin ne se flattait-il pas, en ces jours lointains, que le lien qui venait de se rompre serait mon dernier lien ? Et pourtant, que j'ai vite, non pas oublié, mais remplacé ce qui me fut cher ! Ainsi va l'homme de défaillance en défaillance. Lorsqu'il est jeune et qu'il mène devant lui sa vie, une ombre d'excuse lui reste ; mais lorsqu'il s'y attelle et qu'il la traîne péniblement derrière lui, comment l'excuser ? L'indigence de notre nature est si profonde, que dans nos infirmités volages, pour exprimer nos affections récentes, nous ne pouvons employer que des mots déjà usés par nous dans nos anciens attachements. Il est cependant des paroles qui ne devraient servir qu'une fois : on les profane en les répétant. Nos amitiés trahies et délaissées nous reprochent les nouvelles sociétés où nous sommes engagés ; nos heures s'accusent : notre vie est une perpétuelle rougeur, parce qu'elle est une faute continuelle.

---

1. René raconte qu'il est « monté au sommet de l'Etna ».
2. Le sculpteur (1757-1822).
3. A Saint-Louis-des-Français où Pauline reposait dans le tombeau que Chateaubriand avait fait construire pour elle.
4. Louis XVI avait été exécuté le 21 janvier 1793.

Revu le 22 février 1845.

Année de ma vie, 1804. — République du Valais. — Visite au chateau des Tuileries. — Hotel de Montmorin. — J'entends crier la mort du duc d'Enghien. — Je donne ma démission.

Mon dessein n'étant pas de rester à Paris, je descendis à l'hôtel de France, rue de Beaune, où madame de Chateaubriand vint me rejoindre pour se rendre avec moi dans le Valais. Mon ancienne société, déjà à demi dispersée, avait perdu le lien qui la réunissait.

Bonaparte marchait à l'empire ; son génie s'élevait à mesure que grandissaient les événements : il pouvait, comme la poudre en se dilatant, emporter le monde ; déjà immense, et cependant ne se sentant pas au sommet, ses forces le tourmentaient ; il tâtonnait, il semblait chercher son chemin : quand j'arrivai à Paris, il en était à Pichegru et à Moreau ; par une mesquine envie, il avait consenti à les admettre pour rivaux : Moreau, Pichegru et Georges Cadoudal, qui leur était fort supérieur, furent arrêtés.

Ce train vulgaire de conspirations que l'on rencontre dans toutes les affaires de la vie, n'avait rien de ma nature et j'étais aise de m'enfuir aux montagnes.

Le conseil de la ville de Sion m'écrivit. La naïveté de cette dépêche en a fait pour moi un document ; j'entrais dans la politique par la religion : le *Génie du Christianisme* m'en avait ouvert les portes.

RÉPUBLIQUE DU VALAIS.

Sion, 20 février 1804.

LE CONSEIL DE LA VILLE DE SION,

« A monsieur Chateaubriand, *secrétaire de légation de la*
« *République française* à Rome.

« Monsieur,

« Par une lettre officielle de notre grand-baillif, nous
« avons appris votre nomination à la place de ministre de
« France près de notre République. Nous nous empressons
« à vous en témoigner la joie la plus complète que ce choix
« nous donne. Nous voyons dans cette nomination un
« précieux gage de la bienveillance du Premier Consul
« envers notre République, et nous nous félicitons de
« l'honneur de vous posséder dans nos murs : nous en
« tirons les plus heureux augures pour les avantages de
« notre patrie et de notre ville. Pour vous donner un
« témoignage de ces sentiments, nous avons délibéré de vous
« faire préparer un logement provisoire, digne de
« vous recevoir, garni de meubles et d'effets convena-
« bles pour votre usage, autant que la localité et nos cir-
« constances le permettent, en attendant que vous ayez
« pu prendre vous-même des arrangements à votre conve-
« nance.

« Veuillez, Monsieur, agréer cette offre comme une
« preuve de nos dispositions sincères à honorer le gouverne-
« ment français dans son envoyé, dont le choix *doit plaire*
« *particulièrement à un peuple religieux.* Nous vous prions
« de vouloir bien nous prévenir de votre arrivée dans cette
« ville.

« Agréez, Monsieur, les assurances de notre respec-
« tueuse considération.

> « Le président du conseil de
> « la ville de Sion,
>
> « De Riedmalten.

> « Par le conseil de la ville :
> « Le secrétaire du conseil,
>
> « De Sorrente. »

Deux jours avant le 20 mars, je m'habillai pour aller prendre congé de Bonaparte aux Tuileries ; je ne l'avais pas revu depuis le moment où il m'avait parlé chez Lucien. La galerie où il recevait était pleine ; il était accompagné de Murat et d'un premier aide-de-camp ; il passait presque sans s'arrêter. À mesure qu'il approcha de moi, je fus frappé de l'altération de son visage : ses joues étaient dévalées [1] et livides, ses yeux âpres, son teint pâli et brouillé, son air sombre et terrible. L'attrait qui m'avait précédemment poussé vers lui, cessa ; au lieu de rester sur son passage, je fis un mouvement afin de l'éviter. Il me jeta un regard comme pour chercher à me reconnaître, dirigea quelques pas vers moi, puis se détourna et s'éloigna. Lui étais-je apparu comme un avertissement ? Son aide-de-camp me remarqua ; quand la foule me couvrait, cet aide-de-camp essayait de m'entrevoir entre les personnages placés devant moi, et rentraînait le Consul de mon côté. Ce jeu continua près d'un quart d'heure, moi toujours me retirant, Napoléon me suivant toujours sans s'en douter. Je n'ai jamais pu m'expliquer ce qui avait frappé l'aide-de-camp. Me prenait-il pour un homme suspect qu'il n'avait jamais vu ? Voulait-il, s'il savait qui j'étais, forcer Bonaparte à s'entretenir avec moi ? Quoi qu'il en soit, Napoélon passa dans un autre salon. Satisfait d'avoir rempli ma tâche en me présentant aux Tuileries, je me retirai. A la joie que j'ai toujours éprouvée en sortant d'un château, il est évident que je n'étais pas fait pour y entrer.

Retourné à l'Hôtel de France, je dis à plusieurs de mes amis : « Il faut qu'il y ait quelque chose d'étrange que nous « ne savons pas, car Bonaparte ne peut être changé à ce « point, à moins d'être malade. » M. Bourrienne a su ma singulière prévision, il a seulement confondu les dates ; voici sa phrase : « En revenant de chez le Premier Consul, M. de « Chateaubriand déclara à ses amis qu'il avait remarqué « chez le Premier Consul une grande altération et quelque « chose de sinistre dans le regard. »

Oui, je le remarquai : une intelligence supérieure n'en-

1. Au propre : descendues, tombantes.

fante pas le mal sans douleur, parce que ce n'est pas son fruit naturel et qu'elle ne devait pas le porter.

Le surlendemain, 20 mars, je me levai de bonne heure, pour un souvenir qui m'était triste et cher. M. de Montmorin avait fait bâtir un hôtel au coin de la rue Plumet, sur le boulevard neuf des Invalides. Dans le jardin de cet hôtel, vendu pendant la Révolution, madame de Beaumont, presque enfant, avait planté un cyprès, et elle s'était plu quelquefois à me le montrer en passant : c'était à ce cyprès, dont je savais seul l'origine et l'histoire, que j'allais faire mes adieux. Il existe encore, mais il languit et s'élève à peine à la hauteur de la croisée sous laquelle une main qui s'est retirée aimait à le cultiver. Je distingue ce pauvre arbre entre trois ou quatre autres de son espèce ; il semble me connaître et se réjouir quand j'approche ; des souffles mélancoliques inclinent un peu vers moi sa tête jaunie, et il murmure à la fenêtre de la chambre abandonnée : intelligences mystérieuses entre nous, qui cesseront quand l'un ou l'autre sera tombé.

Mon pieux tribut payé, je descendis le boulevard et l'esplanade des Invalides, traversai le pont Louis XVI [1] et le jardin des Tuileries, d'où je sortis près du pavillon Marsan, à la grille qui s'ouvre aujourd'hui sur la rue de Rivoli. Là, entre onze heures et midi, j'entendis un homme et une femme qui criaient une nouvelle officielle ; des passants s'arrêtaient, subitement pétrifiés par ces mots : « Jugement « de la commission militaire spéciale convoquée à Vincen- « nes, qui condamne à la peine de mort LE NOMMÉ LOUIS- « ANTOINE-HENRI DE BOURBON, né le 2 août 1772 « à Chantilly. »

Ce cri tomba sur moi comme la foudre ; il changea ma vie, de même qu'il changea celle de Napoléon. Je rentrai chez moi ; je dis à madame de Chateaubriand : « Le duc « d'Enghien vient d'être fusillé. » Je m'assis devant une table, et je me mis à écrire ma démission. Madame de Chateaubriand ne s'y opposa point et me vit écrire avec un grand courage. Elle ne se dissimulait pas mes dangers : on faisait le procès au général Moreau et à Georges Cadoudal ;

1. Aujourd'hui de la Concorde.

le lion avait goûté le sang, ce n'était pas le moment de l'irriter.

M. Clausel de Coussergues[1] arriva sur ces entrefaites ; il avait aussi entendu crier l'arrêt. Il me trouva la plume à la main : ma lettre, dont il me fit supprimer, par pitié pour madame de Chateaubriand, des phrases de colère, partit ; elle était au ministre des relations extérieures. Peu importait la rédaction : mon opinion et mon crime étaient dans le fait de ma démission : Bonaparte ne s'y trompa pas. Madame Bacciochi jeta les hauts cris en apprenant ce qu'elle appelait ma *défection ;* elle m'envoya chercher et me fit les plus vifs reproches. M. de Fontanes devint presque fou de peur, au premier moment : il me réputait fusillé avec toutes les personnes qui m'étaient attachées[2]. Pendant plusieurs jours, mes amis restèrent dans la crainte de me voir enlever par la police ; ils se présentaient chez moi d'heure en heure, et toujours en frémissant, quand ils abordaient la loge du portier. M. Pasquier vint m'embrasser le lendemain de ma démission, disant qu'on était heureux d'avoir un ami tel que moi. Il demeura un temps assez considérable dans une honorable modération, éloigné des places et du pouvoir.

Néanmoins, ce mouvement de sympathie, qui nous emporte à la louange d'une action généreuse, s'arrêta. J'avais accepté, en considération de la religion, une place hors de France, place que m'avait conférée un génie puissant, vainqueur de l'anarchie, un chef sorti du principe populaire, le *consul* d'une *République,* et non un roi continuateur d'une *monarchie* usurpée ; alors, j'étais isolé dans mon sentiment, parce que j'étais conséquent dans ma conduite ; je me retirai quand les conditions auxquelles je pouvais souscrire s'altérèrent ; mais aussitôt que le héros se fut changé en meurtrier, on se précipita dans ses anti-chambres. Six mois après le 20 mars, on eût pu croire qu'il n'y avait plus qu'une opinion dans la haute

1. Il avait commencé sous l'ancien régime et il devait poursuivre sous la Restauration une carrière de magistrat. Il est étroitement lié avec le ménage Chateaubriand.
2. Cette phrase, comme d'autres de ce chapitre, est empruntée aux Mémoires de Mme de Chateaubriand (*Cahier rouge*).

société, sauf de méchants quolibets que l'on se permettait à huis-clos. Les personnes *tombées*[1] prétendaient avoir été *forcées,* et l'on ne *forçait,* disait-on, que ceux qui avaient un grand nom ou une grande importance, et chacun, pour prouver son importance ou ses quartiers, obtenait d'être *forcé* à force de sollicitations.

Ceux qui m'avaient le plus applaudi[2] s'éloignèrent ; ma présence leur était un reproche : les gens prudents trouvent de l'imprudence dans ceux qui cèdent à l'honneur. Il y a des temps où l'élévation de l'âme est une véritable infirmité ; personne ne la comprend ; elle passe pour une espèce de borne d'esprit, pour un préjugé, une habitude inintelligente d'éducation, une lubie, un travers qui vous empêche de juger les choses ; imbécillité honorable peut-être, dit-on, mais ilotisme stupide. Quelle capacité peut-on trouver à n'y voir goutte, à rester étranger à la marche du siècle, au mouvement des idées, à la transformation des mœurs, au progrès de la société ? N'est-ce pas une méprise déplorable que d'attacher aux événements une importance qu'ils n'ont pas ? Barricadé dans vos étroits principes, l'esprit aussi court que le jugement, vous êtes comme un homme logé sur le derrière d'une maison, n'ayant vue que sur une petite cour, ne se doutant ni de ce qui se passe dans la rue, ni du bruit qu'on entend au dehors. Voilà où vous réduit un peu d'indépendance, objet de pitié que vous êtes pour la médiocrité : quant aux grands esprits à l'orgueil affectueux et aux yeux sublimes, *oculos sublimes,* leur dédain miséricordieux vous pardonne, parce qu'ils savent que vous ne *pouvez pas entendre.* Je me renfonçai donc humblement dans ma carrière littéraire ; pauvre Pindare destiné à chanter dans ma première Olympique *l'excellence de l'eau* [3], laissant le vin aux heureux.

L'amitié rendit le cœur à M. de Fontanes ; madame Bacciocchi plaça sa bienveillance entre la colère de son frère

1. Il faut sans doute comprendre : qui avaient cessé de s'opposer à Bonaparte, qui s'inclinaient devant lui.
2. Lorsque j'avais donné ma démission.
3. « Le premier des biens et l'eau » : c'est le début de la première Olympique.

et ma résolution ; M. de Talleyrand, indifférence ou calcul, garda ma démission plusieurs jours avant d'en parler : quand il l'annonça à Bonaparte, celui-ci avait eu le temps de réfléchir. En recevant de ma part la seule et directe marque de blâme d'un honnête homme qui ne craignait pas de le braver, il ne prononça que ces deux mots : « C'est bon. » Plus tard il dit à sa sœur : « Vous avez eu bien peur « pour votre ami. » Longtemps après, en causant avec M. de Fontanes, il lui avoua que ma démission était une des choses qui l'avaient le plus frappé. M. de Talleyrand me fit écrire une lettre de bureau dans laquelle il me reprochait gracieusement d'avoir privé son département de mes talents et de mes services. Je rendis les frais d'établissement, et tout fut fini en apparence. Mais en osant quitter Bonaparte, je m'étais placé à son niveau, et il était animé contre moi de toute sa forfaiture, comme je l'étais contre lui de toute ma loyauté. Jusqu'à sa chute, il a tenu le glaive suspendu sur ma tête ; il revenait quelquefois à moi par un penchant naturel et cherchait à me noyer dans ses fatales prospérités ; quelquefois, j'inclinais vers lui par l'admiration qu'il m'inspirait, par l'idée que j'assistais à une transformation sociale, non à un simple changement de dynastie : mais antipathiques sous beaucoup de rapports, nos deux natures reparaissaient, et s'il m'eût fait fusiller volontiers, en le tuant je n'aurais pas senti beaucoup de peine.

La mort fait ou défait un grand homme ; elle l'arrête au pas qu'il allait descendre, ou au degré qu'il allait monter : c'est une destinée accomplie ou manquée ; dans le premier cas, on en est à l'examen de ce qu'elle a été ; dans le second, aux conjectures de ce qu'elle aurait pu devenir.

Si j'avais rempli un devoir dans des vues lointaines d'ambition, je me serais trompé. Charles X n'a appris qu'à Prague ce que j'avais fait en 1804 : il revenait de la monarchie. « Chateaubriand, me dit-il au château de Hradschin, vous aviez servi Bonaparte ? — Oui, sire. — « Vous avez donné votre démission à la mort de M. le duc « d'Enghien ? — Oui, sire. » Le malheur instruit ou rend la mémoire. Je vous ai raconté qu'un jour, à Londres, réfugié avec M. de Fontanes dans une allée pendant une averse,

610

M. le duc de Bourbon se vint cacher sous le même abri[1] : en France, son vaillant père[2] et lui, qui remerciaient si poliment quiconque écrivait l'oraison funèbre de M. le duc d'Enghien, ne m'ont pas adressé un souvenir : ils ignoraient sans doute aussi ma conduite ; il est vrai que je ne leur en ai jamais parlé.

Chantilly, novembre 1838.

MORT DU DUC D'ENGHIEN.

COMME aux oiseaux voyageurs, il me prend au mois d'octobre une inquiétude qui m'obligerait à changer de climat, si j'avais encore la puissance des ailes et la légèreté des heures : les nuages qui volent à travers le ciel me donnent envie de fuir. Afin de tromper cet instinct, je suis accouru à Chantilly. J'ai erré sur la pelouse, où de vieux gardes se traînent à l'orée des bois. Quelques corneilles, volant devant moi, par-dessus des genêts, des taillis, des clairières, m'ont conduit aux étangs de Commelle. La mort a soufflé sur les amis qui m'accompagnèrent jadis au château de la reine Blanche : les sites de ces solitudes n'ont été qu'un horizon triste, entr'ouvert un moment du côté de mon passé. Aux jours de René, j'aurais trouvé des mystères de la vie dans le ruisseau de la Thève : il dérobe sa course parmi des prèles et des mousses ; des roseaux le voilent ; il meurt dans ces étangs qu'alimente sa jeunesse, sans cesse expirante, sans cesse renouvelée : ces ondes me charmaient

1. Voir p. 455.
2. Le prince de Condé.

quand je portais en moi le désert avec les fantômes qui me souriaient, malgré leur mélancolie, et que je parais de fleurs.

Revenant le long des haies à peine tracées, la pluie m'a surpris ; je me suis réfugié sous un hêtre : ses dernières feuilles tombaient comme mes années ; sa cime se dépouillait comme ma tête ; il était marqué au tronc d'un cercle rouge, pour être abattu comme moi. Rentré à mon auberge, avec une moisson de plantes d'automne et dans des dispositions peu propres à la joie, je vous raconterai la mort de M. le duc d'Enghien, à la vue des ruines de Chantilly.

Cette mort, dans le premier moment, glaça d'effroi tous les cœurs ; on appréhenda le revenir du règne de Robespierre. Paris crut revoir un de ces jours qu'on ne voit qu'une fois, le jour de l'exécution de Louis XVI. Les serviteurs, les amis, les parents de Bonaparte étaient consternés. A l'étranger, si le langage diplomatique étouffa subitement la sensation populaire, elle n'en remua pas moins les entrailles de la foule. Dans la famille exilée des Bourbons, le coup pénétra d'outre en outre : Louis XVIII renvoya au roi d'Espagne l'ordre de la Toison-d'Or, dont Bonaparte venait d'être décoré ; le renvoi était accompagné de cette lettre, qui fait honneur à l'âme royale :

« Monsieur et cher cousin, il ne peut y avoir rien de « commun entre moi et le grand criminel que l'audace et la « fortune ont placé sur un trône qu'il a eu la barbarie de « souiller du sang pur d'un Bourbon, le duc d'Enghien. « La religion peut m'engager à pardonner à un assassin ; mais « le tyran de mon peuple doit toujours être mon ennemi. « La Providence, par des motifs inexplicables, peut me « condamner à finir mes jours en exil ; mais jamais ni mes « contemporains, ni la postérité ne pourront dire que, dans le « temps de l'adversité, je me sois montré indigne d'occuper, « jusqu'au dernier soupir, le trône de mes ancêtres. »

Il ne faut point oublier un autre nom, qui s'associe au nom du duc d'Enghien : Gustave-Adolphe [1], le détrôné et le banni, fut le seul des rois alors régnants qui osa élever la

---

1. Gustave IV (1776-1837), roi de Suède détrôné en 1809. C'était un ami d'enfance du duc d'Enghien.

voix pour sauver le jeune prince français. Il fit partir de Carlsruhe un aide-de-camp porteur d'une lettre à Bonaparte ; la lettre arriva trop tard : le dernier des Condé n'existait plus. Gustave-Adolphe renvoya au roi de Prusse le cordon de l'Aigle-Noir, comme Louis XVIII avait renvoyé la Toison-d'Or au roi d'Espagne. Gustave déclarait à l'héritier du grand Frédéric que, « d'après les *lois de la chevalerie,* il ne « pouvait pas consentir à être le frère d'armes de l'assassin « du duc d'Enghien. » (Bonaparte avait l'Aigle-Noir). Il y a je ne sais quelle dérision amère dans ces souvenirs presque insensés de chevalerie, éteints partout, excepté au cœur d'un roi malheureux pour un ami assassiné ; nobles sympathies de l'infortune, qui vivent à l'écart sans être comprises, dans un monde ignoré des hommes !

Hélas ! nous avions passé à travers trop de despotismes différents, nos caractères, domptés par une suite de maux et d'oppressions, n'avaient plus assez d'énergie pour qu'à propos de la mort du jeune Condé notre douleur portât longtemps le crêpe : peu à peu les larmes se tarirent ; la peur déborda en félicitations sur les dangers auxquels le Premier Consul venait d'échapper ; elle pleurait de reconnaissance d'avoir été sauvée par une si sainte immolation. Néron, sous la dictée de Sénèque, écrivit au sénat une lettre apologétique du meurtre d'Agrippine ; les sénateurs, transportés, comblèrent de bénédictions le fils magnanime qui n'avait pas craint de s'arracher le cœur par un parricide tant salutaire ! La société retourna vite à ses plaisirs ; elle avait frayeur de son deuil : après la Terreur, les victimes épargnées dansaient, s'efforçaient de paraître heureuses, et, craignant d'être soupçonnées coupables de mémoire, elles avaient la même gaîté qu'en allant à l'échafaud.

Ce ne fut pas de but en blanc et sans précaution que l'on arrêta le duc d'Enghien ; Bonaparte s'était fait rendre compte du nombre des Bourbons en Europe. Dans un conseil où furent appelés MM. de Talleyrand et Fouché, on reconnut que le duc d'Angoulême était à Varsovie avec Louis XVIII ; le comte d'Artois et le duc de Berry à Londres, avec les princes de Condé et de Bourbon. Le plus jeune des Condé était à Ettenheim, dans le duché de Bade. Il se trouva que MM. Taylor et Drake, agents anglais, avaient noué des intrigues de ce côté. Le duc de Bourbon[1], le 16 juin 1803, mit en garde son petit-fils contre une arrestation possible, par un billet à lui adressé de Londres et que l'on conserve. Bonaparte appela auprès de lui les deux consuls ses collègues[2] : il fit d'abord d'amers reproches à M. Réal[3] de l'avoir laissé ignorer ce qu'on projetait contre lui. Il écouta patiemment les objections : ce fut Cambacérès qui s'exprima avec le plus de vigueur. Bonaparte l'en remercia et passa outre. C'est ce que j'ai vu dans les mémoires de Cambacérès, qu'un de ses neveux, M. de Cambacérès, pair de France, m'a permis de consulter, avec une obligeance dont je conserve un souvenir reconnaissant. La bombe lancée ne revient pas ; elle va où le génie l'envoie, et tombe. Pour exécuter les ordres de Bonaparte, il fallait violer le territoire de l'Allemagne, et le territoire fut immédiatement violé. Le duc d'Enghien fut arrêté à Ettenheim. On ne trouva auprès de lui, au lieu du général Dumouriez, que le marquis de Tuméry et quelques autres émigrés de peu de renom : cela aurait dû avertir de la méprise. Le duc d'Enghien est conduit à Strasbourg. Le commencement de la catastrophe de Vincennes nous a été raconté par le prince même : il a laissé un petit journal de route d'Ettenheim à Strasbourg : le héros de la tragédie vient sur l'avant-scène prononcer ce prologue :

JOURNAL DU DUC D'ENGHIEN.

« Le jeudi 15 mars, à Ettenheim, ma maison cer-
« née, dit le prince, par un détachement de dragons et des
« piquets de gendarmerie ; total, deux cents hommes envi-
« ron, deux généraux, le colonel des dragons, le colonel
« Charlot de la gendarmerie de Strasbourg, à cinq heures
« (du matin). A cinq heures et demie, les portes enfoncées,
« emmené au Moulin, près la Tuilerie. Mes papiers enlevés,
« cachetés. Conduit dans une charrette, entre deux haies de

1. Le duc de Bourbon était le père du duc d'Enghien. Chateaubriand veut désigner ici son grand-père, le prince de Condé.
2. Cambacérès et Lebrun.
3. Alors adjoint au ministre de la Police.

« fusiliers, jusqu'au Rhin. Embarqué pour Rhisnau. Débar-
« qué et marché à pied jusqu'à Pfortsheim. Déjeuné à
« l'auberge. Monté en voiture avec le colonel Charlot, le
« maréchal-des-logis de la gendarmerie, un gendarme sur le
« siége et Grunstein. Arrivé à Strasbourg, chez le colonel
« Charlot, vers cinq heures et demie. Transféré une demi-
« heure après, dans un fiacre, à la citadelle. . . . .

. . . .

« Dimanche 18, on vient m'enlever à une heure et demie du
« matin. On ne me laisse que le temps de m'habiller.
« J'embrasse mes malheureux compagnons, mes gens. Je
« pars seul avec deux officiers de gendarmerie et deux
« gendarmes. Le colonel Charlot m'a annoncé que nous
« allons chez le général de division, qui a reçu des ordres de
« Paris. Au lieu de cela, je trouve une voiture avec six
« chevaux de poste sur la place de l'Eglise. Le lieutenant
« Petermann y monte à côté de moi, le maréchal-des-logis
« Blitersdorff sur le siége, deux gendarmes en dedans,
« l'autre en dehors. »

Ici le naufragé, prêt à s'engloutir, interrompt son journal
de bord.

Arrivée vers les quatre heures du soir à l'une des barrières
de la capitale, où vient aboutir la route de Strasbourg, la
voiture, au lieu d'entrer dans Paris, suivit le boulevard
extérieur et s'arrêta au château de Vincennes. Le prince,
descendu de la voiture dans la cour intérieure, est conduit
dans une chambre de la forteresse, on l'y enferme et il
s'endort. A mesure que le prince approchait de Paris,
Bonaparte affectait un calme qui n'était pas naturel. Le
18 mars, il partit pour la Malmaison ; c'était le dimanche
des Rameaux. Madame Bonaparte, qui, comme toute sa
famille, était instruite de l'arrestation du prince, lui parla de
cette arrestation. Bonaparte lui répondit : « Tu n'entends
rien à la politique. » Le colonel Savary[1] était devenu un des
habitués de Bonaparte. Pourquoi ? parce qu'il avait vu le
Premier Consul pleurer à Marengo. Les hommes à part
doivent se défier de leurs larmes, qui les mettent sous le

1. Le futur duc de Rovigo (1774-1833).

joug des hommes vulgaires. Les larmes sont une de ces faiblesses par lesquelles un témoin peut se rendre maître des résolutions d'un grand homme.

On assure que le Premier Consul fit rédiger tous les ordres pour Vincennes. Il était dit dans un de ces ordres, que si la condamnation prévue était une condamnation à mort, elle devait être exécutée sur-le-champ. Je crois à cette version, bien que je ne puisse l'attester, puisque ces ordres manquent. Madame de Rémusat, qui, dans la soirée du 20 mars, jouait aux échecs à La Malmaison avec le Premier Consul, l'entendit murmurer quelques vers sur la clémence d'Auguste ; elle crut que Bonaparte revenait à lui et que le prince était sauvé. Non ; le destin avait prononcé son oracle. Lorsque Savary reparut à La Malmaison, madame Bonaparte devina tout le malheur. Le Premier Consul s'était enfermé seul pendant plusieurs heures. Et puis le vent souffla, et tout fut fini.

COMMISSION MILITAIRE NOMMÉE.

Un ordre de Bonaparte, du 29 ventôse an XII[1], avait arrêté qu'une commission militaire, composée de sept membres nommés par le général gouverneur de Paris (Murat), se réunirait à Vincennes, pour juger *le ci-devant duc d'Enghien, prévenu d'avoir porté les armes contre la République, etc.*

En exécution de cet arrêté, le même jour, 29 ventôse, Joachim Murat nomma, pour former ladite commission, les sept militaires ; à savoir :

Le général Hulin, commandant les grenadiers à pied de la garde des Consuls, président ;

Le colonel Guitton, commandant le 1er régiment de cuirassiers ;

Le colonel Bazancourt, commandant le 4e régiment d'infanterie légère ;

Le colonel Ravier, commandant le 18e régiment d'infanterie de ligne ;

1. 20 mars 1804.

Le colonel Barrois, commandant le 96ᵉ régiment d'infanterie de ligne ;

Le colonel Rabbe, commandant le 2ᵉ régiment de la garde municipale de Paris ;

Le citoyen d'Autancourt, major de la gendarmerie d'élite, qui remplira les fonctions de capitaine-rapporteur.

INTERROGATOIRE DU CAPITAINE-RAPPORTEUR.

Le capitaine d'Autancourt, le chef d'escadron Jacquin, de la légion d'élite, deux gendarmes à pied du même corps, Lerva, Tharsis, et le citoyen Noirot, lieutenant au même corps, se rendent à la chambre du duc d'Enghien ; ils le réveillent : il n'avait plus que quatre heures à attendre, avant de retourner à son sommeil. Le capitaine-rapporteur, assisté de Molin, capitaine au 18ᵉ régiment, greffier choisi par ledit rapporteur, interroge le prince.

A lui demandé ses noms, prénoms, âge et lieu de naissance ?

— A répondu se nommer Louis-Antoine-Henri de Bourbon, duc d'Enghien, né le 2 août 1772, à Chantilly.

A lui demandé où il a résidé depuis sa sortie de France ?

— A répondu qu'après avoir suivi ses parents, le corps de Condé s'étant formé, il avait fait toute la guerre, et qu'avant cela, il avait fait la campagne de 1792, en Brabant, avec le corps de Bourbon.

A lui demandé s'il n'était point passé en Angleterre, et si cette puissance lui accorde toujours un traitement ?

— A répondu n'y être jamais allé ; que l'Angleterre lui accorde toujours un traitement, et qu'il n'a que cela pour vivre.

A lui demandé quel grade il occupait dans l'armée de Condé ?

— A répondu : commandant de l'avant-garde avant 1796, avant cette campagne comme volontaire au quartier général de son grand-père et toujours, depuis 1796, comme commandant de l'avant-garde.

A lui demandé s'il connaissait le général Pichegru ; s'il a eu des relations avec lui ?

— A répondu : Je ne l'ai, je crois, jamais vu. Je n'ai point eu de relations avec lui. Je sais qu'il a désiré me voir. Je me loue de ne l'avoir point connu, d'après les vils moyens dont on dit qu'il a voulu se servir, s'ils sont vrais.

A lui demandé s'il connaît l'ex-général Dumouriez, et s'il a des relations avec lui ?

— A répondu : Pas davantage.

De quoi a été dressé le présent qui a été signé par le duc d'Enghien, le chef d'escadron Jacquin, le lieutenant Noirot, les deux gendarmes et le capitaine-rapporteur.

Avant de signer le présent procès-verbal, le duc d'Enghien a dit : « Je fais avec instance la demande d'avoir une « audience particulière du Premier Consul. Mon nom, mon « rang, ma façon de penser et l'horreur de ma situation me « font espérer qu'il ne se refusera pas à ma demande. »

SÉANCE ET JUGEMENT DE LA COMMISSION MILITAIRE.

A deux heures du matin, 21 mars, le duc d'Enghien fut amené dans la salle où siégeait la commission et répéta ce qu'il avait dit dans l'interrogatoire du capitaine-rapporteur. Il persista dans sa déclaration : il ajouta qu'il était prêt à faire la guerre, et qu'il désirait avoir du service dans la nouvelle guerre de l'Angleterre contre la France : « Lui ayant « été demandé s'il avait quelque chose à présenter dans ses « moyens de défense, a répondu n'avoir rien à dire de plus.

« Le président fait retirer l'accusé ; le conseil délibérant « à huis-clos, le président recueille les voix, en commençant « par le plus jeune en grade ; ensuite, ayant émis son « opinion le dernier, l'unanimité des voix a déclaré le duc « d'Enghien coupable, et lui a appliqué l'article . . . . . de « la loi du . . . . . ainsi conçu . . . . et en conséquence « l'a condamné à la peine de mort. Ordonne que le présent « jugement sera exécuté de suite à la diligence du capitai- « ne-rapporteur, après en avoir donné lecture au condamné, « en présence des différents détachements des corps de la « garnison.

« Fait, clos et jugé sans désemparer à Vincennes les « jour, mois et an que dessus et avons signé. »

La fosse étant *faite, remplie et close,* dix ans d'oubli, de consentement général et de gloire inouïe s'assirent dessus ;

l'herbe poussa au bruit des salves qui annonçaient des victoires, aux illuminations qui éclairaient le sacre pontifical, le mariage de la fille des Césars ou la naissance du roi de Rome. Seulement de rares affligés rôdaient dans le bois, aventurant un regard furtif au bas du fossé vers l'endroit lamentable, tandis que quelques prisonniers l'apercevaient du haut du donjon qui les renfermait. La Restauration vint : la terre de la tombe fut remuée et avec elle les consciences ; chacun alors crut devoir s'expliquer. M. Dupin aîné [1] publia sa discussion ; M. Hulin, président de la commission militaire, parla ; M. le duc de Rovigo entra dans la controverse en accusant M. de Talleyrand ; un tiers répondit pour M. de Talleyrand, et Napoléon éleva sa grande voix sur le rocher de Saint-Hélène.

Il faut reproduire et étudier ces documents, pour assigner à chacun la part qui lui revient, et la place qu'il doit occuper dans ce drame. Il est nuit, et nous sommes à Chantilly ; il était nuit quand le duc d'Enghien était à Vincennes.

Chantilly, novembre 1838.

ANNÉE DE MA VIE, 1804.

LORSQUE M. Dupin publia sa brochure, il me l'envoya avec cette lettre :

Paris, ce 10 novembre 1823.

« Monsieur le vicomte,

« Veuillez agréer un exemplaire de ma publication re-
« lative à l'assassinat du duc d'Enghien.

1. Il fera sous les régimes les plus divers une brillante carrière de juriste, d'avocat, de parlementaire et de magistrat (1783-1865).

« Il y a longtemps qu'elle eût paru, si je n'avais voulu,
« avant tout, respecter la volonté de monseigneur le duc de
« Bourbon, qui, ayant eu connaissance de mon travail,
« m'avait fait exprimer son désir que cette déplorable
« affaire ne fût point exhumée.

« Mais la providence ayant permis que d'autres prissent
« l'initiative, il est devenu nécessaire de faire connaître la
« vérité, et après m'être assuré qu'on ne persistait plus à me
« faire garder le silence, j'ai parlé avec franchise et sincérité.

« J'ai l'honneur d'être avec un profond respect,

« Monsieur le vicomte,

De Votre Excellence [1], le très-humble et
très-obéissant serviteur,

« Dupin. »

M. Dupin que je félicitai et remerciai, révèle dans sa
lettre d'envoi un trait ignoré et touchant, des nobles et
miséricordieuses vertus du père de la victime. M. Dupin
commence ainsi sa brochure :

« La mort de l'infortuné duc d'Enghien est un des
« événements qui ont le plus affligé la nation française : il
« a déshonoré le gouvernement consulaire.

« Un jeune prince, à la fleur de l'âge, surpris par
« trahison sur un sol étranger, où il dormait en paix sous la
« protection du droit des gens ; entraîné violemment vers la
« France, traduit devant de prétendus juges qui, en aucun
« cas, ne pouvaient être les siens ; accusé de crimes imagi-
« naires ; privé du secours d'un défenseur ; interrogé et
« condamné à huis-clos ; mis à mort de nuit dans les fossés
« du château-fort qui servait de prison d'Etat ; tant de
« vertus méconnues, de si chères espérances détruites,
« teront à jamais de cette catastrophe un des actes les plus
« révoltants auxquels ait pu s'abandonner un gouvernement
« absolu !

« Si aucune forme n'a été respectée ; si les juges étaient
« incompétents ; s'ils n'ont pas même pris la peine de
« relater dans leur arrêt la date et le texte des lois sur

« 1. Chateaubriand est en 1823 ministre des Affaires étrangères.

« lesquelles ils prétendaient appuyer cette condamnation ; si
« le malheureux duc d'Enghien a été fusillé en vertu d'une
« sentence *signée en blanc...* et qui n'a été régularisée
« qu'après coup, alors ce n'est plus seulement l'innocente
« victime d'une erreur judiciaire ; la chose reste avec son
« véritable nom : c'est un odieux assassinat. »

Cet éloquent exorde conduit M. Dupin à l'examen des
pièces : il montre d'abord l'illégalité de l'arrestation : le duc
d'Enghien n'a point été arrêté en France ; il n'était point
prisonnier de guerre, puisqu'il n'avait pas été pris les armes
à la main ; il n'était pas prisonnier à titre civil, car
l'extradition n'avait pas été demandée ; c'était un empare-
ment violent de la personne, comparable aux captures que
font les pirates de Tunis et d'Alger, une course de voleur,
incursio latronum.

Le jurisconsulte passe à l'incompétence de la commission
militaire : la connaissance de prétendus complots tramés
contre l'Etat n'a jamais été attribuée aux commissions
militaires.

Vient après cela l'examen du jugement :

« L'interrogatoire » (c'est M. Dupin qui continue de parler), « a lieu le 29 ventôse à minuit. Le 30 ventôse, à deux
« heures du matin, le duc d'Enghien est introduit devant la
« commission militaire.

« Sur la minute du jugement on lit : Aujourd'hui, le
« 30 ventôse an XII de la République, *à deux heures du*
« *matin :* ces mots, *deux heures du matin,* qui n'y ont été
« mis que parce qu'en effet, il était cette heure-là, sont
« effacés sur la minute, sans avoir été remplacés par d'autre
« indication.

« Pas un seul témoin n'a été ni entendu, ni produit
« contre l'accusé.

« L'accusé *est déclaré coupable !* Coupable de quoi ? Le
« jugement ne le dit pas.

« Tout jugement qui prononce une peine doit contenir la
« citation de la loi en vertu de laquelle la peine est
« appliquée.

« Eh bien, ici, aucune de ces formes n'a été remplie ;
« aucune mention n'atteste au procès-verbal que les com-
« missaires aient eu sous les yeux un *exemplaire de la loi* ;

« rien ne constate que le président en ait *lu le texte* avant de
« l'appliquer. Loin de là, le jugement, dans sa forme
« matérielle, offre la preuve que les commissaires ont
« condamné sans savoir ni la date, ni la teneur de la loi ; car
« ils ont *laissé en blanc,* dans la minute de la sentence, et la
« date de la loi et le numéro de l'article, et la place destinée
« à recevoir son texte. Et cependant, c'est sur la minute
« d'une sentence constituée dans cet état d'imperfection,
« que le plus noble sang a été versé par des bourreaux !

« La délibération doit être secrète ; mais la prononciation
« du jugement doit être publique ; c'est encore la Loi qui
« nous le dit. Or, le jugement du 30 ventôse dit bien : le
« conseil délibérant à *huis-clos;* mais on n'y trouve pas la
« mention que l'on ait rouvert les portes, on n'y voit pas
« exprimé que le résultat de la délibération ait été prononcé
« en séance publique. Il le dirait, y pourrait-on croire ? Une
« séance publique, à deux heures du matin, dans le donjon
« de Vincennes, lorsque toutes les issues du château étaient
« gardées par des gendarmes d'élite ! Mais, enfin, on n'a pas
« même pris la précaution de recourir au mensonge ; le
« jugement est muet sur ce point.

« Ce jugement est signé par le président et les six autres
« commissaires, y compris le rapporteur, mais il est à
« remarquer que la minute *n'est pas signée par le greffier,*
« dont le concours, cependant, était nécessaire pour lui
« donner authencité.

« La sentence est terminée par cette terrible formule :
« *Sera exécuté* DE SUITE, *à la diligence du capitaine-rappor-*
« *teur.*

« DE SUITE! mots désespérants qui sont l'ouvrage des
« juges ! DE SUITE! Et une loi expresse, celle du 15 bru-
« maire an VI, accordait le recours en révision contre tout
« jugement militaire ! »

M. Dupin, passant à l'exécution, continue ainsi :

« Interrogé de nuit, jugé de nuit, le duc d'Enghien a été
« tué de nuit. Cet horrible sacrifice devait se consommer
« dans l'ombre, afin qu'il fût dit que toutes les lois avaient
« été violées, toutes, même celles qui prescrivaient la publi-
« cité de l'exécution. »

622

Le jurisconsulte vient aux irrégularités dans l'instruction : «L'article 19 de la loi du 13 brumaire an V porte « qu'après avoir clos l'interrogatoire, le rapporteur dira au « prévenu de *faire choix d'un ami pour défenseur.* — Le « prévenu aura *la faculté de choisir ce défenseur* dans « toutes les classes de citoyens présents sur les lieux ; s'il « déclare qu'il ne peut faire ce choix, le rapporteur le fera « pour lui.

« Ah ! sans doute le prince n'avait point d'*amis* * parmi « ceux qui l'entouraient ; la cruelle déclaration lui en fut « faite par un des fauteurs de cette horrible scène !... Hélas ! « que n'étions-nous présents ? que ne fut-il permis au « prince de faire un appel au barreau de Paris ? là, il eût « trouvé des amis de son malheur, des défenseurs de son « infortune. C'est en vue de rendre ce jugement présentable « aux yeux du public qu'on paraît avoir préparé plus à loisir « une nouvelle rédaction. La substitution tardive d'une « seconde rédaction, en apparence plus régulière que la « première (bien qu'également injuste), n'ôte rien à l'odieux « d'avoir fait périr le duc d'Enghien sur un croquis de « jugement signé à la hâte, et qui n'avait pas encore reçu « son complément. »

Telle est la lumineuse brochure de M. Dupin. Je ne sais, toutefois si, dans un acte de la nature de celui qu'examine l'auteur, le plus ou le moins de régularité tient une place importante : qu'on eût étranglé le duc d'Enghien dans une chaise de poste de Strasbourg à Paris, ou qu'on l'ait tué dans le bois de Vincennes, la chose est égale. Mais n'est-il pas providentiel de voir des hommes, après longues années, les uns démontrer l'irrégularité d'un meurtre auquel ils n'avaient pris aucune part, les autres accourir, sans qu'on le leur demandât, devant l'accusation publique ? Qu'ont-ils donc entendu ? quelle voix d'en haut les a sommés de comparaître ?

* Allusion à une abominable réponse qu'on aurait faite, dit-on, à M. le duc d'Enghien.

Le général Hulin.

Après le grand jurisconsulte, voici venir un vétéran aveugle : il a commandé les grenadiers de la Vieille Garde ; c'est tout dire aux braves. Sa dernière blessure, il l'a reçue de Malet, dont le plomb impuissant est resté perdu dans un visage qui ne s'est jamais détourné du boulet. *Frappé de cécité, retiré du monde, n'ayant pour consolations que les soins de sa famille* (ce sont ses propres paroles), le juge du duc d'Enghien semble sortir de son tombeau à l'appel du souverain Juge ; il plaide sa cause sans se faire illusion et sans s'excuser :

« Qu'on ne se méprenne point, dit-il, sur mes inten-
« tions. Je n'écris point par peur, puisque ma personne est
« sous la protection de lois émanées du trône même, et que
« sous le gouvernement d'un roi juste, je n'ai rien à
« redouter de la violence et de l'arbitraire. J'écris pour dire
« la vérité, même en tout ce qui peut m'être contraire.
« Ainsi, je ne prétends justifier ni la forme ni le fond du
« jugement, mais je veux montrer sous l'empire et au milieu
« de quel concours de circonstances il a été rendu ; je veux
« éloigner de moi et de mes collègues l'idée que nous ayons
« agi comme des hommes de parti. Si l'on doit nous blâmer
« encore, je veux aussi qu'on dise de nous : *Ils ont été bien
« malheureux !* »

Le général Hulin affirme que, nommé président d'une commission militaire, il n'en connaissait pas le but ; qu'arrivé à Vincennes, il l'ignorait encore ; que les autres membres de la commission l'ignoraient également ; que le commandant du château, M. Harel, étant interrogé, lui dit ne savoir rien lui-même, ajoutant ces paroles : « Que voulez-
« vous ? je ne suis plus rien ici. Tout se fait sans mes ordres
« et ma participation : c'est un autre qui commande ici. »

Il était dix heures du soir, quand le général Hulin fut tiré

de son incertitude par la communication des pièces.—
L'audience fut ouverte à minuit, lorsque l'examen du
prisonnier par le capitaine-rapporteur eut été fini. « La
« lecture des pièces, » dit le président de la commission,
« donna lieu à un incident. Nous remarquâmes qu'à la fin
« de l'interrogatoire subi devant le capitaine-rapporteur, le
« prince, avant de signer, *avait tracé, de sa propre main,*
« *quelques lignes où il exprimait le désir d'avoir une*
« *explication avec le Premier Consul.* Un membre fit la
« proposition de transmettre cette demande au gouverne-
« ment. La commission y déféra ; mais, au même instant, le
« général [1] qui était venu se poster derrière mon fauteuil,
« nous représenta que cette demande était *inopportune.*
« D'ailleurs, nous ne trouvâmes dans la loi aucune disposi-
« tion qui nous autorisât à surseoir. La commission passa
« donc outre, se réservant, après les débats, de satisfaire au
« vœu du prévenu. »

Voilà ce que raconte le général Hulin. Or on lit cet autre
passage dans la brochure du duc de Rovigo : « Il y avait
« même assez de monde pour qu'il m'ait été difficile, étant
« arrivé des derniers, de pénétrer derrière le siége du
« président où je parvins à me placer. »

C'était donc le duc de Rovigo qui s'était *posté derrière le
fauteuil* du Président ? Mais lui, ou tout autre, ne faisant
pas partie de la commission, avait-il le droit d'intervenir
dans les débats de cette commission et de représenter
qu'une demande était *inopportune ?*

Ecoutons le commandant des grenadiers de la Vieille
Garde parler du courage du jeune fils des Condé ; il s'y
connaissait :

« Je procédai à l'interrogatoire du prévenu ; je dois le
« dire, il se présenta devant nous avec une noble assurance,
« repoussa loin de lui d'avoir trempé directement ni indirec-
« tement dans un complot d'assassinat contre la vie du
« Premier Consul ; mais il avoua aussi avoir porté les armes
« contre la France, disant avec un courage et une fierté qui
« ne nous permirent jamais, dans son propre intérêt, de le
« faire varier sur ce point : *« qu'il avait soutenu les droits de*

1. Savary.

« sa famille, et qu'un Condé ne pouvait jamais rentrer en
« France que les armes à la main. Ma naissance, mon
« opinion, ajouta-t-il, me rendent à jamais l'ennemi de
« votre gouvernement. »

« La fermeté de ses aveux devenait désespérante pour
« ses juges. Dix fois nous le mîmes sur la voie de revenir sur
« ses déclarations, toujours il persista d'une manière iné-
« branlable : « Je vois, disait-il par intervalles, les intentions
« honorables des membres de la commission, mais je ne
« peux me servir des moyens qu'ils m'offrent. » Et sur
« l'avertissement que les commissions militaires jugeaient
« sans appel : « Je le sais, me répondit-il, et je ne me
« dissimule pas le danger que je cours ; je désire seulement
« avoir une entrevue avec le Premier Consul. »

Est-il dans toute notre histoire une page plus pathétique ?
La nouvelle France jugeant la France ancienne, lui rendant
hommage, lui présentant les armes, lui faisant le salut du
drapeau en la condamnant ; le tribunal établi dans la
forteresse où le grand Condé, prisonnier, cultivait des
fleurs ; le général des grenadiers de la garde de Bonaparte,
assis en face du dernier descendant du vainqueur de Rocroi,
se sentant ému d'admiration devant l'accusé sans défenseur,
abandonné de la terre, l'interrogeant tandis que le bruit du
fossoyeur qui creusait la tombe, se mêlait aux réponses
assurées du jeune soldat ! Quelques jours après l'exécution,
le général Hulin s'écriait : « O le brave jeune homme ! quel
courage ! Je voudrais mourir comme lui ! »

Le général Hulin, après avoir parlé de la minute et de la
seconde rédaction du jugement, dit : « Quant à la seconde
« rédaction, la seule vraie, comme elle ne portait par l'ordre
« d'exécuter de suite, mais seulement de lire de suite le
« jugement au condamné, l'exécution de suite ne serait pas
« le fait de la commission, mais seulement de ceux qui
« auraient pris sur leur responsabilité propre de brusquer
« cette fatale exécution.

« Hélas ! nous avions bien d'autres pensées ! A peine le
« jugement fut-il signé, que je me mis à écrire une lettre
« dans laquelle, me rendant en cela l'interprète du vœu
« unanime de la commission, j'écrivais au Premier Consul
« pour lui faire part du désir qu'avait témoigné le Prince

« d'avoir une entrevue avec lui, et aussi pour le conjurer de
« remettre une peine que la rigueur de notre position ne
« nous avait pas permis d'éluder.

« C'est à cet instant qu'un homme [1], qui s'était constam-
« ment tenu dans la salle du conseil, et que je nommerais à
« l'instant, si je ne réfléchissais que, même en me défen-
« dant, il ne me convient pas d'accuser...... — Que faites-
« vous là, me dit-il en s'approchant de moi. — J'écris au
« Premier Consul, lui répondis-je, pour lui exprimer le vœu
« du conseil et celui du condamné. — Votre affaire est
« finie, me dit-il en reprenant la plume : maintenant cela
« me regarde.

« J'avoue que je crus, et plusieurs de mes collègues avec
« moi, qu'il voulait dire : *Cela me regarde d'avertir le*
« *Premier Consul.* La réponse, entendue en ce sens, nous
« laissait l'espoir que l'avertissement n'en serait pas moins
« donné. Et comment nous serait-il venu à l'idée que qui
« que ce fût auprès de nous, *avait l'ordre de négliger les*
« *formalités voulues par les lois.* »

Tout le secret de cette funeste catastrophe est dans cette
déposition. Le vétéran qui, toujours près de mourir sur le
champ de bataille, avait appris de la mort le langage de la
vérité, conclut par ces dernières paroles :

« Je m'entretenais de ce qui venait de se passer sous le
« vestibule contigu à la salle des délibérations. Des conver-
« sations particulières s'étaient engagées ; j'attendais ma
« voiture, qui, n'ayant pu entrer dans la cour intérieure,
« non plus que celles des autres membres, retarda mon
« départ et le leur ; nous étions nous-mêmes enfermés, sans
« que personne pût communiquer au dehors, lorsqu'une
« explosion se fit entendre : bruit terrible qui retentit au
« fond de nos âmes et les glaça de terreur et d'effroi.

« Oui, je le jure au nom de tous mes collègues, cette
« exécution ne fut point autorisée par nous : notre juge-
« ment portait qu'il en serait envoyé une expédition au
« ministre de la guerre, au grand-juge ministre de la justice,
« et au général en chef gouverneur de Paris.

« L'ordre d'exécution ne pouvait être régulièrement

1. Encore Savary.

« donné que par ce dernier [1] ; les copies n'étaient point
« encore expédiées ; elles ne pouvaient pas être terminées,
« avant qu'une partie de la journée ne fût écoulée. Rentré
« dans Paris, j'aurais été trouver le gouverneur. le Premier
« Consul, que sais-je ? Et tout à coup un bruit affreux vient
« nous révéler que le prince n'existe plus !

« Nous ignorions si celui qui a si cruellement précipité
« cette exécution funeste *avait des ordres : s'il n'en avait*
« *point, lui seul est responsable ; s'il en avait, la commis-*
« *sion, étrangère à ces ordres, la commission, tenue en*
« *chartre privée,* la commission, dont le dernier vœu était
« pour le salut du prince, n'a pu ni en prévenir, ni en
« empêcher l'effet. On ne peut l'en accuser.

« Vingt ans écoulés n'ont point adouci l'amertume de
« mes regrets. Que l'on m'accuse d'ignorance, d'erreur, j'y
« consens ; qu'on me reproche une obéissance à laquelle
« aujourd'hui je saurais bien me soustraire dans de pareilles
« circonstances ; mon attachement à un homme que je
« croyais destiné à faire le bonheur de mon pays ; ma
« fidélité à un gouvernement que je croyais légitime alors et
« qui était en possession de mes serments ; mais que l'on me
« tienne compte, ainsi qu'à mes collègues, des circonstances
« fatales au milieu desquelles nous avons été appelés à
« prononcer. »

La défense est faible, mais vous vous repentez, général :
paix vous soit ! Si votre arrêt est devenu la feuille de route
du dernier Condé, vous irez rejoindre, à la garde avancée des
morts, le dernier conscrit de notre ancienne patrie. Le jeune
soldat se fera un plaisir de partager son lit avec le grenadier
de la Vieille Garde ; la France de Fribourg et la France de
Marengo dormiront ensemble.

---

1. Murat avait été nommé gouverneur de Paris en 1803, en remplace-
ment de Junot.

LE DUC DE ROVIGO

M. LE DUC DE ROVIGO, en se frappant la poitrine, prend son rang dans la procession qui vient se confesser à la tombe. J'avais été longtemps sous le pouvoir du ministre de la police ; il tomba sous l'influence qu'il supposait m'être rendue au retour de la légitimité : il me communiqua une partie de ses *Mémoires*. Les hommes, dans sa position, parlent de ce qu'ils ont fait avec une merveilleuse candeur ; ils ne se doutent pas de ce qu'ils disent contre eux-mêmes : s'accusant sans s'en apercevoir, ils ne soupçonnent pas qu'il y ait une autre opinion que la leur, et sur les fonctions dont ils s'étaient chargés, et sur la conduite qu'ils ont tenue. S'ils ont manqué de fidélité, ils ne croient pas avoir violé leur serment ; s'ils ont pris sur eux des rôles qui répugnent à d'autres caractères, ils pensent avoir rendu de grands services. Leur naïveté ne les justifie pas, mais elle les excuse.

M. le duc de Rovigo me consulta sur les chapitres où il traite de la mort du duc d'Enghien ; il voulait connaître ma pensée, précisément parce qu'il savait ce que j'avais fait ; je lui sus gré de cette marque d'estime, et lui rendant franchise pour franchise, je lui conseillai de ne rien publier. Je lui dis : « Laissez mourir tout cela ; en France l'oubli ne se fait « pas attendre. Vous vous imaginez laver Napoléon d'un « reproche et rejeter la faute sur M. de Talleyrand ; or vous « ne justifiez pas assez le premier, et n'accusez pas assez le « second. Vous prêtez le flanc à vos ennemis ; ils ne « manqueront pas de vous répondre. Qu'avez-vous besoin « de faire souvenir le public que vous commandiez la « gendarmerie d'élite à Vincennes ? Il ignorait la part « directe que vous avez eue dans cette action de malheur, et

« vous la lui révélez. Général, jetez le manuscrit [1] au feu :
« je vous parle dans votre intérêt. »

Imbu des maximes gouvernementales de l'Empire, le duc de Rovigo pensait que ces maximes convenaient également au trône légitime ; il avait la conviction que sa brochure lui rouvrirait la porte des Tuileries.

C'est en partie à la lumière de cet écrit que la postérité verra se dessiner les fantômes de deuil. Je voulus cacher l'inculpé venu me demander asile pendant la nuit ; il n'accepta point la protection de mon foyer.

M. de Rovigo fait le récit du départ de M. de Caulaincourt [2] qu'il ne nomme point ; il parle de l'enlèvement à Ettenheim, du passage du prisonnier à Strasbourg, et de son arrivée à Vincennes. Après une expédition sur les côtes de la Normandie, le général Savary était revenu à La Malmaison. Il est appelé à cinq heures du soir, le 19 mars 1804, dans le cabinet du Premier Consul, qui lui remet une lettre cachetée pour la porter au général Murat, gouverneur de Paris. Il vole chez le général, se croise avec le ministre des relations extérieures [3], reçoit l'ordre de prendre la gendarmerie d'élite et d'aller à Vincennes. Il s'y rend à huit heures du soir et voit arriver les membres de la commission. Il pénètre bientôt dans la salle où l'on jugeait le Prince, le 21, à une heure du matin, et il va s'asseoir derrière le président. Il rapporte les réponses du duc d'Enghien, à peu près comme les rapporte le procès-verbal de l'unique séance. Il m'a raconté que le Prince, après avoir donné ses dernières explications, ôta vivement sa casquette, la posa sur la table, et, comme un homme qui résigne sa vie, dit au président : « Monsieur, je n'ai plus rien à dire. »

M. de Rovigo insiste sur ce que la séance n'était point mystérieuse : « Les portes de la salle, affirme-t-il, étaient « ouvertes et libres pour tous ceux qui pouvaient s'y rendre « à *cette heure.* » M. Dupin avait déjà remarqué cette perturbation de raisonnement. A cette occasion, M. Achille

---

1. Savary le publia en 1823.

2. Caulaincourt était en 1804 général de brigade et aide de camp du premier consul.

3. Talleyrand.

Roche 1, qui semble écrire pour M. de Talleyrand, s'écrie :
« La séance ne fut point mystérieuse ! A minuit ! Elle se tint
« dans la partie habitée du château ; dans la partie habitée
« d'une prison ! Qui assistait donc à cette séance ? des
« geôliers, des soldats, des bourreaux. »

Nul ne pouvait donner des détails plus exacts sur le
moment et le lieu du coup de foudre que M. le duc de
Rovigo ; écoutons-le :

« Après le prononcé de l'arrêt, je me retirai avec les
« officiers de mon corps qui, comme moi, avaient assisté
« aux débats, et j'allai rejoindre les troupes qui étaient sur
« l'esplanade du château. L'officier qui commandait l'in-
« fanterie de ma légion, vint me dire avec une émotion
« profonde, qu'on lui demandait un piquet pour exécuter la
« sentence de la commission militaire : — Donnez-le,
« répondis-je. — Mais, où dois-je le placer ? — Là où vous
« ne pourrez blesser personne. Car déjà les habitants des
« populeux environs de Paris étaient sur les routes pour se
« rendre aux divers marchés.

« Après avoir bien examiné les lieux, l'officier choisit le
« fossé comme l'endroit le plus sûr pour ne blesser per-
« sonne. M. le duc d'Enghien y fut conduit par l'escalier de
« la tour d'entrée du côté du parc, et y entendit la sentence,
« qui fut exécutée. »

Sous ce paragraphe, on trouve cette note de l'auteur du
mémoire : « Entre la sentence et son exécution, on avait
« creusé une fosse : c'est ce qui a fait dire qu'on l'avait
« creusée avant le jugement. »

Malheureusement, les inadvertances sont ici déplorables :
« M. de Rovigo prétend, dit M. Achille Roche, apologiste de
« M. de Talleyrand, qu'il a obéi ! Qui lui a transmis l'ordre
« d'exécution ? Il paraît que c'est un M. Delga, tué à
« Wagram. Mais que ce soit ou ne soit pas ce M. Delga, si
« M. Savary se trompe en nous nommant M. Delga, on ne
« réclamera pas, aujourd'hui, sans doute, la gloire qu'il
« attribue à cet officier. On accuse M. de Rovigo d'avoir
« hâté cette exécution ; ce n'est pas lui, répond-il : un

1. Publiciste (1801-1834) qui en 1823 a publié une brochure sur
l'exécution du duc d'Enghien.

« homme qui est mort lui a dit qu'on avait donné des ordres
« pour la hâter. »

Le duc de Rovigo n'est pas heureux au sujet de l'exécution, qu'il raconte avoir eu lieu de jour : cela d'ailleurs ne
changeant rien au fait, n'ôterait qu'un flambeau au supplice.

« A l'heure où se lève le soleil, en plein air, fallait-il, »
« dit le général, « une lanterne pour voir un homme à *six*
« *pas !* Ce n'est pas que le soleil, » ajoute-t-il, « fût clair et
« serein ; comme il était tombé toute la nuit une pluie fine,
« il restait encore un brouillard humide qui retardait son
« apparition. L'exécution a eu lieu à six heures du matin, le
« fait est attesté par des *pièces irrécusables.* »

Et le général ne fournit, ni n'indique ces pièces. La
marche du procès démontre que le duc d'Enghien fut jugé à
deux heures du matin et fut fusillé de suite. Ces mots, *deux
heures du matin*, écrits d'abord à la première minute de
l'arrêt, sont ensuite biffés sur cette minute. Le procès-verbal
de l'exhumation prouve, par la déposition de trois témoins,
madame Bon, le sieur Godard, et le sieur Bounelet (celui-ci
avait aidé à creuser la fosse), que la mise à mort s'effectua
de nuit. M. Dupin aîné rappelle la circonstance d'un fallot
attaché sur le cœur du duc d'Enghien, pour servir de point
de mire, ou tenu, à même intention, d'une main ferme, par
le Prince. Il a été question d'une grosse pierre retirée de la
fosse et dont on aurait écrasé la tête du patient. Enfin, le
duc de Rovigo devait s'être vanté de posséder quelques
dépouilles de l'holocauste : j'ai cru moi-même à ces bruits ;
mais les pièces légales prouvent qu'ils n'étaient pas fondés.

Par le procès-verbal, en date du mercredi 20 mars 1816,
des médecins et chirurgiens, pour l'exhumation du corps, il
a été reconnu que la tête était brisée, que la *mâchoire
supérieure, entièrement séparée des os de la face, était
garnie de douze dents ; que la mâchoire inférieure, fracturée
dans sa partie moyenne, était partagée en deux, et ne
présentait plus que trois dents.* Le corps était à plat sur le
ventre, la tête plus basse que les pieds ; les vertèbres du cou
avaient une chaîne d'or.

Le second procès-verbal d'exhumation (à la même date,
20 mars 1816), le *Procès-verbal général*, constate qu'on a

retrouvé, avec les restes du squelette, une bourse de maroquin contenant onze pièces d'or, soixante-dix pièces d'or renfermées dans des rouleaux cachetés, des cheveux, des débris de vêtements, des morceaux de casquette portant l'empreinte des balles qui l'avaient traversée.

Ainsi, M. de Rovigo n'a rien pris des dépouilles ; la terre qui les retenait les a rendues et a témoigné de la probité du général ; une lanterne n'a point été attachée sur le cœur du Prince, on en aurait trouvé les fragments, comme ceux de la casquette trouée ; une grosse pierre n'a point été retirée de la fosse ; le feu du piquet à *six pas* a suffi pour mettre en pièces la tête, pour *séparer la mâchoire supérieure des os de la face,* etc.

A cette dérision des vanités humaines, il ne manquait que l'immolation pareille de Murat, gouverneur de Paris, la mort de Bonaparte captif, et cette inscription gravée sur le cercueil du duc d'Enghien : « Ici est le *corps* de très-haut et « puissant Prince du sang, pair de France, *mort* à Vincen-« nes le 21 mars 1804, âgé de 31 ans 7 mois et 19 jours. » Le *corps* était des os fracassés et nus ; le *haut et puissant Prince,* les fragments brisés de la carcasse d'un soldat : pas un mot qui rappelle la catastrophe, pas un mot de blâme ou de douleur dans cette épitaphe gravée par une famille en larmes ; prodigieux effet du respect que le siècle porte aux œuvres et aux susceptibilités révolutionnaires ! On s'est hâté de même de faire disparaître la chapelle morturaire du duc de Berry.

Que de néants ! Bourbons, inutilement rentrés dans vos palais, vous n'avez été occupés que d'exhumations et de funérailles ; votre temps de vie était passé. Dieu l'a voulu ! L'ancienne gloire de la France périt sous les yeux de l'ombre du grand Condé, dans un fossé de Vincennes : peut-être était-ce au lieu même où Louis IX, *à qui l'on n'alloit que comme à un saint,* « s'asseyoit sous un chêne et où tous « ceux qui avoient affaire à lui venoient lui parler sans « empêchement d'huissiers ni d'autres ; et quand il voyoit « aucune chose à amender, en la parole de ceux qui « parloient pour autrui, lui-même l'amendoit de sa bouche « et tout le peuple qui avoit affaire par devant lui estoit « autour de lui ». (Joinville.)

Le duc d'Enghien demanda à parler à Bonaparte ; *il avait affaire par devant lui ;* il ne fut point écouté ! Qui du bord du ravelin[1] contemplait au fond du fossé ces armes, ces soldats à peine éclairés d'une lanterne dans le brouillard et les ombres, comme dans la nuit éternelle ? Où était-il placé, le falot ? Le duc d'Enghien avait-il à ses pieds sa fosse ouverte ? fut-il obligé de l'enjamber pour se mettre à la distance de *six pas,* mentionnée par le duc de Rovigo ?

On a conservé une lettre de M. le duc d'Enghien, âgé de neuf ans, à son père, le duc de Bourbon ; il lui dit : « Tous « *les Enghiens sont heureux* ; celui de la bataille de Cerizo-« les, celui qui gagna la bataille de Rocroi : j'espère l'être « aussi. »

Est-il vrai qu'on refusa un prêtre à la victime ? Est-il vrai qu'elle ne trouva qu'avec difficulté une main pour se charger de transmettre à une femme le dernier gage d'un attachement ? Qu'importait aux bourreaux un sentiment de piété ou de tendresse ? Ils étaient là pour tuer, le duc d'Enghien pour mourir !

Le duc d'Enghien avait épousé secrètement, par le minis-tère d'un prêtre, la princesse Charlotte de Rohan : en ces temps où la patrie était errante, un homme en raison même de son élévation, était arrêté par mille entraves politiques ; pour jouir de ce que la société publique accorde à tous, il était obligé de se cacher. Ce mariage légitime, aujourd'hui connu, rehausse l'éclat d'une fin tragique ; il substitue la gloire du ciel au pardon du ciel : la religion perpétue la pompe du malheur, quand, après la catastrophe accomplie, la croix s'élève sur le lieu désert.

1. Demi-lune (terme de fortification).

M. DE TALLEYRAND.

M. DE TALLEYRAND, après la brochure de M. de Rovigo, avait présenté un mémoire justificatif à Louis XVIII : ce mémoire que je n'ai point vu et qui devait tout éclaircir, n'éclaircissait rien. En 1820, nommé ministre plénipotentiaire à Berlin, je déterrai dans les archives de l'ambassade, une lettre du *citoyen Laforest*[1], écrite au *citoyen Talleyrand,* au sujet de M. le duc d'Enghien. Cette lettre énergique est d'autant plus honorable pour son auteur qu'il ne craignait pas de compromettre sa carrière, sans recevoir de récompense de l'opinion publique, sa démarche devant rester ignorée : noble abnégation d'un homme qui, par son obscurité même, avait dévolu ce qu'il a fait de bien à l'obscurité.

M. de Talleyrand reçut la leçon et se tut ; du moins, je ne trouvai rien de lui dans les mêmes archives, concernant la mort du Prince. Le ministre des relations extérieures avait pourtant mandé, le 2 ventôse, au ministre de l'électeur de Bade, « que le Premier Consul avait cru devoir donner à des « détachements l'ordre de se rendre à Offenbourg et à « Ettenheim, pour y saisir les instigateurs des conspirations « inouïes qui, par leur nature, mettent hors du droit des « gens tous ceux qui manifestement y ont pris part. »

Un passage des généraux Gourgaud, Montholon et du docteur Ward[2] met en scène Bonaparte : « Mon ministre, « dit-il, me représenta fortement qu'il fallait se saisir du « duc d'Enghien, quoiqu'il fût sur un territoire neutre. Mais « j'hésitais encore, et le prince de Bénévent m'apporta deux

---

1. Diplomate (1756-1846). Au début de sa carrière il avait été protégé par Talleyrand.

2. Ou plutôt Warden : médecin à bord du *Northumberland* qui porta Napoléon à Sainte-Hélène. Dès 1816 il publia des *Lettres* qui le firent rayer de la liste des chirurgiens de la marine anglaise.

« fois, pour que je le signasse, l'ordre de son arrestation. Ce
« ne fut cependant qu'après que je me fus convaincu de
« l'urgence d'un tel acte, que je me décidai à le signer. »

Au dire du *Mémorial de Sainte-Hélène*, ces paroles
seraient échappées à Bonaparte : « Le duc d'Enghien se
« comporta devant le tribunal avec une grande bravoure. A
« son arrivée à Strasbourg, il m'écrivit une lettre : cette
« lettre fut remise à Talleyrand, qui la garda jusqu'à
« l'exécution. »

Je crois peu à cette lettre : Napoléon aura transformé en
lettre la demande que fit le duc d'Enghien de parler au
vainqueur de l'Italie, ou plutôt les quelques lignes exprimant cette demande, qu'avant de signer l'interrogatoire
prêté devant le capitaine-rapporteur, le Prince avait tracées
de sa propre main. Toutefois, parce que cette lettre ne se
retrouverait pas, il ne faudrait pas en conclure rigoureusement qu'elle n'a pas été écrite : « J'ai su, dit le duc de Rovigo,
« que dans les premiers jours de la Restauration, en
« 1814, l'un des secrétaires de M. de Talleyrand n'a pas
« cessé de faire des recherches dans les archives, sous la
« galerie du Muséum. Je tiens ce fait de celui qui a reçu
« l'ordre de l'y laisser pénétrer. Il en a été fait de même au
« dépôt de la guerre pour les actes du procès de M. le duc
« d'Enghien, où il n'est resté que la sentence. »

Le fait est vrai : tous les papiers diplomatiques, et
notamment la correspondance de M. de Talleyrand avec
l'*Empereur* et le *Premier Consul,* furent transportés des
archives du Muséum à l'hôtel de la rue Saint-Florentin [1] ; on
en détruisit une partie ; le reste fut enfoui dans un poêle, où
l'on oublia de mettre le feu : la prudence du ministre ne put
aller plus loin contre la légèreté du prince. Les documents
non brûlés furent retrouvés ; quelqu'un pensa les devoir
conserver : j'ai tenu dans mes mains et lu de mes yeux une
lettre de M. de Talleyrand ; elle est datée du 8 mars 1804 et
relative à l'arrestation, non encore exécutée, de M. le duc
d'Enghien. Le ministre invite le Premier Consul à sévir
contre ses ennemis. On ne me permit pas de garder cette
lettre, j'en ai retenu seulement ces deux passages : « Si la

« 1. Où habitait Talleyrand.

« justice oblige de punir rigoureusement, la politique exige
« de punir sans exception...
« J'indiquerai au Premier Consul M. de Caulaincourt,
« auquel il pourrait donner ses ordres, et qui les exécuterait
« avec autant de discrétion que de fidélité. »

Ce rapport du prince de Talleyrand paraîtra-t-il un jour
en entier ? Je l'ignore ; mais ce que je sais, c'est qu'il existait
encore il y a deux ans.

Il y eut une délibération du conseil pour l'arrestation du
duc d'Enghien. Cambacérès, dans ses Mémoires inédits,
affirme, et je le crois, qu'il s'opposa à cette arrestation ;
mais en racontant ce qu'il dit, il ne dit pas ce qu'on lui
répliqua.

Du reste, le *Mémorial de Sainte-Hélène* nie les sollicitations en miséricorde auxquelles Bonaparte aurait été
exposé. La prétendue scène de Joséphine demandant à
genoux la grâce du duc d'Enghien, s'attachant au pan de
l'habit de son mari et se faisant traîner par ce mari
inexorable, est une de ces inventions de mélodrame avec
lesquelles nos fabliers composent aujourd'hui la véridique
histoire. Joséphine ignorait, le 19 mars au soir, que le duc
d'Enghien devait être jugé ; elle le savait seulement arrêté.
Elle avait promis à madame de Rémusat de s'intéresser au
sort du Prince. Comme celle-ci revenait, le 19 au soir, à la
Malmaison avec Joséphine, on s'aperçut que la future
impératrice, au lieu d'être uniquement préoccupée des périls
du prisonnier de Vincennes, mettait souvent la tête à la
portière de sa voiture pour regarder un général mêlé à sa
suite : la coquetterie d'une femme avait emporté ailleurs la
pensée qui pouvait sauver la vie du duc d'Enghien. Ce ne fut
que le 21 mars que Bonaparte dit à sa femme : « Le duc
d'Enghien est fusillé. »

Ces Mémoires de madame de Rémusat, que j'ai connue,
étaient extrêmement curieux sur l'intérieur de la cour
impériale. L'auteur les a brûlés pendant les Cent-Jours, et
ensuite écrits de nouveau : ce ne sont plus que des souvenirs
reproduits par des souvenirs ; la couleur est affaiblie ; mais
Bonaparte y est toujours montré à nu et jugé avec impartialité.

Des hommes attachés à Napoléon disent qu'il ne sut la

mort du duc d'Enghien qu'après l'exécution du Prince : ce récit paraîtrait recevoir quelque valeur de l'anecdote rapportée par le duc de Rovigo, concernant Réal allant à Vincennes, si cette anecdote était vraie. La mort une fois arrivée par les intrigues du parti révolutionnaire, Bonaparte reconnut le fait accompli, pour ne pas irriter des hommes qu'il croyait puissants : cette ingénieuse explication n'est pas recevable.

PART DE CHACUN.

EN résumant maintenant ces faits, voici ce qu'ils m'ont prouvé :

Bonaparte a voulu la mort du duc d'Enghien ; personne ne lui avait fait une condition de cette mort pour monter au trône. Cette condition supposée est une de ces subtilités des politiques qui prétendent trouver des causes occultes à tout. — Cependant, il est probable que certains hommes compromis ne voyaient pas sans plaisir le Premier Consul se séparer à jamais des Bourbons. Le jugement de Vincennes fut une affaire du tempérament violent de Bonaparte, un accès de froide colère alimenté par les rapports de son ministre.

M. de Caulaincourt n'est coupable que d'avoir exécuté l'ordre de l'arrestation.

Murat n'a à se reprocher que d'avoir transmis des ordres généraux et de n'avoir pas eu la force de se retirer : il n'était point à Vincennes pendant le jugement.

Le duc de Rovigo s'est trouvé chargé de l'exécution, il avait probablement un ordre secret : le général Hulin l'insinue. Quel homme eût osé prendre sur lui de faire exécuter *de suite* une sentence à mort sur le duc d'Enghien, s'il n'eût agi d'après un mandat impérial ?

Quant à M. de Talleyrand, prêtre et gentilhomme, il inspira et prépara le meurtre en inquiétant Bonaparte avec insistance : il craignait le retour de la Légitimité. Il serait possible, en recueillant ce que Napoléon a dit à Sainte-Hélène et les lettres que l'évêque d'Autun a écrites, de prouver que celui-ci a pris à la mort du duc d'Enghien une très-forte part. Vainement on objecterait que la légèreté, le caractère et l'éducation du ministre devaient l'éloigner de la violence, que la corruption devait lui ôter l'énergie ; il ne demeurerait pas moins constant qu'il a décidé le Consul à la fatale arrestation. Cette arrestation du duc d'Enghien, le 15 de mars, n'était pas ignorée de M. de Talleyrand ; il était journellement en rapport avec Bonaparte et conférait avec lui ; pendant l'intervalle qui s'est écoulé entre l'arrestation et l'exécution, M. de Talleyrand, lui, ministre instigateur, s'est-il repenti, a-t-il dit un seul mot au Premier Consul en faveur du malheureux Prince ? Il est naturel de croire qu'il a applaudi à l'exécution de la sentence.

La commission militaire a jugé le duc d'Enghien, mais avec douleur et repentir.

Telle est, consciencieusement, impartialement, strictement, la juste part de chacun. Mon sort a été trop lié à cette catastrophe pour que je n'aie pas essayé d'en éclaircir les ténèbres et d'en exposer les détails. Si Bonaparte n'eût pas tué le duc d'Enghien, s'il m'eût de plus en plus rapproché de lui (et son penchant l'y portait), qu'en fût-il résulté pour moi ? Ma carrière littéraire était finie ; entré de plein saut dans la carrière politique, où j'ai prouvé ce que j'aurais pu par la guerre d'Espagne, je serais devenu riche et puissant. La France aurait pu gagner à ma réunion avec l'Empereur ; moi, j'y aurais perdu. Peut-être serais-je parvenu à maintenir quelques idées de liberté et de modération dans la tête du grand homme ; mais ma vie, rangée parmi celles qu'on appelle heureuses, eût été privée de ce qui en a fait le caractère et l'honneur : la pauvreté, le combat et l'indépendance.

BONAPARTE : SES SOPHISMES ET SES REMORDS.

ENFIN le principal accusé se lève après tous les autres. Il ferme la marche des pénitents ensanglantés. Supposons qu'un juge fasse comparaître devant lui *le nommé Bonaparte,* comme le capitaine instructeur fit comparaître devant lui le *nommé d'Enghien;* supposons que la minute du dernier interrogatoire calqué sur le premier nous reste ; comparez et lisez :

A lui demandé ses nom et prénoms ?

— A répondu se nommer Napoléon Bonaparte.

A lui demandé où il a résidé depuis qu'il est sorti de France ?

— A répondu : Aux Pyramides, à Madrid, à Berlin, à Vienne, à Moscou, à Sainte-Hélène.

A lui demandé quel rang il occupait dans l'armée ?

— A répondu : Commandant à l'avant-garde des armées de Dieu. Aucune autre réponse ne sort de la bouche du prévenu.

Les divers acteurs de la tragédie se sont mutuellement chargés ; Bonaparte seul n'en rejette la faute sur personne ; il conserve sa grandeur sous le poids de la malédiction ; il ne fléchit point la tête et reste debout ; il s'écrie comme le stoïcien : « Douleur, je n'avouerai jamais que tu sois un mal ! » Mais ce que dans son orgueil il n'avouera point aux vivants, il est contraint de le confesser aux morts. Ce Prométhée, le vautour au sein, ravisseur du feu céleste, se croyait supérieur à tout, et il est forcé de répondre au duc d'Enghien qu'il a fait poussière avant le temps : le squelette, trophée sur lequel il s'est abattu, l'interroge et le domine par une nécessité du ciel.

La domesticité et l'armée, l'antichambre et la tente, avaient leurs représentants à Sainte-Hélène : un serviteur, estimable par sa fidélité au maître qu'il avait choisi [1], était venu se placer près de Napoléon comme un écho à son service. La simplicité répétait la fable, en lui donnant un accent de sincérité. Bonaparte était la *Destinée ;* comme elle, il trompait dans la *forme* les esprits fascinés ; mais au fond de ses impostures, on entendait retentir cette vérité inexorable : « Je suis ! » Et l'univers en a senti le poids.

L'auteur de l'ouvrage le plus accrédité sur Sainte-Hélène expose la théorie qu'inventait Napoléon au profit des meurtriers ; l'exilé volontaire tient pour parole d'Evangile un homicide bavardage à prétention de profondeur, qui expliquerait seulement la vie de Napoléon telle qu'il voulait l'arranger, et comme il prétendait qu'elle fût écrite. Il laissait ses instructions à ses néophytes : M. le comte de Las-Cases apprenait sa leçon sans s'en apercevoir ; le prodigieux captif, errant dans des sentiers solitaires, entraînait après lui par des mensonges son crédule adorateur, de même qu'Hercule suspendait les hommes à sa bouche par des chaînes d'or.

« La première fois, dit l'honnête chambellan, que j'en
« tendis Napoléon prononcer le nom du duc d'Enghien, j'en
« devins rouge d'embarras. Heureusement, je marchais à sa
« suite dans un sentier étroit, autrement il n'eût pas
« manqué de s'en apercevoir. Néanmoins, lorsque, pour la
« première fois, l'Empereur développa l'ensemble de cet
« événement, ses détails, ses accessoires ; lorsqu'il exposa ses
« divers motifs avec sa logique serrée, lumineuse, entraî-
« nante, je dois confesser que l'affaire me semblait prendre
« à mesure une face nouvelle... L'empereur traitait souvent
« ce sujet, ce qui m'a servi à remarquer dans sa personne
« des nuances caractéristiques très-prononcées. J'ai pu voir
« à cette occasion, très-distinctement en lui, et maintes

---

1. Las Cases, rédacteur du *Mémorial.* Comme rien ni personne ne l'avait contraint de suivre Napoléon à Sainte-Hélène, Chateaubriand l'appelle plus bas « l'exilé volontaire ».

« fois, l'homme privé se débattant avec l'homme public, et
« les sentiments naturels de son cœur aux prises avec ceux
« de sa fierté et de la dignité de sa position. Dans l'abandon
« de l'intimité, il ne se montrait pas indifférent au sort du
« malheureux Prince ; mais sitôt qu'il s'agissait du public,
« c'était tout autre chose. Un jour après avoir parlé avec
« moi du sort et de la jeunesse de l'infortuné, il termina en
« disant : — « Et j'ai appris depuis, mon cher, qu'il m'était
« favorable ; on m'a assuré qu'il ne parlait pas de moi sans
« quelque admiration ; et voilà pourtant la justice distribu-
« tive d'ici-bas ! » — Et ces dernières paroles furent dites
« avec une telle expression, tous les traits de la figure se
« montraient en telle harmonie avec elles, que si celui que
« Napoléon plaignait eût été dans ce moment en son
« pouvoir, je suis bien sûr que, quels qu'eussent été ses
« intentions ou ses actes, il eût été pardonné avec
« ardeur...L'Empereur avait coutume de considérer cette
« affaire sous deux rapports très- distincts : celui du droit
« commun ou de la justice établie, et celui du droit naturel
« ou des écarts de la violence.

« Avec nous et dans l'intimité, l'Empereur disait que la
« faute, au dedans, pourrait en être attribuée à un excès de
« zèle autour de lui, ou à des vues privées, ou enfin à des
« intrigues mystérieuses. Il disait qu'il avait été poussé
« inopinément, qu'on avait pour ainsi dire surpris ses idées,
« précipité ses mesures, enchaîné ses résultats. « Assuré-
« ment, disait-il, si j'eusse été instruit à temps de certaines
« particularités concernant les opinions et le naturel du
« Prince ; si surtout j'avais vu la lettre qu'il m'écrivit et
« qu'on ne me remit, Dieu sait par quels motifs, qu'après
« qu'il n'était plus, bien certainement j'eusse pardonné. » Et
« il nous était aisé de voir que le cœur et la nature seuls
« dictaient ces paroles à l'Empereur, et seulement pour
« nous ; car il se serait senti humilié qu'on pût croire un
« instant qu'il cherchât à se décharger sur autrui, ou
« descendît à se justifier ; sa crainte à cet égard, ou sa
« susceptibilité, étaient telles qu'en parlant à des étrangers
« ou dictant sur ce sujet pour le public, il se restreignait à
« dire que, s'il eût eu connaissance de la lettre du Prince,
« peut-être lui eût-il fait grâce, vu les grands avantages

642

« politiques qu'il en eût pu recueillir ; et, traçant de sa main
« ses dernières pensées, qu'il suppose devoir être consacrées
« parmi les contemporains et dans la postérité, il prononce
« sur ce sujet, qu'il regarde comme un des plus délicats
« pour sa mémoire, que si c'était à refaire il le ferait
« encore. »

Ce passage, quant à l'écrivain, a tous les caractères de la
plus parfaite sincérité ; elle brille jusque dans la phrase où
M. le comte de Las-Cases déclare que Bonaparte aurait
pardonné avec ardeur à un homme qui n'était pas coupable.
Mais les théories du chef sont les subtilités à l'aide desquelles on s'efforce de concilier ce qui est inconciliable. En
faisant la distinction *du droit commun ou de la justice
établie, et du droit naturel ou des écarts de la violence,*
Napoléon semblait s'arranger d'un sophisme dont, au fond,
il ne s'arrangeait pas ; il ne pouvait soumettre sa conscience
de même qu'il avait soumis le monde. Une faiblesse naturelle aux gens supérieurs et aux petites gens lorsqu'ils ont
commis une faute, est de la vouloir faire passer pour
l'œuvre du génie, pour une vaste combinaison que le
vulgaire ne peut comprendre. L'orgueil dit ces choses-là, et
la sottise les croit. Bonaparte regardait sans doute comme la
marque d'un esprit dominateur cette sentence qu'il débitait
dans sa componction de grand homme : « Mon cher, voilà
« pourtant la justice distributive d'ici-bas ! » Attendrissement
vraiment philosophique ! Quelle impartialité ! comme elle
justifie, en le mettant sur le compte du destin, le mal qui est
venu de nous-mêmes ! On pense tout excuser maintenant
lorsqu'on s'est écrié : « Que voulez-vous ? c'était ma nature,
« c'était l'infirmité humaine. » Quand on a tué son père, on
répète : « Je suis fait comme cela ! » Et la foule reste là
bouche béante, et l'on examine le crâne [1] de cette puissance et l'on reconnaît qu'elle était *faite comme cela.* Et
que m'importe que vous soyez fait comme cela ! Dois-je
subir cette façon d'être ? Ce serait un beau chaos que le
monde, si tous les hommes qui sont *faits comme cela,*
venaient à vouloir s'imposer les uns aux autres. Lorsqu'on
ne peut effacer ses erreurs, on les divinise ; on fait un dogme

1. Allusion à la phrénologie de Gall.

de ses torts, on change en religion des sacriléges, et l'on se croirait apostat de renoncer au culte de ses iniquités.

CE QU'IL FAUT CONCLURE DE TOUT CE RÉCIT. — INIMITIÉS ENFANTÉES PAR LA MORT DU DUC D'ENGHIEN.

UNE grave leçon est à tirer de la vie de Bonaparte. Deux actions, toutes deux mauvaises, ont commencé et amené sa chute : la mort du duc d'Enghien, la guerre d'Espagne. Il a beau passer dessus avec sa gloire, elles sont demeurées là pour le perdre. Il a péri par le côté même où il s'était cru fort, profond, invincible, lorsqu'il violait les lois de la morale en négligeant et dédaignant sa vraie force, c'est-à-dire, ses qualités supérieures dans l'ordre et l'équité. Tant qu'il ne fit qu'attaquer l'anarchie et les étrangers ennemis de la France, il fut victorieux ; il se trouva dépouillé de sa vigueur aussitôt qu'il entra dans les voies corrompues : le cheveu coupé par Dalila n'est autre chose que la perte de la vertu. Tout crime porte en soi une incapacité radicale et un germe de malheur : pratiquons donc le bien pour être heureux, et soyons justes pour être habiles.

En preuve de cette vérité, remarquez qu'au moment même de la mort du Prince, commença la dissidence qui, croissant en raison de la mauvaise fortune, détermina la chute de l'ordonnateur de la tragédie de Vincennes. Le cabinet de Russie, à propos de l'arrestation du duc d'Enghien, adressa des représentations vigoureuses contre la violation du territoire de l'Empire : Bonaparte sentit le coup, et répondit, dans *le Moniteur,* par un article foudroyant qui rappelait la mort de Paul Ier. A Saint-Pétersbourg, un service funèbre avait été célébré pour le jeune

Condé. Sur le cénotaphe on lisait : « Au duc d'Enghien « *quem devoravit bellua corsica* [1]. » Les deux puissants adversaires [2] se réconcilièrent en apparence dans la suite ; mais la blessure mutuelle que la politique avait faite et que l'insulte élargit, leur resta au cœur : Napoléon ne se crut vengé que quand il vint coucher à Moscou ; Alexandre ne fut satisfait que quand il entra dans Paris.

La haine du cabinet de Berlin sortit de la même origine : j'ai parlé de la noble lettre de M. de Laforest, dans laquelle il racontait à M. de Talleyrand l'effet qu'avait produit le meurtre du duc d'Enghien à la cour de Potsdam. Madame de Staël était en Prusse lorsque la nouvelle de Vincennes arriva : « Je demeurais à Berlin, » dit-elle [3], « sur le quai de « la Sprée, et mon appartement était au rez-de-chaussée. « Un matin, à huit heures, on m'éveilla pour me dire que le « prince Louis-Ferdinand [4] était à cheval sous mes fenêtres, « et me demandait de venir lui parler. — Savez-vous, me « dit-il, que le duc d'Enghien a été enlevé sur le territoire de « Baden, livré à une commission militaire, et fusillé vingt- « quatre heures après son arrivée à Paris ? — Quelle folie, « lui répondis-je ; ne voyez-vous pas que ce sont les ennemis « de la France qui ont fait circuler ce bruit ? En effet, je « l'avoue, ma haine, quelque forte qu'elle fût contre Bona- « parte, n'allait pas jusqu'à me faire croire à la possibilité « d'un tel forfait. — Puisque vous doutez de ce que je vous « dis, me répondit le prince Louis, je vais vous envoyer *Le* « *Moniteur,* dans lequel vous lirez le jugement. Il partit à « ces mots, et l'expression de sa physionomie présageait la « vengeance ou la mort. Un quart d'heure après, j'eus entre « mes mains ce *Moniteur* du 21 mars (30 pluviôse), qui « contenait un arrêt de mort prononcé par la commission « militaire, séant à Vincennes, contre *le nommé Louis* « *d'Enghien !* C'est ainsi que des Français désignaient le « petit-fils des héros qui ont fait la gloire de leur patrie !

1. « que le fauve de Corse a dévoré ».
2. Napoléon et Alexandre.
3. Le passage cité de Mme de Staël va de « Je demeurais à Berlin... » jusqu'à « ... des hommes privés ».
4. Prince prussien, neveu de Frédéric II.

« Quand on abjurerait tous les préjugés d'illustre naissance,
« que le retour des formes monarchiques devait nécessaire-
« ment rappeler, pourrait-on blasphémer ainsi les souvenirs
« de la bataille de Lens et de celle de Rocroi ? Ce Bonaparte
« qui en a gagné, des batailles, ne sait pas même les
« respecter ; il n'y a ni passé, ni avenir pour lui ; son âme
« impérieuse et méprisante ne veut rien reconnaître de sacré
« pour l'opinion ; il n'admet le respect que pour la force
« existante. Le prince Louis m'écrivait, en commençant son
« billet par ces mots : — Le nommé Louis de Prusse, fait
« demander à madame de Staël, etc. — Il sentait l'injure
« faite au sang royal dont il sortait, au souvenir des héros
« parmi lesquels il brûlait de se placer. Comment, après
« cette horrible action, un seul roi de l'Europe a-t-il pu se
« lier avec un tel homme ? La nécessité, dira-t-on ? Il y a un
« sanctuaire de l'âme où jamais son empire ne doit péné-
« trer ; s'il n'en était pas ainsi, que serait la vertu sur la
« terre ? Un amusement libéral qui ne conviendrait qu'aux
« paisibles loisirs des hommes privés. »

Ce ressentiment du prince, qu'il devait payer de sa vie [1],
durait encore lorsque la campagne de Prusse s'ouvrit, en
1806. Frédéric-Guillaume [2], dans son manifeste du 9 octobre, dit : « Les Allemands n'ont pas vengé la mort du duc
« d'Enghien ; mais jamais le souvenir de ce forfait ne
« s'effacera parmi eux. »

Ces particularités historiques, peu remarquées, méritaient
de l'être ; car elles expliquent des inimitiés dont on serait
embarrassé de trouver ailleurs la cause première, et elles
découvrent en même temps ces degrés par lesquels la
Providence conduit la destinée d'un homme, pour arriver de
la faute au châtiment.

1. Il a été tué en octobre 1806 à Saalfeld.
2. Frédéric-Guillaume III, roi de Prusse de 1797 à 1840.

UN ARTICLE DU MERCURE. — CHANGEMENT DANS LA VIE DE BONAPARTE.

HEUREUSE, du moins, ma vie qui ne fut ni troublée par la peur, ni atteinte par la contagion, ni entraînée par les exemples ! La satisfaction que j'éprouve aujourd'hui de ce que je fis alors, me garantit que la conscience n'est point une chimère. Plus content que tous ces potentats, que toutes ces nations tombées aux pieds du glorieux soldat, je relis avec un orgueil pardonnable cette page qui m'est restée comme mon seul bien et que je ne dois qu'à moi. En 1807, le cœur encore ému du meurtre que je viens de raconter, j'écrivais ces lignes ; elles firent supprimer le *Mercure* et exposèrent de nouveau ma liberté.

« Lorsque, dans le silence de l'abjection, l'on n'en-
« tend plus retentir que la chaîne de l'esclave et la voix du
« délateur ; lorsque tout tremble devant le tyran, et qu'il est
« aussi dangereux d'encourir sa faveur que de mériter sa
« disgrâce, l'historien paraît, chargé de la vengeance des
« peuples. C'est en vain que Néron prospère, Tacite est déjà
« né dans l'empire ; il croît inconnu auprès des cendres de
« Germanicus, et déjà l'intègre Providence a livré à un
« enfant obscur la gloire du maître du monde. Si le rôle de
« l'historien est beau, il est souvent dangereux ; mais il est
« des autels comme celui de l'honneur, qui, bien qu'aban-
« donnés, réclament encore des sacrifices ; le Dieu n'est
« point anéanti parce que le temple est désert. Partout où il
« reste une chance à la fortune, il n'y a point d'héroïsme à
« la tenter ; les actions magnanimes sont celles dont le
« résultat prévu est le malheur et la mort. Après tout,
« qu'importent les revers, si notre nom, prononcé dans la
« postérité, va faire battre un cœur généreux deux mille ans
« après notre vie ? »

La mort du duc d'Enghien, en introduisant un autre principe dans la conduite de Bonaparte, décomposa sa correcte intelligence : il fut obligé d'adopter, pour lui servir de bouclier, des maximes dont il n'eut pas à sa disposition la force entière, car il les faussait incessamment par sa gloire et par son génie. Il devint suspect ; il fit peur ; on perdit confiance en lui et dans sa destinée ; il fut contraint de voir, sinon de rechercher, des hommes qu'il n'aurait jamais vus et qui, par son action, se croyaient devenus ses égaux : la contagion de leur souillure le gagnait. Il n'osait rien leur reprocher, car il n'avait plus la liberté vertueuse du blâme. Ses grandes qualités restèrent les mêmes ; mais ses bonnes inclinations s'altérèrent et ne soutinrent plus ses grandes qualités ; par la corruption de cette tache originelle sa nature se détériora. Dieu commanda à ses anges de déranger les harmonies de cet univers, d'en changer les lois, de l'incliner sur ses pôles : « Les anges, dit Milton, poussè- « rent avec effort obliquement le centre du monde... le soleil « reçut l'ordre de détourner ses rênes du chemin de l'équa- « teur... Les vents déchirèrent les bois et bouleversèrent les « mers. »

> They with labor push'd
> Oblique the centric globe... the sun.
> Was bid turn reins from th' equinoctial road
> ... (winds)
> ... rend the woods, and seas upturn [1].

Abandon de Chantilly.

LES cendres de Bonaparte seront-elles exhumées comme l'ont été celles du duc d'Enghien ? Si j'avais été le maître,

1. *Paradis perdu*, X.

cette dernière victime dormirait encore sans honneurs dans le fossé du château de Vincennes. Cet *excommunié* eût été laissé, à l'instar de Raymond de Toulouse [1], dans un cercueil ouvert ; nulle main d'homme n'aurait osé dérober sous une planche la vue du témoin des jugements incompréhensibles et des colères de Dieu. Le squelette abandonné du duc d'Enghien et le tombeau désert de Napoléon à Sainte-Hélène feraient pendant : il n'y aurait rien de plus remémoratif que ces restes en présence aux deux bouts de la terre.

Du moins, le duc d'Enghien n'est pas demeuré sur le sol étranger, ainsi que l'exilé des rois : celui-ci a pris soin de rendre à celui-là sa patrie, un peu durement il est vrai ; mais sera-ce pour toujours ? La France (tant de poussières vannées par le souffle de la Révolution l'attestent) n'est pas fidèle aux ossements. Le vieux Condé [2], dans son testament, déclare *qu'il n'est pas sûr du pays qu'il habitera le jour de sa mort.* O Bossuet ! que n'auriez-vous point ajouté au chef-d'œuvre de votre éloquence, si, lorsque vous parliez sur le cercueil du grand Condé, vous eussiez pu prévoir l'avenir !

C'est ici même, c'est à Chantilly qu'est né le duc d'Enghien : *Louis-Antoine-Henri de Bourbon, né le 2 août 1772 à Chantilly,* dit l'arrêt de mort. C'est sur cette pelouse qu'il joua dans son enfance : la trace de ses pas s'est effacée. Et le triomphateur de Fribourg, de Nordlingen, de Lens, de Senef, où est-il allé avec ses *mains victorieuses et maintenant défaillantes* [3] ? Et ses descendants, le Condé de Johannisberg et de Berstheim [4] ; et son fils, et son petit-fils, où sont-ils ? Ce château, ces jardins, ces jets d'eau *qui ne se taisaient ni jour, ni nuit* [5], que sont-ils devenus ? Des statues mutilées, des lions dont on restaure la griffe ou la mâchoi-

---

1. Raymond VI, comte de Toulouse (1156-1222), excommunié pour avoir soutenu les Albigeois, n'a pas été enterré.

2. Le grand-père du duc d'Enghien.

3. Expression de Bossuet.

4. Le « vieux Condé », grand-père du duc d'Enghien, s'était illustré en 1772 au combat de Johannisberg, près de Mayence. Dès 1789 il avait formé l'armée qu'on appela « armée de Condé » et remporta, cette année-là, une victoire à Berstheim, dans le Hanovre.

5. Chantilly (les mots en italique sont empruntés à Bossuet).

re ; des trophées d'armes sculptés dans un mur croulant ; des écussons à fleurs de lys effacées ; des fondements de tourelles rasées ; quelques coursiers de marbre au-dessus des écuries vides que n'anime plus de ses hennissements le cheval de Rocroi ; près d'un manège une haute porte non achevée : voilà ce qui reste des souvenirs d'une race héroïque ; un testament noué par un cordon [1] a changé les possesseurs de l'héritage.

A diverses reprises, la forêt entière est tombée sous la cognée. Des personnages des temps écoulés ont parcouru ces chasses aujourd'hui muettes, jadis retentissantes. Quel âge et quelles passions avaient-ils, lorsqu'ils s'arrêtaient au pied de ces chênes ? quelle chimère les occupait ? O mes inutiles *Mémoires,* je ne pourrais maintenant vous dire :

> *Qu'à Chantilly, Condé vous lise quelquefois* [2] *:*
> *Qu'Enghien en soit touché !*

Hommes obscurs, que sommes-nous auprès de ces hommes fameux ? Nous disparaîtrons sans retour : vous renaîtrez, *œillet de poëte,* qui reposez sur ma table auprès de ce papier, et dont j'ai cueilli la petite fleur attardée parmi les bruyères ; mais nous, nous ne revivrons pas avec la solitaire parfumée qui m'a distrait.

---

1. Allusion à la mort du père du duc d'Enghien, trouvé pendu, un matin d'août 1830, à l'espagnolette d'une fenêtre de sa chambre. Il laissait par testament Chantilly au duc d'Aumale.
2. Boileau (épître VII) avait écrit : « Condé les souffre quelquefois ».

ANNÉE DE MA VIE 1804. — JE VIENS DEMEURER RUE DE MIROMESNIL. — VERNEUIL. — ALEXIS DE TOCQUEVILLE. — LE MESNIL. — MÉZY. — MÉRÉVILLE.

DÉSORMAIS, à l'écart de la vie active, et néanmoins sauvé par la protection de madame Bacciocchi de la colère de Bonaparte, je quittai mon logement provisoire rue de Beaune, et j'allai demeurer rue de Miromesnil. Le petit hôtel que je louai fut occupé depuis par M. de Lally-Tollendal [1] et madame Denain, sa *mieux aimée,* comme on disait du temps de Diane de Poitiers. Mon jardinet aboutissait à un chantier et j'avais auprès de ma fenêtre un grand peuplier que M. Lally-Tolendal, afin de respirer un air moins humide, abattit lui-même de sa grosse main, qu'il voyait transparente et décharnée : c'était une illusion comme une autre. Le pavé de la rue se terminait alors devant ma porte ; plus haut, la rue ou le chemin, montait à travers un terrain vague que l'on appelait *la Butte aux Lapins.* La Butte aux Lapins, semée de quelques maisons isolées, joignait à droite le jardin de Tivoli, d'où j'étais parti avec mon frère pour l'émigration, à gauche le parc de Monceau. Je me promenais assez souvent dans ce parc abandonné ; la Révolution y commença parmi les orgies du duc d'Orléans : cette retraite avait été embellie de nudités de marbre et de ruines factices ; symbole de la politique légère et débauchée qui allait couvrir la France de prostituées et de débris.

Je ne m'occupais de rien ; tout au plus m'entretenais-je dans le parc avec quelques sapins, ou causais-je du duc d'Enghien avec trois corbeaux, au bord d'une rivière artificielle cachée sous un tapis de mousse verte. Privé de ma légation alpestre et de mes amitiés de Rome, de même que

1. Fils (1751-1830) du gouverneur de l'Inde, puni de mort en 1766, puis réhabilité.

j'avais été tout à coup séparé de mes attachements de Londres, je ne savais que faire de mon imagination et de mes sentiments ; je les mettais tous les soirs à la suite du soleil, et ses rayons ne les pouvaient emporter sur les mers. Je rentrais et j'essayais de m'endormir au bruit de mon peuplier.

Pourtant ma démission avait accru ma renommée : un peu de courage sied toujours bien en France. Quelques-unes des personnes de l'ancienne société de madame de Beaumont m'introduisirent dans de nouveaux châteaux.

M. de Tocqueville [1], beau-frère de mon frère et tuteur de mes deux neveux orphelins, habitait le château de madame de Senozan [2] : c'était partout des héritages d'échafaud. Là, je voyais croître mes neveux avec leurs trois cousins de Tocqueville, entre lesquels s'élevait Alexis, auteur *De la Démocratie en Amérique*. Il était plus gâté à Verneuil que je ne l'avais été à Combourg. Est-ce la dernière renommée que j'aurai vue ignorée dans ses langes ? Alexis de Tocqueville a parcouru l'Amérique civilisée, dont j'ai parcouru les forêts.

Verneuil a changé de maître ; il est devenu possession de madame de Saint-Fargeau, célèbre par son père [3] et par la Révolution qui l'adopta pour fille.

Près de Mantes, au Mesnil, était madame de Rosambo : mon neveu, Louis de Chateaubriand, s'y maria dans la suite à mademoiselle d'Orglandes, nièce de madame de Rosambo : celle-ci ne promène plus sa beauté autour de l'étang et sous les hêtres du manoir ; elle a passé. Quand j'allais de Verneuil au Mesnil, je rencontrais Mézy sur la route : madame de Mézy était le roman renfermé dans la vertu et la douleur maternelle. Du moins, si son enfant qui tomba d'une fenêtre et se brisa la tête, avait pu, comme les jeunes

1. La femme du frère aîné de Chateaubriand avait une sœur qui avait épousé le comte de Tocqueville. Les Tocqueville recueillirent Geoffroy-Louis et Christian de Chateaubriand après l'exécution de leurs parents.

2. Sœur de Malesherbes. Elle avait légué le château qu'elle possédait à Verneuil à son petit neveu Tocqueville.

3. Ce père, magistrat d'ancien régime, avait voté la mort de Louis XVI et fut assassiné par un garde du corps. Sa fille fut déclarée fille adoptive de la Convention.

cailles que nous chassions, s'envoler par-dessus le château et se réfugier dans l'Ile-Belle, île riante de la Seine ! *Coturnix per stipulas pascens* [1].

De l'autre côté de cette Seine, non loin du Marais, madame de Vintimille m'avait présenté à Méréville. Méréville était une oasis créée par le sourire d'une muse [2], mais d'une de ces muses que les poètes gaulois appellent les *doctes Fées.* Ici les aventures de *Blanca* et de *Velléda* furent lues devant d'élégantes générations, lesquelles s'échappant les unes des autres comme des fleurs, écoutent aujourd'hui les plaintes de mes années.

Peu à peu mon intelligence fatiguée de repos, dans ma rue de Miromesnil, vit se former de lointains fantômes. Le *Génie du Christianisme* m'inspira l'idée de faire la preuve de cet ouvrage, en mêlant des personnages chrétiens à des personnages mythologiques. Une ombre, que longtemps après j'appelai Cymodocée, se dessina vaguement dans ma tête : aucun trait n'en était arrêté. Une fois Cymodocée devinée, je m'enfermai avec elle, comme cela m'arrive toujours avec les filles de mon imagination ; mais avant qu'elles soient sorties de l'état de rêve et qu'elles soient arrivées des bords du Léthé par la porte d'ivoire, elles changent souvent de forme. Si je les crée par amour, je les défais par amour, et l'objet unique et chéri que je présente ensuite à la lumière est le produit de mille infidélités.

Je ne demeurai qu'un an dans la rue de Miromesnil, car la maison fut vendue. Je m'arrangeai avec madame la marquise de Coislin [3], qui me loua l'attique de son hôtel, place Louis XV [4].

---

1. « La caille picorant à travers les chaumes ».
2. Natalie de Noailles (1774-1835).
3. Elle était née de Mailly (1732-1817).
4. Aujourd'hui de la Concorde.

Madame de Coislin.

MADAME DE COISLIN était une femme du plus grand air. Agé de près de quatre-vingts ans, ses yeux fiers et dominateurs avaient une expression d'esprit et d'ironie. Madame de Coislin n'avait aucunes lettres, et s'en faisait gloire ; elle avait passé à travers le siècle voltairien sans s'en douter ; si elle en avait conçu une idée quelconque, c'était comme d'un temps de bourgeois diserts. Ce n'est pas qu'elle parlât jamais de sa naissance ; elle était trop supérieure pour tomber dans un ridicule : elle savait très-bien voir les *petites gens* sans déroger ; mais enfin, elle était née du premier marquis de France [1]. Si elle venait de Drogon de Nesle, tué dans la Palestine en 1096 ; de Raoul de Nesle, connétable et armé chevalier par Louis IX ; de Jean II de Nesle, régent de France pendant la dernière croisade de Saint-Louis, madame de Coislin avouait que c'était une bêtise du sort dont on ne devait pas la rendre responsable ; elle était naturellement de la cour, comme d'autres plus heureux sont de la rue, comme on est cavale de race ou haridelle de fiacre : elle ne pouvait rien à cet accident, et force lui était de supporter le mal dont il avait plu au ciel de l'affliger.

Madame de Coislin avait-elle eu des liaisons avec Louis XV ? elle ne me l'a jamais avoué : elle convenait pourtant qu'elle en avait été fort aimée, mais elle prétendait avoir traité le royal amant avec la dernière rigueur. « Je l'ai vu à « mes pieds, » me disait-elle, « il avait des yeux charmants et « son langage était séducteur. Il me proposa un jour de me « donner une toilette de porcelaine comme celle que possé-

---

1. La terre de Nesle (département de la Somme) qui était dans sa famille, passait pour être « le premier marquisat de France ».

« dait madame de Pompadour. — Ah ! sire, m'écriai-je, ce
« serait donc pour me cacher dessous ! »

Par un singulier hasard, j'ai retrouvé cette toilette [1] chez
la marquise de Cuningham [2], à Londres ; elle l'avait reçue
de George IV, et elle me la montrait avec une amusante
simplicité.

Madame de Coislin habitait dans son hôtel une chambre
s'ouvrant sous la colonnade qui correspond à la colonnade
du Garde-Meuble. Deux marines de Vernet, que Louis *le
Bien-Aimé* avait données à la noble dame, étaient accrochées
sur une vieille tapisserie de satin verdâtre. Madame de
Coislin restait couchée jusqu'à deux heures après midi, dans
un grand lit à rideaux également de soie verte, assise et
soutenue par des oreillers ; une espèce de coiffe de nuit mal
attachée sur sa tête laissait passer ses cheveux gris. Des
girandoles de diamants montées à l'ancienne façon, descendaient sur les épaulettes de son manteau de lit semé de
tabac, comme au temps des élégantes de la Fronde. Autour
d'elle, sur la couverture, gisaient éparpillées des *adresses* de
lettres, détachées des lettres même, et sur lesquelles *adresses*
madame de Coislin écrivait en tous sens ses pensées : elle
n'achetait point de papier, c'était la poste qui le lui
fournissait. De temps en temps, une petite chienne appelée
Lili mettait le nez hors de ses draps, venait m'aboyer
pendant cinq ou six minutes et rentrait en grognant dans le
chenil de sa maîtresse. Ainsi le temps avait arrangé les
jeunes amours de Louis XV.

Madame de Chateauroux et ses deux sœurs étaient cousines de madame de Coislin : celle-ci n'aurait pas été d'humeur, ainsi que madame de Mailly, repentante et chrétienne, à répondre à un homme qui l'insultait, dans l'église
Saint-Roch, par un nom grossier : « Mon ami, puisque vous
me connaissez, priez Dieu pour moi. »

Madame de Coislin, avare de même que beaucoup de gens
d'esprit, entassait son argent dans des armoires. Elle vivait
toute rongée d'une vermine d'écus qui s'attachait à sa
peau : ses gens la soulageaient. Quand je la trouvais

1. Meuble et accessoires nécessaires à une femme pour se parer.
2. Favorite de George IV.

655

plongée dans d'inextricables chiffres, elle me rappelait l'avare Hermocrate qui, dictant son testament, s'était institué son héritier [1]. Elle donnait cependant à dîner par hasard ; mais elle déblatérait contre le café que personne n'aimait, suivant elle, et dont on n'usait que pour allonger le repas.

Madame de Chateaubriand fit un voyage à Vichy avec madame de Coislin et le marquis de Nesle ; le marquis courait en avant et faisait préparer d'excellents dîners. Madame de Coislin venait à la suite, et ne demandait qu'une demi-livre de cerises. Au départ, on lui présentait d'énormes mémoires ; alors c'était un train affreux. Elle ne voulait entendre qu'aux cerises ; l'hôte lui soutenait que, soit que l'on mangeât, ou qu'on ne mangeât pas, l'usage, dans une auberge, était de payer le dîner.

Madame de Coislin s'était fait un illuminisme à sa guise. Crédule et incrédule, le manque de foi la portait à se moquer des croyances dont la superstition lui faisait peur. Elle avait rencontré madame de Krüdner ; la mystérieuse Française n'était illuminée que sous bénéfice d'inventaire ; elle ne plut pas à la fervente Russe, laquelle ne lui agréa pas non plus. Madame de Krüdner dit passionnément à madame de Coislin : « Madame, quel est votre confesseur « intérieur ? — Madame », répliqua madame de Coislin, « je « ne connais point mon confesseur intérieur ; je sais seule-« ment que mon confesseur est dans l'intérieur de son « confessionnal. » Sur ce, les deux dames ne se virent plus.

Madame de Coislin se vantait d'avoir introduit une nouveauté à la cour, la mode des chignons flottants, malgré la reine Marie Leczinska, fort pieuse, qui s'opposait à cette dangereuse innovation. Elle soutenait qu'autrefois une personne comme il faut ne se serait jamais avisée de payer son médecin. Se récriant contre l'abondance du linge de femme : Cela sent la parvenue », disait-elle ; « nous autres, « femmes de la Cour, nous n'avions que deux chemises ; on « les renouvelait quand elles étaient usées ; nous étions « vêtues de robes de soie et nous n'avions pas l'air de « grisettes comme ces demoiselles de maintenant. »

1. Le trait est dans une épigramme de l'*Anthologie*.

Madame Suard [1], qui demeurait rue Royale, avait un coq dont le chant, traversant l'intérieur des cours, importunait madame de Coislin. Elle écrivit à madame Suard : « Madame, faites couper le cou à votre coq. » Madame Suard renvoya le messager avec ce billet : « Madame, j'ai l'honneur « de vous répondre que je ne ferai pas couper le cou à mon « coq. » La correspondance en demeura là. Madame de Coislin dit à Madame de Chateaubriand : « Ah ! mon cœur, « dans quel temps nous vivons ! C'est pourtant cette fille de « Pankoucke, la femme de ce membre de l'Académie, vous « savez ? »

M. Hénin, ancien commis des affaires étrangères, et ennuyeux comme un protocole, barbouillait de gros romans. Il lisait un jour à madame de Coislin une description : une amante en larmes et abandonnée, pêchait mélancoliquement un saumon. Madame de Coislin qui s'impatientait et n'aimait pas le saumon, interrompit l'auteur, et lui dit de cet air sérieux qui la rendait si comique : « Monsieur Hénin, ne « pourriez-vous pas faire prendre un autre poisson à cette « dame ? »

Les histoires que faisait madame de Coislin ne pouvaient se retenir, car il n'y avait rien dedans ; tout était dans la pantomime, l'accent et l'air de la conteuse : jamais elle ne riait. Il y avait un dialogue entre *monsieur et madame Jacqueminot*, dont la perfection passait tout. Lorsque dans la conversation entre les deux époux, madame Jacqueminot répliquait : « Mais, monsieur *Jacqueminot* ! » ce nom était prononcé d'un tel ton qu'un fou rire vous saisissait. Obligée de le laisser passer, madame de Coislin attendait gravement, en prenant du tabac.

Lisant dans un journal la mort de plusieurs rois, elle ôta ses lunettes et dit en se mouchant : « Il y a une épizootie sur « les bêtes à couronne. »

Au moment où elle était prête à passer, on soutenait au bord de son lit qu'on ne succombait que parce qu'on se laissait aller ; que si l'on était bien attentif et qu'on ne

---

1. Mme Suard (1750-1830) était née Panckouke (son frère était un imprimeur célèbre). Elle avait épousé un publiciste qui fut censeur dramatique et académicien (cf. tome II, p. 24).

perdît jamais de vue l'ennemi, on ne mourrait point : « Je le « crois, dit-elle, mais j'ai peur d'avoir une distraction. » Elle expira.

Je descendis le lendemain chez elle ; je trouvai monsieur et Madame d'Avaray, sa sœur et son beau-frère, assis devant la cheminée, une petite table entre eux, et comptant les louis d'un sac qu'ils avaient tiré d'une boiserie creuse. La pauvre morte était là dans son lit, les rideaux à demi-fermés : elle n'entendait plus le bruit de l'or qui aurait dû la réveiller, et que comptaient des mains fraternelles.

Dans les pensées écrites par la défunte sur des marges d'imprimés et sur des adresses de lettres, il y en avait d'extrêmement belles. Madame de Coislin m'avait montré ce qui restait de la cour de Louis XV, sous Bonaparte et après Louis XVI, comme madame d'Houdetot m'avait fait voir ce qui traînait encore, au dix-neuvième siècle, de la société philosophique.

VOYAGE A VICHY, EN AUVERGNE ET AU MONT-BLANC.

DANS l'été de l'année 1805, j'allai rejoindre madame de Chateaubriand à Vichy, où madame de Coislin l'avait menée, comme je viens de le dire. Je n'y trouvai point

Jussac, Termes, Flamarens [1] que madame de Sévigné avait *devant et après elle,* en 1677 ; depuis cent vingt et quelques années, ils dormaient. Je laissai à Paris ma sœur, madame de Caud, qui s'y était établie depuis l'automne de 1804. Après un court séjour à Vichy, madame de Chateaubriand me proposa de voyager, afin de nous éloigner pendant quelque temps des tracasseries politiques.

On a recueilli dans mes œuvres deux petits *Voyages* que je fis alors en Auvergne et au Mont-Blanc. Après trente-quatre ans d'absence, des hommes, étrangers à ma personne, viennent de me faire, à Clermont, la réception qu'on fait à un vieil ami [2]. Celui qui s'est longtemps occupé des principes dont la race humaine jouit en communauté, a des amis, des frères et des sœurs dans toutes les familles : car si l'homme est ingrat, l'humanité est reconnaissante. Pour ceux qui se sont liés avec vous par une bienveillante renommée, et qui ne vous ont jamais vu, vous êtes toujours le même ; vous avez toujours l'âge qu'ils vous ont donné ; leur attachement, qui n'est point dérangé par votre présence, vous voit toujours jeune et beau comme les sentiments qu'ils aiment dans vos écrits.

Lorsque j'étais enfant, dans ma Bretagne, et que j'entendais parler de l'Auvergne, je me figurais que celle-ci était un pays bien loin, bien loin, où l'on voyait des choses étranges, où l'on ne pouvait aller qu'avec grand péril, en cheminant sous la garde de la sainte Vierge. Je ne rencontre point sans une sorte de curiosité attendrie ces petits Auvergnats qui vont chercher fortune dans ce grand monde avec un petit coffret de sapin. Ils n'ont guère que l'espérance dans leur boîte, en descendant de leurs rochers ; heureux s'ils la rapportent !

Hélas ! il n'y avait pas deux ans que madame de Beaumont reposait au bord du Tibre, lorsque je foulai sa terre natale [3], en 1805 ; je n'étais qu'à quelques lieues de ce

1. A Vichy, M. de Jussac, le marquis de Termes et le chevalier de Flamarens prenaient leur douche, chaque jour, avant ou après Mme de Sévigné (cf. lettre du 16 septembre 1677).
2. Chateaubriand est revenu à Clermont pendant l'été de 1838.
3. Plutôt la terre de ses ancêtres. La famille de Montmorin-Saint-Hérem est auvergnate. Pauline était née à Mussy-l'Evêque, en Champagne.

Mont-d'Or, où elle était venue chercher la vie qu'elle allongea un peu pour atteindre Rome. L'été dernier, en 1838, j'ai parcouru de nouveau cette même Auvergne. Entre ces dates, 1805 et 1838, je puis placer les transformations arrivées dans la société autour de moi.

Nous quittâmes Clermont, et, en nous rendant à Lyon, nous traversâmes Thiers et Roanne. Cette route, alors peu fréquentée, suivait çà et là les rives du Lignon. L'auteur de l'*Astrée,* qui n'est pas un grand esprit, a pourtant inventé des lieux et des personnages qui vivent ; tant la fiction, quand elle est appropriée à l'âge où elle paraît, a de puissance créatrice ! Il y a, du reste, quelque chose d'ingénieusement fantastique dans cette résurrection des nymphes et des naïades qui se mêlent à des bergers, des dames et des chevaliers : ces mondes divers s'associent bien, et l'on s'accommode agréablement des fables de la mythologie, unies aux mensonges du roman : Rousseau a raconté comment il fut trompé par d'Urfé.

A Lyon, nous retrouvâmes M. Ballanche ; il fit avec nous la course à Genève et au Mont-Blanc. Il allait partout où on le menait, sans qu'il y eût la moindre affaire. A Genève, je ne fus point reçu à la porte de la ville par Clotilde, fiancée de Clovis : M. de Barante, le père, était devenu préfet du Léman. J'allai voir à Coppet madame de Staël ; je la trouvai seule au fond de son château, qui renfermait une cour attristée. Je lui parlai de sa fortune et de sa solitude, comme d'un moyen précieux d'indépendance et de bonheur : je la blessai. Madame de Staël aimait le monde ; elle se regardait comme la plus malheureuse des femmes, dans un exil dont j'aurais été ravi. Qu'était-ce à mes yeux que cette infélicité de vivre dans ses terres, avec les conforts de la vie ? Qu'était-ce que ce malheur d'avoir de la gloire, des loisirs, de la paix, dans une riche retraite à la vue des Alpes, en comparaison de ces milliers de victimes sans pain, sans nom, sans secours, bannies dans tous les coins de l'Europe, tandis que leurs parents avaient péri sur l'échafaud ? Il est fâcheux d'être atteint d'un mal dont la foule n'a pas l'intelligence. Au reste, ce mal n'en est que plus vif : on ne l'affaiblit point en le confrontant avec d'autres maux ; on n'est pas juge de la peine d'autrui ; ce qui afflige l'un fait la joie de l'autre ; les cœurs ont des secrets divers, incompréhensibles à d'autres cœurs. Ne disputons à personne ses souffrances ; il en est des douleurs comme des patries, chacun a la sienne.

Madame de Staël visita le lendemain madame de Chateaubriand à Genève, et nous partîmes pour Chamouny. Mon opinion sur les paysages des montagnes fit dire que je cherchais à me singulariser ; il n'en était rien. On verra, quand je parlerai du Saint-Gothard, que cette opinion m'est restée. On lit dans le Voyage au *Mont-Blanc* un passage que je rappellerai comme liant ensemble les événements passés de ma vie aux événements alors futurs de cette même vie, et aujourd'hui également passés.

« Il n'y a qu'une seule circonstance où il soit vrai
« que les montagnes inspirent l'oubli des troubles de la
« terre : c'est lorsqu'on se retire loin du monde pour se
« consacrer à la religion. Un anachorète qui se dévoue au
« service de l'humanité, un saint qui veut méditer les
« grandeurs de Dieu en silence, peuvent trouver la paix et la
« joie sur des roches désertes ; mais ce n'est point alors la
« tranquillité des lieux qui passe dans l'âme de ces solitai-
« res, c'est au contraire leur âme qui répand sa sérénité
« dans la région des orages... Il y a des montagnes que je
« visiterais encore avec un plaisir extrême : ce sont celles de
« la Grèce et de la Judée. J'aimerais à parcourir les lieux
« dont mes nouvelles études me forcent de m'occuper
« chaque jour ; j'irais volontiers chercher sur le Thabor et le
« Taygète d'autres couleurs et d'autres harmonies, après
« avoir peint les monts sans renommée et les vallées incon-
« nues du Nouveau-Monde. » Cette dernière phrase annonçait le voyage que j'exécutai en effet l'année suivante, 1806.

A notre retour à Genève, sans avoir pu revoir madame de Staël à Coppet, nous trouvâmes les auberges encombrées. Sans les soins de M. de Forbin [1] qui survint et nous procura un mauvais dîner dans une antichambre noire, nous aurions quitté la patrie de Rousseau sans manger. M. de Forbin était alors dans la béatitude ; il promenait dans ses regards

1. Peintre alors célèbre.

le bonheur intérieur qui l'inondait ; il ne touchait pas terre. Porté par ses talents et ses félicités, il descendait de la montagne comme du ciel, veste de peintre en justaucorps, palette au pouce, pinceaux en carquois. Bonhomme néanmoins, quoique excessivement heureux, se préparant à m'imiter un jour, quand j'aurais fait le voyage de Syrie, voulant même aller jusqu'à Calcutta, pour faire revenir les amours par une route extraordinaire, lorsqu'ils manqueraient dans les sentiers battus. Ses yeux avaient une protectrice pitié ; j'étais pauvre, humble, peu sûr de ma personne, et je ne tenais pas dans mes mains puissantes le cœur des princesses [1]. A Rome, j'ai eu le bonheur de rendre à M. de Forbin son dîner du Lac ; j'avais le mérite d'être devenu ambassadeur. Dans ce temps-ci, on retrouve roi le soir le pauvre diable qu'on a quitté le matin dans la rue.

Le noble gentilhomme, peintre par le droit de la Révolution, commençait cette génération d'artistes qui s'arrangent eux-mêmes en croquis, en grotesques, en caricatures. Les uns portent des moustaches effroyables, on dirait qu'ils vont conquérir le monde ; leurs brosses sont des hallebardes, leurs grattoirs des sabres ; les autres ont d'énormes barbes, des cheveux pendants ou bouffis ; ils fument un cigare en guise de volcan. Ces *cousins de l'arc-en-ciel,* comme parle notre vieux Régnier [2], ont la tête remplie de déluges, de mers, de fleuves, de forêts, de cataractes, de tempêtes ou de carnages, de supplices et d'échafauds. Chez eux sont des crânes humains, des fleurets, des mandolines, des morions et des dolimans. Hableurs, entreprenants, impolis, libéraux (jusqu'au portrait du tyran qu'ils peignent), ils visent à former une espèce à part entre le singe et le satyre ; ils tiennent à faire comprendre que le secret de l'atelier a ses dangers, et qu'il n'y a pas sûreté pour les modèles. Mais combien ne rachètent-ils pas ces travers par une existence exaltée, une nature souffrante et sensible, une abnégation entière d'eux-mêmes, un dévouement sans calcul aux misères des autres, une manière de sentir délicate, supérieure, idéalisée, une indigence fièrement accueillie et noblement supportée ; enfin, quelquefois par des talents immortels,

1. Forbin avait été l'un des amants de Pauline Borghèse.
2. *Sat.,* X, 17.

fils du travail, de la passion, du génie et de la solitude !

Sortis de nuit de Genève pour retourner à Lyon, nous fûmes arrêtés au pied du fort de l'Ecluse, en attendant l'ouverture des portes. Pendant cette station des sorcières de Macbeth sur la bruyère, il se passait en moi des choses étranges. Mes années expirées ressuscitaient et m'environnaient comme une bande de fantômes ; mes saisons brûlantes me revenaient dans leur flamme et leur tristesse. Ma vie, creusée par la mort de madame de Beaumont, était demeurée vide : des formes aériennes, houris ou songes, sortant de cet abîme, me prenaient par la main et me ramenaient au temps de la sylphide. Je n'étais plus aux lieux que j'habitais, je rêvais d'autres bords. Quelque influence secrète me poussait aux régions de l'Aurore, où m'entraînaient d'ailleurs le plan de mon nouveau travail et la voix religieuse qui me releva du vœu de la villageoise, ma nourrice. Comme toutes mes facultés s'étaient accrues, comme je n'avais jamais abusé de la vie, elle surabondait de la sève de mon intelligence, et l'art, triomphant dans ma nature, ajoutait aux inspirations du poëte. J'avais ce que les Pères de la Thébaïde appelaient des *ascensions* de cœur. Raphaël (qu'on pardonne au blasphême de la similitude), Raphaël, devant la Transfiguration seulement ébauchée sur le chevalet, n'aurait pas été plus électrisé par son chef-d'œuvre que je ne l'étais par cet Eudore et cette Cymodocée, dont je ne savais pas encore le nom et dont j'entrevoyais l'image au travers d'une atmosphère d'amour et de gloire.

Ainsi le génie natif qui m'a tourmenté au berceau, retourne quelquefois sur ses pas après m'avoir abandonné ; ainsi se renouvellent mes anciennes souffrances ; rien ne guérit en moi ; si mes blessures se ferment instantanément, elles se rouvrent tout à coup comme celles des crucifix du moyen âge, qui saignent à l'anniversaire de la Passion. Je n'ai d'autre ressource pour me soulager dans ces crises, que de donner un libre cours à la fièvre de ma pensée, de même qu'on se fait percer les veines quand le sang afflue au cœur ou monte à la tête. Mais de quoi parlé-je ? O Religion, où sont donc tes puissances, tes freins, tes baumes ! Est-ce que je n'écris pas toutes ces choses à d'innombrables années de l'heure où je donnai le jour à René ? J'avais mille raisons pour me croire mort, et je vis! C'est grand' pitié. Ces afflictions du poëte isolé, condamné à subir le printemps malgré Saturne, sont inconnues de l'homme qui ne sort point des lois communes ; pour lui, les années sont toujours jeunes : «Or les jeunes chevreaux, dit Oppien[1], veillent sur « l'auteur de leur naissance ; lorsque celui-ci vient à tomber « dans les filets du chasseur, ils lui présentent avec la « bouche l'herbe tendre et fleurie, qu'ils sont allés cueillir « au loin, et lui apportent sur le bord des lèvres une eau « fraîche, puisée dans le prochain ruisseau. »

RETOUR À LYON.

DE retour à Lyon, j'y trouvai des lettres de M. Joubert : elles m'annonçaient son impossibilité d'être à Villeneuve avant le mois de septembre. Je lui répondis : «Votre départ « de Paris est trop éloigné et me gêne ; vous sentez que ma « femme ne voudra jamais arriver avant vous à Villeneuve : « c'est aussi une tête que celle-là, et depuis qu'elle est avec « moi, je me trouve à la tête de deux têtes très-difficiles à « gouverner. Nous resterons à Lyon, où l'on nous fait si « prodigieusement manger que j'ai à peine le courage de « sortir de cette excellente ville. L'abbé de Bonnevie est ici, « de retour de Rome ; il se porte à merveille ; il est gai, il « prêchaille et ne pense plus à ses malheurs ; il vous « embrasse et va vous écrire. Enfin tout le monde est « dans la joie, excepté moi ; il n'y a que vous qui grogniez. « Dites à Fontanes que j'ai dîné chez M. Saget. »

1. Voir p. 360, note 4.

Ce M. Saget était la providence des chanoines[1] ; il demeurait sur le coteau de Sainte-Foix, dans la région du bon vin. On montait chez lui à peu près par l'endroit où Rousseau avait passé la nuit au bord de la Saône.

« Je me souviens, dit-il, d'avoir passé une nuit délicieuse, hors de la ville, dans un chemin qui côtoyait la « Saône. Des jardins élevés en terrasse bordaient le chemin « du côté opposé : il avait fait très-chaud ce jour-là ; la « soirée était charmante, la rosée humectait l'herbe flétrie ; « point de vent, une nuit tranquille ; l'air était frais sans « être froid ; le soleil après son coucher avait laissé dans le « ciel des vapeurs rouges, dont la réflexion rendait l'eau « couleur de rose, les arbres des terrasses étaient chargés de « rossignols qui se répondaient de l'un à l'autre. Je me « promenais dans une sorte d'extase, livrant mes sens et « mon cœur à la jouissance de tout cela, et soupirant « seulement un peu du regret d'en jouir seul. Absorbé dans « ma douce rêverie, je prolongeai fort avant dans la nuit ma « promenade, sans m'apercevoir que j'étais las. Je m'en « aperçus enfin : je me couchai voluptueusement sur la « tablette d'une espèce de niche ou de fausse porte, enfon- « cée dans un mur de terrasse : le ciel de mon lit était « formé par les têtes des arbres, un rossignol était précisé- « ment au-dessus de moi ; je m'endormis à son chant : mon « sommeil fut doux ; mon réveil le fut davantage. Il était « grand jour : mes yeux en s'ouvrant virent l'eau, la « verdure, un paysage admirable[2]. »

Le charmant itinéraire de Rousseau à la main, on arrivait chez M. Saget. Cet antique et maigre garçon, jadis marié, portait une casquette verte, un habit de camelot gris, un pantalon de nankin, des bas bleus et des souliers de castor. Il avait vécu beaucoup à Paris et s'était lié avec mademoiselle Devienne[3]. Elle lui écrivait des lettres fort spirituelles, le gourmandait et lui donnait de très-bons conseils : il n'en tenait compte, car il ne prenait pas le monde au sérieux, croyant apparemment comme les Mexicains, que le monde

1. Il avait une table excellente.
2. *Confessions*, III.
3. Elle jouait les soubrettes au Théâtre-Français.

avait déjà usé quatre soleils, et qu'au quatrième (lequel nous éclaire aujourd'hui) les hommes avaient été changés en magots. Il n'avait cure [1] du martyre de saint Pothin et de saint Irénée, ni du massacre des protestants rangés côte à côte par ordre de Mandelot, gouverneur de Lyon, et ayant tous la gorge coupée du même côté. Vis à vis le champ des fusillades des Brotteaux, il m'en racontait les détails, tandis qu'il se promenait parmi ses ceps, mêlant son récit de quelques vers de Loyse Labbé [2] : il n'aurait pas perdu un coup de dent durant les derniers malheurs de Lyon, sous la charte-vérité [3].

Certains jours, à Sainte-Foix, on étalait une certaine tête de veau marinée pendant cinq nuits, cuite dans du vin de Madère et rembourrée de choses exquises ; de jeunes paysannes très-jolies servaient à table ; elles versaient l'excellent vin du crû renfermé dans des dames-jeannes de la grandeur de trois bouteilles. Nous nous abattions, moi et le chapitre en soutane, sur le festin Saget : le côteau en était tout noir.

Notre *dapifer* [4] trouva vite la fin de ses provisions : dans la ruine de ses derniers moments, il fut recueilli par deux ou trois des vieilles maîtresses qui avaient pillé sa vie, « espèce « de femmes », dit saint Cyprien, « qui vivent comme si elles « pouvaient être aimées, *quæ sic vivis ut possis adamari.* »

1. Correction des éditeurs. Chateaubriand avait écrit : « Il faisait les cornes au martyre... »
2. Poétesse lyonnaise, « la belle cordière » (1526-1566).
3. Allusion aux souvenirs sanglants dont Lyon porte la trace : persécutions des premiers chrétiens, massacre des protestants, « fusillades » de la Terreur, répression des insurrections en 1831-1834 (avec une allusion ironique à la charte de Louis-Philippe).
4. Au propre, celui qui portait les mets ; d'où : celui qui avait ordonné le festin.

Course à la Grande-Chartreuse.

Nous nous arrachâmes aux délices de Capoue pour aller voir la Chartreuse, toujours avec M. Ballanche. Nous louâmes une calèche dont les roues disjointes faisaient un bruit lamentable. Arrivés à Voreppe, nous nous arrêtâmes dans une auberge au haut de la ville. Le lendemain, à la pointe du jour, nous montâmes à cheval et nous partîmes, précédés d'un guide. Au village de Saint-Laurent, au bas de la Grande-Chartreuse, nous franchîmes la porte de la vallée, et nous suivîmes, entre deux flancs de rochers, le chemin montant au monastère. Je vous ai parlé, à propos de Combourg, de ce que j'éprouvai dans ce lieu. Les bâtiments abandonnés se lézardaient sous la surveillance d'une espèce de fermier des ruines. Un frère-lai était demeuré là, pour prendre soin d'un solitaire infirme qui venait de mourir : la religion avait imposé à l'amitié la fidélité et l'obéissance. Nous vîmes la fosse étroite fraîchement recouverte : Napoléon, dans ce moment, en allait creuser une immense à Austerlitz. On nous montra l'enceinte du couvent, les cellules, accompagnées chacune d'un jardin et d'un atelier ; on y remarquait des établis de menuisier et des rouets de tourneur : la main avait laissé tomber le ciseau. Une galerie offrait les portraits des supérieurs ·de la Chartreuse. Le palais ducal à Venise garde la suite des *ritratti* [1] des doges ; lieux et souvenirs divers ! Plus haut, à quelque distance, on nous conduisit à la chapelle du reclus immortel de Le Sueur [2].

Après avoir dîné dans une vaste cuisine, nous repartîmes et nous rencontrâmes, porté en palanquin comme un rajah,

---

1. Portraits.
2. Saint-Bruno, dont Le Sueur a peint la vie dans une suite de tableaux (musée du Louvre).

M. Chaptal [1], jadis apothicaire, puis sénateur, ensuite possesseur de Chanteloup et inventeur du sucre de betterave, l'avide héritier des belles roses indiennes de la Sicile, perfectionnées par le soleil d'Otahiti. En descendant des forêts, j'étais occupé des anciens cénobites ; pendant des siècles, ils portèrent, avec un peu de terre dans le pan de leur robe, des plants de sapins, devenus des arbres sur les rochers. Heureux, ô vous qui traversâtes le monde sans bruit, et ne tournâtes pas même la tête en passant !

Nous n'eûmes pas plus tôt atteint la porte de la vallée qu'un orage éclate ; un déluge se précipite, et des torrents troublés détalent en rugissant de toutes les ravines. Madame de Chateaubriand, devenue intrépide à force de peur, galopait à travers les cailloux, les flots et les éclairs. Elle avait jeté son parapluie pour mieux entendre le tonnerre ; le guide lui criait : « Recommandez votre âme à Dieu ! Au nom du « Père, du Fils et du Saint-Esprit ! » Nous arrivâmes à Voreppe au son du tocsin ; les restes de l'orage déchiré étaient devant nous. On apercevait au loin dans la campagne l'incendie d'un village, et la lune arrondissant la partie supérieure de son disque au-dessus des nuages, comme le front pâle et chauve de saint Bruno, fondateur de l'ordre du silence. M. Ballanche, tout dégouttant de pluie, disait avec sa placidité inaltérable : «Je suis comme un poisson dans « l'eau. » Je viens, en cette année 1838, de revoir Voreppe ; l'orage n'y était plus ; mais il m'en reste deux témoins, madame de Chateaubriand et M. Ballanche. Je le fais observer, car j'ai eu trop souvent, dans ces Mémoires, à remarquer les absents.

De retour à Lyon, nous y laissâmes notre compagnon et nous allâmes à Villeneuve. Je vous ai raconté ce que c'était que cette petite ville, mes promenades et mes regrets au bord de l'Yonne avec M. Joubert. Là, vivaient trois vieilles filles, mesdemoiselles Piat ; elles rappelaient les trois amies de ma grand'mère à Plancouët, à la différence près des positions sociales. Les vierges de Villeneuve moururent successivement, et je me souvenais d'elles à la vue d'un perron herbu, montant en dehors de leur maison deshabitée.

1. Le chimiste.

Que disaient-elles en leur temps, ces demoiselles villageoises ? Elle parlaient d'un chien, et d'un manchon que leur père leur avait acheté jadis à la foire de Sens. Cela me charmait autant que le concile de cette même ville, où saint Bernard fit condamner Abailard mon compatriote [1]. Les vierges au manchon étaient peut-être des Héloïse ; elles aimèrent peut-être, et leurs lettres retrouvées un jour enchanteront l'avenir. Qui sait ? Elles écrivaient peut-être à leur *seigneur, aussi leur père, aussi leur frère, aussi leur époux : «domino suo, imo patri,* etc. » qu'elles se sentaient honorées du nom d'amie, du nom de *maîtresse* ou de *courtisane, «concubinae vel scorti* [2]. » «Au milieu de son « savoir,» dit un docteur grave, «je trouve Abailard avoir « fait un trait de folie admirable, quand il suborna d'amour « Héloïse, son escolière. »

MORT DE MADAME DE CAUD.

UNE grande et nouvelle douleur me surprit à Villeneuve. Pour vous la raconter, il faut retourner quelques mois en arrière de mon voyage en Suisse. J'habitais encore la maison de la rue Miromesnil, lorsque, dans l'automne de 1804, madame de Caud vint à Paris. La mort de madame de Beaumont avait achevé d'altérer la raison de ma sœur ; peu s'en fallait qu'elle ne crût pas à cette mort, qu'elle ne soupçonnât du mystère dans cette disparition, ou qu'elle ne rangeât le Ciel au nombre des ennemis qui se jouaient de ses maux. Elle n'avait rien : je lui avais choisi un apparte-

1. Abailard était né près de Nantes en 1079.
2. Expressions empruntées aux lettres d'Héloïse à Abailard.

ment rue Caumartin, en la trompant sur le prix de la location et sur les arrangements que je lui fis prendre avec un restaurateur. Comme une flamme prête à s'éteindre, son génie jetait la plus vive lumière ; elle en était toute éclairée. Elle traçait quelques lignes qu'elle livrait au feu, ou bien elle copiait dans des ouvrages quelques pensées en harmonie avec la disposition de son âme. Elle ne resta pas longtemps rue Caumartin ; elle alla demeurer aux Dames Saint-Michel, rue du faubourg Saint-Jacques : madame de Navarre était supérieure du couvent. Lucile avait une petite cellule ayant vue sur le jardin : je remarquai qu'elle suivait des yeux, avec je ne sais quel désir sombre, les religieuses qui se promenaient dans l'enclos autour des carrés de légumes. On devinait qu'elle enviait la sainte, et qu'allant par-delà, elle aspirait à l'ange. Je sanctifierai ces *Mémoires* en y déposant, comme des reliques, ces billets de madame de Caud, écrits avant qu'elle eût pris son vol vers sa patrie éternelle.

17 janvier.

« Je me reposais de mon bonheur sur toi et sur
« madame de Beaumont, je me sauvais dans votre idée de
« mon ennui et de mes chagrins : toute mon occupation
« était de vous aimer. J'ai fait cette nuit de longues
« réflexions sur ton caractère et ta manière d'être. Comme
« toi et moi nous sommes toujours voisins, il faut, je crois,
« du temps pour me connaître, tant il y a diverses pensées
« dans ma tête ! tant ma timidité et mon espèce de faiblesse
« extérieure sont en opposition avec ma force intérieure ! En
« voilà trop sur moi. Mon illustre frère, reçois le plus tendre
« remercîment de toutes les complaisances et de toutes les
« marques d'amitié que tu n'as cessé de me donner. Voilà la
« dernière lettre de moi que tu recevras le matin. J'ai beau
« te faire part de mes idées, elles n'en restent pas moins
« tout entières en moi. »

« Me crois-tu sérieusement, mon ami, à l'abri de
« quelque impertinence de M. Chênedollé ? Je suis bien
« décidée à ne point l'inviter à continuer ses visites ; je me
« résigne à ce que celle de mardi soit la dernière. Je ne veux
« point gêner sa politesse. Je ferme pour toujours le livre de
« ma destinée, et je le scelle du sceau de la raison ; je n'en
« consulterai pas plus les pages, maintenant, sur les baga-
« telles que sur les choses importantes de la vie. Je renonce
« à toutes mes folles idées ; je ne veux m'occuper ni me
« chagriner de celles des autres ; je me livrerai à corps perdu
« à tous les événements de mon passage dans ce monde.
« Quelle pitié que l'attention que je me porte ! Dieu ne peut
« plus m'affliger qu'en toi. Je le remercie du précieux, bon
« et cher présent qu'il m'a fait en ta personne et d'avoir
« conservé ma vie sans tache : voilà tous mes trésors. Je
« pourrais prendre pour emblème de ma vie la lune dans un
« nuage, avec cette devise : souvent obscurcie, jamais ter-
« nie. Adieu, mon ami. Tu seras peut-être étonné de mon
« langage depuis hier matin. Depuis t'avoir vu, mon cœur
« s'est relevé vers Dieu, et je l'ai placé tout entier au pied de
« la croix, sa seule et véritable place. »

Ce jeudi.

« Bonjour, mon ami. De quelle couleur sont tes idées ce
« matin ? Pour moi, je me rappelle que la seule personne
« qui put me soulager quand je craignais pour la vie de
« madame de Farcy [1], fut celle qui me dit : — Mais il est
« dans l'ordre des choses possibles que vous mouriez avant
« elle. Pouvait-on frapper plus juste ? Il n'est rien tel, mon
« ami, que l'idée de la mort pour nous débarrasser de
« l'avenir. Je me hâte de te débarrasser de moi ce matin, car
« je me sens trop en train de dire de belles choses. Bonjour,
« mon pauvre frère. Tiens-toi en joie. »

1. Leur sœur Julie.

« Lorsque madame de Farcy existait, toujours près
« d'elle, je ne m'étais pas aperçue du besoin d'être en
« société de pensées avec quelqu'un. Je possédais ce bien
« sans m'en douter. Mais depuis que nous avons perdu cette
« amie, et les circonstances m'ayant séparée de toi, je
« connus le supplice de ne pouvoir jamais délasser et
« renouveler son esprit dans la conversation de quelqu'un ;
« je sens que mes idées me font mal lorsque je ne puis m'en
« débarrasser ; cela tient sûrement à ma mauvaise organisa-
« tion. Cependant, je suis assez contente, depuis hier, de
« mon courage. Je ne fais nulle attention à mon chagrin, et
« à l'espèce de défaillance intérieure que j'éprouve. Je me
« suis délaissée. Continue à être toujours aimable envers
« moi : ce sera humanité ces jours-ci. Bonjour, mon ami. A
« tantôt, j'espère. »

Sans date.

« Sois tranquille, mon ami ; ma santé se rétablit à vue
« d'œil. Je me demande souvent pourquoi j'apporte tant de
« soin à l'étayer. Je suis comme un insensé qui édifierait
« une forteresse au milieu d'un désert. Adieu, mon pauvre
« frère. »

Sans date.

« Comme ce soir je souffre beaucoup de la tête, je
« viens tout simplement, au hasard, de t'écrire quelques
« pensées de Fénélon pour remplir mon engagement :
    « — On est bien à l'étroit quand on se renferme
« au-dedans de soi. Au contraire, on est bien au large quand
« on sort de cette prison pour entrer dans l'immensité de
« Dieu.
    « — Nous retrouverons bientôt ce que nous avons
« perdu. Nous en approchons tous les jours à grands pas.

« Encore un peu, et il n'y aura plus de quoi pleurer. C'est
« nous qui mourons : ce que nous aimons vit et ne mourra
« point.

« — Vous vous donnez des forces trompeuses, telles
« que la fièvre ardente en donne au malade. On voit en
« vous, depuis quelques jours, un mouvement convulsif
« pour montrer du courage et de la gaieté avec un fonds
« d'agonie...

« Voilà tout ce que ma tête et ma mauvaise plume
« me permettent de t'écrire ce soir. Si tu veux, je recom-
« mencerai demain et t'en conterai peut-être davantage.
« Bon soir, mon ami. Je ne cesserai point de te dire que mon
« cœur se prosterne devant celui de Fénelon, dont la
« tendresse me semble si profonde et la vertu si élevée.
« Bonjour, mon ami.

« Je te dis à mon réveil mille tendresses et te donne
« cent bénédictions. Je me porte bien ce matin et suis
« inquiète si tu pourras me lire, et si ces pensées de Fénelon
« te paraîtront bien choisies. Je crains que mon cœur ne
« s'en soit trop mêlé. »

Sans date.

« Pourrais-tu penser que je m'occupe follement depuis
« hier à te corriger ? Les Blossac m'ont confié dans le plus
« grand secret une romance de toi. Comme je ne trouve pas
« que dans cette romance tu aies tiré parti de tes idées, je
« m'amuse à essayer de les rendre dans toute leur valeur.
« Peut-on pousser l'audace plus loin ? Pardonnez, grand
« homme, et ressouvenez-vous que je suis ta sœur, qu'il
« m'est un peu permis d'abuser de vos richesses. »

Saint-Michel.

« Je ne te dirai plus : Ne viens plus me voir, — parce
« que n'ayant désormais que quelques jours à passer à
« Paris, je sens que ta présence m'est essentielle. Ne me
« viens tantôt qu'à quatre heures ; je compte être dehors

« jusqu'à ce moment. Mon ami, j'ai dans la tête mille idées
« contradictoires de choses qui me semblent exister et
« n'exister pas, qui ont pour moi l'effet d'objets qui ne
« s'offriraient que dans une glace, dont on ne pourrait, par
« conséquent, s'assurer, quoiqu'on les vît distinctement. Je
« ne veux plus m'occuper de tout cela ; de ce moment-ci, je
« m'abandonne. Je n'ai pas comme toi la ressource de
« changer de rive, mais je sens le courage de n'attacher
« nulle importance aux personnes et aux choses de mon
« rivage et de me fixer entièrement, irrévocablement, dans
« l'auteur de toute justice et de toute vérité. Il n'y a qu'un
« déplaisir auquel je crains de mourir difficilement, c'est de
« heurter en passant, sans le vouloir, la destinée de quelque
« autre, non pas par l'intérêt qu'on pourrait prendre à moi ;
« je ne suis pas assez folle pour cela. »

Saint-Michel.

« Mon ami, jamais le son de ta voix ne m'a fait tant de
« plaisir que lorsque je l'entendis hier dans mon escalier.
« Mes idées, alors, cherchaient à surmonter mon courage.
« Je fus saisie d'aise de te sentir si près de moi ; tu parus et
« tout mon intérieur rentra dans l'ordre. J'éprouve quelque-
« fois une grande répugnance de cœur à boire mon calice.
« Comment ce cœur, qui est un si petit espace, peut-il renfer-
« mer tant d'existence et tant de chagrins ? Je suis bien
« mécontente de moi, bien mécontente. Mes affaires et mes
« idées m'entraînent ; je ne m'occupe presque plus de Dieu
« et je me borne à lui dire cent fois par jour : — Seigneur,
« hâtez-vous de m'exaucer, car mon esprit tombe dans la
« défaillance. »

Sans date.

« Mon frère, ne te fatigue ni de mes lettres, ni de ma
« présence ; pense que bientôt tu seras pour toujours délivré
« de mes importunités. Ma vie jette sa dernière clarté,
« lampe qui s'est consumée dans les ténèbres d'une longue

« nuit, et qui voit naître l'aurore où elle va mourir. Veuille,
« mon frère, donner un seul coup d'œil sur les premiers
« moments de notre existence ; rappelle-toi que souvent
« nous avons été assis sur les mêmes genoux, et pressés
« ensemble tous deux sur le même sein ; que déjà tu donnais
« des larmes aux miennes, que dès les premiers jours de ta
« vie tu as protégé, défendu ma frêle existence, que nos jeux
« nous réunissaient et que j'ai partagé tes premières études.
« Je ne te parlerai point de notre adolescence, de l'innocence
« de nos pensées et de nos joies, et du besoin mutuel de
« nous voir sans cesse. Si je te retrace le passé, je t'avoue
« ingénuement, mon frère, que c'est pour me faire revivre
« davantage dans ton cœur. Lorsque tu partis pour la
« seconde fois de France, tu remis ta femme entre mes
« mains, tu me fis promettre de ne m'en point séparer.
« Fidèle à ce cher engagement, j'ai tendu volontairement
« mes mains aux fers et je suis entrée dans ces lieux
« destinés aux seules victimes vouées à la mort. Dans ces
« demeures, je n'ai eu d'inquiétude que sur ton sort ; sans
« cesse j'interrogeais sur toi les pressentiments de mon
« cœur. Lorsque j'eus recouvré la liberté, au milieu des
« maux qui vinrent m'accabler, la seule pensée de notre
« réunion m'a soutenue. Aujourd'hui que je perds sans
« retour l'espoir de couler ma carrière auprès de toi, souffre
« mes chagrins. Je me résignerai à ma destinée, et ce n'est
« que parce que je dispute encore avec elle, que j'éprouve
« de si cruels déchirements ; mais quand je me serai soumise
« à mon sort,... Et quel sort ! Où sont mes amis, mes
« protecteurs et mes richesses ! A qui importe mon exis-
« tence, cette existence délaissée de tous, et qui pèse toute
« entière sur elle-même ? Mon Dieu ! n'est-ce pas assez pour
« ma faiblesse de mes maux présents, sans y joindre encore
« l'effroi de l'avenir ? Pardon, trop cher ami, je me résigne-
« rai ; je m'endormirai d'un sommeil de mort sur ma
« destinée. Mais pendant le peu de jours que j'ai affaire
« dans cette ville, laisse-moi chercher en toi mes dernières
« consolations ; laisse-moi croire que ma présence t'est
« douce. Crois que parmi les cœurs qui t'aiment, aucun
« n'approche de la sincérité et de la tendresse de mon
« impuissante amitié pour toi. Remplis ma mémoire de

« souvenirs agréables qui prolongent auprès de toi mon
« existence. Hier, lorsque tu me parlas d'aller chez toi, tu
« me semblais inquiet et sérieux, tandis que tes paroles
« étaient affectueuses. Quoi, mon frère, serais-je aussi pour
« toi un sujet d'éloignement et d'ennui ? Tu sais que ce
« n'est pas moi qui t'ai proposé l'aimable distraction d'aller
« te voir, que je t'ai promis de ne point en abuser ; mais si
« tu as changé d'avis, que ne me l'as-tu dit avec franchise ?
« Je n'ai point de courage contre tes politesses. Autrefois, tu
« me distinguais un peu plus de la foule commune et me
« rendais plus de justice. Puisque tu comptes sur moi
« aujourd'hui, j'irai tantôt te voir à onze heures. Nous
« arrangerons ensemble ce qui te conviendra le mieux pour
« l'avenir. Je t'ai écrit, certaine que je n'aurais pas le
« courage de te dire un seul mot de ce que contient cette
« lettre. »

Cette lettre si poignante et toute admirable, est la dernière que je reçus ; elle m'alarma par le redoublement de
tristesse dont elle est empreinte. Je courus aux Dames
Saint-Michel ; ma sœur se promenait dans le jardin avec
madame de Navarre ; elle rentra quand on lui fit savoir que
j'étais monté chez elle. Elle faisait visiblement des efforts
pour rappeler ses idées et elle avait, par intervalles, un léger
mouvement convulsif dans les lèvres. Je la suppliai de
revenir à toute sa raison, de ne plus m'écrire des choses
aussi injustes et qui me déchiraient le cœur, de ne plus
penser que je pouvais jamais être fatigué d'elle. Elle parut
un peu se calmer aux paroles que je multipliais pour la
distraire et la consoler. Elle me dit qu'elle croyait que le
couvent lui faisait mal, qu'elle se trouverait mieux dans un
logement isolé, du côté du Jardin-des-Plantes, là où elle
pourrait voir des médecins et se promener. Je l'invitai à
suivre son goût, ajoutant qu'afin d'aider Virginie sa femme
de chambre, je lui donnerais le vieux Saint-Germain [1]. Cette
proposition parut lui faire grand plaisir, en souvenir de
madame de Beaumont, et elle m'assura qu'elle allait s'occuper de son nouveau logement. Elle me demanda ce que je
comptais faire cet été : je lui dis que j'irais à Vichy

1. Ancien domestique des Montmorin et de Pauline de Beaumont.

rejoindre ma femme, ensuite chez M. Joubert à Villeneuve, pour de là rentrer à Paris. Je lui proposai de venir avec nous. Elle me répondit qu'elle voulait passer l'été seule, et qu'elle allait renvoyer Virginie à Fougères. Je la quittai ; elle était plus tranquille.

Madame de Chateaubriand partit pour Vichy, et je me disposai à la suivre. Avant de quitter Paris, j'allai revoir Lucile. Elle était affectueuse ; elle me parla de ses petits ouvrages, dont on a vu les fragments si beaux dans le troisième livre de ces Mémoires. J'encourageai au travail le grand poëte ; elle m'embrassa, me souhaita un bon voyage, me fit promettre de revenir vite. Elle me reconduisit sur le palier de l'escalier, s'appuya sur la rampe et me regarda tranquillement descendre. Quand je fus au bas, je m'arrêtai, et, levant la tête, je criai à l'infortunée qui me regardait toujours : « Adieu, chère sœur ! à bientôt ! soigne-toi bien. Ecris-moi à Villeneuve. Je t'écrirai. J'espère que l'hiver prochain, tu consentiras à vivre avec nous. »

Le soir, je vis le bonhomme [1] Saint-Germain ; je lui donnai des ordres et de l'argent pour qu'il baissât secrètement les prix de toutes les choses dont elle pourrait avoir besoin. Je lui enjoignis de me tenir au courant de tout et de ne pas manquer de me mander de revenir, en cas qu'il eût affaire de moi. Trois mois s'écoulèrent. En arrivant à Villeneuve, je trouvai deux billets assez tranquillisants sur la santé de madame de Caud ; mais Saint-Germain oubliait de me parler de la nouvelle demeure et des nouveaux arrangements de ma sœur. J'avais commencé à écrire à celle-ci une longue lettre, lorsque madame de Chateaubriand tomba tout à coup dangereusement malade : j'étais au bord de son lit quand on m'apporta une nouvelle lettre de Saint-Germain ; je l'ouvris : une ligne foudroyante m'apprenait la mort subite de Lucile [2].

J'ai pris soin de beaucoup de tombeaux dans ma vie, il était de mon sort et de la destinée de ma sœur que ses

---

1. « Bonhomme » indique seulement qu'il n'est plus jeune.
2. Il est à peu près sûr que Lucile s'est donné la mort. D'où le vague que Chateaubriand laisse planer dans tout le chapitre sur ses derniers moments.

cendres fussent jetées au ciel. Je n'étais point à Paris au moment de sa mort ; je n'y avais aucun parent ; retenu à Villeneuve par l'état périlleux de ma femme, je ne pus courir à des restes sacrés ; des ordres transmis de loin arrivèrent trop tard pour prévenir une inhumation commune. Lucile était ignorée et n'avait pas un ami ; elle n'était connue que du vieux serviteur de madame de Beaumont, comme s'il eût été chargé de lier les deux destinées. Il suivit seul le cercueil délaissé, et il était mort lui-même avant que les souffrances de madame de Chateaubriand me permissent de la ramener à Paris.

Ma sœur fut enterrée parmi les pauvres : dans quel cimetière fut-elle déposée ? dans quel flot immobile d'un océan de morts fut-elle engloutie ? dans quelle maison expira-t-elle au sortir de la communauté des Dames de Saint-Michel ? Quand, en faisant des recherches, quand en compulsant les archives des municipalités, les registres des paroisses, je rencontrerais le nom de ma sœur, à quoi cela me servirait-il ? Retrouverais-je le même gardien de l'enclos funèbre ? retrouverais-je celui qui creusa une fosse demeurée sans nom et sans étiquette ? Les mains rudes qui touchèrent les dernières une argile si pure, en auraient-elles gardé le souvenir ? quel nomenclateur des ombres m'indiquerait la tombe effacée ? ne pourrait-il pas se tromper de poussière ? Puisque le ciel l'a voulu, que Lucile soit à jamais perdue ! Je trouve dans cette absence de lieu une distinction d'avec les sépultures de mes autres amis. Ma devancière dans ce monde et dans l'autre prie pour moi le Rédempteur ; elle le prie du milieu des dépouilles indigentes parmi lesquelles les siennes sont confondues : ainsi repose égarée, parmi les préférés de Jésus-Christ, la mère de Lucile et la mienne. Dieu aura bien su reconnaître ma sœur, et elle qui tenait si peu à la terre, n'y devait point laisser de traces. Elle m'a quitté, cette sainte de génie. Je n'ai pas été un seul jour sans la pleurer. Lucile aimait à se cacher ; je lui ai fait une solitude dans mon cœur : elle n'en sortira que quand j'aurai cessé de vivre.

Ce sont là les vrais, les seuls événements de ma vie réelle ! Que m'importaient, au moment où je perdais ma sœur, les milliers de soldats qui tombaient sur les champs de bataille, l'écroulement des trônes et le changement de la face du monde ?

La mort de Lucile atteignit aux sources de mon âme : c'était mon enfance au milieu de ma famille, c'étaient les premiers vestiges de mon existence qui disparaissaient. Notre vie ressemble à ces bâtisses fragiles, étayées dans le ciel par des arcs-boutants : ils ne s'écroulent pas à la fois, mais se détachent successivement ; ils appuient encore quelque galerie, quand déjà ils manquent au sanctuaire ou au berceau de l'édifice. Madame de Chateaubriand, toute meurtrie encore des caprices impérieux de Lucile, ne vit qu'une délivrance pour la chrétienne arrivée au repos du Seigneur. Soyons doux, si nous voulons être regrettés : la hauteur du génie et les qualités supérieures ne sont pleurées que des anges. Mais je ne puis entrer dans la consolation de madame de Chateaubriand.

Paris, 1839.

Revu en décembre 1846.

ANNÉES DE MA VIE 1805 ET 1806. — JE REVIENS À PARIS. — JE PARS POUR LE LEVANT.

QUAND, revenant à Paris par la route de Bourgogne, j'aperçus la coupole du Val-de-Grâce et le dôme de Saint-Geneviève, qui domine le Jardin-des-Plantes, j'eus le cœur navré [1] : encore une compagne de ma vie laissée sur la route ! Nous rentrâmes à l'hôtel de Coislin, et, bien que

1. C'est dans le quartier du Jardin des Plantes que Lucile est morte, sans doute dans la rue qui s'appelle aujourd'hui Daubenton.

M. de Fontanes, M. Joubert, M. de Clausel, M. Molé vinssent passer les soirées chez moi, j'étais travaillé de tant de souvenirs et de pensées, que je n'en pouvais plus. Demeuré seul derrière les chers objets qui m'avaient quitté, comme un marin étranger dont l'engagement est expiré et qui n'a ni foyers, ni patrie, je frappais du pied la rive ; je brûlais de me jeter à la nage dans un nouvel océan pour me rafraîchir et le traverser. Nourrisson du Pinde et croisé à Solyme, j'étais impatient d'aller mêler mes délaissements aux ruines d'Athènes, mes pleurs aux larmes de Madeleine.

J'allai voir ma famille en Bretagne, et, de retour à Paris, je partis pour Trieste le 13 juillet 1806 : Madame de Chateaubriand m'accompagna jusqu'à Venise, où M. Ballanche la vint rejoindre.

Ma vie étant exposée heure par heure dans l'*Itinéraire*, je n'aurais plus rien à dire ici, s'il ne me restait quelques lettres inconnues écrites ou reçues pendant et après mon voyage. Julien, mon domestique et compagnon, a, de son côté, fait son *Itinéraire* auprès du mien, comme les passagers sur un vaisseau tiennent leur journal particulier dans un voyage de découverte. Le petit manuscrit qu'il met à ma disposition servira de contrôle à ma narration : je serai Cook, il sera Clerke [1].

Afin de mettre dans un plus grand jour la manière dont on est frappé dans l'ordre de la société et la hiérarchie des intelligences, je mêlerai ma narration à celle de Julien. Je le laisserai d'abord parler le premier, parce qu'il raconte quelques jours de voile faits sans moi de Modon à Smyrne.

ITINÉRAIRE DE JULIEN.

« Nous nous sommes embarqués le vendredi 1er août ; « mais, le vent n'étant pas favorable pour sortir du port, « nous y sommes restés jusqu'au lendemain à la pointe du « jour. Alors le pilote du port est venu nous prévenir qu'il

1. Le capitaine Clerke avait été le second du capitaine Cook, dans le voyage qui commença en 1776 et où Cook trouva la mort.

« pouvait nous en sortir. Comme je n'avais jamais été sur
« mer, je m'étais fait une idée exagérée du danger, car je
« n'en voyais aucun pendant deux jours. Mais le troisième,
« il s'éleva une tempête ; les éclairs, le tonnerre, enfin un
« orage terrible nous assaillit et grossit la mer d'une force
« effrayante. Notre équipage n'était composé que de huit
« matelots, d'un capitaine, d'un officier, d'un pilote et d'un
« cuisinier, et cinq passagers, compris Monsieur et moi, ce
« qui faisait en tout dix-sept hommes. Alors nous nous
« mîmes tous à aider aux matelots pour fermer les voiles,
« malgré la pluie dont nous fûmes bientôt traversés, ayant
« ôté nos habits pour agir plus librement. Ce travail
« m'occupait et me faisait oublier le danger qui, à la vérité,
« est plus effrayant par l'idée qu'on s'en forme qu'il ne l'est
« réellement. Pendant deux jours, les orages, se sont suc-
« cédé, ce qui m'a aguerri dans mes premiers jours de
« navigation ; je n'étais aucunement incommodé. Monsieur
« craignait que je ne fusse malade en mer ; lorsque le calme
« fut rétabli, il me dit : « Me voilà rassuré sur votre santé ;
« puisque vous avez bien supporté ces deux jours d'orage,
« vous pouvez vous tranquilliser pour tout autre contre-
« temps. » C'est ce qui n'a pas eu lieu dans le reste de notre
« trajet jusqu'à Smyrne. Le 10, qui était un dimanche,
« Monsieur a fait aborder près d'une ville turque nommée
« Modon, où il a débarqué pour aller en Grèce. Dans les
« passagers qui étaient avec nous, il y avait deux Milanais,
« qui allaient à Smyrne, pour faire leur état de ferblantier
« et fondeur d'étain. Dans les deux, il y en avait un, nommé
« Joseph, qui parlait assez bien la langue turque, à qui
« Monsieur proposa de venir avec lui comme domestique
« interprète, et dont il fait mention dans son *Itinéraire*. Il
« nous dit en nous quittant que ce voyage ne serait que de
« quelques jours, qu'il rejoindrait le bâtiment à une île où
« nous devions passer dans quatre ou cinq jours, et qu'il
« nous attendrait dans cette île, s'il y arrivait avant nous.
« Comme Monsieur trouvait en cet homme ce qui lui
« convenait pour ce petit voyage (*de Sparte et d'Athènes*), il
« me laissa à bord pour continuer ma route jusqu'à Smyrne
« et avoir soin de tous nos effets. Il m'avait remis une lettre
« de recommandation près le consul français, pour le cas où

« il ne nous rejoindrait pas ; c'est ce qui est arrivé. Le
« quatrième jour, nous sommes arrivés à l'île indiquée. Le
« capitaine est descendu à terre et Monsieur n'y était pas.
« Nous avons passé la nuit et l'avons attendu jusqu'à sept
« heures du matin. Le capitaine est retourné à terre pour
« prévenir qu'il était forcé de partir ayant bon vent et obligé
« qu'il était de tenir compte de son trajet. De plus, il voyait
« un pirate qui cherchait à nous approcher, il était urgent
« de se mettre promptement en défense. Il fit charger ses
« quatre pièces de canon et monter sur le pont ses fusils,
« pistolets et armes blanches ; mais, comme le vent nous
« était avantageux, le pirate nous abandonna. Nous sommes
« arrivés un lundi 18, à sept heures du soir, dans le port de
« Smyrne. »

Après avoir traversé la Grèce, touché à Zéa et à Chio, je
trouvai Julien à Smyrne. Je vois aujourd'hui, dans ma
mémoire, la Grèce comme un de ces cercles éclatants qu'on
aperçoit quelquefois en fermant les yeux. Sur cette phos-
phorescence mystérieuse se dessinent des ruines d'une
architecture fine et admirable, le tout rendu plus resplendis-
sant encore par je ne sais quelle autre clarté des muses.
Quand retrouverai-je le thym de l'Hymète, les lauriers-roses
des bords de l'Eurotas ? Un des hommes que j'ai laissés avec
le plus d'envie sur des rives étrangères, c'est le douanier turc
du Pirée : il vivait seul, gardien de trois ports déserts,
promenant ses regards sur des îles bleuâtres, des promontoires brillants, des mers dorées. Là, je n'entendais que le bruit
des vagues dans le tombeau détruit de Thémistocle, et le
murmure des lointains souvenirs : au silence des débris de
Sparte, la gloire même était muette.

J'abandonnai, au berceau de Mélésigène [1], mon pauvre
drogman [2] Joseph, le Milanais, dans sa boutique de ferblantier, et je m'acheminai vers Constantinople. Je passai à
Pergame, voulant d'abord aller à Troie, par piété poétique ;
une chute de cheval m'attendait au début de ma route ; non
pas que Pégase bronchât, mais je dormais. J'ai rappelé cet
accident dans mon *Itinéraire ;* Julien le raconte aussi, et il

---

1. Homère, supposé « fils de Mélès ».
2. Interprète aux échelles du Levant.

fait, à propos des routes et des chevaux, des remarques dont je certifie l'exactitude.

ITINÉRAIRE DE JULIEN.

« Monsieur, qui s'était endormi sur son cheval, est « tombé sans se réveiller. Aussitôt son cheval s'est arrêté, « ainsi que le mien qui le suivait. Je mis de suite pied à terre « pour en savoir la cause, car il m'était impossible de la voir « à la distance d'une toise. Je vois Monsieur à moitié « endormi à côté de son cheval, et tout étonné de se trouver « à terre ; il m'a assuré qu'il ne s'était pas blessé. Son « cheval n'a pas cherché à s'éloigner, ce qui aurait été « dangereux, car des précipices se trouvaient très-près du « lieu où nous étions. »

Au sortir de la Somma, après avoir passé Pergame, j'eus avec mon guide la dispute qu'on lit dans l'*Itinéraire*. Voici le récit de Julien :

« Nous sommes partis de très-bonne heure de ce « village, après avoir remonté notre cantine. A peu de « distance du village, je fus très-étonné de voir Monsieur en « colère contre notre conducteur ; je lui en demandai le « motif. Alors Monsieur me dit qu'il était convenu avec le « conducteur, à Smyrne, qu'il le mènerait dans les plaines « de Troie, chemin faisant, et que, dans ce moment, il s'y « refusait en disant que ces plaines étaient infestées de « brigands. Monsieur n'en voulait rien croire et n'écoutait « personne. Comme je voyais qu'il s'emportait de plus en « plus, je fis signe au conducteur de venir près de l'inter-« prète et du janissaire pour m'expliquer ce qu'on lui avait « dit des dangers qu'il y avait à courir dans les plaines que « Monsieur voulait visiter. Le conducteur dit à l'interprète, « qu'on lui avait assuré qu'il fallait être en très-grand « nombre pour n'être pas attaqué : le janissaire me dit la « même chose. Alors j'allai trouver Monsieur et lui répétai « ce qu'ils m'avaient dit tous trois, et, de plus, que nous « trouverions à une journée de marche un petit village où il « y avait une espèce de consul qui pourrait nous instruire de « la vérité. D'après ce rapport, Monsieur se calma et nous

« continuâmes notre route jusqu'à cet endroit. Aussitôt
« arrivé, il se rendit près du consul, qui lui dit tous les
« dangers qu'il courait, s'il persistait à vouloir aller en si
« petit nombre dans ces plaines de Troie. Alors Monsieur a
« été obligé de renoncer à son projet, et nous continuâmes
« notre route pour Constantinople. »

J'arrive à Constantinople.

MON ITINÉRAIRE.

« L'absence presque totale des femmes, le manque de
voitures à roues et les meutes de chiens sans maîtres furent
les trois caractères distinctifs qui me frappèrent d'abord
dans l'intérieur de cette ville extraordinaire. Comme on ne
marche guère qu'en babouches, qu'on n'entend point de
bruit de carrosses et de charrettes, qu'il n'y a point de
cloches, ni presque point de métiers à marteau, le silence est
continuel. Vous voyez autour de vous une foule muette qui
semble vouloir passer sans être aperçue, et qui a toujours
l'air de se dérober aux regards du maître. Vous arrivez sans
cesse d'un bazar à un cimetière, comme si les Turcs
n'étaient là que pour acheter, vendre et mourir. Les cimetières, sans murs et placés au milieu des rues, sont des bois
magnifiques de cyprès : les colombes font leurs nids dans
ces cyprès et partagent la paix des morts. On découvre çà et
là quelques monuments antiques qui n'ont de rapport ni
avec les hommes modernes, ni avec les monuments nouveaux dont ils sont environnés ; on dirait qu'ils ont été
transportés dans cette ville orientale par l'effet d'un talisman. Aucun signe de joie, aucune apparence de bonheur ne
se montre à vos yeux ; ce qu'on voit n'est pas un peuple,
mais un troupeau qu'un iman conduit et qu'un janissaire
égorge. Au milieu des prisons et des bagnes, s'élève un
sérail, capitole de la servitude : c'est là qu'un gardien sacré
conserve soigneusement les germes de la peste et les lois
primitives de la tyrannie. »

Julien, lui, ne se perd pas ainsi dans les nues :

« L'intérieur de Constantinople est très-désagréable
« par sa pente vers le canal et le port ; on est obligé de
« mettre dans toutes les rues qui descendent dans cette
« direction (rues fort mal pavées) des retraites très-près les
« unes des autres, pour retenir les terres que l'eau entraîne-
« rait. Il y a peu de voitures : les Turcs font beaucoup plus
« usage de chevaux de selle que les autres nations. Il y a
« dans le quartier français quelques chaises à porteur pour
« les dames. Il y a aussi des chameaux et des chevaux de
« somme pour le transport des marchandises. On voit
« également des porte-faix, qui sont des Turcs ayant de
« très-gros et longs bâtons ; ils peuvent se mettre cinq ou six
« à chaque bout et portent des charges énormes d'un pas
« régulier ; un seul homme porte aussi de très-lourds far-
« deaux. Ils ont une espèce de crochet qui leur prend depuis
« les épaules jusqu'aux reins, et, avec une remarquable
« adresse d'équilibre, ils portent tous les paquets sans être
« attachés. »

Depuis Constantinople jusqu'à Jérusalem.

JE M'EMBARQUE À CONSTANTINOPLE SUR UN BÂTIMENT QUI
PORTAIT DES PÈLERINS GRECS EN SYRIE.

MON ITINÉRAIRE.

« NOUS étions sur le vaisseau à peu près deux cents passagers, hommes, femmes, enfants et vieillards. On voyait

autant de nattes rangées en ordre des deux côtés de l'entre-pont. Dans cette espèce de république, chacun faisait son ménage à volonté : les femmes soignaient leurs enfants, les hommes fumaient ou préparaient leur dîner, les papas[1] causaient ensemble. On entendait de tous côtés le son des mandolines, des violons et des lyres. On chantait, on dansait, on riait, on priait. Tout le monde était dans la joie. On me disait : «Jérusalem !» en me montrant le midi ; et je répondais : «Jérusalem !» Enfin, sans la peur, nous eussions été les plus heureuses gens du monde ; mais, au moindre vent, les matelots pliaient les voiles, les pèlerins criaient : *Christos, Kyrie eleison!* L'orage passé, nous reprenions notre audace.»

Ici, je suis battu par Julien :

ITINÉRAIRE DE JULIEN.

«Il a fallu nous occuper de notre départ pour Jaffa, « qui eut lieu le jeudi 18 septembre. Nous nous sommes « embarqués sur un bâtiment grec, où il y avait au moins, « tant hommes que femmes et enfants, cent cinquante « Grecs qui allaient en pèlerinage à Jérusalem, ce qui « causait beaucoup d'embarras dans le bâtiment.

«Nous avions, de même que les autres passagers, « nos provisions de bouche et nos ustensiles de cuisine que « j'avais achetés à Constantinople. J'avais, en outre, une « autre provision assez complète que M. l'ambassadeur[2] « nous avait donnée, composée de très-beaux biscuits, « jambons, saucissons, cervelas ; vins de différentes sortes, « rhum, sucre, citrons, jusqu'à du vin de quinquina contre « la fièvre. Je me trouvais donc pourvu d'une provision « très-abondante, que je ménageais et ne consommais « qu'avec une grande économie, sachant que nous n'avions « pas que ce trajet à faire : tout était serré où aucun « passager ne pouvait aller.

«Notre trajet, qui n'a été que de treize jours, m'a

1. Prêtres.
2. Le général Sébastiani, notre ambassadeur à Constantinople.

« paru très-long par toutes sortes de désagréments et de
« malpropretés sur le bâtiment. Pendant plusieurs jours de
« mauvais temps que nous avons eus, les femmes et les
« enfants étaient malades, vomissaient partout, au point
« que nous étions obligés d'abandonner notre chambre et de
« coucher sur le pont. Nous y mangions beaucoup plus
« commodément qu'ailleurs, ayant pris le parti d'attendre
« que tous nos Grecs aient fini leur tripotage. »

Je passe le détroit des Dardanelles ; je touche à Rhodes, et
je prends un pilote pour la côte de Syrie. — Un calme nous
arrête sous le continent de l'Asie, presqu'en face de l'ancien
cap Chélidonia. — Nous restons deux jours en mer, sans
savoir où nous étions.

MON ITINÉRAIRE.

« Le temps était si beau et l'air si doux, que tous les
passagers restaient la nuit sur le pont. J'avais disputé un
petit coin du gaillard d'arrière à deux gros caloyers [1] qui ne me
l'avaient cédé qu'en grommelant. C'était là que je dormais
le 30 de septembre, à six heures du matin, lorsque je fus
éveillé par un bruit confus de voix : j'ouvris les yeux, et
j'aperçus les pèlerins qui regardaient vers la proue du
vaisseau. Je demandai ce que c'était ; on me cria : *Signor, il
Carmelo !* le Carmel ! Le vent s'était levé la veille à huit
heures du soir, et, dans la nuit, nous étions arrivés à la vue
des côtes de Syrie. Comme j'étais couché tout habillé, je fus
bientôt debout, m'enquérant de la montagne sacrée. Chacun
s'empressait de me la montrer de la main ; mais je n'apercevais rien, à cause du soleil qui commençait à se lever en face
de nous. Ce moment avait quelque chose de religieux et
d'auguste ; tous les pèlerins, le chapelet à la main, étaient
restés en silence dans la même attitude, attendant l'apparition de la Terre-Sainte ; le chef des papas priait à haute
voix : on n'entendait que cette prière et le bruit de la course
du vaisseau que le vent le plus favorable poussait sur une
mer brillante. De temps en temps, un cri s'élevait de la

1. Moines grecs.

proue quand on revoyait le Carmel. J'aperçus enfin, moi-même, cette montagne, comme une tache ronde au-dessous des rayons du soleil. Je me mis alors à genoux à la manière des Latins. Je ne sentis point cette espèce de trouble que j'éprouvai en découvrant les côtes de la Grèce : mais la vue du berceau des Israélites et de la la patrie des chrétiens me remplit de joie et de respect. J'allais descendre sur la terre des prodiges, aux sources de la plus étonnante poésie, aux lieux où, même humainement parlant, s'est passé le plus grand événement qui ait jamais changé la face du monde.

. . . .

« Le vent nous manqua à midi ; il se leva de nouveau à quatre heures ; mais, par l'ignorance du pilote, nous dépassâmes le but... A deux heures de l'après-midi, nous revîmes Jaffa.

« Un bateau se détacha de la terre avec trois religieux. Je descendis avec eux dans la chaloupe ; nous entrâmes dans le port par une ouverture pratiquée entre des rochers, et dangereuse même pour un caïque.

« Les Arabes du rivage s'avancèrent dans l'eau jusqu'à la ceinture, afin de nous charger sur leurs épaules. Il se passa, là, une scène assez plaisante : mon domestique était vêtu d'une redingote blanchâtre ; le blanc étant la couleur de distinction chez les Arabes, ils jugèrent que Julien était le scheik. Ils se saisirent de lui et l'emportèrent en triomphe, malgré ses protestations ; tandis que, grâce à mon habit bleu, je me sauvais obscurément sur le dos d'un mendiant déguenillé. »

Maintenant, entendons Julien, principal acteur de la scène :

ITINÉRAIRE DE JULIEN.

« Ce qui m'a beaucoup étonné, c'est de voir venir six « Arabes pour me porter à terre, tandis qu'il n'y en avait « que deux pour Monsieur, ce qui l'amusait beaucoup de « me voir porter comme une châsse. Je ne sais si ma mise « leur a paru plus brillante que celle de Monsieur ; il avait « une redingote brune et boutons pareils, la mienne était « blanchâtre, avec des boutons de métal blanc qui jetaient

« assez d'éclat par le soleil qu'il faisait ; c'est ce qui a pu,
« sans doute, leur causer cette méprise.

« Nous sommes entrés le mercredi 1er octobre chez les
« religieux de Jaffa, qui sont de l'ordre des Cordeliers,
« parlant latin et italien, mais très-peu français. Il nous ont
« très-bien reçus et ont fait tout leur possible pour nous
« procurer tout ce qui nous était nécessaire. »

J'arrive à Jérusalem. — Par le conseil des Pères du
couvent, je traverse vite la cité sainte pour aller au Jourdain.
— Après m'être arrêté au couvent de Bethléem, je pars avec
une escorte d'Arabes ; je m'arrête à Saint-Saba. — A
minuit, je me trouve au bord de la mer Morte. —

MON ITINÉRAIRE.

« Quand on voyage dans la Judée, d'abord un grand ennui
saisit le cœur ; mais lorsque, passant de solitude en solitude,
l'espace s'étend sans bornes devant vous, peu à peu l'ennui
se dissipe, on éprouve une terreur secrète qui, loin d'abaisser l'âme, donne du courage et élève le génie. Des aspects
extraordinaires décèlent de toutes parts une terre travaillée
par des miracles : le soleil brûlant, l'aigle impétueux, le
figuier stérile, toute la poésie, tous les tableaux de l'Ecriture
sont là. Chaque nom renferme un mystère ; chaque grotte
déclare l'avenir ; chaque sommet retentit des accents d'un
prophète. Dieu même a parlé sur ces bords : les torrents
desséchés, les rochers fendus, les tombeaux entr'ouverts,
attestent le prodige ; le désert paraît encore muet de terreur,
et l'on dirait qu'il n'a osé rompre le silence, depuis qu'il a
entendu la voix de l'Eternel.

« Nous descendîmes de la croupe de la montagne, afin
d'aller passer la nuit au bord de la mer Morte, pour
remonter ensuite au Jourdain. »

ITINÉRAIRE DE JULIEN.

« Nous sommes descendus de cheval pour les laisser
« reposer et manger, ainsi que nous, qui avions une assez
« bonne cantine que les religieux de Jérusalem nous avaient

« donnée. Après notre collation faite, nos Arabes allèrent à
« une certaine distance de nous, pour écouter, l'oreille sur
« terre, s'ils entendaient quelque bruit ; nous ayant assuré
« que nous pouvions être tranquilles, alors chacun s'est
« abandonné au sommeil. Quoique couché sur des cailloux,
« j'avais fait un très-bon somme, quand Monsieur vint me
« réveiller, à cinq heures du matin, pour faire préparer tout
« notre monde à partir. Il avait déjà empli une bouteille de
« ferblanc, tenant environ trois chopines, de l'eau de la mer
« Morte, pour rapporter à Paris. »

MON ITINÉRAIRE.

« Nous levâmes le camp, et nous cheminâmes pendant une
heure et demie avec une peine excessive dans une arène
blanche et fine. Nous avancions vers un petit bois d'arbres de
baume et de tamarins, qu'à mon grand étonnement, je
voyais s'élever du milieu d'un sol stérile. Tout à coup, les
Bethléémites s'arrêtèrent et me montrèrent de la main, au
fond d'une ravine, quelque chose que je n'avais pas aperçu.
Sans pouvoir dire ce que c'était, j'entrevoyais comme une
espèce de sable en mouvement sur l'immobilité du sol. Je
m'approchai de ce singulier objet, et je vis un fleuve jaune
que j'avais peine à distinguer de l'arène de ses deux rives. Il
était profondément encaissé, et roulait avec lenteur une
onde épaisse : c'était le Jourdain...

« Les Bethléémites se dépouillèrent et se plongèrent dans
le Jourdain. Je n'osai les imiter, à cause de la fièvre qui me
tourmentait toujours. »

ITINÉRAIRE DE JULIEN.

« Nous sommes arrivés au Jourdain à sept heures du matin,
« par des sables où nos chevaux entraient jusqu'aux genoux,
« et par des fossés qu'ils avaient peine à remonter. Nous avons
« parcouru le rivage jusqu'à dix heures, et, pour nous délas-
« ser, nous nous sommes baignés très-commodément par
« l'ombre des arbrisseaux qui bordent le fleuve. Il aurait été

« très-facile de passer de l'autre côté à la nage, n'ayant de
« largeur, à l'endroit où nous étions, qu'environ 40 toises ;
« mais il n'eût pas été prudent de le faire, car il y avait des
« Arabes qui cherchaient à nous rejoindre, et en peu de temps
« ils se réunissent en très-grand nombre. Monsieur a empli sa
« seconde bouteille de ferblanc d'eau du Jourdain. »

Nous rentrâmes dans Jérusalem : Julien n'est pas beaucoup frappé des Saints Lieux ; en vrai philosophe, il est sec :
« Le Calvaire », dit-il, « est dans la même église, sur une hauteur
« semblable à beaucoup d'autres hauteurs sur lesquelles nous
« avons monté, et d'où l'on ne voit au loin que des terres en
« friche, et pour tous bois, des broussailles et arbustes rongés
« par les animaux. La vallée de Josaphat se trouve en dehors,
« au pied du mur de Jérusalem, et ressemble à un fossé de
« rempart. »

Je quittai Jérusalem, j'arrivai à Jaffa, et je m'embarquai
pour Alexandrie. D'Alexandrie j'allai au Caire, et je laissai
Julien chez M. Drovetti[1], qui eut la bonté de me noliser un
bâtiment autrichien pour Tunis. Julien continue son journal à
Alexandrie : « Il y a, » dit-il, « des juifs qui font l'agiotage
« comme partout où ils sont. A une demi-lieue de la ville, il y a
« la colonne de Pompée, qui est en granit rougeâtre, montée
« sur un massif de pierres de taille. »

MON ITINÉRAIRE.

« Le 23 novembre, à midi, le vent étant devenu favorable, je
me rendis à bord du vaisseau. J'embrassai M. Drovetti sur le
rivage, et nous nous promîmes amitié et souvenance :
j'acquitte aujourd'hui ma dette.

« Nous levâmes l'ancre à deux heures. Un pilote nous mit
hors du port. Le vent était faible et de la partie du midi. Nous
restâmes trois jours à la vue de la colonne de Pompée, que nous
découvrions à l'horizon. Le soir du troisième jour, nous entendîmes le coup de canon de retraite du port d'Alexandrie. Ce fut
comme le signal de notre départ définitif, car le vent du nord se
leva, et nous fîmes voile à l'occident.

1. Consul de France à Alexandrie.

« Le 1er décembre, le vent, se fixant à l'ouest, nous barra le chemin. Peu à peu il descendit au sud-ouest et se changea en une tempête qui ne cessa qu'à notre arrivée à Tunis. Pour occuper mon temps, je copiais et mettais en ordre les notes de ce voyage et les descriptions des *Martyrs*. La nuit, je me promenais sur le pont avec le second, le capitaine Dinelli. Les nuits passées au milieu des vagues, sur un vaisseau battu de la tempête, ne sont pas stériles ; l'incertitude de notre avenir donne aux objets leur véritable prix : la terre contemplée du milieu d'une mer orageuse, ressemble à la vie considérée par un homme qui va mourir. »

ITINÉRAIRE DE JULIEN.

« Après notre sortie du port d'Alexandrie, nous avons
« été assez bien pendant les premiers jours, mais cela n'a
« pas duré, car nous avons toujours eu mauvais temps et
« mauvais vent pendant le reste du trajet. Il y avait toujours
« de garde sur le pont un officier, le pilote et quatre
« matelots. Quand nous voyions, à la fin du jour, que nous
« allions avoir une mauvaise nuit, nous montions sur le
« pont. Vers minuit, je faisais notre punch. Je commençais
« toujours à en donner à notre pilote et aux quatre mate-
« lots, ensuite j'en servais à Monsieur, à l'officier et à moi ;
« mais nous ne prenions pas cela aussi tranquillement que
« dans un café. Cet officier avait beaucoup plus d'usage
« que le capitaine ; il parlait très-bien français, ce qui nous
« a été très-agréable dans notre trajet. »

Nous continuons notre navigation et nous mouillons devant les îles Kerkeni.

MON ITINÉRAIRE.

« Un orage du sud-est s'éleva à notre grande joie, et en cinq jours nous arrivâmes dans les eaux de l'île de Malte. Nous la découvrîmes la veille de Noël ; mais le jour de Noël même, le vent se rangeant à l'ouest-nord-ouest, nous chassa au midi de Lampedouse. Nous restâmes dix-huit jours sur la côte orientale du royaume de Tunis, entre la vie et la mort. Je n'oublierai de ma vie la journée du 28.

« Nous jetâmes l'ancre devant les îles de Kerkeni. Nous restâmes huit jours à l'ancre dans la petite Syrte, où je vis commencer l'année 1807. Sous combien d'astres et dans combien de fortunes diverses j'avais déjà vu se renouveler pour moi les années, qui passent si vite ou qui sont si longues ! Qu'ils étaient loin de moi ces temps de mon enfance où je recevais avec un cœur palpitant de joie la bénédiction et les présents paternels ! Comme ce premier jour de l'année était attendu ! Et maintenant, sur un vaisseau étranger, au milieu de la mer, à la vue d'une terre barbare, ce premier jour s'envolait pour moi, sans témoins, sans plaisirs, sans les embrassements de la famille, sans ces tendres souhaits de bonheur qu'une mère forme pour son fils avec tant de sincérité ! Ce jour, né du sein des tempêtes, ne laissait tomber sur mon front que des soucis, des regrets et des cheveux blancs. »

Julien est exposé à la même destinée et il me reprend d'une de ces impatiences, dont heureusement je me suis corrigé.

ITINÉRAIRE DE JULIEN.

« Nous étions très-près de l'île de Malte et nous avions
« à craindre d'être aperçus par quelque bâtiment anglais
« qui aurait pu nous forcer d'entrer dans le port ; mais
« aucun n'est venu à notre rencontre. Notre équipage se
« trouvait très-fatigué et le vent continuait à ne pas nous
« être favorable. Le capitaine voyant sur sa carte un
« mouillage nommé Kerkeni, duquel nous n'étions pas
« éloignés, fit voile dessus, sans en prévenir Monsieur,
« lequel voyant que nous approchions de ce mouillage, s'est
« fâché de ce qu'il n'avait pas été consulté, disant au
« capitaine qu'il devait continuer sa route, ayant supporté
« de plus mauvais temps. Mais nous étions trop avancés
« pour reprendre notre route, et, d'ailleurs, la prudence du
« capitaine a été fort approuvée, car cette nuit-là, le vent est
« devenu bien plus fort et la mer très-mauvaise. Ayant été
« obligés de rester vingt-quatre heures de plus que notre

« prévision dans le mouillage, Monsieur en marquait vive-
« ment son mécontentement au capitaine, malgré les justes
« raisons que celui-ci lui donnait.

« Il y avait environ un mois que nous naviguions, et il ne
« nous fallait plus que sept ou huit heures pour arriver dans le
« port de Tunis. Tout à coup, le vent devint si violent, que nous
« fûmes obligés de nous mettre au large, et nous restâmes trois
« semaines sans pouvoir aborder ce port. C'est encore dans ce
« moment que Monsieur reprocha de nouveau au capitaine
« d'avoir perdu trente-six heures au mouillage. On ne pouvait
« le persuader qu'il nous serait arrivé plus grand malheur, si le
« capitaine eût été moins prévoyant. Le malheur que je voyais,
« était de voir nos provisions baisser, sans savoir quand nous
« arriverions. »

Je foulai enfin le sol de Carthage. Je trouvai chez
M. et madame Devoise [1] l'hospitalité la plus généreuse.
Julien fait bien connaître mon hôte ; il parle aussi de la
campagne et des juifs : « Ils prient et pleurent », dit-il.

Un brick de guerre américain m'ayant donné passage à
son bord, je traversai le lac de Tunis pour me rendre à La
Goulette. « Chemin faisant, dit Julien, je demandai à Mon-
« sieur s'il avait pris l'or qu'il avait mis dans le secrétaire de
« la chambre où il couchait ; il me dit qu'il l'avait oublié et
« je fus obligé de retourner à Tunis. » L'argent ne peut
jamais me demeurer dans la cervelle.

Quand j'arrivai d'Alexandrie, nous jetâmes l'ancre en
face les débris de la cité d'Annibal. Je les regardais du bord
sans pouvoir deviner ce que c'était. J'apercevais quelques
cabanes de Maures, un hermitage musulman sur la pointe
d'un cap avancé, des brebis paissant parmi des ruines,
ruines si peu apparentes que je les distinguais à peine du sol
qui les portait : c'était Carthage. Je la visitai avant de
m'embarquer pour l'Europe.

MON ITINÉRAIRE.

« Du sommet de Byrsa, l'œil embrasse les ruines de

1. Devoise était consul de France auprès du bey de Tunis.

694

Carthage qui sont plus nombreuses qu'on ne le pense généralement : elles ressemblent à celles de Sparte, n'ayant rien de bien conservé, mais occupant un espace considérable. Je les vis au mois de février ; les figuiers, les oliviers et les caroubiers donnaient déjà leurs premières feuilles ; de grandes angéliques et des acanthes formaient des touffes de verdure parmi les débris de marbre de toutes couleurs. Au loin, je promenais mes regards sur l'isthme, sur une double mer, sur des îles lointaines, sur une campagne riante, sur des lacs bleuâtres, sur des montagnes azurées ; je découvrais des forêts, des vaisseaux, des aqueducs, des villages maures, des hermitages mahométans, des minarets et les maisons blanches de Tunis. Des millions de sansonnets, réunis en bataillons et ressemblant à des nuages, volaient au-dessus de ma tête. Environné des plus grands et des plus touchants souvenirs, je pensais à Didon, à Sophonisbe, à la noble épouse d'Asdrubal ; je contemplais les vastes plaines où sont ensevelies les légions d'Annibal, de Scipion et de César ; mes yeux voulaient reconnaître l'emplacement du palais d'Utique. Hélas ! les débris du palais de Tibère existent encore à Caprée, et l'on cherche en vain à Utique la place de la maison de Caton ! Enfin, les terribles Vandales, les légers Maures passaient tour à tour devant ma mémoire, qui m'offrait, pour dernier tableau, saint Louis expirant sur les ruines de Carthage. »

Julien achève comme moi de prendre sa dernière vue de l'Afrique à Carthage.

ITINÉRAIRE DE JULIEN.

« Le 7 et 8 nous nous sommes promenés dans les « ruines de Carthage où il se trouve encore quelques « fondations à rase terre, qui prouvent la solidité des « monuments de l'antiquité. Il y a aussi comme des distri- « butions de bains qui sont submergés par la mer. Il existe « encore de très-belles citernes ; on en voyait d'autres qui « étaient comblées. Le peu d'habitants qui occupent ces « contrées cultivent les terres qui leur sont nécessaires. Ils « ramassent différents marbres et pierres, ainsi que des

« médailles qu'ils vendent aux voyageurs comme antiques :
« Monsieur en a acheté pour rapporter en France. »

De Tunis jusqu'à ma rentrée en France par l'Espagne.

JULIEN raconte brièvement notre traversée de Tunis à la baie de Gibraltar ; d'Algesiras, il arrive promptement à Cadix, et de Cadix à Grenade. Indifférent à *Blanca*, il remarque seulement que l'*Alhambra et autres édifices élevés sont sur des rochers d'une hauteur immense*. Mon Itinéraire n'entre pas dans beaucoup plus de détails sur Grenade ; je me contente de dire :

« L'Alhambra me parut digne d'être remarqué, même après les temples de Grèce. La vallée de Grenade est délicieuse et ressemble beaucoup à celle de Sparte : on conçoit que les Maures regrettent un pareil pays. »

C'est dans *le Dernier des Abencerages* que j'ai décrit l'Alhambra. L'Alhambra, le Généralife, le Monte-Santo se sont gravés dans ma tête comme ces paysages fantastiques que, souvent à l'aube du jour, on croit entrevoir dans un beau premier rayon de l'aurore. Je me sens encore assez de nature pour peindre la Vega[1] ; mais je n'oserais le tenter, de peur de l'*archevêque de Grenade*[2]. Pendant mon séjour dans la ville des sultanes, un guitariste, chassé

1. La plaine de Grenade.
2. Episode bien connu du *Gil Blas* de Le Sage : l'archevêque, fier de son éloquence, commence à se faire vieux. Il fait promettre à Gil Blas, son secrétaire, de le prévenir, si son talent vient à fléchir. Gil Blas a le malheur d'obéir : il est renvoyé.

par un tremblement de terre d'un village que je venais de traverser, s'était donné à moi. Sourd comme un pot, il me suivait partout : quand je m'asseyais sur une ruine dans le palais des Maures, il chantait debout à mes côtés, en s'accompagnant de sa guitare. L'harmonieux mendiant n'aurait peut-être pas composé la symphonie de *la Création*[1], mais sa poitrine brunie se montrait à travers les lambeaux de sa casaque, et il aurait eu grand besoin d'écrire comme Beethoven à mademoiselle Breuning[2] :

« Vénérable Eléonore, ma très-chère amie, je vou-
« drais bien être assez heureux pour posséder une veste de
« poil de lapin tricotée par vous. »

Je traversai d'un bout à l'autre cette Espagne où, seize années plus tard, le ciel me réservait un grand rôle, en contribuant à étouffer l'anarchie chez un noble peuple et à délivrer un Bourbon : l'honneur de nos armes fut rétabli, et j'aurais sauvé la Légitimité, si la Légitimité avait pu comprendre les conditions de sa durée.

Julien ne me lâche pas qu'il ne m'ait ramené sur la place Louis XV, le 5 juin 1807, à trois heures après-midi. De Grenade, il me conduit à Aranjuez, à Madrid, à l'Escurial, d'où il saute à Bayonne.

« Nous sommes repartis de Bayonne, dit-il, le mardi
« 9 mai, pour Pau, Tarbes, Barèges et Bordeaux, où nous
« sommes arrivés le 18, très-fatigués, avec chacun un
« mouvement de fièvre. Nous en sommes repartis le 19, et
« nous avons passé à Angoulême et à Tours, et nous
« sommes arrivés le 28 à Blois, où nous avons couché. Le
« 31, nous avons continué notre route jusqu'à Orléans, et
« ensuite nous avons fait notre dernier coucher à Angervil-
« le. »

J'étais là, à une poste d'un château dont mon long voyage ne m'avait point fait oublier les habitants. Mais les jardins d'Armide[3], où étaient-ils ? Deux ou trois fois, en retournant aux Pyrénées, j'ai aperçu du grand chemin la

1. Oratorio de Haydn.
2. Lettre du 2 novembre 1793.
3. Allusion à Natalie de Noailles, l'« enchanteresse » que Chateaubriand avait retrouvée à l'Alhambra. Méréville, non loin d'Etampes, était la terre des Laborde (cf. II, 185). Natalie était née Laborde.

colonne de Méréville [1] ; ainsi que la colonne de Pompée [2], elle m'annonçait le désert : comme mes fortunes de mer, tout a changé.

J'arrivai à Paris avant les nouvelles que je donnais de moi : j'avais devancé ma vie. Tout insignifiantes que sont les lettres que j'écrivais, je les parcours, comme on regarde de méchants dessins qui représentent des lieux qu'on a visités. Ces billets datés de Modon, d'Athènes, de Zéa, de Smyrne et de Constantinople ; de Jaffa, de Jérusalem, d'Alexandrie, de Tunis, de Grenade, de Madrid et de Burgos ; ces lignes tracées sur toutes sortes de papier, avec toutes sortes d'encre, apportées par tous les vents, m'intéressent. Il n'y a pas jusqu'à mes firmans [3] que je ne me plaise à dérouler : j'en touche avec plaisir le vélin, j'en suis l'élégante calligraphie et je m'ébahis à la pompe du style. J'étais donc un bien grand personnage ! Nous sommes de bien pauvres diables, avec nos lettres et nos passeports à quarante sous, auprès de ces seigneurs du turban !

Osman Séïd, pacha de Morée, adresse ainsi, à qui de droit, mon firman pour Athènes :

« « Hommes de loi des bourgs de Misitra (Sparte) et
« d'Argos, cadis, nadirs, effendis, de qui puisse la sagesse
« s'augmenter encore ; honneur de vos pairs et de nos
« grands, vaïvodes, et vous par qui voit votre maître, qui le
« remplacez dans chacune de vos juridictions, gens en place
« et gens d'affaires, dont le crédit ne peut que croître ;

« Nous vous mandons qu'entre les nobles de France,
« un noble (particulièrement) de Paris, muni de cet ordre,
« accompagné d'un janissaire armé et d'un domestique
« pour son escorte, a sollicité la permission et expliqué son
« intention de passer par quelques-uns des lieux et positions
« qui sont de vos juridictions, afin de se rendre à Athènes,
« qui est un isthme hors de là, séparé de vos juridictions.

« Vous donc, effendis, vaïvodes et tous autres désignés
« ci-dessus, quand le susdit personnage arrivera aux lieux de

---

1. La « colonne » domine toujours le site.
2. A Alexandrie (cf. p. 707 et t. II, p. 88).
3. Pièces diplomatiques ou administratives émanées des autorités turques.

« vos juridictions, vous aurez le plus grand soin qu'on
« s'acquitte envers lui des égards et de tous les détails dont
« l'amitié fait une loi, etc., etc.

« An 1221 de l'Hégire. »

Mon passeport de Constantinople pour Jérusalem porte :
« Au tribunal sublime de Sa Grandeur le Kadi de
« Kouds (Jérusalem), Schérif très-excellent effendi :
« Très-excellent effendi, que votre Grandeur placée
« sur son tribunal auguste, agrée nos bénédictions sincères
« et nos salutations affectueuses.
« Nous vous mandons qu'un personnage noble, de la
« cour de France, nommé François-Auguste de Chateau-
« briand, se rend en ce moment vers vous, pour accomplir le
« *saint* pèlerinage (des chrétiens). »

Protégerions-nous de la sorte le voyageur inconnu près
des maires et des gendarmes qui visitent son passeport ? On
peut lire également dans ces firmans les révolutions des
peuples : combien de *laissez-passer* a-t-il fallu que Dieu
donnât aux empires, pour qu'un esclave tartare imposât des
ordres à un vaïvode de Misitra, c'est-à-dire à un magistrat
de Sparte ; pour qu'un musulman recommandât un chrétien
au cadi de Kouds, c'est-à-dire de Jérusalem !

L'Itinéraire est entré dans les éléments qui composent ma
vie. Quand je partis en 1806, un pèlerinage à Jérusalem
paraissait une grande entreprise. Ores que la foule m'a suivi
et que tout le monde est en diligence, le merveilleux s'est
évanoui ; il ne m'est guère resté en propre que Tunis : on
s'est moins dirigé de ce côté, et l'on convient que j'ai désigné
la véritable situation des ports de Carthage. Cette honorable
lettre le prouve :

« Monsieur le vicomte, je viens de recevoir un plan
« du sol et des ruines de Carthage, donnant les contours
« exacts et les reliefs du terrain ; il a été levé trigonométri-
« quement sur une base de 1 500 mètres, il s'appuie sur des
« observations barométriques faites avec des baromètres
« correspondants. C'est un travail de dix ans de précision et
« de patience ; il confirme vos opinions sur la position des
« ports de Byrsa.

« J'ai repris avec ce plan exact, tous les textes anciens, et
« j'ai déterminé, je crois, l'enceinte extérieure et les autres
« parties du Cothon, de Byrsa et de Mégara, etc., etc. Je
« vous rends la justice qui vous est due à tant de titres.

« Si vous ne craignez pas de me voir fondre sur votre
« génie avec ma trigonométrie et ma lourde érudition, je
« serai chez vous au premier signe de votre part. Si nous
« vous suivons, mon père et moi, dans la littérature, *longis-*
« *simo intervallo* [1], au moins nous aurons tâché de vous
« imiter pour la noble indépendance dont vous donnez à la
« France un si beau modèle.

« J'ai l'honneur d'être, et je m'en vante, votre franc
« admirateur.

« DUREAU DE LA MALLE [2]. »

Une pareille rectification des lieux aurait suffi autrefois
pour me faire un nom en géographie. Dorénavant, si j'avais
encore la manie de faire parler de moi, je ne sais où je
pourrais courir, afin d'attirer l'attention du public : peut-
être reprendrais-je mon ancien projet de la découverte du
passage au pôle-nord ; peut-être remonterais-je le Gange. Là,
je verrais la longue ligne noire et droite des bois qui
défendent l'accès de l'Himalaya ; lorsque, parvenu au col
qui attache les deux principaux sommets du mont Gang-
hour, je découvrirais l'amphithéâtre incommensurable des
neiges éternelles ; lorsque je demanderais à mes guides,
comme Heber [3], l'évêque anglican de Calcutta, le nom des
autres montagnes de l'est, ils me répondraient qu'elles
bordent l'empire chinois. A la bonne heure ! mais revenir
des Pyramides, c'est comme si vous reveniez de Montlhéry.
A ce propos, je me souviens qu'un pieux antiquaire des
environs de Saint-Denis en France, m'a écrit pour me
demander si Pontoise ne ressemblait pas à Jérusalem.

La page qui termine l'Itinéraire semble être écrite en ce
moment même, tant elle reproduit mes sentiments actuels.

« Il y a vingt ans, disais-je, que je me consacre à
« l'étude au milieu de tous les hasards et de tous les

1. « A un très long intervalle. »
2. Archéologue (1777-1857).
3. Auteur d'un *Récit de voyage à travers les provinces supérieures de
l'Inde* qui a paru après sa mort, en 1826.

« chagrins : *diversa exilia et desertas quaerere terras* [1] *:* un
« grand nombre des feuilles de mes livres ont été tracées
« sous la tente, dans les déserts, au milieu des flots ; j'ai
« souvent tenu la plume sans savoir comment je prolonge-
« rais de quelques instants mon existence... Si le ciel
« m'accorde un repos que je n'ai jamais goûté, je tâcherai
« d'élever en silence un monument à ma patrie [2] ; si la
« Providence me refuse ce repos, je ne dois songer qu'à
« mettre mes derniers jours à l'abri des soucis qui ont
« empoisonné les premiers. Je ne suis plus jeune, je n'ai
« plus l'amour du bruit ; je sais que les lettres dont le
« commerce est si doux quand il est secret, ne nous attirent
« au-dehors que des orages. Dans tous les cas, j'ai assez
« écrit si mon nom doit vivre ; beaucoup trop s'il doit
« mourir. »

Il est possible que mon Itinéraire demeure comme un
manuel à l'usage des juifs-errants de ma sorte : j'ai marqué
scrupuleusement les étapes et tracé une carte routière. Tous
les voyageurs, à Jérusalem, m'ont écrit pour me féliciter et
me remercier de mon exactitude ; j'en citerai un témoignage :

« Monsieur, vous m'avez fait l'honneur, il y a quel-
« ques semaines, de me recevoir chez vous, ainsi que mon
« ami M. de Saint-Laumer ; en vous apportant une lettre
« d'Abou-Gosch [3], nous venions vous dire combien on trou-
« vait de nouveaux mérites à votre *Itinéraire* en le lisant sur
« les lieux, et comme on appréciait jusqu'à son titre même,
« tout humble et tout modeste que vous l'ayez choisi, en le
« voyant justifié à chaque pas par l'exactitude scrupuleuse
« des descriptions, fidèles encore aujourd'hui, sauf quelques
« ruines de plus ou de moins, seul changement de ces
« contrées, etc.

« Jules FOLENTLOT. »
Rue Caumartin, n° 23.

---

1. « Chercher des exils différents et des terres abandonnées. » *(Enéide,*
III, 4).

2. Chateaubriand songe déjà à écrire une *Histoire de France.*

3. Chef arabe du village de Jérémie qui conduisit Chateaubriand de
Rama à Jérusalem.

Mon exactitude tient à mon bon sens vulgaire ; je suis de la race des Celtes et des tortues, race pédestre ; non du sang des Tartares et des oiseaux, races pourvues de chevaux et d'ailes. La Religion, il est vrai, me ravit quelquefois dans ses bras ; mais quand elle me remet à terre, je chemine, appuyé sur mon bâton, me reposant aux bornes pour déjeuner de mon olive et de mon pain bis. *« Si je suis moult allé en bois,* « *comme font volontiers François*[1] », je n'ai, cependant, jamais aimé le changement pour le changement ; la route m'ennuie : j'aime seulement le voyage à cause de l'indépendance qu'il me donne, comme j'incline vers la campagne, non pour la campagne, mais pour la solitude. «Tout ciel « m'est un, » dit Montaigne[2], «vivons entre les nôtres, allons « mourir et rechigner entre les inconnus. »

Il me reste aussi de ces pays d'Orient quelques autres lettres, parvenues à leur adresse plusieurs mois après leur date. Des pères de la Terre-Sainte, des consuls et des familles, me supposant devenu puissant sous la Restauration, ont réclamé, auprès de moi, les droits de l'hospitalité : de loin, on se trompe et l'on croit ce qui semble juste. M. Gaspari m'écrivit, en 1816, pour solliciter ma protection en faveur de son fils ; sa lettre est adressée : *A monsieur le vicomte de Chateaubriand, grand-maître de l'Université royale, à Paris.*

M. Caffe[3], ne perdant pas de vue ce qui se passe autour de lui, et m'apprenant des nouvelles de son univers, me mande d'Alexandrie : «Depuis votre départ, le pays n'est « pas amélioré, quoique la tranquillité règne. Quoique le « chef n'ait rien à craindre de la part des Mamelucks, « toujours réfugiés dans la Haute-Egypte, il faut pourtant « qu'il se tienne en garde. Abd-et-Ouad fait toujours des « siennes à la Mecque. Le canal de Manouf vient d'être « fermé ; Méhémet-Ali sera mémorable en Egypte, pour « avoir exécuté ce projet, etc. »

Le 13 août 1816, M. Pangalo fils m'écrivait de Zéa :

---

1. Voir p. 92.
2. Dans l'essai *De la vanité.*
3. Ce négociant français avait obligeamment reçu Chateaubriand à Alexandrie.

« Monseigneur,

« Votre *Itinéraire de Paris à Jérusalem* est parvenu à
« Zéa [1], et j'ai lu, au milieu de notre famille, ce que Votre
« Excellence veut bien y dire d'obligeant pour elle. Votre
« séjour, parmi nous, a été si court que nous ne méritons
« pas, à beaucoup près, les éloges que Votre Excellence a
« faits de notre hospitalité, et de la manière trop familière
« avec laquelle nous vous avons reçu. Nous venons d'ap-
« prendre aussi, avec la plus grande satisfaction, que Votre
« Excellence se trouve replacée par les derniers événements,
« et qu'elle occupe un rang dû à son mérite autant qu'à sa
« naissance. Nous l'en félicitons, et nous espérons qu'au
« faîte des grandeurs, Monsieur le comte de Chateaubriand
« voudra bien se ressouvenir de Zéa, de la nombreuse
« famille du vieux Pangalo, son hôte, de cette famille dans
« laquelle le consulat de France existe depuis le glorieux
« règne de Louis-le-Grand, qui a signé le brevet de notre
« aïeul. Ce vieillard, si souffrant, n'est plus ; j'ai perdu mon
« père ; je me trouve avec une fortune très-médiocre, chargé
« de toute la famille ; j'ai ma mère, six sœurs à marier, et
« plusieurs veuves à ma charge avec leurs enfants. J'ai
« recours aux bontés de Votre Excellence ; je la prie de venir
« au secours de notre famille, en obtenant que le vice-
« consulat de Zéa, qui est très-nécessaire pour la relâche
« fréquente des bâtiments du Roi, ait des appointements
« comme les autres vice-consulats ; que d'agent, que je suis,
« sans appointement, je sois vice-consul, avec le traitement
« attaché à ce grade. Je crois que Votre Excellence obtien-
« drait facilement cette demande, en faveur des longs
« services de mes aïeux, si elle daignait s'en occuper, et
« qu'elle excusera la familiarité importune de vos hôtes de
« Zéa, qui espèrent en vos bontés.

« Je suis avec le plus profond respect,
        « Monseigneur,
            « De Votre Excellence,
                « Le très-humble et très-obéissant serviteur,
                    « M.-G. PANGALO. »
                Zéa, le 3 août 1816.

---

1. Ile des Cyclades. Pangalo y était agent consulaire de France.

Toutes les fois qu'un peu de gaîté me vient sur les lèvres, j'en suis puni comme d'une faute. Cette lettre me fait sentir un remords en relisant un passage (atténué, il est vrai, par des expressions reconnaissantes) sur l'hospitalité de nos consuls dans le Levant : « Mesdemoiselles Pangalo, dis-je « dans l'Itinéraire, chantent en grec :

Ah! vous dirai-je, maman?

« M. Pangalo poussait des cris, les coqs s'égosil-« laient, et les souvenirs d'Iulis, d'Aristée, de Simonide « étaient complétement effacés. »
Les demandes de protection tombaient presque toujours au milieu de mes discrédits et de mes misères. Au commencement même de la Restauration, le 11 octobre 1814, je reçus cette autre lettre datée de Paris :

« Monsieur l'Ambassadeur [1].
« Mademoiselle Dupont, des îles Saint-Pierre et « Miquelon, qui a eu l'honneur de vous voir dans ces îles, « désirerait obtenir de Votre Excellence un moment d'au-« dience. Comme elle sait que vous habitez la campagne, « elle vous prie de lui faire savoir le jour où vous viendrez à « Paris et où vous pourrez lui accorder cette audience.
« J'ai l'honneur d'être, etc.

« DUPONT. »

Je ne me souvenais plus de cette demoiselle de l'époque de mon voyage sur l'Océan, tant la mémoire est ingrate ! Cependant, j'avais gardé un souvenir parfait de la fille inconnue qui s'assit auprès de moi dans la triste Cyclade glacée :
« Une jeune marinière parut dans les déclivités supérieu-« res du morne, elle avait les jambes nues, quoiqu'il fît « froid et marchait parmi la rosée, etc. [2] »

---

1. Chateaubriand avait alors le titre d'ambassadeur auprès du roi de Suède.
2. Citation des *Mémoires d'outre-tombe* (p. 262 *sq.*)

Des circonstances indépendantes de ma volonté m'empêchèrent de voir mademoiselle Dupont. Si, par hasard, c'était la fiancée de Guillaumy, quel effet un quart de siècle avait-il produit sur elle ? Avait-elle été atteinte de l'hiver de Terre-Neuve, ou conservait-elle le printemps des fèves en fleurs, abritées dans le fossé du fort de Saint-Pierre ?

A la tête d'une excellente traduction des Lettres de saint Jérôme, MM. Collombet et Grégoire[1] ont voulu trouver dans leur notice, entre ce saint et moi, à propos de la Judée, une ressemblance à laquelle je me refuse par respect. Saint Jérôme, du fond de sa solitude, traçait la peinture de ses combats intérieurs : je n'aurais pas rencontré les expressions de génie de l'habitant de la grotte de Bethléem ; tout au plus, aurais-je pu chanter avec saint François, mon patron en France et mon hôtelier au Saint-Sépulcre, ses deux cantiques en italien de l'époque qui précède l'italien de Dante :

In foco l'amor mi mise[2],
In foco l'amor mi mise.

J'aime à recevoir des lettres d'outre-mer : ces lettres semblent m'apporter quelque murmure des vents, quelque rayon des soleils, quelque émanation des destinées diverses que séparent les flots et que lient les souvenirs de l'hospitalité.

Voudrais-je revoir ces contrées lointaines ? Une ou deux, peut-être. Le ciel de l'Attique a produit en moi un enchantement qui ne s'efface point ; mon imagination est encore parfumée des myrtes du temple de la *Vénus aux jardins* et de l'iris du Céphise.

Fénelon, au moment de partir pour la Grèce, écrivait à Bossuet la lettre qu'on va lire. L'auteur futur de *Télémaque* s'y révèle avec l'ardeur du missionnaire et du poëte[3].

« Divers petits accidents ont toujours retardé jus-
« qu'ici mon retour à Paris ; mais enfin, Monseigneur, je

1. Erudits lyonnais.
2. « L'amour me mit en feu. »
3. Il voulait se faire envoyer aux missions du Levant.

« pars, et peu s'en faut que je ne vole. A la vue de ce
« Voyage, j'en médite un plus grand. La Grèce entière
« s'ouvre à moi, le sultan effrayé recule ; déjà le Pélopon-
« nèse respire en liberté, et l'Eglise de Corinthe va refleurir ;
« la voix de l'Apôtre [1] s'y fera encore entendre. Je me sens
« transporté dans ces beaux lieux et parmi ces ruines
« précieuses, pour y recueillir, avec les plus curieux monu-
« ments, l'esprit même de l'antiquité. Je cherche cet aréo-
« page, où saint Paul annonça aux sages du monde le Dieu
« inconnu ; mais le profane vient après le sacré, et je ne
« dédaigne pas de descendre au Pirée, où Socrate fait le
« plan de sa République. Je monte au sommet du Parnasse,
« je cueille les lauriers de Delphes et je goûte les délices du
« Tempé.

« Quand est-ce que le sang des Turcs se mêlera avec
« celui des Perses sur les plaines de Marathon, pour laisser
« la Grèce entière à la religion, à la philosophie et aux
« beaux-arts, qui la regardent comme leur patrie ?

> . . . . *Arva, beata*
> *Petamus arva, divites et insulas* [2].

« Je ne t'oublierai pas, ô île consacrée par les
« célestes visions du disciple bien-aimé ; ô heureuse Path-
« mos, j'irai baiser sur la terre les pas de l'Apôtre, et je
« croirai voir les cieux ouverts. Là, je me sentirai saisi
« d'indignation contre le faux prophète, qui a voulu déve-
« lopper les oracles du véritable, et je bénirai le Tout-Puis-
« sant, qui, loin de précipiter l'Eglise comme Babylone,
« enchaîne le dragon et la rend victorieuse. Je vois déjà le
« schisme qui tombe, l'Orient et l'Occident qui se réunis-
« sent, et l'Asie qui voit renaître le jour après une si longue
« nuit ; la terre sanctifiée par les pas du Sauveur et arrosée
« de son sang, délivrée de ses profanateurs, et revêtue d'une
« nouvelle gloire ; enfin, les enfants d'Abraham épars sur
« toute la terre, et plus nombreux que les étoiles du

1. Saint Paul.
2. « Gagnons les campagnes, les riches campagnes, les îles fortunées. »
(Horace, *Epode* XVI).

« firmament, qui, rassemblés des quatre vents, viendront en
« foule reconnaître le Christ qu'ils ont percé, et montrer à
« la fin des temps une résurrection. En voilà assez, Monsei-
« gneur, et vous serez bien aise d'apprendre que c'est ici ma
« dernière lettre, et la fin de mes enthousiasmes, qui vous
« importuneront peut-être. Pardonnez-les à ma passion de
« vous entretenir de loin, en attendant que je puisse le faire
« de près.

« FR. DE FENELON. »

C'était là le vrai nouvel Homère, seul digne de chanter
la Grèce et d'en raconter la beauté au nouveau Chrysos-
tôme [1].

RÉFLEXIONS SUR MON VOYAGE. — MORT DE JULIEN.

JE n'ai devant les yeux, des sites de la Syrie, de l'Egypte et
de la terre punique, que les endroits en rapport avec ma
nature solitaire ; ils me plaisaient indépendamment de l'antiquité, de l'art et de l'histoire. Les Pyramides me frappaient
moins par leur grandeur que par le désert contre lequel elles
étaient appliquées ; la colonne de Dioclétien [2] arrêtait moins
mes regards que les festons de la mer le long des sables de la
Libye. A l'embouchure pélusiaque [3] du Nil, je n'aurais pas
désiré un monument pour me rappeler cette scène peinte
par Plutarque :
« L'affranchi chercha au long de la grève où il trouva
« quelque demourant du vieil bateau de pêcheur, suffisant
« pour brusler un pauvre corps nu, et encore non tout entier.

1. Bossuet.
2. Celle d'Alexandrie, appelée inexactement « colonne de Pompée ».
3. Péluse est une ville maritime de la Basse-Egypte.

« Ainsi, comme il les amassoit et assembloit, il survint un
« Romain, homme d'âge qui, en ses jeunes ans, avoit été à
« la guerre sous Pompée. — Ah ! lui dit le Romain, tu n'auras
« pas tout seul cet honneur et te prie, veuille-moi recevoir
« pour compagnon en une si sainte et si dévote rencontre,
« afin que je n'aie point occasion de me plaindre en tout,
« ayant en récompense de plusieurs maux que j'ai endurés,
« rencontré au moins cette bonne aventure de pouvoir
« toucher avec mes mains et aider à ensevelir le plus grand
« capitaine des Romains[1]. »

Le rival de César n'a plus de tombeau près de la Libye, et
une jeune esclave *libyenne* a reçu de la main d'une *Pompée,*
une sépulture non loin de cette Rome, d'où le grand Pompée
était banni. A ces jeux de la fortune, on conçoit comment
les chrétiens s'allaient cacher dans la Thébaïde.

« Née en Libye, ensevelie à la fleur de mes ans sous la
« poussière ausonienne[2], je repose près de Rome le long de
« ce rivage sablonneux. L'illustre Pompée[3] qui m'avait
« élevée avec une tendresse de mère, a pleuré ma mort et
« m'a déposée dans un tombeau qui m'égale, moi pauvre
« esclave, aux Romains libres. Les feux de mon bûcher ont
« prévenu ceux de l'hymen. Le flambeau de Proserpine a
« trompé nos espérances. » (*Anthologie*).

Les vents ont dispersé les personnages de l'Europe, de
l'Asie, de l'Afrique, au milieu desquels j'ai paru, et dont je
viens de vous parler : l'un est tombé de l'Acropolis d'Athènes, l'autre du rivage de Chio ; celui-ci s'est précipité de la
montagne de Sion, celui-là ne sortira plus des flots du Nil ou
des citernes de Carthage. Les lieux aussi ont changé : de
même qu'en Amérique s'élèvent des villes où j'ai vu des
forêts, de même un empire[4] se forme dans ces arènes de
l'Egypte, où mes regards n'avaient rencontré que des *horizons nus et ronds comme la bosse d'un bouclier,* disent les
poésies arabes, *et des loups si maigres que leurs mâchoires
sont comme un bâton fendu.* La Grèce a repris cette

1. Plutarque, *Vie de Pompée,* cxi.
2. Ausonia est l'un des noms poétiques de l'Italie.
3. L'épigramme dit *Pompeia.* C'est pourquoi Chateaubriand parlait
plus haut de « la main d'une *Pompée* ».
4. Celui de Mehemet-Ali.

liberté[1] que je lui souhaitais en la traversant sous la garde d'un janissaire. Mais jouit-elle de sa liberté nationale ou n'a t-elle fait que changer de joug[2] ?

Je suis en quelque façon le dernier visiteur de l'empire turc dans ses vieilles mœurs. Les révolutions, qui partout ont immédiatement précédé ou suivi mes pas, se sont étendues sur la Grèce, la Syrie, l'Egypte. Un nouvel Orient va-t-il se former ? qu'en sortira-t-il ? Recevrons-nous le châtiment mérité d'avoir appris l'art moderne des armes à des peuples dont l'état social est fondé sur l'esclavage et la polygamie ? Avons-nous porté la civilisation au-dehors, ou avons-nous amené la barbarie dans l'intérieur de la chré- tienté ? Que résultera-t-il des nouveaux intérêts, des nouvel- les relations politiques, de la création des puissances qui pourront surgir dans le Levant ? Personne ne saurait le dire. Je ne me laisse pas éblouir par des bateaux à vapeur, et des chemins de fer , par la vente du produit des manufactures et par la fortune de quelques soldats français, anglais, alle- mands, italiens, enrôlés au service d'un pacha : tout cela n'est pas de la civilisation. On verra peut-être revenir, au moyen des troupes disciplinées des Ibrahim futurs, les périls qui ont menacé l'Europe à l'époque de Charles-Martel, et dont plus tard nous a sauvés la généreuse Pologne. Je plains les voyageurs qui me suivront : le harem ne leur cachera plus ses secrets ; ils n'auront point vu le vieux soleil de l'Orient et le turban de Mahomet. Le petit Bédouin me criait en français, lorsque je passais dans les montagnes de la Judée : « En avant, marche ! » L'ordre était donné, et l'Orient a marché.

Le camarade d'Ulysse, Julien, qu'est-il devenu ? Il m'avait demandé, en me remettant son manuscrit, d'être concierge dans ma maison, rue d'Enfer : cette place était occupée par un vieux portier et sa famille que je ne pouvais renvoyer. La colère du ciel ayant rendu Julien volontaire et ivrogne, je le supportai longtemps ; enfin, nous fûmes obligés de nous séparer. Je lui donnai une petite

1. En 1830.
2. L'opposition était forte en Grèce contre Othon de Bavière, élu roi en 1832.

somme et lui fis une petite pension sur ma cassette, un peu légère, mais toujours copieusement remplie d'excellents billets hypothéqués sur mes châteaux en Espagne. Je fis entrer Julien, selon son désir, à l'hospice des Vieillards : il y acheva le grand et dernier voyage. J'irai bientôt occuper son lit vide, comme je dormis au camp d'Etnir-Capi, sur la natte d'où l'on venait d'enlever un musulman pestiféré. Ma vocation est définitivement pour l'hôpital où gît la vieille société. Elle fait semblant de vivre et n'en est pas moins à l'agonie. Quand elle sera expirée, elle se décomposera afin de se reproduire sous des formes nouvelles, mais il faut d'abord qu'elle succombe ; la première nécessité pour les peuples, comme pour les hommes, est de mourir : « La glace « se forme au souffle de Dieu, » dit Job.

Paris, 1839.

Revu en juin 1847.

ANNÉES 1807, 1808, 1809 et 1810.

ARTICLE DU MERCURE DU MOIS DE JUIN 1807. — J'ACHÈTE LA VALLÉE-AUX-LOUPS ET JE M'Y RETIRE.

MADAME DE CHATEAUBRIAND avait été très-malade pendant mon voyage ; plusieurs fois mes amis m'avaient cru perdu. Dans quelques notes que M. de Clausel a écrites pour ses enfants et qu'il a bien voulu me permettre de parcourir, je trouve ce passage :

« M. de Chateaubriand partit pour le voyage de « Jérusalem au mois de juillet 1806 : pendant son absence, « j'allais tous les jours chez madame de Chateaubriand.

« Notre voyageur me fit l'amitié de m'écrire une lettre en
« plusieurs pages, de Constantinople, que vous trouverez
« dans le tiroir de notre bibliothèque, à Coussergues. Pen-
« dant l'hiver de 1806 à 1807, nous savions que M. de
« Chateaubriand était en mer pour revenir en Europe ; un
« jour, j'étais à me promener dans le jardin des Tuileries
« avec M. de Fontanes par un vent d'ouest affreux ; nous
« étions à l'abri de la terrasse du bord de l'eau. M. de
« Fontanes me dit : — Peut-être dans ce moment-ci, un
« coup de cette horrible tempête va le faire naufrager. Nous
« avons su depuis que ce pressentiment faillit se réaliser. Je
« note ceci pour exprimer la vive amitié, l'intérêt pour la
« gloire littéraire de M. de Chateaubriand, qui devait s'ac-
« croître par ce voyage ; les nobles, les profonds et rares
« sentiments qui animaient M. de Fontanes, homme excel-
« lent dont j'ai reçu aussi de grands services et dont je vous
« recommande de vous souvenir devant Dieu. »

Si je devais vivre et si je pouvais faire vivre dans mes
ouvrages les personnes qui me sont chères, avec quel plaisir
j'emmènerais avec moi tous mes amis !

Plein d'espérance, je rapportai sous mon toit ma poignée
de glanes ; mon repos ne fut pas de longue durée.

Par une suite d'arrangements, j'étais devenu seul propriétaire du *Mercure.* M. Alexandre de Laborde [1] publia, vers la
fin du mois de juin 1807, son voyage en Espagne ; au mois
de juillet, je fis dans le *Mercure,* l'article dont j'ai cité des
passages en parlant de la mort du duc d'Enghien : « *Lorsque dans le silence de l'abjection, etc.* [2] » Les prospérités de
Bonaparte, loin de me soumettre, m'avaient révolté ; j'avais
pris une énergie nouvelle dans mes sentiments et dans les
tempêtes. Je ne portais pas en vain un visage brûlé par le
soleil, et je ne m'étais pas livré au courroux du ciel pour
trembler avec un front noirci devant la colère d'un homme.
Si Napoléon en avait fini avec les rois il n'en avait pas fini
avec moi. Mon article tombant au milieu de ses prospérités
et de ses merveilles, remua la France : on en répandit

1. Frère aîné de Natalie de Noailles.
2. Voir p. 647.

d'innombrables copies à la main ; plusieurs abonnés du *Mercure* détachèrent l'article et le firent relier à part ; on le lisait dans les salons, on le colportait de maison en maison. Il faut avoir vécu à cette époque pour se faire une idée de l'effet produit par une voix retentissant seule dans le silence du monde. Les nobles sentiments refoulés au fond des cœurs se réveillèrent. Napoléon s'emporta : on s'irrite moins en raison de l'offense reçue qu'en raison de l'idée que l'on s'est formée de soi. Comment ! mépriser jusqu'à sa gloire ; braver une seconde fois celui aux pieds duquel l'univers était prosterné ! « Chateaubriand croit-il que je suis un imbécile, « que je ne le comprends pas ! je le ferai sabrer sur les « marches des Tuileries. » Il donna l'ordre de supprimer le *Mercure* et de m'arrêter. Ma propriété périt ; ma personne échappa par miracle : Bonaparte eut à s'occuper du monde ; il m'oublia, mais je demeurai sous le poids de la menace.

C'était une déplorable position que la mienne : quand je croyais devoir agir par les inspirations de mon honneur, je me trouvais chargé de ma responsabilité personnelle et des chagrins que je causais à ma femme. Son courage était grand, mais elle n'en souffrait pas moins, et ces orages, appelés successivement sur ma tête, troublaient sa vie. Elle avait tant souffert pour moi pendant la Révolution ; il était naturel qu'elle désirât un peu de repos. D'autant plus que madame de Chateaubriand admirait Bonaparte sans restriction ; elle ne se faisait aucune illusion sur la Légitimité ; elle me prédisait sans cesse ce qui m'arriverait au retour des Bourbons.

Le premier livre de ces Mémoires est daté de la *Vallée-aux-Loups,* le 4 octobre 1811 : là se trouve la description de la petite retraite que j'achetai [1] pour me cacher à cette époque. Quittant notre appartement chez madame de Coislin, nous allâmes d'abord demeurer rue des Saint-Pères,

1. On a longtemps supposé que, pour acheter la Vallée-aux-Loups, Chateaubriand avait, d'une manière ou d'une autre, sollicité et reçu de l'argent de Napoléon. M. Robert Laulan *(Bulletin de la Société Chateaubriand,* 1970) a retrouvé l'acte notarié qui établit que, pour se procurer les 20 000 francs nécessaires à cette acquisition, Chateaubriand a procédé à un emprunt hypothécaire sur la terre même qu'il achetait.

hôtel de Lavalette, qui tirait son nom de la maîtresse et du maître de l'hôtel.

M. de Lavalette, trapu, vêtu d'un habit prune-de-Monsieur, et marchant avec une canne à pomme d'or, devint mon homme d'affaires, si j'ai jamais eu des affaires. Il avait été officier du gobelet chez le Roi, et ce que je ne mangeais pas, il le buvait.

Vers la fin de novembre, voyant que les réparations de ma chaumière n'avançaient pas, je pris le parti de les aller surveiller. Nous arrivâmes le soir à la Vallée. Nous ne suivîmes pas la route ordinaire ; nous entrâmes par la grille au bas du jardin. La terre des allées, détrempée par la pluie, empêchait les chevaux d'avancer ; la voiture versa. Le buste en plâtre d'Homère, placé auprès de madame de Chateaubriand, sauta par la portière et se cassa le cou : mauvais augure pour *les Martyrs,* dont je m'occupais alors.

La maison pleine d'ouvriers qui riaient, chantaient, cognaient, était chauffée avec des copeaux et éclairée par des bouts de chandelle ; elle ressemblait à un ermitage illuminé la nuit par des pèlerins, dans les bois. Charmés de trouver deux chambres passablement arrangées, et dans l'une desquelles on avait préparé le couvert, nous nous mîmes à table. Le lendemain, réveillé au bruit des marteaux et des chants des colons, je vis le soleil se lever avec moins de souci que le maître des Tuileries.

J'étais dans des enchantements sans fin ; sans être Mme de Sévigné [1], j'allais, muni d'une paire de sabots, planter mes arbres dans la boue, passer et repasser dans les mêmes allées, voir et revoir tous les petits coins, me cacher partout où il y avait une broussaille, me représentant ce que serait mon parc dans l'avenir, car alors l'avenir ne manquait point. En cherchant à rouvrir aujourd'hui par ma mémoire l'horizon qui s'est fermé, je ne retrouve plus le même, mais j'en rencontre d'autres. Je m'égare dans mes pensées évanouies ; les illusions sur lesquelles je tombe sont peut-être aussi belles que les premières ; seulement elles ne sont plus si jeunes ; ce que je voyais dans la splendeur du midi, je

1. Mme de Sévigné, elle aussi, donnait ses soins aux arbres des Rochers.

l'aperçois à la lueur du couchant. — Si je pouvais néanmoins cesser d'être harcelé par des songes ! Bayard, sommé de rendre une place [1], répondit : « Attendez que j'aie fait un « pont de corps morts, pour pouvoir passer avec ma garni- « son. » Je crains qu'il ne me faille, pour sortir, passer sur le ventre de mes chimères.

Mes arbres, étant encore petits, ne recueillaient pas les bruits des vents de l'automne ; mais, au printemps, les brises qui haleinaient [2] les fleurs des prés voisins en gardaient le souffle, qu'elles reversaient sur ma vallée.

Je fis quelques additions à la chaumière ; j'embellis sa muraille de briques d'un portique soutenu par deux colonnes de marbre noir et deux cariatides de femmes de marbre blanc : je me souvenais d'avoir passé à Athènes. Mon projet était d'ajouter une tour au bout de mon pavillon ; en attendant, je simulai des créneaux sur le mur qui me séparait du chemin : je précédais ainsi la manie du moyen âge, qui nous hébète à présent. La Vallée-aux-Loups, de toutes les choses qui me sont échappées, est la seule que je regrette ; il est écrit que rien ne me restera. Après ma Vallée perdue, j'avais planté l'*Infirmerie de Marie-Thérèse,* et je viens pareillement de la quitter [3]. Je défie le sort de m'attacher à présent au moindre morceau de terre ; je n'aurai, dorénavant, pour jardin que ces avenues honorées de si beaux noms autour des Invalides, et où je me promène avec mes confrères manchots et boiteux. Non loin de ces allées, s'élève le cyprès de madame de Beaumont [4] ; dans ces espaces déserts, la grande et légère duchesse de Chatillon s'est jadis appuyée sur mon bras. Je ne donne plus le bras qu'au temps : il est bien lourd !

Je travaillais avec délices à mes Mémoires, et les *Martyrs* avançaient ; j'en avais déjà lu quelques livres à M. de Fontanes. Je m'étais établi au milieu de mes souvenirs comme dans une grande bibliothèque : je consultais celui-ci et puis celui-là, ensuite je fermais le registre en soupirant, car je m'apercevais que la lumière, en y pénétrant, en

1. Mézières.
2. Se chargeaient de l'haleine des fleurs...
3. En juillet 1838.
4. Cf. p. 607.

détruisait le mystère. Eclairez les jours de la vie, ils ne seront plus ce qu'ils sont.

Au mois de juillet 1808, je tombai malade, et je fus obligé de revenir à Paris. Les médecins rendirent la maladie dangereuse. Du vivant d'Hippocrate, il y avait disette de morts aux enfers, dit l'épigramme : grâce à nos Hippocrates modernes, il y a aujourd'hui abondance [1].

C'est peut-être le seul moment où, près de mourir, j'aie eu envie de vivre. Quand je me sentais tomber en faiblesse, ce qui m'arrivait souvent, je disais à madame de Chateaubriand : « Soyez tranquille ; je vais revenir. » Je perdais connaissance, mais avec une grande impatience intérieure, car je tenais, Dieu sait à quoi. J'avais aussi la passion d'achever ce que je croyais, et ce que je crois encore être mon ouvrage le plus correct. Je payais le fruit des fatigues que j'avais éprouvées dans ma course au Levant.

Girodet avait mis la dernière main à mon portrait. Il le fit noir comme j'étais alors ; mais il le remplit de son génie. M. Denon [2] reçut le chef-d'œuvre pour le salon ; en noble courtisan, il le mit prudemment à l'écart. Quand Bonaparte passa sa revue de la galerie, après avoir regardé les tableaux, il dit : « Où est le portrait de Chateaubriand ? » Il savait qu'il devait y être : on fut obligé de tirer le proscrit de sa cachette. Bonaparte, dont la bouffée généreuse était exhalée, dit, en regardant le portrait : « Il a l'air d'un « conspirateur qui descend par la cheminée. »

Etant un jour retourné seul à la Vallée, Benjamin, le jardinier, m'avertit qu'un gros monsieur étranger m'était venu demander ; que ne m'ayant point trouvé, il avait déclaré vouloir m'attendre ; qu'il s'était fait faire une omelette, et qu'ensuite il s'était jeté sur mon lit. Je monte, j'entre dans ma chambre, j'aperçois quelque chose d'énorme endormi ; secouant cette masse, je m'écrie : « Eh ! « eh ! qui est là ? » La masse tressaillit et s'assit sur son séant. Elle avait la tête couverte d'un bonnet à poil, elle portait une casaque et un pantalon de laine mouchetée qui tenaient ensemble, son visage était barbouillé de tabac et sa

---

1. Epigramme de l'*Anthologie*.
2. Directeur des Musées nationaux (1745-1825).

langue tirée. C'était mon cousin Moreau ! Je ne l'avais pas revu depuis le camp de Thionville[1]. Il revenait de Russie et voulait entrer dans la régie. Mon ancien *cicerone* à Paris[2], est allé mourir à Nantes. Ainsi a disparu un des premiers personnages de ces *Mémoires*. J'espère qu'étendu sur une couche d'asphodèle, il parle encore de mes vers à madame de Chastenay , si cette ombre agréable est descendue aux Champs-Elysées.

LES MARTYRS.

AU printemps de 1809 parurent *les Martyrs*. Le travail était de conscience : j'avais consulté des critiques de goût et de savoir, MM. de Fontanes, Bertin, Boissonade[4], Malte-Brun[5], et je m'étais soumis à leurs raisons. Cent et cent fois j'avais fait, défait et refait la même page. De tous mes écrits, c'est celui où la langue est la plus correcte.

Je ne m'étais pas trompé sur le plan ; aujourd'hui que mes idées sont devenues vulgaires, personne ne nie que les combats de deux religions, l'une finissant, l'autre commençant, n'offrent aux Muses un des sujets les plus riches, les plus féconds et les plus dramatiques. Je croyais donc pouvoir un peu nourrir des espérances pas trop folles ; mais j'oubliais la réussite de mon premier ouvrage : dans ce pays, ne comptez jamais sur deux succès rapprochés ; l'un détruit l'autre. Si vous avez quelque talent en prose, donnez-vous de garde d'en montrer en vers ; si vous êtes distingué dans les lettres, ne prétendez pas à la politique : tel est l'esprit français et sa misère. Les amours-propres alarmés, les envies surprises par le début heureux d'un

1. Cf. p. 380.
2. Cf. pp. 155 et 158.
3. Cf. pp. 155, 158 et 159.
4. Grand helléniste (1774-1857).
5. Géographe danois (1775-1826).

716

auteur, se coalisent et guettent la seconde publication du poëte, pour prendre une éclatante revanche :

> *Tous la main dans* l'encre, *jurent de se venger* [1].

Je devais payer la sotte admiration que j'avais pipée [2] lors de l'apparition du *Génie du Christianisme;* force m'était de rendre ce que j'avais volé. Hélas ! point ne se fallait donner tant de peine pour me ravir ce que je croyais moi-même ne pas mériter ! si j'avais délivré la Rome chrétienne, je ne demandais qu'une couronne obsidionale [3], une tresse d'herbe cueillie dans la Ville éternelle.

L'exécuteur de la justice des vanités fut M. Hoffmann [4], à qui Dieu fasse paix ! Le *Journal des Débats* n'était plus libre ; ses propriétaires n'y avaient plus de pouvoir, et la censure y consigna ma condamnation. M. Hoffmann fit pourtant grâce à la bataille des Francs et à quelques autres morceaux de l'ouvrage ; mais si Cymodocée lui parut gentille, il était trop excellent catholique pour ne pas s'indigner du rapprochement profane des vérités du Christianisme et des fables de la Mythologie. Velléda ne me sauvait pas. On m'imputa à crime d'avoir transformé la druidesse germaine de Tacite en gauloise, comme si j'avais voulu emprunter autre chose qu'un nom harmonieux ! Et ne voilà-t-il pas que les chrétiens de France, à qui j'avais rendu de si grands services en relevant leurs autels, s'avisèrent bêtement de se scandaliser sur la parole évangélique de M. Hoffmann ! Ce titre des *Martyrs* les avait trompés ; ils s'attendaient à lire un martyrologe, et le tigre, qui ne déchirait qu'une fille d'Homère, leur parut un sacrilège.

Le martyre réel du pape Pie VII, que Bonaparte avait

---

1. Chateaubriand semble parodier un vers tragique ou épique. En tout cas, son alexandrin est faux, puisque la sixième syllabe en est muette.

2. Obtenue par faude (cf. à la fin de la phrase : « j'avais volé »).

3. Couronne que recevaient à Rome les généraux qui avaient délivré une ville assiégée ; elle était faite d'herbe cueillie sur place.

4. Auteur dramatique devenu critique (1760-1828). Chateaubriand écrit dans l'*Essai sur la littérature anglaise* (éd. orig. II, 245) : « Le très spirituel M. Hoffmann écrasa les *Martyrs* dans cinq ou six articles du *Journal de l'Empire,* enlevé alors à ses propriétaires. » Le *journal des Débats* était devenu en 1805 le *Journal de l'Empire.*

amené prisonnier à Paris, ne les scandalisait pas, mais ils étaient tout émus de mes fictions, peu chrétiennes, disaient-ils. Et ce fut M. l'évêque de Chartres qui se chargea de faire justice des horribles impiétés de l'auteur du *Génie du Christianisme*. Hélas ! il doit s'apercevoir qu'aujourd'hui son zèle est appelé à bien d'autres combats.

M. l'évêque de Chartres est le frère de mon excellent ami. M. de Clausel, très-grand chrétien, qui ne s'est pas laissé emporter par une vertu aussi sublime que le critique, son frère.

Je pensai devoir répondre à la censure [1], comme je l'avais fait à l'égard du *Génie du Christianisme*. Montesquieu, par sa défense de l'*Esprit des lois,* m'encourageait. J'eus tort. Les auteurs attaqués diraient les meilleures choses du monde, qu'ils n'excitent que le sourire des esprits impartiaux et les moqueries de la foule. Ils se placent sur un mauvais terrain : la position défensive est antipathique au caractère français. Quand, pour répondre à des objections, je montrais qu'en stigmatisant tel passage, on avait attaqué quelque beau reste de l'antique, battu sur le fait, on se tirait d'affaire en disant alors que les *Martyrs* n'étaient qu'un *pastiche*. Si je justifiais la présence simultanée des deux religions par l'autorité même des Pères de l'Eglise, on répliquait qu'à l'époque où je plaçais l'action des *Martyrs,* le paganisme n'existait plus chez les grands esprits.

Je crus de bonne foi l'ouvrage tombé ; la violence de l'attaque avait ébranlé ma conviction d'auteur. Quelques amis me consolaient ; ils soutenaient que la proscription n'était pas justifiée, que le public, tôt ou tard, porterait un autre arrêt ; M. de Fontanes surtout était ferme : je n'étais pas Racine, mais il pouvait être Boileau, et il ne cessait de me dire : « Ils y reviendront [2] ». Sa persuasion à cet égard était si profonde qu'elle lui inspira des stances [3] charmantes :

Le Tasse errant de ville en ville, etc.

1. Dès la troisième édition l'ouvrage est précédé, en effet, d'un important *Examen des Martyrs.*
2. Mot prêté à Boileau sans preuve : il l'aurait dit au sujet d'*Athalie.*
3. Voir tome III, p. 604.

sans crainte de compromettre son goût et l'autorité de son jugement.

En effet, les *Martyrs* se sont relevés ; ils ont obtenu l'honneur de quatre éditions consécutives ; ils ont même joui auprès des gens de lettres d'une faveur particulière : on m'a su gré d'un ouvrage qui témoigne d'études sérieuses, de quelque travail de style, d'un grand respect pour la langue et le goût.

La critique du fond a été promptement abandonnée. Dire que j'avais mêlé le profane au sacré, parce que j'avais peint deux cultes qui existaient ensemble, et dont chacun avait ses croyances, ses autels, ses prêtres, ses cérémonies, c'était dire que j'aurais dû renoncer à l'histoire. Pour qui mouraient les martyrs ? Pour Jésus-Christ. A qui les immolait-on ? Aux dieux de l'empire. Il y avait donc deux cultes.

La question philosophique, savoir si, sous Dioclétien, les Romains et les Grecs croyaient aux dieux d'Homère et si le culte public avait subi des altérations, cette question, comme *poëte,* ne me regardait pas ; comme *historien,* j'aurais eu beaucoup de choses à dire.

Il ne s'agit plus de tout cela. Les *Martyrs* sont restés, contre ma première attente, et je n'ai eu qu'à m'occuper du soin d'en revoir le texte.

Le défaut des *Martyrs* tient au merveilleux *direct* que, dans le reste de mes préjugés classiques, j'avais mal à propos employé. Effrayé de mes innovations, il m'avait paru impossible de me passer d'un *enfer* et d'un *ciel.* Les bons et les mauvais anges suffisaient cependant à la conduite de l'action, sans la livrer à des machines usées. Si la bataille des Francs, si Velléda, si Jérôme, Augustin, Eudore, Cymodocée ; si la description de Naples et de la Grèce n'obtiennent pas grâce pour les *Martyrs,* ce ne sont pas l'enfer et le ciel qui les sauveront. Un des endroits qui plaisait le plus à M. de Fontanes, était celui-ci :

« Cymodocée s'assit devant la fenêtre de la prison, et, « reposant sur sa main sa tête embellie du voile des martyrs, « elle soupira ces paroles harmonieuses :

« Légers vaisseaux de l'Ausone, fendez la mer calme et « brillante. Esclaves de Neptune, abandonnez la voile au « souffle amoureux des vents ; courbez-vous sur la rame

« agile. Reportez-moi sous la garde de mon époux et de mon
« père, aux rives fortunées du Pamisus.

« Volez, oiseaux de Libye, dont le cou flexible se courbe
« avec grâce, volez au sommet de l'Ithome, et dites que la
« fille d'Homère va revoir les lauriers de la Messénie !

« Quand retrouverai-je mon lit d'ivoire, la lumière du
« jour si chère aux mortels, les prairies émaillées de fleurs
« qu'une eau pure arrose, que la pudeur embellit de son
« souffle ! »

Le *Génie du Christianisme* restera mon grand ouvrage,
parce qu'il a produit ou déterminé une révolution, et
commencé la nouvelle ère du siècle littéraire. Il n'en est pas
de même des *Martyrs;* ils venaient après la révolution
opérée, ils n'étaient qu'une preuve surabondante de mes
doctrines ; mon style n'était plus une nouveauté, et même,
excepté dans l'épisode de Velléda et dans la peinture des
mœurs des Francs, mon poëme se ressent des lieux qu'il a
fréquentés[1]: le classique y domine le romantique.

Enfin, les circonstances qui contribuèrent au succès du
Génie du Christianisme n'existaient plus ; le gouvernement,
loin de m'être favorable, m'était contraire. Les *Martyrs* me
valurent un redoublement de persécution : les allusions
frappantes dans le portrait de Galérius et dans la peinture
de la cour de Dioclétien ne pouvaient échapper à la police
impériale ; d'autant que le traducteur anglais, qui n'avait
pas de ménagements à garder, et à qui il était fort égal de
me compromettre, avait fait, dans sa préface, remarquer les
allusions.

La publication des *Martyrs* coïncida avec un accident
funeste. Il ne désarma pas les aristarques, grâce à l'ardeur
dont nous sommes échauffés à l'endroit du pouvoir ; ils
sentaient qu'une critique littéraire qui tendait à diminuer
l'intérêt attaché à mon nom, pouvait être agréable à
Bonaparte. Celui-ci, comme les banquiers millionnaires qui
donnent de larges festins et font payer les ports de lettres,
ne négligeait pas les petits profits.

1. Allusion plaisante à un vers de Boileau (*A.P.*, II, 172).

TABLE

IMPRIMÉ EN FRANCE PAR BRODARD ET TAUPIN
Usine de La Flèche (Sarthe).
LIBRAIRIE GÉNÉRALE FRANÇAISE - 6, rue Pierre-Sarrazin - 75006 Paris.
ISBN : 2 - 253 - 01255 - 6

Nouvelles éditions des «classiques»

La critique évolue, les connaissances s'accroissent. Le Livre de Poche Classique renouvelle, sous des couvertures prestigieuses, la présentation et l'étude des grands auteurs français et étrangers. Les préfaces sont rédigées par les plus grands écrivains ; l'appareil critique, les notes tiennent compte des plus récents travaux des spécialistes.

Texte intégral

Extrait du catalogue*

---

* *Disponible chez votre libraire.*

Le sigle ↓ *, placé au dos du volume, indique une nouvelle présentation.*

◈ 30/1327/3